Zupitza, Julius; Schippe

Alt- und mittelenglisches Übungsbuch mit einem Wörterbuch

Zupitza, Julius; Schipper, Jacob

Alt- und mittelenglisches Übungsbuch mit einem Wörterbuch

Inktank publishing, 2018

www.inktank-publishing.com

ISBN/EAN: 9783747778265

ZUPITZA—SCHIPPERS

ALT- UND MITTELENGLISCHES ÜBUNGSBUCH

MIT EINEM WÖRTERBUCH

ZWÖLFTE, VERBESSERTE AUFLAGE

HERAUSGEGEBEN VON

ALBERT EICHLER

WIEN UND LEIPZIG 1922
WILHELM BRAUMÜLLER
UNIVERSITÄTS - VERLAGSBUCHHANDLUNG
GESELLSCHAFT M. B. H.

Go gle

4

Aus dem vorwort zur vierten auflage.

In der vierten auflage[1] dieses buches sind alle stücke der dritten wiederholt worden: neu hinzugekommen sind vier, nämlich 1, 9 (13), 15 (20) und 38 (68). frisch verglichen habe ich die hss. C, O, U für nr. 13 (19) und 14 (17 der 5., fehlt in der 6. bis 12. auflage), die einzige hs. für nr. 22 (37) und die Edinburgher für nr. 27 (42). zu nr. 2 und 11 (16) trage ich hier nach, daß inzwischen Napier in den Modern Language Notes 4 (1889), 5 (May), sp. 277, eine weitere aufzeichnung des cædmonschen hymnus aus der hs. Hatton 43 veröffentlicht hat, deren interessanteste lesart ylda *v. 5, wie in der nh. fassung, ist.*

Die anordnung des glossars ist dieselbe geblieben wie bisher: ea oder êa steht vor eb; eo oder êo hinter en; æ (ae, ǽ) unter a; œ (oe, ǿ) unter o; з unter g, ð ... aber unter þ, dem der letzte platz angewiesen ist ... die vorsetzung eines k. (kent.), merc. oder nh. vor eine ae. form soll diese nicht immer ausschließlich dem kentischen, mercischen oder nordhumbrischen dialekte zuweisen, sondern öfters nur anzeigen, daß dieselbe in dem übungsbuch nur in einem kentischen, mercischen oder nordhumbrischen stücke vorkommt. durch ein vorgesetztes Ep. sind altertümliche formen des Epinaler glossars bezeichnet worden ...

Berlin, 2. juni 1889.　　　　　　　　　　　　　*J. Z.*

---

[1] *Aus dem vorwort zur ersten auflage seien hier mit den notwendigen änderungen die stellen aus dem buche wiederholt, an denen die sprache Englands von der ältesten zeit an als „englisch" bezeichnet wird:* on englisc 10 (14) 16. 17. 66. 67. 91; onn ennglissh 21 (36) A 67; englisc gewrit 10 (14) 60. 64; in engliscgereorde 11 (16) 7; onn ennglisshe spæche 21 (36) A 14; þiss ennglisshe boc *ebenda* 93; ðesne englissce lai 22 (37) 167. *neu hinzu kam in der zweiten* on englisc *s.* 50 *(wieder ausgeschieden). (die eingeklammerten zahlen beziehen sich hier und oben auf die vorliegende zwölfte auflage.)*

　　　　　　　　　　　　　　　　A*

Aus dem vorwort zur fünften auflage.

Nach dem so beklagenswert frühzeitigen tode Zupitzas ist mir mit zustimmung seiner hinterbliebenen die bearbeitung der fünften auflage seines Alt- und mittelenglischen übungsbuches von der verlagsbuchhandlung übertragen worden... bei den von mir vorgenommenen erweiterungen ist namentlich die rücksicht maßgebend gewesen, das buch auch nach der literarhistorischen seite hin reichhaltiger zu gestalten, und ferner, es durch vorführung der wichtigsten vers- und strophenarten auch als hilfsmittel für vorlesungen über englische metrik geeignet zu machen. in den meisten fällen sind die stücke so ausgewählt worden, daß beide zwecke vereint erreicht werden konnten...

Um aber dies zu ermöglichen, war es andererseits notwendig, der naheliegenden versuchung, noch weitere texte aufzunehmen, zu widerstehen und sich einstweilen damit zufrieden zu geben, daß infolge der vermehrung von 38 textnummern der vierten auf 64 der vorliegenden fünften auflage nun doch u. a. Cynewulf neben Cædmon, Laȝamon neben Orm, King Horn neben Havelok, Robert Mannyng neben Richard Rolle von Hampole, die lyrik und die anfänge des dramas neben der prosaischen und poetischen mittelenglischen didaktik, Chaucer, Henry the Minstrel, King James I. und Dunbar neben Barbour haben berücksichtigung finden und die wichtigsten von ihnen und anderen gepflegten vers- und strophenarten den nicht sehr mannigfachen metrischen proben, die das buch in seiner früheren gestalt bot, haben hinzugefügt werden können...

Wien, im februar 1897.   J. Schipper.

Aus dem vorwort zur sechsten auflage.

Die vorliegende, unerwartet schnell erforderlich gewordene sechste auflage des Alt- und mittelenglischen übungsbuches ist wieder um einige lesestücke erweitert worden. zunächst wurden einige längere, zusammenhängende abschnitte aus des herausgebers ausgabe von 'König Alfreds übersetzung von Bedas kirchengeschichte', nämlich nr. 14 (15) 'die eroberung Britanniens durch die Angelsachsen und die bekehrung der Kenter zum christen-

*tume', sodann nr. **16** (**17**) aus 'König Alfreds Orosius', die 'beschreibung Europas' nebst den 'reiseberichten von Ohthere und Wulfstân' enthaltend, neu aufgenommen, dem vorgange der früheren auflagen folgend (vgl. nr. **17** (**18**) und nr. **25** (**27**) = nr. **12** und nr. **18** der vierten auflage) sind diese texte ohne die theoretische akzentuierung, genau nach der überlieferung der handschriften, gedruckt worden. betreffs des letzteren lesestückes wurde es als zweckmäßig erachtet, dasselbe nicht nach der hier allein vollständigen hs. C mitzuteilen, sondern den anfang nach L, den schluß nach C, wie bei Sweet, um so von beiden hand- schriften eine probe zu geben. damit für diese stücke platz ge- wonnen und das buch doch nicht zu sehr verteuert werde, ist das umfangreiche stück Johannes XXI. der früheren auflagen (nr. **17** der fünften) mit zustimmung verschiedener fachgenossen ... fortgelassen worden ... die varianten des hymnus Cædmons in Bedas bericht über ihn in nr. **15** (**16**) sind aus der oben zitierten ausgabe (s. 731) als zu unwichtig nicht besonders verzeichnet worden. die lesebücher, auf die in den noten gelegentlich verwiesen worden ist, sind nur in nr. **22** (**33**) unter dem titel angegeben worden. bezüglich des Ormulum (nr. **30** [**36**]) ist die rechtzeitige herstellung der betreffenden typen nach ... Napier (EETS 103, s. 71) ... leider versäumt worden, weshalb auf diese lediglich verwiesen werden konnte.*

*Hinsichtlich des mittelenglischen erschien es ratsam, eine probe des wichtigen arthursagenkreises mitzuteilen ... die er- zählung von dem wunderkinde Merlin, nr. **41** (**47**), aus Kölbings ausgabe der romanze von 'Arthur und Merlin' ... 'Frau Siriß' wurde ... aufgenommen, um eine der ersten proben der in der englischen literatur so bedeutsamen und schon in so früher zeit zur geltung gelangten humoristischen dichtung, damit zugleich aber auch der nicht minder wichtigen strophenform der einfachen schweifreimstrophe, und zwar verschiedener variationen derselben, vorzuführen.*

Für wertvolle berichtigungen ... bin ich ... namentlich den herren professoren dr. Holthausen, dr. Kaluza, dr. Luick, zu leb- haftem danke verpflichtet, dem letzteren außerdem noch für seine stets bereitwillige mitwirkung bei der korrektur des buches.

Wien, oktober 15, 1901.   *J. Schipper.*

**

Aus dem vorwort zur siebenten auflage.

... Mit ausnahme des kurzen poetischen stückes auf s. 36 [jetzt s. 36,II], welches bei zweckmäßiger ausnutzung des raumes auf besonderen wunsch eines kollegen aufnahme finden konnte, ist kein neues lesestück hinzugekommen ... für manche wertvolle berichtigungen bin ich wiederum verschiedenen fachgenossen, so namentlich den herren professoren dr. Binz, dr. Bülbring, dr. Max Förster, dr. Holthausen, dr. Kaluza, dr. Luick und anderen zu großem danke verpflichtet ... sowie ... der dankenswerten und sorgfältigen mitwirkung bei der korrektur des buches, die mir auch diesmal wieder seitens des herrn kollegen dr. Luick und eines jüngeren fachgenossen, des herrn dr. A. Eichler, zuteil geworden ist ...

Wien, juli 1, 1904.   J. Schipper.

Aus dem vorwort zur achten auflage.

... Nicht etwa ein unveränderter abdruck der siebenten auflage ... vielmehr hat sowohl der text wie auch namentlich das glossar zahlreiche verbesserungen vor und während der durchsicht der korrekturbogen erfahren, wobei ich mich der bereitwilligen und sorgfältigen mitwirkung zweier junger fachgenossen, des herrn privatdozenten dr. Rudolf Brotanek und des realschullehrers in Wien, dr. Albert Eichler, zu erfreuen hatte ... zu einigen mittelenglischen gedichten hatte herr prof. dr. H. Logeman die güte, mir eine anzahl von besserungsvorschlägen und anmerkungen zu senden ...

Wien, juli 2, 1907.   J. Schipper.

Aus dem vorwort zur neunten auflage.

Auch die vorliegende neunte auflage dieses buches ist rascher nötig geworden, als erwartet wurde. gleichwohl konnten die kurzen lesestücke 5, 28, 29, 30, 31 sowie die ergänzung der lesearten zu 2, 3, 16, 35 auf anregung des herrn prof.

dr. *Max Förster,* der schon öfters dem buche sein freundliches interesse betätigt hat und den berechtigten wunsch nach einer reicheren vertretung der übergangszeit geäußert hatte, in die neue auflage aufgenommen werden. die hinzufügung des stückes nr. **24** erschien dem herausgeber selber aus metrischen rücksichten ratsam. eine sehr wertvolle verbesserung aber hat das buch durch die neubearbeitung des lesestückes nr. **4** erfahren, die zu übernehmen herr prof. dr. *Viëtor* die große und von allen fachgenossen, die daß buch benutzen, gewiß ebenso dankbar wie von dem herausgeber desselben anerkannte güte hatte. die gesichtspunkte, die herrn kollegen *Viëtor* dabei geleitet haben, mögen hier mit seinen eigenen worten aus seinem am 23. oktober 1909 an mich gerichteten briefe wiedergegeben werden:

„Doch etwas später, als ich wollte, hommt anbei die bearbeitung der *Ruthweller* inschrift. ich habe mir erlaubt, zu den quellen für die lesung (in der vorbemerkung) *Stuart* und mich selbst hinzuzufügen — letzteres wegen der doch kaum zu umgehenden verweise in den anmerkungen — dagegen habe ich *Haigh* nur unter der nebenbei angezogenen literatur genannt. auch er hat zwar nicht nur nach gedruckten vorlagen gearbeitet, er ist aber zu unzuverlässig, als daß seine lesungen ernste berücksichtigung verdienten. auch sind seine abweichungen ja bei *Wülker* und in ergänzung zu diesem bei mir zu finden. ich habe nun auch die photographien des Londoner abgusses in dem gewaltigen format von ein fünftel der wirklichen länge nochmals genau verglichen, mir aber bei der feststellung des lesebuchtextes gesagt, daß nicht sowohl die jetzige lesung, so wie sie erscheint, als vielmehr ein auf dem ganzen, auch-historischen material beruhender text zu geben ist, so daß ich — nach einigem schwanken — zu den formen darstæ für dorstæ und bismæradu für bismærædu zurückgekehrt bin . . .“

„Zu der transliteration s. 6 möchte ich noch folgendes bemerken: sie mußte meines erachtens vor allem mit dem runentext s. 3 ff. übereinstimmen und auch die verschiedenheit der runenzeichen für palatales und velares g, das vorhandensein einfacher zeichen für ea u. s. w. erkennen lassen, andererseits aber sich dem späteren altenglischen schreibgebrauch anschließen, soweit dies unter der erwähnten voraussetzung möglich war. ich habe in *ersterer hinsicht durch das verlangen von kursivdruck[1] auf nebenformen von g und c sowie auf die ea-rune hingewiesen und es für richtig gehalten, auch das ch für die betreffende rune in almehttig lieber durch kursiv-h und das geschwänzte n für den velaren nasal in kyninc und unket durch kursiv-n zu ersetzen, weil das ch und das geschwänzte n dem zweiten grundsatz widersprachen und auf jeden fall eine inkonsequenz waren . . ."*

. . . Für gütige mitwirkung bei der korrektur und für verschiedene berichtigungen im text und im glossar bin ich auch diesmal wieder meinem kollegen prof. dr. Karl Luick, wie schon öfters, zu besonderem danke verpflichtet . . .

   Wien, März 17, 1910.   *J. Schipper.*

Aus dem vorwort zur zehnten auflage.

. . . Für das wörterbuch war diesmal eine neubearbeitung mit angabe der wichtigeren belegstellen in aussicht genommen; doch reichte leider die zeit bis zum erscheinen der sehr rasch wieder nötig gewordenen . . . neuen auflage nicht aus . . .

Für freundliche mitwirkung bei der korrektur bin ich auch diesmal wieder den kollegen prof. dr. Brotanek, prof. dr. Eichler und prof. dr. Viëtor, diesem letzteren für die nochmalige durchsicht des lesestückes nr. 4, zu besonderem danke verpflichtet . . .

   Wien, März 30, 1912.   *J. Schipper.*

Aus dem vorwort zur elften auflage.

Auch diese auflage ist in bezug auf die texte, abgesehen von zusätzlichen literaturangaben und sonstigen verbesserungen, inhaltlich unverändert geblieben. dies erschien deshalb ratsam, weil die bereits für die zehnte ausgabe geplante und vorbereitete

---

[1] *Zur verhütung eines mißverständnisses sei hiezu bemerkt, daß kursivdruck in nr. 36 A, v. 55, die von prof. dr. Napier in Orms handschrift gefundene bezeichnung des palatalen g anzeigt. — der herausgeber. [jetzt durch neue type gg ersetzt! — A. E.]*

neubearbeitung des wörterbuches mit anführung der wichtigsten belegstellen[1] erst in der vorliegenden auflage durchgeführt werden konnte.

Diese mühevolle arbeit ist, da es mir während der beiden letzten jahre leider an der nötigen gesundheit fehlte, auf grund früherer exzerpte und mit hilfe der herren dr. Hron und dr. Kosser in Graz, des herrn dr. Karpf, namentlich aber des herrn dr. Hüttenbrenner (beide in Bruck a. d. Mur) von prof. dr. Albert Eichler in Graz, dem im verlaufe der arbeit prof. dr. Rudolf Brotanek in Prag an die seite trat, ausgeführt worden. auch haben die beiden letztgenannten mich wieder bei der lesung der korrekturen des textes ... und ... des wörterbuches wesentlich unterstützt. allen diesen mitarbeitern und auch den ungenannten sowie der druckerei „Styria" sage ich für ihre sorgsame mühewaltung meinen wärmsten dank, ferner auch allen fachgenossen, die sich, wie bisher, durch mündliche, briefliche oder gedruckte besserungsvorschläge um das „übungsbuch" verdient gemacht haben ...

> *Wien, XVIII, Gentzgasse 10,*
> *mitte jänner 1915.*   **J. Schipper.**

Wenige tage, nachdem der langjährige herausgeber dieses übungsbuches brieflich die fassung des titelblattes genehmigt und sachlichen zusätzen zum obigen vorworte grundsätzlich zugestimmt hatte, schloß ein sanfter tod für immer seine augen, die, wie stets auf diesem buche, so besonders auf der für ihn letzten auflage mit vieler hingabe, wenn auch oft schon mit erheblicher anstrengung geruht hatten. seine mitarbeiter hoffen im sinne ihres verehrten lehrers namentlich den bedürfnissen der anfänger im anglistischen studium rechnung getragen zu haben.   **R. Brotanek, A. Eichler.**

Vorwort zur zwölften auflage.

Die kur~~ae frist~~, welche die verlagshandlung zur fertigstellung der neuen auflage stellte, gebot beibehaltung des bisherigen textes,

---

[1] *Soweit das durch nachkollationierungen vielfach erweiterte exzerptenmaterial reichte, sind alle formen, mindestens nach ihrem ersten vorkommen im texte, belegt worden; die zählung der stücke nr. 65 und 69 erfolgte nach strophen, u und v sowie ð und þ bilden nun bloß je einen glossarartikel ...*

der nach bestem wissen und können gebessert wurde, soweit die
ungünstigen bücherverhältnisse öffentlicher und privater bibliotheken
Österreichs dies ermöglichten. für unterstützung durch literatur-
behelfe und ratschläge aller art ist der herausgeber zahlreichen
gelehrten zu großem dank verpflichtet, insbesondere den herren
kollegen proff. dr. Ekwall (Lund), Fiedler (Oxford), Luick (Wien),
Parker (Bombay),[1] Schröer (Köln). das wörterbuch, das dem
anfänger bei der heutigen büchernot verläßlicher führer sein
soll, ist sorgsam durchgesehen und vielfach ergänzt worden. bei
dieser arbeit und zum teil bei der korrekturlesung erfreute sich
der herausgeber der selbstlosen hilfe der herren prof. dr. F. Hütten-
brenner (Graz) und prof. dr. F. Karpf (Bruck a. d. Mur) sowie
des frl. cand. phil. Maria Gatti (dzt. London).

Viele eigene und fremde wünsche, das beliebte übungsbuch
noch besser dem bedürfnisse des alt- und mittelenglischen
elementarunterrichtes anzupassen, mußten vorderhand zurück-
gestellt werden; doch hofft der herausgeber, daß es auch in der
vorliegenden, von der druckerei sorgfältig ausgestatteten gestalt
billigen anforderungen neuphilologischer wissenschaft und päd-
agogik entsprechen und sich zu den alten etliche neue freunde
erwerben werde.

Graz, Hasnerplatz 4,
  im dezember 1921.   Albert Eichler.

---

[1] Dessen freundliche sendung von A. Blyth Webster's sehr kon-
servativer neuausgabe der verse vom kreuze von Ruthwell (The Arts in
Early England, Vol. V, 1921, s. 203 ff.) erreichte mich leider zu spät für
verwertung in dieser auflage. — A. E.

INHALT.

1.

AUS DEM EPINALER GLOSSAR.

The Epinal Glossary, Latin and English, of the 8th Century, Photo-lithographed ... by W. Griggs, and edited ... by Henry Sweet (London 1883). The Oldest English Texts, ed. H. Sweet (London 1885), s. 36ff. (auf diese ausgabe beziehen sich die zahlen); Kluge, Ags. lesebuch, s. 1; Das Epinaler und Erfurter glossar, hgg. von O. B. Schlutter (faksimile und translitera-tion), Hamburg 1912 (Bibl. der ags. prosa 8); Max Förster, Ae. lesebuch, Heidelberg 1913, s. 1—2.*

3 *argilla* thohae. 8 *axedones* lynisas. 11 *amites* reftras. 16 *allium* garlęc. 22 *aesculus* boecae. 30 *areolae* sceabas. 34 *acrifolus* holegn: 35 *alnus* alaer. 39 *auriculum* dros. 45 *harula* stigu. 51 *altrin-secus* an ba halbae. 52 *addictus* faerscribaen. 66 *absinthium* uuermod.

5 111 *antemna* segilgaerd. 129 *bovilla* falaed. 130 *bracium* malt. 137 *basterna* beer. 140 *battuitum* gibeataen. 157 *bona* scaet. 213 *cribrat* siftit. 217 *cochleae* lytlae sneglas. 234 *cyathus* bolla. 236 *corylus* haesil. 299 *capitium* hood. 398 *facetiae* gliu. 399 *fiber* bebr. 420 *filix* fearn. 464 *gramen* quiquae (*das erste* q *über* c). 469 *graculus* hrooc. 474 *gra-*

10 *cilis* smael. 483 *giluus* falu. 494 *horno* thys geri. 498 *hirundo* sualuuae. 500 *inhians* gredig. 525 *impendebatur* gibaen uuaes. 528 *impendebat* saldae. 560 *ibices* firgingaett. 573 *lumbare* gyrdils *uel* broec. 565 *lutra* otr. 580 *lendina* hnitu. 599 *lolium* atae. 625 *modioli* nabae. 631 *manica* (i *über* r) gloob. 665 *merula* oslae. 674 *nycticorax* naechthraebn.

15 686 *nanus uel pumilio* duerg. 706 *obtenuit* bigaet. 724 *promulgarunt* scribun. 732 *pudor* scamu. 771 *papula* uueartae. 796 *pictus acu* mið naeðlae (na *aus* m) asiuuid (a *u. d. z.*). 802 *platesa* flooc. 808 *par-rula* masae. 811 *porcellus* faerh. 813 *pulex* (e *über* u) fleah. 817 *papilio* buturfliogae. 821 *pollex* thuma. 822 *prunus* plumae. 824 *papauer* po-

20 paeg. 825 *pecten* camb. 848 *quinquefolium* hraebnęs foot. 857 *roscin[i]a* nectaegalae. 858 *resina* teru. 869 *relatu* spelli. 872 *reserat* andleac. 884 *scrobibus* furhum. 892 *salix* salch. 910 *sardinas* heringas. 918 *se-calia* rygi. 947 *spina* bodęi. 949 *sardas* smeltas. 954 *stiria* gecilae. 979 *serum* huaeg. 996 *tonsa* rothor. 1007 *thymus* haeth. 1010 *terrebellus*

25 nabfogar. 1012 *tilaris* lauuercae. 1022 *trulla* scofl. 1057 *ficatum* libr. 1062 *uitelli* suehoras. 1066 *uaricat* stridit. 1067 *uangas* spadan. 1088 *uirecta* quicae (q *über* c). 1094 *[uesic]a* blegnae.

2.
CÆDMONS HYMNUS.

Hs. in der Cambridger universitätsbibl. Kk 5, 16, fol. 128v. vgl. (Zs. f. d. alt. 48, 205ff.) Wuest, zwei neue handschriften von Caedmons hymnus, der diese (MS 574 [334] der bibliothèque municipale zu Dijon und cod. lat. 5237 der bibliothèque nationale zu Paris) mitteilt und bespricht; vgl. ferner unten nr. 16, s. 49. — Zs. für d. alt. 22, 214; Facsimiles of Ancient MSS, part IX, ed. by E. A. Bond and E. M. Thompson (London 1879 für die Palæogr. Soc.), plate 140, und Wülker, Gesch. d. engl. lit.², s. 33; Baedae Opera, ed. Plummer (Oxford 1896), II, p. 251f.; König Alfreds übersetzung von Bedas kirchengeschichte, hgg. von J. Schipper (Leipzig 1897—1899), s. 731; Sweet, O. E. T., s. 149; Förster, Ae. lesebuch, 1913, s. 2ff.; Kluge, Ags. lesebuch⁴, s. 102.

Nu scylun hergan hefaenrîcaes uard,
metudæs maecti end his môdgidanc,
uerc uuldurfadur, suê hê uundra gihuaes,
êci dryctin, ôr âstelidæ.
5. he ǽrist scôp aelda barnum
heben til hrôfe, hâleg scepen:
thâ middungeard moncynnæs uard,
êci dryctin, æfter tîadæ
firum, foldu frea allmeçtig.
primo cantauit Caedmon istud carmen.

3.
BEDAS STERBEGESANG.

Denkmale des mittelalters, gesammelt und hgg. von H. Hattemer, I (St. Gallen 1844), 3; Symeonis Monachi opera omnia, ed. Th. Arnold, vol. I (London 1882), p. 44; Venerabilis Bedae Historiae eccl., libri III, IV, edd. John E. B. Mayor and J. R. Lumby (Cambridge 1893), s. 177; Baedae Opera, ed. Plummer, I, p. CLXI; Sweet, O. E. T., s. 149; Kluge, Ags. lesebuch⁴, s. 103; Förster, Ae. lesebuch, 1913, s. 7f. — Zur gesamtüberlieferung vgl. R. Brotanek, Texte und untersuchungen zur ae. literatur und kirchengeschichte, Halle 1913, s. 150—194 (mit faksimile).

Fore thêre neidfaerae naenig uuiurthit
thoncsnotturra, than him tharf sîe

---

1 hergêan *Pl(ummer)* ‖ hebaen ricaes *Pl.* — 3 uuldur fadur *Pl.* — 4 drictin *Pl. The scribe at first wrote* n *for* c, dryctin *M²Pl.* — 6 sceppend *Förster.* — 7 middun geard. *Pl. The scribe at first wrote* min. — 10 *fehlt bei Pl.*

1 th'e *hs.,* then *Pl(ummer),* For ðam *S(mith),* C(onybeare), W(right), thêm *Förster* ‖ neodfere *SC,* ned- *W* ‖ nenig *S,* nænig *C,* neni *W* ‖ wyrðeð *SC,* wirðeð *W.* — 2 thonc snotturra *(getrennt) Pl* ‖ ðances *SW,* ðonces *C* ‖ snottra *SC,* snotera *W* ‖ ðonne *SCW* ‖ ðearf *SW,* ðearfe *C* ‖ sy *SCW,* si *Ett(müller).*

to ymbhycggannae   áer his hiniongae,
huaet his gâstae   gôdaes aeththa yflaes
5 aefter dêothdaege   dœmid uueorthae.

4.

VERSE VOM KREUZE VON RUTHWELL.

*Nach Hickes' Thesaurus (isl. gr., s. 4, tafel IV) = H, Gordons Itinerarium
septentrionale, London 1726, tafel 57 = G, der auf einer zeichnung Car-
donnells beruhenden tafel L in Vetusta monumenta quae ad rerum britan-
nicarum memoriam conservandam societas antiquariorum Londini sumptu
suo edenda curavit, vol. II, London 1789 = C; Duncans bericht in der
Archæologia scotica (Edinburgh 1833) IV, 313 = D; J. Stuarts Sculp-
tured Stones of Scotland II (1867, die zeichnung 1859), tafel 19/20 = Stu;
G. Stephens' The Old Northern Runic Monuments of Scandinavia and
England I (1866/67), 405 = Ste; W. Viëtor, Die northumbrischen runen-
steine (Marburg 1894), s. 2, und tafel I/II (dazu photographien des lon-
doner und des edinburger abgusses) = V. — vgl. Kemble in der Archæo-
logia britannica, London 1840, 28, 327; 30, 31; Haigh in der Archæo-
logia Æliana n. s. I (1857), s. 170, und The Conquest of Britain (1861),
tafel II; Dietrich, De cruce ruthwellensi (Marburg 1865); A. Cook, Trans-
actions of the Connecticut Academy of Arts & Sciences, New Haven 1912.
Wülker in Greins Bibl. der ags. poesie, 2, 111ff. Sweet, OET., s. 125;
Kluge, Ags. lesebuch⁴, s. 112. — mit ausnahme der anfänge 1. 1—5 und
3. 1—11 ist die inschrift in reihen von 2 bis 4 runen abgefaßt. die verse
gehören zu dem gedicht vom heiligen kreuz, bei Grein-Wülker 2, 116ff.;
The Dream of the Rood, ed. A. Cook, Oxford 1905.*

1.

¹ ╱GV. — ⁴ *mit schramme* V. — ⁶ ⸢ H. — ¹² ⸢ HStu. — ¹⁸ ⸢GD. —
²² ╳ DV, ╳ Stu, ╳ Ste. — ³¹ ⸢ DSt. — ³³ ⸢ HD, ⸢ G. — ³⁶ ⸢ GC. —

3 ymb hycggannae *Pl*, gehiggene *SC*, gehicgenne *W*, gehycganne
Ett ‖ er *W* ‖ hin iongae *Pl*, hionen gange *S*, heonan-gange *C*, heonon-
gange *W*. — 4 hwet *SW* ‖ gaste *SW*, gasta *C* ‖ godes *SCW* ‖ aeththa *Pl*,
oðe *S*, other *C*, oðe *W* ‖ yveles *SW*, yrdes *C*. — 5 efter *W* ‖ deaðe *SCW* ‖
heonen *S*, heonan *C*, heonon *W* ‖ demed *SCW* ‖ wurðe *SC*, weorðe *W*.

1*

[89] *henkel angedeutet Stu,* ᛉ *Ste,* ᛉ*? (wohl doch nur* ᚷ*) V. —* [47] ᚠ *H,*
ᚠ *D. —* [48] ᛗ *C, kreuzstriche angedeutet Stu. —* [50] *wie 39 StuV,* ᛉ *Ste. —*
[52-54] *f. Stu, unleserlich (bruchstelle) V. —* [52] ᛦ *H,* ↑ *D. —* [54] ᚱ *D,*
ᛖ *Ste, damit brechen ab GH. —* [55-58] *senkrechte striche von ab-*
nehmender größe, u. zw. fünf Stu, vier Ste, enden von drei (vier?) solcher
striche V, eine unleserliche reihe statt hier hinter 61 D. — [61] *C. —* [62] *f.C.,*
ᛌ *D,* ᚾ *Ste. —* [62] *unvollständiges* ᚱ *Stu. —* [63] ᚾ *D. —* [64] *D,* ᚷ *C,*
wie 39 Stu V; hiemit schließen DStuSte, während in C noch zwei unles-
bare reihen folgen und darauf ᛞᛗ*, vier unlesbare reihen, dann* ᚠᛗᚲ*?,*
weiterhin zwei unlesbare reihen V.

2.

vor [1] *undeutliche spuren GV,* ∣ ᛗ *C,* ᚠᚾᚠᚴ *undeutlich Ste (?). —*
[7] ᛏ *G,* ᛏ *C. —* [8] ᚠ *Stu. —* [10] ᚱ *HD,* ᚾ *GC. —* [11] ᚱ *C,* ᚱ *D. —*
[16] ↑ *H,* ᚶ *C,* ∣ *G,* ·∣· *D. —* [23] *D,* ᚱ *Ste. —* [24] ᚱ *HC,* ᚴ *D. —*
[26] ᚱ *HC,* ᚠ *D. —* [28] ᛗ *C. —* [29] ᚺ *Ste. —* [30] ᚠ *H. —* [32] ᛗ *C. —*
[36] ∣ *GCSte,* ᚠ *D. —* [38] ᛗ *C. —* [39] ᚦ *C, auch jetzt eher* ᚴ*, besonders nach*
den photographien der abgüsse, aber wohl aus ᚠ *V. —* [40] ᚴ *Ste. —*
[43] ᚱ *D. —* [44] *f. D,* ᚴ *StuSte. —* [45] *f. D. —* [46] ∣∣ *D. —* [48] ᚠ *H. —*
[50. 51] *undeutliche spuren D. —* [50] ᚠ *StuSte, jetzt* ᚠ*, aber wohl aus* ᚠ *V. —*
[51] ∣∣ *GC. —* [52-54] *f. H. —* [52] *apparently mishewn* ᛗ*, and then by a deep*
down-stroke corrected into ᚾ *SteV,* ᚾ *G,* ᛗ *D. —* [55] ᛉ *Stu,* ᚷ *Cook. —*
[58-60] *nicht ganz deutlich D. —* [61] ᚴ *Ste. —* [62] ∣ *GC. —* [63] ᚠ *H,* ∣ *GC. —*
[64] ∣ *GC,* ᚱ *D, dahinter eine unleserliche reihe H (vgl. zu 42—54). —* [65] ᚴ *GC,*

unleserlich H, f. D. ⋇ *Stu,* ⋎ *Ste.* — ⁶⁸⁻⁷¹ |ᛈᛙᚼ *Stu.* — ⁶⁸ *f. HGCDSteV.* — ⁶⁹ ᚣ *GC,* ᛁ *D,* ᛖ *Ste.* — ⁷¹ *hiemit brechen ab HG.* — ⁷²⁻⁷⁴ *eine unleserliche reihe Ste, keine solche angegeben CD, f. (bruchstelle) V.* — ⁷⁵ | *C,* ᛁ *D.* — ⁷⁶ ᛁ *D.* — ⁷⁹ *f. D,* ⌄ *C.* — ⁸⁰ ᚠ *D.* — ⁸² | *CD.* — ⁸³ *f. C.* — ⁸⁷ | *CD.* — ⁹⁰ *f. CD,* ᛁ *Stu,* ᛁ *Ste.* — ⁹¹ ᚱ *C,* ᚾ *D.* — ⁹² *hiemit bricht ab D.* — ⁹³ *f. CSteV.* — ⁹⁴·⁹⁵ *unsicher V.* — ⁹⁴ *f. C.* — ⁹⁵ *hiemit bricht ab C.* — ⁹⁶⁻⁹⁹ ᛁᚴᚥᚵ *Stu (schließt hiemit).* — ⁹⁶·⁹⁷ *unsichere spuren Ste.* — ⁹⁶ *f. V.* — ⁹⁷⁻⁹⁹ *sehr unsicher V.* — ⁹⁹ *unsichere spur Ste.*

3.

ᛏᚼᚱᛁᛋᛏ ᚠᚠᛋ ᚠᛏ ᚱᚠᚼᛁ

ᚾᚢᛖᛒᚱᚠ ᚦᛗᚱ ᚠᚾᛋᚠ

ᚠᛏᚱᚱᚠᛏ ᚼᚹᚠᚠᚢ

ᚠᚦᚦᛁᚠᚴ ᛏᛁᚴ ᚠᛏᚾᚢ

ᛁᚼ ᚼᚠᛏ ᚠᚴ ᚼᛁ(ᚾᛏᚱᚼ)

ᛋᚠᚱ(ᛖ) ᛁᚼ ᚠᚠᛋ ᚼᛁᛁᚦ ᛋᚠᚱᚷᚾᚢ ᚷᛁᚼᚱᚷᚠᛁᚼ

ᚾᛏᚠᚷ

¹ ᚵ *GC,* | *D, undeutlich Ste.* — ² *der teil links vom senkrechten strich undeutlich DSte.* — ⁶ *der obere teil undeutlich D.* — ¹³ ᚠ *H.* — ¹⁵ ᚱ *? Ste.* — ²⁸ ᚴ *H.* — ²⁹ ᚴ *GC.* — ⁴⁰ ᚱ *D.* — ⁴³ *f. C.* — ⁵⁰ | *GC.* — ⁵⁶ ᚠ *D.* — ⁵⁷ | *H.* — ⁵⁸ ᚱ *GC.* — ⁵⁹ ᚱ *GC,* ᚱ *D.* — ⁶¹·⁶² ᛁ *D.* — ⁶² | *GC,* ᛁ *Ste, damit brechen ab HG.* — ⁶³⁻⁶⁵ *unerkennbar D.* — ⁶⁸ (⁶³·⁶⁴?) *spuren zweier striche (bruchstelle) V.* — ⁶³ | *C, unerkennbar Ste.* — ⁶⁴ ᚱ *C.* — ⁶⁵ *unerkennbar CSte.* — ⁶⁶ ᛁ *C.* — ⁶⁷ ᚠ *DStu,* ᛁ *C,* ᚾ *Ste.* — ⁶⁸ ᚾ *Ste,* | *Stu, f. CD.* — ⁶⁹ *f. CDStuSteV.* — ⁷⁸ *f. CD.* — ⁷⁵·⁷⁶ *unvollständig Stu.* — ⁷⁶ ᛁ *DSte.* — ⁷⁷ *f. CDSte.* — ⁷⁹ ᚠ *D.* — ⁸⁰ ᚾ *C,* | *D,* ᚴ *Ste.* — ⁸³ ᚱ *C,* ᚠ *D,* | *StuSte.* — ⁸⁴ ᚷ *Ste.* — ⁸⁶ ᚾ *CStu,* ᛁᛁ *D,* ᛁ *Ste.* — ⁸⁹ | *C,* ᛁ *StuSte, f. D.* — ⁹⁰ *f. CD,* ᛁ *StuSte.* — ⁹¹ ᚻ *C.* — ⁹⁸ *f. CDSte.* — ⁹⁴ ᚠ *C.* — ⁹⁵ *unvollständiges* ᚷ ·*Stu, f. D, lücke, dann* ∴ *V.*

4.

ᛗᛁᚦ ᛋᛏᚱᛗᛖᚾᛗ ᚷᛁᚹᚾᚦᛗᚠᛗ
ᚠᚠᛗᚷᚦᚾᚦ ᚾᛁᚠ ᚾᛁᛏᚠ ᛚᛁᛗᛈᛦᚱᛁᚷᛏᚠ
ᚷᛁᛋᛏᛋᚦᛗᛋᚦ ᚾᛁᛗ ᚠᛏ ᚾᛁᛋ ᚠᛁᚺᚠᛋ ᚨᛏᚠᚺᛗᛗ
ᛒᛁᚾᛏᚦᚦᚾᚦ ᚾᛁᚠ ᚦᛗᚱ ᚨᛏᚠᚾᚦ

1 | ◁ *Stu Ste.* — 5 | *HGCD, schwaches* ↑ *V.* — 8 Ͱ *DStuV,* ↘ *Ste.* —
9 Ͷ *D.* — 10 *unvollständig oben links Stu.* — 11 ⅄ *H, henkel angedeutet*
Stu, ⋈ *Ste,* ⋈? *V.* — 17 Ϝ *GC.* — 19 Ϝ *H.* — 22 ⋊ *Stu,* ⋈ *Ste,*
in der mitte ausgesprungen V. — 26 ⎍ *D.* — 28 Ϝ *H.* — 29 ⇶ *DStu SteV.* —
31 ⎍ *D.* — 32 Ϝ *H.* — 33 Ϝ *H,* Ϝ *D, fast wie* Ϝ *V.₂* — 37 ⋋ *H,* ⋋ *mit*
oben · eingefügtem ⋀ *G, mit kleinen strichen oben links und rechts*
Stu. — 41 | *HD.* — 42 Ϝ *H.* — 51 | *DStu SteV.* — 52 ᚤ *DStuSteV.* —
53 | *D.* — 54 *hiemit schließen HG.* — 55-59 *unlesbar (bruchstelle) V.* —
55-57 *eine reihe unleserlich Ste, nicht angegeben D, nur die letzte rune*
lesbar C. — 58-61 ||| | *Ste,* || *D, die ganze reihe nicht angegeben C.* —
60. 61 *nur untere stücke StuV.* — 62 | *D,* Ͷ *Ste, nur teil rechts StuV.* —
65 *f. CDSte.* — 66 ⌄ *C,* Ͷ *D,* ⋏ *StuSteV.* — 68·69 *f. CDSte.* —
71. 72 *f. CDSte.* — 73 *links weggebrochen StuSteV,* | *CD.* — 74 ↑ *D.* —
75 *f. CDSte.* — 76 ⋈ *StuSteV,* ⎍ *D.* — 77 Ϸ *D.* — 78 *f. CDSte.* —
79 ᚼ *C,* | *D, wie 73 StuV.* — 81 *f. CDSte.* — 82 ⟩ *DV, fuß f. Stu.* —
83 *hiemit schließt D,* Ᵽ *C.* — 83ᵃ *lücke (bruchstelle), dann eine reihe*
spuren V. — 84 *f. CStu.* — 85 Ͱ *Ste, f. C,* Ʀ *Stu.* — 86 Γ *C, das hiemit*
schließt, ᚼ *ohne grundstrich links Stu.* — 87-89 ᛃᚵ *Ste.*

1.

a)   geredæ hinæ god almehttig   modig fore (allæ) men
      þa he walde on galgu   bug
                    gistiga

b) v. 39 ongyrede hine þa geong hæleð, þæt wæs god ælmihtig,
      strang ond stiðmôd: gestâh hê on gealgan hêanne
      môdig on manigra gesyhðe, þa hê wolde mancyn lŷsan.
      bifode ic, þa mê sê beorn ymbclypte: ne dorste ic hwæðre
                                    bûgan tô eorðan.

2.

a)   ic riicnæ kyninc   bismæradu unket men ba ætgadre
      heafunæs hlafard   ic (wæs) miþ blodæ bistemid
      hælda ic ni darstæ   bi(goten of)

b) v. 44 rôd wæs ic ârǽred, âhôf ic rîcne cyning,
heofona hlâford: hyldan mê ne dorste.

    48 bysmeredon hîe unc bûtû æt gædere. eall ic wæs mid blôde bestêmed,

       begoten of þæs guman sîdan.

3.

a)   † Crist wæs on rodi   ic þæt al bi(heald)
            hweþræ þer fusæ   sar(e) ic wæs miþ sorgum gidrœfid
            fearran cwomu   hnag
            æþþilæ til anum

b) v. 56   Crîst wæs on rôde.
hwæðere þǽr fûse feorran cwôman
tô þâm æðelinge: ic þæt eall behêold.
sâre ic wæs mid (sorgum) gedrêfed, hnâg ic hwæðre þâm
                           secgum tô handâ.

4.

a)   miþ strelum giwundad   gistoddun him (æt his) licæs
          alegdun hiæ hinæ lim-   heafdum
               wœrignæ   bihealdun hiæ þer heafun

b) v. 62   eall ic wæs mid strælum forwundod.
âlêdon hîe ðǽr limwêrigne, gestôdon him æt his lîces hêafdum,
behêoldon hîe ðǽr heofenes dryhten.

5.

VERSE VOM KREUZE ZU BRÜSSEL.

Logeman und Zupitza in Herrigs Archiv 87, 462; Kluge, Ags.lesebuch⁴, s. 114.

     Rôd is mîn nama;   geð ic rîcne cyning
     bær byfigynde,   blôðe bestêmed.

6.

EIN RÄTSEL.

Nr. 16 des Codex Exoniensis in der kathedrale zu Exeter; vgl. Schipper,
Germania 19, 334. — Edd.: B. Thorpe, London 1842, s. 396, 397; Grein,
Bibl. 2, 376; Grein-Wülker 3, 193; The Riddles of the Exeter Book, ed.
by Frederick Tupper Jr., Boston... London 1910, s. 12, 13; A. J. Wyatt,
Old English Riddles, Boston... London 1912; Die altengl. Rätsel... hgg. v.
M. Trautmann (A. u. me. texte, 8), Heidelberg 1915, s. 9; vgl. ebd. s. VIIff.

     Hals is mîn hwît   ond hêafod fealo,
     sîdan swâ some;   swift ic êom on fêþe,
     beadowǽpen bere;   mê on bæce standað
     hêr swylce swê on hlêorum;   hlîfiað tû
    5 êaran ofer êagum;   ordum ic steppe

---

     1 ond *immer abgekürzt (ebenso in nr. 7 bis 10).* — 2 swift *hs.*] sôft
Tr(autmann). — 4 swê on] swîne on *E(ttmüller)*, swyne *Th(orpe)*, sûe; on
G(rei)n, sw[în]e; on *Tr,* swęon *hs.* || hlêorum *E*] leorum || hlifiað *hs.*] biað *Tr.*

in grêne græs.   mê biδ gyrn witod,
gif mec onhæle   ân onfindeδ
wælgrim wiga,   þær ic wîc bûge,
bold mid bearnum,   ond ic bîde þær
10   mid geoguδcnôsle,   hwonne gæst cume
tô durum mînum: him biþ dêaδ witod.
forþon ic sceal of êδle   eaforan mîne
forhtmôd fergan,   flêame nergan,
gif hê mê æfterweard   ealles weorþeδ:
15   hine brêost beraδ.   ic his bîdan ne dear
rêþes on gerûman   (nele þæt ræd teale),
ac ic sceal fromlîce   fêþemundum
þurh stêapne beorg   stræte wyrcan.
êaþe ic mæg frêora   feorh genergan,
20   gif ic mægburge môt   mîne gelædan
on dêgolne weg   þurh dûne þyrel
swæse ond gesibbe: ic mê siþþan ne þearf
wælhwelpes wîg   wiht onsittan.
gif sê niδsceaþa   nearwe stîge
25   mê on swaþe sêceþ,   ne tôsæleþ him
on þâm gegnpaþe   gûþgemôtes,
siþþan ic þurh hylles   hrôf geræce
ond þurh hêst hrîno   hildepîlum
lâδgewinnan,   þâm þe ic longe flêah.

7.

AUS DEM 'CHRIST I.'

*Hs.: Codex Exoniensis, wie bei nr. 6. — Edd. B. Thorpe, s. 11—14; Grein 1,
153 ff.; Cynewulf's Christ, ed. J. Gollancz, London 1892, s. 16; The Exeter
Book (EETS, Orig. Ser. 104), ed. J. Gollancz, London 1895, s. 12—14; Grein-
Wülker 3, 7—8; The Christ of Cynewulf, ed. by A. S. Cook, Boston 1900,
s. 7—9. Vgl. Cosijn in den Beiträgen von Paul und Braune 23, 109;
T. A. Blackburn, Anglia 19, 89 ff.*

'Êalâ Jôsêph mîn,   Jâcôbes bearn,
165   mæg Dâuîdes   mæran cyninges!
hû þû frêode scealt   fæste gedælan,
âlætan lufan mîne?   ic lungre eam
dêope gedrêfed,   dôme berêafod,

---

6 grêne *ETh, Edd.*] grenne. — 9 bold *Th*] blod ‖ ond *hs.*] gif *Tr.* —
15 beraδ breost *hs., Edd., außer T(upper)*, hi ne bereδ? *Th*, breost beraδ
Herzfeld, T ‖ biddan, *verb. Th.* — 20 mægburg *Tr.* — 21 dûne *Gn*, dim
ThTr, dum *hs.* — 24 gif sê *Th*] gifre. — 28 hæst *E*, hrine *Th.* —
29 -gewinnum *hs.*

164 Jôsêph *C(ook).* — 166 hû þu? *Gn*[1]. — 167 Ic *hs.*; *C* läßt
damit Josephs gegenrede (bis 175a) beginnen.

forðon ic worn forþ$\acute{y}$ worda· hæbbe
170 sîdra sorga ond sârcwida
hearmes gehŷred ond mê hosp sprecað
tornworda fela. ic têaras sceal
gêotan geômormôd: god êaþe mæg
gehælan hygesorge heortan mînre,
175 âfrêfran fêasceafte!' 'Êalâ fæmne geong,
mægð Mârîa! hwæt bemurnest ðû,
cleopast cearigende? ne ic culpan in þê
incan ænigne æfre onfunde,
womma geworhtra, ond þû þâ word spricest,
180 swâ þû sylfa sîe synna gehwylcre
firena gefylled! ic tô fela hæbbe
þæs byrdscypes bealwa onfongen!
hû mæg ic lâdigan lâþan spræce
oþþe ondsware ænge findan
185 wrâþum tôwiþere? is þæt wîde cûð,
þæt ic of þâm torhtan temple dryhtnes
onfêng frêolîce fæmnan clæne,
womma lêase, ond nû gehwyrfed is
þurh nâthwylces! mê nâwþer dêag,·
190 secge ne swîge: gif ic sôð sprece,
þonne sceal Dâuîdes dohtor sweltan
stânum âstyrfed: gên strengre is,
þæt ic morþor hele, scyle mânswara
lâþ lêoda gehwâm lifgan siþþan
195 fracoð in folcum!' — þâ sêo fæmne onwrâh
ryht gerŷno ond þus reordade:
'sôð ic secge þurh sunu meotudes,
gæsta gêocend, þæt ic gên ne conn
þurh gemæcscipe monnes ôwer
200 ænges on eorðan: ac mê êaden wearð,
geongre in geardum, þæt mê Gabrihêl
heofones hêagengel hælo gebodade,
sægde sôðlîce, þæt mê swegles gæst
lêoman onlŷhte: sceolde ic lîfes þrym
205 geberan, beorhtne sunu, bearn êacen godes,
torhtes tîrfruma[n]. nû ic his tempel eam
gefremed bûtan fâcne: in mê frôfre gæst

---

169 for þe *hs.*, for þê *C* || worde *hs.*, *Gn*²*Go(llancz)*, worda *ThGn*¹*C*, (wordê? *Gn*¹). — 171 hosp-sprecað *Th*. — 175 feasceaftne *hs.C.* — 176*b*—181*a* bei *C* rede der Maria. — 184 ænige *hs. Edd.*, ænge *C.* — 188 gewyrped *hs. Th.* — 189 *text verderbt;* nâthwylces [searo] *Gn*¹, nathwylcne *K(örner).* — 190 spræce *ThGn*¹. — 196 ryhtgerŷno *C* || reordode *C.* — 197 Soð *hs.* — 199 þurh [mân] *Gn*¹. — 202 heah- *Gn*¹. — 204 scolde *Gn*¹*K.* — 206 tîrfruma *hs.*, tîrfruman *ThEdd.*

geeardode.   nû þû ealle forlæt
sâre sorgceare!   saga êcne þonc
210   mærum meotodes sunu,   þæt ic his môdor gewearð,
fæmne forð sê-þêah,   ond þû fæder cweden
woruldcund bi wêne!   sceolde witedôm
in him sylfum bêon   sôðe gefylled.'

8.

AUS CYNEWULFS 'JULIANA'.

Hs. wie bei nr. 5. — *Edd.: Grein 2, 67; Ettmüller, Scopas etc., s. 175—178; Codex Exoniensis, ed. B. Thorpe, s. 276—286; The Exeter Book, ed. J. Gollancz, s. 276—284; Grein-Wülker 3, s. 134—139; Strunk, London 1904. Vgl. Schipper, Germania 19, 332.*

þæt þâm weligan wæs   weorc tô þolian,
570   þær hê hit for worulde   wendan meahte;
sôhte synnum fâh,   hû hê sârlîcast
þurh þâ wyrrestan   wîtu meahte
feorhcwale findan.   næs sê fêond tô læt,
sê hine gelærde,   þæt hê læmen fæt
575   biwyrcan hêt   wundorcræfte
wîges wômum   ond wudubêamum,
holte bihlænan.   ðâ sê [hearda] bibêad,
þæt mon þæt lâmfæt   lêades gefylde,
ond þâ onbærnan hêt   bælfîra mæst,
580   âd onælan: sê wæs æghwonan
ymbboren mid brondum;   bæð hâte wêol.
hêt þâ ofestlîce   yrre gebolgen
leahtra lêase   in þæs lêades wylm
scûfan bûtan scyldum.   þâ tôscâden wearð
585   lîg tôlŷsed: lêad wîde sprong
hât heorogîfre,   hæleð wurdon âcle
ârâsad for þŷ ræse;   þær on rîme forborn
þurh þæs fîres fnæst   fîf ond hundseofontig
hæðnes herges.   ðâ gên sîo hâlge stôd
590   ungewemde wlite: næs hyre wlôh ne hrægl,

---

210 suna *Th, Gn¹.* — 211 se þeah *hs., Th und Edd., außer C, der* sê-þêah *liest.*

569 þolianne *hs.Edd.,* þolian *S(ievers).* — 570 *nicht* wenden *hs.ThGn¹ Go,* wênan? *Th,* wendan [ne] meahte *EttmGoBj(örkman)* || þæt? *Gn.* — 573 Næs *hs.,* wæs *Th,* næs *Ettm.* — 574 þe hine *Ettm.* — 577 bilænan *hs.,* ihlænan *Ettm,* bilecgan? *Th* || [hearda] *Th,* hæle *H(olt)h(ausen).* — 586 æleð *hs.* — 589, 614 Ð *hs.*

```
      ne feax ne fel     fȳre gemæled,
      ne līc ne leoþu.     hêo in lîge stôd,
      æghwæs onsund,     sægde ealles þonc
      dryhtna dryhtne.     þâ sê dêma wearð
595   hrêoh ond hygegrim,     ongon his hrægl teran;
      swylce hê grennade     ond gristbitade,
      wêdde on gewitte     swâ wilde dêor,
      grymetade gealgmôd     ond his godu tælde,
      þæs þe hȳ ne meahtun     mægne wiþstondan
600   wîfes willan.     wæs sêo wuldres mæg
      ânrǣd ond unforht     eafoða gemyndig,
      dryhtnes willan.     þâ sê dêma hêt
      âswebban sorgcearig     þurh sweordbite
      on hyge hâlge,     hêafde binêotan
605   Crîste gecorene:     hine sê cwealm ne þêah,
      siþþan hê þone fintan     furþor cûþe!
      Dâ wearð þære hâlgan     hyht genîwad
      ond þæs mægdnes môd     miclum geblissad,
      siþþan hêo gehȳrde     hæleð eahtian
610   inwit-rûne,     þæt hyre endestæf
      of gewindagum     weorþan sceolde,
      lîf âlȳsed.     hêt þâ leahtra ful
      clǣne ond gecorene     tô cwale lædan
      synna lêase.     ðâ cwôm semninga
615   hêan helle-gǣst;     hearmlêoð âgôl
      earm ond unlǣd,     þone hêo ǣr gebond
      âwyrgedne     ond mid wîtum swong;
      cleopade þâ for corþre     ceargealdra full:
      'gyldað nû mid gyrne,     þæt hêo goda ûssa
620   meaht forhogde     ond mec swîþast
      geminsade,     þæt ic tô meldan wearð!
      lǣtað hȳ lâþra     lêana hlêotan
      þurh wǣpnes spor!     wrecað ealdne nîð
      synne gesôhte!     ic þâ sorge gemon,
625   hû ic bendum fæst     bisga unrîm
      on ânre niht     earfeða drêag,
      yfel ormǣtu.'     þâ sêo êadge biseah
      ongêan gramum     Jûliâna;
      gehȳrde hêo hearm galan     helle dêofol.
630   fêond moncynnes     ongon þâ on flêam sceacan
      wîta nêosan     ond þæt word âcwæð:
      'wâ me forworhtum!     nû is wên micel,
```

---

599 hyne meahtum *Th.* — 605 þeah *hs.*] þâh *ThEttm.* — 620 for-
hogd *hs.* — 628 iulianan *hs.* — 630 flean *hs.Go,* fleam *Gn*˙·*ThEttm.*

      þæt hêo mec eft wille   earmne gehŷnan
      yflum yrmþum,   swâ hêo mec ær dyde!'

635 ðâ wæs gelæded   londmearce nêah
      ond tô þære stôwe,   þær hî stearcferþe
      þurh cumbolhete   cwellan þôhtun.
      ongon hêo þâ læran   ond tô lofe trymman
      folc of firenum   ond him frôfre gehêt

640 weg tô wuldre,   ond þæt word âcwæð:
      'gemunað wigena wyn   ond wuldres þrym,
      hâligra hyht,   heofonengla god!
      hê is þæs wyrðe,   þæt hine werþêode
      ond eal engla cynn . ûp on roderum

645 hergen, hêahmægen,   þær is help gelong
      êce tô ealdre,   þâm þê âgan sceal.
      forþon ic lêof weorud   læran wille
      æ-fremmende,   þæt gê êower hûs
      gefæstnige,   þŷ læs hit fêrblædum

650 windas tôweorpan: weal sceal þŷ trumra
      strong wiþstondan   storma scûrum,
      leahtra gehygdum!   gê mid lufan sibbe
      lêohte gelêafan   tô þâm lifgendan
      stâne stîðhygde   staþol fæstniað,

655 sôðe trêowe   ond sibbe mid êow
      healdað æt heortan,   hâlge rûne
      þurh môdes myne!   þonne êow miltse giefeð
      fæder ælmihtig,   þær gê [frôfre] âgun
      æt mægna gode   mæste þearfe

660 æfter sorgstafum: forþon gê sylfe neton
      ûtgong heonan,   ende lîfes.
      wærlîc mê þinceð,   þæt gê wæccende
      wið hettendra   hildewôman
      wearde healden,   þŷ læs êow wiþerfeohtend

665 weges forwyrnen   tô wuldres byrig.
      biddað bearn godes,   þæt mê brego engla
      meotud moncynnes   milde geweorþe,
      sigora sellend!   sibb sŷ mid êowic,
      symle sôþ lufu!'   Ðâ hyre sâwul wearð

670 âlæded of lîce . tô þâm langan gefêan
      þurh sweordslege. —   þâ sê synscaþa
      tô scipe scêohmôd   sceaþena þrêate
      Hêlisêus   êhstrêam sôhte,

    635, 669 Ða *hs.* — 641 þry (*mit querstrich über* y) *hs.*] þrym *Th*
Gn[1.2], þrymm *Go.* — 649 gefæstnian *Th*, -nigean *Ettm.* — 654 stið
hydge *hs.* — 658 [frôfre] *erg. Gn*, [frîðes] *Hh*, [freme] *Trautmann.* —
660 neton *hs.*, nyton *Th.* — 669 sâwul] sâwol *Kaluza*, sâwl *hs.*
vgl. v. 700.

leolc ofer laguflôd   longe hwîle
675 on swonrâde.   swylt ealle fornôm
     secga hlôþe   ond hine sylfne mid,
     ǽr þon hŷ tô lande   geliden hæfdon,
     þurh þearlîc þrêa.   þǽr XXX wæs
     ond fêowere êac   fêores onsôhte
680 þurh wǽges wylm   wigena cynnes,
     hêane mid hlâford: hrôþra bidǽled
     hyhta lêase   helle sôhton.
     ne þorftan þâ þegnas   in þâm þŷstran hâm
     sêo genêatscolu   in þâm nêolan scræfe
685 tô þâm frumgâre   feohgestealda
     witedra wênan,   þæt hŷ in wînsele
     ofer bêorsetle   bêagas þêgon,
     æpplede gold!   —   ungelîce wæs
     lǽded lofsongum   lîc hâligre
690 micle mægne   tô moldgræfe,
     þæt hŷ hit gebrôhton   burgum in innan,
     sîdfolc micel: þǽr siððan wæs
     gêara gongum   godes lof hafen
     þrymme micle   oþ þisne dæg
695 mid þêodscipe.   —   is mê þearf micel,
     þæt sêo hâlge mê   helpe gefremme,
     þonne mê gedǽlað   dêorast ealra
     sibbe tôslîtað   sinhîwan tû,
     micle môdlufan;   mîn sceal of lîce
700 sâwul on sîðfæt,   nât ic sylfa hwider,
     eardes uncŷðþu: of sceal ic þissum,
     sêcan ôþerne   ǽrgewyrhtum,
     gongan iû-dǽdum;   geômor hweorfeð
     ᚻ ᚾ ond ᛏ,   cyning biþ rêþe

---

685 -gestealde *hs.*] -gestealda *Th.* — 687 beorsetle *Th*] beorsele
hs. — 692 sîð-folc? *Gn.* — 695 Is *hs.* „*der hier beginnende epilog ist
eigentum des dichters, der sich durch die in v.* 704—708 *eingestreuten
sechs (sic!) runen als* Cynewulf *zu erkennen gibt, diese runen haben hier
nur die geltung bloßer buchstaben, jedoch so, daß jede der drei gruppen
für sich* (CY *und* N; EW *und* U; LF) *als stellvertreter des ganzen
namens erscheint.“ Gn; doch vgl. Trautmann, Bonner Beitr. 1, 47 ff.* —
698 sinhẅan *hs. (das übergeschriebene* i *von anderer hand).* — 699—703
„(quum) anima mea (ire) debet e corpore in viam, nescio ipse quo,
(ignoro) sedem ignotam: ex hac (sede) debeo (ire), ut quæram aliam
pro facinoribus antea commissis, pro juvenis facinoribus olim com-
missis.“ *Gn.* — 701 nach *dem* i in þissum, *nicht nach dem* i in ic *(vgl.
Germ. 19, 332), ist eine kleine rasur; vielleicht ursprünglich* þyssum? —
703 gongan *hs. Edd.*] geongan *Gn*[1], gnorn (?) *Hh.*

705 sigora syllend,   þonne synnum fâh
   M P ond Ɲ   âcle bîdað,
   hwæt him æfter dædum   dêman wille
   lifes tô lêane;   Ր Ⱶ beofað,
   seomað sorgcearig,   sâr eal gemon,
710 synna wunde,   þê ic sîþ oþþe ǣr
   geworhte in worulde: þæt ic wôpig sceal
   têarum mǣnan;   wæs an tîd tô læt,
   þæt ic yfeldǣda   ǣr gescomede,
   þenden gǣst ond lîc   geador sîþedan
715 onsund on earde,   þonne ârna biþearf,
   þæt mê sêo hâlge   wið þone hŷhstan cyning
   geþingige: mec þæs þearf monaþ,
   micel môdes sorg;   bidde ic monna gehwone
   gumena cynnes,   þê þis gied wrǣce,
720 þæt hê mec nêodful   bi noman mînum
   gemyne môdig   ond meotud bidde,
   þæt mê heofona helm   helpe gefremme
   meahta waldend   on þâm miclan dæge,
   fæder frôfre gǣst,   in þâ frêcnan tîd;
725 dǣda dêmend   ond sê dêora sunu,
   þonne sêo þrŷnis   þrymsittende
   in ânnesse   ælda cynne
   þurh þâ scîran gesceaft   scrîfeð bi gewyrhtum
   meorde monna gehwâm.   forgif ûs, mægna god,
730 þæt wê þîne onsŷn,   æþelinga wyn,
   milde gemêten   on þâ mǣran tîd! Amen.

9.

AUS DEM 'PHÖNIX'.

Hs. wie bei nr. 5. — Edd.: Codex Exoniensis, ed. B. Thorpe, s. 197 ff.; Grundtvig's Phenix Fuglen, Kopenhagen 1840; Grein 1, 215 ff.; The Exeter Book, ed. J. Gollancz (EETS 104), s. 200; Grein-Wülker 3, 95; O. Schlotterose, Bonner Beitr. 25, Bonn 1908. vgl. Schipper, Germania 19, 331.

I.

Hæbbe ic gefrúgnen,   þætte is feor heonan
êastdǣlum on   æþelast londa
firum gefrǣge.   nis sê foldan scêat
ofer middangeard   mongun gefêre

---

712 ân *Th, Ettm.* — 719 wrǣce *hs. Th,* sprece *Ettm,* rǣde *Gn¹.* —
726 þrŷ *hs.,* þrym *Th,* þrymm *Go.* — 730 onsyne *hs.,* onsŷn *Hh.*
2 in æðelest *Gr(un)dt(vig).*

5 folc-ágendra,   ac hê áfyrred is
   þurh meotudes meaht   mân-fremmendum.
   wlitig is ısê wong eall   wynnum geblissad
   mid þâm fægrestum   foldan stencum:
   ænlîc is þæt îglond,   æþele sê wyrhta,
10 môdig, meahtum spêdig,   sê þâ moldan gesette.
   ðǽr bið oft open   êadgum tôgêanes
   onhliden hlêoþra wyn,   heofonrîces duru.
   þæt is wynsum wong,   wealdas grêne
   rûme under roderum.   ne mǽg þǽr rên ne snâw,
15 ne forstes fnǽst   ne fýres blǽst,
   ne hægles hryre   ne hrîmes dryre,
   ne sunnan hǽtu   ne sincaldu,
   ne wearm weder   ne winterscûr
   wihte gewyrdan,   ac sê wong seomað
20 êadig ond onsund: is þæt æþele lond
   blôstmum geblôwen.   beorgas þǽr ne muntas
   stêape ne stondað;   ne stânclîfu
   hêah hlîfiað,   swâ hêr mid ûs,
   ne dene ne dalu   ne dûnscrafu,
25 hlǽwas ne hlincas,   ne þǽr hlêonað oo
   unsmêþes wiht: ac sê æþela feld
   wrîdað under wolcnum,   wynnum geblôwen.

   on þâm græswonge   grêne stondaþ
   gehroden hyhtlîce   hâliges meahtum
80 beorhtast bearwa.   nô gebrocen weorþeð
   holt on hîwe,   þǽr sê hâlga stenc
   wunaþ geond wynlond: þæt onwended ne bið
   ǽfre tô ealdre,   ǽr þon endige
   frôd fyrngeweorc,   sê hit on frymþe gescôp.

II.

85   Ðone wudu weardaþ   wundrum fæger
   fugel feþrum strong,   sê is F e n i x hâten.
   þǽr sê ânhaga   eard bihealdeþ,
   dêormôd drohtað;   nǽfre him dêaþ sceþeð
   on þâm willwonge,   þenden woruld stondeþ.

---

5 fold-ágendra *Sw(eet)*, *K(örne)r*. — 6 Meotodes *Grdt*. — 8 fæ-
gristum *Grdt*. — 12 wynn *Sw*. — 15 fnæft *hs.*, fræst *(gelu) Con(ybeare)*,
fnæst *ThGrdt*. — 17 sincald *Sw*. — 24 dælu *Grdt*. — 25 óo *hs.*, *fehlt*
bei Grdt, ð *Gn*¹. — 26 æðele fold *ConGrdt*. — 80 ne *Grdt*. — 82 wynn-
lond *Sw*. — 86, 218, 340, 597, 646 Fênix *Pogatscher (QF. 64, s. 35)*. —
87 -að *Grdt*.

III.

     Ðonne wind ligeð,   weder bið fæger,
     hlûttor heofones gim   hâlig scîneð,
     bêoð wolcen tôwegen,   wætra þrýþe
185 stille stondað,   biþ storma gehwylc
     âswefed under swegle,   sûþan blîceð
     wedercondel wearm,   weorodum lýhteð:
     þonne on þâm telgum .   timbran onginneð,
     nest gearwian,   bið him nêod micel,
190 þæt hê þâ yldu   ofestum môte
   • þurh gewittes wylm   wendan tô life,
     feorg geong onfôn.   þonne feor ond nêah
     þâ swêtestan   somnað ond gædrað
     wyrta wynsume   ond wudublêda
195 tô þâm eardstede,   æþelstenca gehwone
     wyrta wynsumra,   þê wuldorcyning
     fæder frymða gehwæs   ofer foldan gescôp
     tô indryhtum   ælda cynne
     swêtes under swegle.   þær hê sylf biereð
200 in þæt trêow innan   torhte frætwe;
     þær sê wilda fugel   in þâm wêstenne
     ofer hêanne bêam   hûs getimbreð
     wlitig ond wynsum   ond gewîcað þær
     sylf in þâm solere   ond ymbsêteð ûtan
205 in þâm lêafsceade   lîc ond feþre
     on healfa gehwâm   hâlgum stencum
     ond þâm æþelestum   eorþan blêdum.
     siteð sîþes fûs,   þonne swegles gim
     on sumeres tîd   sunne hâtost
210 ofer sceadu scîneð   ond gesceapu drêogeð,
     woruld geondwlîteð: þonne weorðeð his
     hûs onhæted   þurh hâdor swegl,
     wyrta wearmiað,   willsele stýmeð
     swêtum swæccum,   þonne on swole byrneð
215 þurh fýres feng   fugel mid neste:
     bæl bið onæled;   þonne brond þeceð
     heoredrêorges hûs,   hrêoh ônetteð,
     fealo lîg feormað   ond Fenix byrneð
     fyrngêarum frôd.   þonne fýr þigeð

---

   192 feorh *Gn.* — 197 gewæs *hs. (übergeschriebenes* h *wegradiert?).* — 199 swetes[t] *Go.* — 202 heahne *Gn.* — 206 healfe *Gn* ‖ gehware *hs.*, gehwære *Grdt*, gehwâm *Siev(ers).* — 207 æðelstum *Grdt.* — 209 sunna *Grdt.* — 212 swegel *ThGnEttm.* — 213 wyrtu *Grdt.* — 217 heoro- *Th*, heoro-dreorig *Ettm*, heoro-dreorges *GrdtGn* ‖ hreo *Grdt.*

220 lænne lĭchoman, lĭf biδ on sĭδe,
 fæges feorhhord, þonne flǽsc ond bân
 âdlêg ǽleδ. hwæδre him eft cymeδ
 æfter fyrstmearce feorh ednîwe.
 siþþan þâ yslan eft onginnaδ
225 æfter lĭgþræce lûcan tôgædre
 geclungne tô clêowne, þonne clǽne biδ
 beorhtast nesta bǽle forgrunden,
 heaþorôfes hof; hrâ biδ âcôlad,
 bânfæt gebròcen and sê bryne sweþraδ.
230 þonne of þâm âde æples gelîcnes
 on þǽre ascan biδ eft gemêted,
 of þâm weaxeδ wyrm wundrum fæger,
 swylce hê of ǽgerum ût âlǽde
 scĭr of scylle; þonne on sceade weaxeδ,
235 þæt hê ǽrest biδ swylce earnes brid,
 fæger fugeltimber; δonne furþor gĭn
 wrîdaδ on wynnûm, þæt hê biδ wæstmum gelîc
 ealdum earne, ond æfter þon
 feþrum gefrætwad, swylc hê æt frymδe wæs,
240 beorht geblôwen: þonne brǽd weorþeδ
 eal ednîwe eft âcenned,
 synnum âsundrad sumes onlîce,
 swâ mon tô ondleofne eorδan wæstmas
 on hærfeste hâm gelǽdeδ,
245 wiste wynsume, ǽr wintres cyme
 on rypes tîman, þy lǽs hî rênes scûr
 âwyrde under wolcnum, þǽr hî wraδe mêtaδ,
 fôdorþege gefêan, þonne forst ond snâw
 mid ofermægne eorþan þeccaδ
250 wintergewǽdum; of þâm wæstmum sceal
 eorla êadwela eft âlǽdan
 þurh cornes gecynd, þe ǽr clǽne biδ
 sǽd onsâwen, þonne sunnan glǽm
 on lenctenne lĭfes tâcen
255 weceδ woruldgestrêon, þæt þâ wæstmas bêoδ
 þurh âgne gecynd eft âcende,

---

224 onginneδ *Grdt.* — 225 togædere *ThEttmGnGo.* — 226 cle-
owenne *hs.*, clêowne *oder* clêone *Siev.* — 228 hûs *statt* hof *EttmGn.* —
231 þam *Grdt.* — 233 *hs.*] of æge wære ût âlǽded *Th*, âlude *Ettm.* —
234 in *Grdt.* — 236 in *hs.*, gên *EttmGn.* — 242 sumes onlĭce *hs.*
Grdt, sumeres on lĭce *Th.* — 243 wæsmas *hs.* — 244 hærfǽste
Grdt. — 248 gefeon *hs.ThGrdtEttmGn*, gefean? *GrdtEttmGo*, gefeóδ?
Gn. — 251 eorla eádwelan *hs.Grdt*, eorl eádwelan *ThEttm.* — 255 weceδ
Th, wecceδ *Grdt.*

foldan frætwe: swâ sê fugel weorþeð
gomel æfter gêarum   geong edniwe
flæsce bifongen.   nô hê fôddor þigeð
260 mete on moldan,   nemne meledêawes
dǽl gebyrge,   sê drêoseð oft
æt middre nihte: bi þon sê môdga his
feorh âfêdeð,   oþþæt fyrngesetu
âgenne eard   eft gesêceð.

IV.

_ _ _ _ _ _ _ _ _ _ _
_ _ _ _ _ _ _ _ _ _ _

320 Þonne hê gewîteð   wongas sêcan
his ealdne eard   of þisse êþeltyrf.
swâ sê fugel flêogeð,   folcum oð-êaweð
mongum monna   geond middangeard,
þonne somniað   sûþan ond norþan
325 êastan ond westan   êoredciestum,
farað feorran ond nêan   folca þrýþum,
þǽr hî scêawiaþ   scyppendes giefe
fǽgre on þâm fugle,   swâ him æt fruman sette
sigora sôðcyning   sellîcran gecynd,
330 frætwe fǽgran   ofer fugla cyn.
ðonne wundriað   weras ofer eorþan
wlite ond wæstma   ond gewritum cýþað,
mundum mearciað   on mearmstâne
hwonne sê dæg ond sêo tîd   dryhtum geêawe
335 frætwe flyhthwates.   ðonne fugla cynn
on healfa gehwone   hêapum þringað,
sîgað sîdwegum,   songe lofiað,
mǽrað môdigne   mêaglum reordum
ond swâ þone hâlgan   hringe beteldað
340 flyhte on lyfte: Fenix biþ on middum
þrêatum biþrungen.   þêoda wlîtað,
wundrum wâfiað,   hû sêo wilgedryht
wildne weorþiað,   worn æfter ôþrum,
cræftum cýþað   ond for cyning mǽrað
345 lêofne lêodfruman,   lǽdað mid wynnum
æþelne tô earde,   oþþæt sê ânhoga

---

322 oðeaweð _hs._, -ed _Th._ — 324 somniað _Kaluza_, somnað _hs._ —
330 fægran _hs._, -erran? _Th._, fægerran _Gn._ — 332 gewritu _hs._ — 333 mearm-
hs. (das r radiert, aber noch sichtbar), marm- _Th._ — 335 Ðonne _hs._ —
336 gehwore _hs._, gehwone _Th._, gehwǽre _Ettm_, gehware _Grdt._ —
342 wefiað _hs._, _Grdt_, wafiað _Th._ — 346 anhaga _Grdt._

oðflêogeð feþrum snel,   þæt him gefylgan ne mæg
drýmendra gedryht,   þonne duguða wyn
of þisse eorþan tyrf   êþel sêceð.

V.

350   Swâ sê gesæliga   æfter swylthwîle
his ealdcýðþe   eft genêosað
fægre foldan: fugelas cyrrað
from þâm gûðfrecan   geômormôde
eft tô earde,   þonne sê æþeling bið
355   giong in geardum.   god âna wât,
cyning ælmihtig,   hû his gecynde bið,
wîfhâdes þê weres: þæt ne wât ænig
monna cynnes   bûtan meotod âna,
hû þâ wîsan sind   wundorlîce
360   fæger fyrngesceap   ymb þæs fugles gebyrd!
þær sê êadgu môt   eardes nêotan,
wyllestrêama   wuduholtum in,
wunian in wonge,   oþþæt wintra bið
þûsend urnen: þonne him weorþeð
365   ende lîfes;   hine âd þeceð
þurh æledfýr: hwæþre eft cymeð
âweaht wrætlîce   wundrum tô lîfe.
forþon hê drûsende   dêað ne bisorgað,
sâre swyltcwale,   þe him symle wât
370   æfter lîgþræce   lîf ednîwe,
feorh æfter fylle,   þonne fromlîce
þurh briddes hâd   gebrêadad weorðeð
eft of ascan,   edgeong weseð
under swegles hlêo.   bið him self gehwæðer
375   sunu ond swæs fæder   ond symle êac
eft yrfeweard   ealdre lâfe.
forgeaf him sê meahta   moncynnes fruma,
þæt hê swâ wrætlîce   weorþan sceolde
eft þæt ilce,   þæt hê ær þon wæs,
380   feþrum bifongen,   þêah hine fýr nime.

— — — — — — — — — — —

VIII.

— — — — — — — — — — —

swâ nû æfter dêaðe   þurh dryhtnes miht
somod sîþiaþ   sâwla mid lîce,

---

355 geong *Grdt.* — 362 wylle streama *Th*, wylla-streáma *Grdt.* —
368 dreosende? *Grdt.* — 371 fille *hs.*, aber über dem i ein y von anderer
hand. — 373 wexeð? *Grdt.* — 375 suna *Grdt.* — 377 meahtiga *Ettm.*

2*

585 fǽgre gefrætwad   fugle gelîcast
     in êadwelum   æþelum stencum,
     þǽr sêo sôþfæste   sunne lihteð
     wlitig ofer weoredum   in wuldres byrig.

X.

     Ðonne sôðfæstum   sâwlum scîneð
590 hêah ofer hrôfas   hǽlende Crîst,
     him folgiað   fuglas scŷne
     beorhte gebrêdade   blissum hrêmge
     in þâm gladan hâm,   gǽstas gecorene,
     êce tô ealdre,   þǽr him yfle ne mæg
595 fâh fêond gemâh   fâcne sceþþan:
     ac þǽr lifgað â   lêohte werede
     swâ sê fugel F e n i x   in freoþu dryhtnes
     wlitige in wuldre.   weorc ânra gehwæs
     beorhte blîceð   in þâm bliþan hâm
600 fore onsŷne   êcan dryhtnes
     symle in sibbe   sunnan gelîce,
     þǽr sê beorhta bêag   brogden wundrum
     eorcnanstânum   êadigra gehwâm
     hlîfaþ ofer hêafde,   heafelan lîxað
605 þrymme biþeahte;   þêodnes cynegold
     sôðfæstra gehwone   sellîc glengeð
     lêohte in life,   þǽr sê¡ longa gefêa
     êce ond edgeong   ǽfre ne sweþrað,
     ac hŷ in wlite wuniað   wuldre bitolden
610 fǽgrum frætwum   mid fæder engla.
     ne bið him on þâm wîcum   wiht tô sorge,
     wrôht ne wêþel   ne gewindagas,
     hungor sê hâta   ne sê hearda þurst,
     yrmþu ne yldo: him sê æþela cyning
615 forgifeð gôda gehwylc,   þǽr gǽsta gedryht
     hǽlend hergað   ond heofoncyninges
     meahte mǽrsiað,   singað metude lof.
     swinsað sibgedryht   swêga mǽste
     hǽdre ymb þæt hâlge   hêahseld godes;
620 bliþe blêtsiað   bregu sêlestan
     êadge mid englum   efenhlêoþre þus:
     'sib sî þê, sôð god,   ond snyttru-cræft
     ond þê þonc sŷ   þrymsittendum
     geongra gyfena,   gôda gehwylces,
625 micel unmǽte   mægnes strengðu

---

586 ead-welan *Grdt.* — 588 weortðum *Grdt.* — 592 hremige *hs.* —
599 bliþam *hs.* — 613 hearde *hs.Th.Go.* — 625 strenðu *hs.*

hêah ond hâlig!　heofonas sindon
fǽgre gefylled,　fæder ælmihtig,
ealra þrymma þrym,　þînes wuldres
uppe mid englum　ond on eorðan somod!
630　gefreoþa ûsic, frymþa scyppend!　þû eart fæder ælmihtig
in hêannesse　heofuna waldend!'
Ðus reordiað　ryhtfremmende
mânes âmerede　in þǽre mǽran byrig,
cyneþrym cýþað;　câseres lof
635　singað on swegle　sôðfæstra gedryht:
'þâm ânum is　êce weorðmynd
forð bûtan ende;　næs his frymð ǽfre,
êades ongyn;　þêah hê on eorþan hêr
þurh cildes hâd　cenned wǽre
640　in middangeard,　hwæþre his meahta spêd
hêah ofer heofonum　hâlig wunade,
dôm unbryce!　þêah hê dêaþes cwealm
on rôde treowe　ræfnan sceolde,
þearlîc wîte,　hê þý þriddan dæge
645　æfter lîces hryre　lîf eft onfêng
þurh fæder fultum.　swâ Fenix bêacnað
geong in geardum　godbearnes meaht,
þonne hê of ascan　eft onwæcneð
in lîfes lîf　leomum geþungen.
650　swâ sê hǽlend ûs　helpe gefremede
þurh his lîces gedâl,　lîf bûtan ende,
swâ sê fugel swêtum　his fiþru tû
ond wynsumum　wyrtum gefylleð,
fǽgrum foldwæstmum,　þonne âfýsed bið.'
655　þæt sindon þâ word,　swâ ûs gewritu secgað,
hlêoþor hâligra,　þe him tô heofonum bið
tô þâm mildan gode　môd âfýsed
in drêama drêam,　þǽr hî dryhtne tô giefe
worda ond weorca　wynsumne stenc
660　in þâ mǽran gesceaft　meotude bringað
in þæt lêohte lîf.　sý him lof symle
þurh woruld worulda　ond wuldres blǽd,
âr ond onwald　in þâm uplîcan
rodera rîce!　Hê is on ryht cyning
665　middangeardes　ond mægenþrymmes
wuldre biwunden　in þǽre wlitigan byrig.

---

631 heahnesse *Gn.* — 635 singad *hs.* — 639 âcenned *verb. H(olt-)
h(ausen).* — 643 rôde treow *hs.,* rodetreowe *Gn¹,* rode treowe *Gn².* —
648 onwæcned *hs.,* onwæcneð? *Grdt.* — 650 swa *Th,* Swa *hs. (punkt
vorher)* || elpe *hs.,* helpe? *Grdt.*

Hafað ûs âlŷfed   *lucis auctor*
þæt wê môtun hêr   *meritare*
gôddædum begietan   *gaudia in celo,*
670   þær wê môtun   *maxima regna*
sêcan ond gesittan,   *sedibus altis*
lifgan in lisse   *lucis et pacis,*
âgan eardinga   *almæ letitiæ*
brûcan blæddaga,   *blandem et mitem*
675   gesêon sigora frêan   *sine fine*
ond him lof singan   *laude perenne*
êadge mid englum.   *alleluia!*

10.

AUS DER 'ÄLTEREN GENESIS'.

Hs.: zu Oxford, Bodleiana, Jun. 11, fol. 137. — Edd.: Cædmon's Metrical Paraphrase of Parts of the Holy Scriptures etc., ed. B. Thorpe, London 1832, s. 172—177; Bouterwek, Cæd. 1, 108ff.; Grein, Bibl. 1, 74; Grein-Wülker 2, 440—444; F. Holthausen, Heidelberg 1914, s. 84ff.; M. Förster, Ae. lesebuch, s. 4ff.

2845   þâ þæs rinces   sê rîca ongan
cyning costigan,   cunnode georne,
hwilc þæs æðelinges   ellen wære,
stîðum wordum   spræc him stefne tô:
'Gewît þû ofestlîce,   Abraham, fêran,
2850   lâstas lecgan   ond þê læde mid
þîn âgen bearn: þû scealt Îsaac mê
onsecgan, sunu ðînne,   sylf tô tîbre.
siððan þû gestîgest   stêape dûne,
hricg þæs hêan landes,   þe ic þê heonon getæce,
2855   ûp þînum âgnum fôtum: þær þû scealt âd gegærwan,
bælfŷr, bearne þînum   ond blôtan sylf
sunu mid sweordes ecge   ond þonne sweartan lîge!
lêofes lîc forbærnan   ond mê lâc bebêodan.'

---

667 actor (u *von anderer hand übergeschrieben*) hs. — 668 merueri hs. *In der hs. steht zwar nicht hier, wohl aber nach Go's angabe in v.* 670 *ein punkt hinter* môtun. mereri Gn[1.2]. *Kaluza liest:* þæt wê môtun ‖ hic mereri. H(olt)h(ausen) *schlägt vor (Herrigs Archiv, 112, 133):* mer [i &] ueri; *Trautmann:* meritare. — 670 motum hs. — 673 alma hs., ConThGo, almæ EttmGn[1.2]. — 674 mittem hs., Con, mitem GrdtEdd. — 676 perenni ConEttm.

2851 isâac hs. immer; *vgl. hier nr. 21.* — 2852 onsægan Kluge. — 2854 hrycg B(outerwek)] hrincg hs. H(olt)h(ausen) ‖ urspr. hêa(h)an. — 2856 ond [hine] blôtan sylf[a] Hh.

    Ne forsæt hê þŷ sîðe,   ac sôna ongann
2860 fŷsan tô fôre: him wæs frêan engla
word ondrysne   ond his waldend lêof.
þâ sê êadga   Abraham sîne
nihtreste ofgeaf: nalles nergendes
hæse wiðhogode,   ac hine sê hâlga wer
2865 gyrde grægan sweorde,   cŷðde, þæt him gâsta weardes
egesa on brêostum wunode.   ongan þâ his esolas bætan
gamolferhð goldes brytta,   heht hine geonge twêgen
men mid sîðian: mæg wæs his âgen þridda
ond hê fêorða sylf.   þâ hê fûs gewât
2870 from his âgenum hofe   Isääc lædan,
bearn unweaxen,   swâ him bebêad metod.
efste þâ swîðe   ond ônette
forð foldwege,   swâ him frêa tæhte
wegas ofer wêsten,   oð þæt wuldortorht
2875 dæges þriddan ûp   ofer dêop wæter
ord âræmde.   þâ sê êadega wer
geseah hlîfigan   hêa dûne,
swâ him sægde ær   swegles aldor.
    Ðâ Abraham spræc   tô his ombihtum:
2880 'Rincas mîne,   restað incit
hêr on þissum wîcum: wit eft cumað,
siððan wit ærende   uncer twêga
gâstcyninge   âgifen habbað.'
    Gewât him þâ sê æðeling   ond his âgen sunu
2885 tô þæs gemearces,   þe him metod tæhte,
wadan ofer wealdas: wudu bær sunu,
fæder fŷr ond sweord.   ðâ þæs fricgean ongann
wer wintrum geong   wordum Abraham:
    'Wit hêr fŷr ond sweord,   frêa mîn, habbað:
2890 hwær is þæt tiber,   þæt þû torht gode
tô þâm brynegielde   bringan þencest?'
    Abraham maðelode   (hæfde on ân gehogod,
þæt hê gedæde,   swâ hine drihten hêt):
'Him þæt sôðcyning   sylfa findeð,
2895 moncynnes weard,   swâ him gemet þinceð.'
    Gestâh þâ stîðhŷdig   stêape dûne
ûp mid his eaforan,   swâ him sê êca bebêad,
þæt hê on hrôfe gestôd   hêan landes,
on þære stôwe,   þe him sê stranga tô,

    2860 frean *Th(orpe)*, frea *hs.* — 2861 þæs waldendes *B* ‖ wald-
ende *hs., verb. Th.* — 2868 man[nan] mid sîðian *Hh.* — 2875 deop: o
aus a korr. hs. — 2877 *urspr.* hêa(h)e. — 2890 torhtum? — 2898 *urspr.*
hêa(h)an. — 2899 stôwe *B; fehlt in hs.*

2900   wǽrfæst metod,   wordum tǽhte.
      ongan þâ âd hladan,   æled weccan,
      ond gefeterode   fêt ónd honda
      bearne sînum   ond þâ on bǽl âhôf
      Îsaac geongne   ond þâ ǽdre gegrâp
2905   sweord be gehiltum: wolde his sunu cwellan
      folmum sînum,   fȳre swencan
      mǽg his dêorne.   þâ metodes ðegn
      ufan, engla sum,   Abraham hlûde
      stefne cȳgde.   hê stille gebâd
2910   âres sprǽce   ond þâm engle oncwæð.
      him þâ ofstum tô   ufan of roderum
      wuldorgâst godes   wordum mǽlde:
        'Abraham lêofa,   ne sleah þîn âgen bearn,
      ac þû cwicne âbregd   cniht of âde,
2915   eaforan þînne: him an wuldres god.
      mago Ebrêa,   þû mêdum scealt
      þurh þæs hâlgan hand   heofoncyninges,
      sôðum sigorlêanum,   selfa onfôn,
      g͞infæstum gîfum: þê wile gâsta weard
2920   lissum gyldan,   þæt þê wæs lêofre his
      sibb ond hyldo,   þonne þîn sylfes bearn.'
        Âd stôd onǽled.   hæfde Abrahame
      metod moncynnes, ·   mǽge Lôthes,
      brêost geblissad,   þâ hê him his bearn forgeaf
2925   Îsaac cwicne.   ðâ sê êadega bewlât
      rinc ofer exle   ond him þǽr rom geseah
      unfeor þanon   ǽnne standan,
      brôðor Ârônes,   brêmbrum fæstne.
      þone Abraham genam   ond hine on âd âhôf
2930   ofestum miclum   for his âgen bearn:
      âbrægd þâ mid þȳ bille,   brynegield onhrêad,
      reccendne wêg,   rommes blôde,
      onblêot þæt lâc gode,   sægde lêana þanc
      ond ealra þâra sǽlða,   þê hê him sîð ond ǽr,
2935   gifena drihten,   forgifen hæfde.

2906 f. fyre sencan ‖ mæges dreore *hs.*, *verb. Jovy, Bonner beitr.
5, 31 f.*, fȳr gesencan (*oder* âsencan) *B*, fȳre sengan *G(rei)n*, on fȳre
sengan *K(ölbin)g*, fȳre swelgan *oder* sellan *K(örne)r*, fȳr besprengan?
Zup(itza). doch vgl. auch Zs. für d. alt. 13, 131. — 2907 drêor *GnKgKr.* —
2913 *nicht* sleah þu *hs.* Zup. — 2918 *anfangs* anfô(h)an *Zup;* onfô[a]n
Hh. — 2920 leofra *verb. Gn.* — 2931 onhrêað *Ettmüller Lex.* 505, on ‖
rêad *Dietrich Zs. 10, 337,* onread *Kr,* read *Cosjin.* — 2932 rêcendne
Gn. — 2934 sǽlða *Gn, fehlt in hs.*] *Hh liest* ealra þara ‖ sið ond ær *hs.*]
ǽr ond sîð *Hh.*

11.

AUS DER 'JUDITH'.

Hs.: Brit. Mus., Vitellius, A, XV, fol. 202r. — Edd.: Grein, Bibl. 1, 123; Grein-Wülker 2, 301ff.; A. S. Cook, Boston 1904; Kluge, Ags. lesebuch⁴, s. 102ff.

Hæfde ðâ gefohten foremærne blæd
Iûdîth æt gûðe, swâ hyre god ûðe,
swegles ealdor, þe hyre sigores onlêah.
125 þâ sêo snotere mægð snûde gebrôhte
þæs herewæðan hêafod swâ blôdig
on ðâm fætelse, þe hyre foregenga,
blâchlêor ides, hyra bêgea nest
ðêawum geðungen þyder on lædde,
130 ond hit ðâ swâ heolfrig hyre on hond âgeaf,
higeþoncolre, hâm tô berenne
Iûdîth, gingran sînre. êodon ðâ gegnum þanonne
þâ idesa bâ ellenþrîste,
oð þæt hîe becômon, collenferhðe
135 êadhrêðige mægð, ût of ðâm herige,
þæt hîe sweotollîce gesêon mihten
þære wlitegan byrig weallas blîcan
Bêthûliam. hîe ðâ bêahhrodene
fêðelâste forð ônettan,
140 oð hîe glædmôde gegân hæfdon
tô ðâm wealgate. wiggend sæton,
weras, wæccende: wearde hêoldon
in ðâm fæstenne, swâ ðâm folce ær
geômormôdum Iûdîth bebêad,
145 searoðoncol mægð, þâ hêo on sîð gewât.
ides ellenrôf wæs ðâ eft cumen
lêof tô lêodum ond ðâ lungre hêt,
glêawhŷdig wîf, gumena sumne
of ðære ginnan byrig hyre tôgêanes gân
150 ond hî ofostlîce in forlætan
þurh ðæs wealles geat ond þæt word âcwæð

---

127 foregenge *Leo. — 130 buchstaben, die im texte in kursiver schrift stehen, fehlen jetzt in der hs. ganz oder zum größten teile. — 134 hie hie hs. — 141 weal über der zeile in der hs. — 142 heordon ursprünglich, dann aber der zweite strich von r zu 1, doch der erste nicht getilgt. — 144 Iudithe hs., Zupitza, Kluge, Iudith Gn¹ˑ². — 146 ellenrof. Wæs Gn². — 149 gân] faran? Rieger stellt die vershälften um, fragt aber: „oder ist gân an die stelle eines synonymen wortes getreten?“ — 150 forlęton aus forlęten, verb. Th(orpe).*

tô ðâm sigefolce: 'ic êow secgan mæg
þoncwyrðe þing,   þæt gê ne þyrfen leng
murnan on môde: êow ys metod blîðe,
155 · cyninga wuldor.   þæt gecýðed wearð
geond woruld wîde,   þæt êow ys wuldorblæd
torhtlîc tôweard   ond tîr gifeðe
þâra læðða tô lêane,   þe gê lange drugon.'
   Þâ wurdon blîðe   burhsittende,
160 syððan hî gehýrdon,   hû sêo hâlige spræc
ofer hêanne weall: here wæs on lustum.
wið þæs fæstengeates   folc ônette, ɩ
weras, wîf somod,   wornum ond hêapum,
ðrêatum ond ðrymmum   þrungon ond urnon
165 ongêan ðâ þêodnes mægð   þûsendmælum,
ealde ge geonge: æghwylcum wearð
men on ðære medobyrig   môd ârêted,
syððan hîe ongêaton,   þæt wæs Iûdîth cumen
eft tô êðle,   ond ðâ ofostlîce.
170 hîe mid êaðmêdum   in forlêton.
   Þâ sêo glêawe hêt   golde gefrætewod
hyre ðînenne   þancolmôde
ðæs herewæðan   hêafod onwrîðan
ond hyt tô bêhðe   blôdig ætýwan
175 þâm burhlêodum,   hû hyre æt beaduwe gespêow.
spræc ðâ sêo æðele   tô eallum þâm folce:
'hêr gê magon sweotole,   sigerôfe hæleð,
lêoda ræswan,   on ðæs lâðestan,
hæðenes heaðorinces,   hêafod starian,
180 Hôlofernus   unlyfigendes,
þe ûs monna mæst   morðra gefremede,
sârra sorga,   ond þæt swýðor gýt
ýcan wolde: ac him ne ûðe god
lengran lîfes,   þæt hê mid læððum ûs
185 eglan môste.   ic him ealdor oðþrong
þurh godes fultum.   nû ic gumena gehwæne
þyssa burglêoda   biddan wylle,
randwiggendra,   þæt gê recene êow
fýsan tô gefeohte: syððan frymða god,

---

154 *die oberen enden einiger buchstaben weg.* — 158 tô lêane
fehlt in der hs., tô bôte *Rie(ger); Gn ergänzt* on lâst *vor* þâra. —
160 halge *Cook.* — 161 hêahne *Gn.* — 163 weras ond wif *Thw(aites).* —
165 þeoðnes, *verb. Thw.* — 176, 177, 178 *und* 222, 223, 224 *die oberen
enden einiger buchstaben überklebt.* — 179 stariað *hs.*, *verb. Thw.* —
180 Olofernus *LeoRieSweet.* — 182 þæt *fehlt bei* ThLEttmGn¹Rie. —
189 fysen *Sw.*

190 ârfæst cyning,   êastan sende
    lêohtne lêoman,   beraδ linde forδ,
    bord for brêostum   ond byrnhomas,
    scîre helmas   in sceaδena gemong,
    fyllan folctogan   fâgum sweordum,
195 fǽge frumgâras.   fŷnd syndon êowęre
    gedêmed tô dêaδe,   ond gê dôm âgon,
    tîr æt tohtan,   swâ êow getâcnod hafaδ
    mihtig dryhten   þurh mîne hand.'
        Þâ wearδ snelra werod   snûde gegearewod,
200 cênra, tô campe: stôpon cynerôfe
    secgas ond gesîδas,   bǽron sigeþûfas,
    fôron tô gefeohte   forδ on gerihte
    hæleδ under helmum   of δǽre hâligan byrig
    on δæt dægred sylf: dynedan scildas,
205 hlûde hlummon.   þæs sê hlanca gefeah
    wulf in walde   ond sê wanna hrefn,
    wælgîfre fugel   (westan bêgen,
    þæt him δâ þêodguman   þôhton tilian
    fylle on fǽgum),   ac him flêah on lâst
210 earn ǽtes georn   ûrigfeδera,
    salowigpâda,   sang hildelêoδ
    hyrnednebba.   stôpon heaδorincas,
    beornas, tô beadowe   bordum beδeahte,
    hwealfum lindum,   þâ δe hwîle ǽr
215 elδêodigra   edwît þoledon,
    hǽδenra hosp: him þæt hearde wearδ
    æt δâm æscplegan   eallum forgolden,
    Assŷrium,   syδδan Ebrêas
    under gûδfanum   gegân hæfdon
220 tô δâm fyrdwîcum.   hîe δâ fromlîce
    lêton forδ flêogan   flâna scûras,
    hildenǽdran   of hornbogan,
    strǽlas stedehearde: styrmdon hlûde
    grame gûδfrecan,   gâras sendon
225 in heardra gemang.   hæleδ wǽron yrre
    landbûende   lâδum cynne.
    stôpon styrnmôde   stercedferhδe,
    wrehton unsôfte   ealdgenîδlan
    medowêrige: mundum brugdon
230 scealcas of scêaδum   scîrmǽled swyrd
    ecgum gecoste,   slôgon eornoste

---

190 ǽrfæst *ThLEttmGn¹RieKörner.* — 201 sige *fehlt, erg. Ettm.* —
207 wiston *Sw,* wistan *Cook.* — 209 ac] êac? *Gn¹* || lâste *Gn¹* — 222 horn-
bogum *Sweet.* — 228 weahton *Leo.*

Assíria   ôretmæcgas
nîðhycgende,   nânne ne sparedon
þæs herefolces,   hêanne nê rîcne,
235   cwicera manna,   þe hie ofercuman mihton.

12.

URKUNDE AUS DEN JAHREN 805—832.

Hs.: Cotton Augustus II, 79. — Facsimiles of Ancient Charters in the British Museum (1873) I, 15; Sweet, O. E. T., s. 443; Kluge, Ags. leseb.⁴, s. 14: Keller, Ags. Palaeographie, Berlin 1906 (Palaestra 43), tafel I; vgl. W. de Gray-Birch, Cartularium Saxonicum 1, 459 f.

† Ic Osuulf, aldormonn mid godes gæfe, ond Beornðryð, min gemecca, sellað to Cantuarabyrg to Cristescirican ðæt lond æt Stanhamstede .XX. swuluncga gode allmehtgum *ond* ðere halgon gesomnuncgæ fore hyhte *ond* fore aedleane ðæs aecan *ond* ðaes
5 towardon lifes *ond* fore uncerra saula hela *ond* uncerra bearna; ond mid micelre eaðmodnisse biddað, ðæt wit moten bion on ðem gemanon, ðe ðaer godes ðiowas siondan *ond* ða menn, ða ðaer hlafordas wæron, *ond* ðara monna, ðe hiora lond to ðaere cirican saldon; ond ðættæ mon unce tide ymb tuælfmonað mon geuueorðiae
10 on godcundum godum *ond* æc on ælmessan, suæ mon hiora doeð.

Ic ðonne Uulfred, mid godes gaefe arc epis, ðas forecuae-denan uuord fulliae *ond* bebeode, ðæt mon ymb tuælfmonað hiora tid boega ðus geuueorðiae to anes daeges to Osuulfes tide ge mid godcundum godum ge mid aelmessan ge aec mid higna suesendum.
15 ðonne bebeode ic, ðaet mon ðas ðing selle ymb tuælfmonað of Liminum, ðe ðis forecuaedene lond to limpeð, of ðaem ilcan lônde æt Stanhamstede: .CXX. huaetenra hlafa *ond* .XXX. clenra *ond* án hriðer dugunde *ond* .IIII. scęp *ond* tua flicca *ond* .V. goes *ond* .X. hennfuglas *ond* .X. pund caeses, gif hit fuguldaeg sie; gif hit
20 ðonne festendæg sie, selle mon uuęge cæsa *ond* fisces *ond* butran *ond* aegera, ðaet mon begeotan maege: *ond* .XXX. ombra godes uuelesces aloð, ðet limpeð to .XV. mittum, *ond* mittan fulne huniges oðða tuęgen uuines, suę hwaeder suae mon ðonne begeotan maege.

---

234 rice *hs.*, *verb. Gn¹.*

12. *nach Max Förster (brieflich) aus den jahren 805—832:*

9 *ein* mon *zu streichen.* — 16 -cuaede(ne). — 17 clenra *die hs. auch nach dem faksimile, nicht* denra. — 20 *ein buchstabe radiert hinter* ðonne. — 22 ðet, *nicht* ðæt, *faks. und hs.*

ond of higna gemęnum gódum ðaer aet ham mon geselle .CXX.
25 gesuflra hlafa to aelmessan for hiora saula, suae mon aet hlaforda
tidum doeð. ond ðas forecuędenan suęsenda all agefe mon ðęm
reogolwarde, *ond* he brytnię, swæ higum maest red sie *ond* ðaem
sawlum sðelest. aec mon ðaet weax âgæfe to ciricican *ond* hiora
sawlum nytt gedoe, ðe hit man fore doeð. aec ic bebeode minum
30 aefterfylgendum, ðe ðaet lond hębben aet Burnan, ðaet hiae
simle ymb .XII. monað foran to ðære tide gegeorwien tenhund
hlafa *ond* swae feola sufla, *ond* ðęt mon gedele to aelmessan
aet ðere tide fore mine sawle *ond* Osuulfes *ond* Beornðryðe aet
Cristescirican, *ond* him se reogolweord on byrg gebeode foran
35 to, hwonne sio tid sie. aec ic bidde higon, ðette hie ðas god-
cundan god gedon aet ðere tide fore hiora sawlum, ðaet ęghwilc
messepriost gesinge fore Osuulfes sawle twa messan, twa fore
Beornðryðe sawle, *ond* aeghwilc diacon arede twa passione fore
his sawle, twa fore hire, ond ęghwilc godes ðiow gesinge twa
40 fiftig fore his sawle, twa fore hire, ðaette ge fore uueorolde
sien geblitsade mid ðem weoroldcundum godum *ond* hiora saula
mid ðem godcundum godum. aec ic biddo, higon, ðaet ge me
gemynen aet ðere tide mid suilce godcunde gode, suilce iow
cynlic ðynce, ic ðe ðas gesettnesse sette gehueder ge for higna
45 lufon ge ðeara saula, ðe haer beforan hiora namon auuritene
siondon. *VALETE IN DOMINO.*

13.
PSALM 68 AUS DER HS. VESP. A. 1.

*Anglo-Saxon and Early English Psalter (ed. Stevenson), s. 214 ff.; The Oldest
English Texts, ed. Sweet, s. 220 ff.; vgl. R. Zeuner, Die sprache des kent.
psalters, 1881, M. Förster, Ae. leseb., s. 9–11, und Kluge, Ags. leseb.[4], s. 18.*

halne   mec doa god   forðon   in eodun   weter oð   sawle
²Salvum me   fac, deus, quoniam introierunt aquae usque ad animam
mine gefestnad ic eam in lam   grundes 7 nis   spoed   cym in
meam.³infixus   sum   in limum profundi, et non est substantia: veni in
heanisse   saes   7 storm   bisencte mec ic won cleopiende hase
altitudinem maris, et tempestas demersit me. ⁴laboravi clamans: raucae
gewordne werun goman mine asprungun egan mine ðonne ic gehyhtu
factae   sunt   fauces mea: defecerunt oculi mei, dum   spero

---

28 *l.* cirican. — 32 ðęt *aus* ðot. — 33 *rasur hinter* tide. — 34 (aet
cristes cirican). — 43 y *in* gemynen *auf rasur.*

5 in god   minne   gemonigfaldade   sindun ofer loccas heafdes mines
in deum meum.   *⁵multiplicati*   *sunt*   *super capillos capitis mei,*

ða fiodun mec bi ungewyrhtum gestrongade sind ofer mec ða mec
qui oderunt me gratis: *confortati sunt super me, qui me*

oehtað   feond mine unrehtwislice[1]   ða   ic ne reafade ða
persequuntur, inimici mei   iniusti: *quę[2] non   rapui, tunc*

ic onlesde god ðu wast unwisdom minne 7 scylde mine from
exsolvebam. *⁶deus, tu scis   insipientiam meam, et delicta mea   a*

ðe ne sind ahydde   ne scomiað   in mec ða ðe ðec bidað
te non sunt abscondita. *⁷non erubescant in me, qui   te   expectant,*

10 dryhten[3] god megna   ne onscunien ofer mec ða ðe soecað   ðec
domine, deus virtutum: non revereantur super me, qui   requirunt te,

god   forðon   fore   ðe ic aber   edwit   oferwrah
deus Israhel; *⁸quoniam propter te supportavi improperium, operuit*

mid scome onsiene mine   fremðe geworden ic eam broðrum minum
reverentia   faciem meam. *⁹exter factus   sum   fratribus meis*

7 cuma bearnum moeder minre   forðon hatheortnisse huses ðines
et hospis filiis   matris meae; *¹⁰quoniam zelus   domus tuae*

iteð   mec 7 edwit   edwitendra   ðe gefeollun ofer   mec   7
comedit me, et opprobria exprobrantium tibi ceciderunt super me. *¹¹et*

15 oferwrah in festenne sawle   mine 7 geworden is me in edwit
operui   in ieiunio   animam meam, et factum   est mihi in opprobrium.

7 ic sette hregl   min heran   7 geworden ic eam him in
¹²et posui vestimentum meum cilicium, et factus   sum   illis in

·bispel   wið   mec bieodun   ða ðe setun   in gete 7 in
parabolam. *¹³adversum me exercebantur, qui   sedebant in porta, et in*

mec sungun   ða ðe druncun win   ic soðlice gebed[4]   min to
me psallebant, qui   bibebant vinum. *¹⁴ego vero   orationem meam ad*

ðe dryhten tid   wel gelicade god   in mengu   mildheortnisse
te, domine: tempus beneplaciti.   *deus in multitudine misericordiae*

20 ðinre geher me in soðfestnisse haelu ðinre genere[5] mec of lame ðæt
tuae exaudi me in veritate   salutis tuae. *¹⁵eripe   me de luto, ut*

ic in ne fele gefrea mec of ðæm figendum mec 7 of grunde wetra
non inheream: libera me ex odientibus   me et de profundo aquarum.

nales mec bisence storm   wetres ne   forswelge mec grund
¹⁶non me demergat tempestas aquae, neque absorbeat me profundum,

ne   ðrege ofer mec seað muð his   geher mec dryhten forðon
neque urgeat super me puteus os suum. *¹⁷exaudi me, domine, quoniam*

---

[1] *hinter* s *unterpunktiertes* e. — [2] quę *Stevenson,* qui *Sweet.* —
[3] dryhtne *bei* Sweet *wohl druckfehler.* — [4] gebeded. — [5] gere.

freamsum is mildheortnis ðin efter mengu mildsa
benigna est misericordia tua: secundum multitudinem miserationum

25 ðinra geloca in mec ne acer ðu onsiene ðine from cnehte ðinum
tuarum respice in me. [18]*ne avertas faciem tuam a puero tuo:*

forðon ic bio geswenced hreðlice geher mec bihald to sawle
quoniam tribulor, velociter exaudi me. [19]*intende animae*

minre 7 gefrea hie fore fiondum minum genere mec dryhten ðu
meae et libera eam: propter inimicos meos eripe me, domine. [20]*tu*

soðlice wast edwit min gedroefnisse 7 scome[1] mine in
enim scis improperium meum, confusionem et verecundiam meam. [21]*in*

gesihðe ðinre sind alle geswencende mec edwit bad
conspectu tuo sunt omnes tribulantes me: improperium expectavit

30 heorte min 7 ermðu 7 ic arefnde ða somud mid mec were geunrotsad
cor meum et miseriam, et sustinui, qui simul mecum contristaretur,

7 ne wes 7 froefrende mec ic sohte 7 ic ne gemoette 7 saldun
et non fuit, et consolantem me quęsivi[2] *et non inveni.* [22]*et dederunt*

in mete minne gallan 7 in ðurste minum drynctun mec mid ecede
in escam meam fel et in siti mea potaverunt me aceto.

sie biod heara biforan him in girene 7 in edlean 7 in
[23]*fiat mensa eorum coram ipsis in laqueum et in retributionem et in*

eswic sien aðiostrade egan heara ðaet hie ne gesen 7 bec
scandalum. [24]*obscurentur oculi eorum, ne videant, et dorsum*

35 heara aa gebeged ageot ofer hie eorre ðin 7 ebylgðu[3]
illorum semper incurva. [25]*effunde super eos iram tuam, et indignatio*

eorres ðines gegripe[4] hie sie eardung heara woestu 7 in
irae tuae adpraehendat eos. [26]*fiat habitatio eorum deserta et in*

geteldum heara ne sie se in eardie forðon ðone ðu
tabernaculis eorum non sit, qui inhabitet. [28]*quoniam, quem tu*

sloge hie oehtende werun 7 ofer sar wunda minra
percussisti, ipsi persecuti sunt et super dolorem vulnerum meorum

otectun to sete unrehtwisnisse ofer unrehtwisnisse heara 7 in
addiderunt, [28]*adpone iniquitatem super iniquitatem ipsorum, et non*

40 ne gað in ðinre rehtwisnisse sien hie adilgade of boec lifgendra 7
intrent in tua iustitia. [29] *deleantur de libro viventium et*

mid ðæm rehtwisum ne bioð awriten ðearfa 7 sargiende ic eam
cum iustis non scribantur. [30]*pauper et dolens ego sum,*

7 haelu ondwlitan ðines god onfeng mec ic hergu noman godes
et salus vultus tui, deus, suscepit me. [31]*laudabo nomen dei*

mines mid songe 7 ic micliu hine in lofe licað gode ofer
mei cum cantico et magnificabo eum in laude; [32]*placebit deo super*

---

[1] s(c)ome. — [2] quisivi *Sweet.* — [3] y *über* u. — [4] ge(g)ripe.

caelf   niowe   hornas forð lędende 7 clea   gesen   ðearfan
vitulum novellum   cornua producentem et ungulas. [33]*videant pauperes*
45 7 blissien   soecað dryhten 7 liofað   sawul   eower   forðon
et laetentur: quaerite dominum, et vivet   anima vestra. [34]*quoniam*
geherde ðearfan dryhten 7 gebundne his ne forhogde hergað
exaudivit pauperes dominus et vinctos   suos non sprevit. [35]*laudent*
hine heofenas 7 eorðe sae 7 all   ða ðe in him sind forðon   god
eum caeli   et terra, mare et omnia, quae in eis sunt. [36]*quoniam deus*
halne doð Sion 7 bioð timbrede cestre   7 in eardiað
salvam faciet Sion, et aedificabuntur   civitates Iudae, et inhabitabunt
ðer 7 erfeworðnisse bigeotað hie   7 sed   ðiowa   his gesittað
ibi et hereditate   adquirunt eam. [37]*et semen servorum eius possidebit*
50 hie   7   ða ðe lufiað   noman his   in eardiað   in hire.
eam, et, qui diligunt nomen eius, inhabitabunt in ea.

14.

ÆLFREDS VORREDE ZU GREGORS 'CURA PASTORALIS' NEBST DEM SCHLUSSGEDICHTE DES WERKES.

I. VORREDE.

King Alfred's West-Saxon Version of Gregory's Pastoral Care, ed. Henry Sweet (EETS 45), London 1871, s. 3. unser text folgt meist H (= Hatton MS 20, früher 88, in der Bodleiana zu Oxford). aus anderen hss. (C = Corpus Chr. C. Cambr. 12, J = Junius' abschrift in Oxford des fast ganz verbrannten Cott. Tib. B XI, T = Trinity Coll. C., R. 5. 22 [erst von z. 81 an], U = University Libr. Cambr. Ii 2. 4) werden graphische und lautliche varianten nur dann angeführt, wenn sie ältere formen zeigen als H oder sonst merkwürdig sind. Kluge, Ags. lesebuch⁴, s. 30.

† ÐEOS BOC SCEAL TO WIOGORACEASTRE.

Ælfred kyning hâteð grêtan Wǽrferð biscep his wordum luflîce ond frêondlîce ond ðê cŷðan hâte, ðæt mê côm swîðe oft on gemynd; hwelce wiotan iû wǽron giond Angelcynn ǽgðer ge godcundra hâda ge woruldcundra, ond hû gesǽliglîca tîda ðâ
5 wǽron giond Angelcynn, ond hû ðâ kyningas, ðe ðone onwald

---

† ð. b. sc. to w.] ðis is seo forespræc hu sanctus gregorius ðas boc gedihte þe man pastoralem nemnað *JU, f. C.* — 1 W. b. *mit etwas kleineren buchstaben nachträglich ds. hd. H*] Wulfsige bisceop *U, lücke J, f. ohne lücke C.* — 4 worul(d)cundra *H.*

hæfdon ðæs folces, gode ond his ærendwrecum hîersumedon, ond
hîe ægðer ge hiora sibbe ge hiora siodo ge hiora onweald
innanbordes gehîoldon ond êac ût hiora êðel rŷmdon, ond h
him ðâ spêow ægðer ge mid wîge ge mid wîsdôme; ond êac ðâ
10 godcundan hâdas, hû giorne hîe wæron ægðer ge ymb lâre ge
ymb liornunga ge ymb ealle ðâ ðîowotdômas, ðe hîe gode
scoldon, ond hû man ûtanbordes wîsdôm ond lâre hieder on lond
sôhte, ond hû wê hîe nû sceoldon ûte begietan, gif wê hîe habban
sceoldon. swæ clæne hîo wæs oðfeallenu on Angelcynne, ðæt
15 swîðe fêawa wæron behionan Humbre, ðe hiora ðêninga cûðen
understondan on englisc oððe furðum ân ærendgewrit of lædene
on englisc âreccean; ond ic wêne, ðætte nôht monige begiondan
Humbre næren. swæ fêawa hiora wæron, ðæt ic furðum ânne
ânlêpne ne mæg geðencean besûðan Temese, ðâ ðâ ic tô rîce
20 fêng. gode ælmihtegum sîe ðonc, ðætte wê nû ænigne onstal
habbað lârêowa; ond forðon ic ðê bebîode, ðæt ðû dô, swæ ic
gelîefe, ðæt ðû wille, ðæt ðû ðê ðissa woruldðinga tô ðæm
geæmetige, swæ ðû oftost mæge, ðæt ðû ðone wîsdôm, ðe ðê
god sealde, ðær ðær ðû hiene befæstan mæge, befæste. geðenc,
25 hwelc wîtu ûs ðâ becômon for ðisse worulde, ðâ ðâ wê hit
nôhwæðer nê selfe ne lufodon nê êac ôðrum monnum ne lêfdon:
ðone naman ânne wê hæfdon, ðætte wê cristne wæren, ond swîðe
fêawe ðâ ðêawas. ðâ ic ðâ ðis eall gemunde, ðâ gemunde ic êac,
hû ic geseah, ærðæmðe hit eall forhergod wære ond forbærned,
30 hû ðâ ciricean giond eall Angelcynn stôdon mâðma ond bôca
gefyldæ, ond êac micel menigeo godes ðîowa, ond ðâ swîðe lŷtle

6 on ðam dagum *hinter* folces *a. hd. H* ∥ æryndwrytum *U* ∥ hiersu-
medon *C*, her- *Sweet*, hyr- (y *hd. 11. jhds. auf r.*) *H.* — 7 hu hie *CJ.* —
8 innanborde *U* ∥ (wel) gehio. *a. hd.? H* ∥ oeðel *J* ∥ rymdon *zu* gerymdon
a. hd. H. — 11 ge] ond *abgekürzt CJU* ∥ þeowdomas *U.* — 12 don *vor*
sc. *CJ*, *ü. d. z. a. hd.? H, f. U* ∥ mon *CJU* ∥ utonborde *U.* — 13 hie *Sweet*,
by (y *hd. 11. jhds. auf r.*) *H.* — 14 swæ *zu* swa (*ebenso 18. 49. 53. 56. 72
und je zweimal 44. 68. 71. 77*) *H* ∥ oðfeallen *U* ∥ ðætte *CJ.* — 15 feawe
CJ ∥ ðenunga *J*, ðenunge *C*, þenunge *U.* — 17 ðætte *zu* ðæt *r. H*, þæt
U (*ebenso 20. 27. 57. 78*). — 18 feawe *CJ* ∥ ðætte *CJ.* — 20 ælmiehte-
gum *J.* — 21 ond *f. CJU* ∥ beode *U.* — 24 georne *vor* befæste *spät. hd. H.* —
25 hwelc *zu* hwelce *sp. hd. H*, hwilce *U.* — 27 anne *zu* ænne *sp. hd. H* ∥
hæfdon *CJ*] lufodon *H*, lufdon *U.* — 28 feawe *zu* feawa *sp. hd. H*,
feawa *U* ∥ *zweites* ðâ *f. U.* — 31 gefyldæ *zu* -de *sp. hd. H*, -da *CJ*,
gefylled *U* ∥ men(i)geo *H.*

fiorme ðâra bôca wiston, forðǽmðe hîe hiora nân wuht ongiotan ⋅
ne meahton, forðǽmðe hîe nǽron on hiora âgen geðîode âwritene;
swelce hîe cwǽden: 'ûre ieldran, ðâ ðe ðâs stôwa ǽr hîoldon,
85 hîe lufodon wîsdôm, ond ðurh ðone hîe begêaton welan ond ûs
lǽfdon. hêr mon mǽg gîet gesîon hiora swæð, ac wê him ne
cunnon æfterspyrigean:' ond forðǽm wê habbað nû ǽgðer forlǽten
ge ðone welan ge ðone wîsdôm, forðǽmðe wê noldon tô ðǽm
spore mid ûre môde onlûtan. ðâ ic ðâ ðis eall gemunde, ðâ
40 wundrade ic swîðe swîðe ðâra gôdena wiotona, ðe giû wǽron
giond Angelcynn ond ðâ bêc eallæ befullan geliornod hæfdon,
ðæt hîe hiora ðâ nânne dǽl noldon on hiora âgen geðîode wendan.
ac ic ðâ sôna eft mê selfum andwyrde ond cwæð: hîe ne wêndon,
ðætte ǽfre menn sceolden swǽ reccelêase weorðan ond sîo lâr swǽ
45 oðfeallan. for ðǽre wilnunga hîe hit forlêton ond woldon, ðæt hêr
ðŷ mâra wîsdôm on londe wǽre, ðŷ wê mâ geðêoda cûðon. ðâ
gemunde ic, hû sîo ǽ wæs ǽrest on ebriscgeðîode funden, ond eft,
ðâ hîe Crêacas geliornodon, ðâ wendon hîe hîe on hiora âgen
geðîode ealle ond êac ealle ðôre bêc: ond eft Lǽdenware swǽ
50 same, siððan hîe hîe geliornodon, hîe hîe wendon ealla ðurh wîse
wealhstodas on hiora âgen geðîode. ond êac ealla ôðræ crîstnæ
ðîoda sumne dǽl hiora on hiora âgen geðîode wendon. forðŷ mê
ðyncð betre, gif îow swǽ ðyncð, ðæt wê êac sumæ bêc, ðâ ðe
nîedbeðearfosta sîen eallum monnum tô wiotonne, ðæt wê ðâ on
55 ðæt geðîode wenden, ðe wê ealle gecnâwan mǽgen (ond gedôn
swǽ wê swîðe êaðe magon mid godes fultume, gif wê ðâ stilnesse
habbað), ðætte eal sîo gioguð, ðe nû is on Angelcynne, frîora

---

32 wuht] þing U ∥ ongietan CJ. — 33 hy (wie 13) H. — 34 cwæden
zu cwædon sp. hd. H ∥ yldran (y hd. 11. jhds. auf r.) H, ieldran J. —
37 ond f. CJU ∥ nû f. U. — 38 wela U. — 40 godera U. — 41 æ in
eallæ auf r. H, ealla (ealle U) hinter befullan CJU. — 42 hîe f. U ∥ nanne
später zu nænne H. — 44 ðætt: (e r.) H, þæt U ∥ rec: elease H ∥ swyðe h.
swæ nachtr. a. hd. H. — 46 geðîoda CJ. — 47 ebrisc- zu ebreisc- sp.
hd. H, ebreisc- JU. — 48 ða ða C, þa þa J ∥ erstes hîe f. U ∥ creacas sp.
hd. zu greccas H ∥ agen zu agene sp. hd. H. — 49 zweites ealle durch-
strichen und darüber l mænige von sp. hd. H ∥ oðra U ∥ -wære C. —
50 some U ∥ zweites hie] hic U ∥ viertes hie f. U ∥ eall: durchstrichen (a r.) H,
ealle U. — 51 ealle U ∥ oðræ zu oðre r. H, oðra CJU ∥ cristnǽ zu
cristna r. H, cristena CJ, cristene U. — 53 eac sp. hd. vor gif H ∥ îow]
geow U ∥ sumæ zu sume r. H, suma J, sume CU. — 55 gedon CU, ge
don HJ.

monna, ðâra ðe ðâ spêda hæbben, ðæt hîe ðæm befêolan mægen,
sîen tô liornunga oðfæste, dâ hwîle ðe hîe tô nânre ôðerre note
60 ne mægen, oð ðone first, ðe hîe wel cunnen englisc gewrit
ârædan: lære mon siððan furður on lædengeðîode, ðâ ðe mon
furðor læran wille ond tô hîeran hâde dôn wille. ðâ ic ðâ gemunde,
hû sîo lâr lædengeðîodes ær ðissum âfeallen wæs giond Angel-
cynn, ond ðêah monige cûðon englisc gewrit ârædan, ðâ ongan
65 ic ongemang ôðrum mislîcum ond manigfealdum bisgum ðisses
kynerîces ðâ bôc wendan on englisc, ðe is genemned on læden
Pastoralis ond on englisc Hierdebôc, hwîlum word be worde,
hwîlum andgit of andgiete, swæ swæ ic hîe geliornode æt Pleg-
munde, mînum ærcebiscepe, ond æt Assere, mînum biscepe, ond
70 æt Grîmbolde, mînum mæsseprîoste, ond æt Iôhanne, mînum mæsse-
prêoste. siððan ic hîe ðâ geliornod hæfde, swæ swæ ic hîe for-
stôd, ond swæ ic hîe andgitfullîcost âreccean meahte, ic hîe on
englisc âwende; ond to ælcum biscepstôle on mînum rîce wille âne
onsendan, ond on ælcre bið ân æstel, sê bið on fîftegum mancessa.
75 ond ic bebîode on godes naman, ðæt nân mon ðone æstel from
ðære bêc ne dô nê ðâ bôc from ðæm mynstre: uncûð, hû longe
ðær swæ gelærede biscepas sîen, swæ swæ nû (gode ðonc!) wel
hwær siendon, forðý ic wolde, ðætte hîe ealneg æt ðære stôwe
wæren, bûton se biscep hîe mid him habban wille oððe hîo
80 hwær tô læne sîe oððe hwâ ôðre bî wrîte.

> þis ærendgewrit   Âgustînus
> ofer sealtne sæ   sûðan brôhte
> îegbûendum,   swæ hit ærfore
> âdihtode   dryhtnes cempa,
> 85 Rôme pâpa.   ryhtspell monig
> Grêgôrius   glêawmôd gindwôd

---

59 zweites tô f. U. — 60 ðone f. U ‖ fierst C. — 62 hierran CJ, herran
U ‖ zweites ðâ f. U. — 63 oðfeallen CJ. — 64 manega U. — 65 gemong
(on f.) U ‖ missenlicum C ‖ monigfaldum J, monigfealdum U. — 68 ond-
giet C, ondgit J ‖ andgi(e)te ds. hd. H, ondgiete C. — 69 Asserie J. —
70 mæsse(preoste) moderne hd. C. — 71—72 forstod durchstrichen und
darüber l betst understandon cuðe sp. hd. H. — 72 ond f. U ‖ andgiet-
fullicost C, andgitlicost U. — 74 indicatorium æstel festuca hd. 12. jhds.
am rande C ‖ moncessa CJ, zu mancessan sp. hd. H. — 75 noman CJ ‖
nân f. U. — 76 doe J. — 77 ge ü. d. z. vor wel sp. hd. H. — 78 ealne
weg U. — 83 eorðbugendum T ‖ swæ J. — 84 adihtnode T und durch
korrektur von mod. hd. U. — 86 Gregorius f. U.

3*

ðurh sefan snyttro,   searoðonca hord;
forðæm hê monncynnes   mæst gestriende
rôdra wearde,   Rômwara betest,
90 monna môdwelegost,   mærðum gefrægost.
siððan mîn on englisc   Ælfred kyning
âwende worda gehwelc   ond mê his wrîterum
sende sûð ond norð,   heht him swelcra mâ
brengan bî ðære bisene,   ðæt hê his biscepum
95 sendan meahte,   forðæm hî his sume ðorfton,
ðâ ðe lædensprǽce   lǽste cûðon.

II. SCHLUSSGEDICHT.

Gedruckt in metrischer form von F. Holthausen in Herrig's Archiv,
bd. 106, s. 346.

Ðis is nû sê wæterscipe,   ðe ûs wereda god
tô frôfre gehêt,   foldbûendum.
Hê cwæð ðæt hê wolde   ðæt on worulde forð
of ðæm innoðum   â libbendu
5 wætru flêowen,   ðe wel on hine
gelîfden under lyfte.   Is hit lŷtel twêo
ðæt ðæs wæterscipes   welsprynge is
on hefonrîce;   ðæt is hâlig gâst.
Ðonan hine hlôdan   hâlge ond gecorene,
10 siððan hine gierdon   ðâ ðe gode hêrdon,
ðurh hâlgan bêc   hider on eorðan
geond manna môd   missenlîce.
Sume hine weriað   on gewitlocan,
wîsdômes strêam,   welerum gehæftað,
15 ðæt hê on unnyt   ût ne tôflôweð.
Ac se wǽl wunað   on weres brêostum
ðurh dryhtnes giefe   dîop ond stille.
Sume hine lǽtað   ofer landscare
rîðum tôrinnan.   Nis ðæt rǽdlic ðing,
20 gif swâ hlûtor wæter   hlûd ond undîop
tôflôweð æfter feldum   oð hit tô fenne werð.
Ac hladað îow nû drincan,   nû îow dryhten geaf
ðæt îow Grêgôrius   gegiered hafað
tô durum îowrum   dryhtnes welle!

---

88 forðon *CJ*, forþæm þe *T.* — 89 romwarena *TU.* — 90 mærða
U. — 91 mîn] me *TU.* — 93 for þam he *hinter* norð *U* ‖ het *TU.* —
94 bringan *T* ‖ bysene *JT*, bysyne *U.* — 95 myahte *T* ‖ hie *CJ* ‖
beþorftan *TU.* — 96 læsðe *J.*
23 *statt* gegiered hafað *vermutet Holthausen* gegierwed hæfð.

25 Fylle nû his fǽtels,   sê ðe fæstne hider
   kylle brôhte!   Cume eft hrǽðe.
   gif hêr ðegna hwelc   ðyrelne kylle
   brôhte tô ðŷs burnan,   bête hine georne,
   ðŷlǽs hê forsceâde   scîrost wǽtra,
30 oððe him lîfes drync   forloren weorðe!

15.

DIE EROBERUNG BRITANNIENS DURCH DIE ANGEL-SACHSEN UND DIE BEKEHRUNG DER KENTER ZUM CHRISTENTUM.

Nach Bedas bericht in der unter könig Ælfreds namen gehenden altenglischen übersetzung (buch I, kap. 14—16, 23—26).

Hss.: T = MS Tanner 10 der Oxforder Bodleiana, O = MS 279 des Corpus Christi College zu Oxford (diese beiden hss. unvollständig, namentlich zu anfang und zu ende), C = MS Cotton, Otho B XI des Brit. Mus. zu London, durch brand stark beschädigt, nur noch in bruchstücken erhalten), Ca = MS Kk 3, 18 der universitäts-bibl. zu Cambridge, B = MS 41 des Corpus Christi (früher Bennet) College zu Cambridge. — Edd.: Historiae ecclesiasticae gentis Anglorum libri quinque a venerabili Beda presbytero scripti, ab augustissimo veterum Anglosaxonum rege Alvredo examinati eiusque paraphrasi saxonica eleganter explicati, ed. A. Wheloc, Cantabr. 1643, p. 327. — Historiae ecclesiasticae gentis Anglorum libri quinque etc. cura et studio Johannis Smith, Cantabr. 1722, p. 596. — The Old-English version of Bede's Ecclesiastical History of the English people, ed. etc. Th. Müller (EETS 95, 96, 110), London 1890, 1891, 1898. — König Alfreds übersetzung von Bedas kirchengeschichte. hgg. von J. Schipper (Bibl. der ags. prosa, begr. von Ch. W. M. Grein, fortges. von R. P. Wülker, IV., in 3 teilen), Leipzig 1897—99, p. 37. — unser text folgt anfangs der hs. Ca, später deren vorlage O. die zuerst unbezeichneten varianten sind diejenigen der hs. B; wo T und O anfangen, sind die varianten aller handschriften bezeichnet worden. graphische und lautliche varianten sind in der regel nicht angegeben.

(14.) Com se foresprecena hungur eac swylce hider on Bryttas, and[1] hi to ðon swyðe wǽcte[2], þæt heora monige heora feondum on hand eodan; and gyt ma wæs þe[3] þæt dôn ne wolde[4]. ac þa[5] him[5]

---

[1] and *fast immer abgekürzt; wenn ausgeschrieben, steht* and, *nicht* ond *in dieser hs.* — [2] wæhcte Ca. — [3] þætte. — [4] woldon. — [5] him þa.

ælc mennisc fultum blonn, þæt hi[1] ma on godcundne fultum
5 getreowodan; and[2] þa ongunnan ærest wið heora fynd feohtan, þa
ðe monige[3] gear ǽr hi[4] onhergedon and hleoðedon; and hi him ða
micel wæl ongeslogan[5], and hi ham bedrifan, and sige ahton. æfter
þyssum com gôd gear, and swa eac micel genihtsumnys wæstma
on Breotone lond, swa nænig æfteryldo syððan gemunan mæg;
10 mid þy[6] ða ongon[7] firenlust weaxan[8]; and sona wôl ealra monna[9]
somod gehradode, þæt wæs wællhreownysse and soðfæstnysse
feoung and seo lufu lîges and leasunge. and nalæs þæt[10] ân þæt ðas
þing dyden weoruldmen[10], ac eac swylce þæt drihtnes eowde, and
his hyrdas; and hi[11] druncennesse and oferhydo[12] and[13] gecygde
15 and[14] geflite and æfeste and oðrum mannum þysses gemetes wæron
heora swiran underþeoddende[15],` onweg aworpenum Cristes geoce
þam leohtan and ðam swetan. betwih[16] ðas þing[16] þa com semninga
mycel wôl and grim[17] ofer ða gehwyrfdon[18] modes menn[18]; and se
on[19] hrædnesse swa mycele menigo heora fornôm and gefylde,
20 þætte[20] ða cwican no genihtsumedon þæt hi ða deadan bebyrigdan;
ac hwæðere þa ðe lifigende wæron, for ðam ege þæs deaðes noht[21] þon
sêl[21] woldan, ne fram heora sawle deaðe acigde[22] beon ne mihton[22].
forðon[23] nalæs æfter myclum fæce grimre[24] wræc[25] ða þære[26] fyren-
fullan þeode þæs grimman mânes[27] wæs æfterfyligende. þa gesom-
25 nedon hi gemot, and þeahtedon and ræddon, hwæt him to donne
wære, and[28] hwær him wære fultum[29] to secanne[30] to gewearnienne[31]
and to wiðscufanne[32] swa reðre[33] hergunge and swa gelomlicre[34]
þara norðþeoda; and þæt þa[35] geliçode him eallum mid heora cyninge,
Wyrtgeorn[36] wæs haten, þæt hi[37] Seaxna þeode ofer[38] þam[39] sælicum
30 dælum him on fultum gecygdon[40] and gelaðedon. þæt cuð is þæt þæt

---

[1] heora. — [2] an. — [3] monig C. — [4] him. — [5] onslogon. — [6] þam. —
[7] ongânn. — [8] weox. — [9] mâna. — [10] þæt ân ðing þætte woruld menn
dydan. — [11] heora. — [12] heora oferhigd. — [13] *fehlt in Ca.* — [14] on *Ca.* —
[15] underþeodde. — [16] neah þam ðingum. — [17] grimnes. — [18] gehweorfdan
menn modes. — [19] in. — [20] þæt. — [21] na ðe sel. — [22] acennede beon
mihton. — [23] forðam. — [24] grimmre C, grimre B, grim *Ca.* — [25] wrace. —
[26] þære *übergeschrieben von ders. hand; fehlt bei* Sm(ith) *und in B.* —
[27] grimman mannes Ca, grim mânes B. — [28] *fehlt in B.* — [29] ful-
tumes. — [30] biddane. — [31] warienne. — [32] wiðscuenne. — [33] reðum. —
[34] gelomlice. — [35] ða *übergeschrieben in Ca; fehlt in B nebst dem vorher-
gehenden* þæt. — [36] wirðgeorn. — [37] he *Ca.* — [38] *und* [39] *fehlen in B.* —
[40] gecerdon C, bædon B.

mid drihtnes mihte gestihtad wæs, þæt yfell wræc come ofer
ða wiðcorenan[1], swa on[2] þam ende þara wîsena sweotolice
ætywed is.

(15.) Ða wæs ymb feower hund wintra and nigon and feo-
35 wertig[3] fram ures drihtnes menniscnysse, þæt Martianus casere rice
onfeng and VII gear hæfde; se wæs syxta eac feowertigum fram
Agusto þam casere. ða Angel þeod and Seaxna wæs gelaðod fram þam
toresprecenan cyninge, and on Breotone[3a] com[3a] on þrim myclum[4]
scypum, and on eastdæle þyses[5] ealondes[5] eardungstowe onfeng[6]
40 þurh ðæs ylcan cyninges bebod, þe hi hider gelaðode[7], þæt hi
sceoldan for heora eðle[8] compian and feohtan; and hi sona com-
pedon wið heora[8] gewinnan, þe hi oft ær norðan onhergedon[9];
and Seaxan[10] þa sige geslogan. þa sendan hi ham ærenddracan[11],
and heton secgan þysses landes wæstmbærnysse[12] and Brytta
45 yrgðo; and hi þa sona hider sendon maran sciphere strengran[13]
wihgena; and wæs unoferswiþendlic weorud[13], þa hi togædere
geþeodde wæron. and him Bryttas sealdan and geafan eardung-
stowe betwih him, þæt hi[14] for sibbe and haelo heora eðles cam-
· podon and wunnon wið heora feondum, and hi him andlyfne and
50 are forgeafen[15] for heora gewinne. comon hi of þrim folcum ðam
strangestan[16] Germanie[16], þæt is[17] of Seaxum and of Angle and of
Geatum. of Geata fruman syndon Cantware and Wihtsætan; þæt is
seo ðeod þe Wiht[18] þæt ealond oneardað[18]. of Seaxum, þæt is of
ðam lande þe mon hateð Ealdseaxan, coman Eastseaxan and Suð-
55 seaxan and Westseaxan. and[19] of Engle[20] coman Eastengle and
Middelengle and Myrce and eall Norðhembra cynn; is þæt land[21]
ðe Angulus[22] is nemned, betwyh[23] Geatum and Seaxum; and[24]
is sæd of ðære tîde þe hi ðanon gewiton oð to dæge, þæt hit
weste[25] wunige. wæron[26] ærest[26] heora latteowas[27] and heretogan

---

[1] wiþercorenan (er *übergeschr. v. a. hd.) B.* — [2] in. — [3] feorwertig *Ca.* —
[3a] brytene comon. — [4] *fehlt in B.* — [5] þisses ealandes. — [6] onfengon. —
[7] gelaðde. — [8] eðle *bis* heora *fehlt in B.* — [9] onheregedon. — [10] saxan. —
[11] ærendracan. — [12] wæstmberennesse. — [13] strangra wigena ond þæt
wæs ûnoferswiðedlic werod. — [14] he for sibbe and forhælo *Ca (das
zweite* for *fehlt in B; nach Smith auch in C).* — [15] forgeafon. — [16] streng-
stan germani. — [17] is *fehlt in den hss.* — [18] wihtland eardað. — [19] and
fehlt in BC. — [20] angle. — [21] ealand. — [22] anglus, *urspr.* angullus, *aber*
ul *ausradiert in B.* — [23] betwyx. — [24] and *fehlt in Ca.* — [25] wæstme. —
[26] wæron ða ærest *Ca* (ða *fehlt in CB*). — [27] latwowas.

60 twegen[1] gebroðra[1] Hengest and Horsa. hi wæron Wihtgylses
    suna, þæs[2] fæder wæs Witta haten[2], þæs fæder wæs Wihta haten,
    and[3] þæs Wihta fæder wæs Woden nemned, of ðæs strynde[3]
    monigra mægða cyningcynn fruman lædde[4]. ne wæs ða ylding
    to þon[5] þæt hi heapmælum coman maran[6] weorod[6] of þam
65 ðeodum, þe we[7] ær gemynegodon; and þæt folc, ðe hider côm,
    ongan[8] weaxan and myclian to þan[9] swiðe, þæt hi wæron on
    myclum ege þam sylfan landbigengan[10] ðe hi ær hider[8] laðedon
    and cygdon[11].

    Æfter[12] þissum hi ða geweredon to sumre tide wið Pehtum,
70 þa hi ær ðurh gefeoht feor adrifan; and þa wæron Seaxan secende
    intingan and towyrde[13] heora gedales wið Brittas; cyðdon him
    openlice and sædon, butan[14] hi him maran andlyfne sealdon, þæt hi
    woldan him sylfe niman and hergian, þær hi hit findan mihton; and
    sona ða[15] beotunge[15] dædum gefyldon[16]: bærndon and hergedon
75 and slogan fram eastsæ oð westsæ, and him[17] nænig wiðstod. ne
    wæs ungelic wræce[18] þam ðe íu Chaldeas bærndon Hierusaleme
    weallas, and ða cynelican getimbro mid[19] fyre fornaman for ðæs
    godes folces synnum. swa þonne her fram þære arleasan ðeode,
    hwæðere rihte[20] godes dome, neh[21] ceastra gehwylce[22] and land
80 wæs[23] forhergiende[23]. hruran[24] and feollan cynelico[25] getimbro and
    anlipie[25], and gehwær[26] sacerdas and[27] mæssepreostas betwih[28]
    wibedum wæron slægene[28] and cwylmde; biscopas mid folcum
    buton ænigre are sceawunge ætgædere mid iserne[29] and lige for-
    numene wæron; and ne wæs ænig[30] se ðe bebyrignysse[31] sealde
85 þam ðe swa[32] hreowlice[32] acwealde wæron; and monige ðære
    earman lafe on westenum fanggene wæron, and heapmælum sticode.

---

[1] II gebroðor. — [2] þæs bis haten fehlt in Ca. — [3] and fehlt in B. —
[4] cynne côm manigra mægða cining þe cinfruman (urspr. cingfruman,
aber g mit anderer tinte) lædde. — [5] þam. — [6] mare weord. — [7] wæ
Ca. — [8] ongann (sic!) bis hider in B wiederholt, das zweitemal: ôn-
gân. — [9] þam. — [10] landagendum. — [11] cîiden. — [12] ond æfter C. —
[13] toweardne. — [14] nemne (darüber butan) Ca. — [15] ðam gebeote. —
[16] læstan C, gelæston B. — [17] him song. — [18] wracu. — [19] mid fehlt
in B. — [20] ü. d. z. in Ca. — [21] for neah. — [22] gehwylc. — [23] forhere-
geode wæron. — [24] hrusan afeollan Ca; ond hruran ond feollon B. —
[25] cinelicu getimbru somod ond ænlipie. — [26] wær. — [27] [somed] and
Sm (somed vielleicht aus C ergänzt). — [28] betwyx weofodum (so auch C)
slegene wæron. — [29] irene. — [30] ænig fehlt in CB. — [31] begirgen-
nesse. — [32] swa wæl hreowlice.

sume for hungre[1] heora feondum on hand eodan and ecne þeowdom
geheton, wiððon þe him mon andlyfne forgeaf[2]; sume ofer sǽ
sorgiende[3] gewiton, sume forhtiende[4] on eðle gebidan, and þear-
90 fendum[5] life[5] on[6] wuda and on[7] westene[8] and on[9] hean[10] clifum
sorgiende[11] mode symle[12] wunedon[13].

(16.) And þa æfter ðon[14] ðe se here wæs ham hweorfende and
hi hæfdon ûtamærde[15] and[15] tostencte[16] þa bigengan þysses ealon-
des[17], ða ongunnon hi sticcemælum mod and mægen niman[18], and forð-
95 eodan of þam diglum[19] stowum, þe hi ær on[20] behydde[21] wæron
and ealre[22] anmodre geðáfunge heofonrices[23] fultumes him wæron
biddende, þæt hi oð fôrwyrd æghwær fordiligade[24] ne wæron. wæs
on[25] ða tid heora heretoga[26] and latteow[26] Ambrosius haten, oðre
naman Aurelianus; wæs[27] god man and gemetfæst, Romanisces[28]
100 cynnes man. on[29] þyses mannes tîd môd and mægen Bryttas
onfengon, and he hi to gefeohte forð gecygde and him sige gehêt;
and hi eac on þam gefeohte þurh Godes fultum sige onfengon;
and þa of ðære tide hwilum Bryttas, hwilum eft Seaxan[30] sige
geslogan, oððæt ger ymbsetes þære Beadonescan dune, þa hi
105 mycel wæll on Angelcynne geslogan, ymb feower and feowertig
wintra Angelcynnes cyme[31] on[32] Breotone. —

(23. 24.) Ða wæs æfter forðyrnendre tide ymb fif hund wintra
and tu[33] and hundnigontig[34] fram Cristes hidercyme, Mauricius
casere feng to rîce and þæt hæfde ân and twentig wintra; se wæs
110 feorða eac fiftigum fram Augusto[35]. þæs caseres rices þy teoðan
geare Gregorius se halga wêr, se[36] wæs[36] on lare and on dæde se
hyhsta, feng to biscophade þære Romaniscan cyrican and þæs
apostolican setles, and þæt heold[37] and rihte[37] ðreottyne gear
and syx monað and tyn dagas. se wæs mid godcundre onbryrd-

---

[1] *mit diesem worte beginnt hs.* T. — [2] forgeofe T, forgeafe B. —
[3] sarigende T, sorhgende B. — [4] forhtgende B. — [5] þearfende lif T B. —
[6] *und* [7] in T. — [8] westenum T B. — [9] in T. — [10] hean *fehlt in* B. —
[11] sorhgende B. — [12] *fehlt in* B. — [13] dydon T, gebidon B. — [14] ðam
B. — [15] ûtafærde BC. — [16] and tostencte *fehlt in* T. — [17] iglandes B. —
[18] monian T. — [19] deaglum T. — [20] in T. — [21] gehidde B. — [22] ealra T,
ealle B. — [23] heofonlices B. — [24] fordilgode T, adilgode B. — [25] in
T B. — [26] lâtteow ond heretoga B. — [27] se wæs Ca. — [28] wæs roma-
nisces CB. — [29] in T. — [30] seaxena Ca. — [31] cymes B. — [32] in T. —
[33] twa B. — [34] hundnigontig wintra T. — [35] augusto T, agusto CaB. —
[36] se wæs *fehlt in* B. — [37] rihte heold B.

nysse[1] monad þy feowerteogeðan geare þæs ylcan caseres,
115 ymb fiftig wintra and hundteontig Angelcynnes hidercymes[2]
on Breotone, þæt he sende godes[3] þeow[3] Agustinum[4] and
oðre monige munecas and[5] preostas[5] mid hine[6], drihten on-
drædende[7], bodian[8] godes word[9] Angelþeode. þa hyrsumedon
hig þæs biscopes bebodum to þam gemyngedon weorce, and[10]
120 feran ongunnon and[11] sumne dæl ðæs weges gefaren hæfdon, ða
ongunnon[11] hi forhtigan and ondræddon him þone siðfæt, and
þohtan þæt him wîslicre and[12] gehyldre[12] wære, þæt hi ma[13] ham
cyrdan, þonne hi þa eallreordan þeode[14] and ða reðan[15] and þa[15]
ungeleafsuman, þara ðe hi furðon gereorde[16] ne cuðan, gesecan
125 sceoldan; and þis gemænelice him to ræde gecuron[17]. and þa sona
sendon Agustinum[4] to ðam papan, þone ðe hi[18] him to biscope
gecoren hæfdon[19], gif heora lare[20] onfangene[21] wære, þæt he
sceolde eadmodlice[22] for hi ðingian, þæt hi ne ðorftan in swa
frædcne siðfætt and on[23] swa gewinfullicne[24] and[25] on swa uncuðe
130 ællðeodignysse feran. ða sende Scs Gregorius ærendgewrit him
to, and hi trymede and lærde on[26] þam gewrite, þæt hi ead-
modlice[27] ferdon on[28] þæt geweorc[29] þæs[30] godes wordes, and[31]
getreowoden on[32] godes fultum; and[33] þæt hi ne[34] afyrhten[35] þæt[36]
gewin[37] ðæs[38] siðfætes[38], ne wyrigcwydolra manna[39] tungan ne
135 bregden[40], ac þæt hi mid ealre geornfulnysse and mid godes lufan
ða gôd gefremeden[41], þe hi ðurh godes fultum don ongunnon; and
þæt hi wiston þæt ðæt micle gewin mare[42] wuldur êces edleanes
æfterfyligde[43]; and he ælmihtigne god bæd, þæt he hi[44] mid his

---

[1] inbryrdnesse TB. — [2] hidercyme B. — [3] godes þeow fehlt in
T. — [4] agustinus B. — [5] and preostas fehlt in TB. — [6] him B. —
[7] adrædende B. — [8] beodan Ca. — [9] godes word bodian B. — [10] and
fehlt in Ca. — [11] and bis ongunnon fehlt in B. — [12] ond gehyldre in
C ausgestrichen; T liest gehæledra. — [13] ma fehlt in B. — [14] þeode
geferdan B. — [15] reðan and þa fehlt in B. — [16] gereorda C, þa ge-
reorde Ca. — [17] curon B. — [18] he B, fehlt in T. — [19] hæfde TB. —
[20] lar TB. — [21] onfangen TB. — [22] eaðmodlice TB. — [23] on (über-
geschrieben) Ca, in T. — [24] gewinfulne T, gewinnes B. — [25] and fehlt
in B. — [26] in T. — [27] eaðmodlice TB. — [28] in TB. — [29] weorc TB. —
[30] þæs fehlt in B. — [31] ond þæt hi B. — [32] in T. — [33] and fehlt in
Ca. — [34] no Ca. — [35] fyrhte T, forhtgean B. — [36] ðæs B. — [37] gewiin
T, gewinnes B. — [38] ðæs siðfætes fehlt in T. — [39] mit diesem worte
bricht T wieder ab. — [40] bregde Ca, brosniende C. — [41] gefremede Ca. —
[42] wære mâre B. — [43] æfterfylgende B. — [44] hine B.

140 gife gescylde, and þæt he him sylfum forgeafe þæt[1] he moste
ðone wæstm heora gewinnes on[2] heofona[3] rices wuldre[3] geseon,
forðon he gearo wære on[4] þam ylcan gewinne mid him beon,
.gif him lefnys[5] seald wære.

(25.) Ða wæs gestrangod Agustinus mid trymnysse þæs
145 eadigan fæder Gregorius mid ðam Cristes þeowum, ða þe mid him
wæron, and[6] hwearf eft[6] on[4] þæt weorc godes word to læranne,
and côm· on[4] Breotone.

Ða wæs on[4] þa tîd Æðelbyrht cyning haten[7] on Centrîce
and[8] mihtig, se hæfde rîce oð gemæro Humbre streames[9], se
150 tosceadeð suðfolc Angelþeode and norðfolc. þonne is on easte-
weardre Cent mycel ealand[10] Tenet[11], þæt[12] is[12] syx hund hida
micel[13] æfter Angelcynnes æhte; þæt ealond[14] tosceadeð.Wantsumo
stream fram þam togeþeoddan lande, se is þreora furlanga brad,
and on twam stowum is oferfernes, and æghwæðer ende lið on[15]
155 sæ. on þyssum eâlande[16] com upp se godes þeow Agustinus and
his geferan; wæs he feowertiga sum. nôman[17] hie[18] eac swylce[18]
him· wealhstodas of Franclande mid[18], swa him Scs Gregorius
· bebead; and he þa sende[19] to[19] Æþelbyrhte ærenddracan, and
ônbead[20] þæt he ôf Rome come and þæt betste ærende lædde;
160 and se ðe him hyrsum beon wolde, buton tweon he gehet[21]
ecne gefean on[4] heofonum, and toweard rice butan ende mid
þone soðan god and þone[22] lifigendan. ða he þa se cyning þas
word gehyrde, þa het he hi bidan on þam ealande, þe hi upp
comon, and him[23] þider hiora þearfe forgyfan[24], and[25] þæt he
165 gesawe hwæt he him don wolde. swylce eac[26] ær þan becom
hlisa to him[27] þære cristenan æfæstnesse, forðon he cristen wif
hæfde, him[28] gegyfen[28] of Francena cyningcynne[29], Berhte wæs
haten; þæt wif he onfeng fram hyre yldrum þære arednesse, þæt

---

[1] ond þæt B. — [2] on fehlt in B. — [3] heofonrîces wuldor B. —
[4] in B. — [5] lif C. — [6] and und eft fehlen in B.· — [7] haten fehlt in
.B. — [8] ond se wæs B. — [9] streame Ca. — [10] mit diesem worte (igland
B, ealond O) beginnt die hs. O, der unser text nun folgt. — [11] tenent O,
Ca (zweites t übergeschrieben in Ca), þæt is nemned tenet B. — [12] ðær
synt B. — [13] micel fehlt in B. — [14] igland B. — [15] to Ca. — [16] iglande
B. — [17] nam he C. — [18] fehlt in B. — [19] sende þa B. — [20] auch onbead
in Ca, aber über bead steht sæde von andrer hand; cyðde B. — [21] gehet
him B. — [22] þam B. — [23] he B. — [24] forgeaf B. — [25] oð B. — [26] fehlt
in Ca. — [27] fehlt in B. — [28] seo wæs him forgifen Ca. — [29] -cyne Ca.

hio his leafnesse[1] hæfde þæt heo þone þeaw þæs cristenan ge-
170 leafan and hyre æfæstnesse ungewemmedne healdan[2] moste, mid
þy[3] biscope, þone þe hi ʜyre to fultome[4] þæs[5] geleafan sealdon[5].
þæs nama wæs Leodheard.

Ða wæs æfter mônegum dagum, þæt se cyning com to
þam ealonde[6], and het him ute setl[7] gewyrcean, and het
175 Agustinum[8] mid his geferum þider to his spræce cuman. war-
node he him[9] þy læs hie on[10] hwylc hus to him ineodan; breac[11]
ealdre healsunge, gif hie hwylcne drycræft hæfdon, þæt hi hine
oferswiþan and beswican sceolden. ac hi nalæs mid[12] deoful-
cræfte[13], ac mid godcunde mægene gewelgade coman. Bæron
180 Cristes rode tacen, sylfrene Cristes mæl mid him[14], and anlicnesse[15]
drihtnes[16] hælendes on brêde afægde and awritene[16], and wæron
haligra[17] naman rimende, and gebedo singende, somod for hiora
sylfra[18] ecre hælo and þara þe hi to comon to drihtne þingodon.
þa het se cyning hie sittan, and hie ´swa dydon; and hi sona
185 him lifes word ætgædere mid eallum[19] his geferum, þe þær æt
wæron, bodedon and lærdon[20]. þa andswarade se cyning and þus
cwæð: fægere word þis syndon and gehat þa ge brohton and us
secgað; ac forðon hi niwe sŷndon and uncuðe, ne magon we nu
gen[21] þæt þafigean, þæt we forlætan þa wîsan þe we langre[22] tide
190 mid ealle[23] Angelþeode heoldon. ac forðon þe ge hider feorran
ellðeodige[24] coman, and þæs þe me geðuht and[25] gesawen is þa
þing þa þe ge geseoð and betest gelyfdon þæt ge eac swylce
willan don us þa gemænsumian, ne wyllað we forðam eow[25]
hefige beon; ac we willað eowic[26] fremsumlice on[10] gestlið-
195 nesse[27] onfon, and eow andlyfene[28] syllan, and eowre[29] þearfe

---

1 leue B. — 2 gehealdan B. — 3 þam B. — 4 fultume CaB. —
5 sealdon and to geleafan B. — 6 iglande B. — 7 sealdan B. — 8 agu-
stinus B. — 9 hine B. — 10 in B. — 11 über breac steht wende in B. —
12 mid übergeschrieben in O, fehlt in CB. — 13 deofles cræfte B. — 14 him
hæfdon B. — 15 ondlicnesse B. — 16 on brêde hælendes cristes awri-
tene B. — 17 haligra manna B. — 18 sylfra fehlt in B. — 19 him eallum
B. — 20 mit diesem worte beginnt der zusammenhängende text in T wieder. —
21 gŷt BCa. — 22 lange B. — 23 ealre B. — 24 el- T, æl- Ca. — 25 is ond
gesewen þa þing ða ðe soð ond betst gelefdon þæt eac swilce willadon
us þa gemænsuman, nellað we forðon eow T; ond ic gesewen hæbbe
þa ðing þe ge beseoð ond betst on gelyfað, þæt ge eac swilce wilniað
us þa þing gemænsumian nu ne willað we eow B. — 26 eow CaTB. —
27 gæstliðnesse Ca, gastliðnesse B. — 28 ondlifan TB. — 29 eow (fehlt
in T) eowre B.

forgyfan. ne we eow beweriað þæt ge ealle þa þe ge magan
þurh eowre lare to eowres geleafan æfestnesse geðeode and
gecyrre. þa sealde se cyninc him wununesse[1] and stowe on[2]
Cantwara byrig, seo[3] wæs ealles his rices ealdorburh, and swa
200 swa he gehet, him andlifene[4] and heora woruld-þearfe[4] for-
geaf[5], and eac swylce lyfnesse[6] sealde, þæt hie mostan Cristes
geleafan bodian and læran. is þæt sæd, þæt hi ferdon and nea-
lecton[7] to þære ceastre, swa swa heora þeau wæs, mid þy halgan
Cristes mæle, and mid andlicnesse þæs miclan cyninges ures
205 drihtnes hælendes Cristes, þæt[8] hi þysne letanian[9] and antefn[10]
gehleoðre stefne sungan: deprecamur te, d[omi]ne, in omni miseri-
cordia tua, ut auferatur furor tuus et ira tua a ciuitate ista et
domo s[an]c[t]a tua[11], quo[niam][11] peccavimus[11]. alleluia.[12]

(26.) Þa wæs sona þæs þe hi eodan[13] on þa eardungstowe þe
210 him alyfed wæs on þære cynelican byrig, þa ongunnan hi þæt aposto-
lice lif þære frymþelican[14] cyricean onhyrigean, þæt îs on singalum
gebedum and on[15] wæccum and on[15] fæstenum drihtne þeoudon[16],
and lifes word þam þe[17] hi mihton bodedon and lærdon, and
eall þing þysses middangeardes swa[17] swa[18] fremde[19] forhogedon;
215 þa[20] þing âân þa þe[21] hiora andlyfene needþearflico gesawen
wæron hie onfengon[21] fram þam þe hi lærdon; æfter[22] þon ðe
hi[23] lærdon hi[24] sylfe þurh eall lifdon, and hi hæfdon gearo
mod þa wiðerweardan ge eac swylce deað sylfne to þrowienne[25]
for þære soðfæstnesse þe hi bodedon and lærdon. ne wæs þa
220 ylding þæt monige gelyfdon, and gefulwade wæron. wæron[26]
wundriende þa[27] bylwytnesse[28] þæs unsceððændan lifes and swet-
nesse hiora[29] ðære heofonlican lare. wæs be eastan ðære ceastre
wel neh sume cyrice on are Sci' Martini iu geara geworht, mid

---

[1] gewunesse B. — [2] in T. — [3] se B. — [4] ondlifen forgeaf ond
weoruld þearfe T. — [5] so T, forgyfan O, forgifan CaB. — [6] leafe B. —
[7] nealehton T, nealæhtan Ca, neletton ða fôre to B. — [8] ond B. —
[9] letaniam TB. — [10] ontemn T, untefn B. — [11] fehlen in B. — [12] fehlt
in TB. — [13] inneodon T, ineodon B. — [14] þrym[::]lican (rasur) O, ðrym-
þelican Ca, frymþelican TBSm. — [15] in TB. — [16] þeowdon Ca, þeo-
don T, þeowedon B. — [17] fehlt in T. — [18] ða B. — [19] fremdan B. —
[20] butan þa Ca, nymðe þa B. — [21] ðe ondlyfene heora nydþearflice
gesewen hæfdon ond hî onfengon B. — [22] ac æfter C. — [23] hi hi B. —
[24] ond hi B. — [25] þrowiendne O. — [26] wæron bi eac Ca, hi wæron B. —
[27] ðære B. — [28] bilwitnesse T, bilehwitnysse Ca, bylywytnesse B. —
[29] heora CaB.

þy Romane þa gyt Breotone beeodon[1]; on[2] þære cyricean seo cwen
225 gewunade hyre[3] gebiddan, þe we ær cwædon þæt hio cristen
wære[2]. on þysse cyricean ærest þa halgan lareowas ongunnan hi
somnian and singan and gebiddan and mæssesong[4] don and men
læran[4] and fullian, oððæt se cyning to geleafan gecyrred wæs,
and hie[5] maran lefnessê[5] onfengon ofer eall to læranne and
230 cyricean to timbrianne and to betanne.

Þa gelamp[7] þurh godes gyfe, þæt se cyning eac swylce
betweoh oþre ongan lustfullian þæt clæneste lif haligra[8] and[9]
hiora þam swetestan gehatum; and hi eac getrymedon þæt
þa soð[10] wæron mid monigra heofonlicra wundra ætywnessum[11],
235 and he þa[12] gefeonde wæs[12] gefullad. þa ongunnan monige dæg-
hwamlice efestan and[13] scyndan[13] to gehyranne godes word, and
hæðennesse þeau[14] forlætan[15], and to þære annesse hi geþyddan[16]
þurh geleafan þære halgan[17] Cristes cyricean. þara geleafan and
gehwyrfednesse is sæd þætte se cyning swa[18] wære[18] efen-
240 blissiende, þæt he nænigne hwæðere nydde to cristenum[19]
þeawe[19], ac þa þe to geleafan and to fulwihte cyrdon[20] þæt he
þa inweardlicor lufade, swa swa hi wæron him[21] efenceaster-
waran þæs heofonlican rices. forðon he geleornade fram his
lareowum and fram þam ordfruman his hælo, þæt Cristes þeow-
245 dom sceolde beon wilsumlic, nalæs genededlic. and he þa se
cyning geaf and sealde his lareowum gerisene stowe and eðel[22]
heora hade on his aldorbyrig, and ðær to sealde heora nydðearfe
on missenlicum æhtum.

---

[1] beodan *Ca*. — [2] on *bis* wære *fehlt in Ca*. — [3] hi *B*. — [4] mæs-
sian ond læran men *B*. — [5] hi *Ca, fehlt in T*. — [6] leafe *B*. — [7] gelamp
hit *OCa* (hit *fehlt in CTB*). — [8] haligra þinga *Ca*. — [9] mid *TB*. —
[10] soðe *CaB*. — [11] æteownesse *T*, ætywed *B*. — [12] mid gife wæs *B*. —
[13] *über* and scyndan *steht* and higian *in Ca*. — [14] þeaw *TCa, fehlt in
B*. — [15] forleton *T*. — [16] gewenedon *B*. — [17] *fehlt in B*. — [18] wære
swa *B*. — [19] cristes geleafan *T*. — [20] gecirdon *B*. — [21] *fehlt in B*. —
[22] setl *CTB*.

16.

BEDAS BERICHT ÜBER CÆDMON IN DER UNTER KÖNIG ÆLFREDS NAMEN GEHENDEN AE. ÜBERSETZUNG.

(buch IV, kap. 24.)

Handschriften und ausgaben wie in 15; auch Förster, Ae. leseb., s. 16; Kluge, Ags. leseb.⁴, s. 28. — unser text folgt hier im allgemeinen der hs. T. graphische und lautliche varianten der übrigen hss. sind, außer beim hymnus, in der regel nur dann angeführt worden, wenn die lesart von T verlassen wurde. die varianten von C sind den ausgaben von Wheloc und Smith entnommen und daher nur ab und zu gegeben. ein fragezeichen hinter einer solchen zeigt an, daß sie nur erschlossen ist. der hymnus ist uns außer in den in nr. 2 und nr. 15 erwähnten hss. noch erhalten in dem MS 3 der kathedrale zu Winchester = W, dem MS Hatton 43 (fol. 129) der Bodleiana zu Oxford = O₁ dem MS Laud 243 (fol. 82b) ebendaselbst = O₂, dem MS 31 des Lincoln College zu Oxford = O₁₄, dem MS 105 des Magdalen College daselbst = O₁₇ und verstümmelt in dem MS 163 der Bodleiana zu Oxford = O₃.

In ðysse abbudissan mynstre wæs sum bröðor synderlíce mid godcundre gife gemæred ond geweorðad, forþon hê gewunade gerisenlíce lêoð wyrcan þâ ðe tô æfæstnisse ond tô ârfæstnisse belumpon, swâ ðætte, swâ hwæt swâ hê of godcundum stafum
5 þurh bóceras geleornode, þæt hê æfter medmiclum fæce in scopgereorde mid þâ mæstan swêtnisse ond inbrydnisse geglengde ond in engliscgereorde wel geworht forþ brôhte; ond for his lêoþsongum monigra monna môd oft tô worulde forhogdnisse ond tô geþêodnisse þæs heofonlícan lífes onbærnde wæron. ond êac swelce monige
10 ôðre æfter him in Ongelþêode ongunnon æfæste lêoð wyrcan, ac nænig hwæðre him þæt gelíce dôn meahte, forþon hê nales from monnum nê þurh mon gelæred wæs, þæt hê þone lêoðcræft leor-

---

1 In] n B, On OCa ‖ ðeosse T, þysse BOCa ‖ syndriglice T, y auf rasur O. — 1—2 mid godc. fehlt in B. — 2 godcunde Ca ‖ gife auf rasur O ‖ g(e)mæred O, gemærsad BCa. — 3 ond tô ârf. fehlt in B. — 4 belumpen T, on auf rasur O ‖ swâ hwæt swâ fehlt in B. — 5 on B ‖ scop- aus sceop- Ca. — 6 þære B ‖ inbrydnesse OCa, onbrydnesse B ‖ geglængde T, geglengende B, geglen(c)de O, geglencde Ca. — 7 on englisce reorde B ‖ geworht] gehwær OCa ‖ forþ brôhte fehlt in B. — 8 forhogodnesse B, forhohnesse O, forhogenesse Ca. — 9 ern in onb. auf rasur O. — 10 ôðre fehlt in B ‖ on B. — 11 ne mihte Ca ‖ forðam B ‖ hê fehlt in B ‖ nalæs þæt ân from Ca (þæt ân fehlt auch in C). — 12 ne þurh mon] he B ‖ næs B.

nade, ac hê wæs godcundlîce getultumod ond þurh godes gife
þone. songcræft onfêng, ond hê forðon næfre nôht lêasunge nê
15 îdles lêoþes wyrcan meahte, ac efne þâ ân, þâ ðe tô æfestnesse
belumpon ond his þâ æfæstan tunᵹan gedafenade singan.

Wæs hê, sê mon, in weoruldhâde geseted oð þâ tîde, þe hê
wæs gelŷfedre yldo, ond hê næfre nænig lêoð geleornade. ond hê
forþon oft in gebêorscipe, þonne þær wæs blisse intinga gedêmed,
20 þæt hêo ealle sceolden þurh endebyrdnesse be hearpan singan,
þonne hê geseah þâ hearpan him nêalêcan, þonne ârâs hê for
. scome from þæm symble ond hâm êode tô his hûse. þâ hê þæt
þâ sumre tîde dyde, þæt hê forlêt þæt hûs þæs gebêorscipes ond
ût wæs gongende tô nêata scypene, þâra heord him wæs þære
25 neahte beboden, þâ hê ðâ þær in gelimplîce tîde his leomu on
reste gesette ond onslæpte, þâ stôd him sum mon æt þurh swefn
ond hine hâlette ond grêtte ond hine be his noman nemde: ꞌCedmon,
sing mê hwæthwugu.ꞌ þâ ondswarode hê ond cwæð: ꞌne con ic
nôht singan, ond ic forþon of þyssum gebêorscipe ût êode ond
30 hider gewât, forþon ic nâht singan ne cûðe.ꞌ eft hê cwæð, sê ðe
mid him sprecende wæs: ꞌhwæðre þû mê meaht singan.ꞌ cwæð hê:
ꞌhwæt sceal ic singan?ꞌ cwæð hê: ꞌsing mê frumsceaft.ꞌ

12—13 -ode B, geleornade (-ode Ca) OCa. — 13 gefultumed T,
-mad Ca, o in mod auf rasur O. — 14 þo : ne (n rasur) O ‖ leasunga Ca. —
15 lêoþes fehlt in Ca ‖ meahte] ne mihte Ca, wolde ne ne mihte B ‖ þâ
ân fehlt in B ‖ (to) O. — 16 on in belumpon auf rasur O ‖ gedafenode
OCa, gedeofanade T ‖ ingan von singan auf rasur O. — 17 on B. —
18 gelyfdre T, y auf rasur O ‖ ylde T, y auf rasur O ‖ erstes hê fehlt
in T ‖ ænig OCa ‖ ne leornode B. — 19 gebeo(r)scipe O ‖ intingan B. —
20 sceolde(n) O, sceoldon B, sceoldan Ca, sealde T, scalde M(iller). —
21 genealæcan he þonne aras B ‖ for for T. — 22 symlum B ‖ hê] þe B. —
23 dyde fehlt in B ‖ forlet :: (rt radiert; t auf rasur von o?) O ‖ þa
(ða Ca) hus OCa (ebenso C?). — 24 to ðara B ‖ scipene T ‖ ðære heorde
Ca. — 25 on gelimplicre Ca ‖ limu bigde ond on B. — 26 e gesette
auf rasur O ‖ onslæp(t)e O, onslepte T, slep B ‖ æt foran B. —
27 nemnde T ‖ Ceadmann ond (abgekürzt) cwæð B. — 28 hwæthweg B,
æthwegu OCa ‖ -swarede TCa. — 29 naht C, nan wiht B, nan þing
Ca ‖ -þam B ‖ þeossum T, ðam B. — 30 -þam B ‖ naht fehlt in T ‖
singan ne fehlt in OCa (stand in C?) ‖ u in cuðe auf rasur O. —
31 mid BCO, wið TCa ‖ him] hine T ‖ mê fehlt in T, hinter meaht OCa;
Klaeber und Kaluza emendieren: þû mê âht singan ‖ þa cwæð T, þa
andswarode he ond (abgekürzt) cwæð B (þa fehlt auch C?). — 32 ða
cwæð B.

þâ hê ôâ þâs andsware onfêng, þâ ongon hê sôna singan in
herenesse godes scyppendes þâ fers ond þâ word, þe hê næfre ne
35 gehŷrde, þæra endebyrdnes þis is:

nû sculan herigean ~ heofonrîces weard,
meotodes meahte   ond his môdgeþanc,
weorc wuldorfæder,   swâ hê wundra gehwæs,
êce drihten,   ôr onstealde.
40 hê ǽrest sceôp   eorðan bearnum
heofon tô hrôfe,   hâlig scyppend:
þâ middangeard   moncynnes weard,
êce drihten,   æfter têode
fîrum foldan,   frêa ælmihtig.

---

33 ða *fehlt in B.* — 33 f. on herunge *B.* — 34 godes ond *(ab-
gekürzt)* sc. *Ca* ‖ uers *B* ‖ word godes *B* ‖ næfre ær *B* ‖ ne *fehlt in T.* —
35 þære *T,* þara *OCa,* ne heora *B* ‖ endebyrd(n)es *O,* -nesse *TBCa* ‖
þis is *fehlt in B.* — 36 nu *TC;* nu (we) *O,* nu we *BCa* ‖ sculon *T,*
sceolan *Ca* ‖ herigan *vor* sculon *B,* herian *O.* — 37 metodes mihte
BOCa ‖ ond *abgekürzt hss.* ‖ -geþonc *O.* — 38 weorc *TB,* weorc? *C,*
wera *aus* wero *O,* wera *Ca* ‖ wuldor godes *B* ‖ wundra] wuldres *Ca* ‖
gehwæs] fela *B.* — 39 éce *B* ‖ dryhten *O* ‖ or *T,* ôor(d) *O,* ord *BCa* ‖
astealde *B.* — 40 æres *Ca* ‖ gesceop *O,* gescôp *Ca* ‖ m *in* bearnum *auf
rasur dreier buchstaben O.* — 41 rofe *Ca.* — 42 ða *O,* þe *B* ‖ middon-
geard *O* ‖ manncynnes *B.* — 43 éce *TB* ‖ dryhten *O* ‖ teo: de *O.* —
44 fyrum *B* ‖ folda(n) *O.*

*Plummers ausgabe der Historiá Ecclesiastica II, p. 252, entnehmen
wir noch eine andere, auf dem rande der hs. W. überlieferte westsächsische
version nebst den von ihm mitgeteilten varianten aus sonstigen lateini-
schen hss.:*

Nû wê[1] sculon[2] herian[3]   heofonrîces we[ard][4]
metoddes[5] mihte[6]   7 h[is] môdgeþanc
weorc[7] wu[l]dor[8] fæder   swâ hê wu[n]dra gehwilc[9]
êce[10] drih[ten]   word[11] âstealde
hê[12] [æ]rest[13] gescôp[14]   ylda[15] [bear]num
heofen[15a] tô rôfe[16]   [hâlig] scippend[17]
middan ear[de][18]   mann cynnes[19] weard
êce[10] drihten   æfter tîd[a][20]
fŷrum[21] on[22] foldum[23]   frêa ealmihti.[24]

[1] we *fehlt in den ags. hss.* C T. — [2] sceolon *O₃,* sculun *O₁₄.* —
[3] heri- *wiederholt und unterstrichen in W;* herian *desgleichen in O₃.* —
[4] *W hier und sonst lückenhaft.* — [5] *in W ein punkt unter dem ersten* d;
metudes *O₁ O₃ O₁₄ O₁₇.* — [6] myhte *O₁,* michte *O₁₄.* — [7] wurc *O₁ O₁₇.* —

45   Þâ ârâs hê from þǣm slǣpe ond eal, þâ þe, hê slǣpende
song, fǣste in gemynde hæfde ond þǣm wordum sôna monig word
in þæt ilce gemet gode wyrðes songes tô geþêodde. Þâ côm hê on
morgenne tô þǣm tûngerêfan, sê þe his ealdormon wæs, sægde him,
hwylce gife hê onfêng, ond hê hine sôna tô þǣre abbudissan ge-
50 lǣdde ond hire þæt cŷðde ond sægde. Þâ heht hêo gesomnian ealle
þâ gelǣredestan men ond þâ leorneras ond him andweardum hêt
secgan þæt swefn ond þæt lêoð singan, þætte ealra heora dôme
gecoren wǣre, hwæt oððe hwonon þæt cumen wǣre. Þâ wæs him
eallum gesegen, swâ swâ hit wæs, þæt him wǣre from drihtne
55 sylfum heofonlîc gifu forgifen. Þâ rehton hêo him ond sægdon sum
hâlig spell ond godcundre lâre word, bebudon him þâ, gif hê meahte,
þæt hê in swinsunge lêoþsonges þæt gehwyrfde. ðâ hê ðâ hæfde
þâ wîsan onfongne, þâ êode hê hâm tô his hûse ond cwôm eft
on morgen ond þŷ betstan lêoðe geglenged him âsong ond âgeaf,
60 þæt him beboden wæs.

---

[8] wulder O_3. — [9] gehwæs O_3, gehwylc O_{14}. — [10] eche O_{14}. — [11] ord
O_1 O_{14} O_{17}; word astealde *fehlt* in O_3; astalde O_{17}. — [12] þa he O_3. —
[13] ærust O_{14}. — [14] gesceop O_1, sceop O_3. — [15] eorðe O_3. — [15a] o *über
zweitem* e *in* W. — [16] hrofe O_1 O_3 O_{14}. — [17] scyppend O_1 O_3 O_{14} O_{17};
halig scippend *fehlt hier in* O_3; *vgl.* [24]. — [18] gearde O_{17}; þa middan-
geard O_3. — [19] man- O_1 O_{17}; mon- O_3; -kynnes O_{14}. — [20] teode
O_3. — [21] firum O_1 O_{14} O_{17}. — [22] on *fehlt in den ags. hss.* — [23] folden
O_3. — [24] ælmihtig O_1 O_{14} O_{17}; ælmihtig halig scyppend O_2. — *reste
der fassung in* O_2: *beginnt mit* nu we sceolan, *liest* weorc *oder* wurc
(nur c *deutlich) und* gehwilc *(? nur* ilc *sichtbar) in* v. 3, eorðe *in* v. 5
wie T O Ca, tida *in* v. 8, firum on foldan *in* v. 9 *und schließt mit*
halig scyppend.

     45 þa þe TO, þæt ðe C, ðæt B, þæt Ca. — 46 he hyt fæste B ‖
on BCa ‖ mo(n)ig O. — 47 godes wordes songes T ‖ þær to B ‖ ge
þeod(d)e O ‖ côm BCa. — 48 morgene Ca, marne O, morgen B ‖ sê
fehlt in T ‖ (h)is O ‖ wæs ond *(abgekürzt)* him sǣde Ca (ond *fehlt auch*
in C) ‖ sæde *aus* sædon O. — 49 onfangen hæfde B. — 49, 50 lædde
Ca. — 50 þæt] þa T ‖ cydde Ca ‖ het BOCa. — 51 andwyrdom B, *erstes*
d *und* um *auf rasur und zweites* a *aus* o O. — 52 þætte] þæt T. —
53 *zweites* on *in* hwonon *auf rasur* O ‖ cymen B. — 54 gesewen B ‖
him] hit T. — 55 sylfum *fehlt in* B. — 56 halig godes spell B ‖
(h)e O. — 57 in swinsunge TB, in sum sunge C, him *(auf rasur)* sum
sunge (ond [*abgekürzt*]) O, him sum asunge ond *(abgekürzt)* Ca ‖ yrfde
in gehwyrfde *auf rasur* O. — 58 onfangene O, onfangenne BCa. —
59 morgenne T ‖ agéaf ond *(abgekürzt)* asong B.

Đâ ongan sêo abbudisse clyppan ond lufigean þâ godes gife
in þæm men, ond hêo hine þâ monade ond lærde, þæt hê woruld-
hâd forlête ond munuchâde onfênge. ond hê þæt wel þafode, ond
hêo hine in þæt mynster onfêng mid his gôdum ond hine geþêodde
65 tô gesomnunge þâra godes þêowa· ond heht hine læran þæt getæl
þæs hâlgan stæres ond spelles. ond hê eal, þâ hê in gehŷrnesse
geleornian meahte, mid hine gemyndgade ond, swâ swâ clæne nêten,
eodorcende in þæt swêteste lêoð gehwerfde. ond his song ond his
lêoð wæron swâ wynsumu tô gehŷranne, þætte þâ seolfan his
70 lârêowas æt his mûðe writon ond leornodon. song hê ærest be·
middangeardes gesceape ond bî fruman moncynnes ond eal þæt
stær Genesis (þæt is sêo æreste Môyses bôc), ond eft bî ûtgonge
Israhela folces of Ægypta londe ond bî ingonge þæs gehâtlandes
ond bî ôðrum monegum spellum þæs hâlgan gewrites canones
75 bôca ond bî Crîstes menniscnesse ond bî his þrôwunge ond bî his
upâstîgnesse in heofonas ond bî þæs hâlgan gâstes cyme ond þâra
apostola lâre ond eft bî þæm ege þæs tôweardan dômes ond bî
fyrhtu þæs tintreglîcan wîtes ond bî swêtnesse þæs heofonlecan
rîces hê monig lêoð geworhte, ond swelce êac ôðer monig be þæm
80 godcundum fremsumnessum ond dômum hê geworhte. on eallum
þæm hê geornlîce gêmde, þæt hê men âtuge from synna lufan ond
mândæda ond tô lufan ond tô geornfulnesse âwehte gôdra dæda.
forþon hê wæs, sê mon, swîþe æfæst ond regollecum þêodscipum

61 clyp(p)an (p *über rasur* i) O, ɗipian B. — 62 on B. — 63 ân-
forlete T, forlæte Ca ‖ munuchad T ‖ geþafode B. — 64 ond heo
hine B. — 65 þêowa] o *auf rasur* O, w *aus* r T ‖ het BOCa. — 66 ær
in stæres *auf rasur* O ‖ ealle þa þe he B ‖ (ge)hérnesse *verb. sp.
hd.* Ca. — 67 him B ‖ gemyngade O, gemynegode Ca. — 68 oðercende
BCa ‖ gehw(y)rfde (y *über rasur*) O, gehwyrfde Ca, gefremede B ‖ *erstes
ond*] ac B. — 69 wynsume BCa, wynsum O ‖ (ge)byrenne O ‖ ðæt O,
þæt Ca ‖ þâ *fehlt in* T ‖ his *fehlt in* B. — 70 æt] æfter B ‖ wreoton T. —
71 ond *(abgekürzt)* ge eall B ‖ ea(l) O. — 72 ær *in* stær *auf rasur* O ‖
booc T ‖ eft TBCO] *fehlt in* Ca. — 73 Israhela *bis* ingonge *fehlt in* B ‖
egyp *auf rasur* O ‖ þæ(s) O. — 74 cano: es (s *rasur*) O, canoses Ca. —
75 bôc Ca. — 76 on OCa ‖ cyme] gyfe B. — 78 tintreg(lic)an O,
tintreganlican B ‖ wiites T ‖ sw.] wæstmnesse B ‖ heofonlican BOCa. —
79 ric *in* rîces *auf rasur* O ‖ geweorhte O. — 80 godcundan TB ‖
fremsumnesse B ‖ in T. — 81 gymde (y *auf rasur* O) BOCa ‖ fram: O. —
82 mândædum BCa. — 83 -þam B ‖ wæs *fehlt in* B ‖ regollicum BO,
reogollicum Ca.

4*

êaðmôdlîce underþêoded, ond wið þǽm, þâ ðe on ôðre wîsan dôn
85 woldon, hê wǽs mid welme micelre ellenwôdnisse onbǽrned; ond
hê forðon fǽgre ende his lîf betýnde ond geendade.

17.

AUS KÖNIG ÆLFREDS 'OROSIUS':
BESCHREIBUNG EUROPAS. — DIE REISEBERICHTE VON
OHTHERE UND WULFSTÂN.

*Hss.: das Lauderdale MS in Helmingham Hall, Suffolk (L), das Cotton MS
Tiberius B I in London, Brit. Museum (C); eine abschrift davon: Junius 15
in der Bodleiana zu Oxford. — Edd.: The Anglo-Saxon Version from the
Historian Orosius, by Alfred the Great, etc. By Daines Barrington, London
1773. 8°. — R. Pauli's Life of Alfred the Great, etc. To which is appended ●
Alfred's Anglo-Saxon Version of Orosius, etc. By B. Thorpe, London 1853.
8°. Scd. Ed., 1878. — A Description of Europe and the Voyages of Ohthere
and Wulfstan written in Anglo-Saxon, by King Alfred the Great, etc.,
containing a Facsimile Copy of the whole Anglo-Saxon Text from the
Cotton MS, and also from the first part of the Lauderdale MS, etc., by
Jos. Bosworth, London 1855. 2°. — King Alfred's Anglo-Saxon Version
of the Compendious History of the World by Orosius. By Jos. Bosworth,
London 1859. 8°. — King Alfred's Orosius, ed. by Henry Sweet, Part I.
London (EETS vol. 79) 1883, s. 18. — M. Rieger, Alt- u. angelsächs.
leseb., s. 146. — Kluge, Angelsächs. leseb.⁴, s. 32. — vgl. Schilling, K. Alfreds
ags. bearbeitung d. weltgeschichte des Orosius, Leipzig 1886. unser text
folgt anfangs L (ed. Sweet), von zeile 85 an der hs. C. graphische und laut-
liche varianten sind in der regel nicht angegeben worden.*

Nu hǽbbe we scortlice gesǽd ymbe Asia londgemǽro; nu
wille we ymbe Europe londgemǽre areccean swa micel swa we
hit fyrmest witon.

From þǽre îe Danais west oþ Rin þa ea, seo wilð of þǽm
5 beorge þe mon Alpis hǽtt, 7 irnð þonne norþ ryhte on þǽs gar-
secges earm þe þǽt lond uton ymblið þe mon Bryttania hǽtt;
7 eft suþ oð Donua þa ea, þǽre ǽwielme is neah Rines ofre

---

84 -lice *aus* -licum *O* ‖ þâ *f. in B* ‖ on] in *T*, hi on *B*. — 85 welme
TC, wylme (y *auf rasur O*) BOCa ‖ micelre *f. in B*. — 86 -þam *B* ‖
fǽgerne *B* ‖ ǽnde *T*, ende hǽfde þa he *B* ‖ betýnde ond *f. in B*.

2 londgemǽre; *das letzte* e *zu* o *geändert L* ‖ reccan *C*. — 5 7 *ist
hier (in hs. L) mit* ond *aufzulösen, von zeile 85 an aber (in hs. C) mit*
and. — 7 neah þǽre ea rînes *C*.

þære ie, 7 is siþþan east irnende wið norþan Creca lond ut
on þone Wendelsæ; 7 norþ oþ þone garsecg þe mon Cwensæ
10 hæt: binnan þæm sindon monega þeoda, ac hit mon hæt eall
Germania.

Þonne wið norþan Donua æwielme 7 be eastan Rine sindon
Eastfrancan; 7 be suþan him sindon Swæfas, on oþre healfe
þære ie Donua. 7 be suþan him 7 be eastan sindon Bægware,
15 se dæl þe mon Regnesburg hætt. 7 ryhte be eastan him sindon
Bæme, 7 eastnorþ sindon Þyringa(s). 7 be norþan him sindon
Ealdseaxan, 7 be norþanwestan him sindon Frisan. be westan
Ealdseaxum is Ælfe muþa þære ie, 7 Frisland. 7 þonan west-
norð is þæt lond þe mon Ongle hæt, 7 Sillende 7 sumne dæl
20 Dene. 7 be norþan him is Afdrede 7 eastnorþ Wilte, þe mon
Hæfeldan hætt. 7 be eastan him is Wineda lond, þe mon hætt
Sysyle, 7 eastsuþ, ofer sum dæl, Maroara. 7 hie Maroara habbað
be westan him Þyringas, 7 Behemas, 7 Begware healfe; 7 be
suþan him on oþre healfe Donua þære ie is þæt land Carendre
25 suþ oþ þa beorgas þe mon Alpis hæt. to þæm ilcan beorgan
licgað Begwara landgemæro 7 Swæfa. þonne be eastan Carendran
londe, begeondan þæm westenne, is Pulgara land. 7 be eastan
þæm is Creca land. 7 be eastan Maroara londe is Wisle lond.
7 be eastan þæm sint Datia, þa þe iu wæron Gotan. be norþan-
30 eastan Maroara sindon Dalamentsan 7 be eastan Dalamentsan
sindon Horigti. 7 be norþan Dalamentsan sindon Surpe; 7 be
westan him Sysyle. be norþan Horoti is Maegþa land; 7 be norþan
Mægþa londe Sermende oþ þa beorgas Riffen. be westan Suþdenum
is þæs garsecges earm þe liþ ymbutan þæt land Brettania; 7 be
35 norþan him is þæs sæs earm þe mon hæt Ostsæ; 7 be eastan
him 7 be norþan sindon Norðdene, ægþer ge on þæm maran landum
ge on þæm iglandum; 7 be eastan him sindon Afdrede; 7 be
suþan him is Ælfe muþa þære ie 7 Ealdseaxna sum dæl. Norð-
dene habbað be norþan him þone ilcan sæs earm þe mon hæt

---

8 norþan *fehlt in C.* — 13 eastfrancan *C;* eastfrancna *L.* — 16 þy-
ringas *C;* þyringa *L* || 7 be *C.* — 22 summe *C.* — 25 hæt alpis *C.* —
26 þonne *L;* 7 þonne *C.* — 27 begeondan *C;* begeondam *L.* — 29, 30
eastan norþan *C.* — 31 horigti *L;* horithi *C.* — 32 sindon sysyle *C* ||
horoti *L;* horiti *C.* — 36 norþan him *C.* — 39 him benorþan *C.* —
39, 40 ostsæ hæt *C.*

40 Ostsæ, 7 be eastan him sindon Osti þa leode; 7 Afdrede be suþan.
Osti habbað be norþan him þone ilcan sæs earm, 7 Winedas, 7
Burgendan; 7 be suþan him sindon Hæfeldan. Burgendan habbað
þone (ilcan) sæs earm be westan him; 7 Sweon be norþan; 7 be
eastan him sint Sermende, 7 be suþan him Surfe. Sweon habbað
45 be suþan him þone sæs earm Osti; 7 be eastan him Sermende;
7 be norþan him ofer þa westenne is Cwenland; 7 be westan-
norþan him sindon Scridefinnas; 7 be westan Norþmenn. —
Ohthere sæde his hlaforde, Ælfrede cyninge, þæt he ealra
Norðmonna norþmest bude. he cwæð þæt he bude on þæm lande
50 norþweardum wiþ þa Westsæ. he sæde þeah (þæt) þæt land sie
swiþe lang norþ þonan; ac hit is eal weste, buton on feawum
stowum styccemælum wiciað Finnas, on huntoðe on wintra, 7 on
sumera on fiscaþe be þære sæ.

He sæde þæt he æt sumum cirre wolde fandian hu longe
55 þæt land norþryhte læge, oþþe hwæðer ænig mon be norðan þæm
westenne bude. þa for he norþryhte be þæm lande: let him ealne
weg þæt weste land on ðæt steorbord, 7 þa widsæ on ðæt bæc-
bord þrie dagas. þa wæs he swa feor norþ swa þa hwælhuntan
firrest faraþ. þa for he þagiet norþryhte swa feor swa he meahte
60 on þæm oþrum þrim dagum gesiglan. þa beag þæt land þær
eastryhte, oþþe seo sæ in on ðæt lond, he nysse hwæðer; buton he
wisse ðæt he þær bâd westanwindes 7 hwon norþan, 7 siglde ða
east be lande swa swa he meahte on feower dagum gesiglan.
þa sceolde he ðær bidan ryhtnorþanwindes, for ðæm þæt land
65 beag þær suþryhte, oþþe seo sæ in on ðæt land, he nysse hwæþer.
þa siglde he þonan suðryhte be lande swa swa he mehte on fîf
dagum gesiglan. ða læg þær an micel ea up in on þæt land. þa
cirdon hie up in on ða ea, for þæm hie ne dorston forþ bi þære
ea siglan for unfriþe; for þæm ðæt land wæs eall gebun on oþre
70 healfe þære eas. ne mette he ær nân gebun land, siþþan he from
his agnum hâm fôr. ac him wæs ealne weg weste land on þæt
steorbord, butan fiscerum 7 fugelerum 7 huntum, 7 þæt wæron

---

40 afrede B; afdræde C. — 43 ilcan fehlt in L; aus C (y). —
46 him fehlt in C. — 47 scridefinnas C; scridefinne L. — 50 (þæt)
aus C. — 59 feor swa fehlt in C. — 62 oðõe hwôn C ‖ ða L; þanon C. —
64 ðær fehlt in C. — 67 on fehlt in C. — 68 ða; rasur nach a (= ðam?)
L. — 70 êa C ‖ fram C. — 71 hâm L, hame C.

call Finnas; 7 him wæs â widsǽ on ðæt bæcbord. þa Beormas
hæfdon swiþe wel gebûd hira land; ac hie ne dorston þær on
75 cuman. ac þara Terfinna land wæs eal weste buton (ðær) huntan
gewicodon, oþþe fisceras, oþþe fugel(er)as.

Fela spella him sædon þa Beormas ægþer ge of hiera agnum
lande ge of þæm landum þe ymb hie utan wæron; ac he nyste
hwæt þæs soþes wæs, for· þæm he hit self ne geseah. þa Finnas,
80 him þuhte, 7 þa Beormas spræcon neah an geþeode. swiþost he
for ðider, toeacan þæs landes sceawunge, for þæm horschwælum.·
for ðæm hie habbað swiþe æþele bân on hiora toþum — þa teð
hie brohton sume þæm cyninge —, 7 hiora hyd bið swiðe gôd
to scîprapum.   ͏

85   Se hwæl bið micle læssa þonne oðre hwalas: ne bið hê
lengra ðonne syfan elna lang. ac on his agnum lande is se betsta
hwælhuntað: þa beoð eahta and feowertiges ·elna lange, 7 þa,
mæstan fiftiges elna lange, þara hê sæde þæt he syxa sum ofsloge·
syxtig on twam dagum.   ·

90   Hê wæs swyðe spedig man on þæm æhtum þe heora speda
on beoð, þæt is, on wildrum. he hæfde þa gyt, ða hê þone cyninge
sohte, tamra deora unbebohtra syx hund. þa deor hî hâtað 'hrânas';
þara wæron syx stælhranas; ða beoð swyðe dýre mid Finnum,
for ðæm hy foð þa wildan hranas mid. he wæs mid þæm fyrstum
95 mannum on þæm lande. næfde he þeah ma ðonne twentig hry-
ðera, 7 twentig sceapa, 7 twentig swyna; 7 þæt lytle þæt he
erede he erede mid horsan. ac hyra âr is mæst on þæm gafole
þe ða Finnas hym gyldað. þæt gafol bið on deora fellum, 7 on
fugela feðerum, 7 hwales bane, 7 on þæm sciprapum, þe beoð of
100 hwæles hyde geworht, 7 of seoles. æghwilc gylt be hys gebyr-
dum. se byrdesta sceall gyldan fiftyne mearðes fell, 7 fif hranes,
7 an beran fel, 7 tyn ambra feðra, 7 berenne kyrtel oððe yterenne,
7 twegen scîprapas; ægþer sý syxtig elna lang, oþer sy of hwæles
hýde geworht, oþer of sioles.

73 und 80 Beormas; der erste strich des m ausradiert L. — 75 þær
C, fehlt in L, wo ðar ? nach Bosworth, Facs. Copy, übergeschrieben. —
76 er in fugeleras übergeschrieben in L. — 77 Beormas; der letzte strich
des m ausradiert L (nicht in Facs. Copy von Bosw.). — 83 hyd; hier
beginnt eine größere lücke in L; der text folgt nun C, u. zw. nach Bos-
worth, Facsimile Copy, auch bezüglich der akzente. — 88 in der hs. ein
interpunktionszeichen (.) hinter ofsloge. — 102 beren Sw(eet).

105   Hê sæde ðæt Norðmanna land wære swyþe lang 7 swyðe
smæl. eal þæt hîs man aþer oððe ettan oððe erian mæg þæt lið
wið ða sæ; 7 þæt is þeah on sumum stowum swyðe cludig;
7 licgað wilde moras wið eastan 7 wið upp on emnlange þæm
bynum lande. on þæm morum eardiað Finnas. 7 þæt byne land is
110 easteweard bradost, 7 symle swa norðor swa smælre. eastewerd
hit mæg bion syxtig mila brad, ˙ oþþe hwene bradre; 7 midde-
weard þritig oððe bradre; 7 norðeweard he cwæð, þær hit smalost
wære, þæt hit mihte beon þreora mila brad to þæm more; 7 se
môr syðþan, on sumum stowum, swa brad swa man mæg on twam
115 wucum oferferan; 7 on sumum stowum swa brad swa man mæg
on syx dagum oferferan.

     Ðonne is toemnes þæm lande suðeweardum, on oðre healfe
þæs mores, Sweoland, oþ þæt land norðeweard; 7 toemnes þæm
lande norðeweardum Cwena land. þa Cwenas hergiað hwilum on
120 ða Norðmen ofer ðone mor, hwilum þa Norðmen on hy. 7 þær
sint swiðe micle meras fersce geond þa moras; 7 berað þa Cwenas
hyra scypu ofer land on ða meras, 7 þanon hergiað on ða Norð-
men; hy habbað swyðe lytle scypa 7 swyðe leohte.

     Ohthere sæde þæt sio scîr hatte Halgoland þe hê on bude.
125 he cwæð þæt nân man ne bude be norðan him. þonne is ân port
on suðeweardum þæm lande, þone man hæt Sciringes heal. þyder
he cwæð þæt man ne mihte geseglian on anum monðe, gyf man
on niht wicode, 7 ælce dæge hæfde âmbyrne wind; 7 ealle ða
hwîle he sceal seglian be lande. 7 on þæt steorbord hîm bið
130 ærest Iraland, 7 þonne ða igland þe synd betux Iralande 7 þissum
lande. þonne is þis land oð he cymð to Sciringces heale, 7 ealne
weg on þæt bæcbord Norðweg. wið suðan þone Sciringes heal
fylð swyðe mycel sæ up in on ðæt land; seo is bradre þonne
ænig man oferseon mæge. 7 is Gôtland on oðre healfe ongean,
135 7 siðða(n) Sillende. seo sæ lið mænig hund mila up in on
þæt land.

     7 of Sciringes heale hê cwæð þæt he sêglode on fif dagan
to þæm porte þe mon hæt æt Hæþum: sê stent betuh Winedum,
7 Seaxum, 7 Angle, 7 hyrð în on Dene. ða hê þiderweard sêglode
140 fram Sciringes heale, þa wæs him on þæt bæcbord Dênamearc.

---

111 brædre *C.* — 126 þonne *C.* — 127 ne *in C (faksimile) und
Bosw., fehlt in Sw.* — 130 [Isal.] *zweimal Bosw. im gedruckten text.* —
134 ofer seon *Sw.*

7 on þæt steorbord widsǽ þry dagas; 7 þâ, twegen dagas ær he
to Hæþum come, him wæs on þæt steorbord Gotland, 7 Sillende,
7 iglanda fela. on þǽm landum eardodon Engle, ær hî hîder on
land coman. 7 hym wæs ðâ twegen dagas on ðæt bæcbord þa
145 igland þe in Denemearce hyrað. —

Wulfstan sæde þæt hê gefôre of Hǽðum, þæt hê wære on
Truso on syfan dagum 7 nihtum, þæt þæt scip wæs ealne weg
yrnende under segle. Weonoðland him wæs on steorbord, 7 on
bæcbord him wæs Langaland, 7 Lǽland, 7 Falster, 7 Scôneg;
150 7 þas land eall hŷrað to Denemearcan. 7 þonne Burgenda land
wæs us on bæcbord, 7 þâ habbað him sylf cyning. þonne æfter
Burgenda lande wæron ûs þas land, þa synd hatene ærest Ble-
cingaêg, 7 Meore, 7 Eowland, 7 Gotland on bæcbord; 7 þas land
hyrað to Swêon. 7 Weonodland wæs ûs ealne weg on steorbord
155 oð Wislemûðan. seo Wisle is swyðe mycel êa, 7 hio tolið Wit-
land 7 Weonodland; 7 þæt Witland belimpeð to Êstum; 7 seo
Wisle lið ût of Weonodlande, 7 lið in Êstmere; 7 se Estmere
îs huru fiftene mila brâd. þonne cymeð Ilfing eastan in Estmere
of ðæm mere ðe Truso standeð in staðe, 7 cumað ût samod in
160 Êstmere, Ilfing eastan of Estlande, 7 Wisle sûðan of Winodlande.
7 þonne benimð Wisle Ilfing hire naman, 7 ligeð of þæm mere
west 7 norð on sǽ; forðy hît man hæt Wislemûða.

þæt Estland is swyðe mycel, 7 þær bið swyðe manig burh,
7 on ælcere byrig bið cynyngc. 7 þær bið swyðe mycel hunig 7
165 fisc[n]að; 7 se cyning 7 þa ricostan men drincað myran meolc,
7 þa ûnspedigan 7 þa þeowan drincað medo. þær bið swyðe mycel
gewinn betweonan him. 7 ne bið ðær nænig ealo gebrowen mid
Êstum, ac þær bið mêdo genôh. 7 þær is mid Êstum ðeaw, þonne
þær bið man dead, þæt hê lið inne unforbærned mid hîs magum
170 7 freondum monað, ge hwilum twegen; 7 þa kyningas, 7 þa oðre
heahðungene men, swa micle lencg swa hî maran speda habbað,
hwilum healf gêar þæt hi beoð unforbærned, 7 licgað bufan eorðan
on hyra husum. 7 ealle þa hwîle þe þæt lîc bið inne, þær sceal
beon gedrync 7 plega, oð ðone dæg þe hî hine forbærnað. þonne
175 þy ylcan dæg(e) (þe) hî hine to þæm âde beran wyllað, þonne
todælað hî his feoh, þæt þær to lafe bið æfter þæm gedrynce

---

160 *und* 163 Eastl. *C.* — 165 fiscað *C.* — 175 dæg (e); *das* e
von anderer (?) hand; þe *fehlt in C.*

7 þæm plegan, on fîf oððe syx, hwylum on ma, swa swa þæs
feos ândefn bið. alecgað hit ðonne forhwæga on anre mile þone
mæstan dæl fram þæm tune, þonne oðerne, ðonne þæne þriddan,
180 oþ þe hyt eall aled bið on þære anre mile; 7 sceall beon se
læsta dæl nyhst þæm tune ðe se deada man on lið. ðonne sceolon
beon gesamnode ealle ðâ menn ðe swyftoste hors habbað on þæm
lande, forhwæga on fîf milum oððe on syx milum fram þæm feo.
þonne ærnað hŷ ealle toweard þæm feo; ðonne cymeð sê man
185 se þæt swiftoste hors hafað to þæm ærestan dæle 7 tǫ þæm
mæstan, 7 swa ælc æfter oðrum, oþ hit bið eall genumen; 7 se
nimð þone læstan dæl se nyhst þæm· tune þæt feoh geærneð.
7 þonne rideð ælc hys weges mid ðan feo, 7 hyt motan habban
eall; 7 for ðŷ þær þeoð þa swiftan hors ungefoge dyré. 7 þonne
190 hŷs gestreon beoð þus eall aspended, þonne byrð man hine ût
7 forbærneð mid his wæpnum 7 hrægle. 7 swiðost ealle hys speda
hŷ forspendað mid þan langan· legere þæs deadan mannes inne,
7 þæs þe hŷ be þæm wegum alecgað, þe ða fremdan to ærnað,
7 nimað. 7 þæt is mid Êstum þeaw þæt þær sceal ælces geðeodes
195 man beon forbærned; 7 gyf þar man ân ban findeð unforbærned,
hî hit sceolan miclum gebetan.   7 þær is mid Êstum ân mægð
þæt hi magon cyle gewyrcan; 7 þy þær licgað þa deadan men
swa lange 7 ne fuliað, þæt hy wyrcað þone cyle him on. 7 þeah
man asette twegen fætels full ealað oððe wæteres, hy gedoð þæt
200 ægþer bið oferfroren, sam hit sy sumor sam winter.

───────

178 forhwaga *Bosw. im gedruckten text.* — 185 swifte hors *C.* —
196 êastum *C.* — 198 hine on *C.* — 200 oþer bið *C.*

18.

ÆTHELSTAN (AUS DER SACHSENCHRONIK).

Thorpe, Anglo-Saxon Chronicle, London 1861, I, 200. — J. Earle, Two of the Saxon Chronicles, Oxford 1865; ed. by Ch. Plummer, Oxford 1892, s. 106. — Grein, Bibl. der ags. poesie, ed. Wülker, Kassel 1883, 1, 374. — Maldon and Brunanburh, ed. C. L. Crow, Boston 1897. — Maldon and Short Poems from the Saxon Chronicles, ed. W. J. Sedgefield, Boston 1904. — Kluge, Ags. leseb.⁴, s. 120. — L. L. Schücking, Kleines ags. dichterbuch, Cöthen 1919, s. 71.

An. DCCCC.XXXVII.

Hêr Æþelstân cyning,   eorla dryhten,
beorna bêahgifa,   and his brôþor êac,
Êadmund æþeling,   ealdorlangne tîr
geslôgon æt sæcce   sweorda ecgum
5   ymbe Brûnanburh.   — bordweal clufan,
hêowan heaþolinde   hamora lâfan,
afaran Êadweardes,   swa him geæþele wæs.
from cnêomǽgum,   þæt hî æt campe oft
wiþ lâþra gehwæne   land ealgodon,
10   hord and hâmas.   hettend crungun,
and Sceotta lêoda   and scipflotan
fǽge fêollan;   ·feld dænnede
secgas hwate,   siðþan sunne ûp
·on morgentîd;   mǽre tungol,
15   glâd ofer grundas,   godes condel beorht,
êces drihtnes,   oð sîo æþele gesceaft
sâh tô setle.   þǽr læg secg mænig
gârum âgêted,   guma norþerna

Oben nach A = Corpus Christi College (Cambridge) MS 173. die zirkumflexe rühren von derselben, die akute von anderer hand her. hier die lesarten von drei hss. im Britischen Museum: Cott. Tib. A VI = B, Cott. Tib. B I = C, Cott. Tib. B IV = D. verschiedenheit im gebrauche von großen anfangsbuchstaben, akzenten und þ und ð werden nicht angeführt.

nach VII noch I rad. A, VII CD, VIII B. — [1] *æþestan B ‖ cing BC ‖ drihten BCD. —* [2] *beag- B, -gyfa C ‖ eâc A. —* [3] *ealdorlagne C ‖ tír A, tyr D. —* [4] *geslôgan B ‖ sake B, secce D ‖ swurda C ‖ êcgum A, ecgum B. —* [5] *embe BC ‖ brunnanburh BC und von a. hd. A ‖ bordweall BC, heordweal D ‖ clufon C. —* [6] *heowon C ‖ lina B, -linda (aus -linga D) CD ‖ hamera D, o zum teil durch wurmstich weg B ‖ lafum BCD. —* [7] *eaforan B, aforan C, eoforan D ‖ eadweardæs D. —* [8] *fram BCD ‖ -magum B ‖ hie B. —* [9] *gehwane B ‖ ealgodan B, gealgodon C. —* [10] *hámas A ‖ heted D ‖ crungon BCD. —* [11] *(ohne and) scotta leode BCD ‖ scyp- C. —* [12] *feollon D ‖ dænnede aus dænede a. hd.? A, dennade BC, dennode D. —* [13] *sêcgas A, secga swate BCD ‖ úp A, upp BC. —* [14] *-tíd A. —* [15] *candel BCD. —* [16] *þ seo B, oþ seo C, oð se D. —* [17] *setle D ‖ manig B, monig CD. —* [18] *garum forgrunden B ‖ guman BCD ‖ norðerne BC, norþærne D.*

```
      ofer scild scoten,    swilce Scittisc êac.
20  wêrig wîges sæd.   Wesseaxe forð
      ondlongne dæg    êorodcistum
      on lâst legdun    lâþum þêodum,
      heowan hereflêman   hindan þearle
      mêcum mylenscearpan.   Myrce ne wyrndon
25  heardes hondplegan    hæleþa nânum,
      þæ mid Ânlâfe    ofer æragebland
      on lides bôsme    land gesôhtun,
      fæge tô gefeohte.   fîfe lægun
      on þâm campstede    cyninges giunge
30  sweordum âswefede,    swilce seofene êac
      eorlas Ânlâfes,    unrîm heriges,
      flotan and Sceotta.   þær geflêmed wearð
      Norðmanna bregu,    nêde gebêded
      tô lides stefne    lîtle weorode;
35  crêad cnearon flot;    cyning ût gewât
      on fealene flôd,    feorh generede,
      swilce þær êac sê frôda    mid flêame côm
      on his cýþþe norð    Costontînus,
      hâr hilderinc    hrêman ne þorfte
40  mæcan gemânan;    hê wæs his mæga sceard,
      frêonda gefylled    on folcstede,
      beslagen æt sæcce    and his sunu forlêt,
      on wælstôwe    wundun fergrunden,
      giungne æt gûðe.   gelpan ne þorfte
45  beorn blandenfeax    bilgeslehtes,
      eald inwidda,    nê Ânlâf þŷ mâ
      mid heora herelâfum.   hlehhan ne þorftun,
```

[19] scyld *BCD*||sceoton *BD*||swylce *BD*||scyttisc *BCD*||eâc *A*. — [20] wîges *A*, wigges *BC*||ræd *D*||westsexe *B*, 7 wessexe *C*||forð *A*. — [21] andlangne *BC*, 7 langne *D*|| eored cystum *BCD*. — [22] legdon *BC*, lægdon *D*||ðeodon *C*. — [23] heowon *C*||heora- *D*||-flyman *BD*, -flymon *C*.— [24] mylen *A*, mycel *D*||scearpum *BCD*. — [25] he eardes *A*, heardes *BCD*|| hand- *BCD*||nanum *aus* namum *C*. — [26] þæ *A*, þara ðe *BC*, þæra þe *D*|| æra *A*, ear *B CD*. — [27] liþes *C*||gesohtan *B*, gesohton *CD*. — [28] fage *D*|| feohte *D*||lagon *BCD*. — [29] ôn *A*||ðæm *D*||ciningas *B*, cingas *C*, cyningas *D*||geonge *BC*, iunga *D*. — [30] aswefde *C*||swylce *D*||seofone *B*, VII *C*||eâc *A*. — [31] 7 ûnrîm *C*||herges *BCD*. — [32] flotena *Kl(uge) Sch(ücking)*|| scotta *BCD*||geflymed *BCD*. — [33] brego *BCD*||neade *CD*||gebæded *BCD*. — [34] stæfne *D*||lytle *BCD*||werode *C*. — [35] creat *D*||cnearen *A*, cnear on *BCD*||cing *B*, cining *C*. — [35-36] flot *bis* fealene *übersprungen in D*. — [36] ôn *A*||fealone *BC*||generode *CD*. — [37] swylce *BD*||eâc *A*. — [38] constantinus *BCD*. — [39] hár *A*, hal hylde *D*||ring *A*, rinc *BCD*|| hryman *D*. — [40] mecea *B*, meca *C*, mecga *D*||he *A*] her *BC*||maga *BC*. — [41] ón *A*, on his folcstede *C*. — [42] forslegen *B*, beslegen *B*, beslægen *D*||sace *B*, sęcge *D*||forlæt *D*. — [43] ôn *A*||wundum forgrunden *BCD*. — [44] geongne *BCD*||gylpan *BCD*. — [45] fex *BC*||bill geslyhtes *B*, bill geslihtes *CD*. — [46] inwitta *BC*, inwuda *D*||þe *BD*. — [47] hyra *CD*|| -leafum *D*||hlihhan *BC*, hlybban *D*||þorftan *BD*.

þæt heo beaduweorca   beteran wurdun
on campstede   cumbolgehnâdes,
50 gârmittinge,   gumena gemôtes,
wǽpengewrixles,   þæs hî on wœlfelda
wiþ Êadweardes   afaran plegodan.
   Gewitan him þâ Norþmen   nægledcnearrum,
drêorig daraða lâf   on Dinges mere
55 ofer dêop wæter   Difelin sêcan
and eft hira land   æwiscmôde.
swilce þâ gebrôþer   bêgen ætsamne,
cyning and æþeling,   cýþþe sôhton,
Wesseaxena land,   wîges hrêmige.
60 lêtan him behindan   hræ bryttian
saluwigpâdan,   þone sweartan hræfn
hyrnednebban   and þane hasewanpâdan
earn æftan hwît   æses brûcan,
grædigne gûðhafoc   and þæt græge dêor,
65 wulf on wealde.   ne wearð wæl mâre
on þis êiglande   æfer gîeta
folces gefylled   beforan þissum
sweordes ecgum,   þæs þe ûs secgað bêc,
ealde ûðwitan,   siþþan êastan hider
70 Engle and Seaxe   ûp becôman
ofer brâde brimu,   Brytene sôhton,
wlance wîgsmiþas   Wealles ofercôman,
eorlas ârhwate   eard begêatan.

---

⁴⁸ hie B, hi CD ‖ beado BCD ‖ wurdan B, wurdon CD. — ⁴⁹ ôn A ‖ über culbod v. a. hd.? l cumbel A, dafür cumbol BCD ‖ gehnastes BCD. — ⁵⁰ mittunge D. — ⁵¹ hie B, þe hi D ‖ ôn A. — ⁵² eaforan B, aforan C ‖ plegodon CD. — ⁵³ gewiton CD ‖ hym C ‖ þ in norþmen ü. d. z. v. a. hd.? A, norðmenn BC ‖ negled cnearrum C, dæg gled ongarum D ‖ nægled aus negled a. hd. A. — ⁵⁴ dreori C ‖ daroða B, dareþa CD ‖ ôn dynges B, dyniges D. — ⁵⁵ ofe(r) deopne D ‖ dyflen B, dyflin C, dyflig D ‖ secean B. — ⁵⁶ 7 ü. d. z. v. a. hd. A, fehlt BCD ‖ íra B, yra CD, Íraland KlSch. — ⁵⁷ swylce BD ‖ gebroðor BD, broðor C ‖ bege D ‖ ætsomne BC, æt runne D. — ⁵⁸ cing: B, cing C ‖ eaðeling D ‖ sohtan B. — ⁵⁹ westseaxna BD, wessexena C ‖ wigges BC ‖ erstes e in hremige über getilgtem a A. — ⁶⁰ leton C, læton D ‖ hym behindon C ‖ hræ a. hd. zu hræw A, hraw B, hra CD ‖ bryttigean B, brittigan C, brittinga D. — ⁶¹ salowig BCD ‖ hrefn C. — ⁶² hyrnet D ‖ þone BCD ‖ haso B, hasu CD ‖ wadan D. — ⁶³ æses aus æres D. — ⁶⁴ hafôc A, cuð heafôc D ‖ grege D. — ⁶⁵ ôn A ‖ wealda Kl. — ⁶⁶ ôn A ‖ þys BC, þisne D ‖ eglande B, iglande CD ‖ æfre BCD ‖ gyta BC, gitâ D. — ⁶⁷ afylled B ‖ þyssum BCD. — ⁶⁸ swurdes C ‖ êcgum A ‖ secggeaþ B ‖ bêc A. — ⁶⁹ syþþan B. — ⁷⁰ sexan B, sexe C ‖ upp BC ‖ becomon CD. — ⁷¹ brad A, brade BCD ‖ bretene C, britene D ‖ sohton CD. — ⁷² wealas BCD ‖ ofercomon CD. — ⁷³ arhwæte D ‖ begeaton BCD.

19.   MATTHÆUS

The Gospel according to Saint Matthew in Anglo-Saxon and Northumbrian ausg. v. Skeat 1887). The Holy Bible in the Earliest English Versions made and Madden, Oxford 1850, IV, 83.—Vgl. auch The

Nero D IV

efern   uut.*   ðiu l ða gelihteð   in forma doeg   cuom
[1]*Uespere autem sabbati, quae   lucescit*   *in prima   sabbati, uenit*

     ðiu magdalenesca 7 oðero   to geseanne þ byrgenn   7 heonu
maria magdalenæ   et altera maria uidere   sepulchrum. [2]*et ecce*

eorð hroernisse geworden wæs micil   engel forðon drihtnes astâg
terrae motus   factus   est   magnus; angelus enim   domini   descendit

of heofnum 7 geneolecde eft awælte ðone stan 7 gesætt ofer
de caelo   et accedens   reuoluit   lapidem   et sedebat super

hia   wæs forðon megwlit his   suæ leht   7
eum (zu eam vom gl.) [3]*erat   enim   aspectus eius, sicut fulgor, et*

wêde   his sua snâ fore ego l fyrihto uut. his alegd weron
uestimentum eius, sicut nix. [4]*præ timore   autem eius exteriti sunt*

ða haldendo 7 aworden weron suelce for deado ondswarede uut.
custodes   et facti   sunt,   uelut mortui. [5]*respondens   autem*

ðe engel cuoeð ðæm wifum nallas gie ondrêde iuh   ic wat forðon þte
angelus dixit mulieribus: '*nolite timere   uos; scio   enim, quod*

---

* *ein punkt hinter dem letzten buchstaben steht hier als abkürzungszeichen statt des striches in hss.*

Rushworth.

Latein: [1] luciescit ‖ magdalene. — [2] discendit. — [3] enim] autem ‖ uestimenta eius candita (so!). — [4] exterriti ‖ uelud.

Glossen: [1]on efenne þa þæs reste dægas þæm þe in lihte in forma dæg æfter reste dæg cwom maria magdalenisca 7 oþer maria to sceawenne þa byrgenne [2]7 henu eorþ styrennis gewarð micelu ængel forþon dryhtnes astag of heofunum 7 to gangende awælede þone (aus þoñ) stan 7 gesett on þæm [3]wæs þa his onseone swa leget 7 wæda l rægl his hwit swa snau [4]for his ægsa þonne afirde werun þa weardas 7 geworden swa deade [5]andswarade þa se engel owæþ to þæm wifum ne forhtige eow ic wat forþon þ

Wycliffe.

[1] Forsothe in the euenyng of the saboth (*or* haliday), that schyneth in the firste day of the woke, Marie Mawdeleyn cam and another Marie for to se the sepulcre. [2]and, lo, ther was maad a greet erthe mouyng; forsoth the aungel of the lord cam doun fro heuene and comynge to turnide awey the stoon and sat theron. [3]sothli his lokyng was, as leyt, and his clothis, as snow. [4]forsothe for drede of him the keperis ben afferid, and thei ben maad, as deede men. [5]forsothe the aungel answeringe seide to the wymmen: 'nyle ȝe drede; for i woot, that

---

[1] Fors.] But ‖ euentid ‖ or h. f. ‖ bigynneth to schyne ‖ for *f.* — [2] schakyng ‖ forsoth] for ‖ com. to] neiȝede and. — [3] sothli] and.— [4] forsothe] and ‖ ben] weren *beide male*. — [5] fors.] but. ‖ answeride and.

XXVIII.   **19.**

Versions, edd. Kemble and Hardwick, Cambridge 1858, p. 226—231 (neue from the Latin Vulgate by John Wycliffe and his Followers, edd. Forhall Gospel of St. Matthew, ed. J. W. Bright, Boston 1904.

Bodl. 411.

[1] Soðlice þam restedæges æfene, se þe onlyhte on þam forman restedæge, com seo magdalenisce Maria 7 seo oþer Maria, þ hig woldon geseon þa byrgene. [2] and þær wearþ geworden micel eorþbifung; witodlice dryhtnes engel astah of heofonan 7 genealæhte 7 awylte þone stan 7 sæt þær .onuppan. [3] hys ansyn wæs, swylce ligit, 7 hys reaf swa hwite, swa snaw. [4] witodlice þa weardas wæron afyrhte and wæron gewordene, swylce hig deade wæron. [5] ða 7 swarode se engel 7 sæde þam wifon: 'ne ondræde ge eow; ic wat witodlice, þ

Halton 38.

[1] Sodlice þam restesdaiges efene, se þe onlihte on þam forme restedayge, com syo magdalenissca Marie 7 syo oðer Marie, þæt hyo 5 wolden gesyen þa byrigenne. [2] 7 þær warð geworðen mychel eorðbefiunge; witodlice drihtenes ængel ástah of heofene 7 geneahlacte ænd awelte þanne stan 7 10 sæt þær onuppon. [3] hys ansiene wæs, swylce leyt, 7 hys reaf swa hwit, swa snaw. [4] witodlice þa weardes wæren afyrhte 7 wæron geworðene, swylce hyo deade 15 wæren. [5] þa andsweredę se ængel 7 sayde þam wifon: 'ne ondræde ge eow: ic wat witodlice, þæt

Kollation von C(orpus Christi College, Cambridge, 140) und U (= Ii 2, 11 der universitätsbibliothek zu Cambridge) mit B, abgesehen von rein graphischen varianten.

[1] onlyhte *aus* onlihte *B*, onlihte *C* ‖ byrgenne *U.* — [2] þar *U* ‖ drihtenes *C* ‖ heofenum *U*, heofenan *C* ‖ awylede *U* ‖ on weg *hinter* stan *U* ‖ þar *U.* — [3] ligyt *C*, lyget *U.* — [5] andswarede *U* · wifū *U.*

Kollation von R(egius 1 A XIV) mit H (g hat in H die fränkische form nur [1] magda, [7], [18] seggeð, [7] segge, *immer* gali-, *immer* leorning- *und* þing, [19] gastes; *in R in diesem stück immer die altenglische gestalt).*

[1] Soðlice ‖ reste daiges ‖ se ðe ‖ forman reste daige ‖ seo magdalenisca maria ‖ oðer maria ‖ geseon. — [2] wearð geworden micel eorð befunge ‖ astah ‖ heofonan ‖ 7 awelte. — [3] his *beide male* ‖ ansyne legt ‖ aŋ f *in* reaf *radiert* ‖ wit. — [4] wæron *alle drei male.* — [5] engel ‖ 7 *bis* wifon *auf rasur.* — sægde.

ðe hælend se ðe ahongen wæs gie soecas ne is hêr arâs   forðon
Iesum,   *qui*   *crucifixus est,*   *quaeritis.* *⁶non est hic; surrexit enim,*
suæ cueð cymmas geseað þ styd l ðiu stou ðer asetted wæs drihten
sicut dixit. uenite,   *uidete*   *locum,*   *ubi positus erat dominus.*
7 hraeðe eode cuoðas ðegnum his þte he arâs   7 heonu foreliorað
⁷et cito   *eunte dicite*   *discipulis eius, quia*   *surrexit. "et ecce*   *praecedit*
iwih in galilea   ðer hine gê geseað *(dahinter etwa vier buchstaben radiert)*
uos in galilaeam: ibi eum uidebitis."
l gesea magon heonu fore ic cueð l ær ic sægde iuh   7 eodun
      ecce   *praedixi*   *uobis.' ⁸et exierunt*
hreconlice from byrgenne mið ege   7 mið micle glædnise iornende
cito   *de*   *monumento cum timore et magno*   *gaudio*   *currentes*
beada l sægca ðegnum his   7 heonu hælend togægnes arn ðæm
   nuntiare   *discipulis eius. ⁹et ecce*   *iesus . occurrit*   *illis*
cueð wosað gie hal ða uut.   geneolecdon 7 gehealdon foet his 7
dicens: *'hauete.'*   *illę autem accesserunt et tenuerunt pedes eius et*
worðadon hine ða   cueð to ðæm ðe hælend nallað gie ondreda gaað
adorauerunt eum. ¹⁰tunc ait   *illis*   *iesus:*   *'nolite timere . ite,*
sæcgas broðrum minum þte hea gæ in gæliornise ðer mec hia geseað.
nuntiate fratribus meis,   *ut eant*   *in galilaeam: ibi me uidebunt.'*

Rushworth.

Latein: ⁶uenite et uidete || possitus. — ⁷ euntes || surrexit a
mortuis || praecidit || galileam || et *vor* ecce *getilgt* || dixi *zu* þdixi *gl.* —
⁸gaudio magno || auete || ille. — ¹⁰sed ite || galileam.

Glossen: git hælend þone þe hongen wæs gesoecaþ ⁶nis he her
forþon þe he aŕas swa he cwæþ cumaþ 7 geseoþ þa stowe þær aseted wæs
dryhten ⁷7 hræþe gangaþ sæcgaþ discipulas his þ he aras from deade 7
henu beforan gæþ eow in galilea ðær ge hine geseoþ henu swa ic fore-
sægde ⁸7 hiæ eodun hraþe of byrgenne mið egsa 7 mið gefea micel
eornende secgan discpl. his ⁹7 henu hælend quom heom ongægn
cwæþende beoþ hale hiæ þa stopen forþ 7 genomen his foet 7 gebedun
to him ¹⁰þa cwæþ heom to se hælend ne ondredeþ inc ah gæþ sæcgaþ
broþrum minum þ hiæ gangan in galilea þær hic *(so!)* me geseoþ

Wycliffe.

ȝe seken Ihesu, that is crucified; ⁶he is not here; sothli he roos, as
he seide. come ȝe and seeth the place, where the lord was putt. ⁷and
ȝe goynge sone seie to his disciplis and to Petre, for he hath risun,
"and, lo, he schal go bifore ȝou in to Galilee: there ȝe schulen se him".
lo, i haue bifore seid to ȝou.' ⁸and Marie Mawdeleyn and another Marie
wenten out soone fro the buryel with drede and greet ioye rennynge
for to telle his disciplis. ⁹and, lo, Ihesus ran aȝens hem seyinge:
'heil ȝe', forsothe thei camen to and heelden his feet and worschipiden
him. ¹⁰thanne Ihesus seith to hem: 'nyle ȝe drede. go ȝe, telle ȝe to
my britheren, that thei go in to Galilee: there thei schulen se me.'

---

⁵was. — ⁶sothli] for || is risun || se ȝe || leid. — ⁷go ȝe || and seie ȝe || and
to P. *f.* || for] that || hath] is. — ⁸Mar. — Mar.] thei || biriels || for *f.* || to hise. —
⁹ran—sevinge] mette hem and seide l fors.l and || c. to] neiȝeden.—¹⁰seide.

ge sceað þone hælynd, þone þe
on rode ahangen wæs. ⁶nys he
her; he aras soðlice, swa swa he
sæde, cumað 7 geseoð þa stowe,
þe se hælynd wæs on aled. ⁷7 faraþ
hrædlice 7 sæcgeað hys leor-
ningcnyhtum, þ he aras, "7 soð-
lice he cymð beforan eow on
Galileam: þær ge hyne geseoð".
nu ic secge eow.' ⁸þa ferdon hig
hrædlice fram þære byrgene mid
ege 7 mid myclum gefean 7 ur-
non 7 cyðdon hyt hys leorning-
cnyhton. ⁹7 efne þa com se hæ-
lynd ongean hig 7 cwæð: 'hale
wese ge.' hig genealæhton 7 ge-
namon hys fet 7 to hym geeað-
meddon. ¹⁰ða cwæþ se hælynd to
him: 'ne ondræde ge eow. farað
7 cyþað minum gebroþrum, þ hig
faron on Galileam: þær hig ge-
seoð me.'

ge secheð þanne hælend, þane þe
on roden ahangen wæs. ⁶nis he
her; he aras gewislice, swa swa
he sæigde, cumeð 7 geseoð þa
5 stowe, þe se hælend wæs on aleigd.
⁷ 7 fareð rædlice 7 cumeð 7 seggeð
hys leorningcnihten, þæt he aras,
"7 soðlice he cymð beforan eow
on Galileam: þær ge hine geseoð".
10 nu ich segge eow.' ⁸þa ferden hyo
rædlice fram þare byrigenne mid
eige 7 mid mychele gefean 7 urnen
ænd kydden hyt hys leorning-
cnihten. ⁹7 efne þa com se hælend
15 ongean hyo 7 cwæð: 'hale wese
ge.' hyo geneohlahten 7 genamen
hys fét 7 to him geeadmededon.
¹⁰ða cwæð se hælend to heom:
'ne ondræde ge eow . fareð 7
20 kyðeð mine gebroðre, þæt hyo
faran on Galilea: þær hyo geseoð
me.'

---

hælend U. — ⁶ s in nys ü. d. z. B. ‖
and nachträglich B ‖ hælend U. —
⁷ secgeað C, secgað U ‖ zweites n in
leorning- auf rasur C ‖ þar U. —
⁸ hrædlice (d aus angefangenem r)
hinter byrigenne U ‖ mycelu U ‖
-cnyhtum U. — ⁹ hælend U ‖ geead-
meddon U. — ¹⁰hælend U ‖ heom C ‖
broðru U ‖ faran U.

secað ‖ þonne beide male ‖ rode.
— ⁶sægde ‖ halend ‖ alegd. —
⁷ farad ‖ 7 cumeð fehlt ‖ seggað his
leorningcnihtas ‖ comð ic. — ⁸ ða
ferdon ‖ byrigene ‖ mycele ‖ urnen
aus urren ‖ 7 cyddan hit his ‖
-cnihton.—⁹genehlacton‖genamon
his fet. — ¹⁰halend ‖ farað 7 cyðað ‖
galileam ‖ geseð.

79

ða ilco mið ðy eodon   heonu summe of ðæm haldendum cwomun in
¹¹*quae   cum   abissent, ecce   quidam de custodibus   uenerunt in*
ða ceastra 7 sægdon   ðæm aldor monnum* sacerda   alle
ciuitatem   et nuntiauerunt   principibus   sacerdotum omnia,
ða ðe geworden weron   7 gesomnad mið ældrum ðæhtung
quae   facta   fuerant. ¹²*et congregati cum senioribus consilium*
genumen wæs feh   monigfald saldon   ðæm cempum   cueðende .
*accepio   pecuniam copiosam dederunt militibus   *¹³*dicentes:*
cuoðað gie þte ðegnas   his on næht cuomun 7 forstelun ł stelende
'*dicite,   quia "discipuli eius   nocte uenerunt et   furati*
weron hine ûs   slependum**   7 gif ðis gehered bið
sunt   enim   nobis   dormientibus". ¹⁴*et, si   hoc   auditum   fuerit*
from ðen groefa we getrewað him 7 sacleaso iwih we gedoeð
a   praeside,   nos suadebimus ei   et securos   uos   faciemus.'
soð hia gefoen hæfdon feh   dedon suæ weron gelæred 7
¹⁵*at   illi accepta   pecunia fecerunt, sicut erant   docti,   et*
gemersad wæs word ðis mið iudeum*** oðð ðone longe   dæge
diuulgatum est uerbum istud apud iudaeos   usque   in hodiernum diem.

---

* über monnum *ein wohl zufälliger strich.* — ** *davor zwei buch-*
staben weggewischt. — *** *dahinter ungefähr vier buchstaben radiert.*

Rushworth.

Latein: ¹¹ adnuntiauerunt. — ¹² consilio. — ¹⁴ faciamus. — ¹⁵ deuul-
gatum ‖ iudeos.

Glossen: ¹¹ þa hí þa awæg eodun henu sume þara wearda cwomun
in cæstre 7 sægdun þa aldur sacerdum eall þ þe þær gedõen werun ¹² 7
hiæ gesomnade mið ðæm ældrum geþæhtunge in eoden onfengon feoh
genyhtsum (h *ü. d. z.*) saldun (u *aus e.* a ?) þæm kempum ¹³ cwæþende
sæcgaþ þæt his discipl. on næht cwomun 7 forstælen hinæ us slepende
¹⁴ 7 gef þ gehoered bið from geroefe we getæceþ ł scyaþ him 7 orsorge
eow gedoaþ (*aus* gedoeþ) ¹⁵ 7 hię onfengon þæm feo dydun swa hiæ werun
gelærde 7 gemæred wæs word þis mið iudeum oþ þisne ondwardan dæg

Wycliffe.

¹¹ the whiche whanne thei hadden gon, loo, summe of the keperis camen
in to the cytee and tolden to the princes of prestis alle thingis, that
weren don. ¹² and thei gedrid togidre with the eldere men a counceil
takun ȝaue to the knyȝtis plenteuous money ¹³ seyinge: 'seie ȝe, for
"his disciplis camen by niȝte and han stolen him vs slepinge". ¹⁴ and,
if this be herd of the presedent (*or* iustise), we schulen conceile him
and make ȝou sikir.' ¹⁵ and the money takun thei diden, as thei weren
tauȝt. and this word is pupplissid at the Iewis til in to this day.

---

¹¹ the wh.] and ‖ weren goon. — ¹² and whanne thei weren gaderid ‖
men and hadden take her counseil thei ȝauen ‖ miche. — ¹³ and seiden ‖
for] that ‖ while ȝe slepten. — ¹⁴ pr. or *f.* — ¹⁵ and whanne the monei
was takun ‖ among.

[11] ða þa hig ferdon, þa comun sume þa weardas on þa cestre 7 cyþdun þæra sacerda ealdrun ealle þa þing, þe þær gewordene wærun. [12] ða gesamnudun þa ealdras hig 7 worhtun gemot 7 sealdun þam þegenun micel feoh 7 cwædun: [13]'secgeaþ, þ "his leorningcnihtas comun nihtys 7 forstælan hyne, þa we slepun". [14] 7, gyf se dema þis geaxað, we læreð hyne 7 gedoð eow sorhlease.' [15] ða onfengun hig þæs feos 7 dydun, eallswa hig gelærede wærun. 7 þis word wæs gewidmærsud mid Iudeum oð þisne andwerdan dæg.

[11] ða hyo ferdon, þa comen sume þa weardes on þa ceastre 7 kyddan þare sacerda ealdren ealle þa [þa] þing, þe þær geworðene wæren. 5 [12] þa gesamnode þa ealdres hyo 7 worhten gemot 7 sealden þam þeignen mychel feoh 7 cwæðen: [13]'seggeð, þæt "hys leorningcnihtes coman nyhtas 7 forstælen hyne, 10 þa we slepen". [14] ænd, gyf se dema þis geaxoð, we læreð hyne 7 gedoð eow sorhlease.' [15] ða onfengen hyo þas feos 7 dyden, ealswa hyo gelærde wæren. 7 þis word wæs 15 gewidmærsod mid Iudeam oðð þisne andwearden dayg.

[11] comon CU‖ceastre CU‖cyðdon CU‖ealdrum CU‖ðar U‖wærum C, wæron U. — [12] gesamnudon C, -mnodum U‖worhton U‖sealdon CU‖ðegenum C, þegnum U‖micyl C, mycel U‖cwædon CU. — [13] comon CU‖nihtes C, nyhtes U‖forstælon U‖ slepon U. — [14] þiss C, þys U‖geascað U‖and auf rasur C. — [15] onfengon CU‖dydon CU‖wæron CU‖ wurd C‖gewidmærsod C, gewydmærsod U‖andweardan CU.

[11] ða þa hyo ‖ weardas ‖ cyddan þara sacerdan ealdrum ‖ nur ein þa ‖ gewordene wæron. — [12] ða gesamnoden ‖ ealdras ‖ worhton ‖ þeognum mycel feogh (g in ungewöhnl. form, vielleicht aus e. a?). — [13] seggað ‖ his ‖ -cnihtas comen ‖ forstalan‖sleapan. — [14] 7 gif‖ sorhlease. — [15] onfengon ‖ dydon ‖ wæron ‖ wæs gewid auf rasur ‖ gewidmærsoð ‖ oð ‖ dæg radiert hinter þisne‖ andwerdan daig.

5*

ællefno ðonne ðegnas foerdon in geliornise in môr ðer
[16]*undecim autem discipuli abierunt in galilaeam in montem, ubi*
gesette ðæm se hælend 7 gesegon hine worðadun sume
constituerat illis iesus, [17]et uidentes eum adorauerunt. quidam
ðonne getwiedon   7 geneolecende ðe hælend spreccend wæs to
autem dubitauerunt. [18]et·accedens iesus locutus est
him cuoeðende asâld is me alle mæhto in heofne 7 in eorðo
eis dicens: 'data est mihi omnis potestas in caelo · et in terra.

gaâð forðon lærað alle cynno ł hædno fulwuande* hia in
[19]*euntes ergo docete omnes gentes baptizantes eos in*
noma fadores 7 sunu 7 halges gastes lærende hia halda ·
nomine patris et fili et spiritu sancti [20]docentes eos seruare
alle ða ðe sua huelc ic bebead iuh   7 heonu ic iuh mið am
omnia, quaecumque mandaui uobis; et ecce ·go uobiscum sum
allum dagum oðð to endunge woruldes sie soð ł soðlice
omnibus diebus usque ad consummationem saeculi.' amen.
     godspell æfter matheus** saegde ł asæged is.
     euangelium secundum mattheum explicit.

---

     * fulwande *und* u *ü. d. z.* — ** mathes *und* u *ü. d. z.*

Rushworth.

Latein: [16]discipuli eius ‖ galileam. — [19]babtizantes eas ‖ spiritus. —
[20]obseruare ‖ amen — explicit] finit amen finit amen finit.

Glossen: [16]þa enlefan (autem disc. *ohne glosse*) his þa eodun (in
g. *ohne glosse*) on dune þær gesætte ær heom se hælend [17]7 geseonde
hine to him bedun sume þonne tweodun [18]7 heom to gangende se
hælend spræc to heom cwæþende gesald is me æghwilc mæht on
heofune 7 on eorþe [19]gæþ forþon nu læreþ alle ðeode dyppende hiæ
in noman fæder 7 sunu 7 þæs halgan gastes [20]lærende hiæ to heal-
dene eall swa hwæt swa ic bebead eow *(davor* eow *radiert)* 7 henu ic
mid eow eam ealle dagas oð to ende weorulde endeþ soþlice endeþ
soþ endeþ farman (man *durch die rune)* preost *(durch die abkürzung des
lat.* presbyter *gegeben) þas boc þus gleosede dimittet ei dominus omnia
peccata sua si fieri potest apud deum.

Wycliffe.

[16]forsothe enleuene disciplis wenten in to Galilee in to an hil, where
Ihesus hadde ordeyned to hem, [17]and thei seynge him worschipiden:
sothli summe of hem doutiden. [18]and Ihesus comynge to spak to hem
seyinge: 'al power is ȝouun to me in heuene and in erthe. [19]therfore
ȝe goynge teche alle folkis cristenynge hem in the name of the fadir
and of the sone and of the hooly gost [20]techinge hem for to kepe
alle thingis, what euere thingis i haue comaundid to ȝou; and, lo, i
am with ȝou in alle dayes til the endyng of the world.'

---

     [16]fors.] and the. — [17]sayn hym and w. ‖ sothli] but. — [18]cam nyȝ
and ‖ and seide ‖ is — me *hinter* erthe. — [19]go ȝe and ‖ baptisynge. —
[20]for *f.* ‖ til] in to ‖ ende.

¹⁶þa ferdun þa endlufun leorning-
cnihtas on þone munt, þær se
hælynd him dihte, ¹⁷7 hine þær
gesawun 7 hi to him geeaðmeddun:
witudlice sume hig tweonedon.
¹⁸ða genealæhte se hælynd 7 spræc
to him þas þing 7 þus cwæþ:
'me is geseald ælc anweald on
heofonan 7 on eorþan. ¹⁹faraþ
witudlice 7 lærað ealle þeoda 7
fulligeað hig on naman fæder 7
suna 7 þæs halgan gastes ²⁰7
lærað, þ hig healdun ealle þa þing,
þe ic eow bebead; 7 ic beo mid
eow ealle dagas oþ worulde ge-
endunge.' amen.

⁵

10

15

¹⁶þa ferden þa endlefan leorning-
cnihtes on þanne munt, þær se
hælend heom dihte, ¹⁷7 hine þær
geseagen 7 hyo to hym geead-
medoden:* witodlice sume hyo
tweonoden. ¹⁸ða geneohlacte se
hælend ænd spræc to heom þas
þing 7 þus cwæð: 'me ys geseald
ælch anweald on heofena 7 on
eorðan. ¹⁹fareð witodlice 7 læred
ealle þeode 7 fullieð hyo on
naman fæder 7 sune 7 þas halgen
gastes ²⁰7 læreð, þæt hyo healden
ealle þa þing, þe ich eow bebead;
7 ich beo mid eow ealle dages
oðða worulde ændenge.' amen.

---

aus geeadmododen.

---

¹⁶ferdon *CU* ‖ endleofen *U* ‖ þar *U* ‖
hælend *U* ‖ heom *C.* - - ¹⁷gesawon *U* ‖
hig *C* ‖ geaðmeddon *U* ‖ witodlice
CU. — ¹⁸hælend *U* ‖ heom *C* ‖ þuss *C* ‖
heofenan *U.* — ¹⁹witodlice *CU.* —
²⁰healdon *CU* ‖ bead *U* ‖ weorlde *U* ‖
amen *f. U,* Finit Amen. Sit sic hoc
interim. Ego ælfricus scripsi *(da-
hinter* t *radiert)* hunc librum (i *auf
rasur)* in monasterio baðþonio et
dedi (t *radiert)* brihtwoldo pre-
posito. Qui scripsit uiuat in pace
in hoc mundo et in futuro seculo
et qui legit legator in eternum *C.*

¹⁶ da ferdon ‖ endleofan ‖ -cnihtas ‖
þonne ‖ halend. — ¹⁷gesawen ‖
him. ‖ geadmedoden ‖ tweonedon.—
¹⁸genehlahte ‖ 7 sprac to eom ‖
ealc ‖ heofona. — ¹⁹læreð ‖ ðeode ‖
fulliað ‖ naman *scheint von anderer
hand aus* manan *gebessert* ‖ fader ‖
suna ‖ halgan. — ²⁰healdon ‖ ic *beide
male* ‖ dagas ‖ weoruld endunge
(end *ú. d. s.*).

20.

AUS DEN GLOSSEN ZU DEN SPRÜCHEN SALOMONIS IN DER HS. VESP. D 6.

*Hgg. von Zupitza, Zs. f. d. a. 21, 18 ff.; vgl. 22, 223 ff.; Kluge, Ags. leseb.[4],
s. 68. — eingeklammerte buchstaben sind in der hs. nachgetragen.*

XV ¹*responsio mollis* hnesce andswore. *sermo durus* heard
spec. ²*fatuorum* stunra.. *ebullit* wapolað. ³*contepplantur* besceawiað.
⁴*inmoderata* ungemetegðd. ⁵*inridet* tirhð. *astutior fiet* werra bið.
⁶*et . . . conturbatio* and gedrefednes. ⁷*disseminabunt* tosawað.
5 *dissimile* ungelic. ¹⁰*deserenti* forletendum. ¹²*qui ∴ . . corripit* ðe
ðreað. *nec . . . graditur* ne he ne geð. ¹³*exiraret* gegladað. *in
merore animi* on gnornunga modes. *deicitur* bið aworpen. ¹⁴*et . . .
pascitur* and bið fêd. *imperitia* of ung(l)eau(ne)sse, ¹⁵*quasi iuge
conuiuium* swa singal gebiorscipe. ¹⁶*et insatiabiles* and unaseðenlic.
10 ¹⁷*uocari* b . . . *ad olera* to wertum. *quam ad uitulum saginatum*
ðonne to fettum stiorce. ¹⁸*suscitatas* awehte. ¹⁹*sepis* haga. *absque
offendiculo* buto otspernince. ²⁰*et . . despicit* and forsioð. ²²*dissi-
pantur* sintostente. *confirmantur* sint . . . ²³*in sententia* on cwide.
optimus seles(t). ²⁴*super eruditum* ofer geleredne. ²⁶*pulcherrimus*
.15 fegerest. ²⁷*qui sectatur* se ðe felð. ³⁰*fama bona* god hlisa. *im-
pinguat* ame(s)t. ³¹*sapientium . . . ra . commorabitur* wunað (*aus
wanað*). ³²*despicit* forsioð. *qui . . . adquiescit* se ðe geðafeð. *posses-
sor* agend. ³³*et . . . praecedit* and forð gewit. XVI ²*ponderator*
punderngeo(n). ³*dirigentur* b . . . ⁵*omnis arrogans* e(l)c upahafenes.
20 ⁶*redimitur* is alesed . *et . . . declinatur* and he bið . . . aheld. ⁷*cum
placuerint* þonne liciað. ⁹*disponit* gedihnað. ¹¹*pondus* pund . *iu-
dicia . . .* mas. ¹⁰*diuinatio* wilung. *non errabit* ne dwolað.
¹²*impie . . . c. solium* cynesetl. ¹³*dirigetur* bið . . . ¹⁴*et . . . placabit*
and geg(l)adað. ¹⁵*imber serotinus* smelt hagol. ¹⁷*semita . . .* ta.
25 *declinat . . .* ð. ¹⁹*humiliari* b . . . ²⁰*eruditus* gelered. *repperiet*
gemet. ²¹*appellabitur* bit genemned. *maiora* mare. *percipiet* onfe(h)ð.
²³*et . . . addet* and to geecð. ²⁴*composita* geg(l)engede. *óssuum*
bana. ²⁶*compulit* genet. ²⁷*et . . . ardescit* and birð. ²⁸*peruersus*
forhwerfed. *lites* saca. *verbosus* werdi. *et . . . separat* and toscereð.
30 ²⁹*lactat* s(e)cet. ³⁰*attonitis* areahtum. *mordens* slitende. *perficit*
fulfremet. ³¹*dignitatis* werðnes. *repperietur* bit gemet. ³²*animo
suo* is mode. *urbium* burga. ³³*mittuntur* b . . . set . . . *temperantur*

ac hio bioð gemetgode. XVII ¹*bucella sicca* drege bite. *uictimis*
onsegednessum. ⁴*obedit* hersumað . *et* ... *optemperat* and her-
35 sumað. ⁵*exprobrat* hespð . *letatur* b ... ⁶*senum* eldra *(ein buchst. r.)*
⁷*non decet* ne glenget . *composita* glengede . *labium mentiens*
wegende welere. ⁸*gemma* gim. *gratissima* gecwemest . *prestolantis*
anbidincges. ⁹*celat* bediolað . *amicitias* freondscipas . *repetit*
gehyðlęct . *separat* toscereð . *fęderatos* gesibbade. ¹²*expedit* fremet.
40 *urse* byrene . *raptis fetibus* oðbrodenum hwelpum . *confidenti* getrio-
wende. ¹⁴*et* ... *deserit* and forlet. ¹⁷*et* ... *comprobatur* and bið
afandan. ¹⁸*plaudet* hafet. ²⁰*peruersi cordis* ðwerre heortan . *qui*
uertit se ðe cyrð . *et* ... *incidet* and befelð. ²¹*in ignominia sua*
on his netenesse . *set nec* ... *letabitur* ac ne blissað. ²²*aetatem*
45 *floridam* blowende helde . *exsiccat* a ... ²⁶*inferre* on geledan.
ne percutere ne slean. ²⁷*qui moderatur* se ðe gemetegað . *doctus*
gelered. *pretiosi* diores. *spiritus* gast. ²⁸*reputabitur* bið geteald.
si conpresserit gif he gewelt.

21.

JAKOB UND ESAU.

Ælfrics Genesis, c. 27 (Greins Bibl. der ags. prosa 1, 66); Förster, Ae.
leseb., s. 25. — unser text folgt der Oxforder hs. A (Laud 509, fol. 18 v);
vgl. Kollation von Wilkes, Bonner beitr. 21, s. 9. von B (Claud. B IV,
fol. 42 v) werden rein orthographische oder lautliche abweichungen nicht
angeführt.

¹Ðâ Îsaac ealdode and his êagan þystrodon, þæt hê ne mihte
nân þing gesêon, þâ clypode hê Êsau, his yldran sunu, ²and
cwæð tô him: 'þû gesihst, þæt ic ealdige, and ic nât, hwænne
mîne dagas âgâne bêoþ. ³nim þîn gesceot, þînne cocur and þînne
5 bogan and gang ût; and, þonne þû ænig þing begite, þæs þe þû
wêne, ⁴þæt mê lýcige, bring mê, þæt ic ete and ic þê blêtsige,
ær þâm þe ic swelte.' ⁵ðâ Rêbecca þæt gehîrde and Êsau ût âgân
wæs, ⁶þâ cwæð hêo tô Iâcobe, hire suna: 'ic gehîrde, þæt þîn
fæder cwæð tô Êsauwe, þînum brêþer: ⁷"bring mê of þînum hun-
10 toþe, þæt ic blêtsige þê beforan drihtne, ær ic swelte." ⁸sunu
mîn, hlyste mînre lâre: ⁹far tô ðære heorde and bring mê twâ

---

1 isâåc *immer A; vgl. no. 10.* — 2 cl. he esau *auf r. A.* — 9, 10 hunt-
noðe *B.* — 11 mîn *f. B.*

þâ betstan tyccenu, þæt ic macige mete þînum fæder þær of, and
hê ytt lustlîce. [10]þonne þû þâ in bringst, hê ytt and blêtsaþ þê, ær
hê swelte.' [11]ðâ cwæð hê tô hire: 'þû wâst, þæt Êsau, mîn brôður,
15 ys rûh, and ic eom smêþe. [12]gif mîn fæder mê handlaþ and mê
gecnæwð, ic ondræde, þæt hê wêne, þæt ic hine wylle beswîcan,
and þæt hê wirige mê, næs nâ blêtsige.' [13]ðâ cwæð sêo môdor
tô him: 'sunu mîn, sîg sêo wirignys ofer mê! dô, swâ ic þê
secge: far and bring þâ þing, þe ic þê bêad.'
20   [14]Hê fêrde þâ and brôhte and sealde hit hys mêder, and
hêo hit gearwode, swâ hêo wiste, þæt his fæder lîcode. [15]and
hêo scrýdde Iâcob mid þâm dêorwurþustan rêafe, þe hêo æt hâm
mid hire hæfde, [16]and befêold his handa mid þæra tyccena fellum,
and his swuran, þær hê nacod wæs, hêo befêold. [17]and hêo sealde
25 him þone mete, þe hêo sêaþ, and hlâf, and hê brôhte þæt his
fæder [18]and cwæð: 'fæder mîn!' hê andswarode and cwæð: 'hwæt
eart þû, sunu mîn?' [19]and Iâcob cwæð: 'ic eom Êsau, þîn frum-
cenneda sunu, ic dyde, swâ þû mê bebude, ârîs upp and site
and et of mînum huntoðe, þæt þû mê blêtsige.' [20]eft Îsaac cwæð
30 tô his suna: 'sunu mîn, hû mihtest þû hit swâ hrædlîce findan?'
þâ andswarode hê and cwæð: 'hit wæs godes willa, þæt mê
hrædlîce ongêan côm, þæt ic wolde.' [21]and Îsaac cwæð: 'gâ hider
nêar, þæt ic æthrîne þîn, sunu mîn, and fandige, hwæðer þû sîg
mîn sunu Êsau þê ne sîg.' [22]hê êode tô þâm fæder, and Îsaac
35 cwæð, þâ þâ hê hyne gegrâpod hæfde: 'witodlîce sêo stemn ys
Iâcobes stefn, and þâ handa synd Êsauwes handa.' [23]and hê ne
gecnêow hine, for þâm þâ rûwan handa wæron swilce þæs yldran
brôþur. hê hyne blêtsode þâ [24]and cwæð: 'eart þû Êsau, mîn
sunu?' and hê cwæð: 'iâ, lêof, ic hit eom.' [25]þâ cwæð hê: 'bring
40 mê mete of þînum huntoðe, þæt ic þê blêtsige.' þâ hê þone mete
brôhte, hê brôhte him êac wîn. þâ hê hæfde gedruncen, [26]þâ
cwæð hê tô him: 'sunu mîn, gang hider and cysse mê.' [27]hê
nêaleahte and cyste hine. sôna swâ hê hyne onget, hê blêtsode
hine and cwæð: 'nû ys mînes suna stenc, swilce þæs landes stenc,
45 þe drihten blêtsode. [28]sylle þê god of heofenes dêawe and of eorðan

17 and erst *moderne hand* B ‖ nâ] na ne B. — 22 ham *aus* þam *r.* A. —
24 hêo befêold *f.* B. — 28 -cennedan A. — 29, 40 huntoðe *zu* huntnoðe
moderne hand B. — 31, 32 þæt hyt me swa hr. B. — 34 *Schücking schlägt*
brieflich nê *vor statt* ne. — 41 gedrucen B. — 43 hyne onget] him to
on lêat *und am rande von moderner hand* al. ongeat B.

fǽtnisse and micelnysse hwǽtes and wînes. [29]and þêowion þê eall
folc, and geêadmêdun þê ealle mǽgða. bêo þû þînra brôþra hlâford,
and sîn þînre môdur suna gebîged beforan þê. sê þe þê wirige, sî
hê âwiriged, and, sê þe þê blêtsige, sî hê mid blêtsunge gefylled.'

50 [30]Unêaþe Îsaac geendode þâs sprǽce, ðâ Iâcob ût êode, þâ
côm Êsau of huntoþe [31]and brôhte in gesodenne mete and cwǽð
tô his fǽder: 'ârîs, fǽder mîn, and et of þînes suna huntoþe, þæt
þû mê blêtsige.' [32]ða cwæð Îsaac: 'hwæt eart þû?' hê andwirde
and cwæð: 'ic eom Êsau.' [33]þâ âforhtode Îsaac micelre forhtnisse
55 and wundrode ungemetlîce swîþe and cwæð: 'hwæt wæs, sê þe mê
ǽr brôhte of huntoþe, and ic æt þǽr of, ǽr þû côme, and ic hine
blêtsode, and hê byþ geblêtsod?' [34]ðâ Êsau his fǽder sprêca
gehîrde, ðâ wearð hê swîþe sârig and geômormôd and cwæð: 'fǽder
mîn, blêtsa êac mê.' [35]þâ cwæð hê: 'þîn brôðor côm fâcenlîce and
60 nam þîne blêtsunga.' [36]and hê cwæð êac: 'rihte ys hê genemned
Iâcob, nû hê beswâc mê: ǽr hê ætbrǽd mê mîne frumcennedan,
and nû ôþre siþe hê forstæl mîne blêtsunga.' eft hê cwæð tô þâm
fǽder: 'cwist þû, ne hêolde þû mê nâne blêtsunge?' [37]ðâ and-
swarode Îsaac and cwæð: 'ic gesette hine þê tô hlâforde, and ealle
65 þîne gebrôþru bêoð under his þêowdôme; ic sealde him micelnisse
hwǽtes and wînes: hwæt mæg ic leng dôn?' [38]ðâ cwæð Êsau tô
him: 'lâ fǽder, hæfdest þû gît âne blêtsunga? ic bidde þê, þæt þû mê
blêtsige.' ðâ hê swîþe wêop. [39]þâ wearð Îsaac sârig and cwæð tô
him: 'blêtsige þê god of eorþan fǽtnysse and of heofenes dêawe.'

70 [41]Sôþlîce Êsau âscunode Iâcob fore þǽre blêtsunge, þe his
fǽder hine blêtsode and þôhte tô ofslêanne Iâcob, his brôþur. [42]ðâ
cýdde man þæt Rêbeccan, heora mêder. þâ hêt hêo feccan hire sunu
and cwæð tô him: 'Êsau, þîn brôþur, ðê þencþ tô ofslêanne. [43]sunu
mîn, hlyste mînra worda: ârîs and far tô Lâbane, mînum brêðer,
75 on Âram [44]and wuna mid him sume hwîle, oþ þînes brôþur yrre
geswîce, [45]and oþ þæt hê forgite þâ þing, þe þû him dydest; and
ic sende syþþan æfter þê and hâte þê feccan hider: hwî sceal
ic bêon bedǽled ǽgðer mînra sunena on ânum dæge?'

---

46 fæstnisse A, fæstnysse B, verb. Thwaites. — 51 gesodene B. —
59 brðor A. — 61 nu von einer modernen hand am rande zu tuwa ge-
ändert A. — 67 bletsunge G. — 69 of eorþan Björkman] on eorþan hs. ‖
fæstnysse B. — 72 cýðde G. — 75 oþ mit anderer tinte aus of A. —
77 hidder feccean B.

22.

SAMSON.

*Aus Ælfrics Buch der richter (kap. 13—16). hs. zu Oxford, Laud 509, fol. 111 v
(Greins bibliothek der ags. prosa 1, 259).*

XIII ²Ân man wæs eardigende on Israhela þêode Manue
gehâten of ðære mægðe Dân; his wîf wæs untŷmende, and hîg
wunedon bûtan cilde. ³him côm þâ gangende tô godes engel and
cwæð, ðæt hî sceoldon habban sunu him gemæne ⁵ᵃ'sê bið gode
5 hâlig fram his cildhâde, and man ne môt hine efsian oððe be-
sciran; ⁴nê hê ealu ne drince næfre oþþe wîn nê nâht fûles ne
ðicge; ᵗᵇfor þâm þe hê onginð tô âlŷsenne his folc, Israhela
þêode, of Philistêa þêowte'.

²⁴Hêo âcende þâ sunu, swâ swâ hyre sæde se engel, and
10 hêt hine Samson, and hê swîðe wêoxs, and god hine blêtsode,
²⁵and godes gâst wæs on him. XIV ⁵and hê wearð þâ mihtig on
micelre strengðe, swâ þæt hê gelæhte âne lêon be wege, þe hine
âbîtan wolde, ⁶and tôbræd hî tô sticcum, swilce hê tôtære sum
êaðelic ticcen. XV ⁸hê begann þâ tô winnenne wið ðâ Philistêos
15 and heora fela ofslôh and tô sceame tûcode, þêah þe hîg an-
weald hæfdon ofer his lêode. ⁹ðâ fêrdon þâ Philistêi forð æfter
Samsone. ¹⁰·¹¹and hêton his lêode, þæt hî hine âgêafon tô hira
anwealde, þæt hîg wrecan mihton heora têonræddenne mid tin-
tregum on him. ¹³hîg ðâ hine gebundon mid twâm bæstenum
20 râpum and hine gelæddon tô þâm folce. ¹⁴and ðâ Philistêiscan
þæs fægnodon swîðe, urnon him tôgêanes ealle hlŷdende, woldon
hine tintregian for heora têonræðene. ðâ tôbræd Samson bêgen
his earmas, ðæt þâ râpas tôburston, þe hê mid gebunden wæs.

¹⁵and hê gelæhte ðâ sôna sumes assan cinbân, þe hê ðær funde,
25 and gefeaht wið hîg and ofslôh ân þûsend mid þæs assan cinbâne
¹⁶and cwæð tô him sylfum: 'ic ofslôh witodlîce ân þûsend wera
mid þæs assan cinbâne.' ¹⁸hê wearð þâ swîðe ofþyrst for ðâm
wundorlîcan slege and bæd þone heofonlîcan god, þæt hê him
âsende drincan; for þâm þe on ðære nêawiste næs nân wæterscipe.
30 ¹⁹ðâ arn of þâm cimbâne of ânum têð wæter, and Samson þâ
dranc and his drihtene þancode.

4—7 *Thwaites hat v. 4 vor 5a gestellt.* — 11 l mid *über dem ersten*
on *dieselbe hand.*

Nû, gif hwâ wundrie, hû hit gewurðan mihte, þæt Samson
se stranga swâ ofslêan mihte ân þûsend manna mid þæs assan
cimbâne, þonne secge se mann, hû þæt gewurðan mihte, þæt god
35 him sende þâ wæter of þæs assan têð. nis þis nân gedwimor nê
nân dwollic sagu, ac sêo ealde gesetniss ys eall swâ trumlic,
swâ swâ sê. hælend sæde on his hâlgan gôdspelle, þæt ân stæf
ne bið nê ân strica âwæged of ðære ealdan gesetnisse, þæt hî
ne bêon gefyllede. gif hwâ ðises ne gelŷfð, hê ys ungelêafulîc.
40   XVI [1] Æfter þisum hê fêrde tô Philistêa lande in tô ânre
birig on heora anwealde Gâza gehâten. [2] and hî þæs fægnodon,
besetton þâ þæt hûs, þe hê inne wunude, woldon hine geniman,
mid þâm þe hê ût êode on ærnemergen, and hine ofslêan. [3] hwæt,
ðâ Samson heora syrwunga undergeat and ârâs on midre nihte
45 tô middes his fêondum and genam ðâ burhgatu and gebær on
his hricge mid þâm postum, swâ swâ hî belocene wæron, ûp tô
ânre dûne tô ufeweardum þâm cnolle and êode him swâ orsorh
of heora gesihþum.

      [4] Hine beswâc swâ þêah siððan ân wîf Dalila gehâten of
50 þâm hæðenan folce, swâ þæt hê hire sæde þurh hire swicdôm
bepæht, on hwâm his strengð wæs and his wundorlîce miht. [5] ðâ
hæðenan Philistêi behêton hire sceattas, wið þâm þe hêo beswice
Samson þone strangan. [6] ðâ âhsode hêo hine georne mid hire
ôlæcunge, on hwâm his miht wære. [7] and hê hire andwirde: 'gif
55 ic bêo gebunden mid seofon râpum of sinum geworhte, sôna ic
bêo gewyld.' [8] ðæt swicole wîf þâ begeat þâ seofon râpas, and hê
þurh syrwunge swâ wearð gebunden. [9] and him mann cŷdde, þæt
þær cômon his fînd: þâ tôbræc hê sôna þâ râpas, swâ swâ hefel-
þrædas, and þæt wîf nyste, on hwâm his miht wæs. [11] hê wearð
60 eft gebunden mit eallnîwum râpum, [12] and hê þâ tôbræc, swâ swâ
þâ ôðre. [16] hêo beswâc hine swâ þêah, [17] þæt hê hire sæde æt
nêxtan: 'ic eom gode gehâlgod fram mînum cildhâde, and ic næs
næfre geefsod nê næfre bescoren, and, gif ic bêo bescoren, þonne
bêo ic unmihtig ôðrum mannum gelîc.' [18] and hêo lêt þâ swâ.
65   [19] Hêo þâ on sumum dæge, þâ þâ hê on slæpe læg, forcearf
his seofan loccas [20] and âwrehte hine siðþan: ðâ wæs hê swâ un-

---

39 he *auf rasur.* — 52 hira, *verb. G.* — 57 cŷðde *G.* — 64 fetian
Philistêa ealdras *ergänzt nach* swâ *G.* — 66 awrehte *zu* awehte
moderne hand.

mihtig, swâ swâ ôðre men. [21]and þâ Philistêi gefêngon hine sôna,
swâ swâ hêo hine belæwde, and gelæddon hine aweg, and hêo
hæfde ðone sceatt, swâ swâ him gewearð. hî þâ hine âblendon
70 and gebundenne læddon on heardum racetêagum hâm tô heora
birig and on cwearterne belucon tô langre firste, hêton hine
grindan æt hira handcwyrne. [22]ðâ wêoxon his loccas and his
miht eft on him. [23]and þâ Philistêi full blîðe wæron, þancodon
heora gode Dâgon gehâten, swilce hîg þurh his fultum heora
75 fêond gewildon. [25]ðâ Philistêi þâ micele fyrme geworhton and
gesamnodon hî on sumre upflôra, ealle þâ hêafodmen and êac swilce
wimmen, þrêo þûsend manna, on micelre blisse; and, þâ þâ hîg
blîðust wæron, þâ bædon hîg sume, þæt Samson môste him macian
sum gamen, and hine man sôna gefette mid swîðlîcre wâfunge,
80 and hêton hine standan betwux twâm stænenum swêrum: [26]on
ðâm twâm swêrum stôd þæt hûs eall geworht. [27]and Samson ðâ
plegode swîðe him ætforan [29]and gelæhte þâ swêras mid swîð-
licre mihte [30]and slôh hî tôgædere, þæt hî sôna tôburston; and
þæt hûs þâ âfêoll eall þæt folc tô dêaðe and Samson forð mid,
85 swâ þæt hê miccle mâ on his dêaðe âcwealde, ðonne hê ær
cucu dyde.

23.

AUS 'BYRHTNOTHS TOD'.

Th. Hearne in der chronik des Johannes Glastoniensis, Oxonii 1727, s. 570 ff.,
nach der (1731 verbrannten) hs. Cott. Otho. A XII; B.Thorpe's Analecta Anglo-
Saxonica, s. 131; L. Ch. Müller, Collectanea, s. 52; Ettmüller, Scopas etc.,
s. 133; M. Riegers lesebuch, s. 84; H. Sweet's Anglo-Saxon Reader, s. 138;*
Grein, Bibl. 1, 343; Grein-Wülkers Bibliothek 1, 358; K. Körner, Einleitung
in d. studium d. angelsächsischen, s. 72: Kluge, Ags. leseb., s. 122; J. W.*
Bright, Anglo-Saxon Reader, s. 149; Maldon and Brunanburh, ed. C. L.
Crow, Boston 1897; Battle of Maldon, ed. W. J. Sedgefield, Boston 1904;
L. L. Schücking, Kl. ags. dichterbuch, Cöthen 1919, s. 75.

* * * brocen wurde.
hêt þâ hyssa hwæne   hors forlætan,
feor âfŷsan   and forðgangan,
hicgan tô handum   and tô hige gôdum.

---

71 *vor* heton *rasur.*

2 hvone *Ett(müller)*, gehvæne *Rie(ger)*. — 4 handum *and* thige
godum *hs.*, *nach H(earne)*, handum and to hige goðum *M(üller)*, han-
dum to hyge godum *Gr(ein)*, *Sw(eet)*, *Kö(rner)*; to hyge *EttmRie*;
and ... hige *Th(orpe)*.

<pre>
 5 þâ þæt Offan mæg   ǣrest onfunde,
    þæt sê eorl nolde   yrhðo geþolian:
    hê lêt him þâ of handon   lêofne flêogan
    hafoc wið þæs holtes   and tô þǣre hilde stôp;
    be þâm man mihte oncnâwan,   þæt sê cniht nolde
10 wâcian æt þâm wîge,   þâ hê tô wǣpnum fêng: ,
    êac him wolde Êadrîc   his ealdre gelǣstan,
    frêan tô gefeohte.   ongan þâ forð beran
    gâr tô gûðe: hê hæfde gôd geþanc,
    þâ hwîle þe hê mid handum   healdan mihte
15 bord and brâdswurd;   bêot hê gelǣste,
    þâ hê ætforan his frêan   feohtan sceolde.
        Ðâ þǣr Byrhtnôð ongan   beornas trymian,
    râd and rǣdde,   rincum tǣhte,
    hû hî sceoldon standan   and þone stede healdan,
20 and bæd, þæt hyra randas   rihte hêoldon
    fæste mid folman   and ne forhtedon nâ.
    þâ hê hæfde þæt folc   fægere getrymmed,
    hê lîhte þâ mid lêodon,   þǣr him lêofost wæs,
    þǣr hê his heorðwerod   holdost wiste.
25 þâ stôd on stæðe,   stîðlîce clypode
    wîcinga âr,   wordum mælde,
    sê on bêot âbêad   brimlîðendra
    ǣrende tô þâm eorle,   þǣr hê on ôfre stôd:
        'Mê sendon tô þê   sǣmen snelle,
30 hêton þê secgan,   þæt þû môst sendan raðe
    bêagas wið gebeorge;   and êow betere is,
    þæt gê þisne gârrǣs   mid gafole forgyldon,
    þonne wê swâ hearde   hilde dǣlon!
    ne þurfe wê ûs spillan,   gif gê spêdað tô þâm:
35 wê willað wið þâm golde   grið fæstnian.
    gyf þû þæt gerǣdest,   þe hêr rîcost eart.
    þæt þû þîne lêoda   lŷsan wille,
    syllan sǣmannum   on hyra sylfra dôm
    feoh wið frêode   and niman frið æt ûs,
</pre>

5 þ þ offan *hs.*; *vor* þæt *bezeichnen* ThM *eine lücke*; þâ þæt *Ettm*
Rie; þæt *GrSwKö.* — 6 yrhðo *HM*; yrmðo *ThEttmRie.* — 7 handum
EttmSw; lêofre *W(ülker)*; leofne *GrRieKö.* — 10 w . . . ge *H*; wîge
ThMEttm etc. — 11 eác *HThMSwKö*; ac *EttmRieGr.* — 14 þe *M, fehlt*
bei ThEttm. — 20 randan *HMThW*; randas *EttmGrRieSwKö* ‖ and *fehlt*
bei EttmRie ‖ hêolden *Ettm.* — 21 folman *M*; -um *ThEttm.* — 22 hæfde
þæt folc *hs* ‖ þ.f.h. *H(olt)h(ausen)* ‖ fægere *M*; fægre *ThEttm.* — 23 leodum
EttmSw ‖ leofest *Ettm.* — 25 stæde *Ettm.* — 28 ǣrænde *MWSch(ücking).* —
29 me sendon sæmen snelle to þe *Rie.* — 30 hraðe *Sw.* — 33 þon *H* ‖ hilde
Ettm; . . . ulde *HThM etc.* — 36 þat *HMW.* — 39 freðöe *Ettm.*

40 wê willað mid þâm sceattum   ûs tô scype gangan,
    on flot fêran   and êow friðes healdan.'
    Byrhtnôð maðelode,   bord hafenode,
    wand wâcne æsc,   wordum mælde
    yrre and ânræd,   âgeaf him andsware:
45 'Gehŷrst þû, sælida,   hwæt þis folc segeð?
    hî willað êow tô gafole   gâras syllan,
    ættrynne ord   and ealde swurd,
    þâ heregeatu,   þê êow æt hilde ne dêah!
    brimmanna boda,   âbêod eft ongêan,
50 sege þînum lêodum   miccle lâðre spell,
    þæt hêr stynt unforcûð   eorl mid his werode,
    þê wile gealgean   êðel þysne,
    Æðelrêdes eard,   ealdres mînes
    folc and foldan: feallan sceolon [nû]
55 hæðene æt hilde.   tô hêanlîc mê þinceð,
    þæt gê mid ûrum sceattum   tô scype gangon
    unbefohtene,   nû gê þus feor hider
    on ûrne eard   inbecômon.
    ne sceole gê swâ sôfte   sinc gegangan:
60 ûs sceal ord and ecg   ær gesêman,
    grim gûðplega,   ær wé gofol syllon.'
    Hêt þâ bord beran,   beornas gangan,
    þæt hî on þâm êasteðe   ealle stôdon.
    ne mihte þær for wætere   werod tô þâm ôðrum:
65 þær côm flôwende   flôd æfter ebban,
    lucon lagustrêamas;   tô lang hit him þûhte,
    hwænne hî tôgædere   gâras bêron.
    hî þær Pantan strêam   mid prasse bestôdon,
    Êastseaxena ord   and sê æschere:
70 ne mihte hyra ænig   ôþrum derian,
    bûton hwâ þurh flânes flyht   fyl genâme.
    sê flôd ût gewât: þâ flotan stôdon gearowe,
    wîcinga fela   wîges georne.

---

44 ân- *Gr*; an- *SieversKl(uge)*. — 45 gehyrt þu *H; vgl. Archiv, CI,
s. 428;* gehyrst þu *M etc.;* gehyre þu *W.* — 47 ættrynne *ThMGrRieKö
Sch;* ætrîne *Ettm;* ætrenne *Sw.* — 50 micle *EttmSwKö.* — 51 stent
Sw. — 52 þe *Kl* ‖ gealgean *M;* -ian *ThEttmSwKl;* geealgian *Sch.* —
53 Æþelrædes *MüEttm etc.;* -redes *HW.* — 54 nû *ergänzt von Hh.* —
56 gangan *Ettm.* — 58 eard *M;* earde *Th.* — 60 ær gesêman *M (ohne
var.), EttmTh in den noten;* ærge geman *Th im text.* — 61 þe *HM;*
we *ThEttm* ‖ syllan *Ettm.* — 63 eastæðe *Sw.* — 67 hwænne *MTh;*
hwanne *Ettm* ‖ bæron *Sw.* — 68 plasse (= *faschinen) Kö.* — 70 derian
MEttm; derien *Th.* — 71 buton *M;* butan *ThEttm.*

24.

ORATIO POETICA.

Hs.: *Cambridge Corp. Christ. Coll. 201.* — *Ed. Lumby, EETS 65, p. 36;*
Kluge, Ags. lesebuch³, s. 120; vgl. Holthausen, Angl. Beibl. 31, 254.

   Thænne gemiltsað þê,   *mundum qui regit,*
   ðêoda þrymcyningc   *thronum sedens*
   â bûtan ende,
   sâule wine.
5 Geunne þê on lîfe   *auctor pacis*
   sibbe gesæ̂ɪða,   *salus mundi,*
   metod sê mæra   *magna virtute.*
   and sê sôðfæsta   *summi filius*
   fô on fultum,   *factor cosmi.*
10 sê of æðelre wæs   *virginis partu*
   clæ̂ne âcenned,   *Christus in orbem,*
   metod þurh Mârian,   *mundi redemptor,*
   And þurh þæne hâlgan gâst   *voca frequenter,*
   bide helpes hine,   *clementem dominum.*
15 sê onsended wæs   *summo de throno.*
   and þæ̂re clæ̂nan   *clara voce*

— — — — — — — —

   þe gebyrdboda   *bona voluntate,*
   þæt hêo scolde cennan   *Christum regem,*
   ealra cyninga cyningc,   *casta vivendo,*
20 and þû þâ sôðfæstan   *supplex roga,*
   fultumes fricolo   *virginem almam.*
   and þæ̂r æfter tô   *omnes sanctos*
   blîðmôd bidde,   *beatos et justos,*
   þæt hî ealle þê   *unica voce*
25 þingian tô þêodne,   *thronum regentem,*
   êcum dryhtne,   *alta polorum,*
   þæt hê þîne sâule,   *summus judex,*
   onfô frêolîce,   *factor æternus.*
   and *hie* gelæ̂de   *in lucem perennem,*
30 þæ̂r êadige   *animæ sanctae*
   rîce restað   *regnis cælorum.*

---

2 *obsidens* H(olt)h(ausen). — 4 *Hh erg.* (wine)-dryhten. — 10 *Hh*
vermutet in der vorlage frêore*statt* æðelre. — 13 hâlgan *nach Hh verändert*
aus frôfre. — 17 þe *hs.* ‖ se *Hh.* — 19 caste *Hh.* — 21 *hs.* bidde fricolo. —
25 *regenti Hh.* — 29 *hs.* hê. — 30 *Hh erg.* â *nach* êadige.

25.

AUS DER SACHSENCHRONIK, ANNO 1036.
TOD ÆLFREDS, DES SOHNES ÆTHELREDS.

*Hss.: Cott. Tiberius B I (= b'), fol. 156 a, und Tiberius B IV (= b'). —
Edd.: B. Thorpe 1, 292; Grein 1, 357; Grein-Wülker 1, 384; Earle-Plummer,
s. 158, wonach unser text; vgl. die literatur zu nr. 18.*

Hêr côm Ælfred, sê unsceððiga æþeling, Æþelrædes
sunu cinges, hider inn and wolde tô his mêder, þe on Win-
cestre sæt. ac hit him ne geþafode Godwine eorl, nê êc
ôþre men, þe mycel mihton wealdan; forðan hit hlêoðrode þâ
5 swîðe tôward Haralde, þêh hit unriht wære.

   Ac Godwine hine þâ gelette   and hine on hæft sette;
   and his gefêran hê tôdrâf   and sume mislîce ofslôh;
   sume hî man wið fêo sealde,   sume hrêowlîce âcwealde;
   sume hî man bende,   sume hî man blende,
10   sume hamelode,   sume hættode.
   ne wearð drêorlîcre dæd   gedôn on þisan earde,
   siððan Dene cômon   and hêr frið nâmon!
   nû is tô gelŷfenne   tô ðan lêofan gode,
   þæt hî blission   blîðe mid Crîste,
15 þe wæron bûtan scylde   swâ earmlîce âcwealde.
   Sê æðeling lyfode þâ gŷt: ælc yfel man him gehêt,
   oð þæt man gerædde,   þæt man hine lædde
   tô Êlibyrig   eal swâ gebundenne.
   sôna swâ hê lende,   on scype man hine blende
20 and hine swâ blindne   brôhte tô ðâm munecon;
   and hê þær wunode,   ðâ hwîle þe hê lyfode.
   syððan hine man byrigde,   swâ him wel gebyrede,
   þæt wæs full wurðlîce,   swâ hê wyrðe wæs,
   on þâm west-ende   þâm stŷple ful gehende
25 on þâm sûðportice: sêo sâul is mid Crîste!

---

   1 æþelredes *b'*. — 2 modor *b'*. — 3, 4 ac þæt ne geþafodon þa
þe micel weoldon on þisan lande. forþan *b'*. — 4 hleoþrade *b'*. —
5 toward haraldes *b'*; to harolde *b'*. — 7 he *b'* ‖ he eac fordraf *b'*. —
9ᵇ *so b'*; and eác sume blende *b'*. — 10ᵇ and hêanlîce hættode *b'*. —
11 dreorilicre *b'* ‖ þison *b'*. — 12 fryð naman *b'*. — 13 gelyfanne *b'*. —
15 swâ *fehlt b'* ‖ âcwylde *Grein*. — 16 leofode *b'* ‖ behet *b'*. — 18 Eli-
b'; Elig- *b'* ‖ eal *ausgestr. b'*. — 20 munecum *b'*. — 21 þar *b'* ‖ leofode *b'*. —
23ᵃ þæt wæs full weorðlîce *b'*. — 24 æt þam *b'* ‖ stypele *b'*. — 25 suð-
postice *b'*; suðportice *b'* ‖ sawul *b'*.

26.

AUS DER SACHSENCHRONIK, ANNO 1065.
ÊADWEARD.

Hss.: Cotton. Tiberius B I und Tiberius B IV. Edd.: B. Thorpe 1, 332;
Grein 1, 358—359; Grein-Wülker 1, 386—388; Earle-Plummer, s. 192,
wonach unser text; vgl. die literatur zu nr. 18.

Hêr Êadward king,　Engla hlâford,
sende sôðfæste　sâwle tô Crîste,
on godes wæra　gâst hâligne.
hê on worulda hêr　wunode þrâge
5　on kyneþrymme　cræftig rêda:
fêower and twêntig　frêolîc wealdend,
wintra gerîmes,　weolan brytnode,
and hê hælo tîd,　hæleða wealdend.
wêold wel geþungen　Walum and Scottum
10　and Bryttum êac,　byre Æðelrêdes,
Englum and Sexum,　ôretmæcgum,
swâ ymbclyppað　cealda brymmas,
þæt eall Êadwarde　æðelum kinge
hŷrdon holdlîce　hagestealde menn.
15　wæs â blîðemôd　bealulêas kyng,
þêah hê lange ær　lande berêafod
wunode wræclâstum　wîde geond eorðan,
syððan Cnût ofercôm　kynn Æðelrêdes
and Dena wêoldon　dêore rîce
20　Engla landes:　eahta and twêntig
wintra gerîmes　weolan brytnodon.
syððan forð becôm　frêolîc in geatwum
kyning, cystum gôd,　clæne and milde,
Êadward sê æðela　êðel bewerode,
25　land and lêode,　oð þæt lunger becôm
dêað sê bitera　and swâ dêore genam
æðelne of eorðan:　englas feredon

---

1 kingc *b'*; cing *b'* ∥ Englene *b'*. — 2 soðfeste saule to kriste
b'. — 3 wera *b'*. — 4 weorolda *b'* ∥ wunodæ þragæ *b'*. — 5 creftig
b'. — 6 XXIIII *hss.* — 7 weolm brytnodon *b'*; wintra rimes weolan
britnode *b'*. — 8ᵃ *aus b'*; and healfe tid *b'*. — 11 sæxum *b'* ∥ oret
mægcum *hss.* — 12 ceald *b'*; cealdas *b'*. — 13 eadwardæ *b'*. — 14 hyr-
dan holdelice hagestalde *b'*. — 15 bealeleas king *b'*. — 16 þâh *b'* ∥
lang *b'*; langa *b'* ∥ landes *b'*. — 17 wunoda wrec- *b'*. — 18 seoððan
b' ∥ knut *b'* ∥ cynn *b'*. — 19 deona *b'*. — 20 XXVIII *hss.* — 21 *aus b'*;
welan brynodan *b'*. — 22 freolice *b'*. — 23 kyningc *b'*; kinigc *b'*. —
24 æðele eðel bewarede *b'*. — 25 leodan *b'*. — 26 bytera *b'*.

sôðfæste sâwle   innan swegles lêoht.

and sê frôda swâ þêah   befæste þæt rice

30 hêahþungenum menn,   Haroldé sylfum,

æðelum eorle,   sê in ealle tîd

hŷrde holdlîce   hǽrran sînum

wordum and dǽdum: wihte ne âgǽlde

þæs þe þearf wæs   þæs þêodkyninges.

27.

AUS DER SPÄTEREN SACHSENCHRONIK.
ZUM JAHRE 1137.

(Laud 636, fol. 89a). ausgabe von B. Thorpe 1, 382; Earle-Plummer,
s. 263f. Kluge, Me. leseb.¹, s. 1; J. Hall, Selections from Early Middle
English, 1920, s. 6.

MCXXXVII. Ðis gære for þe k. Steph. ofer sæ to Normandi *and*
ther wes underfangen, for þi ð hi uuenden, ð he sculde ben alsuic,
alse the eom wes, *and* for he hadde get his tresor, ac he todeld
it *and* scatered sotlice. micel hadde Henri k. gadered gold *and*
5 syluer, *and* na god ne dide me for his saule thar of. þa þe king
S. to Englal. com, þa macod he his gadering æt Oxeneford, *and*
þar he nam þe Ⴆ. Roger of Sereberi *and* Alex. Ⴆ. of Lincol *and* te
canceler Rog., hise neues, *and* dide ælle in prisun, til hi iafen
up here castles. þa the suikes undergæton, ð he milde man was
10 *and* softe *and* god *and* na iustise ne dide, þa diden hi alle wun-
der. hi hadden him manred maked *and* athes suoren, ac hi nan
treuthe ne heolden: alle he wæron forsworen *and* here treothes
forloren; for æuric riceman his castles makede *and* agænes him
heolden *and* fylden þe land ful of castles. hi suencten suyðe þe
15 uureccemen of þe land mid castelweorces. þa þe castles uuaren
maked, þa fylden hi mid deoules *and* yuelemen. þa namen hi þa
men, þe hi wenden, ð ani god hefden, bathe be nihtes *and* be
dæies, carlmen *and* wimmen, *und* diden heom in prisun *and* pined
heom efter gold *and* sylver untellendlice pining; for þe uuæren

---

28 soðfeste ‖ inne b⁴. — 30 -ðungena b⁴. — 31 ealne b⁴. —
32 herdæ holdelice herran synum b⁴. — 34 ðearfe ‖ kyngces b⁴.

1 (k). — 5 (þe). — 10 dide(n). — 11 *ein bis zwei buchstaben r. h.*
maked. — 12 he] hi *Th(orpe)*. — 17 hefde(n) *(a. hd.?)*. — 18 (in
prisun). — 18, 19 efter gold *and* sylver *vor and* pined heom, *doch*
ist die richtige stellung durch verweisungszeichen angedeutet.

20 næure nan martyrs swa pined alse hi wæron. me henged up bi
the fet *and* smoked heo*m* mid ful smoke. me henged bi the
þumbes, other bi the hefed *and* hengen bryniges on her fet. me
dide cnotted strenges abuton here hæued *and* uurythen to ð it
gæde to þe hærnes. hi diden heo*m* in quarterne, þar nadres *and*
25 snakes *and* pades wæron inne, *and* drapen heo*m* swa. sume hi
diden in crucethus, ð is, in an cęste. þat was scort *and* nareu
and undep, *and* dide scærpe stanes þer inne *and* þrengde þe man
þær inne, ð him bræcon alle þe limes. in mani of þe castles wæron
Lof *and* Grim; ð wæron rachenteges, ð twa oþer thre men hadden
30 onoh to bæron onne. þat was sua maced, ð is, fæstned to an
beom *and* diden an scærp iren abuton þa mai nes throte *and* his
hals, ð he ne myhte nowiderwardes ne sitten ne lien ne slepen,
oc bæron al ð iren. mani þusen hi drapen mid hungær.

i ne can ne i ne mai tellen alle þe wunder ne alle þe pines,
35 ð hi diden wreccemen on þis land, *and* ð lastede þa .XIX. wintre,
wile Stephne was king, *and* æure it was uuerse *and* uuerse. hi
læiden gæildes on the tunes æureu*m* wile, *and* clepeden it ten-
serie. þa þe uureccemen ne hadden na*m*more to gyuen, þa ræueden
hi *and* brendon alle the tunes, ð wel þu myhtes faren al a dæis
40 fare, sculdest thu neure finden man in tune sittende ne land tiled.
þa was corn dære *and* flec *and* cæse *and* butere; for nan ne
wæs o þe land. wreccemen sturuen of hungær, sume ieden on
ælmes, þe waren su*m* wile ricemen, sume flugen ut of lande.
wes næure gæt mare wreccehed on land, ne næure hethen men
45 werse ne diden, þan hi diden.

---

20 æ *in* wæron *auf rasur.* — 21 ful:. — 22 *abkürzung für* 'and'
vor other *radiert* ‖ (her). — 23 to ð] it ð *Zupitza.* — 24 (h)ærnes. —
26 cæste *Pl(ummer).* — 29 Lof] lað? *Th(orpe);* loc? *Morris* ‖ Grim] grī
hs.; grin *Morris, Pl.* — 32 (ne). — 34 i *Pl.* — 37 o(n). — 38 nāmore
hs.; nan more *Pl.* — 44 wre(c)cehed.

28.

BRUCHSTÜCK EINES ALTENGLISCHEN ELUCIDARIUM.

Aus der hs. des British Museum Vespasian D. XIV, fol. 163v—165r, hgg. v.
Max Th. W. Förster in An English Miscellany presented to Dr. Furnivall,
Oxford 1901, s. 90—92.

I. *Discipulus:* Hwy aras ure drihten of deaðe[1] þæs formeste
dæʒes þære wuca? *Magister:* For he wolde þone forwordene middeneard
eft aræren on þan ylcan dæiʒe, þe he ærst ʒe-timbrod wæs.

II. *D.:* Hware wicode he þa[2] feowertiʒ daʒes æfter his æriste?
5 *M.:* Swa swa we ʒelefeð, he wunede on þære eorðlicen neorxenewanʒe
mid Helian 7 Enoche 7 þa þa mid him árisen of deaðe.

III. *D.:* Hwylce wlite hæfde he æfter þan æriste? *M.:* Beo seofen
fealden brihtere þonne sunne.

IV. *D.:* On hwylcen[3] heowe ʒe-seʒen hine his leorningcnihtes æfter
10 his æriste? *M.:* On þan ylcan, þe heo ær wæren bewune hine to ʒe-seone.

V. *D.:* Com he to heom ʒe-scrydd? *M.:* He ʒe-nam reaf of
þan leofte.

VI. *D.:* Hwu oft æteowde[4] he hine his ʒingran? *M.:* Twelf
.siðen; þæs formesten dæiʒes his æristes he wæs æteowod eahte siðen.
15 Ærest he com to Iosepe, þær þær he wæs on cwarterne for ures
drihtenes lichame, þe he hæfde be-byriʒed, swa swa þa ʒe-writen us
cyðeð, þe Nichodemus us wrohte. Æt þan oðre siðe he com to seinte
Marian, his moder, swa swa Sedulie us sæʒð. Æt þan þridden siðe he
com to seinte Marian Magdalene, swa swa Marcus us cuðð. Æt þan
20 feorðan siðe he com to þan twam Marian, þær þær hi ʒe-cerden fram
þan þruwe, swa swa Matheus us sæiʒð. Æt þan fifte siðe he com to
scē Iacobe, swa swa scē Paulus berð ʒewitnesse; for he hæfde for-
haten, þæt he nolde metes abiten fram þan fridæiʒe, þe he ʒe-pined
wæs, ær þonne he of deaðe arisen wære, þæt he hine ʒe-seʒe on life.
25 Æt þan sixten siðe he com to scē Petre, swa swa Lycas wrat[5] on
his godspelle; for he wæs un-rot for þære forsacunge, þæt he hæfde
Crist forsacan 7 wæs to-scyled fram þære apostlene ʒe-ferræddene
7 þurhwunede on wope. Æt þan seofoðen siðe he com to þan twam
leorningcnihten, þe eoden to Emmaus, swa swa se sylfe Lycas eft
30 sette on ʒe-write. Æt þan eahteðe siðe he com to heom ealle be
lochene gate, þær þær heo wæren to-gædere on æfen, swa swa Iohannes
us cyðð on his ʒe-write. Æt þan niʒeðen siðen, þa þa Thomas grapode

---

[1] of deaðe *über d. zeile von gleicher hand.* — [2] þa *über d. zeile.* —
[3] *hs.* wylcen, *mit* h *über d. zeile.* — [4] *hs.* æteode, *mit* w *über d. zeile, aber
falsch eingefügt zwischen* e *und* o; *daß der schreiber* æteowde *beabsich-
tigte und nicht* æteowode *(welches sich öfters findet, z. b. bei Ælfric,
s. G. Schwerdtfeger, Das schwache verbum in Ælfrics homilien, Marburg
1893, s. 50), wird klar durch zeile 37 unseres textes.* — [5] *von einer spä-
teren (?) hand geändert zu* awrat.

his wunden. Æt þan teoðe siðe he com to heom æt þære sæ Tiberiadis.
Æt þan ændleofte siðe on Galilea dune. Æt þan twelfte siðe he com
35 to þan ændleofonan apostlen, þær þær heo sæten togædere, þa þa he
tælde heora unȝeleafsumnesse.

VII. *D.:* Hwy sæiȝð se godspellere, þæt he hine ærest æteowde
Marien Magdalene? *M.:* Ða godspelles wæren mid swyðe mycelen
wisdome 7 scele ȝewritene, 7 heo nolden þær on writen nan þing,
40 bute þæt þæt wæs heom eallen cuð.

VIII. *D.:* Steah he ane in to heofene? *M.:* Ealle, þa þa of
deaðe aræred wæren, astuȝen mid him.

IX. *D.:* On hwylcen heowe steah he up? *M.:* On þan heowe,
þe he hæfde beforan his þrowunge, he steah up oð þa wolcnen, 7, þa
45 þa he com bufen þan wolcnen, þa ȝe-nam he swylc heow swylc he
hæfde on þan munte Thabor.

X. *D.:* Hwy ne steah he to heofene, sone swa he arisan wæs
of deaðe? *M.:* For þrim þingan: Ðæt æreste þing, for þan þe þa apostles
scolden witen sicerlice, þæt he arisen wæs of deaðe; for heo ȝe-seȝan
50 hine etan 7 drincan mid heom. Ðæt oðer þing wæs, for þan he wolde
æfter feowertiȝ[6] daȝen stiȝen to heofene, þæt he cydde mid þan, þæt
ealle, þa þe ȝe-fylleð þa ten bebodan of þære sæ beo þære feower god-
spellere lare, þa sculen æfter him to heofene. þæt þridde is þæt, þæt
Cristene folc sceal stiȝen to heofene binnen feowertiȝ daȝen æfter þær
55 pine, þe heo poliȝeð under Ante-Criste.

29.

WADE.

Cambridger hs. vgl. Acad. 1896, I, 137, 157, und Athenaeum 1896, nr. 3564;
Kluge, Ags. lesebuch[3], s. 130; Brandl, Geschichte der ags. literatur, s. 145.

Humiliatus est primus parens noster qui, cum dominus totius mundi
efficeretur ante peccatum et omnibus quae in mundo erant dominaretur,
post peccatum vero a vili vermiculo scil. a pulice sive pediculo se minime
potuit defendere. Qui similis fuit deo ante peccatum, post peccatum factus
est dissimilis, quia hac duce rosa nunquam vertitur in saliuncam. Adam
autem de homine factus est quasi non-homo; nec tantum Adam, sed omnes
fere fiunt quasi non-homines, ita quod dicere possunt cum Wade:

> summe sende ylves   and summe sende nadderes,
> summe sende nikeres,   the biden patez[1] wunien;
> nister man nenne   bute Ildebrand onne.

---

[6] *hs.* feorwertiȝ *und* w *korrigiert aus* o.

[1] *Für* biden patez *vermutet Liddell, a. a. o. 137,* bi ðen watere.
die wahrscheinlich richtige lesung empfahl brieflich Dr. Ch. Macpherson
(Greifswald): bi den padez (= pades, *vgl. hier nr. 27, 25).*

30.

FRAGMENT EINES LIEDES VON CNUT.

Historia Eliensis 2, 27, ed. Gale, s. 505; Kluge, Ags. lesebuch³, s. 139;
Brandl, Geschichte der ags. literatur, s. 145.

Merie sungen ðe muneches binnen Ely,
ða Cnut ching reu ðerby;
roweð, cnites, noer the land
and here we ther muneches sæng.

31.

MITTELENGLISCHER REIMSPRUCH.

Aus William von Malmesbury, Gesta Pontificum Anglorum, p. 253, hgg.
von M. Förster im Archiv f. d. studium d. neueren sprachen, 119, 433.

Hattest þu Urs,
haue þu Godes kurs.

32.

POEMA MORALE.

Aus Egerton MS 613 (nach Zup. grenze des 12. u. 13. jhds.), fol. 64 (= e.)
in diesem übungsb. 1882 zum erstenmal vollständig gedruckt, teilw. auch in
Emerson's ME Reader 1909, s. 176 ff. vgl. D (= Digby MS A 4) in Anglia 1, 5,
und 3, 32; E (= Egerton MS 613, fol. 7) in Furnivall's Early English Poems
(1862), s. 22, und in Morris' Old English Homilies 1, 288 und 175; J (= Jesus
College, Oxford, MS 29, jetzt in der Bodleiana) in Morris' Old English
Miscellany, s. 58; L (= Lambeth MS 487) in Morris' Old English Homilies
1, 159, in Kluges me. lesebuch², s. 46, und in J. Hall's Selections of Early
Middle English, s. 30; T (= Trinity College, Cambridge, MS B. 14. 52) in
Morris' Old English Homilies 2, 220, und in Hall's Selections of Early
Middle English, s. 31; M (= MS Mc Clean 123 im Fitzwilliam Museum
Cambridge), veröffentlicht von Anna C. Paues in Anglia 30, 217 ff.; auf diese
sehr abweichende, aber leicht zugängliche hs. wurde nur gelegentlich hin-
gewiesen. kritische ausgabe von H. Lewin, Halle 1881. andere hss. (vor-
nehmlich E) sind nur zur ergänzung und dann herbeigezogen, wenn e
unverständlich oder fehlerhaft ist.

Ich æm elder þen ich wes· á wintre and alore.
Ic wælde more þanne ic dude· mí wit ah to ben more.
Wel lange ic habbe child íbeon· á weorde *end**) ech adede.
þeh ic beo awintre eald· tu ȝyng i eom á rede.

---

*) *Kursive buchstaben bezeichnen aufgelöste abkürzungen.*

5 Vn nut lif ic habb ilæd· end ʒyet me þincð ic léde.
þane ic me bi þenche· wel sore íc me adréde.
Mest al þat ic habbe ydon· ys idelnesse and chilce.
Wel late ic habbe me bi þoht· bute me god do milce.
Fele ydele word ic habbe íqueden· syðöen ic speke cuþe.
10 And fale ʒunge dede ído· þe me óf þinchet nuþe.
Al to lome ic habbe ágult· a weorche end ec a worde.
Al to muchel ic habbe íspend· to litel yleid an horde.
Mest al þet me licede ǽr· nu hit me mis lichet.
þe mychel folʒeþ hís ywil· hím sulfne he bi swikeð.
15 Ich mihte habbe bet idon· hadde ic þo y selþe.
Nu íc wolde ac ic ne mei· for elde ne for unhélþe.
Ylde me ís bi stolen on· ǽr ic hit á wyste.
Ne mihte íc í seon be fore mé· for sméche ne for míste.
Ærwe wé beoþ to done god· end to yfele al to þriste.
20 more æie stent man óf manne· þanne hym dó of criste.
þe wél ne deþ þe hwile he mei· wél óft hit hym scǽl ruwen.
þænne hy mowen sculen end ripen· þer hi ær seowen.
Don ec to gode wet ʒe muʒe· þa hwile ʒe buð alífe.
ne hopie no man to muchel to childe ne to wífe.
25 þe hím selue for ʒut for wife· oöer for childe.
hé sceal cume án uuele stede bute him god beo milde.
Send æch sum gód bí foren him· þe hwile he mei to heuene.
betere is án elmesse bi fore· þenne beon ǽfter seouene.
Ne beo þe leoure þene þe sulf· þi mæi ne ði maʒe.
30 sót is ðe is oöres mannes freond· betere þene his aʒe.
Ne hopie wif to hire were· ne wer to his wife.
beo for him sulue æurich man· þe hwile hé beo alíue.
Wis ís þe hím sulfne bi þencð· þe hwile he móte libbe.
for sone wulleð hine for ʒíte ðe fremde end þe sibbe.
35 þe wél ne deð þe hwile hé mei· ne sceal hé hwenne he wolde.
manies mannes sare ʒswinch· habbeð óft un holde.
Ne scolde naṅman don áfurst· ne slawen wel to done.
for maniman bi hateð wél· þe hit for ʒitet sone.
þe man ðe siker wule beon to habbe godes blisse.
40 do wel him sulf þe hwile he mei· ðen haued hé míd iwisse.

14 k in swikeð aus þ. — 15 (ic). — 16 þ in unhélþe aus e. a? —
19 end (to) erst nachträglich. — 23ff. die anfangsbuchstaben der vor-
gerückten ʒerse vom ru(bricator). — 23 wét ru. — 25 oöer auf rasur. —
28 is, án. — 35 sceal (hé). — 40 es ist nicht ganz sicher, daß das, was
über dem e des letzten he steht, zwei akute sind.

22 þér] þer þe E, her þat M, þet die übrigen. — 23 Don E, Dod J,
Doþ M, Do die übrigen ‖ ec E, ech D, al T, he L, f. J ‖ ʒe] he LT,
hi D beide male. — 40 hé] he hit DEJ, he his L, hes T.

Þes riche men weneð beo siker· þurch walle end þurch díche.

  he deð his á sikere stede· þé sent to heueneriche.

For ðer ne ðierf beon óf dréd· óf fure ne óf þeoue.

  þer ne meí hí bi nime· ðe laðe ne ðe leoue.

45 þar ne þærf hé habbe kare óf wyfe ne óf childe.

  þuder we sendet *end* sulf bereð· to lite *end* to sélde.

þider wé scolden draჳan *end* don· wél oft *end* wel ჳelome.

  For þer ne sceal me us naht bi nime· mid wrancwise dome.

þider wé scolden ჳeorne draჳen· wolde ჳe me íleue.

50   for ðere ne mei hit bi nímen eow þe king ne se freue.

þet betste þ*et* wé hedde· þuder wé scolde sende.

  for þer we hit mihte finde éft· *end* habbe bute ende.

He ðe hér deð eni gód· for habbe godes are.

  eal he hít sceal finde ðer· *end* hundred fealde mare.

55 þe ðe ehte wile healden wél· þe hwile he mei his wealden.

  ჳiue his for godes luue· þenne deð hé his wél ihealden.

Vre iswinch *end* ure tilðe· is óft íwuned to swinden.

  ac ðet wé doð for godes luue· éft wé hit sculen á finden.

Ne sceal nan uuel beon un bóht· ne nan gód un for ჳolde.

60   uuel we doð eal to michel· *end* gód lesse þenne we scolde.

·þe ðe mest deð nu to gode· *end* ðe þe lést to laðe.

  æiðer to litel *end* to michel· sceal ðinche eft hím baðe.

þer me sceal ure weorkes weჳen· be foren heue kinge.

  end ჳieuen us ure swinches líen æfter ure earninge.

65 Eure élc man mid þan ðe haueð mei bigge heueriche.

  þe ðe mare hefð *end* ðe þe lesse· baðe mei iliche.

Eal se mid his penie· se ðe oðer mid his punde.

  þet his ð wunderlukeste ware· ðe æniman æure funde.

And þe ðe mare ne mei dón· mid hís god i þanke.

70   eal se wel se ðe haueð goldes feale marke.

And óft god kàn mare þanc ðan ðe hím ჳíuet lesse.

  eal hís weorkes *end* hís weies ís milce *end* rihtwisnesse.

Lite lác is gode leof· ðe cumeð óf gode iwille.

  end eðlete muchel ჳíue ðenne ðe heorte is ille.

75 Heuene *end* eorðe he oue sihð· his éჳen beoð swo brihte.

  Sunne· mone· dei· *end* fur· bið þustre to ჳeanes his lihte.

Nis hím naht for hole· ni húd· swa michel bið his mihte.

  nis hit na swá durne idón· né aswa þustre nihte.

---

41 wéneð *ru.* — 44 þ *in* þer *ru.* ‖ meí, hí. — 51 *erstes* wé *auf rasur.* — 52 f *in* for *ru.* — 54 hundred, fealde. — 71 (god). — 75 oue: . — 78 dur(n)e.

  41 beo siker] siker beu *T.* — 42 his eitte *E* ‖ þe hi send *E.* — 43 þarf he *E.* — 44 hí] it hym *E*, he him *L*, hit him *MT.* — 45 of ჳunge ne of ჳelde *M*, of ჳefe ne of ჳelde *die übrigen außer E.* — 67 Eal se] He alse *E*, Al suo on *DT*, þe poure *J.* — 70 manke *die übrigen.* — 75 ouer *die übrigen.*

Hé wát hwet deð· *end* ðenchet· ealle quike wihte.
80　nis na hlauord swilc se ís crist· na king swilch ure drihte.
Heouene *end* eorðe· *end* eal þet is· biloken in his hande.
he deð eal þet his wille is· á wétere and á lande.
He makede fisces in ðe sé· *end* fuȝeles in ðe lufte.
he wít *end* wealdeð ealle ðing· *end* hé scop ealle ȝe sceafte.
85　He is ord abuten orde· *end* ende abuten ende.
hé ane is œure enelche stede· wende þer þu wende.
He is buuen us *end* bi neoðen· bi foren *end* bi hinde.
þe ðe godes wille deð· eiðer he mei him finde.
Elche rune hé ihurð· *end* he wat ealle dede.
90　he ðurh sihð ealches mannes ðanc· whet sceal us to rede.
Wéðe brekeð godes hése· *end* gultet swa ilome.
hwet scule wé seggen oðer don· æt ðe muchele dome.
þa ða luueden unriht· *end* uuel líf ledde.
hwet scule hi segge oðer dón· ðer engles beoð of dredde.
95　Hwet scule wé béren bi foren· mid hwan scule we cweman.
wé þe næure gód ne duden· þe heuenliche démen.
þer scule beon deofles swa uéle· ðe wulleð us for wreȝen.
nabbeð hí naþing for ȝyte· óf eal þet hí iseȝen.
Eal þet wé mis dude hér· hit wulleð cuðe þære.
100　buten wé habbe hit ibét· ðe hwile wé her wére.
Eal hi habbet an heore iwrite· þet wé mis dude here.
þeh wé hi nuste ne ni seȝen· hi wéren ure iuere.
Hwet sculen horlinges dó· þe swíkene þe for sworene.
wí swa fele beoð icluped· swa fewe beoð ícorene.
105　Wi hwí were hi bi ȝíte· to hwan were hí íborene.
þe scule beon to dieðe ídemd· *end* eure ma for lorene.
Elch man sceal him ðer bi clupien· *end* ech sceal him demen.
hís aȝe weorc *end* his iðanc· to witnesse he sceal temen.
Ne mei him naman eal swa wel demen ne swa rihte.
110　for nán ni cnawað him swa wel bute ane drihte.
Elc man wát him sulf bétst· his weorch *end* hís íwille.
hé ðe lest wát he seið ófte mest· ðé ðé hit wát eal· is stille.
Nís nan witnesse eal se muchel· se mannes aȝe heorte.
hwá se segge þet hé beo hál· him sélf wát betst hís smeorte.
115　Elc man sceal him sulf demen· to dieðe· oðer to líue.
þe witnesse óf hís weorc· to oðer þis· him sceal driue.
Eal ðet eure elc man hafð ídó· suððe he com to manne.
swilc hít si abóc ſwriten· he sceal iðenche ðenne.

79 (hwet).
79 He wot and walt what doþ and queþeþ *M*, wet þenkeð and
hwet doð *die übrigen außer E.* — 81 erþe god almiȝti halt al in *M*,
biloken is *die übrigen außer E.* — 84 ȝe sceafte] seafte *D*, schafte *J*,
scefte *LM*, safte *T.* — 88 eiðer] aihwar *DJLT.* — 103 swikele *E.*

Ac drihte ne demð nanne man· æfter his bi ginninge.
120 ac al his lif sceal beo swich· se buð his endinge.
Ac ʒif þe ende is uuel· eal hit is uuel· end gód ʒif gód is þenne.
god ʒýue þet ure ende beo gód· end wit þét hé us lenne.
þe man þe nele dó na god· ne neure gód lif læden.
ær dieð end dom cume· æt his dure· he mei sare á dreden.
125 þet hé ne muʒe ðenne bidde áre for hit itit ílome.
ði he is wis ðe beot end beat· end bit be foren dome.
þenne deað is æt his dure· wel late he biddeð are.
wel late he leteð uuel weorc· þe hit ne mei don na mare.
(Sunn)e l(et) þ(e end) þ(u naht) hi þanne þ(u)s ne miht d(on na ma)re.
130 for þi h(e is s)o(t) þe swa abit to habbe go(de)s (a)re.
þéh wheðer wé hit fleueð wel· for drihte sulf hit sede.
a whilche time se eure ðe man óf ðinchet his mis dede.
Oðer later oðer raðe milce he sceal fmeten.
ac ðe þe nafð naht fbet· wel muchel he sceal beten.
135 Maniman seið· hwá récþ óf pine· ðe sceal habbe ende.
ne bidde na bet beo i lusd· a domes dei of bende.
Lutel wát hé hwét is pine· end litel he fcnaweð.
hwilc héte is ðer saule wuneð· hu biter winde þer blaweð.
Hedde hé ibeon ðer anne dei· oðer twa bare tide.
140 nolde hé for æl middan eard· ðe ðridde þere abide.
þet habbet fsed þe come ðanne· þet wiste mid iwisse.
uuel is pinie seoue ʒer· for seouenihtes blisse.
End ure blisse þe ende hafð· for endeliese pine.
betere is wori weter i drunke· þene atter i meng mid wine.
145 Swunes brede is swuðe swete· swa is óf wilde deore.
ac al to dure he hi biʒð· ðe ʒífð þer fore is swéore.
Ful wambe mei lihtliche speken· óf hunger end festen.
swa mei óf pine þe naht nát· hú pine sceal alesten.
Hedde his á fanded sume stunde· he wolde eal segge oðer.
150   eðlete him wére wif end child· suster· end feder end broðer.

---

120 (beo). — 121 Ac *aus* Cc. — 122 wit: ‖ et *in* þét *auf rasur.* —
127 þen(ne). — 128 n *in* don *und* na *auf rasur.* — 129, 130 *nachträglich
unten am rande von ders. hand, dann aber ausradiert: was nicht mehr sicher
zu erkennen ist, wurde in klammern gesetzt.* — 132 (time). — 136 of *aus* af.

121 þenne] þe ende *T,* se ende *D,* his ende *M,* ende *die übrigen.* —
122 wite *DEL,* ʒieue *T, f. J* ‖ lende *die übrigen.* — 126 ðe b. a. b.] þe
bit and beʒit *ET,* þe biet and bit *L,* þet bit and bete *(zu bote gebessert)
D,* þat bit ore *J.* — 136 bidde (recche *DM*) ic *die übrigen.* — 141 *zweites*
þet] þit *ET,* þa hit *L,* þet hit *D,* heo hit *J.* — 144 imeng *mit einem
haken am g E,* imaingd *D,* imengd *T,* meind *L,* meynd *J.* — 147 festen]
of festen *JL,* of uaste *M,* of fasten *T.* — *nach* 150 *fehlen zwei verse,
die in E lauten:* Al he wolde oþerluker don and oþerluker þenchæ
ʒanne he bi þouhte on helle fur þe nowiht ne mai aquenche.

Eure he wolde inne wá her· end inne wawe wunien.
wið ðan þe mihte helle pine bi fleon end bi scunien.
Eðlete him wére eal woruld wéle· end eal eordliche blisse.
for to ðe muchele murcðe cume· ðis murhðe mid iwisse.
155 Ich wulle nu cumen éft to ðe dome· þe ich eow óf sede.
on þe deíe end æt þe dome· us helpe crist end rede.
þer we maʒen beon eðe óf dredde· end herde us ádrede.
þer elch sceal seon him bi foren· his word end ec his dede.
Eal sceal beon ðer ðenne cuð· þet man luʒen hér end stelen.
160 eal sceal beon ðer un wriʒen· þet men wriʒen her end helen.
We sculen ealre manne líf ícnawe· eal swa ure aʒen.
ðer sculen euenínges beon þe heʒe end laʒen.
Ne sceal þeh nan scamian ðer· ne ðearf he him ádrede.
ʒif him her óf þincð his gult· end bet his mis dede.
165 For heom ne scamet ne gramet· ðe scule beon iboreʒe.
ac þe oðre habbet scame end grame end oðer fele sorʒe.
þe dom sceal sone beon ídon· ni lest he nawiht lange.
ne sceal him naʒme mene ðer óf strencðe ne óf wrange.
þa sculen habbe herdne dóm· þe here were hearde.
170 þe uuele heolðe wrecche men· end uuele laʒhe arerde.
End éfter þet hé hauet í don· scal ðer beon í demed.
bliðe mei hé ðenne beon· þe god háfð wel ícwemed.
Eælle ða þe isprungen beoð óf adam end óf eue.
ealle hi sculen ðuder cume· for soðe wé hit ileue.
175 þa ðe habbeð wel ídon· éfter heore mihte.
to heuenriche scule faren forð mid ure drihte.
þá ðe nabbeð god ídón· end ðer inne beoð ífunde.
hi sculen falle swíðe raðe in to helle grunde.
þer hí wunie sculen á end buten ende.
180 ne brecð neure éft crist helle dure· for lése hí óf bende.
Nis na sellich ðeh beom beo wá· end heom beo un íeðe.
sceal neure crist ðolie dieð· for lese heom óf dieðe.
Enes drihte helle þréc· his frund hé ut brohte.
him sulf he þolede dieð for heom· wel deore he us bohte.
185 Nolde hit maʒhe do for mei· ne suster for broðer.
nolde hít sune do for feder· ne naman for oðer.
Vre ealre hlauerd for his ðreles· ípíned wés árode.
ure bendes hé un band· end bohte us mid his blode.

---

181 Ni in Nis *schwarz.* — 183 E *undeutlich.* — 184 h *im ersten* he *aus* þ?
151 wawe] wane T, wene L, woþe D, pine E, godnesse J. — 154 ðis]
þet is DEJ, is L. — 159 men *die übrigen außer* EM. — 168 non D, nan
man *die übrigen.* — 171 Ac E, Ec L, Ech D, Elch T *(der vers f. J).* —
177 þo þe nabbeð god E, þa þe habbeð doules werc L *in wesentlicher*
übereinstimmung mit den übrigen; M *ganz abweichend.* — 179 end buten
ende] buten ore (are) and ende DJL, abuten ore and ende T.

Wé ʒiueð un éðe fo his luue· asticche óf vre briede.
190 ne ðenche we naht þet he sceal deme quike end diede.
Muchele luue he us cudde· Wolde we þet under stande.
þet ure ældrene mis dude· wé habbet uuel en hande.
Dieð com on þis middel eard· ðurh þe ealde deofles ande.
.end sunne· end sorʒe· end iswinch· á wétere end alande.
195 Vres formes federes gult· we abigget alle.
eal his óf spring efter him· en hearme is bifealle.
þurst· end hunger chule· end héte· eche· end eal un helðe.
ðurh dieð com in ðis midden eard· end oðer un iselðe.
Nere man elles died· ne síc· nan un sele.
200 ac mihten libben æure ma· ablisse end on héle.
Lutel iðencð maniman· hu muchel wés þe sunne.
for hwán ealle ðolieð dieð· þe comen óf þe cunne.
Heore sunne end ure aʒen· sare us mei óf ðinche.
for sunne wé libbeð alle hér· ásorʒen end aswinche.
205 Siððe god nam sá michele wréche for ane mis dede.
we þe swa muchel end ·óft mis doð· muʒen us eaðe á drede.
Adam end his óf spring· for ane bare sunne.
wés fele hundred wintre· an helle pine· end á unwunne.
End þa ðe ledeð heore líf· mid un riht end wrange.
210 buten hit godes milce do scule beo ðer wel lange.

Godes wisdom ís wel muchel· end eal swa is his mihte.
end nis his milce nawhiht lesse· ac bi ðes ilke wihte.
Mare he ane mei for ʒiuen· ðenne eal folc gulte cunne.
deofel mihte habbe milce· ʒif hé hit bigunne.
215 þe ðe godes milce séchð· jwís he mei his finde.
ac helle king ís are líes· wið ða þe he mei binde.
þe ðe deð hís wille mest (he) haueð (wurst) m(ede).
hís bæð sceal beo weallende pich· his béd· burnende glede.
Wurse hé deð his gode wínes· þenne his fulle feonde.
220 god sculde ealle godes frund· á wið swiche freonde.
Neure an helle ic ne com· ne cume ic ðer ne recche.
ðeh ich æches woruld wéle· ðer ínne mihte fecche.
þeh ich wulle seggen eow· þet wíse men us sede.
end aboke hí hít wríte· þer me mei hit rede.
225 Ich hit wulle segge þam· þe him sulf hit nusten.
end warnie heom wið heora unfreme· ʒif hi me wulle hlusten.

---

205 wrécche mit punkt unter dem zweiten c. — 206 (þe). — 217 von
derselben hand am rande nachgetragen; das eingeklammerte ist beim ein-
binden weggeschnitten worden. — 224 (me).
189 for die übrigen (f. J). — 199 man] no man DMT, na mon EL,
no mon J. — 202 þe cunne] þo c. D, héore cinne E, heore kunne J, hore c.
L, Adammes k. M, here kenne T. — 214 deofel] self, seolf, salf deofel
die übrigen. — 222 elches wurldes ELT, al þes worldes J, alle werlde D.

Under standeð nu to me· ȝedi men *end* earme.
   ich wule telle óf helle pine· *end* warnie eow wið hearme.
On helle is hunger *end* ðurst· uuele twa ifere.
230 þas pine ðolieð þa þe were mete niðinges hére.
   þer is wanunge *end* wóp· efter éche stréte.
   hí fareð fram héte to chele· fram chele to hete.
   þenne hi beoð in ðe héte· þe chelecheð blisse.
   þenne hí cumeð eft to chele· óf hete hi habbeð misse.
235 Æiðer heom dieð wá ínoh· nabbet hy nane lisse.
   nuten wheðer him deð wurs mid nane jwisse.
   Hí walkeð éure *end* secheð reste· ác hi ne muȝen ímete.
   for þi ði nolden hwile hi mihten heore sunne bete.
   Hí secheð reste ðer nan nis· þi ne muȝen hi finde.
240 ac walkeð weri up *end* dun· se weter deð mid winde.
   þís beoð þa ðe wére hér· á ðanke unstede feste.
   end to gode be héten áht· *end* nolde hit ileste.
   þá þe gód weorc bi gunne· *end* ful endien hit nolde.
   nu weren hér· *end* nuðe ðer· *end* nustа hwet hi wolde.
245 þere ís pích ðe æure wealð· þer scule baðie ínne.
   þa þe ledde uuel líf· in feoht end in íginne.
   þér is fur ðe is hundred fealde hattre ðen ure.
   ne mei hit cwenche salt weter· nauene striem ne sture.
   þis ís þet fur ðe eure burnð· ne mei hịt nawhít cwenche.
250 hér inne beoð þe wes to leof· wrecche men to swenche.
   þa ðe wére swichele men· *end* ful óf uuele wrenche.
   þa ðe ne mihte uuel don· *end* leof wes to ðençhe.
   þe luuede reauing *end* stale· hordom end drunke.
   end á· on ðes deofles weorc· bliðeliche swunche.
255 þa ðe were swa lease· þet me hi ne mihte ileue.
   med ȝeorne domes men· *end* wrancwise íreue.
   þe oðres mannes wif wes lief· his aȝen eðlete.
   þé ðe suneȝude muchel adrunken *end* en éte.
   þé wrecche be nam his ehte· *end* leide hes en horde.
260 þe lute lét óf godes bi bode· *end* of godes worde.
   End te his aȝen nolde ȝíuen· þer h̉e iseh þe neode.
   ne nolde ihuren godes sande· þer h̉é sette his beode.

---

232 (héte). — 235 : lisse. — 250 *erstes* c *in* wrecche *aus e. a.* — 257 (wíf).
   233 chele ðinchet E, chele him þunchet *die übrigen.* — 236 nute hi
hweþer hem deþ wurs mid neure nane wisse L, ... to neuere none iwisse
M. — 238 ði] þe ho L, þe hi M, hi *die übrigen.* — 246 here lif DLT, heore
lyf J, hure lif M ‖ i. f. e. i. i.] in wele and in senne D, in werre and in winne
L, mid werre ond mid iwinne M, on werre ond an unwinne T *(J weicht
ab).* — 247 ðen ure] þan(e) be ure JT. — 252 ne *f.* DLT. — 254 end á
on ðes] And þe o. ð. E, And on þos D, þes *f.* JLT. — 262 sette Ee] set
at DJT *(L weicht ab).*

þá ðe wes odres mannes ðing· leoure þenne hit scolde.
end weren eal to gredi óf seoluer end óf golde.
265 End þa ðe untruwnesse dude þam ðe hí ahte beon holde.
end leten ðet hí scólden don· *end* dude þet hi wolde.
þa ðe witteres óf ðis woruldes ehte.
end dude þet te laðe gast heom tihte *end* to tehte.
End ealle þa ðen eni wise deoflen hér iquemde.
270   þa beoð nu mid him an helle fordon *end* fordemde.
Bute þá þe óf ðufte sare heore mis dede.
end gunne heore gultes beten *end* betere líf læde.
þer beoð neddren *end* snaken· éuete *end* frute.
þa tereð· *end* freteð· þe uuele speke· þe nið fulle· *end* te prute.
275 Neure sunne ðer ne scínð· ne mone ne steorre.
þer is muchel godes hate *end* muchel godes eorre.
Æure ðer ís uuel sméch· ðusternesse *end* eie.
nis ðer neure oðer liht· ðene þe swierte leie.
þer ligget ladliche fund· in strange raketeȝe.
280   þet beoð þa ðe wére mid gode on heuene wel heȝe.
þer beoð ateliche fund· *end* eisliche wihte.
þas scule þa wrecche í fon· þe suneȝede ðurh sihte.
þer is ðe laðe sathanas· *end* belzebud sé ealde.
eaðe hi muȝen beo óf dréd· þe híne scule bi healde.
285 Ne mei nan heorte hit íðenche· ne tunge ne can telle.
hu muchel píne na hu uele sunden ínne helle.
Wið þa pine· ðe þer beoð· nelle ich eow naht leoȝen.
nis hit bute gamen *end* gléo· eal þet man mei hér dreoȝen.
End ȝut ne deð heom naht sa wá· ín ða laðe bende.
290   þet hí witeð þet heore píne sceal neure habbe ende.
þar beoð þa heðene men· þé wære laȝe liese.
þe nes naht óf godes bi bode· ne óf godes hése.
Uuele cristene men· hí beoð heore ifere.
þa ðe heore cristen dom· uuele heolde hére.
295 Ȝut hí beoð á wurse stede· on ðere helle grunde.
ne sculen hí neure cumen út· for marke ne for punde.
Ne mei heom naðer helpen þer· íbede ne elmesse.
for nis naðer inne helle· áre ne for ȝiuenesse.
Sculde him éch man de hwile hé muȝe óf ðas helle píne.
300   *end* werni ech hís freond þer wið swa ich habbe mine.
þá ðe sculden heom ne cunne· ich heom wulle teche.
ich kan beon ȝief ich sceal· lichame *end* sawle leche.
Léte wé þet god for but· ealle manne cunne.
end do wé þet hé us hét· *end* sculde we ús wið sunne.

---

265 untruw(n)esse. — 268 (te). — 269 (hér). — 276 : eorre. —
283 is : : . — 290 : ende. — 294 heo(l)de. — 295 : á.

265 ahte *Ee*] sculden *L*, scolde *M*, solden *T*. — 267 ȝysceres
weren *E*. — 282 ison *E*, iseon *DJ*, isien *T* (*L schließt mit 270*). —
290 Bute þat *E*, Swo þet *DT*, Ase þat *J*. — 298 vor naht hi solden
bidde þer ore ne ȝeuenesse *D*, For nys noþer in helle o. n. y—. *J*,
For naht solden bidde þar ore ne forȝiuenesse *T*. — 302 beon ȝ(i)ef *Ee*]
beon aider ef *D*, beon eyþer if *J*, may aiþer ȝef *M*, ben aiðer ȝief *T*.

305 Luuie we god mid ure heorte· *end* mid al ure mihte.
 end ure émcristen eal us sulf· swa us lerde drihte.
 Eal *þet* me rǽt *end* eal *þet* me singð· bi fore godes borde.
 Eeal hít hanget *end* bi halt· bi ðisse twam yorde.
 alle godes laʒe he fulð· ðe níwe *end* ða ealde.
310 þe ðe ðas twá luue háfð· *end* wel hí wule healde.
 Ac hí beoð wunder earueð healde· swá ófte gulteð ealle.
 Fór hít ís strang to stande lange· *end* liht ís to fealle.
 Aac drihte crist hé ʒíue us strengðe· stande *þet* wé mote.
 end óf ealle ure gultes unne us cume to bote.

315 Wé wilnieð éfter woruld wéle· ðe lange ne mei leste.
 end leggeð eal ure iswinch· ón ðinʒe unstede feste.
 Swunche wé for godes luue· healf *þet* wé ðoð for æhte.
 ne béo wé naht swá óf bicherd· ne sa uuele bi kehte.
 ʒif wé serueden gode swa wé doð erminges.
320 mare wé hedden en héuene· ðenne eorles hér *end* kinges.
 Né muʒen hí werien heom wið chele· wið þurste ne wið hunger.
 ne wið ulde· ne wið deaðe· þe uldre ne ðe ʒeonger.
 Ac ðer nis hunger ne ðurst· ne dieð· ne unhelðe ne elde.
 of þisse riche wé ðencheð ófte· *end* of þere to selde.
325 Wé scolden ealle us biðenche ófte· *end* wél ilome.
 hwét wé beoð to whán wé scule· *end* óf hwán wé come.
 Hú litle hwile wé beoð hér· hú lange elles hwáre.
 hwét wé muʒe habben hér· *end* hwét finde þere.
 ʒief wé were wise men· ðis wé scolde ðenche.
330 bute wé wurðe us íwer· ðeos woruld wule us for drenche.
 Mest ealle men he ʒíueð drinche· óf ane deofles scenche.
 hé sceal him cunne sculde wél· ʒíf hé híne nele screnche.

 Mid ealmihtiʒes godes luue· ute wé us bi werien.
 wið ðises wrecches woreldes luue· *þet* hé maʒe us derien.
335 Mid festen ælmes *end* ibede· werie wé us wið sunne.
 Míð ða wepne ðe god·haueð· bi ʒíten man cunne.
 Léte wé þe brade strét· *end* ðene wei bene.
 þe let *þet* niʒeðe dél to helle of manne· *end* ma ich wéne.
 Ga wé ðene nærewne wei· *end* ðene wei grene.
340 ðer forð fareð litel folc· ac hit is feir *end* scéne.
 þé brade strét is ure íwill· ðe ís us lað to forlǽte.
 þa ðe eal folʒeð his íwill· fareð bi ðusse stréte.

  308, 309 *der ru. hat* E *falsch gesetzt.* — 309 n *in* niwe *aus* r. —
314 (ùnne). — 316 (unste(de). — 317 ð *in* doð *zum teil durch wurmstich
weg.* — 336 M *in* Mid *schwarz.* — 338 lec *hs. verschrieben für* let.
  306 eal] *also* ET, *as* J, *swo* D. — 307 *zweites* eal þet me *fehlt
in übrigen hss.* — 311 gulteð] we gelteð D, we agulteþ JM, we gulteþ
ET. — 312 liht hit is *die übrigen.* — 315 leste] ileste DJM, ilaste T. —
316 leggeð] *mest* leggeð J, leggeð *mest die übrigen.* — 318 Ne were E,
Nere *die übrigen.* — 320 her end] oðer *die übrigen.* — 334 he ne E. —
341 forlǽte] lete (læte) *die übrigen.*

Hí mujen lihtliche gán mid ðere under hulde.
    durh ane godlíese wude into ane bare felde.
345 þe nærewei ís godes hése· ðer forð fareð wél fiewe.
    þet beoð ða ðe heom sculdeð jeorne wið æche un ðeawe.
    (þ)as gað uníeðe jeanes ðe clíue· ajean þe heaje hulle.
    ðas leteð eal heore ajen wíll- for godes hése to fulle.
    (G)a wé alle þene wei· for he us wule bringe.
350 mid te feawe feire men· be foren heuen kinge.
    þer is ealre murhðe mest· mid englene sange.
    ðe ís a þusend wintre ðer· ne ðincð him naht to lange.
    þe ðe lest haueð· hafð swa michel þet hé ne bit namare.
    þe ða blisse for ðas for lét hít him mei reowe sare.
355 Ne mei nan uueī ne na wane beon inne godes riche.
    ðeh þer beoð wununges fele· æch oðer uniliche.
    Sume ðer habbeð lesse murhðe.· end sume habbeð mare.
    æfter ðan þe dude her· efter ðan þet he swanc sare.
    Ne sceal ðer beon ne bried ne wín· ne oder cunnes éste.
360 god ane sceal beo eche líf· end blisse· end éche reste.
    Né sceal ðer beo fah ne græi· ne kuning ne ermíne.
    ne aquierne· ne martres cheole· ne beuer né sabelíne.
    Ne sceal ðer beo sciet ne scrud· ne woruld wele nane.
    eal þe murhðe þe me us bi hat· al hít sceal beo god ane.
365 Ne mei na murhðe· beo swa muchel· se is godes sihte.
    (H)e ís soð sunne end briht· end dei á buten nihte.
    (H)e is ælches godes ful· nis him na wið uten.
    na god nis him wane þe wûnieð him abuten.
    þer is wéle ábute gane· end reste abuten swinche.
370 þe mei end nele ðider cume· sare hit him sceal óf dinche.

    schluß aus E:
    þer is blisse a buten treje· and lif a buten deaþe
    þe eure scullen wunien þer· bliþe muwen ben eþe
    þer is jeojeðe bute ulde· end hele a buten vn helðe
    nis þer so(re)we ne sor· ne neure nan vn sealþe
375 þer me scal drihte sulf i seon· swa he is mid iwisse
    he one mai *and* scal al beo, engle *and* manne blisse.
    And ðeh ne beod heore eje naht· alle iliche brihte
    ði nabbeð hi nouht iliche· alle of godes lihte

---

    344 u *in* wude *loch* ‖ (into). — 347, 349 *die eingeklammerten buchstaben verlöscht.* — 361 (er)míne. — 366, 367 *wie* 347, 349.

    343 niþer helde *D etc.*, nuðer helde *E.* — 345 narewei *E*, narewe wei (wêy *J*, pað *TM*) *die übrigen.* — 353 haueð] haueð blisse *die übrigen außer E.* — 358 Ech efter *DJT* (Ech *f. auch E*) ‖ hi dude *E*, he dude *DJT.* — 359 *zweites* ne *nur in* e. — 368 nones godes hem nis wane *T.* — 372 bliþe] bliþe hie *DT*, heo *J.*

On þisse (liue) hi neren nout· alle of one mihte
380 ne þer ne scullen hi habben god· alle bi one ȝihte
þo scullen more of him seon· þe luuede him her more
and more icnawen *and* iwiten· his mihte *and* his ore
On him hi scullen finden alþat man. mai to lesten
hali boc hi sculle i seon· al þat hi her nusten
385 Crist scal one beon inou· alle his durlinges
he one is muchele mare *and* betere· þanne alle oþere þinges
Inoh he haued þe hine haueð· þe alle þing wealded
of him to sene nis no sed· wel hem is þe hine bi healdeð
God is so mere *and* swa muchel· in his godcunnesse
390 þat al þat is· *and* al þat wes is wurse· þenne he *and* lesse
Ne mai it neure no man oþer segge mid iwisse
hu muchele murhðe habbet þo· þe beod inne godes blisse

T̲o þere blisse us bringe god· þe riȝlet abuten ende
þenne he vre soule vn bint· of licames bende ⁣.
395 Crist ȝyue us leden her swilc lif· *and* habben her swilc ende
þat we moten þuder come· wanne we henne wende. AmeN.

33.

EINE PREDIGT.

*Hs. in London, Lambeth MG 487, fol. 15v. — Edd.: Richard Morris, Old
English Homilies. First Series (EETS., vol. 29), s. 41; J. Hall, Selections
of Early Middle English, s. 76.*

In diebus dominicis.

Leofemen, ȝef ȝe lusten wuleð and ȝewilleliche hit under-
stonden, we eow wulleð suteliche seggen of þa fredome, þe lim-
peð to þan deie, þe is icleped sunedei. sunedei is ihaten þes
lauerdes dei and ec þe dei of blisse and of lisse and of alle
5 irest. on þon deie þa engles of heofene ham iblissieð, forði þe
þa erming saulen habbeð rest of heore pine. gif hwa wule witen,
hwa erest biwon reste þam wrecche saule, to soþe ic eow
segge, þet wes sancte Paul þe apostel and Mihhal þe archangel.
heo tweien eoden et sume time in to helle, alswa heom drihten
10 het, for to lokien, hu hit þer ferde. Mihhal eode biforen and
Paul com᾽efter, and þa scawede Mihhal to sancte Paul þa wreche

---

384 In liue boc hi sullen *D*, And on lyues bee (*aus* beo?) *J*,
On him he sullen ec *T*. — 388 hem *aus* him *E*. — 394 licamliche *die
übrigen.*

1 eofemen, *verb. M(orris).* — 3 iclepeð su sunedei, *verb. M.*

sunfulle, þe þer were wuniende. þer efter he him sceawede
heȝe treon eisliche beorninde etforen helleȝete, and uppon þan
treon he him sceawede þe wrecche saulen abonge, summe bi
15 þa fet, summe bi þa honden, summe bi þe tunge, summe bi þe
eȝen, summe bi þe hefede, summe bi þer heorte. seodðan he
him sceaude an ouen on berninde fure: he warp ut of him
seofe leies, uwilcan of seolcuðre heowe, þe alle weren eateliche
to bihaldene and muchele strengre, þen eani þing, to þolien; and
20 þer wiðinnen weren swiðe feole saule ahonge. ȝette he him
sceawede ane welle of fure, and alle hire stremes urnen fur
berninde, and þa welle biwisten .XII. meisterdeoflen, swilc ha
weren kinges, to pinen þer wiðinnen þa earming saulen, þe for-
gult weren: and heore aȝene pine neure nere þe lesse, þah heo
25 meistres weren. efter þon he him sceawede þe sea of helle, and
innan þan sea weren .VII. bittere uþe. þe forme wes snaw, þat
oðer is, þet þridde fur, þet feorðe blod, þe fifte neddren, þe siste
smorðer, þe seofeþe ful stunch. heo wes wurse to þolien, þenne
efreni of alle þa oðre pine. innan þan ilke sea weren un-
30 aneomned deor, summe feðerfotetd, summe al bute fet, and heore
eȝen weren al swilc, swa fur, and heore eþem scean, swa deð
þe leit amonge þunre. þas ilke nefre ne swiken ne dei ne niht
to brekene þa erming licome of þa ilca men, þe on þisse line
her hare scrift enden nalden. summe of þan monne sare wepeð,
35 summe, swa deor, lude remeð, summe þer graninde sikeð, summe
þer reowliche gneȝeð his aȝene tunge, summe þer wepeð, and
alle heore teres beoð berninde gleden glidende ouer heore aȝene
nebbe; and swiðe reowliche ilome ȝeiȝeð and ȝeorne bisecheð,
þat me ham ibureȝe from þam uuele pinan. of þas pinan speked
40 Dauid, þe halie witeȝe, and þus seið: 'miserere nostri, domine,
quia penas inferni sustinere non possumus. lauerd, haue merci
of us, forðon þa pinen of helle, we ham ne maȝen iðolien.'

Seoðþan he him sceawede ane stude inne middewarðe
helle, and biforen þam ilke stude weren seofen clusterlokan,
45 þar neh ne mihte nan liuiende mon gan for þan ufele breðe,
and þer wiðinna he him sceawede gan on ald mon, þet .IIII.

---

18 uwilan, verb. M. — 19 þing O. Cohn und Stratmann] þurg. —
21 strenies, verb. M. —·26 snaw M] swnau. — 30 feðer-foted M (Notes,
pag. 310). — 36 gnaȝeð heore? — 43 ane M] and || middewarde M.

deoflen ledden abuten. þa escade Paul to Mihhal, hwet þe alde
mon were. þa cweð Mihhal hehangel: 'he wes an biscop on
eoðre liue, þe nefre nalde Cristes laȝen lokien ne halden: ofter
50 he walde anuppon his underlinges mid wohe motien and longe
dringan, þenne he walde salmes singen oðer eani oðer god don.'
herefter iseh Paul, hwer .III. deoflen ledden an meiden swiðe
unbisorȝeliche, and ȝeorne escade to Mihhal, hwi me heo swa
ledde. þa cweð Mihhal: 'heo wes an meiden on oðer liue, þet
55 wel wiste hire licome in alle clenesse, ah heo nalde nefre nan
oðer god don. elmesȝeorn nes heo nefre, ah prud heo wes swiðe
and modi and liȝere and swikel and wreðful end ontful; and for
ði heo bið wuniende inne þisse pine.'

Nu bigon Paul to wepen wunderliche, and Mihhal hehengel
60 þer weop forð mid him. þa com ure drihten of heueneriche to
heom on þunres sleȝe and þus cweð: 'a, hwi wepest þu, Paul?'
Paul him onswerde: 'lauerð, ic biwepe þas monifolde pine, þe
ic her in helle iseo.' þa cweð ure lauerd: 'a, hwi nalden heo
witen mine laȝe, þe hwile heo weren en eorðe?' þa seide Paul
65 him mildeliche toȝeines: 'louerd, nu ic bidde þe, ȝef þin wille
is, þet þu heom ȝefe rest, la,' hwure þen sunnedei, a þet cume
domes dei.' þa cweð·drihten to him: 'Paul, wel ic wat, hwer ic
sceal milcien. ic heom wulle milcien, þe weren efterward mine
milce, þa hwile heo on liue weren.' þa wes sancte Paul swiðe
70 wa and abeh him redliche to his lauerdes fet and onhalsien hine
gon mid þas ilke weord, þe ȝe maȝen iheren. 'lauerd', he cweð þa,
'nu ic þe bidde for þine kinedome and for þine engles and for
þine muchele milce and for alle þine weorkes and for alle þine
haleȝen and ec þine icorene, þat þu heom milcie þes þe redþer,
75 þet ic to heom com, and reste ȝefe þen sunnedei, a þet cume
þin heh domesdei.' þa onswerede him drihten mildere steuene:
'aris nu, Paul; aris. ic ham ȝeue reste, alswa þu ibeden hauest,
from non on saterdei, a þa cume monedeis lihting, þet efre forð
to domesdei.'

80   Nu, leofe breðre, ȝe habbeð iherð, hwa erest biwon reste
þam forgulte saule. nu bicumeð hit þerfore to uwilche cristene

---

49 oðre M. — 51 ðringan M. — 53 and (oder he?) f. — 59 wunres
liche, verb. M. — 62 lauerd M. — 64 en] on M. — 78 a þat M ‖ þet
bið efre M, þet gestrichen von Björkman. — 80 iherd M.

7*

monne mucheles þe mare to haliȝen and to wurðien þenne dei,
þe is icleped sunnedei; for of þam deie ure lauerd seolf seið:
dies dominicus est dies leticie et requiei. sunnedei is dei of blisse
85 and of alle ireste. *non facietur in ea aliquid, nisi deum orare,*
manducare et bibere cum pace et leticia ne beo in hire naþing
iwrat bute chirche bisocnie and beode to Criste and eoten and
drinken mid griðe and mid gledscipe.' *sicut dicitur:* 'pax in terra,
pax in celo, pax inter homines', for swa is iset: 'grið on eorðe
90 and grið on hefene and grið bitwenen uwilc cristene monne.'
eft ure lauerd seolf seit: 'maledictus homo, qui non custodit
sabatum. amansed beo þe mon, þe sunnedei nulle iloken.' and
for þi, leofemen, uwilc sunnedei is to locan, alswa esterdei, for
heo is muneȝing of his halie ariste from deðe to liue and
95 muneȝeing of þam halie gast, þe he sende in his apostles on þon
dei, þe is icleped witsunnedei. ec we understondeð, þet on sunne-
dei drihten cumeð to demene al moncun.

We aȝen þene sunnedei swiþeliche wel to wurþien and on
alle clenesse to locan: for heo hafð mid hire þreo wurdliche
100 mihte, þe ȝe iheren maȝen. ðet forme mihte is, þet heo on eorðe
ȝeueð reste to alle eorðe þrelles, wepmen and wifmen, of heore
þrelweorkes. þet oðer mihte is on heouene; for þi þa engles
heom rested mare þenn on sum oðer dei. þet þridde mihte is,
þet þa erming saule habbeð ireste inne helle of heore muchele
105 pine. hwa efre þenne ilokie wel þene sunnedei oðer þa oðre
halie daȝes, þe mon beot in chirche to lokien, swa þe sunnedei,
beo heo dal neominde of heofeneriches blisse mid þan feder and
mid þan sunne and mid þan halie gast a buten ende. amen.
quod ipse prestare dignetur, qui uiuit et regnat deus per omnia
110 *secula seculorum. amen.*

87 iwraht *M*. — 93 *Schücking streicht den punkt nach* locan. —
102, 103 engles hem heom. — 103 resteð *M*. — 105 oðre] *hs.* oðre *oder*
oðer? — 107 ferde, *verb. M* (*zuerst* fedre).

34.

AUS LAȝAMONS 'BRUT'.

Hss. in London, Brit. Museum, Cott. Calig., A IX, und Cott. Otho, C XIII.
Edd.: Laȝamon's Brut, or Chronicle of Britain, etc., by Sir Frederic Madden,
London 1847, 3 vols. Mätzner, Altenglische sprachproben, Berlin 1867, I, 19.
Specimens of Early English, part I, ed. Richard Morris; 3cd. ed. by A. L.
Mayhew and W. W. Skeat, Oxford 1887, s. 65—75; J. Hall, Selections
of Early Middle English, s. 94.

MS Cott. Calig., A IX.	MS Cott. Otho, C XIII.
13785 Vnder þan comen tiðende	Vnder þan com tydinge
to Vortiger þan kinge	to Vortiger þan kinge,
þat ouer sæ weoren icumen	þat ouer séé weren icome
swiðe selcuðe gumen;	swiþe selliche gomes;
inne þere Temese	
13790 to londe heo weoren icummen;	
þreo scipen gode	þreo sipes gode
comen mid þan flode.	i-come were mid þan flode,
þreo hundred cnihten,	þar-on þreo hundred cnihtes,
alse hit weoren kinges,	alse hit were kempes.
13795 wið-uten þan scipen-monnen	
þe weoren þer wið-innen.	
þis weoren . þa færeste men	þes weren þe faireste men
þat auere her comen;	þat euere come here;
ah heo weore hæðene,	ac hii weren heþene,
13800 þat wes hærm þa mare.	þat was har[m] þe more.
Uortiger heom sende to,	
and axede hu heo weoren idon;	
ȝif heo grið sohten,	
and of his freond-scipe rohten?	
13805 Heo wisliche andswerden,	
swa heo wel cuðen,	
and seiden þat heo walden	
speken wið þan kinge,	
and leofliche him heren,	
13810 and hælden hine for hærre;	
and swa heo gunnen wenden	
forð to þan kinge.	
þa wes Uortigerne þa king	
in Cantuarie-buri,	
13815 þer he mid his hirede	
hæhliche spilede;	
þer þas cnihtes comen	
bi-foren þan folc-kinge.	

13798 C(aligula), cnihtes Bj(örkman).

Sone swa heo hine imetten,
13820 fæire heo hine igrætten,
and seiden þat heo him wolden
hæren i þisse londe,
ȝif he heom wolde
mid rihten at-halden.
13825 þa andswerede Vortiger,
of elchen vuele he wes war:
'An alle mine liue
þe ich iluued habbe,
bi dæie no bi nihtes
13830 ne sæh ich nauere ær swulche
cnihtes;
for eouwer cumen ich æm bliðe,
and mid me ȝe scullen bilæfuen,
and eouwer wille ich wulle driȝen,
bi mine quicke liuen!
13835 Ah of eou ich wulle iwiten,
þurh soðen eouwer wurðscipen,
whæt cnihten ȝe seon,
and whænnenen ȝe icumen beon,
and whar ȝe wullen beon treowe,
13840 alde and æc neowe?'
þa answerede þe oðer,
þat wes þe aldeste broðer:
'Lust me nu, lauerd king,
and ich þe wullen cuðen
13845 what cnihtes we beoð,
and whanene we icumen seoð.
Ich hatte Henges[t],
Hors is mi broðer;
we beoð of Alemainne,
13850 aðelest alre londe,
of þat ilken ænde
þe Angles is ihaten.
Beoð in ure londe
selcuðe tiðende:
13855 vmbe fiftene ȝer
þat folc is isomned,
al ure iledene folc,

þeos comen to þan kinge,
and faire hine grette,
and seide þat hii wolde
him sarui in his londe,
ȝif vs þou wolle
mid rihte at-holde.
þo answerede Vortiger,
þat of eche vuele he was war:
'In al mine lifue
þat ich ileued habbe,
bi dai no bi nihte
ne seh ich soche cnihtes;
for ȝou ich ham bliþe,
and mid me ȝe solle bi-lefue.

Ac forst ich wolle wite,
for ȝoure mochele worsipe,
wat cnihtes beo ȝeo,
and wanene ȝeo i-comen beo?'

þo answerede þe oþer,
þat was þe elder broþer:

'Ich hatte Hengest,
Hors hatte min broþer;
we beoþ of Alemaine,
of one riche londe,
of þan ilke hende
þat Ænglis his ihote.
Beoþ in vre londe
wonder þinges gonde:
bi eche fiftene ȝer
þat folk his i-somned,
and werpeþ þare hire lotes.

13827 *C* iliue, *verb. von Mä(tzner).* — 13880 *C Holthausen (Engl.
stud. 31, 267) schlägt vor,* nauere ær *zu streichen.* — 13834 *C* bimi ne *hs.* —
13845 *C* whahæt *hs.* || beon *Bj.* — 13846 *C,* seon *Bj für* seoð; *vgl. Mä,
anm. zu* seon v. 13837. — 13854 *O(tho)* þenges *hs.,* gonde *nach Mä druckf.
für* goude; *doch s. glossar.* — 13856 *C* hī *hs.* — 13857 *C* ledene *Mä.*

and heore loten werpeð;
vppen þan þe hit falleð,
13360 he scal uaren of londe;
bilæuen scullen þa fiue,
þa sexte scal forð liðe
ut of þan leode
to u[n]cuðe londe;
13865 ne beo he na swa leof mon,
uorð he scal liðen.
For þer is folc swiðe muchel,
mære þene heo walden;
þa wif fareð mid childe
13870 swa þe deor wilde;
æueralche ȝere
heo bereð child þere.
þat beoð an us feole
þat we færen scolden;
13875 ne mihte we bilæue,
for liue ne for dæðe,
ne for nauer nane þinge,
for þan folc-kinge.
þus we uerden þere,
13880 and for-þi beoð nu here,
to sechen vnder lufte
lond and godne lauerd.
Nu þu hæfuest iherd, lauerd ki[n]g,
soð of us þurh alle þi[n]g.'
13885 þa answærede Vortiger,
of alc an vfele he wes w̃ar:
'Ich ileue þe, cniht,
þat þu me sugge soð riht;
and wulche beoð æoure i-leuen
13890 þat ȝe on ileueð,
and eoure leofue godd
þe ȝe to luteð?'
þa andswarede Hænges[t],
cnihtene alre fæirest,
13895 nis in al þis kine-lond
cniht swa muchel ne swa strong:
'We habbeð godes gode,
þe we luuieð an ure mode,
þa we habbeð hope to,
13900 and heoreð heom mid mihte.

fo[r] to londes seche.
vp wan þat lot falleþ,
he mot neod wende;

ne beo he noht so riche,
he mot lond seche.

For þe wifues goþ þare mid childe
alse þe deor wilde:
bi euereche ȝere
hii goþ mid childe þere.
þat lot on vs ful
þat we faren solde;
ne moste we bi-lefue
for life ne for deaþe.

þus hit fareþ þere,
þar-fore we beoþ nou here.

Nou þou hauest ihord, louerd king
soþ of vs and no lesing.'
þo saide Vortiger,
þat was wis and swiþe war:

'And woche beoþ ȝoure bi-léue
þat ȝeo an bi-léfeþ?' —

'We habbeþ godes gode,
þat we louieð in mode.

13859 *C* faled *hs.* ‖ *O* ut *hs.* — 13869 *C* færeð *H(all)* ‖ *O* Forþe *M(orris).* — 13881 *C* luste *hs.* — 13885 *C* answarede *H.* — 13892 *C* luted *hs.* — 13896 *C* muchel *über rasur.* — 13900 mid mid *hs.*

þe an hæhte Phebus;	þe on hatte Phebus;
þe oðer Saturnus;	þe oþer Saturnus;
þe þridde hæhte Woden,	þe þri[d]de hatte Woden,
þat is an weoli godd;	þat was a mihti þing;
13905 þe feorðe hæh[te] Jupiter,	þe feorþe hatte Jubiter,
of alle þinge he is war;	of alle þinges he his war;
þe fifte hæhte Mercurius,	þe fifþe hatte Merchurius,
þat is þe hæhste ouer us;	þat his þe hehest ouer vs;
þæ sæxte hæhte Appollin,	þe sixte hatte Appolin, ·
13910 þat is a godd wel idon;	þat his a god of gret win;
þe seoueðe hatte Teruagant,	þe soueþe hatte Teruagant,
an hæh godd in ure lon[d].	an heh god in vre lond.
ʒet we habbeð anne læuedi	ʒet we habbeþ an leafdi
þe hæh is and mæhti;	þat heh his and mihti;
13915 heh heo is and hali,	
hired-men heo luuieð for-þi;	ʒeo his i-hote Frea.
heo is ihate Fræa.	heredmen hire louieþ.
wel heo heom dihteð.	
Ah for alle ure goden deore	To alle þeos godes
13920 þa we scullen hæren,	we worsipe wercheþ,
Woden hehde þa hæhste laʒe	and for hire loue
an ure ælderne dæʒen;	þeos daʒes we heom ʒefue:
he heom wes leof,	Mone we ʒefue moneday;
æfne al swa heore lif;	Tydea we ʒefue tisdei;
13925 he wes heore walden,	
and heom wurðscipe duden;	
þene feorðe dæi i þere wike	
heo ʒifuen him to wurðscipe.	Woden we ʒefue wendesdei:
þa þunre heo ʒiuen þunres dæi,	þane þonre we ʒefue þorisdai;
13930 for-þi þat heo heom helpen mæi;	
Freon, heore læfdi,	
heo ʒiuen hire fridæi;	Frea þane friday;
Saturnus heo ʒiuen sætterdæi;	Saturnus þan sateresdai.'
þene Sunne heo ʒiuen sonedæi;	
13935 Monen heo ʒiuen monedæi:	
Tidea heo ʒeuen tisdæi.'	
þus seide Hæ[n]gest,	þus saide Hengest,
cnihten alre hendest.	cniht alre hendest.
þa answerede Vortiger,	þo answerede Vortiger,
13940 of ælchen vfel he wæs wær:	of alle harme he was war:

13906 C whar hs. — 13908 C þat us þe hs. — 13909 C l. Appollion wie Apokalypse 9, 11? (Brotanek). — 13911 C seoðueðe hs. — 13917 C H liest Frææ. — 13918 C dihteð hs. ð aus s korr.; Bj erg. im reim [alswa], wie 14027 C. — 13934 C þene schreibfehler für þere nach Bj (Herrigs Archiv 122, 398 ff.). — 13935 C Monenen hs. || gifuenen hs. — 13936 C Bj vermutet Ti oder Tiwe und dea oder deo als in den text geratene lateinische glosse.

'Cnihtes ȝe beoð me leofue,
.ah þas tiðende me beoð laðe;
eouwer ileuen beoð vnwraste,
ȝe ne ileoueð noht an Criste,
ah ȝe ileoueð a þene wurse,
þe godd seolf awariede;
eoure godes ne beoð nohtes,
in helle heo niðer liggeð.

'Cnihtes ȝeo beoþ me leofue,
ac ȝoure bilefues me beoþ loþe;

Ah neoðeles ich wulle eou athælde
an mine anwalde,
for norð beoð þa Peohtes,
swiðe ohte cnihtes,
þe ofte ledeð in mine londe
ferde swiðe stronge,
and ofte doð me muchele scome,
and þerfore ich habbe grome.

Ac ich wolle ou at-holde
in min anwolde,
for norþ beoþ ðe Peutes,
swiþe ohte cnihtes,

And ȝif ȝe me wulleð wræken,
and heore hæfden me biȝeten,
ich eou wullen ȝeuen lond,
muchel seoluer and gold.'
þa andswerede Hængest,
cnihtene alre feirest:
'ȝif hit wulle Saturnus,
al hit scal iwurðe þus,
and Woden, ure lauerd,
þe we on bi-liueð.'
Hengest nom læue,
and to scipen gon liðe;
þer wes moni cniht strong;
heo droȝen heore scipen uppe þe
lond.

þat ofte doþ me same,
and þar-vore ich habbe grame.
And ȝef ȝe wolleþ me wreke
of [hire] wiþere dedes,
ich ȝou wolle ȝeue
ȝeftes swiþe deore.'
þo saide Hengest:

'al hit sal iworþe þus.'

Hengest nam lefue,
and to sipe gan wende;
and al hire godes
hii beore to londe.

Forð wenden dringches
to Vortigerne þan kinge:
biuoren wende Hengest,
and Hors him alre hændest;
seoððen þa Alemainisce men,
þa aðele weoren an deden;
and seoððen heo senden him to
heore Sæxisce cnihtes wel idon,
Hengestes cunnesmen
of his aldene cuðõen.
Heo comen in to halle,
hændeliche alle;

Forþ hii wende alle
to Vortiger his halle.

13943 C ileuen hs. über durchgestrichen. ilauerd. — 13944 C cristre hs. — 13955 C dod hs. ‖ me korr. aus mu hs. — 13970 C uppe hs. über rasur. — 13972 kenge C hs. — 13980 cuðõe C hs.

bet weoren·iscrudde	Bet weren i-scrud,
and bet weoren iuædde	and bet weren ived
13985· Hængestes swaines	Hengestes sweines
þene Vortigernes þeines.	þane Vortiger his cnihtes.
þa wes Vortigernes hired	
for hehne ihalden:	
Bruttes weoren særi	Bruttes weren sori
13990 for swulchere isihðe.	for þan ilke sihte.
Nes hit nawiht longe	Nas noht longe
þat ne comen to þan kinge	þat ne come tydinge,
cnihtes sunen uine	
þa ifaren hafden biliue;	
13995 heo sæiden to þan kinge	
neowe tiðenden:	
'Nu forð-rihtes	þat þo forþ-rihtes
icumen beoð þa Peohtes;	icomen were þe Peutes.
þurh þi lond heo ærneð,	'Oueral þin lond hii erneþ,
14000 and hærȝieð and berneð,	and sleaþ þin folk and bearneþ,
and al þene norð ænde	and alle þane norþ ende
iuald to þan grunde;	hii falleþ to þan grunde;
her-of þu most ræden	her-of þou most reade,
oðer alle we beoð dæden.'	oþer alle we beoþ deade.'
14005 þe king hine bi-þohte	þe king sende his sonde
whæt he don mihte:	to þeos cnihtes inne,
he sende to þan innen	þat hii swiþe sone
after al his monnen.	to him seolue come.
þer com Hengest, þer com Hors,	þar com Hengest and his broþer,
14010 þer com mani mon ful oht;	and mani an oþer,
þer comen þa Saxisce men,	
Hengestes cunnes-men,	
and þa Alemainisce cnihtes,	
þe beoð gode to fihte;	
14015 þis isæh þe king Vortiger;	þat þe king Vortiger
bliðe wes he þa þer.	bliþe was þo þer.
þa Peohtes duden heore iwune,	þe Peutes dude hire wone,
a þas hælf þere Humbre heo	a þis half Vmbre hii were icome.
weoren icume;	
and þe king Vortiger	And þe king Vortiger
14020 of heore cume wes ful war;	of hire come was war;
to-gadere heo comen	to-gadere hii comen
and feole þer of-sloȝen.	and manie þar of-sloȝen.

13983 *C* bett *hs.*, *O* bed *hs.* — 13984 *C* bed *hs.* — 13985 *C* Hengest swaine *hs.*, *O* swenise *verb. Mä.* — 13988 *C* ihaldende *hs.* — 14002 *C Bj vermutet* iuælleð. — 14006 *O* hinne *hs.* — 14010 *C* miui *hs.*, *O* manian *hs.* — 14016 *C* þa þa *hs.*

þer wes feht swiðe strong,
comp swiðe sturne.

14025 þe Peohtes weoren ofte iwuned	þe Peutes weren ofte iwoned
Vortige(r)ne to ouer-cumen,	Vortiger to ouercome,
and þa heo þohten a[l]swa,	and þo iþohten al so,
ah hit ilomp an oðer þa:	ac hit biful oþerweies þo:
for hit wes heom al hele	for hii hadde mochel care,
14030 þat Hængest wes þere,	for Hengest was þare;
and þa cnihtes stronge	
þe comen of Saxelonde,	
and þa ohte Alemanisce	
þe þider comen mid Horse.	
14035 swiðe monie Peohtes	for swiþe manie Peutes
heo sloзen i þan fehte;	hii sloзen in þan fihte.
feondliche heo fuhten,	
feollen þa fæie.	
þa þe non wes icumen,	þo þat non was icome,
14040 þa weoren Peohtes ouer-cumen,	þo were Peutes ouer-come,
and swuðe heo awæi floзen,	and swiþe hii awey floзe
an ælche halue heo forð fluзen,	on euereche side.
and alle dai heo fluзen,	
monie and vnnifoзe.	
14045 þe king Vortigerne	And Vortiger þe king
wende to herberwe,	wende aзen to his hin,
and seuere him weoren on uast	
Hors and Hængest.	
Hængest wes þan kinge leof,	and to Hengest an[d] his cnihtes
14050 and him Lindesaзe зef,	he зef riche зeftes.
and he зæf Horse	
madmes inoзe,	
and alle heore cnihtes	
he swiðe wel dihte,	
14055 and hit gode stunde	
stod a þan ilke.	
Ne durste nauere Peohtes	Ne dorste neuere Peutes
cumen i þan londes,	come in þisse londe,
no ræueres no utlaзen,	þat hii nere sone of-slaзe,
14060 þat heo neoren sone of-slæзen;	and idon of lifdaзe;
and Hængest swiðe fæire	and Hengest swiþe hendeliche
herede þane king.	cwemde þan kinge.

14023 *C* swide *hs.* — 14042 *C* helue *hs.* — 14049-50 *C* leof and him linde *auf rasur.* — 14057 Peohtestes *hs.* — 14058 *C* londe *vorgeschlagen von Bj.*

35.

AUS DEN SPRÜCHEN ALFREDS.

Hss.: Jesus Coll. Oxford I, 29 (mit Skeat = A-text), und Trin. Coll. Cambridge, B 14, 39 (mit Skeat = B-text); (vgl. The Mod. Lang. Quaterly, 1, 31; Skeat, Transact. Philol. Soc. 1897, s. 399 ff.; Wülker, PBB 1, 244, wo eine dritte, jetzt verbrannte, aber von Spelman [Ælfredi Magni Vita, Oxonii 1678, p. 93—97] benutzte hs., Cott., Galba, A 19, erwähnt wird; von dieser sind drei unvollständige abschriften erhalten [vgl. Skeats ausg., p. XXII ff.], nämlich The James Copy [= J], The Spelman Copy [= S], von Skeat gedruckt als C-text, und The Wanley Copy, nur die ersten 30 zeilen, also hier außer betracht). — Edd.: Reliquiae antiquae, ed. Wright and Halliwell, London 1841—1843, 1, 170 ff.; The Dialogue of Salomon and Saturn, ed. J. M. Kemble, London 1848, s. 226 ff.; Old English Miscellany, ed. R. Morris, London 1872 (EETS 39), s. 103 ff.; The Proverbs of Alfred, reed. Skeat, Oxford 1907; Morris, Specimens of Early English, s. 148 (nur nr. 4 nach hs. A); E. Borgström, Lund, 1908, s. 3 f. und 28 f.; Kluge, Me. leseb.[1], s. 53; Brandl-Zippel, Me. sprach- u. lit.-proben, s. 145 ff.; J. Hall, Selections from Early Middle English, s. 19 f. (nur A-text).

A.   **B.**

4.

A	B
þus queþ Alured:	þus quad Helfred:
'þe eorl and þe eþelyng	'þe herl ant þe heþeling,
ibureþ, vnder gódne king,	þo ben vnder þe king
þat lond to leden	þe lond to lede[n]
77 myd lawelyche deden;	mid laueliche dedin, 77
and þe clerek and þe knyht	boþe þe clerc ant þe cni[c]t
he schulle démen euelyche riht,	[to] demen euenliche rict;
þe poure and þe ryche	— — — — — — — — —
démen ilyche.	— — — — — — — — —
82 Hwych so þe mon soweþ,	For aftir þat mon souit, 82
al swuch he schal mowe;	al swich sal he mouin;
and eueruyches monnes dom	ant eueriches monnes dom
to his owere dure churreþ.'	to his oȝe dure cherriő.'

A: 79 hs.: he; gestrichen von Sk(eat), der in zeile 81 hi schulle vor demen ergänzt. — 80 hs.: eueliche.

B: 73 Alfred Sk. C-text: Đus cwaþ Alvred Engle frofre. — 74 erl SkS ‖ eþeling Sk, aþeling S. — 75 cing S. — 76 [n] in hs. abgeschnitten. — 77 lauelichi hs., lagelice J, lagelich S, lavelich idedin W(right), laweliche Sk. — 78 cnit hs WK(emble)Bj(örkman), cni[c]t M(orris), cniht SSk. — 79 [to] erg. Bj ‖ riht SSk. — 80, 81 fehlen in BJS. — 82 after þat te S ‖ man SK ‖ souit hs., soweþ S, sowiþ Sk. — 83 al suipich hs., al suiyich K, als suyich M(orris), al suich shal Sk, þerafter he scal mowen S ‖ mowin Sk. — 84 efrilces mannes S. — 85 ogen S ‖ cherricd (?) hs., chariȝeth S.

A.

B.

5.

A.	B.
[þus queþ Alured:]	þus quad Alfred:
87 'þan knyhte bi-houeþ	'þe cniht bi[h]ouit 87
kenliche on to fóne	kenliche to cnouen
for to werie þat lond	for to weriin þe lon[d]
wiþ hunger and wiþ herivnge,	of here ant of heregong,
þat þe chireche habbe gryþ,	þat þe rich[e] habbe gryt,
92 and þe cheorl beo in fryþ	ant þe cherril be in frit 92
his sedes to sowen,	his sedis to souin,
•his medes to mowen;	his medis to mowen,
and his plouh beo i-dryue	his plouis to driuin
to vre alre bihoue;	to ure alre bi-lif;
97 þis is þes knyhtes lawe;	þis is þe cnithes laȝe; 97
loke he þat hit wel fare!'	loke þat hit wel fare!'

36.

AUS DEM 'ORMULUM'.

Hs. in Oxford, Jun. 1. — Edd.: The Ormulum with the Notes and Glossary of Dr. R. M. White, ed. by Rev. Robert Holt, Oxford 1878. vgl. A. S. Napier, 'Notes on the Orthography of the Ormulum' in seiner ausgabe 'History of the Holy Rood-tree', London 1894 (EETS 103, s. 71—74; auch selbständig erschienen, Oxford 1893, fol., mit faksimile).

A (Preface).

þiss boc iss nemmnedd Orrmulum,	forr Crist toc dæþ o rodetre
forrþi þatt Orrm itt wrohhte,	all wiþþ hiss fulle wille; 10
annd i⁺t iss wrohht off quaþþrigan,	annd forrþi þatt Amminadab
off goddspellbokess fowwre,	o latin spæche iss nemmnedd
5 off quaþþrigan Amminadab,	o latin boc spontaneus
off Cristess goddspellbokess;	annd onn ennglisshe spæche
forr Crist maȝȝ þurrh Amminadab	þatt weppmann, þatt summ dede doþ 15
rihht full wel ben bitacnedd;	wiþþ all his fulle wille,

A: 86 fehlt in der hs. — 91 chirche Sk.

B: 86 cwaþ Alvred S. — 87 cnith biouit hs., cniht Sk, biho-ueð J, bihoveth S. — 88 kerliche W, ceneliche S ‖ cnowen J, mowen S. — 89 uor J, nor S ‖ werie J, werce S ‖ [d] in hs. abgeschn. — 90 erstes of fehlt in S ‖ hunger S. — 91 þat te J, that the S ‖ [e] in hs. abgeschn. churche J, Chureche S, [chi]riche Bj ‖ halbe gryt hs. — 92 te J, the SSk ‖ cherl JSk, cherle S ‖ frit hs. — 93 [s] in hs. abgeschn. ‖ sedes S sowin Sk, sowen S. — 94 medes S. — 95 his plowes S, his hise plowes J ‖ driuen S. — 97 cnich^s hs. WK, cnich[t]s M, cnihtes SSk, knihtes J, cnites Bj ‖ lare Hall. — 98 to locen S ‖ well S.

A 3: annd in A und B immer abgekürzt, jedoch ausgeschrieben in anndswere, B 15589, 15593.

forrþi maȝȝ Crist full wel ben þurrh
    Amminadab bitacnedd;
    forr Crist toc dæþ o rodetre
20   all wiþþ hiss fulle wille.
    þatt waȝȝn iss nemmnedd quaþþ-
               rigan,
    þatt hafeþþ fowwre wheless,
    annd goddspell iss þatt waȝȝn,
        forrþi
    þatt itt iss fowwre bokess,
25 annd goddspell iss Jesusess waȝȝn,
    þatt gaþ o fowwre wheless,
    forrþi þatt itt iss sett o boc
    þurrh fowwre goddspellwrihh-
        tess.
    annd Jesuss iss Amminadab,
30   swa summ icc hafe shæwedd,
    forr þatt he swallt o rodetre
    all wiþþ hiss fulle wille.
    annd goddspell forr þatt illke þing
    iss currus Salomoniss,
35 forr þatt itt i þiss middellærd
    þurrh goddspellwrihhtess fowwre
    waȝȝneþþ soþ Crist fra land to land,
    þurrh Cristess lerninngcnihhtess,
    þurrh þatt teȝȝ i þiss middellærd
40   flittenn annd farenn wide
    fra land to land, fra burrh to burrh
    to spellenn to þe lede
    off soþ Crist annd off crisstenn-
        dom
    annd off þe rihhte læfe
45 annd off þatt lif, þatt ledeþþ menn
    upp inntill heffness blisse.
    þurrh swillc þeȝȝ berenn hælennd
        Crist,
    alls iff þeȝȝ karrte wærenn
    off wheless fowwre, forr þatt all
50   goddspelless hallȝhe lare
    iss, alls icc hafe shæwedd ȝuw,
    o fowwre goddspellbokess;
    annd forrþi maȝȝ goddspell full wel
    ben Sálemanness karrte,

þiss iss to seggenn opennliȝ,   55
    þe laferrd Cristess karrte,
    forr Jesu Crist allmahhtiȝ godd,
    þatt alle shaffte wrohhte,
    iss wiss þatt soþe Salemann,
    þatt sette griþþ onn erþe   60
    bitwenenn godd annd menn, þurrh
        þatt
    he ȝaff hiss lif o rode
    to lesenn mannkinn þurrh hiss
        dæþ
    üt off þe defless walde;
    annd forrþi maȝȝ soþ Crist ben 65
        wel
    þurrh Salemann bitacnedd,
    forr Salomon iss onn ennglissh
    þatt mann, þatt soþ sahhtnesse
    annd trigg annd trowwe griþþ annd
        friþþ
    reȝȝseþþ bitwenenn lede   70
    annd follȝheþþ itt wiþþ all hiss
        mahht
    þurrh þohht, þurrh word, þurrh
        dede.
    all þuss iss þatt hallȝhe goddspell,
    þatt iss o fowwre bokess,
    nemmnedd Amminadabess waȝȝn 75
    annd Salemanness karrte,
    forr þatt itt waȝȝneþþ Crist till
        menn
    þurrh fowwre goddspellwrihh-
        tess,
    rihht alls iff itt wære þatt waȝȝn,
    þatt gaþ o fowwre wheless.   80
    annd tuss iss Crist Amminadab
    þurrh gastliȝ witt ȝehatenn,
    forr þatt he toc o rode dæþ
    wiþþ all hiss fulle wille;
    annd Salomon he nemmnedd iss, 85
    swa summ icc hafe shæwedd,
    forr þatt he sette griþþ annd
        friþþ
    bitwenenn heffne annd erþe,

---

     61 bitwe: nenn. — 66 be *vor* bit. *rasur.* — 82 *ursprünglich* þurrh
Salemann ȝehatenn.

bitwenenn godd and menn, þurrh
þatt
90 þatt he toc dæþ o rode
to lesenn mannkinn þurrh hiss dæþ
üt off þe defless walde.
annd all þuss þiss ennglisshe boc
iss Orrmulum ʒehatenn
95 inn quaþþrigan Amminadab,
inn currum Salomonis.
annd off goddspell icc wile ʒuw
ʒet summ del mare shæwenn:

ʒet wile icc shæwenn ʒuw, forrwhi
goddspell iss goddspell nemm- 100
nedd,
annd ec icc wile shæwenn ʒuw,
hu mikell sawle sellþe
annd sawle berrhless unnderrfoþ
att goddspell all þatt lede,
þatt follʒheþþ goddspell þwerrt üt 105
wel
þurrh þohht, þurrh word, þurrh
dede.

B (II, 187).

Secundum Johannem XXIIII.

Prope 'erat pasca Judeorum, et ascendit Jesus Jerosolimam et invenit in templo vendentes oves et boves et columbas.

Affterr þatt tatt te laferrd Crist
þe waterr haffde wharrfedd
15540 till win i Cana Galile
þurrh hiss goddcunnde mahhte,
þæraffterr, alls uss seʒʒþ goddspell,
fór he wiþþ hise posstless
inntill an operr tun, þatt wass
15545 Cafarrnaum ʒehatenn,
annd sannte Marʒe, hiss moderr,
comm
wiþþ himm inntill þatt chesstre,
annd hise breþre comenn ec
wiþþ himm annd wiþþ hiss
moderr.
15550 annd tær bilæf þe laferrd ta
wiþþ hemm, acc nawihht lannge,
forr þatt Judisskenn passkedaʒʒ
þa shollde cumenn newenn,
annd Crist fór þa till ʒerrsalæm,
15555 swa summ þe goddspell kiþeþþ,
annd he fand i þe temmple þær
well fele menn, þatt saldenn

þærinne baþe nowwt annd shep,
annd ta, þatt saldenn cullfress;
annd menn att bordess sætenn þær 15560
wiþþ sillferr forr to lenenn.
annd Crist himm wrohhte an swepe
þær,
all alls itt wære off wiþþess,
annd draf hemm alle samenn üt
annd nowwt annd sowwþess 15565
alle;
annd all he warrp üt i þe flor
þe bordess annd te sillferr,
annd affterr þatt he seʒʒde þuss
till þa, þatt saldenn cullfress:
'gaþ till and bereþþ heþenn üt   15570
whattlike þise þingess.
ne birrþ ʒuw nohht min faderr hus
till chepinngboþe turrnenn.'
annd hise lerninngcnihhtess þær
þohhtenn annd unnderrstodenn, 15575
þatt tær wass filledd ta þurrh himm
annd inn hiss hallʒhe dede

15538 *erstes* t *von* tatt *auf rasur.* — 15542 goddspell *am rande
für durchstrichenes* þe boc. — 15559 *dahinter getilgt* annd mineteress
sætenn þær to wharrfenn þeʒʒre sillferr. — 15560, 15561 *am rande.* —
15567 þe bordess annd te *auf rasur* || *nach diesem verse getilgt* annd
oferrwarrp þær i þe flor unnriddliʒ þeʒʒre bordess. — 15572 mi(n).

þatt, tatt te sallmewrihhte seȝȝþ
upponn hiss hallȝhe sallme:
15580 'hät lufe towarrd godess hus
me biteþþ i min herrte.'
annd sume off þa Judisskenn menn,
þatt herrdenn, whatt he seȝȝde,
annd sæȝhenn, whatt he dide þær,
15585 himm ȝæfenn sware annd seȝȝ-
denn:
'whatt tákenn shæwesst tu till uss,
þatt dost tuss þise dedess?'
annd ure laferrd Jesu Crist
hemm ȝaff anndswere annd
seȝȝde:
15590 'unnbindeþþ all þiss temmple, annd
icc
itt i þre daȝhess reȝȝse.'
annd ta Juþewess ȝæfenn himm
anndswere onnȝæn annd seȝȝ-
denn:
'fowwertiȝ winnterr ȝedenn forþ
15595 annd ȝét tærtekenn sexe,
ær þann þiss temmple mihhte ben
fullwrohht annd all fullforþedd,
annd tu darrst ȝellpenn, þatt tu
mihht
itt i þre daȝhess reȝȝsenn?'
15600 annd Jesu Crist ne seȝȝde nohht
þatt word off þeȝȝre temmple,
acc off hiss bodiȝ temmple he spacc,
annd teȝȝ itt nohht ne wisstenn.
annd affterr þatt te laferrd Crist
15605 wass risenn upp off dæþe,

þe posstless þohhtenn off þiss word,
annd ta þeȝȝ unnderrstodenn,
þatt teȝȝre laferrd haffde seȝȝd
þatt word all off himm sellfenn,
off þatt he wollde þolenn dæþ 15610
forr all mannkinne nede,
annd tatt he wollde risenn upp
þe þridde daȝȝ off dæþe.
annd Crist wass o þe passkedaȝȝ
i ȝerrsalæmess chesstre 15615
annd wrohhte þær biforr þe follc
well féle miccle tacness,
annd féle off þa, þatt sæȝhenn þær
þa tacness, þatt he wrohhte,
bigunnenn sone anan onn himm 15620
to lefenn annd to trowwen;
acc Jesu Crist ne lét himm nohht
þohhwheþþre i þeȝȝre walde,
forr þatt he cnew hemm alle wel
annd alle þeȝȝre þohhtess, 15625
annd forr þatt himm nass rihht
nan ned,
þatt aniȝ mann himm shollde
ohht shæwenn off all þatt, tatt
wass
all dærne i manness herrte;
forr all, þatt wass inn iwhillc 15630
mann,
he sahh annd cnew annd cuþe.
her endeþþ nu þiss goddspell þuss,
annd uss birrþ itt þurrhsekenn
to lokenn, whatt itt læreþþ uss
off ure sawle nede. 15635

37.

ON GOD UREISUN OF URE LEFDI.

Hs.: *Cotton MS Nero, A XIV, fol.* 120b. — Edd.: *R. Morris, Old English Homilies. First Series (EETS* 29, 34), bd. 34, s. 191; *J. Hall, Selections of Early Middle English, s.* 132. — Vgl. *Marufke, Breslauer-Beiträge* 13; *Björkman, Anglia, Beibl.,* 27, 196.

Cristes milde moder, seynte Marie,
mines liues leome, mi leoue lefdi,
to þe ich buwe and mine kneon ich beie,
and al min heorte blod to ðe ich offrie.

15598 ȝ *in* ȝellpenn *auf rasur.*
2 lefdi[e] *Bj(örkman)*. — 3 to] unto *H(olt)h(ausen)*.

5 þu ert mire soule liht and mine heorte blisse,
   min lif and mi tohope, min heale mid iwisse.
   ich ouh wurðie ðe mid alle mine mihte
   and singe þe lofsong bi daie and bi nihte;
   vor þu me hauest iholpen a ueole kunne wise
10 and ibrouht of helle in to paradise:
   ich hit þonkie ðe, mi leoue lefdi,
   and þonkie wulle, þe hwule ðet ich liuie.
       Alle cristene men owen don ðe wurschipe
   and singen ðe lofsong mid swuðe muchele gledschipe;
15 vor ðu ham hauest alesed of deoflene honde
   and isend mid blisse to englene londe.   -
   wel owe we þe luuien, mi swete lefdi,
   wel owen we uor þine luue ure heorte bie:
   þu ert briht and blisful ouer alle wummen,
20 and god ðu ert and gode leof ouer alle wepmen.
   alle meidene were wurðeð þe one;
   vor þu ert hore blostme biuoren godes trone.
   nis no wummon iboren, þet ðe beo iliche,
   ne non þer nis þin eming wiðinne heoueriche.
25 heih is þi kinestol onuppe cherubine
   biuoren ðine leoue sune wiðinnen seraphine.
   murie dreameð engles biuoren þin onsene,
   pleieð and sweieð and singeð bitweonen.
   swuðe wel ham likeð biuoren þe to beonne;
30 vor heo neuer ne beoð sead þi ueir to iseonne.
       þine blisse ne mei no wiht understonden;
   vor al is godes riche anunder þine honden.
   alle þine ureondes þu makest riche kinges,
   þu ham ʒiuest kinescrud, beies and gold ringes;
35 þu ʒiuest eche reste ful of swete blisse,
   þer ðe neure deað ne com ne herm ne sorinesse:
   þer bloweð inne blisse blostmen hwite and reade,
   þer ham neuer ne mei snou ne uorst iwreden,
   þer ne mei non ualuwen, uor þer is eche sumer,
40 ne non liuiinde þing woc þer nis ne ʒeomer.
   þer heo schulen resten, þe her ðe doð wurschipe,
   ʒif heo ʒemeð hore lif cleane urom alle queadschipe.
   þer ne schulen heo neuer karien ne swinken   ·
   ne weopen ne murnen ne helle stenches stinken.

---

8 singge *hs.* — 10 ibrouht me *M(orris).* — 11 lefdi(e) *Bj.* — 13 *Hh streicht* don ‖ wur(s)chipe. — 14 *Hh streicht* swuðe. — 16 d *in* isend *verb. hs. aus* t. — 17 owen *M* ‖ lefdi(e) *Bj.* — 18 bie *Bj*] beien *hs.* — 20 *Hh liest* gode ðu ert leof *für hs.* — 21 were *nach Bj schreibfehler für* wered. — 26 p *in* seraphine *zum teil abgerieben.* — 28 sw(e)ieð. — 30 *Hh streicht* vor. — 31 ne] neure *Hh.* — 38 ne mei] mo mei *Hh* ‖ iureden. — 42 *Hh streicht* alle. — 43 sw(i)nken. — 44 ne murnen] ne ne m. *Hh.*

Zupitza-Schlpper, Alt- u. mittelengl. übungsb. 12. aufl.   8

45 þer me schal ham steoren mid guldene chille
    and schenchen ham eche liſ mid englene wille.
    ne mei non heorte þenchen ne no wiht arechen
    ne no muð imelen ne no tunge techen,
    hu muchel god ðu ȝeirkest wiðinne paradise
50 ham, þet swinkeð dei and niht i ðine seruise.
    al þin hird is ischrud mid hwite ciclatune,
    and alle heo beoð ikruned mid guldene krune,
    heo beoð so read so rose, so hwit so þe lilie,
    and euer more heo beoð gled and singeð þuruhut murie.
55 mid brihte ȝimstones hore krune is al biset,
    and al heo doð, þet ham likeð, so þet no þing ham ne let.
    þi leoue sune is hore king, and þu ert hore kwene.
    ne beoð heo neuer idreaued mid winde ne mid reine:
    mid ham is euer more dei wiðute nihte,
60 song wiðute seoruwe and sib wiðute uihte.
    mid ham is muruhðe moniuold wiðute teone and treie,
    gleobeames and gome inouh, liues wil and eche pleie.
    þereuore, leoue lefdi, long hit þuncheð us wrecchen,
    vort þu of þisse erme liue to ðe suluen us fecche:
65 we ne muwen neuer habben fulle gledschipe,
    er we to þe suluen kumen to þine heie wurschipe.
    Swete godes moder, softe meiden and wel icoren,
    þin iliche neuer nes ne neuermore ne wurð iboren:
    moder þu ert and meiden cleane of alle laste,
70 þuruhtut hei and holi in englene reste.
    al englene were and alle holie þing
    siggeð and singeð, þet tu ert liues welsprung,
    and heo siggeð alle, þet ðe ne wonteð neuer ore,
    ne no mon, þet ðe wurðeð, ne mei neuer beon uorloren.
75   þu ert mire soule [liht] wiðute leasunge
    efter þine leoue sune leouest alre þinge.
    al is þe heouene ful of þine blisse,
    and so is al þes middeleard of þine mildheortnesse.
    so muchel is þi milce and þin edmodnesse,
80 þet no mon, þet ðe ȝeorne bit, of helpe ne mei missen:
    ilch-mon, þet to þe bisihð, þu ȝiuest milce and ore,
    þauh he ðe habbe swuðe agult and idreaued sore.
    þereuore ich ðe bidde, holi heouene kwene,
    þet tu, ȝif þi wille is, ihere mine bene.

---

45 chille *Bj*] chelle *hs.* — 46 ham schenschen *Hh.* — 48 techen *M*] tegen *hs.* — 53 rose] þe rose *Bj.* — 56 *Hh* streicht ne. — 58 rene *Bj.* — 62 *Hh streicht* eche. — 67 *Hh streicht* softe *und* and. — 68 *Hh streicht* more ne. — 69 leste *Bj.* — 70 þuruhtut *hs.* — 71 wered *Bj.* — 72 siggeð] s. o *Hh, der* wel *streicht.* — 73 *Hh streicht* neuer. — 74 ne mei] mei *Hh.* — 75 liht fehlt *hs., erg. nach v.* 5; soule leome *M, der übersetzt:* my soul's (light). — 77 þe] þe wide *Hh.* — 79 *erstes* d *in* edmod. *zum teil abgerieben.* — 80 ðe] *der strich* d *abgerieben.* — 84 iher.

85   Ich ðe bidde, lefdi, uor þere gretunge,
þet Gabriel ðe brouhte urom ure heouen kinge,
and ek ich ðe biseche uor Iesu Cristes blode,
þet for ure note was isched o ðere rode;
vor ðe muchele seoruwe, ðet was o ðine mode,

90   þo þu et ðe deaðe him biuore stode,
þet tu me makie cleane wiðuten and eke wiðinnen,
so þet me ne schende none kunnes sunne.
þene loðe deouel and alle kunnes dweoluhðe
aulem urom me ueor awei mid hore fule fulðe.

95   Mi leoue lif, urom þine luue ne schal me no þing todealen,
vor o ðe is al ilong mi lif and eke min heðle.
vor þine luue i swinke and sike wel ilome,
vor þine luue ich ham ibrouht in to þeoudóme,
vor þine luue ich uorsoc al þet me leof was,

100   and ʒef ðe al mi suluen; leoue lif, iþench þu þes.
þet ich ðe wreðede sume siðe, hit me reoweð sore:
vor Cristes fif wunden ðu ʒif me milce and ore.
ʒif þu milce nauest of me, þet ich wot wel ʒeorne,
þet ine helle pine swelten ich schal and beornen.

105   ful wel þu me iseie, þauh þu stille were,
hwar ich was and hwat i dude, þauh þu me uorbere:
ʒif þu heuedest wreche inumen of mine luðernesse,
iwis ich heuede al uorloren paradises blisse.
þu hauest ʒet forboren me uor þine godnesse,

110   and nu ich hopie habben fulle uorʒiuenesse.
ne wene ich neure uallen in to helle pine,
hwon ich am to ðe ikumen and am ðin owune hine:
þin ich am and wule beon nu and euer more:
vor o ðe is al mi lif ilong and o godes ore.

115   Mi leoue swete lefdi, to þe me longeð swuðe;
bute ich habbe þine help, ne beo ich neuer bliðe.
ich þe bidde, þet tu kume to mine uorðsiðe
and nomeliche þeonne þine luue kuðe:
auouh mine soule, hwon ich of þisse liue uare,

120   and ischild me urom seoruwe and from eche deaðes kare.
ʒif þu wult, ðet ich iðeo, gode ʒeme nim to me;
vor wel ne wurð me neuer, bute hit beo þuruh ðe.
mid swuþe luðere lasten mi soule is þuruhbunden:
ne mei no þing so wel, so þu, healen mine wunden.

125   to þe one is al mi trust efter þine leoue sune:
vor is holie nome of mine liue ʒif me lune.

---

85 gretinge Bj. — 94 me ueor| me full u. Hh. — 95 Hh streicht ne. —
100 looue hs.] von Hh gestrichen. — 101 ursprünglich wreðedede, das zweite
de radiert || nach reoweð ein e radiert? — 114 Hh streicht zweites o. — 119 Hh
streicht þisse. — 120 Hh liest urom seoruwe me und streicht from.

ne þole þu þene unwine, þet he me arine,
ne þet he me drawe in to helle pine.
nim nu ȝeme to me, so me best a beo, ðe beo;
130 vor þin is þe wurchipe, ȝif ich wrecche wel iþeo.
þu ne uorsakest nenne mon uor his luðernesse,
ȝif he is to bote ȝeruh and bit þe uorȝiuenesse.
þu miht lihtliche, ȝif þu wult, al mi sor áleggen
and muchele bet biseon to me, þen ich kunne siggen.
135 þu miht forȝelden lihtliche mine gretunge,
al mi swinð and mi sor and mine kneouwunge.
Ine me nis no þing feier on to biseonne
ne no þing, þet beo wurðe biuoren þe to beonne:
þereuore ich þe bidde, þet þu me wassche and schrude
140 þuruh þine muchele milce, þet spert so swuðe wide.
nis hit ðe no wurðscipe, þet þe deouel me todrawe:
ȝif þu wult hit iðauien, iwis he wule ðurchut fawe;
vor he nolde neuere, þet þu hefedest wurðschipe,
ne no mon, þet þe wurðeð, þet he hedde gledschipe.
145 þu hit wost ful ȝeorne, þet þe deouel hateð me
and nomeliche þereuore, þet ich wurðie þe.
þereuore ich þe bidde, þet þu me wite and werie,
þet þe deouel me ne drecche ne dweolðe me ne derie.
so þu dest and so þu schalt uor ðire mildheortnesse:
150 þu schalt me a ueir dol of heoueriche blisse.
ȝif ich habbe muchel ibroken, muchel ich wulle beten
and do mine schrifte and þe ueire greten.
þe hwule þet ich habbe mi lif and mine heale,
vrom ðire seruise ne schal me no þing deale:
155 biuoren þine uote ich wulle liggen and greden,
vort ich habbe uorȝiuenesse of mine misdeden.
mi lif is þin, mi luue is þin, mine heorte blod is þin,
and, ȝif ich der seggen, mi leoue leafdi, þu ert min.
Alle wurðschipe haue þu on heouene and ec on eorðe,
160 and alle gledschipe haue þu, al so ðu ert wurðe.
nu ich þe biseche ine Cristes cherite,
þet þu þine blescinge and þine luue ȝiue me:
ȝeme mine licame ine clenenesse ...

127 arine *auf rasur.* — 128 drawe] w *über getilgtem* i. — 130 wreeche
hs. — 132 (is). — 136 *Hh* erg. al *vor* sor. — 137 me nis] me þer nis *Hh.* —
139 wassc(h)e. — 140 spret? *M.* — 142 *Hh streicht* ðurchut. — 150 me
ȝiue *Hh.* — 158 se(g)gen] seggen hit *Hh* ‖ mi leafdi *Hh.* — 163 *es fehlt ein
vers, was der schreiber durch ein zeichen zwischen anfang von* v. 163 *und* 164
*angedeutet hat. mit demselben zeichen ist der vers oben am rande nach-
getragen, allein beim einbinden fast ganz weggeschnitten worden: nach den
erhaltenen spuren las Zupitza die letzten wörter* ine eadmodnesse; *Hall
erg. etwa:* and ek mine soule vor þine eadmodnesse.

God almihti unne me vor his mildheortnesse,
165 þet ich mote þe iseo in ðire heie blisse:
and alle mine ureondmen þe bet beo nu to dai,
þet ich habbe isungen þe ðesne englissce lai.
and nu ich þe biseche vor ðire holinesse,
þet þu bringe þene munuch to þire glednesse,
170 þet funde ðesne song bi ðe, mi leoue leafdi,
Cristes milde moder, seinte Marie. amen.

38.

AUS 'þE WOHUNGE OF URE LAUERD'.

Hs. im Brit. Museum, Cotton, Tit. D 18, fol. 132r. — Ed.: Old English Homilies, ed. Morris 1 (EETS 29 und 34), s. 283.

A, hu schal i nu liue? for nu deies mi lef for mé upo þe
deore rode, henges dun his heaued and sendes his sawle. bote ne
þinche ham nawt ȝet, þat he is fulpinet, ne þat rewfule deade
bodi nulen ha nawt friðie, bringen forð Longis: wið þat brade
5 scharpe spere he þurles his side, cleues tat herte, and cumes
flowinde ut of þat wide wunde þe blod, þat me bohte, þe water,
þat te world wesch of sake and of sunne. a swete Iesu, þu oppnes
me þin herte for to cnawe witerliche and in to reden trewe luue
lettres; for þer i mai openlich seo, hu muchel þu me luuedes. wið
10 wrange schuldi þe min heorte wearnen, siðen þat tu bohtes herte
for herte. lauedi, moder and meiden, þu stod here ful neh and
seh al þis sorhe vpo þi deorewurðe sune, was wiðinne martird i
þi moderliche herte, þat seh tocleue his heorte wið þe speres ord.
bote, lafdi, for þe ioie, þat tu hefdes of his ariste þe þridde dai
15 þer after, leue me vnderstonde þi dol and herteli to felen sum hwat
of þe sorhe, þat tu þa hefdes, and helpe þe to wepe, þat i wið
him and wið þe muhe i min ariste o domes dai gladien and wið
ȝu beon i blisse, þat he me swa bitterliche wið blod bohte.
Iesu, swete Iesu, þus tu faht for me aȝaines mine sawle fan: þu
20 me dereinedes wið like and makedes of me wrecche þi leofmon
and spuse. broht tu haues me fra þe world to bur of þi burðe,
steked me i chaumbre: i mai þer þe swa sweteli kissen and
cluppen and of þi luue haue gastli likinge. a swete Iesu, mi liues

---

167 þ. ð. e. l.] on englisce ðesne lai *Hh.* — 169 nu *in* munuch *auf rasur.* — 170 s *in* ðesne *auf rasur.* || looue *hs.*
6 b *in* blod *aus* þ || me *fehlt.* — 17 þhI *getilgt nach erstem* wið. —
18 bohte *aus* bothte. — 20 deren|nedes, *verb. M(orris)* || wið l.] wihtliche?

luue, wið þi blod þu haues me boht, and fram þe world þu
25 haues me broht. bote nu mai i seggen wið þe salmewrihte: 'quid
retribuam domino pro omnibus, que retribuit michi? lauerd, hwat
mai i ȝelde þe for al, þat tu haues ȝiuen me?' hwat mai i þole
for þe for al, þat tu þoledes for me? ah me bihoueð, þat tu beo
eað to paie: a wrecche bodi and a wac bere ich ouer eorðe and
30 tat, swuch as hit is, haue ȝiuen and ȝiue wile to þi seruise: mi
bodi henge wið þi bodi neiled o rode sperred querfaste wiðinne
fowr wahes, and henge i wile wið þe and neauer mare of mi
rode cume, til þat i deie. for þenne schal i lepen fra rode in
to reste, fra wa to wele and to eche blisse.

39.

AUS 'GENESIS UND EXODUS'.

Hs.: Cambridge, Corpus Christi College 444, fol. 25v. — Ed. R. Morris, London 1865 (EETS 7, s. 37). Vgl. Fritsche, Anglia 5, 43—90; Schumann, ibid. 6, anzeiger 1—32; Kölbing, Engl. stud. 3, 273—334.

Iff Iosephus ne legeð me,
ðor quiles he wunede in Bersabe,
so was Ysaaces elde told
XX. and fiwe winter old.
1285 ðo herde Abraham steuene fro gode,
newe tiding and selkuð bode:
'tac ðin sune Ysaac in hond
and far wið him to sihðinges lond
and ðor ðu salt him offren me
1290 on an hil, ðor ic sal taunen ðe.'
fro Bersabe iurnees two
was ðat lond, ðat he bed tim to,
and Morie, men seið, was ðat hil,
ðat god him tawnede in his wil.
1295 men seið, ðat dune siðen on

---

27 *zweites* i *fehlt.*
1283 eld[e] *H(olt)h(ausen) [nach brieflicher mitteilung].* — 1285 *Hh
schlägt vor,* steuene *und das komma hinter* gode *zu streichen; nach Bro-
tanek* Abraham *hier zweisilbig, wie v. 1331.* — 1288 sihðinges *Björkman]*
si[g]ðhinges *Fritsche,* siðhinges *hs.* — 1291 jurnees *Hh]* jurnes *hs.* —
1292 *Hh schlägt vor, das zweite* ðat *zu streichen;* two *hs. nach Hh, verb.*
M(orris). — 1294 tawne, *verb. M.* — 1295 dune is siðen *hs.;* dune-is
siden *M(orris);* is *gestrichen von Hh.*

       was mad temple Salamon,
       and ðe auter mad on ðat stede,
       ðor Abraham ðe offrande dede.
       Abraham was buxum o rigt:
1300   hise weie he tok sone bi nigt.
       ðe ðride day he sag ðe stede,
       ðe god him witen in herte dede.
       ðan he cam to ðo dunes fot,
       non of his men forðere ne mot
1305   but Ysaac, is dere childe:
       he bar ðe wude wið herte milde;
       and Abraham ðe fier and ðe swerd bar.
       ðo wurð ðe child witter and war,
       ðat ðor sal offrende ben don,
1310   oc ne wiste he, quat ne quor on.
       'fader', quað he, 'quar sal ben taken
       ðe ʊffrende, ðat ðu wilt maken?'
       quat Abraham: 'god sal bisen,
       quor of ðe ofrende sal ben.
1315   sellik ðu art on werde cumen,
       sellic ðu salt ben heðen numen;
       wiðuten long ðhrowing and figt
       god wile ðe taken of werlde nigt
       and of ðe seluen holocaustum hauen.
1320   ðanc it him, ðat he it wulde crauen.'
       Ysaac was redi mildelike,
       quan ðat he it wiste, witterlike.
       oc Abraham it wulde wel:
       quat so god bad, ðwerted he it neuer a del.
1325   Ysaac was leid ðat auter on,
       so men sulden holocaustum don,
       and Abraham ðat swerd ut drog
       and was redi to slon him nuge,
       oc an angel it him forbed
1330   and barg ðe child fro ðe dead.
       ðo wurð Abraham rigt ifagen,
       for Ysaac bileaf unslagen.

1296, 1297 *Hh liest* ma[ke]d. — 1298 ðe *(so auch M²)*] he, ðhe *M¹*. — 1299 *Hh streicht* o. — 1300 *Hh liest* [ful] sone. — 1301 ðridde *M* ‖ sagt, *verb. M.* — 1303 dun to *hs.;* dun *gestrichen von Hh.* — 1304 ne forðere *Hh.* — 1306 mild *hs.* — 1315 *absatz in hs.* ‖ werlde *M.* — 1318 'for nigt we should read ligt?' *M, s. XL.* — 1323 *absatz in hs.* — 1326 so *verbessert von Hh, hs.:* holocaust. — 1328 nog? *M, Kaluza.* — 1329 an *fehlt in der hs.* — 1331 frigti fagen *hs.; obige besserung von Hh Arch. 90, 295.*

        biaften bak, as he nam kep,
        faste in ðornes he sag a sep,
1335   ðat an angel ðor inne dede;
        it was brent on Ysaac stede.
        and, or Abraham ðeðen for,
        god him ðor bi him seluen swor,
        ðat he sal michil his kinde maken
1340   and ðat lond hem to honde taken:
        good selðhe sal him cumen on,
        for he ðis dede wulde don.
        he wente bliðe and fagen agen,
        to Bersabe he gunne teen.
1345   Sarra was fagen in kindes wune,
        ðat hire bilef ðat dere sune.

40.

INCIPIT DE MULIERE SAMARITANA.

Hs. in Oxford, Jesus College I, Arch. 1, 29, fol. 178 (251) v. — R. Morris, An Old English Miscellany (EETS 49), London 1872, s. 84; vgl. Ev. Joh. 4, 5—42.

        þo Iesu Crist an eorþe was, mylde weren his dede:
        alle heo beoþ on boke iwryten, þat me may heom rede:
        þo he to monne wes iboren oꝉ þare swete Marie
        and wes to ful elde icumen, he venk to prechie.
5   a lutel tefor þe tyme, þat he wolde deþ þolye,
        he neyhleyhte to one bureh, þat hatte Samarie.
        Al so he þiderward sumþing neyhleyhte,
        he sende his apostles byvoren and het heom and tauhte,
        heore in and heore biléuynge greyþi þat heo schulde:
10   heo duden heore louerdes hestes, ase þeines heolde.
        al so heo weren agon, þe apostles evervychone,
        Iesus at ore walle reste him seolf al one.
        Ase he þer reste, ase weiweri were,
        þar com gon o wymmon al one buten ivére:
15   ase heo wes er iwuned, heo com myd hire sténe,
        and Iesus to þare wymmon bigon his þurst to mene.
        'yef me drynke, wymmon', he seyde myd mylde muþe.
        þeo wymmon him onswerede, al so to mon vnkuþe:
        'hwat artu, þat drynke me byst? þu þinchest of Iudelonde:
20   ne mostu drynke vnderfo none of myne honde.'
        þo seyde Iesu Crist: 'wymmon, if þu vnderstóde,
        hwo hit is, þat drynke byd, þu woldest beon of oþer mode.

1346 (hire) *spätere hand.*
6 neylehyte *hs.*] neyleyhte *M.* — 13 ase weri wei were *hs.* —
22 *Max Förster schlägt vor (brieflich)*, were *zu lesen statt* woldest beon.

þu woldest bidde, þat he þe yeue drynke, þat ilast euere:
þo þat ene drynkeþ þer of, ne schal him þurste neuere.'

25   'Louerd', þo seyde þe wymmon, 'yef me þar of to drynke,
þat ich ne þurve more to þisse welle swynke.'
heo nuste, hwat he mende; heo wes of wytte poure:
heo nuste noht, þat he spek of þan holy gostes froure.

   'Sete ádun', queþ Iesu Crist, 'wymmon, þine stene:
30 go and clepe þine were, and cumeþ hider ymene.'
'i nabbe', heo seyde, 'nenne were: ich am my seolf al one.
nabbe ich of wepmonne nones kunnes ymone.'   /

   'Wel þu seyst', quaþ Iesu Crist, 'wére þat þu nauest nenne:
fyue þu hauest ar þisse iheued, and yet þu hauest enne,
35 and, þe þat þu nuþe hauest and heuedest summe þrowe,
he is an oþer wyues were more, þan þin owe.'

   'Louerd', heo seyde, 'hwat art þu? ich wot myd iwisse,
þat þu me hauest soþ iseyd of alle wordes þisse:
þi of one þinge sey me i redynesse.
40 bitwene þis twam volke me þuncheþ a wundernesse.

   For alle þeo men, þat wunyeþ in Samaryes tune,
alle heo biddeþ heom to gode anvppe þisse dune,
and alle þilke, þat beoþ wiþinne Iherusaléme,
nohwere, bute in þe temple, ne weneþ god iquéme.'

45   'Ilef me, wymmon', quaþ Iesu Crist, 'and þar of beo vnderstonde,
þat schal cume þe ilke day, and nv he is neyh honde,
þat, ne beo neuer þe mon in so feorre londe,
if he myd swete þouhtes biþ, þat he ne biþ vnderstonde,
þah he nouþer ne beo anvppe þisse dune,
50 ne in þe heye temple of Ierusalemes tune.

   Ye nuten, hwat ye biddeþ, þat of gode nabbeþ imóne;
for al eure bileue is on stokke oþer on stone:
ac þeo, þat god iknoweþ, heo wyten myd iwisse,
þat hele is icume to monne of folke iudaysse.'

55   'Louerd', heo seyde, 'nv quiddeþ men, þat cumen is Messyas,
þe king, þat wurþ and nuþen is and euer yete was.
hwenne he cumeþ, he wyle vs alle ryhtleche;
for he nule ne he ne con nenne mon bipeche.'

   'Ich hit am', quaþ Iesu Crist, 'þat wiþ þe holde speche,
60 þat Messyas am icleped and am þes worldes leche.'
mid þon comen from þe bureh þe apostles euervychóne
and wundrede, þat Iesu wolde speke wiþ þare wymmon one.

   Ah, þeyh heom þuhte wunder, no þing heo ne seyde.
ac þe wymmon anon hire stene adun leyde
65 and orn to þare bureh anon and dude heom to vnderstonde
of one mihtye wihte, þat cumen is to londe.

---

27 heo mende *hs.* — 28 heo spek *hs.*

Tó alle, þat heo myhte iseon oþer ymete,
heo gradde and seyde: 'ich habbe iseye þane soþe prophete.
ich wene wel, þat hit beo Crist, of hwam þe prophete sayde
70   * * *
þurh Iesu Cristes milce and þureh his wyssynge
monye þer byleuede on þe heye kinge
and vrnen vt of þe bureuh myd wel muchel þrynge
and comen to Iesu, þar he set, and beden his blessynge.
75   þo byléuede þat folk mucheles þe more
for his mylde speche and for his mylde lore,
and þus was þes bureuh ared vt of helle sore
and byléuede on almihty god nuþe and euer more.

41.

EINE PREDIGT.

Hs. zu Oxford, Laud Misc. 471, f. 130. — Edd.: R. Morris, An Old English Miscellany (EETS 49), London 1872, s. 29; Kluge, Me. leseb.¹, s. 14; J. Hall, Selections of E. M. E., s. 216.

Dominica secunda post octavam Epiphanie. sermo euan.

Nuptie facte sunt in Chana Galilée, et erat mater Iesu ibi. vocatus est autem Iesus ad nuptias et discipuli eius. þet holi godspel of to day us telþ, þet a bredale was imaked ine þo londe of Ierusalem in ane cite, þat was icleped Cane, in þa time, þat
5 godes sune yede in erþe flesliche. ac to þa bredale was ure leuedi, seinte Marie, and ure louerd, Iesus Crist, and hise deciples. so iuel auenture, þet wyn failede at þise bredale. þo seide ure leuedi, seinte Marie, to here sune: 'hi ne habbet no wyn.' and ure louerd answerde and sede to hire: 'wat belongeth hit to me
10 oþer to þe, wyman?' nu ne dorste hi namore sigge, ure lauedi; hac hye spac to þo serganz, þet seruede of þo wyne, and hem seyde: 'al, þet he hot yu do, so doþ.' and ure louerd clepede þe serganz and seyde to hem: 'folvellet', ha seyde, 'þos ydres', þet is to sigge, þos cróós oþer þos faten, 'of watere'; for þer were
15 .VI. ydres of stone, þet ware iclepede baþieres, wer þo Gius hem wesse for clenesse and for religiun, ase þe custome was ine þo

---

70 *es fehlt wohl nicht bloß ein vers.* — 75 y *in* byléuede *aus* l.
5 ac *(nicht* ar) *über ungetilgtem* To; *M(orris) liest* fleschliche ac.
To þa *u. s. w.* — 7 at *auf rasur.*

time. þo serganz uuluelden þo faten of watere, and hasteliche was
iwent into wyne bie þo wille of ure louerde. þo seide ure lord
to þo serganz: 'moveth to gidere and bereth to Architriclin', þat
20 was se, þet ferst was iserued. and, al so he hedde idrunke of
þise wyne, þet ure louerd hedde imaked of þe watere (ha niste
nocht þe miracle, ac þo serganz wel hit wiste, þet hedde þet water
ibrocht), þo seide Architriclin to þo bredgume: 'oþer men', seyde
he, 'doþ forþ þet beste wyn, þet hi habbeþ, ferst at here bredale,
25 and þu hest ido þe contrarie, þet þu hest ihialde þet beste wyn
wat nu'. þis was þe commencement of þo miracles of ure louerde,
þet he made flesliche in erþe, and þo beleuede on him his deciples.
i ne sigge nacht, þet hi ne hedden þer before ine him beliaue, ac
fore þe miracle, þet hi seghe, was here beliaue þe more istrengþed.
30   . Nu ye habbeþ iherd þe miracle, nu ihereþ þe signefiance.
þet water bitockned se euele christeneman. for, al so þet water is
natureliche schald and akelþ alle þo, þet hit drinkeþ, so is se
euele christeman chald of þo luue of gode for þo euele werkes,
þet hi doþ; ase so is lecherie, spusbreche, roberie, manslechter,
35 husberners, bakbiteres and alle oþre euele deden, þurch wyche
þinkes man ofserueth þet fer of helle, ase godes oghe mudh hit
seid. and alle þo signefied þet water, þet þurch yemere werkes
oþer þurch yemer iwil liesed þo blisce of heuene. þet wyn, þat
is naturelliche hot ine him selue and anhet alle þo, þet hit drinked,
40 betokned alle þo, þet bied anhéét of þe luue of ure lorde. nu,
lordinges, ure lord, god almichti, þat hwylem in one stede and
ine one time flesliche makede of watere wyn, yet habbeþ mani
time maked of watere wyn gostliche. wanne he þurch his grace
maked of þo euele manne good man, of þe orgeilus umble, of þe
45 lechur chaste, of þe niþinge large and of alle oþre folies uertues:
so ha maket of þo watere wyn. þis his si signefiance of þe miracle.
    Nu loke euerich man toward him seluen, yef he is win, þet
is to siggen, yef he is anheet of þo luue of gode, oþer yef he is
water, þet is, yef þu art chold of godes luue. yef þu art euel
50 man, besech ure lorde, þet he do ine þe his uertu, þet ha þe

---

20 he *fehlt.* — 25 *erstes* þ(e)t. — 26 wath *verb. M* || loruerde *hs.* —
27 þo *vom rubrikator über* and. — 29 (þe) *vom rubrikator.* — 34 manslechtes
verb. Hall. — 42 hadeþ *verb. M.* — 43 he *f. am anf. e. z.* — 45 uertues
f. am anf. e. z. — 47 he he *hs., verb. M.*

wende of euele into gode, and þet he do þe do swiche werkes,
þet þu mote habbe þo blisce of heuene.   *quod nobis prestare
dignetur ...*

42.

AUS DER SAGE VON GREGORIUS.

*Die engl. Gregorlegende nach der Auchinleck hs. (= A; hier hs. fol. 2a), hgg.
von Fritz Schulz (Königsberg 1876), s. 25. die ergänzungen v. 43—45 und
62, 63 aus der hs. Vernon (= V); die me. Gregoriusleg., hgg. von C. Keller,
Heidelberg 1914, s. 65. Vgl. Herrig's Archiv, 55, 428; Kölbing, E. St. 7, 179f.*

Now lete we þis leuedi be,   and telle we, hou þe child was founde.
listeneþ now alle to me: y wot, it sanke nouȝt to þe grounde.
al, þat god wil haue, don þan schal be: riȝt as his moder him
                                            hadde ywounde,
  þe winde him drof fer in þe se,   swiþe fer in þilke stounde.
5   To fischers weren out ysent,   þat breþeren were boþe, y wene:
out of an abbay þai weren ysent   wiþ nettes and wiþ ores kene
to lache fische to þat couent: þe monkes þai þouȝt to queme.
þat day was hem no. grace ylent   for stormes, þat were so breme.
  Erlich in a morning,   er liȝt com of þe day,
10 þai seye a bot cum waȝueing   wiþ þe child, þat in þe cradel lay.
to liue god him wald bring   (his wille in lond wrouȝt be ay!):
þe fischers miri gun sing,   and þider þai tok þe riȝt way.
  þe tonne anon to hem þai nome,   þat was swiþe wele ywrouȝt:
þai no rouȝt, whider þe bot þer com,   þat þe tonn þider brouȝt.
15 to rist riȝt as ȝede þe mone,   þer risen stormes gret aloft:
to lache fische hadde þai no tome: to toun to nim was al her þouȝt.
  Fast þai drowen to þe lond   wiþ ores gode ymade of tre.
for stormes wald þai noþing wond: drenched wende þai wele to be.
þabot com opon þe strond,   þe fischers ȝif he miȝt se:
20 also god sent his sond,   þat child schuld ysaued be.
  þe abot, þat was þider sent,   biheld þe tonne was made of tre:
þer on were his eyȝen ylent.   anon seyd þat abot fre:
'whare haue ȝe þis tonne yhent,   and what may þer in be?
no seyȝe y neuer swiche a present   in fischers bot in þe se.'
25 þe fischers answerd boþe yliche,   to þe abot þai speken anon:
'bi þe king of heuen riche,   our þinges be þer in ydon.'
þat child þan bigan to scriche   wiþ steuen, as it were a grome:
þe fischers were adrad of wreche: þai nist, what þai miȝt done.
  þabot bad wiþouten wouȝ   vndo þe tonne, þat he þer say:
30 þe fischers were radi anouȝ   to don his wille þat ich day.

---

   52 uobis.
   3 þan *streicht H(olt)h(ausen)*. — 7 þouȝte *Hh.* — 8 so] stife and *Hh.* —
9 morwening *Hh* || er] er þat *Hh.* — 11 walde || londe *Hh.* — 12 gunne'||
riȝte *Hh.* — 14 yer *hs.* || tonne *Hh.* — 15 riȝte *Hh.* — 19 miȝte *Hh.* — 20 sente||
schulde *Hh.* — 22 seyde *Hh.* — 23 inne *Hh.* — 24 bote *Hh.* — 27 þan bigan]
bigan þan for *Hh.* — 28 niste || miȝte *Hh.* — 30 iche *Hh.*

a cloþ of silk þabot vp drouȝ,   þat on þe childes cradel lay:
þo lai þat litel child *and* louȝ   opon þabot wiþ eyȝen gray.
   þabot held vp boþe his hond,   wiþ hert gode to Crist ywent,
and seyd: 'lord, y þank þi sond,   þat þou me hast ȝouen *and* lent.'
35 of yuori tables long   þabot fond þer in pressent:
þer to he gan sone fong   and seyȝe, what þer was writen *and* dent.
   þabot bad þe fischers boþe   ten mark and þe cradel take
and bad, þai schuld nouȝt be wroþ,   for þat litel childes sake.
þo was þat siluer alle her owe;   þe tresore to hem þai gun take.
40 anon þai were alle biknowe,   hou þai fond þat litel knape.
   þat o fischer was riche of wele   and hadde halle of lim and ston.
þat oþer was pouer *and* had children fele: gold no siluer hadde
          he non.
þabot toke [him] wiþ him to bere   ten marke, [whon he wente hom,
heore counseil wel forte hele   vndur foote so stille as ston.
45 þat oþur mon he bitauhte   forte ȝeme] þe litel grome
and bad him telle for non auȝt,   in what maner he was ycome,
bot sigge his douhter þat ich nauȝt   to bere þat child for god aboue
and bid þe abot, ȝif he mauȝt,   cristen him for godes loue.
   He tok þat child wiþouten hete   and bar it hom wiþouten wrake,
50 a wiman had he sone ygete   him to bere cristen to make.
when þe fischer yeten hadde,   no wold he no lenger late:
to þabot sone he ladde   *and* fond him redi atte gate.
þabot wist þer of anouȝ: it no was him noþing loþ.
þe fischer þan þe child forþ drouȝ   wiþ salt and wiþ þe crismecloþ.
55 'mi douhter sent ȝou þis child   to cristen it, wiþouten oþ.'
þabot louȝ, þat was milde,   and wiþ hem to chirche he goþ.
   þabot was cleped Gregorij: þer þe child his name he toke.
 prest *and* clerk stode þer bi   wiþ tapers liȝt and holy boke.
and þe child feier *and* sleye   he cristned in þe salt flod,
60 and seþþen baren it vp an heyȝe,   offred it to þe holy rod.
   þabot dede, so he schold,   þe cloþ he tok wele to hold
[and þe fo]ur mark of gold   *and* þe table[s], þat ich of told.
[þe child was ful milde of] mode,   in cloþe fast þai gun him fold.
[þe fisschere was trewe] *and* god,   þe child he tok wele to hold.

---

31 v in vp *aus einem andern buchstaben*. — 33 herte *Hh*. — 34 seyde
Hh. — 35 long] ful long *Hh*. — 38 schulde *Hh*. — 43—45 *statt des ein-
geklammerten hat A nur* and. — *hs. A bezeichnet strophenanfang bei v*. 47,
51, 55, 59 (*und wohl auch* 63). — 45 he] he þan. — 47 but siþen his
douhter in þe nihte sent hire is þe luytel sone *V*, bote say þi douȝtere
in þat nyȝt sente þe þat lutel sone *C* (= *Cott. Cleop. D IX; vgl. Archiv*
57, 64). — 48 and preyde þou sscholdest with þi myȝt take hit cristen-
dome *C*. — 51 wolde *Hh*. — 52 to] unto *Hh*. — 55 ȝou] to ȝou *Hh*. —
56 was] was ful *Hh*. — 59 salte *Hh*. — 60 *erstes* it *übergeschrieben*;
offred] and o. *Hh*. — 61 to] for to *Hh*. — 62—64 *das eingeklammerte*
in A bis auf einzelne obere oder untere enden weg. — 62 table(s). —
64 to] for to *Hh*.

43.

AUS DEM LIEDE VON 'KING HORN'.

Hss.: Harleian MS 2223 des Brit. Museum, London (= H); Cambridger universitäts-bibliothek Gg. 4. 27. 2 (= C); Bodleiana zu Oxford, Laud Misc. 108 (= O). — Edd.: Ritson in den Ancient Engl. Metrical Romances (hs. H), London 1802, 2, 91—155; Francisque Michel für den Bannatyne Club 1845 (hs. C); J. R. Lumby (EETS 14), London 1866 (hs. C), neu hgg. v. Mac Knight, 1901; E. Mätzner, Altengl. sprachproben, Berlin 1867, 1, 207—231 (hs. C); Horstmann, Herrig's Archiv 1872, s. 39—58 (hs. O); Th. Wissmann (QF. 45), Strassburg 1881 (krit. ausg.); Joseph Hall, Oxford 1901 (alle hss. in parallelen kolumnen); Morris, Specimens of Early English, 2. ed., Oxford 1887, s. 237—286; Kluge, Me. leseb.², s. 67; Brandl-Zippel, Me. spr.- u. lit.-proben, s. 27. Vgl. O. Hartenstein, Studien zur Hornsage (Kieler Stud. z. engl. Philol. 4). — Unser text folgt zumeist der hs. C.

Alle beon he bliþe
þat to my song lyþe!
a sang iho schal ʒou singe
of Murry þe kinge.
5 king he was bi weste,
so longe so hit laste.
Godhild het his quen,
fairer ne miʒte non ben.

he hadde a sone þat het Horn,
fairer ne miʒte non beo born, 10
ne no rein vpon birine,
ne sunne vpon bischine.
fairer nis non þane he was,
he was briʒt so þe glas,
he was whit so þe flur, 15
rosered was his colur.

Unwichtige graphische varianten sind in den lesarten übergangen.
1 beon he *C*, ben he *O*, heo ben *H*. — 2 to me wilen l. *O* ‖ my s. *CH* ‖ ylyþe *H*. — 3 song *HOW (issmann)* ‖ ich wille *O*, ychulle *H* ‖ ou *H* ‖ singe *in H auf rasur,* *das radierte wort* begynne. — 4 morye *O*, Allof *H* ‖ þe gode kynge *H*. — 5 King he wes by *H* ‖ westen *O*. — 6 wel þat hise dayes lesten *O*, þe whiles hit yleste *H* ‖ leste *W*. — 7 And .(*H*: Ant) godild (*H*: -ylt) hise (*H*: his) gode quene *OH*. — 8 Feire ne m. non *C*, miste *C nach M(orris)*, miʒte *Hall*, Feyrer non micte *O* (miʒte *W*), No feyrore myhte *H* ‖ bene *OH*. — 9 Here s. hauede to name *O*, Ant huere s. hihte *H*. — 10 Feyrer (*H*: -rore) child ne micte (*H*: myhte) be b. *OH* ‖ ne miste *C*. — 11 Ne reyn ne micte upon .reyne *O*, For reyn ne myhte by ryne *H*, no r. ne miʒte bir. *W*. — 12 Ne no *O* ‖ sonne *OH* ‖ myhte shyne *H*, schine *O*, upon sch. *W*. — 13 Fayrer (feyrore *H*) child þane (þen *H*) he was, *OH*. *W* ebenso; satzende. — 14 Brict so euere any *O*, Bryht so euer eny *H*. — 15 Whit so any lili *O*, So whit so eny lylye *H* ‖ flour *OH*. — 16 So rose red *OH* ‖ wes *H* ‖ hys *O* ‖ colour *H*. *nach v. 16 folgt in OHW:* he was (wes *H*) fayr (feyr *H*) and eke bold, and of fiftene (fyftene *H*) winter (wynter *H*) hold (old *H*).

in none kingeriche
nas non his iliche.
twelf feren he hadde,
20 þat he alle wiþ him ladde,
alle riche mannes sones,
and alle hi were faire gomes,
wiþ him for to pleie;
and mest he luuede tweie:
25 þat on him het Haþulf child,
and þat oþer Fikenild.
Aþulf was þe beste,
and Fikenyld þe werste.
Hit was upon a someres day,
30 also ihc ȝou telle may:
Murri, þe gode king,
rod on his pleing
bi þe se side,
ase he was woned ride.
35 wiþ him riden bote two:
al to fewe were þo.

he fond bi þe stronde,
arined on his londe,
schipes fiftene
wiþ Sarazins kene.   40
he axede what hi soȝte,
oþer to londe broȝte.
a payn hit ofherde
and hym wel sone answerede:
'þi londfolk we schulle slon,   45
and alle þat Crist leueþ upon,
and þe selue riȝt anon,
ne schaltu todai henne gon.'
þe kyng aliȝte of his stede,
for þo he hauede nede,   50
and his gode kniȝtes two:
But ywis hem was ful wo.
swerd hi gunne gripe
and togadere smite.
hy smyten vnder schelde   55
þat sume hit yfelde.

---

17 *folgt in OH nach* 18. Bi n. *O* ‖ kinges r. *OH.* — 18 Was *O*, Nis *H* ‖ noman him *O* ‖ yliche *OH.* — 19 XII *O*, Tueye *H.* — 20 alle wiþ *C*, he alle wiþ *Hall, der* alle *streichen möchte,* alle he wiþ *Mä(tzner)*, he wiþ *HW* ‖ mid h. *O* — 21 And a. rich kinges s. *O* ‖ menne *H.* — 22 alle suyþe (swiþe *HW*) fayre (feyre *H*) *OHW.* — 23 Mid hym *O*, Wyþ him *H* ‖ forte *H* ‖ pleye *OH.* — 24 But *O*, And *fehlt H* ‖ louede tueye *OH.* — 25 on was (*H:* wes) hoten *OH* ‖ ayol *O*, athulf *H*, Aþulf *W.* — 26 fokenild *O*, Fykenyld *H*, Fikenhild *W.* — 27 Ayol *O*, Athulf *H.* — 28 Fikenylde *C*, fokenild *O*, Fykenyld *H*, Fikenhild *W.* — 29 w. *in* one s. *O.* — 30 ich nou *O*, ich ou *H* ‖ tellen *O.* — 31 Allof *H*, þat morye *O* ‖ kinge *O.* — 32 vpon ys *H* ‖ pleyhinge *O.* — 33 see *H.* — 34 þer he *OHW* ‖ to ryde *OH.* — 35, 36 *fehlen in C.* — 35 riden *O*, ne ryde *H* ‖ tvo *O*, tuo *H.* — 36 ware *O*, hue were *H.* — 38 on is *H.* — 39 schupes *W* ‖ XV *O.* — 40 of sarazines (-y-) *O(H).* — 41 acsede *O*, askede *H* ‖ wat he sowte *O*, whet hue sohten *H*, what isoȝte (i soȝte *M*, hi soȝte *W*) *C.* — 42 on is lond *H* ‖ brohten *H*, broucte *O.* — 43 peynym *O*, payen *H* ‖ it *O*, yherde *OH.* — 44 him *H, fehlt O* ‖ answerede *O*, onsuer. *H* ‖ and sone him *W.* — 45 wilen *O*, wolleþ *H.* — 46 þat euer Crist *H* ‖ al þat god *O* ‖ leuet *O*, leueþ *H*, luueþ *C* ‖ on *OHW.* — 47 þe we solen sone a. *O*, þe we wolleþ ryht a. *H.* — 48 Sald (*H:* Shalt) þou neuer (*O:* neuere) *OH(W).* — 49 licte adoun *O*, lyhte *H* ‖ of stede *W.* — 51 hise *O* ‖ knictes II *O*, feren tuo *H.* — 52 But ywis hem *O*, Mid y wis huem wes ful wo *H*, Al to fewe he hadde þo *C*, Al to fewe were þo *W.* — 53 Swerdes þe g. *O* ‖ gonne *OH.* — 54 to gydere *O*, to gedere *H.* — 55 He fouten *O*, Hy smyten *HC* ‖ an onder *O* ‖ selde *O*, shelde *H.* — 56 Some of hem he felde *O*, þat hy somme yfelde *H.*

þe king hadde al to fewe
Toȝenes so vele schrewe:
so fele miȝten yþe
60 bringe hem þre to diþe.
þe pains come to londe,
and nemen hit in here honde.
þat folc hi gunne quelle,
and churchen for to felle.
65 þer ne moste libbe
þe fremde ne þe sibbe,
bute hi here laȝe asoke,
and to here toke.
of alle wymmanne
70 wurst was Godhild þanne.
for Nurri heo weop sore,
and for Horn ȝute more.
heo wente ut of halle
fram hire maidenes alle

under a roche of stone. 75
þer heo liuede alone,
þer heo seruede gode
aȝenes þe paynes forbode;
þer heo seruede Criste,
þat no payn hit ne wiste: 80
eure heo bad for Horn child,
þat Jesu Crist him beo myld.
Horn was in paynes honde
wiþ his feren of þe londe.
muchel was his fairhede. · 85
for Jhesu Crist him makede.
payns him wolde slen,
oþer al quic flen;
ȝef his fairnesse nere,
þe child aslaȝe were. 90
þanne spac on admirald.
of wordes he was swiþe bald:

---

57 He weren al to O ‖ hade to H. — 58 Ayen O, Aȝeyn H, aȝen W ‖ so monie H, so fele W ‖ srewe O. — 59 Sone micten alle þe O ‖ myhten H ‖ eþe HW. — 60 Bringen O, bringe þre W ‖ to fehlt O ‖ deye O, deþe HW. — 61 paynimes O, payns H ‖ comen O. — 62 neme C, nomen hyt al to h. O ‖ and nomen hit an honde HW. — 63 And f. he... folgt in O nach 64. þe folk hy H ‖ gonne O. — 64 cherchen W ‖ Cherches he gonnen f. O, And Saraȝyns to f. H. — 65 micte O, myhþe H. — 66 fremede H. — 67 Bote he h. ley forsoken O, Bote he is lawe forsoke H. — 68 huere H ‖ token O. — 69 wymmanne HC, wimmenne O. — 70 werst HW ‖ Verst was godyld onne O ‖ wes Godyld H. — 71 moy he wep O, Allof hy wepeþ H. — 72 wel m. O, ȝet m. HW. danach: Godild hauede so michel sore Micte no wimman habbe more O, G. hade so muche s. þat habbe myhte hue na m. H. — 73 He wenten ut C, þe vente hout O, Hue (heo W) wente out H. — 74 From H ‖ maydenes O, maidnes H. — 75 In to a O. — 76 þar O ‖ he O, hue H ‖ wonede OH ‖ allone O, al one H. — 77 he O, hue H ‖ god O. — 78 aȝen W ‖ Ayenes þe houndes O, Aȝeyn þe payenes H ‖ forbod O. — 79 he CO, hue H, heo W ‖ crist H. — 80 þat payns hit W ‖ paynimes O, þat þe payenes H ‖ hit fehlt O ‖ nust H. — 81 And euere bed O, Ant euer hue bad H. — 82 þat ihu c. h. were O, þat crist h. wrþe H ‖ myld HC, mild O. — 83 wes H ‖ peynims O, payenes H ‖ hond H. — 84 Mid OH ‖ is H ‖ lond H. — 85 Miche O, Muche H ‖ wes H ‖ h. fayrhede O, þe feyrhade H. — 86 So ihu him hauede made O, þat j. c. him made H. — 87 þo hundes wolde slon O, payenos h. w. slo H. — 88 And some (H: summe) him wolde flon (H: flo) OH. — 89 ȝif (H: ȝyf) hornes OH ‖ fayrede O, feyrnesse H. — 90 þe children alle C, þe child yslawe ware O, Yslawe þis children were H, þis children a. were W. — 91 þan (Uan nach Hall) bi spek him amyraud O, þo spec on admyrold H, admirad C. — 92 swiþe fehlt C, swiþe baud O, swyþe bold H.

'Horn þu art wel kene,
and þat is wel isene;
95 þu art gret and strong,
fair and euene long;
þu schalt waxe more
bi fulle seue 3ere; .
3ef þu mote to liue go,
100 and þine feren also,
3ef hit so bifalle,
3e scholde slen us alle:
þaruore þu most to stere,
þu and þine ifere.
105 to schupe schulle 3e funde,
and sinke to þe grunde.
þe se 3ou schal adrenche,
ne schal hit us no3t ofþinche.
for if þu were aliue,
110 wiþ swerd oþer wiþ kniue,

we scholden alle deie,
and þi fader deþ abeie.'
þe children hi bro3te to stronde
wringinde here honde,
into schupes borde 115
at þe furste worde.
ofte hadde Horn beo wo,
ac neure wurs þan him was þo.
þe se bigan to flowe,
and Horn child to rowe; 120
þe se þat schup so faste drof,
þe children dradde þerof.
hi wenden to wisse
of here lif to misse,
al þe day and al þe ni3t, 125
til hit sprang daili3t,
til Horn sa3 on þe stronde
men gon in þe londe.

---

93 swiþe scene ·O, swyþe k. H. — 94 And follyche swiþe kene O, bryht of hewe and shene H. — 95 þou art fayr and eke OH. — 96 þou art (and eke H) eueneliche l. OH. — 97, 98 *fehlen* H. — 97 þou scald more wexe O, wexe more W. — 98 In þis fif yere þe nexte O. — 99 to liue Mictest go O, to lyue mote g. HW. — 100 An O, Ant H ‖ al so OH. — 101 þat micte so bi f. O, þat ymay byf. H. — 102 þou suldes O, þat 3e shule H. — 103 þe for þou scald to stron go O, þare fore þou shalt to streme go H. — 104 And þine feren also O, þou ant þy feren al so H. — 105 To schip ye schulen stonde O, to shipe 3e shule founde H. — 106 An sinken O. — 107 þe se (H: see) þe OH ‖ sal O, shal H ‖ adrinke O. — 108 sal O, shal H ‖ us of þinke O, vs of þenche HW. — 109 yf þou come to l. O, 3ef þou were alyue H. — 110 suerdes or O ‖ cniue O, knyue H. — 111 sholde O, shulden H ‖ deye O, de3e H. — 112 and *fehlt in* HOW ‖ faderes det O ‖ abeye O, to beye H. — 113 childre O ‖ yede (3ede) to OW, ede to þe H. — 114 Wringende O, Wryngynde H ‖ huere H. — 115, 116 *folgen in* O *nach* 118. — 115 Ant into shipes b. H, Horn yede in to þe shipes bord O. — 116 ferste W ‖ Sone at þe firste word O. — 117 hauede O, hade H ‖ horn child O ‖ be OH. — 118 Bute neuere werse þan þo O, Ah neuer wors þen him wes þo H, wers W. *nach* 118: And alle hise feren þat ware him lef and dere O. — 119 see bygon H ‖ flowen OH. — 120 And horn faste to rowen OH. — 121 And here schip swiþe O, Ant þat ship wel suyþe H ‖ fasste C. — 122 þ. ch. adred þer of O, And Horn wes þerof H. — 123 þei w. alle wel ywis O, Hue w. mid y wisse H, Hi wenden wel y-wisse M. — 124 l. haued ymis O, huere lyue to m. H. — 125 nict O, nyht H. — 126 Till him sprong þe day lyt O, O þat sprong þe d. lyht H, (þe) dai M ‖ sprong W. — 127 sa3 *fehlt* O ‖ bi þe str. O ‖ flotterede horn by þe H. — 128 Seth men gon alonde O, ere he seye eny l. H.

Zupitza-Schipper, Alt- u. mittelengl. übungsb. 12. aufl. 9

'feren', quaþ he, 'ȝynge,
130 ihc telle ȝou tiþinge:
ihc here foȝeles singe,
and se þat gras him springe.
bliþe beo we on lyue,
ure schup is on ryue.'
135 of schup hi gunne funde,
and setten fot to grunde.
bi þe se side
hi leten þat schup ride.
þanne spak him child Horn —
140 in Suddene he was iborn —:
'schup, bi þe se flode

daies haue þu gode.
bi þe se brinke
no water þe nadrinke.
ȝef þu cume to Suddenne,   145
gret þu wel al myne kenne,
gret þu wel my moder,
Godhild quen þe gode.
and seie þe paene kyng,
Jesu Cristes wiþerling,
þat ihc am hol and fer
on londe ariued her,
and seie þat he schal fonde
þe dent of myne honde.'

---

129 ȝonge C, ȝinge W, Feren he seyde singe O, feren quoþ Horn
þe ȝynge H. — 130 Y t. ȝ. a tidinge O, ytelle ou tydynge H. — 131 Ych
O, Ich H ‖ foules OH. — 132 so þe gr. O, þe grases H ‖ him *fehlt*
H ‖ se *fehlt* C. — 133 be we oliue O ‖ be ȝe alyve H ‖ liue W. —
134 Houre schip hys come O, vr ship is come H ‖ to r. H ‖ riue W. —
135 schip þe gon fonde O, shipe hy gonne founde H. — 136 An O ‖
sette OH ‖ fout C ‖ on gr. O.·— 137 see syde H. — 138 Here schip
bigan to glide O, hure ship bigon to ryde H, here schup bigan to
ride W. — 139 þenne H ‖ spek O, spec H ‖ þe child (*ohne* him) O. —
140 sodenne O, sudenne H ‖ yb. OH. — 141 Go nou schip by fl. O,
nou ship by þe fl. H ‖ þe flode W. — 142 And haue dawes g. O, haue
dayes g. H. — *nach* 142 *in* O, *nach* 144 *in* H: Softe mote þou stirie
(sterye H) No (þat H) water þe derie (þe ne derye H). — 143, 144
fehlen O. — 143 By þe see brynke H. — 144 adrynke H. — 145 Sud-
denne C, *Morsbach (Förster-Festschrift, s. 318).* Wanne þou comes to
sodenne O, ȝef þou comest to sudenne H. — 146 Gr. wel al mi kinne
O, Gr. hem þat me kenne H, Gr. þu wel of myne k. C, gr. þu wel mi
kenne W. — 147 And grete wel O, gret wel H ‖ my moder C, þe
gode OH. — 148 Quen (quene H) Godild my (mi H) moder OH. —
149 sey þat (þene H) heþene k. OH. — 150 Jhū OH ‖ wiþering C,
wytherlyng H. — 151 ichc lef and dere O, ich hol and f. H ‖ fere
W. — 152 On l. am riued O, in londe aryuede H ‖ On þis lond a.
C ‖ here W. — 153 Ant H ‖ sei O, say H ‖ þ. hei C ‖ shal OH ‖ fonge
O. — 154 þen H ‖ deth O, deþ H ‖ mine O.

44.

AUS DEM 'HAVELOK'.

Hss.: Oxford, Laud MS 108, fol. 204r; Cambridge, Univ.-Library 4407, 19 bloss fragmente von 58 vv. in 3 partien. — Edd.: The Lay of Havelok the Dane, ed. W. W. Skeat, London 1868 (EETS, Extra-Ser. 4), und Oxford 1902, neu hgg. v. K. Sisam 1915 [= S²], s. 1; Havelok, ed. F. Holthausen, Heidelberg 1901, 2. aufl. (= Hh 2) 1910, s. 1—6. (vgl. die genauen literaturangaben zur textkritik, grammatik etc. daselbst, s. XI, kollation s. XVI; dazu Holthausen [= Hh a], Beiblatt zur Anglia 11, 306, 359; 12, 146, und An English Miscellany, presented to Dr. Furnivall, Oxford 1901, s. 176 ff. [= Hh β]); sowie die Einleitung Sisams.

Herkneth to me, gode men,
wiues, maydnes and alle men,
of a tale, þat ich you wile telle,
hwo so it wile here and þerto duelle.
5 þe tale is of Hauelok imaked:
hwil he was litel, he yedę ful naked.
Hauelok was a ful god gome,
he was ful god in eueri trome,
he was þe wichteste man at nede,
10 þat þurte riden on ani stede.
þat ye mowen nou yhere,
and þe tale ye mowęn ylere.
at the biginning of vre tale
fil me a cuppe of ful god ale,
15 and wile drinken, er y spelle,
þat Crist vs shilde alle fro helle.
Krist late vs euere so for to do,
þat we moten comen him to;
and, with þat it mote ben so,
20 *benedicamus domino!*

Here y schal biginnen a rym,
Krist us yeuę wel god fyn!
the rym is maked of Hauelok,
a stalworþi man in a flok:
he was þe stalworþeste at nede, 25
þat may riden on ani stede.
It was a king bi aredawes,
that in his time werę gode lawes;
he dede [hem] maken and ful wel
holde.
hym louęde yung, him louęde 30
olde,
erl and barun, dreng and þayn,
knicht, bondeman and swain,
wyues, maydnes, prestes and
clerkes,
and al for hise gode werkes.
he louęde god with al his micht 35
and holi kirke and soth and
richt.

---

1 Herknet(h) H(olt)h(ausen)] herknet hs. — 3 þat ich hs.] HhS(keat)' streichen þat || wil S² || telle(n) Hh. — 4 H(wo) HhS²] wo hs. || dwelle(n) Hh. — 5 of H. is S². — 6 (H)wil HhS²] wil hs. — 8 eueri(lk) Hh. — 9 wic(h)teste Hh, wihtest S²] wicteste hs. — 12 ylere(n) Hh. — 13 beginig hs., beginning M(adden)S, bi- HhS². — 15 and y SS² || wilę S² || her hs., Hh 2, hor Hh. — 17 Hh liest heuere, S² euere, beide streichen for. — 19 wite S, wit(h) Hh, with S²] wit hs. — 22 yive Hh. — 24 þe stalworþeste man hs. Hh, þe beste man Hh 2, þe wihtest man S². — 27 ore-d. Hh. — 28 were vor gode tilgen St(ratmann) Hh || kein zeichen hinter lawes HhS². — 29 he vor dede tilgen StHh || hem fehlt in der hs.; erg. SHh, fehlt S² || an(d) Hh] an hs. || holdeņ Hh] holden hs. S². zu 27—29 vgl. Morsbach, Engl. stud. 29, 369 f. — 30 loueden olde S², louede holde hs., holde Hh. — 31 þayn Z(upitza)] kayn hs. — 32 knic(h)t Hh, kniht, and S²] knict hs. — 33 wydues hs. Hh 2 S² || Hh a streicht and. — 35 micht Hh, miht S²] micth hs. — 36 ant richt Hh 2] ant ricth hs., and riht S².

9*

richtwise men he louede alle
and oueral made hem forto calle.
wreieres and robberes made he
    falle
40 and hated hem, so man doth galle.
vtlawes and theues made he bynde,
alle, þat he michte fynde,
and heye hengen on galwe tre;
for hem ne yede gold ne fe.
45 in þat time a man, þat bore
*   *   *
of rede gold upon his bac,
in a male hwit or blac,
ne funde he non, þat him misseyde,
50 ne with iuele on him hond leyde.
þanne michte chapmen fare
þurhut Englond with here ware
and baldelike beye and sellen,
oueral, þer he wilen dwellen:
55 in gode burwes and þer-fram
ne funden he non, þat dede hem
    sham,
þat he ne weren sone to sorwe
    brouht
and pouere maked and brouht to
    nouht.
þanne was Engelond at ayse:

michel was suich a king to preyse, 60
þat held so Engelond in grith:
Krist of heuene was him with.
he was Engelondes blome.
was non so bold [þe] lond to
    rome,
þat durste upon his [liþe] bringe 65
hunger, ne oþere wicke þinge.
hwan he felede hise foos,
he made hem lurken and crepen
    in wros:
þei hidden hem alle and helden
    hem stille
and diden al his herte wille.   70
richt he louede of alle þinge,
to wronge micht him no man
    bringe,
ne for siluer, ne for gold,
so was he his soule hold.
to þe faderles was he rath: 75
hwo-so dede hem wrong or lath,
were it clerc, or were it knicht,
he dede hem sone to hauen richt;
and hwo-so dide widuen wrong,
were ne neure knicht so strong, 80
þat he ne made him sone kesten
in feteres and ful faste festen;

---

37 rirth *hs. nach S*², rirch wise *Hh 2, kollation, verb. S zu* richt-
wise, richt- *Hh,* riht- *S*². — 38 *Hh 2 streicht* for. — 39 *so HhS*¹] wrob-
beres *hs.Hh 2.* — 41 bynde *hs.*] bynde(n) *Hh,* — 42 michte *Hh,* mihte
*S*²] ‖ micthe fynde *hs.*] fynde(n) *Hh.* — 46 *erg. M:* wel fyfty pundes
(pund *SS*¹), y woth (wot *S*²), or more; *Hh 2:* a hundred pound oþer
more. — 47 rede *SS*¹*Hh 2,* red *hs.Hh* ‖ hijs *hs.Hh.* — 48 (h)with *Hh,* hwit
*S*²] with *hs.* — 50 ne *M*] N *hs.* ‖ him *S*] *fehlt.* N(e) hond on (him) with
iuele leyde *HhS*¹, N(e)with iuele on (him) bond leyde *Hh 3,* iuele hond on
leyde *Hh 2.* — 51 michte *Hh*] micthe *hs.,* mihte *S*². — 52 þuruth *hs.,* þuruth
Hh. ‖ Eng(e)lond *HhS* ‖ wit(h) *Hh*] wit *hs.* — 53 bye *Hh.* — 54, 56 he] þe(i)
Hh. — 57 were *Hh*] weren *hs.Hh 2* ‖ sone *tilgt S*² ‖ brouht *Hh*] brouth *hs.* —
58 An(d) *Hh*] an *hs.* ‖ brow(h)t *Hh*] browt *hs.,* browht *S*¹ ‖ nouht *HhS*¹]
nouth *hs.* — 59 at ayse *S*¹] at hayse *Hh,* athayse *hs.* — 60 sui(l)ch *Hh*] svich
*hs.S*¹. — 61 Engelond *SHhS*¹] englond *hs.* — 64 *Hh a H2 erg.* þe *vor* lond ‖
Rome *Z.* — 65 *nach* his *erg. SS*¹ menie, *Hh* liþe ‖ bringe *S*¹] bringhe
hs.Hh. — 66 oþere *Garnett*] here *hs.* ‖ þinghe *hs.* — 67 filede *Hh.* — 69 þe(i)
*HhS*¹] þe *hs.* — 71 Richt *Hh*] ricth *hs.,* riht *S*². — 74 of his soule *S.* —
75 roth *Hh.* — 76 (H)wo *HhS*¹] wo *hs.* ‖ loth *Hh.* — 77, 80 knicht *Hh*]
knicth *hs.,* kniht *S*². — 78 richt *Hh*] ricth *hs.,* riht *S*². — 79 (h)wo *Hh*]
wo *hs.* ‖ -so dide *SS*¹*Hh*] didē *hs.* — 82 and *steht vor* in *hs.*

and, hwo-so dide maydne shame
of hire bodi, or brouht in blame,
85 bute it were bi hire wille,
he made him sone of limes spille.
he was te beste kniht at nede,
þat euere michte riden on stede,
or wepne wagge, or folc vt lede,
90 of kniht ne hauede he neuere drede,
þat he ne sprong forth, so sparke
of glede,
and lete him knawe of hise hand-
dede,
hu he couþe with wepne spede.
and oþer he refte him hors or wede,
95 or made him sone handes sprede,
and: 'louerd, merci!' loude grede.
he was large and nowicht gnede:
hauede he non so god brede,
ne on his bord non so god shrede,
100 þat he ne wolde þorwith fede
poure, þat on fote yede,
forto hauen of him þe mede.
þat for vs wolde on rode blede,
Crist, þat al kan wisse and rede,
105 þat euere woneth in ani þede.

þe king was hoten Aþelwold:
of word, of wepne he was bold.

in Engeland was neure knicht,
þat betere held þe lond to richt.
of his bodi ne hauede he eyr,   110
bute a mayden swiþe fayr,
þat was so yung, þat she ne couþe
gon on fote, ne speke with mouþe.
þan him tok an iuel strong,
þat he wel wiste and underfong, 115
þat his deth was comen him on,
and seyde: 'Crist, hwat shal y don?
louerd, hwat shal me to rede?
i wot ful wel, ich haue mi mede.
hu shal nou mi douhter fare?   120
of hire haue ich michel kare:
she is mikel in mi þouht,
of me self is me riht nowht.
no selcouth is, þouh me be wo:
she ne kan speke, ne she kan go. 125
yif sche couþe on horse ride,
and a thousande men bi hire syde,
and she were comen intil elde,
and Engelond she couþe welde,
and don of hem þat hire were 130
queme,
and hire bodi couþe yeme,
ne wolde me neuere iuele like,
þouh ich were in heuenerike.'

---

83 (h)wo *Hh*] wo *hs.*, who-so *S⁹*. — 84 brouht *Hh*] brouth *hs.* —
86, 87 he *MEdd.*] ke *hs.* — 87, 90 kniht *HhS²*] knith *hs.* — 88 heuere
michte *Hh* (mihte *S²*)] heuere micthe *hs.* — 91 *Hh a: streiche* forth? —
92 lete] tete *hs. (nicht nach SHh)* = tehte *St* ‖ knawe *erg. SS²*, knowe
Hh. — 93 hw *hs.* — 97 no wicht *Hh*] nowicth *hs.*, no wiht *S²*. — 98 he
non *hs.*] he neure *S²*. — 99 non] ñ *hs.* — 100 þorwit(h) *HhS²*] þorwit
hs. — 108 knicht *Hh*] knicth *hs.*, kniht *S³*. — 109 hel(d) *Hh*] hel *hs.* ‖
richt *Hh*] ricth *hs.*, riht *S²*. — 112 she *Hh*] sho *hs. S³*. — 113 fo(te) ‖
wit(h) *Hh*] wit *hs.* — 115 we(l) *MEdd.*] we *hs.* ‖ underfong *hs. S²*] under-
fond *HhHhβ*. — 116 deth *hs. Hh 2S²*] ded *Hh.* — 117, 118 (h)wat *Hh*]
wat *hs.* — 118 *Björkman erg.* ben *nach* me. — 119 woth *HhS²*] woth
hs. — 120 (H)w *Hh*] w *hs.*, hu *S²*. — 122, 125 *(beide male)*, 128, 129 sho
hs. S³ Hh 2] she *Hh* ‖ 122 þouht *HhS²*] þouth *hs.* — 123 rith *hs.* ‖ now(h)t
HhS²] nowt *hs.* — 124 þou(h) *HhS²*] þou *hs.* — 126 sche *Hh*] scho
hs. S³ Hh 2. — 127 *Hh streicht* and ‖ thousande *hs. S*] thousende *Hh*,
thousande *Hh 2*, thousand *S¹*. — 128 helde *hs.*] helde *Hh.* — 129 *Hh
nimmt zw.* 129 u. 130 *lücke von zwei versen an.* — 130 of hem þat *S³
nach Garnett*] hem of *Hh* ‖ þat *Hh 2*] þar *hs. S Hh.* — 131 An(d) *Hh Edd.*]
an *hs.* — 132 me] hit? *S.* — 133 þou(h) *Hh*] me þou *hs. S*, ne þouh *S²* ‖
rike *Hh S²*] -riche *hs.*

Quanne he hauede þis pleinte
maked,
135 þer after stronglike quaked,
he sende writes sone onon
after his erles euereich on,
and after hise baruns, riche and
poure,
fro Rokesburw al into Douere,
140 þat he shulden comen swiþe
til him, þat was ful vnbliþe,
to þat stede, þer he lay
in harde bondes, nicht and day.
he was so faste with yuel fest,
145 þat he ne mouhte hauen no rest.
he ne mouhte no mete ete,
ne he ne mouchte no lyþe gete,
ne non of his iuel þat couþe red:
of him ne was nouht buten ded.
150 Alle þat þe writes herden,
sorful and sori til him ferden:
he wrungen hondes and wepen sore,
and yerne preyden Cristes ore,
þat he wolde turnen him
155 vt of þat yuel þat was so grim.
þanne he weren comen alle
bifor þe king into the halle,
at Winchestre, þer he lay,
'welcome', he seyde, 'be ye ay!

ful michel þank kan y yow,   160
that ye aren comen to me now.'
Quanne he weren alle set,
and þe king haueden igret,
he greten and gouleden and gouen
hem ille,
and he bad hem alle ben stille,   165
and seyde: 'þat greting helpeth
nouht,
for al to dede am ich brouht.
bute nou ye sen, þat i shal deye,
nou ich wille you alle preye
of mi douhter, þat shal be   170
yure leuedi after me:
hwo may yemen hire so longe,
boþen hire and Engelonde,
til þat she be wuman of elde,
and þat she mowe hire yemen   175
and welde?'
he ansuereden and seyden anon,
bi Jhesu Crist and bi seint Ion,
þat þerl Godrigh of Cornwayle
was trewe man withuten faile;
wis man of red, wis man of dede,   180
and men haueden of him mikel
drede:
'he may hire alþer-beste yeme,
til þat she mowe wel ben quene.'

---

135 *MS²* *erg.* he *vor* quaked *und setzen nach* quaked *einen punkt.* —
137 euere-i(l)ch *Hh.* — 140, 152, 156, 162, 164, 176 he *hs.* S²] þei *Hh.* —
142 þer *S Edd.*] þe *hs.* — 143 nicht *Hh*] nieth *hs.*, niht S². — 144 wit(h)
Hh S²] wit *hs.* — 145, 146 mouhte *Hh* S²] mouthe *hs.* — 146 hete(n) *Hh*]
ete S², hete *Hh 2*, hete *hs.* — 147 mouhte S² || gete *hs.* S² *Hh 2*] gete(n)
Hh. — 149 nouht *Hh*] nouth *hs.* — 151 sorful and S] Sor(w)ful an(d) *Hh*,
sorful an *hs.* — 152 g *vor* wepen *getilgt, Hh.* — 153 ore S²] hore *hs.*,
hore *Hh 2.* — 154 wolde *erg.* S S². — 160 þanke S || y *ergänzt* MS². —
163 (h)aueden *Hh* S²] aueden *hs.* — 166 nouht *Hh* S²] nouth *hs.* — 167
brouht *Hh* S²] brouth *hs.* — 168 nov *hs.* || deye(n) *Hh.* — 169 preye(n)
Hh. — 170 douhter *Hh*] douther *hs.* — 172 (H)wo *Hh* S²] wo *hs.* —
174 be *fehlt in hs.* erg. Z; *dafür* (mowe) S, *der mit* M winan *statt* wman
(*hs. Hh*) *liest;* S³ wuman(be) || elde S²] helde *hs.* — 175 þa *hs.* || hire *fehlt*
hs., *erg. Hh*, (hir) S². — 176 anon *aus* onon *oder umgekehrt Hh*, an-an
Hh 2. — 177 Jhesu *fehlt hs. Hh*] bi Jhesu Crist S S² || Jo(ha)n *Hh.* —
178 Godrich *Hh.* — 179 wit(h)uten *Hh*] wituten *hs.* — 182 alþer-best hire
Hh S²; best *hs.*, *verb.* S.

45.

AUS DEM 'CURSOR MUNDI'.

Hss.: Cotton Vesp. A III (= C), College of Physicians in Edinburgh (= E), Fairfax 14 in der Bodleiana (= F), MS theol. 107 zu Göttingen (= G), MS R 3. 8 des Trinity College, Cambridge (= T). — Ausg.: Cursor Mundi, a Northumbrian Poem of the XIVth Century, ed. Morris, London 1874ff. (EETS 57. 59. 62. 66. 68), s. 1122 und 1595. unser text folgt in der schreibung TE; wenn CEG übereinstimmen, werden etwaige varianten von FT nicht angegeben.

Saulus soʒte aiquare and þrette
al þe cristin, he wiþ mette.
of prince of prestis gat he leue,
and þareon purchaisid he a breue
5 for to sek baþe up ande dune:
if he moʒte finde in ani tun
cristin man, he suld þaim lede
to Iurselem, to prisuu bede.
als he wente þus to seke and aske
10 tilwarde a tune, that hiʒt Damaske,
þe fir of heuin hauis him stund
and braþeli befte unto þe grunde:
blindfelde he was. als he sua lai,
he herde a steuin þus til him sai:
15 'Saul, Saul, þu sai me nu,
quarfore on me sua werrais tu?'
'ande quat ertu, lauerd sua unsene?'
'bot ic hat Iesus Nazarene,
þat tu werrais al, þat tu mai.
20 bot vndirstande, þat i þe sai:

it es to þe oute ouir miʒte
ogain þi stranger for to fiʒte.'
Saul him quoke, sua was he rad,
forglopnid, in his mode al mad.
'sai me þan, lauerd, quat i sal do. 25
þi wil wil i do redi, loo.'
'rise up and gange, þe tun es nere:
quat tu sal do, þare saltu lere.'
þe folc war ferde, þat wiþ him ferde:
na man þai saʒ, quat sum þai herde. 30
of Saul herde þai wel þe steuin,
bot noʒte of þat, þat com fra heuin.
blinde he ras up, als he moʒte,
þat forwiþ þan was blind in þoʒte.
his eien opin baþe hauid he, 35
and þoʒ a smitte moʒte he noʒt se.
al blind his men to tune him ledde,
and III daiis liuid he þare unfed:
nouþer he ne ete þa III dais time,
na he ne iwis moʒt se a stime. 40

---

2 þat all *G* ‖ þat he *GT.* — 3 of prestis] of preste *E*, of preist *G*, and prestes *F.* — 4 a] þair *G*, þar *C (geändert F).* — 5 bisek *E.* — 6 tun] stun *E.* — 9 seke] speke *G*, quere *T.* — 11 heuin] hell *GT* ‖ hauis him] þar has him *C*, had him *G*, come in a *F*, him smot þat *T.* — 12 befte] kest *C*, kest him *GT*, him smitin *F* ‖ to *FGT.* — 14 he] and *G.* — 15 þu f. *ET* (*F hat geändert*). — 16 sua on me *G* ‖ weirais *E* (*T hat geändert*). — 17 what ar þou *T*] *H(olt)h(ausen) str.* ande. — 18 hat] am *GT* ‖ iesum *E.* — 20 bo *E.* — 22 þi wranger *G*, þe stranger *C (FT geändert).* — 23 Saulus *C* ‖ him *f. T*, þan *C.* — 24 forferde *T*, for gloppning *CF* ‖ al] als *E*, was *F.* — 25 þan] þu *G*, *f. FT.* — 26 i redi do nu lo *G (FT geändert).* — 27 and *f. E.* — 28 *erstes* sal *f. G* ‖ here *FGT.* — 31 saulus *C.* — 32 of þat] þai sau *GT.* — 34 f. þan] bifor *FGT.* — 35 bath opin *G*, liddes open *T.* — 36 smitte] stime *G*, blenke *F (geändert T).* — 37 his man *C*, has men *G*, men *T*] *vor* him *FGT.* — 39 nouþer] noght *FGT.* — 39 *und* 40 ne *f. CFGT.*

wiþin þai III niȝte and þre daiis
mikil he lerd, als sum men sais,
of spelling, þaþ he siþin spac;
for of preching hauid he na make.

45   In tune of Damaske þat tim was
a cristin, hiȝte Ananias,
to quam ur lauerd saide in siȝte:
'ga til a strete, þat suagat biȝte.
in þat hus,' saide he, 'saltu finde
50 Saul of Tars þare liggand blinde,
liggand laid his heuid dune
ai iþinlic in orisune.'
Ananias him þan ansuerde:
'lauerd,' he saide, 'ofte haue i herde
55 of priisuning tel and of pine,
þat he hauis wroȝte to santis þine,
and pouste hauis to do þaim scam,
til al, þat calis on þi name.'
'do wai,' he saide, 'it nis noȝte sua;
60 bot, þare i bid þe gange, þu ga.
þu ga til him: he es me lele,
and of mi chesing he es uessele,
for to knaw mi name and bere
baþe bifore king ande kaiser.
65 baptizing þu sal him bede,
bot of þi lare hauis he na nede;
his maistir of lare i selue sal be,
and mikil sal he thole for me,

himselue to þole parte of þat pine,
þat he did are to santis mine.'   70
Ananias soȝte sone þat inne,
and forsaide Saul he fand þarein.
and, quen he laide on him his
          hende,
'Saul,' he saide, 'he me hauis sende,
Iesu, þat him kid to þe   75
bi wai, to do þe for to se,
wiþin and oute to haue þi siȝte
and haue þe hali gastis miȝte.'
scalis fel fra his eien awai,
and hauid his siȝte forþe fra þat dai. 80
and, quen he hauid his baptim tane,
he ete and dranke and couerid
          onane.
to cristin men, als i ȝu telle,
in sinagoge bigan to spelle,
and þus sone þan wex he cuþ   85
wiþ goddis wordis of his muþ.
al, þat him herde, him wonderit on.
ilkane saide: 'na es noȝt gion
he, þat we saȝ þis ender dai
gain Iesu name sua fast werrai? 90
and þarfore come he to þis tun
at fotte þe cristin to prisune.'
    Saul him couerid in an stunde,
þe Iuwis fast gan he confunde

---

42 lered *CT*, lernid *E*, segh *F* ‖ man *E*. — 43 spellis *E*, spechis *F*. —
45 Damnaske *E*. — 46 þat hight *CF*, man hight (hett *T*) *GT*. —
48 sted *C*. — 49 he saide *E*., f. *T*. — 51 lai *E*, liþ *T*. — 52 iþinlic] fast
praiand *GT*. — 53 þan him *G*, þen *F*, him *T*. — 55 Tel of pr. *EF*, Of
muchel pr. *T*. — 56 don *CGT* ‖ seruandes *GT*. — 57 þaim] all *GT*. —
58 to alle þat *F*, þat euer *GT* ‖ apone *GT*, in *F*. — 59 es *CG*, is *FT*. —
61 gange *E* ‖ he] þu *E* ‖ me] mi *EG*. — 62 he f. *E*. — 67 i sal selue *E*,
mi self sal *F*, i shal *T*. — 69 he self *C*. — 70 seruandis *GT*, men
was *F*. — 72 saulum *E*, poule *T* ‖ he f. *CE*. — 73 hand *C*, honde *(mit
umstellung)* *T*. — 75 him] has *G*, him haþ *T*. — 78 þe f. *G*. ‖ gast *C*. —
80 þis *E*. — 81 and f. *ET*. — 83 men f. *CG* ‖ als *CG*, as *FT*. —
84—86 muþ] sone wa he cuþe ‖ in sinagoge spel biguþe *E*. — 84 bigan
he *T*. — 85 and f. *T* ‖ þan f. *F* ‖ wex þei *T*, wer he *G*. — 86 word *C* ‖
all of *C*, in *T*; *Schücking beanstandet den punkt nach* muþ. — 87 wonder *C*. —
88 ilkan þan *C*, and ilkan *G*, and *T*. — 90 name of iesu *E* ‖ fast] oft *G*,
f. *EFT*. — 91 þarfore] þar *C*, alsua *GT* ‖ he *vor* coom *T*, f. *E* ‖ unto *E*. —
92 fett *GT*, focche *F* ‖ cristen men *G*. — 93 Saulus *C* ‖ him f. *EGT*. — 94 fast f. *E*.

95 and bad þaim alle to lete and liste,
þare was no god, bot Iesu Criste.
sa faste þe Iuwis he wiþstode,
þat sare he mengit þaim in mode,
quarefore it was, þai toke þair
    rede
100 dernli sone do him to dede.
þair redis þarfor gan þai run
wiþ þe kepers of þat tune,
nichte or dai to waite þe time,
quen þai inoȝte come to murþir
    him.
105 þe mair þan dide þe tune be gett,
bot Paul it wist, þat he was þrett,
and in a lepe men lete him dune
out ouir þe wallis of þe tune:

wiþoutin ani wonde or wemme
he went him þan to Ierusalem. 110
to þe apostlis he him bede,
bot þai sumdel for him war drede
and wende noȝte giet in þat
    siquare,
þat sikirlic he cristin ware.
bot Barnabas tiþand þaim talde 115
and mad þaim of his bunte balde,
talde, hu Crist wiþ him gan mete
and til him spac walcande bi
    strete,
and hu he ne blenkid for na
    blame
in Damaske to spel ur lauerdis 120
    nam.

46.

DAME SIRIþ.

Hs. zu Oxford, Bodleiana, Digby 86, fol. 165ro—168ro; kollationen: Codicem manuscriptum Digby 86, fol. 165r—168r, descripsit E. Stengel, Halis, 1871, s. 68, und E. Kölbing, Engl. stud. 5, 378. Edd.: Anecdota Literaria, ed. Th. Wright, London 1844, s. 1—13; danach E. Mätzner, Altengl. sprach-proben 1, 103—113; G. H. Mac Knight, Middle Engl. Humorous Tale in Verse, Boston 1913; Brandl-Zippel, Me. sprach- u. lit.-proben, s. 118. — Vgl. auch Anglia 30, 306ff. u. Beibl. z. Anglia, 29, 284ff. — lesarten von Wright und Mätzner sind nur in wichtigeren fällen verzeichnet.

As I com bi an waie,
Hof on ich herde saie,
    Ful modi mon and proud;
Wis he wes of lore,
5 And gouþlich under gore,
    And cloþed in fair sroud.

To lovien he bigon
On wedded wimmon,
    þerof he hevede wrong;
His herte hire wes alon, 10
þat reste nevede he non,
    þe love wes so strong.

99 it was] þat *G, f. T.* — 100 derueli *E,* derfli *F,* ful derfli *G* ‖ sone *f. CET* ‖ to do *CT* ‖ him *vor* to do *C* ‖ to þe dede *E.* — 102 all þe *G,* alle þo *T* ‖ þat] þe *E.* — 103 or *GT,* and *CF,* ouir *E.* — 105 gett] ge *(das übrige beim einbinden weg) E,* keped *C (T geändert).* — 106 saul *GT* ‖ it *f. FGT* ‖ þrett] þr *(s. zu 105) E.* — 107 man *E.* — 108 þat tune *GT.* — 109 ani *erst vor* wemme *E.* — 110 him þan *C*] right þan *G,* þo *T,* him *F, f. E* ‖ into *EF.* — 111 sone he *G.* — 112 war for him *CG,* were of him *vor* sumdel *T.* — 113 *Brotanek liest* squiare; *s. Bosworth-Toller s. v.* wênan *(d).* — 115 þaim tiþand *E,* hem tiþing *T.* — 119 and *f. G* ‖ he *f. E* ‖ for] wiþ *E* ‖ *Hh streicht* ne. — 120 in *f. CE* ‖ lauerd *C,* goddis *FT.*
    4 wes] was *Br(andl)-Z(ippel).*

Wel ȝerne he him bi-þoute
Hou he hire gete moute
15   In ani cunnes wise.
þat he sei on an day,
þe loverd wend away
  Hon his marchaundise.

He wente him to þen inne,
20 þer hoe wonede inne,
þat wes riche won;
And com into þen halle,
þer hoe wes srud wiþ palle,
And þus he bigon:

25 'God almiȝtten be her-inne!'
'Welcome, so ich ever bide wenne,'
  Quad þis wif;
'His hit þi wille, com and site,
And wat is þi wille let me wite,
30   Mi leve lif.

Bi houre loverd, hevene king,
If I mai don ani þing
  þat þe is lef,
þou miȝtt finden me ful fre,
35 Fol bleþeli willi don for þe,
  Wiþhouten gref.'

'Dame, God þe for-ȝelde,
Bote on þat þou me nout bimelde,
  Ne make þe wroþ;
40 Min hernde willi to þe bede,
Bote wraþþen þe for ani dede
  Were me loþ.'

'Nai, i-wis, Wilekin,
For noþing þat ever is min,
45 þau þou hit ȝirne,
Houncurteis ne willi be,
Ne con I nout on vilté,
  Ne nout I nelle lerne.

þou mait saien al þine wille,
And I shal herknen and sitten stille, 50
  þat þou have told.
And if þat þou me tellest skil,
I shal don after þi wil,
  þat be þou bold;

And þau þou saie me ani same, 55
Ne shal I þe nouiȝt blame
  For þi sawe.'
'Nou ich have wonne leve,
ȝif þat I me shulde greve,
  Hit were hounlawe. 60

Certes, dame, þou seist as hende;
And I shal setten spel on ende,
  And tellen þe al,
Wat ich wolde, and wi ich com.
Ne con ich saien non falsdom, 65
  Ne non I ne shal.

Ich habbe i-loved þe moni ȝer,
þau ich nabbe nout ben her
  Mi love to schewe.
Wile þi loverd is in toune, 70
Ne mai no mon wiþ þe holden roune
  Wiþ no þewe.

ȝursten-dai Ich herde saie,
As ich wende bi þe waie,
  Of oure sire; 75
Me tolde me þat he was gon
To þe feire of Botolfston
  In Lincolneschire.

And for ich weste þat he ves houte,
þarfore ich am i-gon aboute 80
  To speken wiþ þe.
Him burþ to liken wel his lif,
þat miȝtte welde selc a vif
  In privité.

---

16 he sei] befel W(right), M(ätzner). — 22 þem halle hs. nach M. —
27 qvad hs. nach M. — 33 nach þe ist i und ein anderer buchstabe ausradiert
K(ölbing). — 37 Ka(luza) verb. hit þe. — 47 nout hs WM] nouiȝt H(olt-)
h(ausen). — 48 Hh liest Ne nout nell lerne. — 55 Bj(örkman) möchte
ne vor saie einfügen. — 61 as þe hende Hh. — 69 schewe Hh] schowe
hs. — 83 selc M] sece hs., sett W.

85 Dame, if hit is þi wille,
  Boþ dernelike and stille
  Ich wille þe love.'
  'þat woldi don for non þing,
  Bi houre Loverd, hevene king,
90   þat ous is bove!

  Ich habbe mi loverd þat is mi
       spouse,
  þat maiden broute me to house
  Mid menske i-nou;
  He loveþ me and ich him wel,
95 Oure love is also trewe as stel,
  Wiþhouten wou.

  þau he be from hom on his hernde,
  Ich were ounseli, if ich lernede
  To ben on hore.
100 þat ne shal nevere be,
  þat I shal don selk falseté,
  On bedde ne on flore.

  Never more his lif-wile,
  þau he were on hondred mile
105   Bi-ȝende Rome,
  For no þing ne shuld I take
  Mon on erþe to ben mi make,
  Ar his hom-come.'

  'Dame, dame, torn þi mod:
110 þi curteisi wes ever god,
  Aȝd ȝet shal be;
  For þe Loverd þat ous haveþ wrout,
  Amend þi mod, and torn þi þout,
  And rew on me.'

115 'We, we! oldest þou me a fol?
  So ich ever mote biden ȝol,
  þou art ounwis.

Mi þout ne shalt þou newer wende;
Mi loverd is curteis mon and hende,
  And mon of pris;   120

And ich am wif boþe god and trowe;
Trewer womon ne mai no mon
      cnowe,
  þen ich am.
þilke time ne shal never bi-tide,
þat mon for wouing ne þoru prude 125
  Shal do me scham.'

'Swete leumon, merci!
Same ne vilani
  Ne bede I þe non;
Bote derne love I þe bede,   130
As mon þat wolde of love spede
  And finde won.'

'So bide ich evere mete oþer drinke,
Her þou lesest al þi swinke;
þou miȝt gon hom, leve broþer, 135
For wille ich þe love, ne non oþer,
Bote mi wedde houssebonde.
To tellen hit þe ne wille ich wonde.'
'Certes, dame, þat me for-þinkeþ;
And wo is þe mon þat muchel 140
      swinkeþ,
And at þe laste leseþ his sped!
To maken menis his him ned.
Bi me I saie ful i-wis,
þat love þe love þat i shal mis.
And, dame, have nou godne dai! 145
And þilke Loverd, þat al welde
      mai,
Leve þat þi þout so tourne,
þat ihc for þe no leng ne mourne.'

---

86 *Hh verb.*: Boþe dernlik. — 91 habbe *Hh*] habe *hs.* — 93 das n in menske *aus einem andern buchstaben radiert K.* — 97 þan *hs. M Br-Z,* verb. *Bj.* — 102 *Ka streicht das zweite* on. — 108 *nach* hom *ein buchstabe radiert K.* — 121 trowe *Hh*] trewe *hs.* — 122 cn *in* cnowe *auf rasur K; Hh streicht* ne *oder liest* non *st.* no mon. — 127 *Hh ergänzt* þi vor merci. — 128, 129 *Hh liest* same [no] ne vilani bede I þe non. — 132 fide *W; M hat* finde *hergestellt.* — 136 wille *hs.*] nille *Hh; vgl. jedoch Mätzner Gr. 2, 2,* 353 γ. — 140 And *WM*] An *hs.* ‖ þat *Hh*] þa *hs.* — 142 menis] menig (?) *St(engel).* — 143 *Hh ergänzt* hit vor ful. — 145, 150 And] an *hs.* — 148 ihc] ih *auf rasur K.*

Dreri-mod he wente awai,
150 And þoute boþe niȝt and dai
    Hire al for to wende.
    A frend him radde for to fare,
    And leven al his muchele kare,
      To dame Siriþ þe hende.

155 þider he wente him anon,
    So suiþe so he miȝtte gon,
      No mon he ne mette.
    Ful he wes, of tene and treie;
    Mid wordes milde and eke sleie
160   Faire he hire grette.

    'God þe i-blessi, dame Siriþ!
    Ich am i-com to speken þe wiþ,
      For ful muchele nede.
    And ich mai have help of þe,
165 þou shalt have, þat þou shalt se,
      Ful riche mede.'

    'Welcomen art þou, leve sone;
    And if ich mai oþer cone
      In eni wise for þe do,
170 I shal strengþen me þer-to;
    For-þi, leve sone, tel þou me
    Wat þou woldest I dude for þe.'
    'Bote, leve Nelde, ful evele I fare,
    I lede mi lif wiþ tene and kare;

175 Wiþ muchel hounsele ich lede mi lif,
    And þat is for on suete wif,
      þat heiȝȝte Margeri.
    Ich have i-loved hire moni dai;
    And of hire love hoe seiþ me nai:
180 Hider ich com for-þi.

    Bote if hoe wende hire mod,
    For serewe mon ich wakese wod,

Oþer miselve quelle.
Ich hevede i-þout miself to slo;
For þen radde a frend me go   185
    To þe mi sereve telle.

He saide me, wiþhouten faille,
þat þou me couþest helpe and vaile,
    And bringen me of wo
þoru þine crafftes and þine dedes; 190
And ich wile ȝeve þe riche mede,
    Wiþ þat hit be so.'

'Benedicite be herinne!
Her havest þou, sone, mikel senne.
Loverd, for his suete nome,   195
Lete þe þerfore haven no shome!
þou servest affter Godes grome,
Wen þou seist on me silk blame.
For ich am old, and sek, and lame;
Seknesse haveþ maked me ful tame. 200
Blesse þe, blesse þe, leve knave,
Leste þou mesaventer have
For þis lesing þat is founden
Oppon me, þat am harde i-bonden.
Ich am on holi wimon,   205
On witchecrafft nout I ne con,
Bote wiþ gode men almesdede
Ilke dai mi lif I fede,
And bidde mi pater-noster and mi
      crede,
þat Goed hem helpe at hore nede, 210
þat helpen me mi lif to lede,
And leve þat hem mote wel spede.
His lif and his soule worþe i-shend,
þat þe to me þis hernde haveþ send;
And leve me to ben i-wreken   215
On him þis shome me haveþ
      speken.'

---

150 And WM] An *hs.* ‖ an *hs.* WM] and *Br-Z.* — 153 *Hh streicht komma nach* kare. — 154 Siriz *hs.* — 157 he ni *hs.* — 159 wordes WM hs.*] nicht* wondes, *wie die hs. nach St angeblich liest (die stelle ist radiert, ein* n*-strich von der andern seite scheint durch; K).* — 161 Siriz *hs.* — 162 wiþ *Hh*] wiz *hs.* — 166 *Hh erg.* of me f. r. m. — 179 seiȝ *hs. St.*] seith *WMHh.* — 185 radde] ad *auf rasur K.* — 191 *für* mede *(vgl. v.* 166) *schlägt Hh wegen des reimes* medes *vor.* — 209 *Hh streicht* 2. mi. — 212 *Hh liest* he *und setzt ausrufzeichen nach* spede; *vgl. jedoch die anm. bei M.*

'Leve Nelde, bi-lef al þis:
Me þinkeþ þat þou art onwis.
þe mon þat me to þe taute,
220 He weste þat þou hous coupest
    saute.

Help, dame Siriþ, if þou maut,
To make me wiþ þe sueting saut,
And ich wille geve þe gift ful stark,
Moni a pound and moni a mark,
225 Warme pilche and warme shon,
Wiþ þat mi hernde be wel don.
Of muchel godlec miȝt þou ȝelpe,
If hit be so þat þou me helpe.'
'Liȝ me nout, Wilekin, bi þi leuté,
230 Is hit þin hernest þou tellest me?
Lovest þou wel dame Margeri?'
'ȝe, Nelde, witerli;
Ich hire love, hit mot me spille,
Bote ich gete hire to mi wille.'
235 'Wat god, Wilekin, me reweþ þi scaþe,
Houre Loverd sende þe help raþe!

Weste hic hit miȝtte ben for-holen,
Me wolde þunche wel bifolen
þi wille for to fullen.
240 Make me siker wiþ word ond honde,
þat þou wolt helen, and I wile fonde,
If ich mai hire tellen.

For al þe world ne woldi nout
þat ich were to chapitre i-brout,
245 For none selke werkes.
Mi jugement were sone i-given,
To ben wiþ shome somer-driven,
Wiþ prestes and wiþ clerkes.'

'I-wis, Nelde, ne woldi
þat þou hevedest vilani,   250
Ne shame for mi goed.
Her I þe mi trouþe pliȝtte,
Ich shal helen bi mi miȝtte,
Bi þe holi roed!'

'Welcome, Wilekin, hiderward; 255
Her havest i-maked a foreward
þat þe mai ful wel like.
þou maiȝt blesse þilke siþ,
For þou maiȝt make þe ful bliþ;
Dar þou namore sike.   260

To goder hele ever come þou hider,
For sone willi gange þider,
And maken hire hounderstonde.
I shal kenne hire sulke a lore,
þat hoe shal lovien þe mikel more 265
þen ani mon in londe.'

'Al so havi Godes griþ,
Wel havest þou said, dame Siriþ,
And Godes hile shal ben þin.
Haue her twenti shiling,   270
þis ich ȝeve þe to meding,
To buggen þe sep and swin.'

'So ich evere brouke hous oþer flet,
Neren never penes beter biset,
þen þes shulen ben.   275
For I shal don a juperti,
And a ferli maistri,
þat þou shalt ful wel sen. —

Pepir nou shalt þou eten,
þis mustart shal ben þi mete, 280

---

218 þat] þa hs., K. — 222 me fehlt bei Br-Z. — 230 tellest hs. K]
nach W tehest hs., von M in techest. — 232 Hh erg. leue vor Nelde. —
235 Wat hs. St] þat WM. — 238 befolen Hh] solen M, folen (?) hs., St. —
240 ond] on hs. WM. — 242 if WM] is hs. St. — 247 shome auf rasur K. —
248 clerkes Hh] clarkes hs. — 258 þilke siþ auf rasur K. — 259 make
auf rasur K. — 265 Hh streicht micel. — 269 godes Hh] goder hs. || hile
hs. WM] hele Br-Z. — 274 penes WM] pones hs. nach St. — 277 Hh
verb. maisteri. — 279 pepis W] pepir M. Hh erg. nach Pepir: welpe.

And gar þin eien to renne:
I shal make a lesing
Of þin heie renning,
   Ich wot wel wer and wenne.'

285 'Wat! nou const þou no god,
Me þinkeþ þat þou art wod:
3evest þou þe welpe mustard?'
'Be stille, boinard!
I shal mit þis ilke gin
290 Gar hire love to ben al þin.
Ne shal ich never have reste ne ro,
Til ich have told hou þou shalt do.
Abid me her til min hom-come.'
   3us, bi þe somer-blome,
295 Heþen nulli ben bi-nomen,
   Til þou be aȝein comen.'
Dame Siriþ bigon to go,
As a wrecche þat is wo,
þat hoe com hire to þen inne,
300 þer þis gode wif wes inne.
þo hoe to þe dore com,
Swiþe reuliche hoe bigon:
'Loverd', hoe seiþ, 'wo is holde
      wives,
þat in poverte ledeþ ay lives;
305 Not no mon so muchel of pine,
As povre wif þat falleþ in ansine.
þat mai ilke mon bi me wite,
For mai I nouþer gange ne site.
Ded woldi ben ful fain,
310 Hounger and þurst me haveþ nei
      slain:
Ich ne mai mine limes on-wold,
For mikel hounger and þurst and
      cold.
War-to liveþ selke a wrecche!
Wi nul Goed mi soule fecche?'

'Seli wif, God þe hounbinde!   315
To dai wille I þe mete finde
   For love of Goed.
Ich have reuþe of þi wo,
For evele i-cloþed I se þe go,
   And evele i-shoed.   320

Com herin, ich wile þe fede.'
'Goed almiȝtten do þe mede,
And þe Loverd þat wes on rode
      i-don,
And faste fourti daus onon,
And hevene and erþe haveþ to 325
      welde.
As þilke Loverd þe for-ȝelde.'
'Have her fles and eke bred,
And make þe glad, hit is mi red;
And have her þe coppe wiþ þe
      drinke;
Goed do þe mede for þi swinke.' 330
þenne spac þat olde wif —
Crist awarie hire lif —:
'Alas! alas! þat ever I live!
Al þe sunne ich wolde for-give
þe mon þat smite off min heved: 335
Ich wolde mi lif me were bi-reved!'
'Seli wif, wat eilleþ þe?'
'Bote eþe mai I sori be:
Ich hevede a douter feir and fre,
Feirer ne miȝtte no mon se;   340
Hoe hevede a curteis hossebonde,
Freour mon miȝtte no mon fonde.
Mi douter lovede him al to wel;
For-þi mak I sori del.
Oppon a dai he was out wend, 345
And þar-þoru wes mi douter shend.
He hede on ernde out of toune:
And com a modi clarc wiþ croune,

---

281 renne *Hh*] rene *hs.* — 285 *Hh erg.* Nelde *nach* Wat. — 286 *Hh erg.* neiȝ *vor* wod. — 288 *Hh erg.* Willekin *vor* boinard. — 294 *Hh erg.* Nelde, *nach* 3us. — 296 *Hh verb.* i-comen. — 306 *Hh streicht* povre. — 311 *Hh erg.* habbe *(inf.) vor* mine; *doch vgl. die anm. bei Mätzner.* — 314 fecche] fetche (?) *hs.* St. (c *und* t *haben in dieser hs. fast die gleiche gestalt).* — 324 onon *MHh*] to non *hs.* — 326 As *hs.*] Al *Hh.* — 329 *Hh streicht* And. — 330 Goed do þe mede for *hs.* St] Goed mede þe for *WM.* — 331 olde *hs. M*] holde *Br-Z.* — 334 Al þe *auf rasur K.* — 338 eþe] *das erste* e *auf rasur K.* — 346 þar-þoru *hs.*St *(nach K* r *auf rasur)*] þarforn *WM.*

To mi douter his love beed,
0 And hoe nolde nout folewe his red.
He ne miȝtte his wille have,
For noþing he miȝtte crave.
þenne bi-gon þe clerc to wiche,
And shop mi douter til a biche.
5 þis is mi douter þat ich of speke:
For del of hire min herte mot breke.
Loke hou hire heien greten,
On hire cheken þe teres meten.
For-þi, dame, were hit no wonder,
0 þau min herte burste assunder.
And wose ever is ȝong houssewif,
Hoe loveþ ful luitel hire lif,
And eni clerc of love hire bede,
Bote hoe grante and lete him spede.'
5 'A! Loverd Crist, wat mai I þenne do!
þis enderdai com a clarc me to,
And bed me love on his manere,
And ich him nolde nout i-here.
Ich trouue he wolle me for-sape.
0 Hou troustu, Nelde, ich moue
ascape?'
'God almiȝtten be þin help,
þat þou ne be nouþer bicche ne welp!
Leve dame, if eni clerc
Bedeþ þe þat love were,
5 Ich rede þat þou grante his bone,
And bi-com his lefmon sone.
And if þat þou so ne dost,
A worse red þou ounderfost.'

'Loverd Crist, þat me is wo,
0 þat þe clarc me hede fro,
Ar he me hevede bi-wonne!
Me were levere þen ani fe
þat he hevede enes leien bi me,
And efftsones bi-gunne.

Evermore, Nelde, ich wille be þin, 385
Wiþ þat þou feche me Willekin,
þe clarc of wam I telle.
Giftes willi geve þe,
þat þou maiȝt ever þe betere be,
Bi Godes houne belle!' 390

'Soþliche, mi swete dame,
And if I mai wiþhoute blame,
Fain ich wille fonde;
And if ich mai wiþ him mete,
Bi eni wei oþer bi strete, 395
Nout ne willi wonde.

Have god dai, dame! forþ willi go.'
'Allegate loke þat þou do so,
As ich þe bad;
Bote þat þou me Wilekin bringe, 400
Ne mai I never lawe ne singe,
Ne be glad.'

'T-wis, dame, if I mai,
Ich wille bringen him ȝet to-dai,
Bi mine miȝtte.' 405
Hoe wente hire to hire inne,
þer hoe founde Wilekinne,
Bi houre Driȝtte!

'Swete Wilekin, be þou nout dred,
For of þin her(n)de ich have wel 410
sped;
Swiþe com forþ þider wiþ me,
For hoe haveþ send affter þe.
I-wis nou maiȝt þou ben above,
For þou havest grantise of hire love.'
'God þe for-ȝelde, leve Nelde, 415
þat hevene and erþe haveþ to
welde!'

---

356 mot *fehlt hs.*] wil *Hh.* — 360 þan *hs. St*] þah *WM.* — 361 And
WM] A *hs. K* ‖ hever *WM*] ever *hs. St.* — 362 Hoe *M*] ha *hs. St.* —
363 And *hs. K*] An *WM.* — 365 I *M*] *fehlt he. W; Hh streicht* þenne. —
375 graunte *hs. nach M.* — 379 *Hh verb.* wat *für* þat. — 388 give *hs. nach*
M. — 396 ne *hs. St*] me *WM* ‖ wonde *hs. St*] wende *WMBr-Z.* — 401 I
MBr-Z] *fehlt hs. W.* — 407 Her hoe *hs. nach Hh.* — 411 forþ *M*] for *hs.*

þis modi mon bigon to gon
Wiþ Siriþ to his levemon
    In þilke stounde.
420 Dame Siriþ bigon to telle,
    And swor bi Godes ouene belle,
        Hoe hevede him founde.

'Dame, so have ich Wilekin
            sout,
    For nou have ich him i-brout.'
425 'Welcome, Wilekin, swete þing,
    þou art welcomore þen þe
        king.

Wilekin þe swete,
Mi love I þe bi-hete,
    To don al þine wille.
430 Turnd ich have mi þout,
    For I ne wolde nout
        þat þou þe shuldest spille.'

'Dame, so ich evere bide noen,
And ich am redi and i-boen
    To don al þat þou saie.   435
Nelde, par ma fai!
þou most gange awai,
    Wile ich and hoe shulen plaie.'

'Goddot so I wille:
And loke þat þou mid hire tille, 440
    And strek out hire þes.
God ȝeve þe muchel kare,
ȝeif þat þou hire spare,
    þe wile þou here bes.

And wose is onwis,   445
And for none pris
    Ne con geten his levemon,
I shal, for mi mede,
Garen him to spede,
    For ful wel I con.'   450

47.

AUS 'ARTHUR AND MERLIN.'

DAS WUNDERKIND MERLIN.

*Hs. in der Advocates' Library, Edinburgh. — Edd.: Arthur and Merlin:
a metrical romance, now first edited from the Auchinleck-MS, Edinburgh.
Printed for the Abbotsford Club, 1838. Arthour and Merlin, nach der
Auchinleck-hs. hgg. von E. Kölbing, Leipzig 1890, s. 31—36.*

Þo þat child was ybore,
Blasi stode þe hole bifore;
985 Bi þe rope þai it doun let,
    & he it cristned al so sket.
He clept it Merlin a godes name:
þe fendes þer of hadde grame,
For þai lese þer þe miȝt,
990 þat þai wende to haue bi riȝt.
þo þat child ycristned was,

Blasi turnèd oȝain his pas
& in þe rope anon it knitt;
þe howe wiif anon it fett
& ȝede & held it bi þe fer,   99
Biheld his face & eke his cher:
'Away', sche seyd, 'þou foule þing,
þat þi moder swiche ending
For þi sake haue schal,
For þou art loþlich ouer al!'   100

418, 420 Siriz *hs.* — 433-34 *Hh streicht* evere *und 2.* and. — 440 mid
fehlt bei M Br-Z; *Hh streicht* And. — 446 none *Hh]* non *hs.*

985 doun *H(olt)h(ausen), der umstellt:* d. i] adoun *hs.* — 988 fendes
Hh] fende *hs.* — 997 sche seyd *fehlt in der hs. Hh erg. ein zweites*
away *vor* þou.

þat child spac wiþ grete den:
'þou lext', he seyd, 'þou elde
        quen:
Mi moder quelle no may noman,
While þat ich oliues am?'
1005 þe wif agros of þis answere:
'Haue þou no power, me to dere:
Ich þe hals a godes name!'
On þat maner seyd his dame
& halsed him also þare,
1010 He schuld telle, wat he ware;
Ac þei þai it hadde al yswore,
þai no miȝt do him speke no-
        more;
& y ȝou telle anon, saunfayl,
þai hadden þer of gret meruail,
1015 & alle men, þat herden it,
Wonder hadden in her wit.
    Þer afterward ȝete half a ȝer
His moder held him bi þe fer,
& swiþe bitter teres lete
1020 & seyd: 'Allas, mi sone swete,
For þe misbiȝeten stren
Quic y schal now doluen ben!'
þe child seyde: 'Dame, nay,
Ich þe swere par ma fay,
1025 No schal þer neuer no iustise
þe bidelue o non wise
No in erþe þi bodi reke,
þer whiles y may gon & speke!'
    His moder wex a bliþe wiman;
1030 Fram þat ich day after þan
He telde hire, vnder sonne
Al þat ever sche wolde conne.
    Þo þat child couþe go,
þe iustise com þider þo

& dede feche þat wiman   1035
Bifor þe pople riȝt onan
& swore, ded sche schulde ben
Riȝt anon, bi heuen quen.
  Þo bispac Merlin childe
To þe iustise wordes milde: 1040
'He wele wot, þat ani gode kan,
Oȝain chaunce no may no man;
þurch chaunce & eke þurch gras
In hir, for soþe, pelt y was!'
þe iustise biheld þat childe;   1045
For Merlin he was neiȝe wilde
& seyd, ydoluen most sche ben.
þo quaþ Merlin: 'So mot y þen,
For al þat euer kanestow do,
Schaltow it neuer bring þer to,   1050
þat þou mi moder delue mow;
Bi resoun ichil wele avowe:
    A fende it was, þat me biȝat
& pelt me in an holy fat;
He wende haue hadde an iuel
        fode,   1055
Ac al icham turned to gode;
þurch kende of hem y can bo,
Telle of þing, þat is ago,
& al þing, þat is now,
Whi it is & what & how;   1060
Of oþer þing, þat is to come,
Telle y can nouȝt al, ac some.
Ich wot wele, who mi fader is,
Ac þou no knowest nouȝt þine,
        ywis,
Whar þurch y telle moder þine   1065
Digner, to be' ded, þan mine!'
    Hou noblelich þat child answerd,
Wonder hadde, þat it herd,

1001 grete *Hh*] gret *hs.* — 1002 elde *Hh*] eld *hs.* — 1006 & seyd
vor Haue *hs., streicht Hh.* — 1009 *Hh liest* halsede. — 1016 hadden *Hh*]
hadde *hs.* — 1019 teres *Hh*] ters *hs.* — 1023 seyde *Hh*] seyd *hs.* —
1030 þat; *danach ein buchstabe ausradiert.* — 1031 telde hire *Hh*] teld
hir *hs.* — 1032 ever *erg. Hh* || wolde *Hh*] wald *hs.* — 1037 schulde *Hh*]
schuld *hs.* — 1041 He *Hh*] man *hs.* — 1043 *Hh erg.* godes *vor* gras. —
1055 aniuel *hs.* — 1057 Ac þurch *hs.*] *Hh beläßt* Ac *und streicht* y. —
1059 *Hh erg.* of *vor* al. — 1065 telle *Hh*] tel *hs.* — 1066 Dingner; n *unter-
punktiert hs.* || þan mine *Hh*] þan moder mine *hs.*

Zupitza-Schipper, Alt- u. mittelengl. übungsb. 12. aufl.   10

þat so couþe speke & go
1070 & was bot of ȝeres tvo.
þe· iustise seyd: 'þou gabbest,
couioun:
Mi fader was an heiȝe baroun,
Mi moder is a leuedi fre,
Oliue ȝete þou miȝt hir se;
1075 Ich wene, bi þe quen Marie,
Men dede neuer bi hir folie!'
Þe child seyd: 'Justise, held þi
mouþe,
Oþer y schal make it wide couþe,
Of hir folis mani on;
1080 Do hir after som man gon:
Bot ȝif y do hir it ben aknawe,
Wiþ wilde hors do me todrawe.'
þe justise, anon raþe & skete
His moder þider feche he hete;
1085 Biforen him sche com wel sone.
þe justise seyde mid ydone:
'Say, Merlin, þat þou seydest arst,
Bifor mi moder, ȝif þou darst!'
'Now ich ise, sir iustise,
1090 þine ordinaunce no be nouȝt
wise:
Ȝif ich telt þis men bifore,
Hou þou were biȝeten & bore,
þi moder most ydoluen be,
& þat were alle [idon] þurch þe!'
1095 þo þe iustise þis vnderstode,
He þouȝte, þat child couþe gode;
In to a chaumber sone anon
Alle þre þai gunne to gon,
& þe iustise seyde þo:
1100 'Child Merlin, forþ þou go:
Telle now bitven ous þre,
What man it was, þat biȝat me!'

þe child swore: 'Bi seyn Symoun,
It was þe persone of her toun,
Haþ ypleyd wiþ þi dame   1105
& biȝat þe al a game!'
þat leuedy seyd: 'þou misbiȝeten
þing,
þou hast ylowe a gret lesing:
His fader was a fair baroun;
Y telle þat man a couioun,   1110
þat to þe ȝiueþ ani listening,
For þou art a cursed þing,
Misbiȝeten oȝaines þe lawe:
þou schuldest wiþ riȝte ben yslawe,
þat þou no leiȝe no lesinges mo, 1115
Wimmen forto wirchen wo!'
þe child seyd: 'Dame, [now] be
stille!
Wiþ riȝt may me no man spille,
For icham a ferly sond,
Born to gode to al þis lond,   1120
Ac þou art digne, doluen to ben:
þi sone schal þe soþe ysen!
Þo þi lord com fro Cardoil,
In hert þou haddest grete diol;
Bi niȝte it was, ar þe day,   1125
þe persone in þine armes lay;
On þi dore þi lord gan knoke,
& þou stirtest vp in þi smoke,
Wel neiȝe wode for dred & howe.
Vp þou schotest a windowe,   1130
& þe persone þou out lete,
& afterward þou schet it sket;
&, for soþe, þat iche niȝt
He biȝat þis iche kniȝt.
Hou seistow, dame, seystow
auȝt?'   1135
& sche no spac oȝain riȝt nauȝt,

1082 wilde *Hh*] wild *hs.* — 1085 **Biforen** *Hh*] Bifor *hs.* — 1086,
1099 seyde *Hh*] seyd *hs.* — 1094 idon *erg. Hh.* — 1096 þouȝte *Hh*] þouȝt
hs. — 1098 Alle, gunne *Hh*] Al, gun *hs.* — 1099 seyd *hs.* — 1102 *Hh
liest* strende *statt* biȝat. — 1114 schuldest, riȝte *Hh*] schust, riȝt *hs.* —
1116 wimmen *Hh*] men *hs.* — 1117 now *erg. Hh;* be, *vor und hinter
diesem worte ein buchstabe ausradiert.* — 1124 grete *Hh*] gret *hs.* —
1125 niȝte *Hh*] niȝt *hs.* — 1133 þat; *danach zwei buchstaben ausradiert*
iche *Hh*] ich *hs.* — 1134 iche *Hh*] ich *hs.*

Ac gretliche sche awondred was,
þat hir chaunged blod & fas.
þe justise seyd: 'Dame, what
      seystow?'
1140 'Sir, he seyt soþe, bi Crist Jesu,
þei ʒe me honge bi a cord,
He no leiʒeþ neuer a word!'
þe justise þo hadde no game,
Ac neiʒe wode he was for schame.
1145 Merlin him cleped to an herne
& to him tolde tales derne:
'Sir,' he seyd, 'listen to me,
For soþe ichil now tellen þe:
Lete þi moder wende hom
1150 & sende þou after a litel grom,
þat hir cunne wele aspie,
For homward gon sche wil an hiʒe
& to þe persone sone say,

Hou ichaue hem boþe biwray!
When þe persone haþ herd þis, 1155
Sore he worþ adrad, ywis,
Of schameful deþ to haue of þe;
To a brigge he wil fle,
In to þe water scippe he wille,
& so he schal him seluen spille. 1160
Bot it be soþ, þat y þe telle,
Wiþ þine honden þou me aquelle!'
þe iustise dede, saunfail,
Al bi þat.childes conseyl;
He it aspide bi on hewe, 1165
þe childes tale he fond al trewe;
& seþþen he alegged bir fore,
þe childes moder nas nouʒt for-
      lore,
& al quite he lete hir go,
Wiþ outen pain, wiþ outen wo. 1170

48.

AUS R. MANNYNG OF BRUNNES REIMCHRONIK.

Hss. zu London im Inner Temple, Petyt 511, vol. 7, und in der Lambeth bibliothek nr. 131. — Edd.: Peter Langtoft's Chronicle, as illustrated and improved by Robert of Brunne etc., ed. Th. Hearne, 2 vols., Oxford 1725 (vol. I, s. 212—222); ed. Furnivall, London 1889, 2 vols. (enthält nur den text von teil I); Mätzner, Altenglische sprachproben I, 296—303. — Vgl. O. Preussner, Zur textkritik von Robert Mannyngs chronik in Engl. stud. 17, 300—314.

At Westmynstere euen   es Jon laid solempnely.
þe Ersbisshop Steuen   corouned his sonne Henry —
A gode man alle his lyue,   of pouer men had mercie,
Clerkes þat wild þryue,   auanced þat wer richelie:
5 Kirkes wild he dele   prouendis þat wele couþ syng & hie. —
To clerkes of his chapele,   þat wele couþ syng & hie. —
    Henry kyng, our prince,   at Westmynster kirke did wife

1137 Ac so *hs.* Hh *streicht* sche *statt* so. — 1140 he *hs.*] she *Hh*;
obige interpunktion und erklärung folgt Kaluza. Kölbing liest: 'Sir', he seyt,
'soþe bi *etc.*' — 1141 honge *Hh*] hong *hs.* — 1146 tolde *Hh*] told *hs.* —
1151 cunne *Hh*] cun *hs.* — 1152 gon'erg. *Hh* || hiʒe *Hh*] heiʒe *hs.* — 1157 to
Hh] so *hs.* — 1162 *Hh liest* quelle. — 1167 alegged *Köppel*] legged *hs.*

7 did wife *fehlt.* Pr(eussner) *schlägt vor:* at Westmynster tok
(*oder* weddid) to wife; H(olt)h(ausen) *liest* at W. d. w.

þe erlys douhter of Prouince,   þe fairest may o life,
Hir name is Helianore,   of gentille norture,
10 Biȝond þe se þat wore   was non suilk creature.
In Ingelond is sche   corouned, þat lady gent,
Tuo sonnes, tuo douhteres fre   Jhesus has þam lent,
Edward & Edmunde,   knyght gode in stoure,
Of Laicestre a stounde   was Edmunde erle & floure.
15 Vnto þe Scottis kyng   was married Margarete,
Of Bretayn Beatrice ȝing   þe erle had þat mayden suete.
Faire is þe werk & hie   at Westmynster kirke,
þat þe kyng Henrie   of his tresore did wirke.
Grace God gaf him here,   þis lond to kepe long space,
20 Sex & fifty ȝere   withouten werre in grace;
Bot sone afterward   failed him powere,
Bot his sonne Edward   was his conseilere.
Our quene þat was þen   dame Helianore his wife,
þe gode erle of Warenne,   Sir Hugh was þan o life.
25 Sir William of Valence,   Sir Roger Mortimere,
Jon Mauncelle þe clerke,   & an erle Richere,
& oþer knyghtes inowe   of biȝond þe se,
To þe kyng drowe,   auanced wild þei be:
Edward suffred wele   his fadere haf his wille;
30 þe barons neuer a dele,   said þe kyng did ille
Aliens to auaunce   ouþer in lond or rent.
To mak disturbaunce   þei held a parlement,
Of þe aliens ilk taile   þe lond voided clere,
To þe kyng & his consaile   þei sent a messengere.
35 þe kyng sent þam ageyn,   his barons alle he grette,
At Oxenford certeyn   þe day of parlement sette.
  At þis parlement   rested þat distaunce,
For þer was it bnt   aliens to auaunce.
þe kynges state here paires,   þorgh conseil of baroun,
40 To him & his heyres   grete disheriteson.
Of wardes & relefe   þat barons of him held,
þer he was ore of chefe,   tille him no þing suld ȝeld:
& oþer þat held of þam,   þer þe kyng felle be partie,
Nouht of þat suld claym   of all þat seignorie;
45 Tille ilk a lordyng   suld ward & relefe falle,
Bot tille þe kyng no þing,   he was forbarred alle.

---

8 o lif *hs.* (*vgl. v.* 24). — 11 Inglond *hs.* — *durch die besserung*
Ingelond *ist Hh's umstellung* corouned is sche *entbehrlich und* corouned, *wie*
in v. 2, *zum zweiten halbverse zu ziehen.* — 17 in London at Westmynster
hs.] verb. *Hh.* — 28 *Hh liest* To Henrie Kyng dr. — 34 Of þe kyng
H(earne), To þe k. *M(ätzner).* — 35 þei grette *H*, he gr. *M.* — 42 ne
was *H*, he was *M.* — 43 þaim *Hh.* — 45 Tille *hs.*] Untill *Hh.*

þe kyng perceyued nouht   of þat ilk desceit;
þe chartre was forth brouht   with wittnes enseled streit.
Ne no men þat were strange   in courte suld haf no myght,
50 Ne office to do no chance   withouten þe comon sight.
þis þei did him suere,   als he was kyng & knyght,
þat oth suld he were,   & maynten wele þas right.
    The kyng was holden hard,   þorgh þat he had suorn.
His frendes afterward,   þo þat were next born,
55 þe com to him & said: 'Sir, we se þin ille,
þi lordschip is doun laid,   & led at oþer wille.
We se þis ilk erroure   nouht þou vnderstode:
It is a dishonoure   to þe & to þi blode,
þou has so bonden þe,   þei lede þe ilk a dele,
60 At þer wille salle þou be,   Sir, we se it wele.
Calle ageyn þin oth,   drede þou no manace,
Nouþer of lefe ne loth,   þi lordschip to purchace;
For þou may fulle lightly   haf absolutioun,
It was a gilery,   þou knew not þer tresoun.
65 þou has frendis inowe   in Inglond & in France,
If þou turne to þe rowe,   þei salle drede þe chance.'
þe kyng listned þe sawe,   at þat consail wild do;
þe barons had grete awe,   whan þei wist he wild so.
þei tok & send þer sond   after Sir Symoun —
70 þe Mountfort out of lond   was, whan þis was don.
A message þei him sent,   þe Mountfort son home cam,
þe barons with on assent   to Sir Symon þei nam.
þei teld him þe processe   of alle þer comon sawe,
& he as fole alle fresse   fulle eth þer to to drawe,
75 Withouten his conseile,   or þe kynges wittyng,
To maynten þer tirpeile   he suore ageyn þe kyng,
þe statute for to hold   in werre & in pes,
þe poyntes þat þei him told,   þerfor his life he les.
Hardely dar I say   he did aperte folie,
80 Als wys men þis way   here ferst þe toþer partie
    Sir Symon was hastif,   his sonnes & þe barons
Sone þei reised strif,   brent þe kynges tounes,
& his castels tok,   held þam in þer bandoun,
On his londes þei schok,   & robbed vp & doun.
85 þo þat þer purueiance   of Oxenford not held,
With scheld & with lance   fend him in þe feld.
In alle þis barette   þe kyng & Sir Symon
Tille a lokyng þam sette,   of þe prince suld it be don.
An oth suore þei þare,   to stand to þe ordinance,
90 Ouer þe se to fare   bifor Philip of France,

---

55 þei *Hh*] þe *hs.* — 63, 64 *Hh*] For steht in *hs.* zu beginn von 64.

At his dome suld it be,   withoute refusyng.
þer for went ouer þe se   Sir Henry our kyng.
þe quene wild not duelle,   to þe kyng gan hir hie.
þus my boke gan telle,   scho tok grete vilanie
95   Of þe Londreis alle,   whan scho of London went;
Whi þat it suld falle,   I ne wote what it ment.
Bot whan þe kyng of France   had knowen certeynly,
þat þe purueiance   disherite kyng Henry,
He quassed it ilk dele,   þorgh jugement.
100   þe kyng was paied wele,   & home to Inglond went.
Whan Sir Symon wist   þe dome ageyn þam gon,
His felonie forth thrist,   samned his men ilkon,
Displaied hit banere,   lift vp his dragoun,
Sone salle ʒe here   þe folie of Symoun.
105   The erle did mak a chare   at London þorgh gilery,
Himself þer in suld fare,   & seke be wend to ly.
Sexti þousand of London   armed men fulle stoute
To þe chare were fondon,   to kepe it wele for doute.
þer þe bataile suld be,   to Leaus þai gan þam alie,
110   þe kyng & his meyne   were in þe priorie.
Symoun com to þe feld,   & put vp his banere,
þe kyng schewed forth his scheld,   his dragon fulle austere.
þe kyng said on hie: *Symon ieo vous defie.*
Edward was hardie,   þe Londreis gan he ascrie.
115   He smote in alle þe route,   & sesid him þe chare,
Disconfited alle aboute   þe Londreis þat þer ware.
Edward wend wele   haf fonden þe erle þer in,
Disceyued ilk a dele   he went & myght not wyn.
To whille Sir Edward was   aboute þe chare to take,
120   þe kynges side, allas!   Symoun did doun schake.
Unto þe kynges partie   Edward turned tite,
þan had þe erle þe maistrie,   þe kyng was disconfite.
þe soth to say & chese,   þe chares gilerie
Did Sir Edward lese   þat day þe maistrie.
125   þe fourtend day of May   þe batail of Leaus was
A þousand & tuo hundreth   sexti & foure in pas.
þe kyng of Almayn   was taken to prisoun,
Of Scotland Jon Comyn   was left in a donjoun.
þe erle of Warenne, I wote,   he scaped ouer þe se,
130   & Sir Hugh Bigote   als with þe erle fled he.
Many faire ladie   lese hir lord þat day,
& many gode bodie   slayn at Leaus lay.

---

104 Sone so salle *Hh.* — 106 he wend *H*, be wend *M*. — 114 Londres
H, Londreis? *M* ‖ he gan *M*.

þe numbre non wrote,   for telle þam mot no man,
Bot he þat alle wote,   & alle þing ses & can.
135 Edward, þat was ȝing,   with his owen rede,
For his fader þe kyng   himself to prison bede,
For þe kyng of Almayn [þere]   his neuow was ostage.
In prison nere a ȝere   was Edward in cage.
Aboute with Sir Symoun   þe kyng went þat ȝere,
140 Cite, castelle & toun   alle was in þe erles dangere.
It was on a day   Edward þouht a wile,
He said he wild asay   þer hors alle in a mile.
He asayed þam bi & bi,   & retreied þam ilkone,
& stoned þam alle wery,   standand stille as stone.
145 A suyft stede þer was,   a lady þider sent,
Edward knewe his pas,   þe last of alle him hent,
Asaied him vp & doun,   suyftest he was of alle.
þat kept him in prisoun,   Edward did him calle:
'Maister, haf gode day,   soiorne wille I no more,
150 I salle ȝit, if I may,   my soiorne trauaile sore.'
þe stede he had asaied,   & knew þat he was gode,
In to þe watere he straied,   & passed wele þad flode.
Whan Edward was ouere   graciously & wele,
He hoped haf recouere   at Wigemore castele.
155 Edward is wisely   of prison scaped oute,
Felaus he fond redy,   & mad his partie stoute.
þe erles sonnes wer hauteyn,   did many fole dede,
þat teld a knyght certeyn   to þe erle als þei boþe ȝede.
The erle ȝede on a day,   to play him with a knyght,
160 &'asked him on his play: 'What haf I be sight?'
þe knyght ansuerd & said: 'In ȝow a faute men fynde,
& is an ille vpbraid,   þat ȝe ere nere blynde.'
þe erle said: 'Nay perde!   I may se right wele.'
þe knyght said: 'Sir, nay, ȝe   vnneþ ise any dele;
165 For þou has ille sonnes,   foles & vnwise,
þer dedes þou not mones,   ne nouht wille þam chastise.
I rede þou gyue gode tent,   & chastise þam sone,
For þam ȝe may be schent,   for vengeance is granted bone.'
þe erle ansuerd nouht,   he lete þat word ouer go,
170 No þing þer on he þouht,   tille vengeance felle on þo.
Euer were his sonnes hauteyn   & bold for þer partie,
Boþe to knyght & sueyn   did þei vilanie.
For lefe ne for loth   folie wild þei not spare,
Wherfor wex with þam wroth   Sir Gilbert of Clare.

---

137 þere *ergänzt Hh* (here *Beibl.* 19, 143). — 146 knewe *Hh*] knowe
hs. — 149 I *M*] *fehlt H.* — 157 fole *M*] folie *H.* — 164 ise *M*] is *H,* se
Hh. — 173 folie *M*] folle *H.*

175 Sir Gilbert herd say   of þer dedes ille,
    Of non þe had ay   to stynt ne hold þam stille.
    þer of Edward herd say   þat Gilbert turned his wille,
    To Gilbert tok his way, · his luf to tak & tille.
    Sone þei were at one,   with wille at on assent,
180 His luf fro Munfort gon,   I telle Symon for schent,
    Treuth togidere þei plight   Edward & Gilbert,
    Ageyn Symon to fight,   for ouht þat mot be herd.
    Mercy suld non haue   Symon no his sonnes,
    No raunson suld þam saue   for doute of drede eftsones.
185 Schent is ilk baroun,   now Gilbert turnes grim,
    þe Mountfort Sir Symoun   most affied on him.
    Allas! Sir Gilbert   þou turned þin oth,
    At Stryuelyn men it herd,   how God þer for was wroth.
    The erle sonnes vp & doun   of parties mad þei bost,
190 To whils at Northamptoun   þise kynges gadred ost.
    Symon sonnes it left,   to Killyngworth þei went,
    & þer þe soiorned eft,   þer rioterie þam schent.
    Suilk ribaudie þei lad,   þei gaf no tale of wham,
    To whils Sir Edward had   seisid alle Euesham.
195 þe fift day it was   after Lammesse tide,
    & writen is in þat pas,   at Euesham gan þei ride.
    In þe alder next   þat þe bataile was of Leaus,
    þe gynnyng of heruest,   as þe story scheawes,
    Com Symon to feld,   & þat was maugre his,
200 Or euer he lift his scheld,   he wist it ȝed amys.
    He was on his stede,   displaied his banere,
    He sauh þat treson ȝede,   doun went his powere.
    He sauh Sir Edward ride,   batailed him ageyn
    Gloucestre þe toþer side;   þan wist þe erle certeyn,
205 His side suld doun falle,   tille his he said sone:
    'God haf our saules alle,   our dayes ere alle done.'
    Edward first in rode,   & perced alle þe pres;
    þo þat him abode   þer lyues alle þei les.
    He mad his fader quite   of prison þer he lay,
210 Deliuerd him als tite   with dynt of suerd þat day.
    Hard was þat bataile,   & ouer grete þe folie,
    So scharply gan þai assaile,   so mykille folk gan die.
    Stoutly was þat stoure,   long lastand þat fight,
    þe day lost his coloure,   & mirk was as þe nyght.
215 þe lif of many man   þat ilk day was lorn,
    þo þat it first bigan   wrotherhaile wer þei born.
    Now is þe bataile smyten,   Sir Symon is þer slayn,
    His sonnes, als ȝe witen,   died on þat playn.

---

193 lad *Hh*] led *hs.* — 200 he wist *M*] his wist *H.*

His membres of þei schare,   & bare þam to present;
220 Sir Hugh Despenser þare   als he to dede went,
Sir Rauf þe gode Basset   did þer his endyng,
Sir Pers of Mountfort fet   his dede at þat samenyng.
Sir Guy Baliol died þore,   a ʒong knyght & hardy,
He was pleyned more   þan oþer tuenty.
225 þise & many mo   died in þat stoure,
þe kyng may sauely go,   & maynten his honour.
Pris þan has þe sonne,   þe fadere maistrie,
þei went to Northampton,   so wild kyng Henrie.
At þe parlement was   flemed barons fele,
230 Of Leicestre þe countas,   hir sonnes wild no man spele.
Oþer lordes inowe   of erles & barouns,
To þe wod som drowe,   & som left in prisouns,
To say longly or schorte,   alle þat armes bare;
Almerik of Mountfort   depriued was þare
235 Of þe tresorie,   þat he had in kepyng,
& gaf þat ilk bailie   to þe Mortimere sonne ʒing.
A legate Ottobon   þe pape hider sent,
To mak þe barons on   þorgh his prechement.
þe quene com out of France,   & with hir alle þo,
240 þat for þe purueiance   were exild to go,
Saue Jon þe Maunselle,   he died biʒond þe se,
Als chance for him felle,   þe toþer welcom be.

49.

AUS RICHARD ROLLE DE HAMPOLE.

Thornton MS (Lincoln Cathedral Library A 5. 2), fol. 194 r. — English Prose Treatises of R. R. de H., ed. G. G. Perry, 1866 (EETS 20), s. 8. — Vgl. Mätzner, Altengl. sprachproben 2, 126; Horstmann, Richard Rolle and his Followers, London 1895, vol. 1, s. 193; Emerson, ME. Reader, s. 143 ff.; Kluge, me. leseb., s. 34 f.

Moralia Richardi heremite de natura apis, vnde est apis argumentosa.

The bee has thre kyndis. ane es, þat scho es neuer ydill and scho es noghte with thaym, þat will noghte wyrke, bot castys thaym owte and puttes thaym awaye. a nothire es, þat,

---

228 to *fehlt H.* — 230 þe countas of Leicestre *H.* — 233 alle armes *H,* alle þat armes *M.* – 234 Almerik or Mountfort *H,* A. of Mountford *M.* — 235 &ᵃ þe tresorie *H,* of þe tr. *M.* — 236 tor þe *H,* to þe *M.*
49. *die schnörkel am* m *und* n *und die striche durch* ll *sind nicht beachtet.*

when scho flyes, scho takes erthe in hyr fette, þat scho be
5 noghte lyghtly ouerheghede in the ayere of wynde. the thyrde es,
that scho kepes clene and bryghte hire wyngez. thus ryghtwyse
men, þat lufes god, are neuer. in ydyllnes; for owthyre þay ere
in trauayle prayand or thynkande or redande or othere gude
doande or withtakand ydill men and schewand thaym worthy to
10 be put fra þe ryste of heuen, for þay will noghte trauayle here.
þay take erþe, þat es, þay halde þam selfe vile and erthely, that
thay be noghte blawen with þe wynde of vanyte and of pryde.
thay kepe thaire wynges clene, that es, þe twa commandementes
of charyte þay fulfill in gud concyens, and thay hafe othyre
15 vertus vnblendyde with þe fylthe of syn and vnclene luste.

Arestotill sais, þat þe bees are feghtande agaynes hym, þat
will drawe þaire hony fra thaym: swa sulde we do agaynes
deuells, þat afforces tham to reue fra vs þe hony of poure lyfe
and of grace. for many are, þat neuer kane halde þe ordyre
20 of lufe agaynes þaire frendys, sybbe or fremede, bot outhire þay
lufe þaym ouer mekill or thay lufe þam ouer lyttill, settand thaire
thoghte vnryghtwysely on thaym, or þay luf thaym ouer lyttill,
yf þay doo noghte all, as þey wolde till þam. swylke kane noghte
fyghte for thaire hony, for thy þe deuelle turnes it to wormes
25 and makes þeire saules ofte sythes full bitter in angwys and tene
and besynes of vayne thoghtes and other wrechidnes; for thay are
so heuy in erthely frenchype, þat þay may noghte flee in till þe
lufe of Iesu Criste, in þe wylke þay moghte wele forgaa þe lufe
of all creaturs lyfande in erthe; whare fore accordandly Ary-
30 stotill sais, þat some fowheles are of gude flyghyng, þat passes
fra a lande to a nothire, some are of ill flyghynge for heuynes
of body and for þaire neste es noghte ferre fra þe erthe. thus
es it of thaym, þat turnes þam to godes seruys: some are of gude
flyeghynge, for thay flye fra erthe to heuen and rystes thaym
35 thare in thoghte and are fedde in delite of goddes lufe and has
thoghte of na lufe of the worlde. some are, þat kan noghte flyghe
fra þis lande, bot in þe waye late theyre herte ryste and delyttes
þaym in sere lufes of men and women, als þay come and gaa,

---

5 wynge *vor* wynde *zu* wynde *gebessert und dann getilgt.* —
20 agaynes] ynesche: *Mätzner behält es und ergänzt dahinter* of. —
21 or — lyttill *mit Kölbing zu streichen?*

nowe ane and nowe a nothire; and in Iesu Criste þay kan fynde
40 na swettnes, or, if þay any tym fele oghte, it es swa lyttill and
swa schorte for othire thoghtes, þat are in thaym, þat it brynges
thaym till na stabylnes; or þay are lyke till a fowle, þat es
callede strucyo or storke, þat has wenges, and it may noghte
flye for charge of body: swa þay hafe vndirstandynge and fastes
45 and wakes and semes haly to mens syghte, bot thay may noghte
flye to lufe and contemplacyone of god: þay are so chargede
wyth othyre affeccyons and othire vanytes. — *Explicit.*

50.

AUS DAN MICHELS 'AYENBITE OF INWYT'.

Hs. im Britischen Museum, Arundel 57 (fol. 26r, 59v u. 74v). — *Hgg. von
Richard Morris (EETS 23), London 1866, s. 87, 191 u. 238.*

Noblesse.

þe zoþe noblesse comþ of þe gentyle herte. vorzoþe non
herte ne is gentyl, bote he louie god: þanne þer ne is non
noblesse, bote to serui god an louye, ne vyleynye, bote ine þe
contrarie, þet is, god to wreþi and to do zenne. non ne ys ariȝt
5 gentyl ne noble of þe gentilesse of þe bodye; vor ase to þe
bodye alle we byeþ children of one moder, þet is, of erþe and
of wose, huer of we nome alle uless and blod: of þo zide non
ne is ariȝt gentil ne vri. ac oure riȝte uader is kyng of heuene,
þet made þet body of þe erþe and ssop þe zaule to his anlycnesse
10 an to his fourme. an, al ase hit is of þe uader ulesslich, þet mochel
is bliþe, huanne his children him byeþ ylych, al zuo hit is of
oure uader gostlich, þet be wrytinges an be his zondes ne let
naȝt ous to somony and bidde, þet we zette payne to by him
ilich; and þeruore he ous zente his blissede zone Iesu Crist in to
15 erþe uor to brenge ous þe zoþe uorbisne, huer by we byeþ yssape
to his ymage and to his uayrhede, ase byeþ þo, þet wonyeþ ine
his heȝe cite of heuene (þet byeþ þe angles and þe halȝen of
paradis), huer ech is þe more heȝ and þe more noble, þe more
propreliche þet he berþ þe ilke uayre ymage; and þeruore þe holy
20 man ine þise worlde deþ al his herte and al his payne to knawe
god and louye 'and of hire herte alle zenne to wayuye. vor, þe

---

13 naȝ(t). — 20 wordle. — 21 to wayny(e), *verb. Morris, Strat-
mann, towayuye Varnhagen.*

more þet þe herte is clene and þe uayrer, zuo moche he yzy3þ
þe face of Iesu Crist þe more openliche, and, þe more þet he his
yzy3þ openliche, þe more he him loueþ þe stranglaker, þe more
25 he him likneþ propreliche: and þet is þe zoþe noblesse, þet makeþ
ous godes zones. and þeruore zayþ ri3t wel saynd Ion þe apostel,
uor þanne we ssolle by godes children, and we ssolle by him
ylich propreliche, huanne we him ssolle yzy, ase he ys, openliche.
þet ssel by ine his blysse, huanne we ssolle by ine paradys; uor
30 hyer ne zyþ non onwry3e þe uayrhede of god, bote ase hit by
iue ane ssewere, ase zayþ sainte Pauel; vor þanne we him ssolle
yzy face to face clyerlyche.

þe zoþe noblesse þanne of man begynþ hyer be grace and
be uertue and is uolueld ine blysse. þise noblesse makeþ þe holy
35 gost ine herte, þet he clenzeþ ine clennesse and aly3t ine zoþ-
nesse and uoluelþ ine charite. þise byeþ þe þri greteste guodes,
þet god yefþ þe angles, ase zayþ saint Denis, huer by hy byeþ
yliche to hare sseppere. and þus workeþ þe holy gost ine þe herten
of guode men be grace and be uertue, huer by hy byeþ ymad to
40 ye ymage and to þe anlycnesse of god, ase hit may by ine þise
lyue. uor he his arereþ zuo ine god and his beclepþ zuo ine his
loue, þet al hare wyl and al hare onderstondinge is, þet is ....
þet is hare beþenchinge, þet is ywent ine god, þis loue and þis
wylnynge, þet ioyneþ and oneþ zuo þe herte to god, þet he ne may
45 oþer þing wylny, oþer, þanne god wyle (uor hi ne habbeþ betuene
god and ham bote onlepi wyl); and þanne to þe ymage and to þe
anliknesse of god, ase me may habbe in erþe: and þet is þe gratteste
noblesse and þe he3este gentilesse, þet me may to hopye and cliue.

A god, hou hy byeþ uer uram þise he3nesse, þo þet makeþ
50 ham zuo quaynte of þe ilke poure noblesse, þet hi habbeþ of hare
moder, þe erþe, þet berþ and norysseþ azewel he hogges, ase
hy deþ þe kinges. and hy ham yelpeþ of hare gentylete, uor þet
hy weneþ by of gentile woze, and þe ilke kenrede hy conne
ri3t wel telle, and þe oþre zyde hy ne lokeþ na3t, huer of ham
55 comþ þe zoþe noblesse and þe gentil kenrede. hy ssolden loki to
hare zoþe uorbysne Iesu Crist, þet mest louede and worssipede
his moder, þanne eure dede eny oþer man, and alneway, huanne

---

37 (god). — 42 ond ‖ is þet is *auf rasur, dahinter etwa 20 buch-*
staben radiert. — 56 zoþ(e).

me him zede: 'sire, þi moder and þi cosyn þe akseþ', he ansuer-
ede: 'huo ys my moder, and huo byeþ myne cosynes? huo þet
60 deþ þe wyl of myne uader of heuene, he is my broþer and my
zoster and my moder.' vor þis is þe noble zyde and þe gentyl
kende, þer of comþ and wext ine herte zoþe blisse, ase of þe
oþren ydele noblesse wext prede and ydele blisse.

Of uertue of merci.

Efterward þer wes a poure man, ase me zayþ, þet hedde
65 ane cou, and yhyerde zigge of his preste ine his prechinge, þet
god zede ine his spelle, þet god wolde yelde anhondreduald al,
þet me yeaue uor him. þe guode man mid þe rede of his wyue
yeaf his cou to his preste, þet wes riche. þe prest his nom ble-
þeliche and hise zente to þe oþren, þet he hedde. þo hit com
70 to euen, þe guode mannes cou com to his house, ase hi wes
ywoned, and ledde mid hare alle þe prestes ken al to an hon-
dred. þo þe guode man yseȝ þet, he þoȝte, þet þet wes þet word
of þe godspelle, þet he hedde yyolde; and him hi weren yloked
beuore his bissoppe aye þane prest. þise uorbisne ssoweþ wel, þet
75 merci is guod chapuare; uor hi deþ wexe þe timliche guodes

Hyer lyþ a tale.

Me ret ine liues of holy uaderes, þet an holy man tealde.
hou he com to by monek, and zede, hou þet he hedde yby ane
payenes zone, þet wes a prest to þe momenettes; and, þo he wes
a child, on time he yede into þe temple mid his uader priue-
80 liche. þer he yzeȝ ane gratne dyeuel, þet zet ope ane uyealdinde
stole, and al his mayne aboute him. þer com on of þe princes
and leat to him. þo he him aksede, þe ilke, þet zet ine þe stole,
huannes he com, and he ansuerede, þet he com uram ane londe,
huer he hedde arered and ymad manye werren and manye
85 viȝtinges, zuo þet moche uolk weren ysslaȝe and moche blod þer
yssed. þe mayster him acsede, ine hou moche time he hedde þet
ydo, and he ansuerede: 'ine þritti daȝes.' he him zede: 'ine zuo
moche time hest zuo lite ydo?' þo he het, þet ha wer riȝt wel

---

63 wex(t). — 68 und 70 u in cou auf rasur ‖ hi:. — 74 be(uo)re. —
81 of þe princes auf rasur.

ybeate and euele ydraȝe. efter þan com anoþer, þet alsuo to him
90 leat, ase þe uerste. þe mayster him acsede, huannes ha com. he
ansuerede, þet he com uram þe ze, huer he hedde ymad manye
tempestes, uele ssipes tobroke and moche uolk adreynct. þe mai-
ster acsede: 'ine hou long time?' he ansuerede: 'ine tuenti daȝes.'
he zayde: 'ine zuo moche time hest zuo lite ydo?' efterward com
95 þe þridde, þet ansuerede, þet he com uram ane cite, huer he
hedde yby at ane bredale, and þer he hedde arered and ymad
cheastes and strifs, zuo þet moche uolk þer were yslaȝe, and þer
to he hedde yslaȝe þane hosebounde. þe maister him acsede, hou
long time he zette þet uor to done. he ansuerede, þet ine ten
100 daȝes. þo he het, þet he were wel ybyate, uor þet he hedde zuo
louge abide þet to done wiþoute more. ate lasten com an oþer
touore þe prince, and to him he beaȝ. and he him acsede: 'huannes
comst þou?' he ansuerede, þet he com uram þe ermitage, huer
he hedde yby uourti yer uor to uondi ane monek of fornicacion,
105 þet is þe zenne of lecherie, 'and zuo moche ich habbe ydo, þet
ine þise nyȝt ich hine habbe ouercome and ydo him ualle in to
þe zenne'. þo lhip op þe mayster and him keste and beclepte and
dede þe coroune ope his heued an dede him zitte bezide him
and to him zede, þet he hedde grat þing ydo and grat prowesse
110 þo zayde þe guode man, þet, huanne he hedde þet yhyerd and
þet yzoȝe, he þoȝte, þet hit were grat þing to by monek; and
be þo encheysoun he becom monek.

51.

KLAGELIED AUF DEN TOD EDUARDS I.

*Th. Wright, Political Songs of England (Camden Society), London 1839,
s. 246; Percy, Reliques of Ancient English Poetry, ed. A. Schröer, 1. hälfte,
2. bd., s. 270—274; Böddeker, Altenglische dichtungen des MS Harl. 2253,
Berlin 1878, s. 140; vgl. F. H(olt)h(ausen), Anglia 15, 189 und Anglia,
beibl. 31, 254; Mod. Lang. Rev. 7, 149.*

Alle þat beoþ of huerte trewe,	of a knyht, þat wes so strong, 5
a stounde herkneþ to my song	of wham God haþ don ys wille;
of duel, þat deþ haþ diht vs newe,	me þuncheþ þat deþ haþ don vs
þat makeþ me syke ant sorewe	wrong,
among	þat he so sone shal ligge stille.

92 adreyct.] *verb. M* || ma(i)ster. — 102 *erstes* he *auf rasur.* — 112 (he).

Al Englond ahte forte knowe
10 of wham þat song is, þat y synge;
of Edward kyng, þat liþ so lowe,
ʒent al þis world is nome con
springe;
trewest mon of alle þinge,
ant in werre war and wys,
15 for him we ahte oure honden
wrynge,
of cristendome he ber þe pris.

Byfore þat oure kyng wes ded,
he spek ase mon þat wes in care:
'Clerkes, knyhtes, barouns,' he
sayde,
20 'y charge ou by oure sware,
þat ʒe to Engelonde be trewe.
y deʒe, y ne may lyuen namore;
helpeþ mi sone, & crouneþ him newe,
for he is nest to buen ycore.

25 Ich biqueþe myn herte aryht,
þat hit be write at mi deuys,
ouer þe see þat hue be diht,
wiþ fourscore knyhtes, al of pris,
In werre þat buen war & wys,
30 aʒein þe heþene forte fyhte,
to wynne þe croiz þat lowe lys;
my self ycholde ʒef þat y myhte.'

Kyng of Fraunce, þou heuedest
sinne,
þat þou þe counsail woldest fonde,
35 to latte þe wille of Edward kynge,
to wende to þe holy londe,
þat oure kyng hede take on honde,
al Engolond to ʒeme & wysse,
to wenden in to þe holy londe,
40 to wynnen vs heueriche blisse.

þe messager to þe pope com,
& seyde þat oure kyng wes ded;
ys oune hond þe lettre he nom,
ywis, is herte wes ful gret.
þe pope him self þe lettre redde, 45
ant spec a word of gret honour:
'alas?' he seide, 'is Edward ded?
of cristendome he ber þe flour!'

þe pope to is chaumbre wende,
for del ne mihte he speke namore, 50
ant after cardinals he sende,
þat muche couþen of Cristes lore,
boþe þe lasse ant eke þe more,
bed hem boþe rede & synge:
gret deol me myhte se þore, 55
mony mon is honde wrynge.

þe pope of Peyters stod at is
masse
wiþ ful gret solempnete,
þer me con þe soule blesse:
'Kyng Edward, honoured þou be! 60
god leue, þi sone come after þe,
bringe to ende þat þou hast
bygonne;
þe holy croiz ymad of tre,
so fain þou woldest hit han
ywonne!

Jerusalem, þou hast ilore 65
þe flour of al chiualerie;
Nou kyng Edward liueþ namore:
alas! þa he ʒet shulde deye!
he wolde ha rered vp ful heyʒe
oure baners, þat bueþ broht to 70
grounde;
wel longe we mowe clepe & crie,
er we a such kyng han yfounde!'

___

33 þou dedest ille *Hh*] þou heuedest sunne *hs.*, B(*öddeker*). —
35 to ... kynge *Br(andl) Bj(örkman)*] to latte of kyng Edward þe wille
Hh; to latte þe wille of kyng Edward *hs.*, B. — 43 (wiþ) ys *vermutet*
Hh (*Herrigs Archiv 100, 406*), *doch ist* ys *wohl mit* Br *und* Bj *als* (h)ys
zu fassen. — 49 chaunbre *hs.*] chaunbre B. — 55 me myhte *hs.*] myhte
me *Hh.*

Nou is Edward of Carnaruan
   kyng of Engelond al aplyht:
75 god lete him ner be worse
       man
   þen is fader, ne lasse of
       myht,
to holden is porenten to ryht,
ant vnderstonde good consail,
al Engelond forte wisse ant
       diht;
80   of gode knyhtes dar him nout
       fail.

þah mi tonge were mad of stel,
   ant min herte yȝote of bras,
þe godnesse myht y neuer telle,
   þat wiþ kyng Edward was:
kyng, as þou art cleped conquerour, 85
   in vch bataille þou hadest pris;
god bringe þi soule to þe honour
   þat euer wes & euer ys,
   þat lesteþ ay wiþ outen ende!
bidde we God ant oure ledy, 90
   to þilke blisse Iesus vs sende.
      Amen.

52.
FRÜHLINGSLIED.

Th. Wright, Specimens of Lyric Poetry (Percy Soc., vol. 4), London 1841, s. 25; Ritson, Ancient Songs a. Ballads, London 1821, 1, 63; Morris, Specimens of Early English, Oxford 1867, s. 107; Wülker, Altengl. leseb., Halle 1874, 1, 106; Böddeker, Altengl. dichtungen des MS Harl. 2253, s. 164. Vgl. E. Kölbing, Engl. stud. 2, 517; F. H(olt)h(ausen), Anglia 15, 189; Archiv 70, 253; 71, 153; Anglia, Beibl. 31, 255 und 29, 212 (übersetzung).

Lenten ys come wiþ loue to toune,
wiþ blosmen & wiþ briddes roune,
  þat al þis blisse bryngeþ;
dayes eȝes in þis dales,
5 notes suete of nyhtegales,
  vch foul song singeþ.
þe þrestelcoc him þreteþ oo;
away is huere wynter woo,
  when woderoue springeþ.
10 þis foules singeþ ferly fele,
ant wlyteþ on huere wynne wele,
  þat al þe wode ryngeþ.

þe rose rayleþ hire rode,
þe leues on þe lyhte wode
15   waxen al wiþ wille.
þe mone mandeþ hire bleo,
þe lilie is lossom to seo,
  þe fenyl & þe fille;

wowes þise wilde drakes,
miles murgeþ huere makes, 20
  ase strem þat strikeþ stille;
mody meneþ, so doht mo,
Ichot ycham on of þo,
  for loue þat likes ille.

þe mone mandeþ hire lyht, 25
so doþ þe semly sonne bryht,
  when briddes singeþ breme:
deawes donkeþ þise dounes,
deores wiþ huere derne rounes,
  domes forte deme; 30
wormes woweþ vnder cloude,
wymmen waxeþ wounder proude,
  so wel hit wol hem seme.
ȝef me shal wonte wille of on,
þis wunne weole y wole forgon 35
  ant wyht in wode be fleme.

   75 ner *hs.*] neuer *Hh.* — 80 darh *hs.*] darht *B*, dar *Hh.* — 84 *Hh* erg. euer *vor* was.
   11 wynne wele *Hh*] wynter wele *hs. B.* — 19 þise *Hh*] þis *hs.* — 22 doht *B*] doh *hs.* — 28 þise *Hh*] þe *hs. B.*

53.

ALYSOUN; EIN LIEBESLIED.

Th. Wright, Specimens of Lyric Poetry, s. 27; Ritson, Ancient Songs and
Ballads, s. 56; Morris and Skeat, Specimens of Early English 2, 43;
Wülker, Altenglisches lesebuch 1, 108; Böddeker, Altenglische dichtungen
des MS Harl. 2253, s. 147; Kluge, Me. leseb.², s. 96.

Bytuene mersh & aueril,
    when spray biginneþ to springe,
þe lutel foul haþ hire wyl
    on hyre lud to synge.
5 Ich libbe in loue longinge
    for semlokest of alle þinge;
He may me blisse bringe,
icham in hire baundoun.
    An hendy hap ichabbe yhent,
10 ichot, from heuene it is me sent,
from alle wymmen mi loue is lent
& lyht on Alysoun.

On heu hire her is fayr ynoh,
    hire browe broune, hire eȝe blake,
15 wiþ lossum chere he on me loh,
    wiþ middel smal, & wel ymake.
Bote he me wolle to hire take,
    forte buen hire owen make,
longe to lyuen ichulle forsake,
20 & feye fallen adoun.
    An hendy hap &c.

Nihtes when y wende & wake,
    (forþi myn wonges waxeþ
        won,)
Leuedi, al for þine sake
    longinge is ylent me on. 25
In world nis non so wyter
        mon,
    þat al hire bounte telle con.
Hire swyre is whittore þen þe
        swon,
& feyrest may in toune.
    An hendi &c. 30

Icham for wowyng al forwake,
    wery so water in wore,
Lest eny reue me my make,
    ychabbe yȝyrned ȝore.
Betere is þolien whyle sore, 35
    þen mournen euermore.
Geynest vnder gore,
herkne to my roun!
    An hendi &c.

54.

HEIMLICHE LIEBE.

Th. Wright, Specimens of Lyric Poetry, s. 38; Böddeker, Altenglische
dichtungen des MS Harl. 2253, s. 161; vgl. F. H(olt)h(ausen), Anglia 15 u. 39.

A wayle whyt ase whalles bon,
a grein in golde þat godly shon,
a-tortle þat min herte is on,.
    in toune trewe;
5 hire gladshipe nes neuer gon,
    whil y may glewe.

When heo is fol bliþe and glad,
of al þis world namore y bad,
þen beo wiþ hire myn one bistad,
    wiþ oute strif;
þe care þat icham yn ybrad 10
    y wyte a wyf.

---

54. 2 godly *Hh*] goldly *hs., B.* — 4 tounes *hs.* — 7 erg. *Hh*] is glad *hs.*

Zupitza-Schipper, Alt- u. mittelengl. übungsb. 12. aufl. **11**

A wyf, nis non so worly wroht;
   when heo ys blyþe to bedde
      ybroht,
15 wel were him þat wiste hire þoht,
   þat þryuen & þro;
   wel y wot heo nul me noht,
    myn herte is wo!

   Hou shal þat herte lefly syng,
20 þat þus is marred in mournyng?
   heo me wol to deþe bryng,
    longe er my day.
   gret hire wel, þat swete þing,
    wiþ eȝenen gray.

25 Hyre heȝe haueþ wounded me
      ywisse;
   hire bende browen, þat bringeþ
      blisse;
   hire comely mouth þat mihte cusse,
    in murþe he were;
   y wolde chaunge myn for his,
30   þat is here fere.

   Y wolde hyre fere beo so freo,
   ant wurþes were þat so myhte
      beo;
   al for on y wolde ȝeue þreo,
    wiþ-oute chep.

from helle to heuene & sonne to see 35
   nys non so ȝeep.
— — — — — — — — — —
— — — — — — — — — —
— — — — — — — — — —
   ne half so freo:
whose wole of loue be trewe,
   do lystne me.

Herkneþ me, y wolle ou telle, 40
in such wondryng for wo y welle,
nys no fur so hot in helle
   als loue to mon,
þat loueþ derne ant dar nout telle
   whet him ys on. 45

Ich vnne hire wel, ant heo me wo;
ycham hire frend, ant heo my fo;
me þuncheþ min herte wol breke
    atwo
   for sorewe and syke!
in Godes greting mote heo go, 50
   þat wayle whyte.

Ich wolde ich were a þrestelcok,
a bountyng oþer a lauerok,
   swete bryd!
bituene hire curtel ant hire smok 55
   y wolde ben hyd.

55.

LIED ZUM PREISE JESU UND DER JUNGFRAU MARIA.

*Th. Wright, Specimens of Lyric Poetry, s. 61; Böddeker; Altenglische
dichtungen des MS Harl. 2253, s. 196; vgl. Zupitza, Herrigs Archiv 86, 408.*

When y se blosmes springe,
   ant here foules song,
a suete louelongynge
   myn herte þourh out stong:
5 al for a loue newe,
þat is so suete & trewe,
   þat gladieþ al mi song;
ich wot al myd iwisse,
my ioie & eke my blisse
10   on him is al ylong.

When y mi selue stonde,
   & wiþ myn eȝen seo
þurled fot ant honde
   wiþ grete nayles þreo —
blody wes ys heued, 15
on him nes nout bileued
   þat wes of peynes freo, —
ful wel ohte myn herte
for his loue to smerte,
   ant sike ant sory beo. 20

     19 herte *erg. Hh.* — 28 in muche murþe *hs.*] *Hh str.* muche. —
31 Y *erg. Hh.* — 38 wose *hs.* — 40 wolle *erg. Hh.* — 43 al *hs*] als loue
erg. Hh. — 53—54 *Hh nimmt den ausfall einer zeile zwischen diesen versen
an (vgl. dazu Schipper, Engl. Metrik I, § 143).*
    18 wel wel *hs.*] ful wel *H(olt)h(ausen).*

Iesu, milde & softe,
　　ȝef me streynþe ant myht,
Longen sore ant ofte
　　to louye þe aryht;
pyne to þolie ant dreȝe
for þi sone, Marye:
　　þou art so fre ant bryht;
mayden ant moder mylde,
for loue of þine childe
　　ernde vs heuene lyht.

Alas, þat y ne couþe
　　turne to him my þoht,
ant cheosen him to drouþe;
　　so duere he vs haþ yboht!
wiþ woundes deope ant stronge,
wiþ peynes sore ant longe!

of loue ne conne we noht;
his blod þat feol to grounde
of hise suete wounde,
　　of peyne vs haþ yboht.　　40

Iesu, milde ant suete,
　　y synge þe mi song;
ofte y þe grete,
　　ant preye þe among;
let me sunnes lete,　　45
ant in þis lyue bete
　　þat ich haue do wrong;
at oure lyues ende,
when we shule wende,
　　iesu, vs vnderfong!　　50
　　amen.

56.

LIED ZUM PREISE DES ERLÖSERS.

*Th. Wright, Specimens of Lyric Poetry, s. 111; Böddeker, Altenglische
dichtungen des MS Harl. 2253, s. 231.*

Lutel wot hit anymon,
　　hou loue hym haueþ ybounde,
þat for vs oþe rode ron,
　　ant bohte vs wiþ is wounde.
5　　þe loue of hym vs haueþ ymaked sounde,
　　ant ycast þe grimly gost to grounde.
Euer & oo, nyht & day, he haueþ vs in is þohte,
He nul nout leose þat he so deore bohte.

He bohte vs wiþ is holy blod,
1')　　what shulde he don vs more?
he is so meoke, milde & good,
　　he nagulte nout þerfore;
　　þat we han ydon, y rede we reowen sore,
　　ant crien euer to Iesu: 'Crist, þyn ore!'
15　Euer & oo, niht & day &c.

---

26 þi B(öddeker)] þe hs. — 33 drouþe Hh] lemmon hs. B. —
34 boht Hh. — 43 þe B] se hs. — 49 we B] whe hs. — 50 vnderfong
B] vndefong hs.

12 nagulte B(öddeker)] na gulte hs.

11*

He seh his fader so wonder wroht
þ wiþ mon þat wes yfalle,
wiþ herte sor he seide is oht,
we shulde abuggen alle;
20   his suete sone to hym gon clepe & calle,
& preiede he moste deye for vs alle.
Euer & oo, &c.

He brohte vs alle from þe deþ,
& dude vs frendes dede;
25   suete Iesu of Nazareth,
þou do vs heuene mede;
vpon þe rode why nulle we taken hede?
His grene wounde so grimly conne blede.
Euer & oo, &c.

30   His deope wounden bledeþ fast,
of hem we ohte munne!
He haþ vs out of helle ycast,
ybroht vs out of sunne;
ffor loue of vs his wonges waxeþ þunne,
35   His herte blod he ȝef for al monkunne.
Euer & oo, &c.

57.

SPOTTGEDICHT LAURENCE MINOTS AUF DIE SCHOTTEN.

*Hs.: Brit. Mus., Cotton Galba, E, IX. — Edd.: Poems writen MCCCLII by
Laurence Minot, ed. Joseph Ritson, London 1795, 1825, s. 6; Th. Wright,
Political Poems and Songs etc. (Rerum Britan. Scriptores 12), London 1859,
1, 61; Mätzner, Altengl. sprachproben 1, 323; Wülker, Altengl. leseb. 1, 77;
W. Scholle, Laurence Minots lieder (QF. 52), Straßburg 1884, s. 5; Jos. Hall,
The Poems of Laurence Minot, Oxford 1882, s. 4; Kluge, Me. leseb.*, s. 110.*

*Now for to tell ȝow will I turn
Of (þe) batayl of Banocburn.*

Skottes out of Berwik   and of Abirdene,
At þe Bannokburn   war ȝe to kene:
þare slogh ȝe many sakles,   als it was sene,
And now has king Edward   wroken it, I wenec
5   It es wrokin, I wene,   wele wurth þe while;
War ȝit with þe Skottes,   for þai er ful of gile.

19 we B] whe *hs.* — 32 vs] ous *hs.*
Titel, z. 2 (þe) *erg. Ri(tson).* — 6 ȝit] ȝow *S(cholle).*

Whare er ʒe, Skottes   of Saint Johnes toune?
þe boste of ʒowre baner   es betin all doune;
When ʒe bosting will bede,   sir Edward es boune
10   For to kindel ʒow care,   and crak ʒowre crowne:
    He has crakked ʒowre croune,   wele worth þe while;
    Schame bityde þe Skottes,   for þai er full of gile.

Skottes of Striflin   war steren and stout;
Of God ne of gude men   had þai no dout;
15   Now haue þai, þe pelers,   priked obout,
Bot at þe last sir Edward   rifild þaire rout:
    He has rifild þaire rout,   wele wurth þe while;
    Bot euer er þai vnder   bot gaudes and gile.

Rughfute riueling,   now kindels þi care,
20   Berebag, with þi boste,   þi biging es bare;
Fals wretche and forsworn,   whider wiltou fare?
Busk þe vnto Brug,   and abide þare:
    þare, wretche, saltou won,   and wery þe while;
    þi dwelling in Donde   es done for þi gile.

25   þe Skotte gase in Burghes,   and betes þe stretes,
All þise Inglis men   harmes he hetes;
Fast makes he his mone   to men þat he metes,
Bot fone frendes he findes   þat his bale betes:
    Fune betes his bale   wele wurth þe while;
30   He vses all threting   with gaudes and gile.

Bot many men thretes   and spekes ful ill,
þat sum tyme war better   to be stane-still;
þe Skot in his wordes   has wind for to spill,
For at þe last sir Edward   sall haue al his will:
35   He had his will at Berwik,   wele wurth þe while.
    Skottes broght him þe kayes,   bot get for þaire gile.

---

18 Bot euer] And euer (?) *H* ‖ *Brotanek vermutet mit Ri* both
gaudes. — 22 Brug *H(all)*] brig *hs.* — 25 Skotte *Ri*] Skottes *hs.* ‖
Burghes *H*] burghes *hs. und frühere herausgg.* — 26 All þise] in all
wise (?) *H.* — 34 sir *S*] *fehlt in der hs.*

58.

AUS 'PATIENCE'.

Hs.: *Brit. Museum Nero, A, X, fol. 83 v.* vgl. *Fischer, Bonner Beitr. 11.* —
Edd.: *Early Engl. Alliterative Poems (EETS 1)*, ed. *R. Morris, London 1869,*
2⁴ ed., s. 91; *Kluge, Me. leseb., s. 105 f.; Select Early Engl. Poems, ed.
I. Gollancz, vol. 1, London 1913.* — vgl. *Ekwall, Engl. st. 44, 165, Beibl. z.
Anglia 24, 133; Macaulay, Mod. L. Rev. 8, 396 ff.*

<blockquote>

Hit bitydde sum tyme   in þe termes of Iude,
Ionas ioyned watz þer inne   ientyle prophete:
goddes glam to hym glod,   þat hym vnglad made,
with a roghlych rurd   rowned in his ere.

65   'rys radly,' he says,   'and rayke forth euen:
nym þe way to Nynyue   wythouten oþer speche
and in þat cete my saȝes   soghe alle aboute,
þat in þat place at þe poynt   i put in þi hert;
for iwysse hit arn so wykke,   þat in þat won dowellez,
70   and her malys is so much,   i may not abide,
bot venge me on her vilanye   and venym bilyue.
now sweȝe me þider swyftly   and say me þis arende.'
     When þat steuen watz stynt,   þat stowned his mynde,
al he wrathed in his wyt,   and wyþerly he þoȝt:
75   'if i bowe to his bode   and bryng hem þis tale
and i be nummen in Nuniue,   my nyes begynes.
he telles me, þose traytoures   arn typped schrewes:
if i com wyth þose typynges,   þay ta me bylyue,
pynez me in a prysoun,   put me in stokkes,
80   wryþe me in a warlok,   wrast out myn yȝen.
þis is a meruayl message   a man for to preche
amonge enmyes so mony   and mansed fendes;
bot if my gaynlych god   such gref to me wolde
for desert of sum sake,   þat i slayn were,
85   at alle peryles', quod þe prophete,   'i aproche hit no nerre.
i wyl me sum oþer waye,   þat he ne wayte after:
i schal tee in to Tarce   and tary þere a whyle,
and lyȝtly, when i am lest,   he letes me alone.'
     þenne he ryses radly   and raykes bilyue,
90   Ionas, toward port Iaph   ay ianglande for tene,
þat he nolde þole for no þyng   non of þose pynes:
þaȝ þe fader, þat hym formed,   were fale of his hele,
'oure syre syttes', he says,   'on sege so hyȝe
in his glowande glorye   and gloumbes ful lyttel,

</blockquote>

---

62 watz] *M(orris) gibt jedes ȝ der hs. so wieder, während hier
dafür je nach bedeutung ȝ oder z gesetzt ist.* — 66 o. s. *hs.*] wiþerspeche
H(olt)h(ausen). — 78 if *fehlt.* — 84 for *M*] fof. — 94 glowande] glwande
M, g :: wande.

95 þaʒ i be nummen in Nuniue   and naked dispoyled,
      on rode rwly torent   with rybaudes mony'.
      ·þus he passes to þat port   his passage to seche:
      fyndes he a fayr schyp   to þe fare redy,
      maches hym with þe maryneres,   makes her paye
100 for to towe hym in to Tarce,   as tyd as þay myʒt.
      then he tron on þo tres,   and þay her tramme ruchen,
      cachen vp þe crossayl,   cables þay fasten,
      wiʒt at þe wyndas   weʒen her ankres,
      sprude spak to þe sprete   þe spare bawe lyne,
105 gederen to þe gyde ropes,   þe grete cloþ falles,
      thay layden in on ladde borde   and þe lofe wynnes.
      þe blyþe breþe at her bak   þe bosum he fyndes,
      he swenges me þys swete schip   swefte fro þe hauen.
      Watz neuer so ioyful a Iue,   as Ionas watz þenne,
110 þat þe daunger of dryʒtyn   so derfly ascaped:
      he wende wel, þat þat wyʒ,   þat al þe world planted,
      hade no maʒt in þat mere   no man for to greue.
      lo þe wytles wrechche,   for he wolde noʒt suffer,
      now hatz he put hym in plyt   of peril wel more.
115 hit watz a wenyng vnwar,   þat welt in his mynde,
      þaʒ he were soʒt fro Samarye,   þat god seʒ no fyrre:
      ʒise, he blusched ful brode,   þat burde hym by sure,
      þat ofte kyd hym þe carpe,   þat kyng sayde,
      dyngne Dauid on des,   þat demed þis speche
120 in a psalme, þat he set,   þe sauter withinne:
      'o folez in folk,   felez oþer whyle
      and vnderstondes vmbe stounde,   þaʒ ʒe be starc fole:
      hope ʒe, þat he heres not,   þat eres alle made?
      hit may not be, þat he is blynde,   þat bigged vche yʒe.'
125 bot he dredes no dynt,   þat dotes for elde,
      for he watz fer in þe flod   foundande to Tarce:
      bot i trow, ful tyd   ouertan þat he were,
      so þat schomely to schort   he schote of his ame.
      for þe welder of wyt,   þat wot alle þynges,
130 þat ay wakes and waytes,   at wylle hatz he slyʒtes.
      he calde on þat ilk crafte,   he carf with his hondes:
      þay wakened wel þe wroþeloker,   for wroþely he cleped:
      'Ewrus and Aquiloun,   þat on est sittes,
      blowes boþe at my bode   vpon blo watteres.'
135 þenne watz no tom þer bytwene   his tale and her dede:
      so bayn wer þay boþe two   his bone for to wyrk.
      anon out of þe norþ est   þe noys bigynes:
      when boþe breþes con blowe   vpon blo watteres,

---

122 ʒe] he ‖ starc *Fischer*] stape; *Go(llancz) liest* stape in.

ro3 rakkes þer ros   with rudnyng anvnder,
140 þe see sou3ed ful sore,   gret selly to here,
þe wyndes on þe wonne water   so wrastel togeder,
þat þe wawes ful wode   waltered so hi3e
and efte busched to þe abyme,   þat breed fysches,
durst nowhere for ro3   arest at þe bothem.
145 when þe breth and þe brok   and þe bote metten,
hit watz a ioyles gyn,   þat Ionas watz inne;
for hit reled on roun   vpon þe ro3e yþes.
þe bur ber to hit baft,   þat braste alle her gere,
þen hurled on a hepe   þe helme and þe sterne,
150 furst tomurte mony rop   and þe mast after.
þe sayl sweyed on þe see,   þenne suppe bihoued
þe coge of þe colde water,   and þenne þe cry ryses.
3et coruen þay þe cordes   and kest al þer oute:
mony ladde þer forth lep   to laue and to kest,
155 scopen out þe scaþel water,   þat fayn scape wolde:
for, þe monnes lode neuer so luþer,   þe lyf is ay swete.

59.
AUS DER 'ZERSTÖRUNG VON TROJA'.

Hs. im Hunterian Museum in Glasgow. — Ed.: The 'Gest Hystoriale' of the Destruction of Troy, ed. G. A. Panton and D. Donaldson, London 1869 and 1874 (EETS 39 u. 56), s. 1.

Prologue.

Maistur in mageste,   maker of alle,
endles and on,   euer to last,
now, god, of þi grace   graunt me þi helpe
and wysshe me with wyt   þis werke for to ende.
5 off aunters, ben olde,   of aunsetris nobill
and slydyn vppon shlepe   by slomeryng of age,
of stithe men in stoure,   strongest in armes
and wisest in wer   to wale in hor tyme,
þat ben drepit with deth,   and þere day paste,
10 and most out of mynd   for þere mecull age,
sothe stories ben stoken vp   and straught out of mynde
and swolowet into swym   by swiftenes of yeres
for new, þat ben now   next at our hond,
breuyt into bokis   for boldyng of hertis,

---

139 rurdnyng *Hh.* — 141 wrastelt *Wülker.* — 143 *zu* breed *vgl.* H. Arch 119, 436. — 147 round *M.* — 152 clolde, *verb. M.* — 156 lote? *M.* 2 H(olt)h(ausen) *verb.* laste. — 4 *Hh liest* wysse. — 13 *Hh verb.* honde.

15 on lusti to loke   with lightnes of. wille
   cheuyt throughe chaunce   and chaungyng of peopull.
   sum tru for to traist   triet in þe ende,
   sum feynit o fere   and ay false vnder.
   yche wegh, as he will,   warys his tyme
20 and has lykyng to lerne,   þat hym list after,
   but olde stories of stithe,   þat astate helde,
   may be solas to sum,   þat it segh neuer,
   be writyng of wees,   þat wist it in dede,
   with sight for to serche of hom,   þat suet after,
25 to ken all the crafte,   how þe case felle,
   by lokyng of letturs,   þat lefte were of olde.
     Now of Troy forto telle   is myn entent euyn,
   of the stoure and þe stryfe,   when it distroyet was.
   þof fele yeres ben faren,   syn þe fight endid,
30 and it meuyt out of mynd,   myn hit i thinke,
   alss wise men haue writen   the wordes before,
   left it in latyn   for lernyng of vs.
   but sum poyetes full prist,   þat put hom þerto,
   with fablis and falshed   fayned þere speche
35 and made more of þat mater,   þan hom maister were:
   sum lokyt ouer litle   and lympit of the sothe.
   amonges þat menye   (to myn hym be nome)
   Homer was holden   haithill of dedis,
   qwiles his dayes enduret,   derrist of other,
40 þat with the Grekys was gret   and of Grice comyn:
   he feynet myche fals,   was neuer before wroght,
   and traiet þe truth: trust ye non other.
   of his trifuls to telle   i haue no tome nowe
   ne of his feynit fare,   þat he fore with,
45 how goddis foght in the filde,   folke as þai were,
   and other errours vnable,   þat after were knowen,
   that poyetis of prise   have preuyt vntrew:
   Ouyd and othir,   þat onest were ay,
   Virgill þe virtuus   verrit for nobill;
50 thes dampnet his dedys   and for dull holdyn.
   but þe truth for to telle   and þe text euyn
   of þat fight, how it felle   in a few yeres,
   þat was clanly compilet   with a clerk wise,
   on Gydo, a gome,   þat graidly hade soght,
55 and wist all þe werks   by weghes he hade,
   that bothe were in batell,   while the batell last,
   and euþer sawte and assembly   see with þere een.
   thai wrote all þe werkis   wroght at þat tyme

---

45 goddes *Edd.*

in letturs of þere langage,   as þai lernede hade.
60 Dares and Dytes   were duly þere namys:
     Dites full dere   was dew to the Grekys,
     a lede of þat lond   and loged hom with;
     the tother was a tulke   out of Troy selfe,
     Dares, þat duly   the dedys behelde.
65 aither breuyt in a boke   on þere best wise,
     that sithen at a cite   somyn were founden,
     after at Atthenes,   as aunter befell;
     the whiche bokis barely   bothe, as þei were,
     a Romayn ouerraght   and right hom hym seluyn,
70 that Cornelius was cald   to his kynde name.
     he translated it into latyn   for likyng to here,
     but he shope it so short,   þat no shalke might
     haue knowlage, by course   how þe case felle;
     for he brought it so breff   and so bare leuyt,
75 þat no lede might have likyng   to loke þerappon,
     till þis Gydo it gate,   as hym grace felle,
     and declaret it more clere   and on clene wise.
     in this shall faithfully be founden   to the fer ende
     all þe dedis bydene,   as þai done were.
80 how þe groundis first grew   (and þe grete hate)
     bothe of torfer and tene,   þat hom tide aftur.
     and here fynde shall ye faire   of þe felle peopull,
     what kyngis þere come   of costis aboute,
     of dukes full doughty   and of derffe erles,
85 that assemblid to þe citie   þat sawte to defend;
     of þe Grekys, þat were gedret,   how gret was þe nowmber,
     how mony knightis þere come   and kyngis enarmed,
     and what dukis thedur droghe   for dedis of were,
     what shippes þere were shene   and shalkis within,
90 bothe of barges and buernes,   þat broght were fro Grese,
     and all the batels on bent   þe buernes betwene,
     what duke þat was dede   throughe dyntis of hond,
     who fallen was in fylde,   and how it fore after,
     bothe of truse and trayne   þe truthe shalt þu here
95 and all the ferlies, þat fell   vnto the ferre ende.
     fro this prologe i passe   and part me þerwith:
     frayne will i fer   and fraist of þere werkis,
     meue to my mater   and make here an ende.
            Explicit Prologue.

---

68 bok*es* *Edd.* — 79 dedes *Edd.* — 80 groundes *Edd.* — 83 kynges ||
costes *Edd.* — 87 knightes || kynges *Edd.* — 88 dukes *Edd.* — 89 shalkes
Edd. — 92 dyntes *Edd.* — 97 werkes *Edd.*

60.

ANFANG DES V. BUCHES VON BARBOURS 'BRUCE'.

Hss.: C = *Cambridge MS, St. John's College v. j. 1487, fol. 34 v,* E = *Edinburgh MS, v. j. 1489,* H = *Harts ausgabe 1616.* — *Edd.:* W. W. Skeat, *London 1870 (EETS, Extr.-Ser. 11, 21, 29),* 11, *s. 105 und Edinburgh 1894 (ScotTS), s. 111.* — þ *steht hier für Skeats kursives* th *an stelle eines handschriftlichen* y.

þis wes in were, quhen vyntir tyde
vith his blastis, hydwiß to byde,
wes ourdriffin, and byrdis smale,
as thristill and þe nychtingale,
5 begouth rycht meraly to syng
and for to mak in þair synging
syndry notis and soundis sere
and melody plesande to here;
and þe treis begouth to ma
10 burgeonys and brycht blwmys alsua,
to vyn þe heling of þar hevede,
þat vikkit vyntir had þame revede,
and all gressis begouth to spryng:
in to þat tyme þe nobill king
15 vith his flot and a few menȝe
(thre hundir, i trow, þai mycht weill be)
wes to þe se furth of Arane
a litill forrow þe evyn gane.
þai rowit fast with all þar mycht,
20 till þat apon þame fell þe nycht,
þat it wox myrk on gret manere,
swa þat þai wist nocht, quhar þai were;

for þai na nedill had na stane,
bot rowit alwayis in till ane,
stemmand alwayis apon þe fyre, 25
þat þai saw byrnand licht and schire.
it wes bot auentur, þat þame led,
and þai in schort tym swa þame sped,
þat at þe fyre arivit þai,
and went to land but mair delay. 30
and Cuthbert, þat has seyn þe fyre,
wes full of angir and of ire,
for he durst nocht do it avay,
and he wes alsua doutand ay,
þat his lord suld paß þe se: 35
þarfor þair cummyng vatit he
and met þame at þair ariving.
he wes weill soyne brocht to þe king,
þat sperit at hym, how he had done,
and he with sair hert tald him 40 sone,
how þat he fand nane weill willand,
bot all war fais þat euir he fand;

1 were] ver E. — 4 thristill] turturis *nachträglich* E, turtle H. — 5 meraly] sariely E, sweetly for H. — 6 in — synging] their solacing H. — 7 syndry] swete E. — 8 melodys E. — 11 hevede S(keat)] hede C, hewid E, head H. — 12 revede] made H. — 13 grewis C, gressys E, gersse H. — 14 in that sweet t. H. — 16 four H ‖ weill f. EH. — 17, 18 wes ... gane S] is ... gan E, went ... ar (was H) gane CH. — 17 furth] owte E. — 18 þe f. E. — 21 it f. EH. — 24 in till] foorth in H. — 25 stemmand] sterand E, steering H ‖ all tyme E. — 27 þat f. E ‖ þame *über getilgtem* him C. — 34 he f. E. — 35 þe] to E, to the H. — 41 willand CH] luffand E. — 42 euer H, f. E.

and at þe lord þe Persy
with neir thre hundreth in cum-
    pany
45 wes in þe castell þar besyde,
fulfillit of dispit and pride,
bot mair þan twa part of his rout
war herbreit in þe toune þarout,
'and dispisis ȝow mair, schir
    king,
50 þan men may dispiß ony thing.'
þan said þe kyng in full gret ire:
'tratour, quhy maid þou on þe
    fyre?'
'a schir,' he said, 'sa god me se,
þat fyre wes neuir maid on
    for me,
55 na or þis nycht i wist it nocht,
bot, fra i wist it, weill i thocht,
þat ȝhe and haly ȝour menȝhe
in hy suld put ȝow to þe se.
forþi i com to meit ȝow her
60 to tell peralis, þat may aper.'
þe king wes of his spek angry
and askit his preue men in hy,
quhat at þame thoucht wes best
    to do.
schir Eduard ferst ansuerd þar to,
65 his broþir, þat wes so hardy,
and said: 'i say ȝow sekirly,
þar sall na peralis, þat may be,
dryve me eftsonis to þe se:
myne auenture heir tak will i,
70 quheþir it be eisfull or angry.'
'broþir,' he said, 'sen þou vill sa,
it is gud, þat we sammyn ta
diseß or ese, pyne or play,

eftir as god will vs purvay.
and sen men sais, þat þe Persy   75
myne heritage will occupy,
and, his menȝe sa neir vs lyis,
þat vs dispisis mony viß,
ga we wenge sum of þe dispit,
and þat we may haf don als tit;   80
for þai ly trastly but dreding
of vs and of our heir cummyng.
and, þouch we slepand slew thaim
    all,
repreif vs þarof na man sall;
for veriour na fors suld ma,   85
quheþir he mycht ourcum his fa
throu strynth or throu sutelte,
bot at gud fath ay haldin be.'
    Quhen þis wes said, þai went
    þare way.
and till þe toun soyn cumin ar thai   90
sa preuely bot noyß making,
þat nane persauit þair cummyng.
þai scalit throu þe toune in hy
and brak vp dures sturdely
and slew all, þat þai mycht ourtak;   95
and þai, þat na defens mycht mak,
full pitwisly couth rair and cry,
and þai slew þame dispitwisly,
as þai, þat war in to gud will
to wenge þe angir and þe ill,   100
þat þai and þairis had to þaim
    vrocht:
þai with so felloun will þaim socht,
þat þai slew þame euirilkane,
outtak Makdowall hym allane,
þat eschapit throu gret slicht   105
and throu þe myrknes of þe nycht.

---

43 at] þat E || þe lord CE] sir Henry H. — 47 partis E. —
48 without E. — 49 despises H, dyspytyt E. — 50 despise H, dispyt E. —
52 on] þan E. — 54 þat] þe E || on f. EH || for] through H. — 55 þis]
þe E. — 61 rycht angry C gegen EH. — 67 perell E. — 68 dryve EH]
draw C. — 71 þat getilgt; dafür sen C || sa H] sua E, say C. — 73 or
auch vor pyne EH. — 78 dispiß C, despises H, dispytis E. — 79 we
and E. — 80 may we E || (haf) C. — 82 and] or E. — 84 vs f. E. —
85 werrayour EH, veriours C. — 88 faith EH. — 97 couth] gan E. —
98 dispitously E. — 99 in to] in full E. — 101 to f. E. — 102 þai f. E.

In þe castell þe lorde Persy and þan cesit in to party 115
herd weill þe noyis and þe cry; þe noyis, slauchtir and þe cry.
sa did þe men, þat within wer, the king gert be departit þen
110 and full effraytly gat þair ger: all haill þe reif amang his men
but off þaim wes nane sa hardy, and duelt all still þair dais thre:
þat euir ischyt fourth to þe cry. sic hansell to þe folk gaf he 120
in sic afray þai baid þat nycht richt in þe first begynnyng
till on þe morn, þat day wes licht, newly at his ariwyng.

61.

AUS 'SIR FYRUMBRAS'.

Hs. in Oxford, Ashmole 33, fol. 15r. — Sir Ferumbras, ed. by Sidney J. Herrtage, London 1879 (EETS, Extr.-Ser. 34), s. 42.

Torne we aȝen in tour sawes, and speke we atte frome
1105 of erld Olyuer and his felawes, þat Sarazyns habbeþ ynome.
þe Sarazyns prykyaþ faste away, as harde as þay may hye.
and ledeþ wiþ hymen þat ryche pray, þe flour of chyualarye.
by hilles and roches swyþe horrible on hur cors þay wente,
and, er þai come to Mantrible, neuere þay ne astente.
1110 ouer þe brigge þay gunne ride, þat was ful huge of lengthe,
in þe cite þat nyȝt to abyde, to kep hem þer in strengthe.
wiþ hure prisouns þay comen in, þat were ytake be chaunce:
þe draȝtbrigge was drawe vp after hem, for drede of þe host of
Fraunce.
sone þay ryse vpon þe morwe, and to Egremoygne þay toke þe
way;
1115 god kepe þe prisouns out of sorwe, for carful þay were þat day!
wanne þay come to þe castel ȝate, hure hornes þay blewe faste:
þe porter alredi was þer ate and let hym in an haste.
þe heghe amerel, sir Balan, þat was on his halle an heȝ,
faste þyder þanne he ran, wanne he hymen come yseȝ.
1120 and wiþ hem al so sir Lamazour, a kyng of heþene londe,
and, wan þay comen doun of þe tour, after tydyngges þay gunne
to fonde.
Bruillant, þe kyng of Mountmirree, of is stede him liȝte adoun,
þan amyral þanne saluede hee in þe name of sire Mahoun.

107 þe persi E. — 109—112 EH, f. C. — 109 and sa H ‖ þat within] with him H. — 110 effraytly] infrainly H. — 112 and durst ishe foorth to cry H. — 113 effray E. — 116 þe slawchtyr E. — 118 reff E, spraith H. — 120 þe] þat E. — 122 newlingis E.
1104 in tour hs.] into our H(olt)h(ausen). — 1113 zweites of fehlt.

þe amyral of hym axeth sone,   wat tydynge þay had ybroȝt:
1125 'tel þou hem me riȝt anone,   and for no þyng hele þou noȝt.
haue ȝe taken duk Roland   and Olyuer, his felawe,
and wyþ Charlis foȝt wyþ hand   and hys doþþepers aslawe?'
    'Nay,' seyþ he, 'by seynt Mahoun,   it is noȝt, as ȝe sayn.
we buþ discomfyt and sleyn adoun   wiþ þe kyng Charlemayn,
1130 and þy sone, sir Fyrumbras,   þat fauȝt with a knyȝt of Fraunce.
be name ne know y noȝt, wat he was,   ac þar is betid a chaunce,
þat Fyrumbras by. him ys ouercome,   as þay foȝte in felde,
and to cristendom haþ him nome   and to Charlis kyng is ȝelde.'
    Wan þe amyral haþ iherd þe kyng,   in sowenyng gan he falle,
1135 ac, wan he awok of his soȝnyng,   loude he gan to calle
and wrong ys hondes an saide: 'alas,   ys my sone ynome?
my ioye ys lost for Fyrumbras: wat man is he bicome?
    Alas, what sorwe haþ he don,   þat was so hardy and wiȝt,
þat he was encombred so for on   to yeld him to such a knyȝt?
1140 v. hundred y saw aȝen him gon,   and he slow alle in fiȝt,
and now ys he take among is fon: ylost ys al my miȝt.
and if he is turnd to cristene lay,   alas, þanne is hit wors:
leuere me were, by my fay,   he were todrawe wyþ hors.'
    þe amyral saide þanne aȝeyn: 'tel me, what is þe knyȝt,
1145 þat was so miȝty man of mayn   to ouercome my sone in fiȝt?'
Bruyllant saide: 'so mot y þryue,   þes moste mán in siȝt,
þat stent ibounde among hem vyue   her byfore ȝow riȝt.'
    'Aha,' quaþ he, 'is þes þe þef?   þe deuel him mote forgnaȝe,
þat ouercom my sone, þat was me lef,   and broȝt him to is lawe!
1150 by Mahoun, þat is my god in pref,   ne schal y noȝt be fawe,
er y sen him haue mischef,   anhanged and todrawe.'
    Wan þay herd him þrete þus,   þe Frenschemen, þar þay stode,
Olyuer saide: 'help, Iesus,   þat boȝtest ous wiþ þy blode!
and, felawes,' he saide, 'confortiaþ ȝow wel,   and for noȝt, þat may
                                        befalle,
1155 þat non of ous is name ne tel,   auysyeþ ȝow wel with alle.
for, wiste þe ameral sykerly,   of þe doþþepers þat we ware,
for al þe gold in cristenty   non of ous wolde he spare,
þat we ne scholde to deþe gon,   be hangid and todrawe,
ouþer be demembrid euerechoun   and broȝt of lyues dawe.'

1142 wers. — 1156 were.

62.

AUS 'THE CRAFT OF DEYNG'.

Hs.: universitätsbibl. zu Cambridge, Kk. 1, 5, fol. 1. — Ed.: Ratis Raving and Other Moral and Religious Pieces, ed. J. R. Lumby, London 1870 (EETS 43), s. 1.

Sen the passage of this vrechit warlde, the quhilk is callit dede, semys harde perelus ande rycht horreble to, mony men alanerly for the wnknawlage, at thai have thare of, tharfore this lytill trety, the quhilk is callyt 'The craft of deyng', · is to be
5 notyde and scharply consederyt to thaim, that are put in the fechtinge of dede; for to þaim ande to al vthere folk it may awaill rycht mekle till have a gude ende, the quhilk makis a werk perfyte, as the ewill end wndois al gud werk before wrocht. the fyrst chepture of this trety begynnys of the commendacioune
10 of dede. fore ded, as haly wryt sais, is maist terreble of al thing, that may be thocht. ande, in sa mekle as the saull is mare pretious and worthy, than the body, in sa mekle is the ded of it mare perulus and doutable to be tholyt. ande the ded of synfull man but sufficiant repentans is euer ill, as the dede of gude men,
15 how soding or terreble at euer it be, is gude and pretious before gode. for the dede of gude men is nocht ellis, bot the pasing of personis, retwrnynge fra banasynge, offputyng of a full hevy byrdinge, end of all seknes, eschevyng of perellys, the terme of all ill, the brekinge of al bandys, the payment of naturell det,
20 the agan cumynge to the kynde lande ande the entering to perpetuall ioy and welfare. and tharfor the day of ded o neide men is better, than the day of thar byrthe. and sa thai, that ar all weill schrewyne and deis in the faithe· and sacramentis of haly kyrk, how wyolently at euer thai dee, thai suld nocht dreid
25 thare ded. fore he, that valde weill de, suld glaidly dee and conforme his wyll to the wyll of gode; for, sen vs behwys all de o neid and we wat noþer the tyme nor the sted, we suld resaue it glaidly, that god and nature has ordanyt, and gruche nocht thar wyth, sen it may nocht be eschewyt. for god, at ordanyt
30 ded, ordanyt it fore the best, ande he is mare besy fore our gud, than we our self can ore may be, sen we ar his creaturys and

---

6 fechinge, *verb. Lumby.* — 10 sais is mar pretiouxe and worthy (*vgl.* 11, 12) is maist. — 14 men?. — 16 ell *st.* ell? *hs.* — 26 conferme.

handewerkis. and tharfore al men, that wald weill de, suld leir
to de, the quhilk is nocht ellys, bot to have hart and thocht
euer to god and ay be reddy to resaue the ded but ony murmwr.
35 as he, that baide the cumyne of his frend, and this is the craft,
that al kynd of man suld be besye to study in, that is to say.
to have his lyf, how velthye or pure that it be, takyne in paciens
[that gode sendis].

_____

63.

LENVOY DE CHAUCER A BUKTON.

The counsell of Chaucer touching Mariage, which was sent to Bukton.

*A critical edition of some of Chaucer's Minor Poems by John Koch, Berlin 1883,
s. 18; The Globe Edition: The Works of Geoffrey Chaucer, ed. by A. W. Pollard,
H. F. Heath, M. H. Lidell, W. S. McCormick, London 1898, s. 633; The Complete
Works of Geoffrey Chaucer, ed. W. W. Skeat, Oxford 1894, vol. 1 (Romaunt
of the Rose, Minor Poems), s. 398; Oxford 1901, s. 124. diese ausgabe, der unser
text folgt, beruht auf F (= MS Fairfax 16), Th (= Thynne's edition 1532)
und Ju (= Druck von Julian Notary 1499—1502); vgl. Skeat, s. 398. vgl. noch
Chaucer Society, ser. I. no. 58, s. 423; no. 61, s. 303; M. Kaluza, Chaucer-
handbuch, Leipzig 1919, s. 21.*

My maister Bukton, whan of Criste our kinge
  Was axed, what is trouthe or sothfastnesse,
He nat a word answerde to that axinge,
  As who saith: 'No man is al trewe', I gesse.
5   And therfor, thogh I highte to expresse
The sorwe and wo that is in mariage,
  I dar not wryte of hit no wikkednesse,
Lest I my-self falle eft in swich dotage.

I wol nat seyn, how that it is the cheyne
10   Of Sathanas, on which he gnaweth euer,
But I dar seyn, were he out of his peyne,
  As by his wille he wolde be bounde neuer.
But thilke doted fool that eft hath leuer
Y-cheyned be than out of prisoun crepe,
15   God lete him neuer from his wo disseuer,
Ne no man him bewayle, though he wepe.

_____

63. *Der erste titel aus F, der zweite aus Ju.*
  2 ys *F* ‖ sothefastnesse *F*. — 3 worde *F*. — 4 noo *F* ‖ trew *F*. —
5 therfore though *F* ‖ hight *F*, hyghte you *Ju*. — 6 woo *F*. —
7 writen *F* ‖ hyt noo *F*. — 8 Lest *Ju*] Leste *F*. — 9 hyt *F*. —
10 euere *F*. — 11 oute *F*. — 12 neuere *F*. — 13 foole *F* ‖ efte *Th*]
ofte *F*, oft *Ju* ‖ leuere *F*. — 15 woo disseuere *F*. — 16 noo *F*.

But yit, lest thou do worse, tak a wyf;
  Bet is to wedde, than brenne in worse wyse.
But thou shalt have sorwe on thy flesh, thy lyf,
20   And been thy wyves thral, as seyn these wyse;
  And if that holy writ may nat suffyse,
Experience shal thee teche, so may happe,
  That thee were leuer to be take in Fryse,
Than eft to falle of wedding in the trappe.

Envoy.

25 This litel writ, prouerbes, or figure
  I sende you, tak kepe of it, I rede:
Vnwys is he þat can no wele endure.
  If thou be siker, put thee nat in drede.
The Wyf of Bathe I pray you that ye rede
30 Of this matere that we haue on honde.
  God graunte you your lif frely to lede
In fredom; for ful hard is to be bonde.

Explicit.

●

64.

'LACK OF STEDFASTNESSE' VON CHAUCER.

Hss.: H (= *Harl. 7333*); T (= *Trinity College, Cambridge, R. 3. 20*);
C (= *Cott. Cleop. D. 7*); F (= *Fairfax 16*); A (= *Addit. 22. 139*);
B (= *Bannatyne*); Th (= *Thynnes ausgabe von 1532*). *Ausgaben wie bei
no. 63: Koch, s. 17; Globe Ed., s. 630; Skeat I, 394; ausgabe von 1901,
s. 123 (wonach unser text); Skeats ausgabe folgt hauptsächlich C. vgl.
noch Chaucer Society, ser. I, no. 58, s. 433; no. 59, s. 163; no. 61, s. 311;
no. 77, s. 31; Kaluza, Chaucer-handbuch, s. 20.*

Som tyme this world was so stedfast and stable,
  That mannes word was obligacioun,
And now hit is so fals and deceiuable,
  That word and deed, as in conclusioun,

---

17 yet *F* ‖ thow do *F* ‖ take *F* ‖ wyfe *F*. — 19 thow *F* ‖ flessh *F*;
lyfe *F*. — 20 ben *F* ‖ wifes *F*, wyues *JuTh*. — 21 yf *F* ‖ hooly
writte *F*. — 22 the *F*. — 23 the *F*. — 24 to *Th*] fehlt in *FJu*. —
25 writte *F*, writ *Th*, wryt *Ju*. — 26 yow *F* ‖ take *F* ‖ hyt *F*. —
27 Vnwise *F* ‖ kan noo *F*. — 28 thow *F* ‖ the *F*. — 29 wyfe *F*;
yow *F*. — 31 yow *F* ‖ lyfe *F*. — 32 fredam *F* ‖ for ful harde it is *F*,
for ful hard is *Ju*, for foule is *Th*. — *Explicit*] *FThJu*.

1 Sumtyme *C* ‖ this *HTA*, the *CF* ‖ worlde *C*. — 2 worde *C*. —
3 nowe it *C* ‖ false *C* ‖ deseiuable *C*. — 4 worde *C* ‖ dede *C*.

5   Ben no-þing lyk, for turned up so doun
Is al this world for mede and wilfulnesse,
That al is lost for lak of stedfastnesse.

What maketh this world to be so variable,
But lust that folk haue in dissensioun?
10 Among us now a man is holde unable,
But if he can, by som collusioun,
Don his neighbour wrong or oppressioun.
Wath causeth this, but wilful wrecchednesse,
That al is lost for lak of stedfastnesse?

15 Trouthe is put doun, resoun is holden fable;
Vertu hath now no dominacioun,
Pitee exyled, no man is merciable.
Through couetyse is blent discrecioun;
The world hath mad a permutacioun
20 Fro right to wrong, fro trouthe to fikelnesse.
That al is lost for lak of stedfastnesse.

●

Lenvoy to King Richard.

O prince, desyre to be honourable,
Cherish thy folk and hate extorcioun!
25 Suffre no thing that may be replevable
To thyn estat, don in thy regioun.
Shew forth thy swerd of castigacioun,
Dred God, do law, loue trouthe and worthinesse,
And wed thy folk agein to stedfastnesse.

---

5 Beon *T*, Ar *A*, Is *C*, Ys *F* ‖ lyke *C*. — 6 all *C* ‖ worlde *C*. — 8 worlde *C* ‖ veriable *C*. — 9 folke *C* ‖ discension *C*. — 10 Among us now *B*] For among vs now *oder* For now a dayes *die andern hss.* — 11 collusion *BHTTh*, conclusioun *CFA*. — 12 neyghburgh *C*. — 15 putte *C*. — 17 Pite *C*. — 18 Thorugh *C*. — 19 worlde *C* ‖ ane *B*, a *fehlt C*. — 20 trouthe *F*, trought *C*. — 22 Lenvoy to Kyng Richard *T*, *bloß* Lenvoy *FHTh*. — 23 honurable *C*. — 24 Cherice thi *C*. — 26 thine estaat doen *C* ‖ thi *C*. — 27 Shewe *C* ‖ swerde *C*. — 28 Drede *C* ‖ truthe *C*. — 29 thi *C* ‖ ayen *C*. — *Explicit in CTh.*

65.

AUS JOHN LYDGATES 'GUY OF WARWICK'.

*Hs.: O (= Laud 683 zu Oxford). danach hgg. von J. Zupitza, Sitzungsber.
der phil.-hist. kl. der kais. akad. d. wissensch. in Wien, 74, 661; hier sind
außerdem benutzt H (= Harley 7333); L (= Lansdowne 699); T (= Trinity
College, Cambridge, R. 3. 21). — Vgl. Robinson, Studies and Notes in Phil.
and Lit., Boston 1896, V, 177ff.*

59.

This thyng confermed by promys ful roiall,
   passed the boundys and subbarbys of the toun,
[And] at a cros, that stood feer from the wall,
   ful devoutly the pilgrym knelith doun
5   to sette a syde all suspecyoun:
'mi lord,' quod he, 'of feith withouten blame,
   your lyge man of humble affeccyoun,
[Sir] Guy of Warwyk trewly is my name.'

60.

The kyng astoned gan chaunge cher and face
   and in maner gan wepyn for gladnesse,
and al attonys he gan hym to enbrace
   in bothe his armes of royall gentylnesse
5   with offte kyssyng of feithfull kyndenesse,
with grete proffres on the tother syde
   of gold, of tresour and of gret rychesse,
withinne his paleys yif he wolde abyde.

61.

Alle thes[e] profres meekly he forsook,
   and to the kynges royall mageste
hym recomaundyng anoon his weie he took.
   at his departyng this avouh maad he
5   with pitous wepyng knelyng on his kne

59, 1 ensurid by promesse and wordis r. *H. —* 2 þei passid
H ‖ the s. a. b. *O. —* 3 [And] *erg. H(olt)h(ausen)* ‖ oute at *H* ‖ feer]
for *T. —* 4 dev.] konyngly (kon. *2. hd. auf rasur) H* ‖ knelyd adowne
HT. — 5 all menis s. *H. —* 8 [Sir] *erg. Hh* ‖ tr.] sir *H. —* **60,** 1 g. ch.]
chaunged *H. —* 2 g. w.] wepte *H* ‖ for grete gl. *H. —* 3 and] þan
H. — 4 gentylesse *H. —* 5 w. o. k.] with honde in honde *H* ‖ of]
and *L. —* 6 with *f. H* ‖ þat othir *H,* the other *T. —* 7 *zweites* of]
and of *H,* and *T* ‖ *drittes* of *f. T.* ‖ miche *H. —* 8 yf þat *H. —*
61, 1 thes[e] *verb. Hh* ‖ But al þoo profferys Guy þere clene forsoke
H. — 2 vnto *H. —* 3 hym] with *H* ‖ recommaundyd *T. —* 4 *hinter*
5 *H* ‖ his] þat *H. —* 5 with] and *H.*

12*

vn to the kyng in full humble entent:
'duryng my lyf, it may noon other bee,
schall i neuer doon of this garnement.'

62.   Át ther departyng was but smal langage:
       sweem of ther speche made interupcyoun.
the kyng goth hom, [and] Guy took his vyage
       toward Warwyk, his castell and his toun,
5   no man of hym hauyng suspecyoun,
where day be day Felyce, his trewe wyf,
       fedde poore folk of greet devocyoun
to praie for hir and for hir lordys lyf,

63.   Thrittene in noumbre, myn auctour writeth so.
       Guy at his comyng forgrowe in his vysage,
thre daies space he was oon of tho,
       that took almesse, with humble and louh corage:
5   thankyng the contesse in haste took his viage.
nat fer fro Warwyk, the oronycle doth expresse,
       of aventure kam to an hermytage,
where he fond on dwellyng in wyldirnesse.

64.   To hym he drouh besechyng hym of grace
       as for a tyme to holde there soiour.
the same hermyte withinne a lytel space
       by deth is passed the fyn of his labour;
5   affter whos day Guy was his successour
space of too yeer by grace of Cryst Iesu
       dauntyng his flessh by penaunce and rigour,
ay more and more encresyng in vertu.

61, 6—8 Duryng Guyes lyf it wil noon oþer be *(bis hieher rot durchstrichen)* He should neuer were oþer garnamente Til crist ihesu *(so!)* of mercye and pytee Here in this eorþe have for his soule sent *(die beiden letzten wörter zweite hd. auf rasur)* H. — 6 in] with L. — 8 garlement L. — **62,** 1 but] ful L. — 2 sw. of th. s.] þeire hevinesse H ‖ swem *am rande von derselben hand (im text* s *und dahinter eine lücke)* T ‖ þinterrupcioune H. — 3 went T ‖ [and] *erg.* Hh ‖ took] to H. — 5 man] weyght H ‖ hauyng *vor* of T. — 8 lyffe *zweite hd. auf rasur* H. — **63,** 1 my O ‖ telleþe H. — 2 *erstes* his *f.* H. — 3 by three H. — 5 in h. t.] made þane H. — 6 from L, frome H ‖ W.] thens H. — **64,** 1 hym] whome H. — 2 as for *HHh*] for O ‖ there] with him H. — 3 same *f.* H ‖ a *f.* H. — 4 ende H ‖ his] thys T. — 5 whos d.] whome H ‖ day] dethe T ‖ his] þer H ‖ socour T. — 6 wo *von* two *zweite hand? auf rasur* L ‖ grace *zweite hand aus* space T. — 8 euer T.

66.

AUS HENRY THE MINSTRELS 'W^M. WALLACE', BUCH I.

Hs. in der Advocates' Library, Edinburgh. — The actis and dedis of . . .
Schir William Wallace etc. by Henry the Minstrel, ed. James Moir, Edin-
burgh 1889 (Scot T S 6 ff), s. 13—16. betreffs früherer ausgaben vgl. dessen
einleitung, s. XIV ff. unser abschnitt auch in Skeat's Specimens of English
Literature 1394—1579, Oxford 1871, s. 64—66.

So on a tym he desyrit to play.
In Aperill the thre and twenty day,
Till Erewyn wattir fysche to tak he went:
370 Sic fantasye fell in his entent.
To leide his net, a child furth with him ʒeid;
But he, or nowne, was in a fellowne dreid.
His suerd he left, so did he neuir agayne;
It dide him gud, suppos he sufferyt payne.
375 Off that labour as than he was nocht sle:
Happy he was, tuk fysche haboundanle.
Or of the day ten houris our couth pas,
Ridand thar come, ner þy quhar Wallace was,
The lorde Persye, was captane than off Ayr:
380 Fra thine he turnde and couth to Glaskow fair.
Part of the court had Wallace labour seyne,
Till him raid fyve, cled in-to ganand greyne,
Ane said sone: 'Scot, Martyns fysche we wald hawe.'
Wallace meklye agayne ansuer him gawe:
385 'It war resone, me think, ʒhe suld haif part:
Waith suld be delt, in all place, with fre hart.'
He bad his child, 'Gyff thaim of our waithyng.'
The sothroun said: 'As now of thi delyng
We will nocht tak, thow wald giff ws our-small.'
390 He lychtyt doun, and fra the child tuk all.
Wallas said than: 'Gentill men gif ʒe be,
Leiff ws sum part, we pray for cheryte.
Ane agyt knycht serwis our lady to-day;
Gud frend, leiff part and tak nocht all away.'
395 'Thow sall haiff leiff to fysche, and tak the ma;
All this forsuth sall in our flyttyng ga.
We serff a lord; thir fysche sall till him gang.'
Wallace ansuerd, said: 'Thow art in the wrang.'

66, 368 XXIII *hs.* — 370 *H(olt)h(ausen) ergänzt to nach* in. —
377 X *hs.* — 382 V *hs.*

'Quham dowis thow, Scot? in faith thow serwis a blaw.'
400 Till him he ran, and out a suerd can draw.
    Willȝham was wa he had na wappynis thar,
    Bot the poutstaff, the quhilk in hand he bar.
    Wallas with it fast on the cheik him tuk
    Wyth so gud will, quhill of his feit he schuk.
405 The suerd flaw fra him a furbreid on the land.
    Wallas was glaid, and hynt is sone in hand;
    And with the swerd awkwart he him gawe
    Wndyr the hat, his crage in sondre drawe.
    Be that the layff lychtyt about Wallas;
410 He had no helpe, only bot Goddis grace.
    On athir side full fast on him thai dange;
    Gret perell was giff thai had lestyt lang.
    Apone the hede in gret ire he strak ane;
    The scherand suerd glaid to the colar-bane.
415 Ane othir on the arme he hitt so hardely,
    Quhill hand and suerd bathe on the feld can ly.
    The tothir twa fled to thar hors agayne;
    He stekit him was last apon the playne.
    Thre slew he thar, twa fled with all thair mycht
420 Eftir thar lord; bot he was out off sicht,
    Takand the mure, or he and thai couth twyne.
    Till him thai raid onon, or thai wald blyne,
    And cryit: 'Lord, abide; ȝour men ar martyrit doun ·
    Rycht cruelly, her in this fals regioun.
425 Fyve of our court her at the wattir baid,
    Fysche for to bryng, thocht it na profyt maid.
    We ar chapyt, bot in feyld slayne ar thre.'
    The lord speryt: 'How mony mycht thai be?'
    'We saw bot ane that has discumfyst ws all.'
430 Than lewch he lowde, and said: 'Foule mot ȝow fall,
    Sen ane ȝow all has putt to confusioun.
    Quha menys it maist, the dewyll of hell him droun;
    This day for me, in faith, he beis nocht socht.'
    Quhen Wallas thus this worthi werk had wrocht,
435 Thar hors he tuk, and ger that lewyt was thar;
    Gaif our that crafft, he ȝeid to fysche no mar;
    Went till his eyme, and tauld him of this drede.
    And he for wo weyle ner worthit to weide,
    And said: 'Sone, thir tythingis syttis me sor;
440 And be it knawin, thow may tak scaith tharfor.'

---

407 Hh ergänzt an nach swerd (Beibl. 19, 143: a straik st. he). —
428 Hh streicht And. — 425 V hs. — 429 Hh streicht that. — 437 drede
hs.] dede? M(oir). — 439 tithings stytts M.

'Wncle,' he said, 'I will no langar bide;
Thir Southland hors latt se gif I can ride.'
Than bot a child, him seruice for to mak,
Hys emys sonnys he wald nocht with him tak.
445 This gud knycht said: 'Deyr cusyng, pray I the,
Quhen thow wanttis gud, cum fech ynewch fra me.'
Syluir and gold he gert on-to him geyff.
Wallace inclynys, and gudely tuk his leyff.

67.

AUS DEN 'TOWNELEY MYSTERIES'.

*Hs.: früher zu Towneley Hall in Lancashire, jetzt im besitz des Mr. E. F. Coates,
Ewell, Surrey. — Edd.: Surtees Society, London 1836; unser stück auch
von Mätzner, Altengl. sprachpr. 1, 359, und J. M. Manly, Specimens of the
Pre-Shaksperean Drama, Boston 1897, 1, 13. The Towneley Plays, reed. by
G. England, London 1897 (EETS, Extra-Series 71), s. 23, wonach unser
text. unwichtige abweichungen von der hs., so bez. des gebrauches großer
buchstaben, sind nicht angemerkt.*

Processus Noe cum Filiis. Wakefeld.

Noe. Myghtfulle God veray,   maker of alle that is,
Thre persons withoutten nay,   oone God in endles blis,
Thou maide both nyght and day,   beest, fowle, and fysh,
Alle creatures that lif may   wroght thou at thi wish,
5   As thou wel myght;
The son, the moyne, verament,
Thou maide; the firmament,
The sternes also fulle feruent,
   To shyne thou maide ful bright.

10 Angels thou maide ful euen,   alle orders that is,
To haue the blis in heuen;   this did thou more and les,
Fulle mervelus to neuen;   yit was ther unkyndnes,
More bi foldis seuen   then I can welle expres.
   For whi?
15 Of alle angels in brightnes
God gaf Lucifer most lightnes,
Yit prowdly he flyt his des,
   And set hym euen hym by.

He thoght hymself as worthi   as hym that hym made,
20 In brightnes, in bewty;   therfor he hym degrade,

---

446 wantts *M.*

Put hym in a low degre   soyn after, in a brade,
Hym and alle his menye,   wher he may be vnglad
  For euer.
Shalle thay neuer wyn away,
25 Hence vnto domysday,
Bot burne in bayle for ay,
Shalle thay neuer dysseuer.

Soyne after that gracyous lord   to his liknes maide man,
That place to be restord   euen as he began,
30 Of the trinite bi accord,   Adam and Eue that woman,
To multiplie without discord   in paradise put he thaym,
  And sithen to both
Gaf in commaundement,
On the tre of life to lay no hend;
35 Bot yit the fals feynd
  Made hym with man wroth,

Entysyd man to glotony,   styrd him to syn in pride;
Bot in paradise securly   myght no syn abide,
And therfor man fulle hastely   was put out, in that tyde,
40 In wo and wandreth for to be,   in paynes fulle unrid
  To knawe,
Fyrst in erth, and sythen in helle
With feyndis for to dwelle,
Bot he his mercy melle
45   To those that wille hym trawe.

Oyle of mercy he hus hight,   as I haue hard red,
To euery lifyng wight   that wold luf hym and dred;
Bot now before his sight   euery liffyng leyde,
Most party day and nyght,   syn in word and dede
50 Fulle bold:
Som in pride, ire and enuy,
Som in couetyse and glotyny,
Som in sloth and lechery,
  And other wise many fold.

55 Therfor I drede lest god   on vs will take veniance,
For syn is now atrod   without any repentance;
Sex hundreth yeris and od   haue I, without distance,
In erth, as any sod,   liffyd with grete grevance

---

41 knowe *hs.* — 42 and *M(ätzner)*] in *hs.* — 52 couetyse *E(ng-land)*] Couetous *hs.* — 56 atrod *H(olt)h(ausen)*] alod *hs.*

Alle way;
60 And now I wax old,
    Seke, sory and cold,
    As muk apon mold
      I widder away;

    Bot yit wille I cry   for mercy and calle,
65 Noe, thi seruant, am I,   lord ouer alle!
    Therfor me and my fry,   shal with me falle,
    Saue from velany,   and bryng to thi halle
      In heuen,
    And kepe me from syn,
70 This warld within;
    Comly kyng of mankyn,
      I pray the, here my stevyn!

Deus. Syn I haue maide alle thyng   that is liffand,
    Duke, emperour, and kyng,   with myne awne hand,
75 For to haue thare likyng,   bi see and bi sand,
    Euery man to my bydying   should be bowand
      Fulle feruent,
    That maide man sich a creatoure,
    Farest of favoure;
80 Man must luf me paramoure,
      By reson and repent.

    Me thoght I showed man luf,   when I made hym to be
    Alle angels abuf,   like to the trynyte;
    And now in grete reprufe   fulle low ligis he,
85 In erth hymself to stuf   with syn that displeasse me
      Most of alle;
    Veniance wille I take
    In erth for syn sake,
    My grame thus wille I wake
90   Both of grete and smalle.

    I repente fulle sore   that euer maide I man,
    Bi me he settis no store,   and I am his soferan;
    I wille distroy therfor   both beest, man, and woman,
    Alle shalle perish les and more,   that bargan may thay ban,
95   That ille has done.
    In erth I se right noght
    Bot syn that is vnsoght,
    Of those that welle has wroght
      Fynd I bot a fone.

---

80 paramoure *hs.E*] par amour *M.*

100   Therfor shalle I fordo   alle this medille-erd
      With floodis that shalle flo   and ryn with hidous rerd;
      I haue good cause therto,   for me no man is ferd,
      As I say shal I do,   of veniance draw my swerd
         And make end
105   Of all that beris life,
      Sayf Noe and his wife,
      For thay wold neuer stryfe
        With me ne me offend.

      Hym to mekille wyn   hastly wille I go
110   To Noe my seruand, or I blyn,   to warn hym of his wo.
      In erth I se bot syn   reynand to and fro,
      Emang both more and myn,   ichon other fo
        With alle thare entent;
      Alle shalle I fordo
115   With floodis that shall floo,
      Wirk shalle I thaym wo,
        That wille not repent.

      Noe, my freend, I thee commaund   from cares the to keyle,
      A ship that thou ordand   of nayle and bord full wele;
120   Thou was alway welle wirkand,   to me trew a stele,
      To my bydyng obediand,   frendship shal thou fele
        To mede.
      Of lennthe thi ship be
      Thre hundreth cubettis, warn I the,
125   Of heght even thirte,
        Of fyfty als in brede.

      Anoynt thi ship with pik and tar   without and als within,
      The water out to spar   this is a noble gyn;
      Look no man the mar,   thre chese chambers begyn.
130   Thou must spend many a spar,   this wark or thou wyn
        To end fully.
      Make in thi ship also
      Parloures oone or two,
      And houses of offyce mo
135   For beestis that ther must be.

      Oone cubite on hight   a wyndo shal thou make,
      On the syde a doore with slyght   be-neyth shal thou take;

---

108 ne E] then hs. — 113 Hh streicht alle thare. — nach 118 hat
E: [God descends & comes to Noah]. — 121 obediand E] obediance hs. —
125 thrirte hs.E, druckfehler? vgl. v. 260. — 129 chese E] chefe hs.M
Kaluza; vgl. v. 281.

With the shal no man fyght   nor do the no kyn wrake.
When alle is doyne thus right,   thi wife, that is thy make,
140   Take in to the;
Thi sonnes of good fame,
Sem, Japhet, and Came,
Take in also thayme,
   Thare wifis also thre.

145 For alle shal be fordone   that lif in land bot ye,
With floodis that from abone   shal falle, and that plente;
It shalle begyn fulle sone   to rayn vncessantle,
Alter dayes seuen be done,   and induyr dayes fourty,
   Withoutten faylle.
150 Take to thi ship also
Of ich kynd beestis two,
Maylle and femaylle, bot no mo,
   Or thou pulle up thi saylle.

For thay may the avaylle   when al this thyng is wroght;
155 Stuf thi ship with vitaylle,   for hungre that ye perish noght,
Of beestis, foulle, and cataylle,   for thaym haue thou in
                              thoght,
For thaym is my counsaylle   that som socour be soght,
   In hast;
Thay must haue corn and hay,
160 And oder mete alway.
Do now as I the say,
   In the name of the holy gast.

Noe. A! benedicite!   what art thou that thus
Tellys afore that shalle be?   thou art fulle mervelus!
165 Telle me, for charite,   thi name so gracius!
Deus. My name is of dignyte,   and also fulle glorius
   To knawe.
I am god most myghty,
Oone god in trynyty,
170 Made the and ich man to be;
   To luf me welle thou awe.

Noe. I thank the, lord so dere,   that wold vowch sayf
Thus low to appere   to a symple knafe;
Blis vs, lord, here,   for charite I hit crafe,
175 The better may we stere   the ship that we shalle hafe

---

143 thayme] thame M, hame hs. — 167 knowe hs.

Certayn.
Deus. Noe, to the and to thi fry
My blyssyng graunt I;
Ye shalle wax and multiply,
180   And fille the erth agane,

When alle thise floodis ar past   and fully gone away.
Noe. Lord, homward wille I hast   as fast as that I may,
My wife wille I frast   what she wille say,
And I am agast   that we get som fray
185   Betwixt vs both;
For she is fulle techee,
For litille oft angre,
If any thyng wrang be,
    Soyne is she wroth.

                Tunc perget ad vxorem.

190   God spede, dere wife,   how fayre ye?
Vxor. Now, as euer myght I thryfe,   the wars I thee see;
Do telle me belife   where has thou thus long be?
To dede may we dryfe   or lif for the,
    For want.
195   When we swete or swynk,
Thou dos what thou thynk,
Yet of mete and of drynk
    Haue we veray skant.

Noe. Wife, we are hard sted   with tythyngis new.
200   *Vxor.* Bot thou were worthi be cled   in Stafford blew,
For thou art alway adred,   be it fals or trew;
Bot God knowes I am led,   and that may I rew,
    Fulle ille,
For I dar be thi borow,
205   From euen vnto morow,
Thou spekis euer of sorow,
    God send the onys thi fille!

We women may wary   alle ille husbandis!
I have oone, bi Mary!   that lowsyd me of my bandis;
210   If he teyn, I must tary,   how so euer it standis;
With seymland fulle sory,*   wryngand both my handis
    For drede.
Bot yit other while,
What with gam and with gyle,
215   I shalle smyte and smyle
    And qwite hym his mede.

---

183 wife *fehlt hs.; erg. S(urtees Soc.); nach* 183 *hat* E: [*Exit Deus*]. —
186 techee *Hh*] tethee *hs.* E, tethde *M*. — 190 *nach* ye *erg. Hh* tell me.

Noe. We! hold thi tong, ram-skyt,	or I shalle the stille.
Vxor. By my thryft, if thou smyte,	I shal turne the vntille.
Noe. We shalle assay as tyte,	haue at the, Gille!
220 Apon the bone shal it byte.

　　　　　　　　　　　Vxor. A, so, mary! thou smytis ille!

　Bot I suppose
　I shal not in thi det	•
Flyt of this flett!
Take the ther a langett
225 　To tye up thi hose!

Noe. A! wilt thou so?	mary, that is myne.
Vxor. Thou shal thre for two,	I swere bi godis pyne.
Noe. And I shalle quite the tho	in fayth or syne.
Vxor. Out apon the, ho!

　　　　　　　　　　Noe. Thou can both byte and whyne

230　With a rerd;	.
For alle if she stryke,
Yit fast wille she skryke,
In fayth I hold none slyke
　In alle medille-erd:

235 Bot I wille kepe charyte,	for I haue at do.
Vxor. Here shal no man tary the,	I pray the go to.
Fulle welle may we mys the,	as euer haue I ro;
To spyn wille I dres me.

　　　　　　　　　Noe. We! fare welle, lo;

　Bot wife,
240 Pray for me besele,
To eft I com vnto the.
Vxor. Euen as thou prays for me,
　As euer myght I thrife.

Noe. I tary fulle lang	fro my warke, I traw;
245 Now my gere wille I fang	and thederward draw.
I may fulle ille gang,　the soth for to knaw,
Bot if god help amang	I may sit downe daw
　To ken;
Now assay wille I
250 How I can of wrightry,
In nomine *patris et* filii,
　Et sp*iritus* sancti, Amen.

To begyn of this tree	my bonys wille I bend,
I traw from the trynyte	socoure wille be send:

---

nach 243 *hat* E: *[Exit vxor].*

255   It fayres fulle fayre, thynk me,   this wark to my hend,
      Now blissid be he   that this can amend.
         Lo, here the lenght,
      Thre hundreth cubettis euenly,
      Of breed lo is it fyfty,
260   The heght is euen thyrty
         Cubettis fulle strenght.

      Now my gowne wille I cast   and wyrk in my cote,
      Make wille I the mast   or I flyt oone foote.
      A! my bak, I traw, wille brast!   this is a sory note!
265   Hit is wonder that I last,   sich an old dote,
         Alle dold,
      To begyn sich a wark!
      My bonys are so stark,
      No wonder if thay wark,
270   For I am fulle old.

      The top and the saylle   both wille I make,
      The helme and the castelle   also wille i take,
      To drife ich a naylle   wille I not forsake;
      This gere may neuer faylle,   that dar I vndertake
275   Onone.
      This is a nobulle gyn,
      Thise nayles so thay ryn
      Thoro more and myn
         Thise bordis ichon.

280   Wyndow and doore,   euen as he saide,
      Thre ches chambres (on flore),   thay ar welle maide,
      Pyk and tar fulle sure   ther apon laide,
      This wille euer endure,   therof am I paide;
         For why?
285   It is better wroght,
      Then I coude haif thoght,
      Hym that maide alle of noght
         I thank oonly.

      Now wille I hy me   and no thyng be leder,
290   My wife and my meneye   to bryng euen heder.
      Tent hedir tydely,   wife, and consider,
      Hens must vs fle   alle sam togeder

---

      281 ches chambre *hs.E*] chef chambre M ‖ (on flore) *fehlt hs.*
SME. — 290 meneye M] neeveye *hs. (nicht in E verzeichnet).*

In hast.

Vxor. Whi, syr, what alis you?

295　Who is that asalis you?

To fle it avalis you,

　'And ye be agast.

Noe. Ther is garn on the reylle　　other, my dame.

Vxor. Telle me that ich-a-deylle,　　els get ye blame.

300　*Noe.* He that cares may keille,　　blissid be his name!

He has for oure seylle　　to sheld vs fro shame,

　And sayd

Alle this warld aboute

With floodis so stoute,

305　That shalle ryh on a route,

　Shalle be ouerlaide.

He saide alle shalle be slayn　　bot oonely we,

Oure barnes that ar bayn,　　and thare wifis thre.

A ship he bad me ordayn　　to safe vs and oure fee,

310　Therfor with alle oure mayn　　thank we that fre

　Beytter of baylle;

Hy vs fast, go we thedir.

Vxor. I wote neuer whedir.

I dase and I dedir

315　　For ferd of that taylle.

Noe. Be not aferd, haue done;　　trus, Sam, oure gere,

That we be ther or none　　without more dere.

Primus filius. It shalle be done fulle sone;　　brether, help to bere!

Secundus filius. Fulle long shalle I not hoyne　　to do my devere,

320　　Brother Sam.

Tercius filius. Without any yelp,

At my myght shalle I help.

Vxor. Yit for drede of a skelp

　Help welle thi dam.

325　*Noe.* Now ar we there　　as we shuld be,

Do get in oure gere,　　oure catalle and fe,

In to this vesselle here,　　my chylder fre.

Vxor. I was neuer bard ere,　　as euer myght I the,

　In sich an oostre as this.

330　In fayth, I can not fynd

Which is before, which is behynd;

Bot shalle we here by pynd,

　Noe, as have thou blis?

---

301 *MK vermuten, daß nach* has *ein part. perf. von der bedeutung*
„versprochen" *ausgefallen sei;* has hight *Hh, Beibl. 19, 143.* — 320 Brother
Hh] Brether *hs.E.* — 329 *Hh streicht* In sich an oostre.

Noe. Dame, as it is skill*e*,   here must vs abide grace;
335 Therfore, wife, with good wille   com into this place.
Vxor. Sir, for Jak nor for Gill*e*   wille I turne my face,
Till*e* I haue on this hille   spon a space
    On my rok;
Welle were he, myght get me,
340 Now will*e* I downe set me,
Yit reede I no man let me,
    For drede of a knok.

Noe. Behold to the heuen,   the cateractes all*e*,
That are open fulle even,   grete and small*e*,
345 And the planett*is* seuen   left has thare stalle.
Thise thoners and levyn   downe gar fall*e*
    Fulle stout
·Both halles and bowers,
Castels and towers;
350 Fulle sharp ar thise showers,
    That renys aboute;

Therfor, wife, haue done,   com into ship fast.
Vxor. Yei, Noe, go ˙cloute thi shone,   the better wille thai
                                         last.
Prima mulier. Good mod*er*, com in sone,   for alle is ouercast,
355 Both the son and the mone.
                Secunda mulier. And many wynd blast

    Fulle sharp;
Thise flod*is* so thay ryn,
Therfor, mod*er*, come in.
Vxor. In fayth yit will*e* I spyn,
360   Alle in v*a*yn ye carp.

Tercia mulier. If ye like ye may spyn,   moder, in the ship.
Noe. Now is this twyys, com in,   dame, on my frenship.
Vxor. Whed*er* I lose or I wyn,   in fayth, thi felowship
Set I not at a pyn;   this spyndill*e* wille I slip
365   Apon this hill*e*,
Or I styr oone fote.
Noe. Pet*er*! I traw we dote!
With*out* any more note
    Come in, if ye wille.

370 *Vxor.* The water nyghys so nere   that I sit not dry.
Into ship with a byr   therfor will*e* I hy

---

370 The water *M*] Yei, water *hs. E.*

For drede that I drone here.

       Noe. Dame, securly,
It bees boght fulle dere ye abode so long by
 Out of ship.
375 *Vxor.* I wille not, for thi bydyng,
Go from doore to mydyng.
Noe. In fayth, and for youre long taryyng
Ye shal lik on the whyp.

Vxor. Spare me not, I pray the, bot euen as thou thynk,
380 Thise grete word*is* shalle not flay me.
       Noe. Abide, dame, and dry*n*k,
For betyn shalle thou ay be wi*th* this staf to thou stynk;
Ar strok*is* good? say me.
       Vxor. What say ye, Wat Wynk?
 Noe. Speke,
Cry me mercy, I say!
385 *Vxor.* Therto say I nay.
Noe. Bot thou do, bi this day,
 Thi hede shalle I breke.

Vxor. Lord, I were at ese and hertely fulle hoylle,
Might I onys haue a measse of wedows coylle;
390 For thi saulle, wi*th*out lese, shuld I dele pe*n*ny doylle,
So wold mo, no frese, that I se on this sole
 Of wif*is* that ar here.
For the life that thay leyd,
Wold thare husband*is* were dede,
395 For, as eue*r* ete I brede,
 So wold I oure syre were.

Noe. Yee men that has wif*is*, whyls they are yong,
If ye luf youre lif*is*, chastice thare tong:
Me thynk my hert ryf*is*, both levyr and long,
400 To se sich stryf*is* wedmen emong;
 Bot I,
As haue I blys,
Shall*e* chastyse this.
Vxor. Yit may ye mys,
405 Nicholle Nedy!

Noe. I shalle make þe stille as stone, begynnar of blunder!
I shalle bete the bak and bone, and breke alle in sunder.
Vxor. Out, alas, I am gone! oute apon the, mans wonder!
Noe. Se how she can grone and I lig vnder;

---

379 bot *hs.*E; *lies:* do? *oder mit Hh* bet. — 381 ay *fehlt hs.*E,
erg. Hh. — 392 *Hh streicht* Of wif*is*.

410   Bot, wife,
     In this hast let vs ho,
     For my bak ls nere in two.
     Vxor. And I am bet so blo,
        That I may not thryfe.

415 *Primus filius.* A! whi fare ye thus,   fader and moder both?
     Secundus filius. Ye shuld not be so spitus,   standyng in sich
                                              a woth.
        Tercius filius. Thise wederes ar so hidus   with many a cold
                                              coth.
     Noe. We wille do as ye bid vs,   we wille no more be wroth,
        Dere barnes!
420 Now to the helme wille I hent,
     And to my ship tent.
     Vxor. I se on the firmament,
        Me thynk, the seven starnes.

     Noe. This is a grete flood,   wife, take hede.
425 *Vxor.* So me thoght, as I stode,   we ar in grete drede;
     Thise wawghes ar so wode.
                              Noe. Help, god, in this nede!
     As thou art stere-man god,   and best, as I rede,
        Of alle,
     Thou rewle vs in this rase,
430 As thou me behete hase.
     Vxor. This is a perlous case,
        Help, god, when we calle!

     Noe. Wife, tent the stere-tre   and I shalle asay
     The depnes of the see   that we bere, if I may.
435 *Vxor.* That shalle I do ful wysely,   now go thi way,
     For apon this flood haue we   flett many day,
        With pyne.
     Noe. Now the water wille I sownd.
     A! it is far to the grownd;
440 This travelle I expownd
        Had I to tyne.

     Aboue alle hillys bedeyn   the water is rysen late
     Cubettis *fifteyn,*   bot in a higher state
     It may not be, I weyn,   for this welle I wate,
445 This forty dayes has rayn beyn,   it wille therfor abate

---

417 wederes *fehlt hs.*E; *ergänzt von* S. — 443 XV *hs.*‖ highter *hs.*

Fulle lele.
This water in hast
Eft wille I tast;
Now am I agast,
450   It is wanyd a grete dele.

Now are the weders cest   and cateractes knyt,
Both the most and the leest.
                       Vxor. Me thynk, bi my wit,
The son shynes in the eest,   lo, is not yond it?
We shuld haue a good feest,   were thise floodis flyt
455   So spytus.
Noe. We haue been here, alle we,
Three hundreth dayes and fyfty.
Vxor. Yei, now wanys the see,
    Lord, welle is us!

460 *Noe.* The thryd tyme wille I prufe   what depnes we bere.
Vxor. How long shalle thou hufe?   lay in thy lyne there!
Noe. I may towch with my lufe   the grownd evyn here.
Vxor. Then begynnys to grufe   to vs mery chere;
    Bot, husband,
465 What grownd may this be?
Noe. The hyllys of Armonye.
Vxor. Now blissid be he
    That thus for vs ordand.

Noe. I see toppys of hyllys he,   many at a syght,
470 No thyng to let me,   the wedir is so bright.
Vxor. Thise ar of mercy   tokyns fulle right.
Noe. Dame, thou counselle me,   what fowlle best myght
    And cowth,
With flight of wyng
475 Bryng, without taryyng,
Of mercy som tokynyng
    Ayther bi north or southe?

For this is the fyrst day   of the tent moyne.
Vxor. The ravyn, durst I lay,   wille com agane sone;
480 As fast as thou may   cast hym furth, haue done,
He may happyn to day   com agane or none

---

457 Three hundreth E] CCC *hs.* — 461 How *Hh*] Now *hs. E.* —
468 vs can ordand *hs. E, verb. Hh.* — 472 Dame, thou *M*] Dame thi *hs. E.*

13*

With grath.

Noe. I wille cast out also

Dowfys oone or two. ·

485   Go youre way, go,

     God send you som wathe!

Now ar thise fowles flone   into seyr countre;

Pray we fast ich-on,   kneland on our kne,

To hym that is alone   worthiest of degre,

490   That he wold send anone   oure fowles som fee

     To glad vs.

Vxor. Thai may not faylle of land,

The water is so wanand.

Noe. Thank we God alle weldand,

495   That lord that made vs.

It is a wonder thyng,   me thynk sothle,

Thai ar so long taryyng,   the fowles that we

Cast out in the mornyng.

               Vxor. Syr, it may be

Thai tary to thay bryng.

               Noe. The ravyn is ahungrye

500   Alle way,

     He is without any reson;

     And he fynd any caryon,

     As peraventure may be fon,

       He wille not away.

505   The dowfe is more gentille,   her trust I vntew,

Like vnto the turtille,   for she is ay trew.

Vxor. Hence bot a litille   she commys, lew, lew!

She bryngys in her bille   som novels new;

     Behald!

510   It is of an olif tre

     A branch, thynkys me.

Noe. It is soth, perde,

     Right so is it cald.

Doufe, byrd fulle blist,   fayre myght the befalle!

515   Thou art trew for to trist   as ston in the walle;

Fulle welle I it wist   thou wold com to thi halle.

Vxor. A trew tokyn ist   we shalle be sauyd alle.

---

503 be fon *M*] befon *hs., E.*

For whi?
The water, syn she com,
520 Of depnes plom
Is fallen a fathom,
And more hardely.

Primus filius. Thise floodis ar gone,   fader, behold!
Secundus filius. Ther is left right none,   and that be ye bold!
525 *Tercius filius.* As stille as a stone   oure ship is stold.
Noe. Apon land here anone   that we were, fayn I wold,
My childer dere;
Sem, Japhet and Cam,
With gle and with gam,
530 Com go we alle sam,
We wille no longer abide here.

Vxor. Here haue we beyn   now long enogh,
With tray and with teyn,   and dreed mekille wogh.
Noe. Behald, on this greyn   nowder cart ne plogh
535 ·Is left, as I weyn,   nowder tre then bogh,
Ne other thyng,
Bot alle is away;
Many castels, I say,
Grete townes of aray,
540 Flitt has this flowing.

Vxor. Thise floodis not afright   alle this warld so wide
Has mevid with myght   on se and bi side.
Noe. To dede ar thai dyght,   prowdist of pryde,
Ever-ich a wyght   that euer was spyde
545 With syn;
Alle ar thai slayn,
And put vnto payn.
Vxor. From thens agayn
May thai neuer wyn?

550. ·*Noe.* Wyn? no, i-wis,   bot he that myght hase
Wold myn of thare mys   *and* admytte thaym to grace.
As he in baylle is blis,   I pray hym in this space,
In heven hye with his   to purvaye vs a place,
That we,
555 With his santis in sight,
And his angels bright,
May com to his light.
Amen, for charite.

532 now] noy *hs.E; M vermutet* noyed.

68.

EIN LIED JACOB RYMANS.

Hs. Ee. I, 12 der universitätsbibl. zu Cambridge. — Ed. Zupitza, 1889
(Herrigs Archiv, 89, 167 ff.); vgl. derselbe (ebda, bd. 92, 96, 97).

Ortus est sol iusticie
ex illibata virgine.

Thre kingis on the XIIth daye
stella micante preuia
vnto Betheleem they toke theire
      way
tria ferentes muner.ı.
5 hym worshyp we now borne so fre
ex illibata virgine.

They went alle thre that chielde
      to se
sequentes lumen syderis,
and hym they founde in raggis
      wounde
10 *in sinu matris virginis.*
hym worship we now born so fre
ex illibata virgine.

For he was king of mageste,
aurum sibi optulerunt.
15 for he was god and ay shal be,
thus deuote prebuerunt.
him worship we now born so fre
ex illibata virgine.

For he was man, they gave hym
      than
20 *mirram, que sibi placuit.*
this infant shone in heven trone,
qui in presepe iacuit.
hym worship we nowe borne so fre
ex illibata virgine.

Warned they were, these kingis, 25
      tho
in sompnis per altissimum,
that they ayene no wyse shuld go
ad Herodem nequissimum.
him worship we nowe born so fre
ex illibata virgine. 30

Not by Herode, that wikked
      knyght,
sed per viam aliam
they be gone home ageyn full
      right
per dei prouidenciam.
hym worship we now borne so fre 35
ex illibata virgine.

Ioseph fledde thoo, Mary also
in Egiptum cum puero,
where they abode, till king Herode
migrauit ex hoc seculo. 40
hym worship we now born so fre
ex illibata virgine.

That heuenly king to blis vs
      bringe,
quem genuit puerpera,
that was *and* is *and* shall not mys 45
per infinita secula.
hym worship we nowe borne so fre
ex illibata virgine.

---

    15 and *bis* be *auf rasur und wohl von anderer hand.* — 25 tho]
thre (re *auf rasur v. a. h.*).

69.

AUS 'THE KINGIS QUAIR' VON KING JAMES I. *(?)*

*Hs. in der Bodleiana zu Oxford, Arch. Selden B. 24. — Edd.: W. W. Skeat,
Edinburgh 1884, 2. aufl. 1911, Scottish Text Society, vol. I, 39; The Kinge's
Quair and The Quare of Jelusy, ed. by Alexander Lawson, St. Andrews 1911.
betreffs früherer ausgaben vgl. dessen Introduction § 26; ferner Unter-
suchungen über das Kingis Quair Jakobs I. von Schottland, Berliner dissert.
von W. Wischmann, Wismar 1887. unser passus findet sich auch in Skeat's
Specimens of English Literature, Oxford 1871, s. 43.*

159   And at the last, behalding thus asyde,
     A round[e] place [y]wallit haue I found,
   In myddis quhare eftsone I haue (a)spide
     Fortune, the goddesse, hufing on the ground,
     And ryght before hir fete, of compas round,
   A quhele, on quhich [than] cleuering I sye
   A multitude of folk before myn eye.

160   And ane surcote sche werit long that tyde,
     That semyt [vn]to me of diuerse hewis;
   Quhilum thus, quhen sche walde turne asyde,
     Stude this goddesse of fortune & [of glewis].
     A chapellet, with mony fresche anewis,
  Sche had vpon her hed; and with this hong
  A mantill on hir schuldris, large and long,

161   That furrit was with ermyn full quhite,
     Degoutit with the self in spottis blake;
  And quhilum in hir chiere thus a lyte
     Louring sche was; and thus sone it wolde slake,
     And sodeynly a maner emylyng make,
   And sche were glad; [for] at one contenance
   Sche held noght, bot [was] ay in variance.

162   And vnderneth the quhele sawe I there
     Ane vgly pit, depe as ony helle,
   That to behald thereon I quoke for fere;
     Bot o thing herd I, that quho there-in fell
     Come no more vp agane, tidingis to telle;

159, ² *hier und sonst eingeklammertes fehlt in der hs. und ist von*
Sk(eat) *ergänzt;* A (full) round H(olt)h(ausen). — 160, ³ wald [hir] Sk. —
161, ¹ That (wel i-)furrit was with ermyn quhite Hh; *änderung unnötig:*
ermyn *mit zerdehnung zu lesen:* er(e)myne. — 161, ³ alyte hs. — 162, ²[as]
depe Sp = (Skeat's) Sp(ecimens), [was] depe Sk. — 162, ⁵ Came Sp.

Off quhich, astonait of that ferefull syght,
I ne wist quhat to done, so was I fricht.

163 Bot for to se the sudayn weltering
    Off that ilk quhele, that sloppare was to hold,
  It semyt vnto my wit a strange thing,
    So mony I sawe that than clymben wold,
    And failit foting, and to ground were rold;
  And othir eke, that sat aboue on hye,
  Were ouerthrawe in twinklyng of ane eye.

164 And on the quhele was lytill void space,
    Wele nere oure-straught fro lawe [vn]to hye;
  And they were ware that long[e] sat in place,
    So tolter quhilum did sche it to-wrye;
    There was bot clymbe[n] and ryght dounward hye;
  And sum were eke that fallyng had [so] sore,
  There for to clymbe thaire corage was no more.

165 I sawe also that, quhere [as] sum were slungin
    Be quhirlyng of the quhele vnto the ground,
  Full sudaynly sche hath [thame] vp ythrungin,
    And set thame on agane full sauf and sound;
    And euer I sawe a new[e] swarme abound,
  That [thought] to clymbe vpward vpon the quhele,
  In stede of thame that myght no langer rele.

166 And at the last, in presen[c]e of thame all,
    That stude about, sche clepit me be name;
  And therewith apon kneis gan I fall,
    Full sodaynly hailsing, abaist for schame;
    And, smylyng, thus sche said to me in game,
  'Quhat dois thou here? quho has the hider sent?
  Say on anone, and tell me thyne entent.

167 I se wele, by thy chere and contenance,
    There is sum thing that lyis the on hert;
  It stant noght with the as thou wald, perchance?'
    'Madame,' quod I, 'for lufe is all the smert
    That euer I fele, endlang and ouer-thwert;
  Help, of ʒour grace, me wofull wrechit wight,
  Sen me to cure ʒe powere haue and myght.'

163, [3] strong *hs. Sp.* — 163, [4] *Hh* liest I sawe so mony. —
164, [2] oure straught *hs.*, ouer- *W(ischmann).* — 164, [6] fallen *Sk.* —
165, [3] [thaim] *Sk.* — 165, [5] new *Sp.* — 166, [1] presens *Sp.* — 166, [5] And
smyling, thus *Sp.,* And, smylyng thus, *Sk.*

168 'Quhat help,' quod sche, 'wold thou that I ordeyne
　　To bring[en] the vnto thy hertis desire?'
　　'Madame,' quod I, 'bot that ȝour grace dedeyne
　　　Off ȝour grete myght my wittis to enspire,
　　　To win the well that slokin may the fyre,
　　In quhich I birn; a, goddesse fortunate!
　　Help now my game, that is in poynt to mate.'

169 'Off mate?' quod sche, 'o, verray sely wrech!
　　I se wele by thy dedely couloure pale,
　　Thou art to feble of thy-self to streche,
　　　Vpon my qubele to clymbe[n] or to hale
　　　Withoutin help; for thou has fundin stale
　　This mony day, withoutin werdis wele,
　　And wantis now thy veray hertis hele.

170 Wele maistow be a wrechit man [y]callit,
　　That wantis the confort that suld thy hert[e] glade,
　　And has all thing within thy hert[e] stallit,
　　　That may thy ȝouth oppressen or defade;
　　　Though thy begynnyng hath bene retrograde,
　　Be froward opposyt quhare till aspert
　　Now sall thai turne, and luke[n] on the dert.'

171 And therewith-all vnto the quhele in hye
　　Sche hath me led, and bad me lere to clymbe,
　　Vpon the quhich I steppit sudaynly.
　　　'Now hald thy grippis,' quod sche, 'for thy tyme,
　　　Ane houre and more it rynnis ouer prime;
　　To count the hole, the half is nere away;
　　Spend wele therefore the remanant of the day.

172 Ensample,' quod sche, 'tak of this tofore.
　　That fro my quhele be rollit as a ball;
　　For the nature of it is euermore,
　　　After ane hicht, to vale and geue a fall,
　　　Thus, quhen me likith, vp or doune to fall.
　　Fare wele', quod sche, and by the ere me toke
　　So ernestly, that therewithall I woke.

173 O besy goste! ay flikering to and fro,
　　That neuer art in quiet nor in rest,

170, ² hs.] confort sulde thy hert Sp, confort suld thy hert[ë] Sk. — 170, ⁶ aspert hs.SkSpW. letzterer leitet es ab von esperdre, über-setzt es mit „erstaunt", setzt komma hinter froward (s. d. hier im glossar!) und liest thare statt quhare. — 170, ⁷ luke Sp.

Till thou cum to that place that thou cam fro,
　Quhich is thy first and verray proper nest;
From day to day so sore here artow drest,
That with thy flesche ay walking art in trouble,
And sleping eke; of pyne so has thou double.

70.

DIE BALLADE VON KYND KYTTOK
VON WILLIAM DUNBAR (?).

*Hss.: B (= Bannatyne MS der Advocates' Library, Edinburgh), fol. 135 b,
136 a, und Ch M (= erster druck von Chepman und Myllar vom jahre 1508,
ebenda), s. 192, 193. — Edd.: Laing, The Poems of W. D., Edinburgh 1824,
2, 35, 36; The Hunterian Club, Bannatyne MS, Glasgow 1874—1881,
3, 282, 283; Small, The Poems of W. D., Edinburgh 1884/85, 1, 52, 53;
Schipper, The Poems of W. D., Vienna 1891—1894, s. 69—72.*

My guddame wes ane gay wyfe,　bot scho wes rycht gend,
　Scho dwelt far furth in France　on Falkland fell;
Thay callit hir Kynd Kittok　sa quha weill hir kend.
　Scho wes lyk a caldrone cruk　cleir vnder kell;
5 Thay threipit scho deid of thrist　and maid a gud end.
　Eftir hir deid scho dreidit nocht　in Hevin to dwell,
And so to Hevin the hie way　dreidles scho wend.
　ʒit scho wanderit and ʒeid by　to ane elrich well;
　　And thair scho met, as I wene,
10　　Ane ask rydand on ane snaill.
　　　Sche cryd: 'Ourtane fallow, haill!'
　　And raid ane inch behind the taill,
Quhill it wes neir ene.

Sua scho had hap to be horst　to hir harbry,
15　At ane ailhouss neir Hevin　it nychtit thame thair.
Scho deit for thrist in this warld　that gart hir be so dry,
　Scho eit nevir meit bot drank　our missour and mair;
Scho sleipit quhill the morne　at none and raiss airly,
　And to the ʒettis of Hevin　fast cowd scho fair,

---

70. *lesarten aus Ch M, wenn nicht anders angegeben.* — 1 Gudame ||
a gay. — 2 duelt furth fer in to || on Falkland fellis. — 3 callit her
quhasa hir weill. — 4 cler || kellis. — 5 threpit that scho deit || et
statt and, *hier und überall in dem gedicht.* — 6 Efter || dede || dredit
nought || for to. — 7 sa || hieway. — 9 Scho met thar. — 10 a. —
11 cryit || *B:* haill haill. — 13 Till it || evin. — 14 Sa || horsit || herbry. —
15 Hevin *fehlt* || nyghttit thaim thare. — 16 of thrist || gert. — 17 neuer
eit || meit *fehlt* || mesur. — 18 slepit. — 19 fast can the wif fair.

20   And by Sanct Petir, in at the ʒett   scho stall prevely.
        God lukit and saw hir lattin in   and luch his hairt sair;
          And thair ʒeiris sevin
            Scho levit ane gud lyfe,
            And wes our Leddeis henwyfe,
25   And held Sanct Petir in stryfe,
          Ay quhill scho wes in Hevin.

        Scho lukit owt on a day   and thocht verry lang,
          To se the ailhouss besyd   in till ane evill hour;
        And out of Hevin the hie gait   cowth the wyfe gang,
30   For to gett ane fresche drink,   the haill of Hevin wes sour.
        Scho come agane to Hevinis ʒet,   quhen that the bell rang;
        Sanct Petir hit hir wit a club,   quhill a grit clour
        Raiss on hir heid behind,   becauss the wyfe ʒeid wrang;
        And than to the ailhouss agane   scho ran the pitscheris to pour,
35   Thair to brew and to baik.
            Freyndis, I pray yow hairtfully,
            Gife ʒe be thristy or dry,
            Drynk wyth my guddame, quhen ʒe gang by,
        Anis for my saik.

71.

DER BESUCH DES HEILIGEN FRANZISKUS
VON WILLIAM DUNBAR.

Hss.: B (= *Bannatyne MS*), M (= *Maitland MS im Magdalen Coll., Cambridge*)
und R (= *Reidpeth MS der universitätsbibl. daselbst, Ll. v. 10*). früher hgg.
von Lord Hailes, s. 29; Sibbald, s. 240—242; Laing 1, 28—30; Paterson,
s. 184; The Hunterian Club, Bannatyne MS, 3, 327, 328; Small 1, 131—133;
Schipper, s. 237—241.

      This (hindir) nycht, befoir the dawing cleir,
      Me thocht Sanct Francis did to me appeir,
        With ane religiouss abbeit in his hand,
        And said: 'In thiss go cleith the, my serwand;
5   Reffuss the warld, for thow mon be a freir.'

---

21 lewch his hert. — 22 thar ʒeris. — 23 lewit a. — 24 Ladyis
hen wif. — 25 at stryfe. — 27 thoght ryght. — 28 an euill. — 29 gait
cought the. — 30 get hir ane ‖ aill. — 31 agane ‖ that *fehlt*. — 32 Sanct
Petir hat hir ‖ grit. — 33 behind *fehlt*. — 34 And *fehlt* ‖ pycharis. —
35 And *fehlt* ‖ and baik. — 36 Frendis ‖ hertfully. — 37 Gif. — 38 as
ʒe ga by.
     1 hindir *fehlt in BMR*. — 2 Sant *M*. — 3 religious habite *MR*. —
4 to cleith *R*, go cleithe *M*. — 5 Refuse *M* ‖ man be *MR*.

With him and with his abbeit bayth I skarrit,
Lyk to ane man that with a gaist wes marrit:
Me thocht on bed he layid it me abone;
But on the flure delyverly and sone
10 I lap thair-fra, and nevir wald cum nar it.

Quoth he: 'Quhy skarris thow with this holy weid?
Cleith the thairin, for weir it thow most neid.
Thow, that hes lang done Venus lawis teiche,
Sall now be freir, and in this abbeit preiche;
15 Delay it nocht, it mon be done, but dreid.'

Quoth I: 'Sanct Francis, loving be the till,
And thankit mot thow be of thy gude will
To me, that of thy claithis ar so kynd:
Bot thame to weir it nevir come in my mynd;
20 Sweit confessour, thow tak it nocht in ill.

In haly legendis haif I hard allevin,
Ma sanctis of bischoppis, nor freiris, be sic sevin;
Off full few freiris that hes bene sanctis I reid,
Quhairfoir ga bring to me ane bischopis weid,
25 Gife evir thow wald my saule ʒeid vnto hevin.'

'My brethir oft hes maid the supplicationis
Be epistillis, sermonis, and relationis,
To tak this abyte; bot ay thow did postpone.
But ony process cum on thairfoir annone,
30 All sircumstance put by and excusationis.'

'Gif evir my fortoun wes to be a freir,
The dait thairof is past full mony a ʒeir.
For in-to every lusty toun and place
Off all Yngland, from Berwick to Kalice,
35 I haif in-to thy habeit maid gud cheir.

6 habeit (habite R) baythe I skerrit M. — 7 Lyke to a MR ‖
ane gaist R ‖ wer M, war R. — 8 laid MR. — 10 never M ‖ narrit MR. —
11 skerris thow at MR. — 12 for thow wer it moist neid MR. — 13 hes
done lang Venus law teche MR. — 14 habite preche MR. — 15 not
MR ‖ man be MR. — 16—20 *fehlen in MR.* — 21 halie M ‖ haue I herd
ellevin MR. — 22 Bischops M ‖ sewin M. — 24 Quhairfore M ‖ go R ‖
a Bischopis weyd M. — 25 gaid B ‖ ʒeid vnto hewin MR. — 26 bredir
MR. — 27 seromondis and MR. — 28 the abyte B, this habeit MR ‖
ay *fehlt in B.* — 29 But forder (farder R) proces MR. — 31 was R ‖
ane R. — 32 is gone full mony ʒeir M, hes gane full mony ʒeir R. —
33 everie lustie M. — 34 england MR ‖ Berweik to Calice MR.

In freiris weid full fairly haif I fleichit,
In it haif I in pulpet gon and preichit
  In Derntoun kirk, and eik in Canterberry.
  In it I past at Dover oure the ferry
40 Throw Piccardy, and thair the peple teichit.

Als lang as I did beir the freiris style,
In me, God wait, wes mony wrink and wyle;
  In me wes falset, with every wicht to flatter,
  Quhilk mycht be flemit with na haly watter;
45 I wes ay reddy all men to begyle.'

The freir, that did Sanct Francis thair appeir,
Ane feind he wes, in liknes of ane freir;
  He vaneist away with stynk and fyrie smowk:
  With him, me thocht, all the house-end he towk,
50 And I awoik, as wy that wes in weir.

72.

ZWEI AN DIE KÖNIGIN MARGARETE VON SCHOTTLAND GERICHTETE SPOTTGEDICHTE DUNBARS AUF JAMES DOIG.

Hss.: M, s. 399, 340, und R, fol. 44a, 44b. früher hgg. von Pinkerton 1, 90—93; Sibbald 1, 278, 279; Laing 1, 110—111; Paterson 1, 175—177; Small 2, 195—198; Schipper, s. 199—202.

I.

Of James Doig, Kepar of the Quenis Wardrop.

The Wardraipper of Wenus boure,
To giff a doublett he is als doure,
  As it war off ane futt-syd frog:
  Madame, ȝe heff a dangerouss Dog!

5 Quhen that I schawe to him ȝour markis,
He turnis to me again, and barkis,
  As he war wirriand ane hog:
  Madame, ȝe heff a dangerouss Dog!

---

36 weyd full fairlie haue I flichit *M*. — 37 haue *MR* || gane *MR*
prichit *M*. — 38 Dirntoun *M* || eik *fehlt in MR* || Cantirberry *M*. — 39 in
Dover *R* || ferrie *M*. — 40 teychit *M*. — 41 So lang *MR*. — 43 falsat *MR*
everie *M* || flattir *M*. — 44 fleymit *M*, flymit *R* || holie wattir *MR*. —
45 Reddie wes (was *R*) I all men for to bakbyte *MR*. — 46 Frances *MR*. —
47 fieind *B*, feynd *M*. — 48 fyrie smwke *MR*. — 49 houshend *B*,
housend *M* || tuke *M*. — 50 awuke *MR*.

  4, 8, 12, 16, 20, 24 haue ane *R*. — 7 worriand *R*.

Quhen that I schawé to him ȝour wryting,
10 He girnis that I am red for byting;
I wald he had ane hawye clog:
Madame, ȝe heff a dangerouss Dog!

Quhen that I speik till him freindlyk,
He barkis lyk ane midding tyk,
15 War chassand cattell through a bog:
Madame, ȝe heff a dangerouss Dog!

He is ane mastiv, mekle of mycht,
To keip ȝour wardroippe ower nycht
Fra the grytt Sowdan Gog-ma-gog:
20 Madame, ȝe heff a dangerouss Dog!

He is ower mekle to be ȝour messan,
Madame, I red ȝou get a less ane,
His gang garris all ȝour chalmeris schog:
Madame, ȝe heff a dangerouss Dog!

II.
Of the said James, quhen he had pleisit him.

O gracious Princes, guid and fair!
Do weill to James ȝour Wardraipair;
Quhais faithfull bruder maist freind I am:
He is na Dog; he is a Lam.

5 Thocht I in ballet did with him bourde,
In malice spack I newir ane woord,
Bot all, my Dame, to do ȝou gam:
He is na Dog; he is a Lam.

ȝour Hienes can nocht gett ane meter,
10 To keip your wardrope, nor discreter,
To rule ȝour robbis, and dress the sam:
He is na Dog; he is a Lam.

The wyff, that he had in his innys,
That with the taingis wald brack his schinnis,
15 I wald scho drownit war in a dam:
He is na Dog; he is a Lam.

---

17 mastive mekill R. — 18 wairdraipp day and R. — 21 mekill
R ‖ messoun oder messain R. — 23 chalmer R.
  2 Wardrapair R. — 3 brother R. — 4 ane R. — 5 ballate R. —
6 spak R ‖ wourd R. — 10 wairdrop nor discreitter R. — 11 rewlle your
robis R. — 12 no R. — 13 this innys R. — 14 tangis R ‖ wald black his M.

The wyff that wald him kuckald mak,
I wald scho war, bayth syd and back,
Weill batteret with ane barrow-tram:
20   He is na Dog; he is ane Lam.

He hes sa weill doin me obey
In-till all thing, thairfoir I pray
That newir dolour mak him dram:
     He is na Dog; he is a Lam.

73.

'ALLES IST EITEL' VON WILLIAM DUNBAR.

Nur erhalten in hs. M, s. 195, 196. früher hgg. von Laing I, 201, 202;
Paterson, s. 62, 63; Small II, 244; Schipper, s. 386, 387.

O wreche, be war! this warld will wend the fro,
     Quhilk hes begylit mony greit estait;
Turne to thy freynd, beleif nocht in thy fo!
     Sen thow mon go, be grathing to thy gait!
5   Remeid in tyme, and rew nocht all to lait!
Provyd thy place, for thow away mon pass
     Out of this vaill of trubbill and dissait:
Vanitas Vanitatum, et omnia Vanitas.

Walk furth, pilgrame, quhill thow hes dayis lycht!
10   Dress fro desert, draw to thy dwelling-place!
Speid home! forquhy? anone cummis the nicht,
     Quhilk dois the follow with ane ythand chaise!
Bend vp thy saill, and win thy port of grace;
For and the deith ourtak the in trespas,
15   Then may thow say thir wourdis with allace:
Vanitas Vanitatum, et omnia Vanitas.

Heir nocht abydis, heir standis no thing stabill,
     (For) this fals warld ay flittis to and fro;
Now day vp-bricht, now nycht als blak as sabill,
20   Now eb, now flude, now freynd, now cruell fo;
     Now glaid, now said, now weill, now in-to wo;
Now cled in gold, dissoluit now in ass;
     So dois this warld (ay) transitorie go:
Vanitas Vanitatum, et omnia Vanitas.

---

17 cukkald *R.* — 19 batterit *R.* — 23 dollour *R* ‖ dram *R.* —
24 ane *R.*
     6 Provyd *M*, provyde *L(aing)*, *Sm(all)*. — 18 (For) *LSm; fehlt*
in M. — 23 (ay) *L; fehlt in M.*

WÖRTERBUCH.

Zitiert wird nach nummer und zeile, mit ausnahme von nr. 19, wo die bibelverse angegeben sind. Im text getrennte zusammensetzungen (besonders in nr. 32) sind nur als g a n z e wörter gebucht.

A.

a *interj.,* **88**,61, *ach, o; ne.* ah.
â *adv.,* **9**,596, aa **13**,35, oo **9**,25; *me.* á **82**,179; a **87**,129; o ; oo **52**,7; *immer, stets, jemals, irgend.*
a *s.* ân, of, on, oð.
æ, *st. f.,* **14**,47; *me.* æ **28**,52; e *(zeit, sitte, gesetz) testament, bibel.*
a a *s.* a.
a a c *s.* ac.
â â n *s.* ân.
a b a i s t, *p. p.* **69**,166 *niedergedrückt.*
a b a t e, *v.,* **67**,445 *nachlassen; ne.* abate.
a b b a y, *sb.,* **42**,6 abtei; *ne.* abbey.
a b b e i t *s.* habeit.
a b b u d i s s e, *schw. f.,* **16**,61; *gen.* abbudissan **16**,1 *äbtissin.*
â b ê a d *s.* âbêodan.
a b e h, *prät., s.* âbûgan.
a b e i e *s.* âbycgan.
â b ê o d a n, *st.v.,* imp. âbêod **23**,49; *prät.* âbêad **23**,27 *künden, melden.*
â b e r a n, *st. v., merc. prät.* aber **13**,11; *me.* aberen *ertragen; ne. vulg.* abear.
a b i d e, *st.v.,* **82**,140; abyde **61**,1111; *imp. sg.* **57**,22; *3. sg. präs.* abydis **73**,17; *prät.* abode **67**,373 *bleiben; 3. sg. prät.* abit **82**,130; *p. p.* abide **50**,101 *warten; imp.* abid **46**,293; *prät.* abode **48**,208 *erwarten; ne.* abide.
a b i g g e t *s.* âbycgan.
A b i r d e n e, *ortsn.,* **57**,1, *Aberdeen.*
a b i t *s.* abide.
â b î t a n, *st. v.,* **22**,13; *me.* abiten **28**,23 *essen.*
â b l e n d a n, *schw.v., prät. pl.* âblendon **22**,69 *blenden.*
a b l i s s e *s.* on *und* blîðs.

a b o c *s.* bôc.
a b o d e *s.* abide.
a b o k e *s.* bôc.
a b o n e *s.* aboue.
a b o t, *sb.,* **42**,21 *abt; ne.* abbot.
a b o u n d, *v.,* **69**,165 *reichlich vorhanden sein; ne.* abound.
a b o u t e, a b o u t h e *s.* onbûtan.
a b o u e, *adv.,* **42**,47 *oben;* ben above **46**,413 *obenauf sein;* from abone **67**,146 *von oben her; präp.* abuf **67**,83; abone **71**,8 *über; ne.* above.
A b r a h a m, *eigenn.,* **10**,2849; *me.* **39**,1298 *Abraham.*
â b r e g d a n, *st. r., imp.* âbregd **10**, 2914; *prät.* âbrægd **10**,2931 *wegreißen, ausholen.*
a b s o l u t i o u n, *sb.,* **48**,63 *lossprechung; ne.* absolution.
a b u f *s.* aboue.
â b û g a n, *st.v., me.* abuȝe, abouwe: *prät.* abeh **88**,70 *sich beugen.*
a b u g g e n *s.* âbycgan.
a b u t e(n), a b u t o n *s.* onbûtan.
â b y c g a n, *schw. v., me. pl. präs.* abigget **82**,195; *inf.* abeie **43**,112; abuggen **56**,19 *bezahlen, büßen.*
a b y d e, a b y d i s *s.* abide.
a b y m e, *sb.,* **58**,143 *abgrund.*
a b y t e *s.* habeit.
a c, *konj.,* **6**,17; *me.* oc **27**,33; ac **82**,120 *sondern;* **9**,596; *me.* ác **82**, ǒ8; aac **82**,313; ah **83**,55; acc **86**, 15551; hac **41**,11; ach *aber.*
â c, a c, æ c *s.* êac.
a c c *s.* ac.
a c c o r d, *sb.,* **67**,30 *übereinkunft; ne.* accord.
a c c o r d a n d l y, *adv.,* **49**,29 *damit übereinstimmend; ne.* accordingly.
a ê c a n *s.* êce.

222

âcêlan, *schw. v., me. 3. sg. präs.*
akelþ 41,32 *abkühlen.*
âcennan, *schw. v., prät.* âcende
22,9; *p. p.* âcenned 9,241 *erzeugen,
gebären.*
âcerran, *schw. v., imp. merc.* âcer
18,25 *abwenden.*
æch *s.* êce.
æch, æche, æches *s.* ælc.
âcîgan, *schw. v., p. p.* âcîgde 15,22
rufen.
âcol, *adj., pl. nom.* âcle 8,586 *be-
stürzt, furchtsam.*
âcôlian, *schw. v., p. p.* âcôlad 9,228
erkalten.
acsede, acsen *s.* âscian.
âcwellan, *schw. v., prät.* âcwealde
22,85; *p. p. pl.* âcwealde 15,85;
me. konj. 47,1162 aquelle *töten.*
âcwencan, *schw. v., me.* aquenche
32,150 *(les.) löschen; vgl. ne.*
quench.
âcweorna, *schw. m., me.* aquierne
32,362 *eichhörnchen.*
âcweðan, *st. v., prät.* âcwæð 8,631
aussprechen.
âd, *st. m. (n.)* 8,580; *me.* ad, od
scheiterhaufen.
adam, *eigenn.,* 32,173 *Adam.*
adede *s.* oþ *und* dæd.
ædgeadre *s.* geador.
âdihtian, *schw. v., prät.* âdihtode
14,84 *verfassen.*
âdilgian, *schw. v., p. p. pl.* âdil-
gade 18,40 *tilgen.*
ædlean *s.* edlêan.
âd-lêg, *st. m.,* 9,222 *scheiterhaufen-
flamme.*
admirald *s.* ameral.
admytte, *v.,* 67,551 *zulassen; ne.*
admit.
adoun *s.* dûn.
adrad *s.* ondrædan.
ædre, *adv.,* 10,2904 *sogleich.*
adred(e) *s.* ondrædan.
adrenche, *schw. v.,* 48,107; *p. p.*
adreynct 50,92 *ertränken; na-
drinke, konj. präs.,* 48,144 *nicht
ertränke.*
âdrîfan, *st. v.,* 15,70 *vertreiben.*
adrunken 32,258, *s.* druncen.
adun *s.* dûn.
aeththa *s.* oððe.
âfægde, *p. p. pl.,* 15,181 *gemalt.*
afandan, afanded *s.* âfon-
dian.
afaran *s.* eafora.

æfæran, *schw. v., p. p. merc.* âfîrde
19d,4; *me.* afferid 19e,4; aferd
67,316 *erschrecken; ne.(va.)* afeard.
æfæst, *adj.,* 16,10 *fromm.*
æfæstniss, *st. f., gen.* æfæst-
nesse 15,166; *dat.* æfæstnisse
16,3; æfestnesse 15,197 *fröm-
migkeit, religion.*
Afdrede, *volksn., m. pl.,* 17,20 *die
Obotriten.*
âfeallan, *st. v., prät.* âfêoll 22,84
zu tode fallen; p. p. âfeallen 14,63
verfallen.
âfêdan, *schw. v.,* 9,263 *nähren.*
Afen *und* Afene, *flußname, f.,
me.* nauene = ne Avene 32,248;
ne. Avon.
æfen, *st. n. m., nh.* êfern 19a,1; *me.*
æfen 28,31; efen 19c,1; euen 50,
70; evyn 60,18; ene; *ne.* even,
eve *abend.*
æfentîd, *st. f., me.* eventid *abend-
(zeit); me.* eventide.
æfer *s.* æfre.
aferd *s.* âfæran.
æfest, *st. n.,* 15,15 *neid, haß feind-
seligkeit.*
æfestnesse *s.* æfæstniss.
affeccyon, *sb.,* 49,47; affeccyoun
65,59,7 *(zu)neigung; ne.* affection.
afferid *s.* âfæran.
affien, *schw. v., prät.* affied 48,186
vertrauen.
afforce, *v., pl. -s* 49,18 *anstrengen.*
affter, affterr *s.* æfter.
afinden *s.* onfindan.
âfîrde *s.* âfæran.
âflŷman, *schw. v., me. imp.* aulem
37,94 *in die flucht schlagen, ver-
jagen.*
æfne *s.* efne.
æfnung, *st. f., me.* euenyng 19e,1
abend; ne. evening.
âfôn, *st. v., me.* avon; *imp.* auouh
37,119 *empfangen.*
âfondian, âfandian, *schw. v.,
p. p.* âfandad *(verschrieben* afan-
dan) 20,42; *me.* á fanded 32,149
versuchen, erproben.
afora *s.* eafora.
afore, *adv.,* 67,164 *im voraus,
vorher.*
âforhtian, *schw. v., prät.* âforh-
tode 21,54 *in furcht geraten, er-
schrecken.*
afray, *sb.,* 60,113 *schrecken; ne.*
(af)fray.

æfre, *adv.*, 7,178; *me.* æure 27,36; eure 82,151; efre 88,78; æuere 84, 14047; euere 44,17; ever 46,116; euer 48,171; eure 50,57; euir 60, 42 *immer;* æfre 9,83; æfer 18,66; *me.* auere, euere 84,13798; ever 46,26; euer 48,200 *jemals;* euer 46, 261 *einmal; ne.* ever; *zusammensetzungen:* æfre ælc; *me.* eure elc 82,65; æueralch(e), euerech(e) 84,13871; æurio 27,13; æurich 82,32; eueruych(es), euerich(es) 85,84; ever-ich 67,544; eueri 44, 8; euery 67,47; *ne.* every; *me.* euere(i)ch o(u)n 44,137, 61,1159; evervychone 40,11; euirilkane 60, 103 *jeder; ne.* every one; *me.* efreni 88,29 *irgend ein; me.* æureum wile 27,37 *in regelmäßigen zeitabständen; me.* eure ma 82,106; æure ma 82,200; euer more 87, 54; evermore 46,385; euermore 58,36; *ne.* evermore; for euer 67,23 *(für) immer.*

âfrêfran, *schw. v.,* 7,175 *trösten.*

æ-fremmend, *adj. p. präs., pl. akk.* æ-fremmende 8,648 *die gesetzesvorschriften erfüllenden (= gläubigen).*

afright, *adj.,* 67,541 *erschreckt, zurückgescheucht?*

æftan, *adv.,* 18,63 *(von) hinten.*

æfter, *adv.,* 2,8; *me.* æfter 82,28; efter 88,11; after 88,15; aftur 59, 81; affter 65,64,5 *nachher, später;* präp. 8,707; *merc.* efter 18,24; *me.* æfter 28,4; affterr 86,15538; efter 87,125; after 48,195; eftir 70,6 *nach, hinter;* affter 46,412; after 48,69 *nach, um;* efter 82,231 *längs, auf;* efter 82,175; aftir 85,82B; after 46,53 *gemäß; ne.* after. — æfter Samsone 22,16 *um S. zu fangen;* efter gold 27,19 *um gold zu erpressen;* æfter ðon ðe 15,92; *me.* efter þon 83,25; after þan 47, 1030 *hernach;* þer efter 88,12: þer after 88,15; þæraffterr 86,15542 *darnach;* affterr þatt (tatt) 86, 15538 *nachdem;* æfter ðan þe 82, 358; aftir þat 85,82B; efter ðan þet; efter þet *je nachdem;* eftir as god will 60,74 *wie gott will.*

æfterfylgan, *schw. v., p. präs. fl.* æfterfyligende 15,24 *u.* 138 *nachfolgen; sb.* æfterfylgend 12,30 *nachfolger.*

æfterspyrigean, *schw. v.,* 14,37, *auf der spur folgen.*

æfterweard, *adj. u. adv., später, nachher; me.* afterward 47,1017; efterward 50,64; *mit* weorðan *oder* bêon 6,14; ben e. 88,68 *hinter einem her sein; ne.* afterward.

æfteryldo, *st. f.,* 15,9 *spätere zeit.*

aftur *s.* æfter.

afurst *s.* fierst.

âfyrhtan, *schw. v., konj.,* âfyrhten 15,134; *p. p. pl.* âfyrhte 19b,4; *me.* afyrhte 19,c4 *sich schrecken vor.*

âfyrran, *schw. v., p. p.* âfyrred 9,5 *entfernen, fernlegen.*

âfŷsan, *schw. v.,* 9,654 *(be)eilen.*

æg, *st. n.,* 9,233; *gen. pl.* aêgera 12, 21; *me.* ei ei *(ne.* egg = *altn.* egg).

âgæfe *s.* âgiefan.

aӡaines *s.* ongegn.

âgalan, *st. v., prät.* âgôl 8,615 *singen, anstimmen.*

âgǽlan, *schw. v., prät.* âgǽlde 26,33 *hindern, vernachlässigen.*

âgan, *präteritopräs.,* 8,646; *präs. sg.* âh, *me.* ah 82,2; ouh 87,7; *2. pers. konj. sg.* awe 67,171; *pl.* âgon 11, 196; âgun 8,658; *me.* aӡen (mit to) 88,98; owen 87,13; owe 87,17; *me.* owe; *prät.* âhte; *me.* ahte 51,9; ohte 55,18; *pl.* âhton 15,7; *me.* ahte 82,265; *ne.* ought; *haben, besitzen, mit inf. müssen, sollen; altes p. p. zum adj. geworden* âgen 10, 2851; *me.* aӡe 82,30; aӡen 82,161; owun(e) 37,112; owe 40,36; oghe 41,36; ouen 46,421; owen 48,135; awne 67,74; *dat. m.* houne 46,390; *f.* oӡe 85,85B; owere 85,85A; *akk. m.* âgne 9,256; *me.* awne; *instr.(?)* oune 51,43 *eigen, heimisch; ne.* own.

âgân, *defekt. v., p. p.* âgân 21,4; *me.* ago 47,1058 *(ne.* ago) *vergehen;* ût âgân 21,7 *hinausgehen.*

agan(e), agænes *s.* ongegn.

agasten, *vb. erschrecken; p. p.* agast 67,297 *in furcht;* 67,184 *bange; ne.* aghast.

agaynes *s.* ongegn.

age, *sb.,* 59,6 *alter; ne.* age.

aӡe *s.* âgan.

aӡean *s.* ongegn.

âgefe *s.* âgiefan.

âgen, aӡen, *adj., s.* âgan.

agen, aӡen(es) *s.* ongegn.

âgend, *sb. p. präs.,* 20,18 *besitzer.*

âgêotan, *st. v., imp.* 18,35; *me.*
aзeoten *ergießen, ausgießen.*
aͤgera *s.* ǽg.
âgêtan, *schw. v., p. p.* âgêted 18,18
verletzen, töten (? Schücking).
ageyn *s.* ongegn.
aзз *s.* ai.
ǽghwâ, *pron., jeder; gen. n.* ǽgh-
wǽs, *adverbial,* 8,593 *durchaus.*
ǽghwæ ðer, *pron.,* 15,154; ǽgðer
14,3; ǽgþer 17,200; *me.* ǽiðer
82,62; eiðer 82,88; euþer 59,57;
aither 59,65; ayther 67,477; athir
66,411 *jeder von beiden, beide; ne.*
either; ǽgðer ge ... ge 14,3; *me.*
ǽiðer (eiðer 82,88; euþer 59,57)
... end (and) 82,62 *sowohl ... als*
auch; ǽgþer ... ôþer 17,103; *me.*
ayther ... or 67,477 *entweder ...*
oder; vgl. âwðor.
ǽghwæ r, *adv.,* 15,97; *me.* aihwar,
aiquare 45,1 *überall.*
ǽghwæs *s.* ǽghwâ.
ǽghwilc, *pron.,* 17,100; ǽghwylc
11,166; *kent.* eghwilc 12,36; *merc.*
ǽghwilc 19d,18 *jeder.*
ǽghwonan, *adv.,* 8,580 *von allen*
seiten, auf allen seiten, überall.
âgiefan, *st.v.,konj.präs.kent.*âgefe
12,26; âgæfe 12,28; *prät.* âgeaf
11,130; âgêafon 22,17 *(über)geben;*
p. p. âgifen 10,2883 *darbringen;*
me. aзiven.
âgne *s.* âgan.
ago *s.* âgân.
âgôl *s.* âgalan.
agrisen, *st.v.,prät.*agros (of *über*)
47,1005 *erschrecken.*
ægsa *s.* egesa.
agulten, *p.p.*âgult 82,11; nagulte
(= ne a.) 56,12 *sündigen, durch*
sünde beleidigen.
Âgustus, *eigenn., (lat.) dat.*Âgusto
15,37; Augusto 15,110 *Augustus.*
Âgustînus, *eigenn.,* 14,81 *der*
missionär Augustinus.
agyt 66,393 *adj., bejahrt, ne.* aged.
ǽgþer, ǽgðer *s.* ǽghwæðer.
ah *s.* ac, âgan.
aha, *interj.,* 61,1148 *wie ne. aha!*
âhangen *s.* âhôn.
âhebban, *st. v., prät.* âhôf 4,2b;
p. p. âhafen; *me.* ahebbe *erheben,*
in die höhe heben.
âhieldan,*schw.v.,p.p.kent.*âheld
20,20 *ablenken.*
ahne *s.* ac.

âhôn, *st. v., prät.* âhêng, *p. p.* âhan-
gen 19b,5; âhongen 19a,5; *me.*
ahangen 19c,5; ahonge 88,14
aufhängen, kreuzigen.
âhreddan, *schw. v., me. p. p.* ared
40,77 *erretten.*
âhrînan, *st. v., me.* arine 87,127
berühren.
âhsian *s.* âscian.
aht *s.* âwiht.
æht, *st. f.,* 15,152 *schätzung.*
æht, *st. f.,* 15,248 *besitz; me.* æhte,
ehte 82,55 *eigentum;* echte; eitte
82,42 *les.;* auзt *eigentum, land-*
besitz, vermögen, habe, geld; for
non auзt 42,46 *um keinen preis.*
âhte, âhton *s.* âgan.
æhtu *s.* eahta.
ahungrye, *adj.,* 67,499 *hungrig;*
ne. hungry.
âhýdan, *schw. v., p. p. pl.* âhýdde
18,9 *verbergen.*
ai, *adv.,*45,52; ay 44,159 *immer; ne.*
ay(e).
æie *s.* ege.
aihwar, aiquare *s.* ǽghwæ r.
ail-houss, *sb.* 70,15 *bierhaus; ne.*
alehouse; *vgl.* ealu.
airly *s.* ærlîce.
aise, *sb.,* (h)ayse 44,59 *ruhe;* ese
60,73 *behagen; ne.* ease; to be at
ese 67,388 *zufrieden sein.*
aither, æiðer *s.* ǽghwæðer.
akelþ *s.* âcêlan.
aknawe, *st. v., p. p.* 47,1081 *ein-*
gestehen; vgl. gecnâwan.
aksed, aksede *s.* âscian.
al, æl *s.* eall.
âlæ dan, *schw. v., p.* 9,251; *prät.*
âlæde 9,233 *erwachsen; p. p.* âlæ-
ded 8,670 *hinwegführen.*
ǽlan, *schw.v.,* 9,222 *verbrennen.*
alane, alanerly *s.* ân.
alaer, *st. m., Ep.* 1,3 *erle; me. ne.*
alder.
alas, *interj.,*51,47; allas47,1020*ach;*
substantivisch allace 78,15 *weh.*
âlætan, *st. v.,* 7,167 *aufgeben.*
ǽlc, *pron.,* 14,73; *kent.* elc 20,19;
me. elc 82,111; elch 82,86; æch
82,27; ech 82,107; *fl.* ealches 82,
90; ælces 82,367; æche 82,346;
enelche = on elche 82,86; elche
82,89; eche 82,231; alc 84,13886;
ilch 87,81; ilk 48,33; vch 51,86;
vche58,124;yche59,19;ich67,151
jeder; ne. each; æch oðer 82,356

14*

einander; ilkane **45**,88; ilkon **48**,
102; ilcone; ichon **67**,112; ich
67,170 *ein jeder;* ilk taile **48**,33;
ilk a dele **48**,59; ilk dele **48**,99;
ich-a-deylle **67**,299 *völlig.*

a l d *s.* eald.

ælda *s.* ielde.

alder *s.* eall.

ælderne, aldeste *s.* eald.

aldor, aldor- *s.* ealdor(-).

ældrene, ældrum *s.* eald.

aldur *s.* ealdor.

ale *s.* ealu, eglan.

âlecgan, *schw. v.*, 17,178; *me.*
aleggen **37**,133; *prät. pl.* âlegdun
4,4a; âlêdon **4**,4b; *p. p.* âlêd 17,
180; *me.* aleigd **19**c,6 *hinlegen,*
beilegen.

æled, *st. m.*, 10,2901; *me.* eld *feuer.*

æled-fŷr, *st. n.*, 9,366 *feuersglut.*

alegd, *p. p.*, **19**a,4 *erschreckt.*

âlegdun, aleggen *s.* âlecgan.

aleigd *s.* âlecgan.

Alemain(n)e, *eigenn.*, **34**,13849;
Almayn **48**,127 *Deutschland.*

Alemainisc, *adj.*, **34**,14013
deutsch; sb. Alemanisc **34**,14033
die Deutschen.

alesed, âlêsed *s.* âlŷsan.

alesten, *v.*, **32**,148 *dauern; vgl.*
lǽstan.

Ælf, *flußn.*, *gen.* Ælfe, 17,18 *Elbe.*

Ælfred, *eigenn.*, **14**,1; Alured **35**,
73A; Helfred **35**,73B *Alfred.*

alie, *v.*, **48**,109 *sammeln; ne.* ally.

aliens, *sb.*, *pl.*, **48**,31 *fremde; wie ne.*

alife, alive *s.* lîf.

aliʒte, *v.*, *prät.* **48**,49 *absteigen; ne.*
alight.

all(e), ælle *s.* eall.

allace, allas *s.* alas.

ællefne *s.* endlufun.

allegate, *adv.*, **46**,398 *immer.*

allegen, *v.*, **47**,1167 *lossprechen*
[*kontaminiert aus ae.* âlecgan *und*
mlt. adlegiare].

allevin, **71**,21; *nach Laing und*
Jamieson, p. p. von ae. âlêfan, *er-*
lauben (to allege), *nach Kölbing*
(*Engl. stud. 24,415*) = *me.* allegen,
anführen (*lat.* allegare); *vielleicht*
= all even *oder* = ellevin „elf“.

allmehtig *s.* ealmeahtig.

alls *s.* ealswâ.

ællðêodignys, *st. f.*, **15**,130 *reise*
durch ein fremdes land, auslands-
fahrt.

Almayn *s.* Alemain(n)e.

Almerik, *eigenn.*, **48**,234.

almes-dede, *sb.*, **46**,207 *almosen.*

ælmes-georn, *adj.*, *me.* elmes-
ʒeorn **88**,56 *mildtätig.*

ælmesse, *schw. f.*, **12**,10; *me.* el-
messe **32**,28; ælmes **32**,335; al-
messe **65**,63,4 *almosen; ne.* alms;
ieden on æ **27**,42 *gingen betteln.*

almigtten, almihti(g), æl-
mihtig *s.* ealmeahtig.

alneway *s.* ealneg.

alod, **67**,56 *hs., s.* atrod.

aloft **42**,15 *in der höh; ne.* aloft.

alone *s.* ân.

alore *s.* on *und* lâr.

aloð *s.* ealu.

Alpis, *gebirgsn.*, 17,5 *Alpen.*

alre *s.* eall.

alredi, *adv.*, **61**,1117 *bereit; ne.* al-
ready.

ælreord, *adj.*, elreord, *fremd-*
sprachig, barbarisch; 15,124 *ver-*
derbt zu eallreord.

als, alse, also *s.* eal-swâ.

alsuic *s.* eall *und* swelc.

alswa *s.* eal-swâ.

Alured *s.* Ælfred.

always *s.* ealneg.

âlŷfan, *schw. v.*, *pp.* âlŷfed 9,667;
15,210 *erlauben.*

âlŷhtan, *schw. v.*, *me.* alyʒt **50**,35
erleuchten; ne. veraltet alight.

âlŷsan, *schw. v.*, 8,612; *gerund* **22**,7;
kent. p. p. âlêsed **20**,20; *me.* alesed
37,15 *erlösen, befreien.*

Alysoun, *eigenn.*, **58**,12 *Louis-*
chen.

alzuo *s.* eal-swâ.

alþat = eall þæt (*s.* eall).

alþer *s.* eall.

alþer-beste, *adv.*, **44**,182 *am aller-*
besten.

am, æm *s.* eom.

amang *s.* gemong.

âmânsumian, *schw. v.*, *me.* aman-
sen **38**,92 *aus der gemeinschaft*
ausschließen,   exkommunizieren;
manse **58**,82 *verfluchen.*

âmæstan, *schw. v.*, *3. sg. präs. ind.*
kent. âmest **20**,16 *mästen.*

âmber, *st. m. n.? gen. pl.* **17**,102
scheffel (getreidemaß = 4 bushels).

ambyr, *adj.*, **17**,128 *günstig, gut.*

ame, *sb.*, **58**,128 *ziel; ne.* aim.

amen, *sb.*, **19**b,20; *me.* **32**,396 *amen!*
ne. amen.

a m e n d, v., 46,113 ausbessern, 67,
256 besser machen; ne. amend.
a m e r a l, sb., 61,1156; amerel 61,
1118; amyral 61,1123; admirald
43,91 sultan, oberbefehlshaber; ne.
admiral.
â m e r i a n, schw. v., 9,633 läutern.
â m e s t s. amæstan.
A m m i n a d a b, eigenn. mystischer
bedeutung 36,5 (vgl. Beda Ven.,
Comm. ad. Cant. Cantic. 6):'
a m o n g(e), -es s. gemong.
a m o u r e, sb., liebe, zärtlichkeit;
paramoure 67,80 aus liebe.
a m y s, adv., 48,200 übel, schlecht;
ne. amiss.
â n, zahlwort, 12,18; me. one 50,6; on
54,33 ein(s); unbest. art.: ân 14,16;
me. an 83,17; on 83,46; a 27,39; o
40,14; one 41,41; ane 49,39; ane
50,65; oon 65,63,3 ein; adj. ân 6,7;
9,355; me. ane 28,41; onne 29,3;
one 32,376 allein; ân 15,12; me. an
32,28; on 59,2; oone 67,2; one 69,
161,6 einzig; ân 4,3a jener einzige;
on 48,72 einhellig; on Gydo 59,54
ein gewisser G.; on 47,1079 nach
adj. zur aufnahme eines sb. — dat. f.
ânre 8,626; me. ore 40,12; akk. m.
ânne 14,18; me. anne 32,139; enne
40,34; oone 67,263; f. me. ane 32,
205; gen. pl. ae. ânra gehwæs
9,598 jedes einzelnen; ne. one; in
till ane 60,24 in einem fort; at one
48,179 einig: anan, onone u. s. w.
sogleich s. on; he one 32,376;
alon 46,10; alone 67,489, allane
60,104 allein; ne. alone; davon
adv. alanerly 62,3 nur.
a n, a n a n s. on, ond, unnan.
a n b i d i n e g e s s. onbîdan.
a n c o r, st. m., me. pl. ankres 58,103
anker; ne. anchor.
a n d, æ n d s. ond.
a n d, konj., 73,14 wenn.
a n d- s. on-, ond-.
a n d e s. hond, ond-, a-.
æ n d e s. ende.
- â n d e f n, st. n., 17,178 betrag, maß.
æ n d e n g e s. endian.
a n d l ê a c s. onlûcan.
a n d l e o f e n, st. f., dat. ondleofne
9,243; akk. andlŷfne 15,49; and-
lyfene 15,195; andlifene 15,200
lebensunterhalt.
æ n d l e o f o n s. endlufun.
æ n d l e o f t e s. endleofta.

a n d l í c n e s s. onlícness.
a n d l i f e n e, -lyfene s. andleofen.
a n e s. ân.
æ n e, adv., me. ene 40,24; enes 82,
183; onys 67,207; anis 70,39 ein-
mal; ne. once; me. all attonys
65,60,3 plötzlich; ne. all at once.
a n e w, sb., pl. anewis 69,160,5
kleiner ring, windung.
æ n g e s. ænig.
a n g e l, sb., 39,1329; aungel 19e,2;
pl. angles 50,17; angels 67,83
engel; ne. angel; vgl. engel.
æ n g e l s. engel.
A n g e l - c y n n, volksn., st. n., gen.
-es 15,106; dat.-e 15,105 das volk -
der Angeln.
A n g e l - þ ê o d, volksn., st. f., 15,37;
gen. -e 15,150; dat. Ongelþêode
16,10 der stamm der Angeln;
England.
a n g i r, sb., 60,32 ärger, zorn; ne.
anger.
A n g l e, volksn., 17,139; Ongle 17,
19; dat. pl.? Angle 15,51; me.
Angles, Ænglis 34,13852 Angeln;
England: s. Engle.
a n g r y, adj., 60,61; angre 67,187
ärgerlich, zornig; ne. angry.
A n g u l u s, ländern., 15,57, ur-
sprüngliche heimat der Angeln.
a n g w y s, sb., 49,25 bedrängnis,
angst; ne. anguish.
â n h a g a, schw. m., 9,87; anhoga
9,346 einsam wohnender, einsiedler.
a n h a n g e, v., p. p. anhanged, 61,
1151 aufhängen.
a n h e(e)t s. onhætan.
a n h o n d r- s. hundr-.
a n i(3) s. ænig.
æ n i g, pron., 15,84; flekt. 7,178;
ænge 7,184; me. ani 27,17; eni
32,53; eani 33,19; aniʒ 36,15627;
any 49,40; eny 50,57; ony 60,50
irgend ein, irgend welch; pl. einige;
ænig monn; me. æniman 32,68;
anymon 56,1 irgend jemand; ne.
any.
a n i s s. æne.
a n k r e s s. ancor.
Â n l â f, eigenn., 18,26 könig Olaf.
â n l ê p e, adj., 14,19; auch ânlêpig;
me. onlepi 50,46 vereinzelt, einzig;
pl. ânlîpie 15,81 privat.
æ n l í c, adj., 9,9 einzig, ausgezeichnet,
hervorragend, schön.
a n l î c, anlik-, anlyk- s. onlíc.

ânlîpie *s.* ânlêpe.
ân-môd, *adj.*, 15,96 *einmütig.*
annd, annd- *s.* ond.
ânne, anne *s.* ân.
ânness, *st.f.*, 8,727, 15,237 *einig-*
   keit, einheit; ne. oneness.
anon, an(o)one *s.* on.
another *s.* ân *und* ôðer.
anouʒ *s.* genôh.
anoynt, *v.*, 67,127 *schmieren; ne.*
   anoint.
ân-ræd, *adj.*, 8,601 *entschlossen,*
   standhaft.
ansi(e)ne, ansŷn, ansyne
   s. onsîen.
ansuer-, answæne, answer-
   s. ondswarian, ondswaru.
ant, ant- *s.* ond, ond-.
Ante-Crist, *eigenn.*, 28,55 *Anti-*
   christ.
antefn, *f. ?*, 15,205 *wechselchor.*
anunder *s.* under.
anuppe, -on *s.* on.
anw(e)ald, anwold *s.* onweald.
any *s.* ænig.
æoure *s.* gê.
aper, *v.*, 60,60; appere 67,173;
   appeir 71,2 *erscheinen, sich zeigen;*
   ne. appear.
Aperill 66,368; aueril 58,1 *April;*
   ne. April.
aperte, *adj.*, 48,79 *offenkundig.*
æples *s.* æppel.
aplyht (= on pliht *auf bürg-*
   schaft) 51,74 *aufs wort.*
apon, apone *s.* ûp.
apostol, *st. m.*, 16,77; *me.* apostel
   33,8; *pl.* apostlen 28,35 (*gen.* -e
   28,27); apostles 28,48; apostlis
   45,111; posstless 36,15543 *apostel;*
   ne. apostle.
apostolic, *adj.*,15,113 *apostolisch.*
appeir, appere *s.* aper.
æppel, *gen.* æples 9,230 *apfel; ne.*
   apple.
æppled, *adj.*, 8,688; *in apfelform*
   gebracht, gebuckelt.
Appol(l)in,*eigenn.*,34,13909*Apollo.*
aproche, *v.*, 58,85 *sich nähern;*
   ne. approach.
aquelle *s.* âcwellan.
aquenche *s.* âcwencan.
aquierne *s.* âcweorna.
ar *s.* ær, eart.
âr, *st.f.*, 9,663; *me.* ore 37,73 *ehre;*
   on âre 15,223 *zu ehren; gen. pl.*
   ârna 8,715; *me.* ore 37,81 *mitleid;*

âr 17,97; *pl.* 15,50 *besitz, einkünfte;*
   me. are 82,53; ore 32,382 *huld.*
âr, *st. m.*, 10,2910 *bote.*
âr, *st.f., me.* ore 42,6 *ruder; ne.* oar.
ær, *adv.*, 8,616; *me.* ær 28,10; er
   40,15; are 45,70; ore 48,42; eie
   48,162; or 48,200 *eher, früher,*
   vordem; präp. nh. aer 3,3; *me.*
   ar 40,34; er 54,22; or 60,55 *vor;*
   konj., me. ær 82,124; er 37,66;
   or 89,1337; or 46,381; er þon
   8,677; ærðæmðe 14,29; ær þâm
   þe 21,7; *me.* ær þonne 28,24 *ehe,*
   bevor; ær ðissum 14,63 *ehedem;* or
   éyne 67,228 *bevor lange, alsbald.*
æra *s.* âr.
âræcan, *schw. v., me.* arechen 37,
   47 *erreichen, erfassen.*
ærædan, *schw.v.*, 14,61; *kent. konj.*
   ârêde 12,38; *me.* areden *lesen.*
æra-geblond *s.* êar-geblond.
Âram, *eigenn.*, 21,75 *Aram.*
âræman, *schw. v., prät.* âræmde
   10,2876 *sich erheben.*
Arane, *ortsn.*, 60,17 *Arane.*
âræran, *schw.v.*, 4,2b *errichten;*
   me. aræren 28,3; arere(þ) 50,41 *er-*
   heben; me. prät. laʒhe arerde 82,
   170 *geben; pp.* werren arered
   50,84 *anstiften.*
ârâs *s.* ârîsan.
ârâsian, *schw. v., p. p.* ârâsad 8,
   587 *ergreifen, überfallen.*
aray, *sb., ausrüstung, schmuck;*
   townes of aray, 67,539 *prächtige*
   städte.
arcebiscep, *st. m.*, 12,11; *me.*
   archebishop; ersbisshop 48,2 *erz-*
   bischof; ne. archbishop.
archangel, *sb.*, 33,8 *erzengel;*
   ne. archangel.
ær-dagas, *st. m. pl., me.* aredawes
   44,27 *frühere tage, vorzeit.*
are *s.* âr, eart.
âreccean, *schw. v.*, 14,17 *aus-*
   einandersetzen, erklären; p. p. dat.
   pl. âreahtum 20,30 *erstaunt.*
arechen *s.* âræcan.
ared *s.* âhreddan.
aredawes *s.* ærdagas.
arede *s.* ârædan.
ârêdnes, *st. f.*, 15,168 *bedingung*
   (*vgl.* rædan).
ârefnan, *schw. v., prät. merc.*
   ârefnde 13,30 *ertragen.*
arelies *s.* ârlêas.
aren *s.* eart.

ærende *st. n.*, 15,159 *botschaft;* 10,
2882, *me.* arende 58,72 *auftrag;*
me. hernde 46,40 *geschäft;* 46,214
anliegen; ne. errand.
ærend-draca *s.* ærendwreca.
ærend-gewrit, *st. n.,* 14,16
schriftliche botschaft, brief.
ærend-wreca, *schw. m.,* 14,6;
ærenddraca 15,43 *bote, gesandter.*
arere *s.* âræran.
arest, *v., hemmen (an)halten;* 58,
144 *bleiben; ne.* arrest.
ærest, *superl. adj.,* 9,235; *nh.* æerist
2,5 *der erste, als erster; adv.,* ærest
15,5; *me.* ærst 28,3; erest 33,7;
arst 47,1087 *zuerst; ne.* erst.
Arestotill, *eigenn.,* 49,16 *Aristo-
teles.*
ârêtan, *schw. v.,* 11,167 *erfreuen.*
âr-fæst, *adj.,* 11,190 *gnädig.*
âr-fæstnis, *st. f., dat.* -se 16,3
frömmigkeit.
ær-fore, *adv.,* 14,83 *vorher, früher.*
ær-gewyrht, *st. n., dat. pl.* -um
8,702 *früher verübte tat.*
âr-hwæt, *adj.,* 18,73 *ehrbegierig.*
ariȝt, ariht *s.* riht.
arine *s.* âhrînan.
ârîsan, *st. v., imp.* ârîs 21,28; *me.*
aris 33,77; *prät.* ârâs 16,21; *me.*
aras 28,1; *p. p.* arisen 28,24, arisan
28,47 *sich erheben, auf(er)stehen;*
ne. arise.
ærist, *st. f., me.* ærist(e) 28,4; arist(e)
83,94 *auferstehung.*
ariue, *v., prät.* arivit 60,29; *p. p.*
ariued 48,38 *ankommen, landen;*
ne. arrive.
ariving, *sb.,* 60,37; ariwyng 60,
122 *landung, ankunft; ne.* arri-
ving.
âr-lêas, *adj.,* 15,78; *me.* are lies
82,216 *unbarmherzig (vgl.* âr).
ær-lîce, *adv., me.* erlich 42,9;
airly 70,18 *früh; ne.* early.
arm *s.* earm.
armed, *adj.,* 48,107 *bewaffnet;*
wie ne.
armes, *sb.,* 48,233 *waffen; ne.*
arms.
Armonye, *ländern.,* 67,466 *Arme-
nien.*
arn *s.* eart, eornan.
ârna *s.* âr.
ærnan, *schw. v., pl. präs.* ærnað
17,184; *me.* ærneþ, erneþ 84,13999
laufen, rennen.

ærne-mergen, *st. m.* (on æ. 22,43
am *frühen morgen; me.* on erne-
marȝen, on arnemorwe), *wohl*
aus ærmorgen, -mergen.
ærnen *s.* eornan.
arode *s.* rôd.
ærst, arst *s.* ærest.
art, artow *s.* eart.
ærwe *s.* earh.
aryht *s.* riht.
as *s.* eal-swâ.
æs, *st. n., gen.* -es 18,63; *me.* es; ees
nahrung, speise, aas, leichen.
âsægd *s.* âsecgan.
asai, *v.,* asay 48,142; assay 67,219;
prät. asaied 48,147 *erproben, ver-
suchen; ne.* assay.
asaken, *st. v., prät.* asoke 48,67
aufgeben.
asald *s.* âsellan.
asale, *v.,* 67,295; assaile 48,212
angreifen, bedrängen; ne. assail.
asay *s.* asai.
æsc, *st. m.,* 28,43 *esche, eschen-
lanze.*
ascan *s.* asce.
ascapen *s.* escapen.
asce, *schw. f., gen.* ascan 9,231; *me.*
ass 78,22 *asche; ne.* ashes.
æsc-here, *st. m.,* 28,69 *lanzen-
tragendes heer.*
âscian, *schw. v., me.* aske 45,9;
axe(th) 61,1124; *prät.* âhsode
22,53; *me.* escade 33,47; axede
34,13802; aksede 50,82; acsede
50,86; asked 48,160; askit 60,62
fragen, suchen; ne. ask.
æsc-plega, *schw. m.,* 11,217 *lanzen-
spiel, kampf.*
ascrie, *v.,* 48,114 *laut rufend an-
greifen.*
âscunian, *schw. v., prät.* âscunode
21,70 *verabscheuen.*
ase *s.* eal-swâ.
âsecgan, *schw. v., p. p.* âsæged 19a,
20 *vollständig sagen.*
âsellan, *schw. v., p. p. nh.* âsald
19a,18 *übergeben.*
âsendan, *schw. v., konj.* âsende
22,29 *schicken.*
æses *s.* æs.
âsettan, *schw. v.,* 17,199; *p. p. merc.*
âseted 19d,6; *nh.* âsetted 19a,6
hinsetzen, hinlegen.
aside *s.* side.
âsingan, *st. v., prät.* âsong 16,59;
pl. âsungon *absingen, vortragen.*

âsiwian, *schw. r., p. p. Ep.* âsiuuid 1,17 *nähen.*
ask, *sb.,* 70,10 *eidechse.*
aske(d), askit *s.* âscian.
aslaȝe, aslawe *s.* âslêan.
âslêan, *st. v., p. p. me.* aslaȝe 48, 90; aslawe 61,1127 *erschlagen.*
asoke *s.* asaken.
âsong *s.* âsingan.
âspendan, *schw. v., p. p.* âspended 17,190 *ausgeben, ganz verteilen.*
aspert, *adj.,* 69,170,6 *kundig, erfahren; ne.* expert.
aspie, *schw. v.,* 47,1151; *prät.* aspide 47,1165 *beobachten; vgl. ne.* espy.
âspringan, *st. v., prät. pl.* âsprungun 13,4 *versagen.*
ass, *sb., s.* asce.
assa, *schw. m., gen.* -n 22,24; *me.* asse *esel; ne.* ass.
assaile *s.* asale.
assay *s.* asai.
assemble, *v., prät.* assemblid 59,85 *sich versammeln; ne.* assemble.
assembly, *sb.,* 59,57 *versammlung; ne.* assembly.
assent, *sb.,* 48,72 *übereinstimmung, zustimmung, meinung; wie ne.*
assunder, *adv.,* 46,360 *auseinander; ne. veraltet* asunder.
âstâh *s.* âstîgan.
astate *s.* estait.
æstel, *st. m.,* 14,74 *lesezeichen.*
âstellan, *schw. v., prät.* âstealde 16,39 *(lesart); nh.* âstelidæ 2,4 *hinstellen, gründen.*
astente *s.* âstyntan.
asticche *s.* stycce.
âstîgan, *st. v., me.* astiȝe; *prät.* âstâg 19a,2; âstâh 19b,2; *me.* astah 19c,2 *herabsteigen; me. pl.* astuȝen 28,42 *aufsteigen.*
astonait *s.* astone.
astone, *v., p. p.* astoned 65,60,1 *erstaunt;* astonait 69,162,6 *erschreckt; vgl. ne.* astonish *und* astound.
astuȝen *s.* âstîgan.
astyntan, *schw. v., me. prät.* astente 61,1109 *halt machen.*
âstyrfan, *schw. v.,* 7,192 *töten.*
âsundrian, *schw. v., p. p.* âsundrad 9,242 *absondern, befreien.*
aswa *s.* eal-swâ.

âswebban, *schw. v.,* 8,603; *p. p.* âswefed(e) 18,30 *(einschläfern), töten;* 9,186 *beschwichtigen.*
æswic, *st. m. oder n.?, merc.* êswic *(oder* -i-?) 18,34 *ärgernis.*
asyde *s.* side.
æt, *adv.,* 15,185; *me.* ate 61,1117 *dabei, dazu; präpos.* 11,123; *me.* et 87,90; at 60,29 *bei;* æt 21,22; *me.* at 59,13 *zu; me.* at 55,48 *an;* æt 16,70 *vor, von* ... *weg;* æt 28,39 *von;* æt 8,656; *me.* att 36, 104; at 46,210 *in;* at 51,26 *auf;* at 48,67 *gemäß;* at alle peryles 58,85 *mag daraus werden, was will; me.* atte 42,52; ate 50,101 = at þe; *me. konj.* = daß; quhat at 60,63 *was;* how ... at euer 62,15 *wie auch immer; relativ (nördl.)* the wnknawlage, at thai have 62,3 *die unkenntnis, die sie haben; vor inf.* 45,92; 67,235 = to.
æt, *st. m. und f.,* 11,210; *me.* æte; ete 82,258 *essen, fraß.*
æt *s.* etan.
âtæ *s.* âte.
ætbregdan, *st. v., prät. sg.* ætbræd 21,61 *entfernen, wegnehmen.*
âte, *schw. f., Ep.* âtae 1,13; *me.* ote *hafer; ne. pl.* oats.
ateliche *s.* eatollîc.
âtêon, *st. v., prät. sg. konj.* âtuge 16,81; *pl.* âtugon *absiehen, erziehen.*
ætêowde *s.* ætŷwan.
æteð *s.* etan.
æt-foran, *adv. und präp.,* 22,82; 28,16; *me.* etforen 88,13 *vor.*
ætgadere, -gædere, -geadre *s.* geador.
ath *s.* âð.
athalden, *st. v.,* 34,13824 A; æthælde 34,13949; atholde 34, 13824 B *bei sich behalten, unterhalten.*
athir *s.* æghwæðer.
æthrînan, *st. v., konj. präs.* æthrîne 21,33; *me.* atrine *anrühren.*
æththa *s.* oððe.
âtor, *st. n., me.* atter 82,144 *gift; ne. dial.* atter.
atrod, *adv.,* 67,56 *auf der spur (nach Holthausen, für unverständliches* alod *der hs.).*
ætsamne, ætsomne *s.* somen.
att(e) *s.* æt.
atter *s.* âtor.

Atthenes, *stadtn.*, 59,67 *Athen.*
attonys *s.* æne.
ættren, *adj.*, ættryn 23,47 *giftig.*
âtuge *s.* âtêon.
atwo, *adv.*, 54,48 *entzwei.*
ætȳwan, *schw. v.*, 11,174; *prät. me.*
 æteowde 28,37 *zeigen, offenbaren.*
ætȳwnes, *st. f.*, *dat. pl.* -sum 15,
 234 *das wirken, vollbringen.*
avale *s.* avaylle.
auance *s.* auaunce.
avarð *s.* âweorðan.
auaunce, *v.*, 48,31; *prät.* auanced
 48,4 *(be)fördern; ne.* advance.
avay *s.* weg.
avaylle, *v.*, 67,154; awaill 62,7;
 avale 67,296; vaile 46,188 *nutzen,*
 förderlich sein; ne. avail.
auctour, *sb.*, 65,63,1 *gewährsmann;*
 ne. author.
aveden *s.* habban.
Avene *s.* Afen.
auenture, *sb.*, 60,69; aunter 59,5
 ereignis, abenteuer; auenture 41,7;
 auentur 60,27; aunter 59,67 *zu-*
 fall, was einen trifft; of av. 65,
 63,7 *zufällig; ne.* adventure.
æueralch, æuere, auere *s.*
 æfre.
auerill *s.* Aperill.
auȝt *s.* æht, âwiht.
aulem, avleme *s.* âflȳman.
aungel *s.* angel.
aunsetre, *sb.*, *pl.* aunsetris 59,5
 vorfahr; ne. ancestor.
aunter *s.* aventure.
avouh, *sb.*, 65,61,4 *gelübde.*
auouh *s.* âfôn.
avowe, *vb.*, 47,1052 *gestehen; ne.*
 avow.
æure(um), ævric(h) *s.* æfre.
austere, *adj.*, 48,112 *grimmig;*
 ne. austere.
auter, *sb.*, 39,1297 *altar; ne.* altar.
auysyen, *v.*, 61,1155 *sich über-*
 legen; vgl. ne. advise? *[franzōs.*
 s'aviser].
æwre *s.* æfre.
âwæcnan, *st. v.*, *me.* awaken, *prät.*
 me. awok 61,1135; awoik 71,50
 erwachen, zu sich kommen; ne.
 awake.
awæȝ *s.* weg.
âwæ̂gan, *schw. v.*, *p. p.* âwæged
 22,38 *unerfüllt lassen, aufheben.*
awai, awæi *s.* weg.
awaill *s.* avaylle.

âwæl- *s.* âwyl-.
awarien, *schw. v.*, *konj. präs.* 46,
 332; *prät.* awariede 34,13946 *ver-*
 fluchen; vgl. âwirigan.
away *s.* weg.
awe, *sb.*, 48,68 *schrecken; ne.* awe.
awe *s.* âgan.
âweccan, *schw. v.*, *p. p.* âweaht
 9,367; *kent.* âweht(e) 20,11 *er-*
 wecken, wieder auferwecken; prät.
 âwehte 16,82 *ermuntern.*
aweg, awei *s.* weg.
awelte *s.* âwyltan.
âwendan, *schw. v.*, *prät.* âwende
 14,73 *übersetzen.*
âweorpan, *st. v.*, *absol. p. p. instr.*
 âworpenum 15,16 *wegwerfen.*
âweorðan, *st. v.*, *p. p.* âworden
 19a,4 *werden, geschehen.*
awey *s.* weg.
æ-wielm, *st. m.*, 17,7 *quelle, ur-*
 sprung; vgl. wylm.
âwiht, *pron.*, *me.* ohht 36,15628;
 auȝt 47,1135; aht; oghte 49,40;
 ouht 48,182 *etwas; adj.* oht(e)
 34,13952 *etwas wert, tüchtig; ne.*
 aught, ought.
âwirigan, *schw. v.*, *p. p.* âwiriged
 21,49; âwyrged(ne) 8,617 *ver-*
 fluchen; vgl. awarien.
æwisc-môd, *adj.*, 18,56 *mit be-*
 schämtem sinne.
awkwart, *adv.*, 66,407 *verquer,*
 von der seite; ne. awkward.
awne *s.* âgan.
awoik, awok *s.* âwæcnan.
awondrien, *schw. v.*, *p. p.* 47,1137
 awondred *erstaunt sein.*
aworden *s.* âweorðan.
âwreccan, *schw. v.*, *prät.* âwrehte
 22,66 *wecken.*
âwrîtan, *st. v.*, *p. p. fl.* âwritene
 14,33; *kent.* âuuritene 12,45 *(auf)-*
 schreiben, zeichnen.
âwyltan, *schw. v.*, *nh.* âwælte
 19a,2; âwylte 19b,2; *me.* awelte
 19c,2 *wegwälzen.*
âwylwan, *schw. v.*, *prät. merc.*
 19d,2 âwælede *wegwälzen.*
âwyrdan, *schw. v.*, 9,247 *schädigen.*
âwyrgedne *s.* âwirigan.
awyten, *v.*, *prät.* a wyste 32,17
 merken.
âwðor, *pron.*, *einer von zweien; konj.*
 âþer oðða 17,106; oþer 17,103 *ent-*
 weder; me. oþer 27,29; oðer 32,94;
 ouþer 48,31; *other;* outhire 49,20;

owthyre **49**,7; outhere; outher; ore **62**,31; or **48**,75 *oder;* oðer ðis; o. ...or **48**,31 *eines von diesen zwei dingen, entweder ... oder; ne.* or; *vgl.* æghwæðer.
a x e, a x e d e *s.* âscian.
a x i n g, *sb.,* **68**,3 *frage; ne.* asking.
ay *s.* ai, ege.
a y e, a y e n e *s.* ongegn.
a y e n b i t e, *sb.,* **50,** *titel: biþ* (= *afrz.* remors).
a y e r e, *sb.,* **49,**5 *luft; ne.* air.
A y r, *ortsname,* **66**,379 Ayr, *stadt und grafschaft in Schottland.*
a y s e *s.* aise.
a y t h e r *s.* æghwæðer.
a z e *s.* ealswâ.
â ð, *st. m., me.* oþ **42,**55; oth **48,**52; oht **56,**18; *pl.* athes **27**,11 *eid; ne.* oath; wiþouten oþ **42,**b5 *(formelhaft) sicherlich.*
æ þ e l e, *adj.,* æðel(re) **24,**10; *nh.* æþþilæ **4,**3a; *me.* haithill **59,**38; *sup.* æþelast **9**,2; *me.* aðelest **34,** 13850 *edel.*
æ ð e l i n g, *st. m.,* **4,**3b; æþeling **25,**1; *me.* heþeling **85,**74B; eþelyng **85,**74A *(lesa.* aþeling) *vornehmer mann, adeliger, prinz.*
Æ þ e l s t â n, *eigenn.,* 18,1 *der Westsachsenkönig Áthelstan.*
æ þ e l - s t e n c, *st. m., gen. pl.* **9,**195 *edelduft, wohlgeruch.*
â þ e r *s.* æghwæðer *und* âwðor.
â þ î o s t r i a n, *schw. v., p. p.* merc. âðiostrad(e) 13,34 *verfinstern.*
æ ð m, *st. m., me.* eþem **88,**31 *atem.*
â þ e r, â ð o r *s.* âwðor.
æ þ þ i l æ *s.* æþele.

B.

b â *s.* bêgen.
b æ c, *st. n.,* **6,**3; *merc.* bec **13,**34; *me.* bac **44,**47; bak **89,**1333; back *rücken; ne.* back.
b æ c - b o r d, *st. m.,* **17,**57 *backbord (linke schiffsseite vom steuer); ne.* backbord.
b a d, b æ d, b a d e *s.* biddan.
b æ d a n, *schw. v., p. p.* gebêded, gebæded 18,33 *bedrängen, zwingen.*
b æ d o n *s.* biddan.
b a f t *s.* bææftan.
B æ g - w a r e, *volksn., st. m. pl.,* 17,14; Begware 17,23 *Bajuwaren.*
b a i d, b a i d e *s.* bidan.

b a i k, *v.,* **70**,35 *backen; ne.* bake.
b a i l i e, *sb.,* **48,**236 *amt.*
b a k *s.* bæc.
b a k - b i t e r e, *sb., pl.* -s **41,**35 *verleumder; ne.* backbiter.
b æ l, *st. n.,* **9,**216; *me.* bal; bayle **67,**26 *feuer, scheiterhaufen.*
b a l d e(l i k e) *s.* beald(lice).
b a l e *s.* bealu.
b æ l - f ý r, *st. n., gen. pl.* bælfîra 8,579 *scheiterhaufenfeuer.*
b a l l, *sb.,* **69**,172 *ball, kugel; ne.* ball.
b a l l a d, *sb.,* ballet *(les.* ballate) 72,II,5 *ballade, gedicht.*
B æ m e, *volksn., st. m pl.,* 17,16; Behemas 17,23 *die Böhmen.*
b â n, *st. n.,* **9**,221; *me.* bon **54**,1; bone **67**,220; boon; *pl.* bonys **67**,253; *gen.* bâna **20**,28 *knochen, bein, gebein; ne.* bone.
b a n, *v.,* **67**,94 *entbieten, verwünschen; ne.* ban.
b â n a *s.* bân.
b a n a s y n g e, *sb.,* **62**,17 *verbannung; ne.* banishing.
b a n d, b a n d i s *s.* bond.
b a n d o u n, *sb.,* **48,**83 *herrschaft.*
b a n e r e, *sb.,* **48**,103; *pl.* baners **51**,70 *banner; ne.* banner.
b â n - f æ t, *st. n.,* **9**,229 *beinhaus, körper.*
B a n n o k b u r n, *ortsn.,* 57,2; Banocburn 57,*Motto: Bannockburn in Schottland (bei Stirling), wo die Schotten am 24. Juni 1314 über Eduard II. von England siegten.*
b a p t i m, *sb.,* **45,**81 *taufe; ne.* baptism.
b a p t i s e, *v.,* 19e,19 *(lesart) taufen; vb.-sb.* baptizing **45,**65 *taufe; ne.* baptize.
b a r, *v., p.p.* bard **67**,328 *einsperren; ne.* bar.
b a r, b æ r. *s.* beran.
b æ r, *adj., me.* bare *nackt, bloß, schmucklos;* **32,**344 *leer, brach;* twa bare tide **32,**139 *bloß zwei stunden;* for ane bare sunne **82,** 207 *bloß wegen einer sünde; ne.* bare.
b æ r, *st. f., Ep.* beer 1,6; *me.* bere *bahre, sänfte; ne.* bier.
b a r d *s.* bar.
b a r e *s.* bær.
b a r e l y *s.* bærlîce.
b a r e t t e, *sb.,* **48,**87 *streit, zank.*
b a r g *s.* beorgan.

bargan, *sb.*, 67,94 *handel, handlung, tun; ne.* bargain.
barge, *sb.*, 59,90 *barke; ne.* barge.
bark. *v.*, 72,I,6 *bellen; ne.* bark.
bærlice, *adv., me.* barely 59,68 *lediglich, ohne weiteres; ne.* barely.
barnes *s.* bearn.
bærnan, *schw. v., prät. pl.* bærndon 15,73; *me.* brendon 27,39; brent 89,1336 *verbrennen (transitiv); ne.* burn [*vgl. altn.* brenna].
bæron *s.* beran.
baroun, *sb.*, 47,1072; barun 44,31; *pl.* barons 48,30; baroun 48,39 *baron; ne.* baron.
barrow-tram, *sb.*, 72,II,19 *tragbahrenstange, frei übersetzt: besenstiel.*
barun *s.* baroun.
bæsten, *adj.*, 22,19 *aus bast angefertigt; ne.* basten.
bât, *st. m., me.* bot 42,10; bote 58,145 *boot, fahrzeug; ne.* boat.
bataile, *sb.*, 48,109; batail 48,125; bataille 51,86; batayl 57,*Motto;* batel(l) 59,56 *kampf, schlacht; ne.* battle.
bataile, *v., prät.*-d 48,203 *kämpfen.*
bætan, *schw. v.*, 10,2866 *aufzäumen.*
batel, batell *s.* bataile.
bathe *s.* baðe.
Bathe, *stadtname*, 63,29 *Bath.*
batter, *v.*, 72,II,19 *schlagen; wie ne.*
baundoun, *sb.*, 58,8 *gewalt, macht.*
bawelyne, *sb.*, 58,104 *die bugleine, buleine; ne.* bowline.
bayle *s.* bæl.
baylle *s.* bealu.
bayn, *adj.*, 67,308 *bereit, gehorsam.*
bayþ *s.* baðe.
bæð, *st. n.*, 8,581; *me.* bæð 32,218 *bad; ne.* bath.
baðe, *zahlwort*, 32,62; bathe 27,17; boþe 35,78; baþe 45,5; boþen 44,173; bothe 59,56; both 67,3; bayth 71,6 *beide; ne.* both [*sk.* baðir]; b... and 27,17, 44,173, 72, II,19; boþe.. an 46,150; b.... ant 51,53 *sowohl ... als auch; wie ne.*
baðian, *schw. v., me.* baðie 32,245; *baden; ne.* bathe.
baþiere, *sb.*, 41,15 *badewanne.*
be *s.* bëon, bî.
be sic seven *s.* seofon.
bëacnian, *schw. v., 3. sg.* bëacnað 9,646; *me.* beknen *ankündigen, veranschaulichen; ne.* beckon.

bëad(a) *s.* bëodan.
beado, *st. f., gen.* beaduwe 11,175; beadowe 11,213 *kampf.*
Beadonescan dûn, *eigenn.*, 15, 104 *Baddesdown, Badonici mons.*
beado-wǽpen, *st. n.*, 6,3 *kampfwaffe.*
beadowe, beaduwe *s.* beado.
beadu-weorc, *st. n.*, 18,48 *kriegswerk.*
beæftan, *adv., me.* baft 58,148 *hinten; präp.*, biaften 89,1333 *hinter; ne. veraltet* baft.
beaȝ *s.* bûgan.
bëah, *st. m.*, bëag 9,602; *pl.* bëagas 8,687; *me.* beies 37,34 *armring, spange, kronreif.*
bëah-gifa, *schw. m.*, 18,2 *spangenspender, d. i. fürst.*
bëah-hroden, *pl.* -e *adj.*, 11,138 *spangengeschmückt.*
beald, *adj.*, 6,9; *me.* bald (*les.* band) 43,92; bold 44,64; balde *mutig, kühn, zuversichtlich;* be bold 46, 54 *gewiß sein;* make balde 45,116 *überzeugen; ne.* bold.
bealdlice, *adv., me.* baldelike 44, 53 *dreist, unbesorgt; ne.* boldly.
bealu, *st. n., gen. pl.* bealwa 7,182 *kränkung; me.* bale 57,28 *unglück;* baylle 67,311 *unheil; ne.* bale.
bealu-lëas, *adj.*, 26,15 *schuldlos.*
bealwa *s.* bealu.
bëam, *st. m.*, 9,202; *me.* beom 27, 31 *baum, balken; ne.* beam.
bearn, *st. n.*, 10,2871; *pl. dat.* -um 6,9; barnum 2,5; *me. pl.* barnes 67,308 *kind, sohn; ne. dial.* barn, bairn.
bearnen *s.* beornan.
bearu, *st. m., gen. pl.* bearwa 9,80 *hain, wald.*
beat *s.* begietan.
bëatan, *st. v., me.* bete 67,407; *p. p. Ep.* gibëataen 1,6; *me.* ybeate 50, 89; ybyate 50,100; betin 57,8; betyn 67,381; bet 67,413 *schlagen; ne.* beat.
bebëodan, *st. v.*, 12,12; bebiodan 14,21; *prät. sg.* bebëad 10,2871; bibëad 8,577; *2. sg.* bebude 21,28; *pl.* bebudon 16,56; *p. p.* beboden 16,25 *gebieten, auftragen;* bebëodan 10,2858 *darbringen.*
bebod, *st. n.*, 15,40; *pl.* bebodu 15, 120; *me.* bibode 32,260; *pl.* bebodan 28,52 *gebot, befehl.*

bebr *s.* befor.

bebyrigean, *schw. v., prät. pl.*
bebyrigdan 15,20; *p.p.* bebyriȝed
28,16 *begraben.*

bebyrignys,*st.f.,*15,84*begräbnis.*

bec *s.* bæc.

bêc *s.* bôc.

becauss, *konj.,* 70,33 *weil; ne.*
because.

bêce, *schw.f., Ep.* bôecae 1,2; *me.*
beeche *buche; ne.* beech.

becerran,*schw.v.,me.p.p.*bicherd
82,318 *betrügen.*

becleopian, *schw. v., me.* biclu-
pien 82,107 *anklagen.*

beclyppan, *schw.v.,me.3.sg.präs.*
ind. beclepþ 50,41 *(frz.* embraser
mit embrasser *verwechselt); prät.*
me. beclepte 50,107 *umarmen, um-*
fassen.

becuman, *st.v., me.* bicumen; be-
come; *prät. sg.* becôm 15,165;
plur. becômon 11,134; -an 18,70
*herkommen,hinkommen,treffen;*14,
25,83,81 *zukommen, geziemen; me.*
prät. becom 50,112; *p. p.* bicome
61,1137 *werden; ne.* become.

bed, *st. n., me.* bed 82,218; *flekt.*
beddes; bedde 46,102 *bett;ne.*bed.

bed *s.* bêodan.

bedæ̂lan, *schw. v., p. p.* bedæ̂led
21,78; bidæ̂led 8,681 *berauben.*

bede(n) *s.* bêodan, biddan.

bedeyn (= bidene?), *adv.,* 67,442
zumal, zugleich, alsbald.

bedeþ *s.* bêodan.

bedîolian, *schw. v., kent., 3. sg.*
bedîolað 20,38 *verbergen.*

bedrîfan, *st. v., prät. pl.* bedrifan
15,7 *(ver)treiben, zwingen, ver-*
folgen.

bedu *st.f., me.* beode 88,87 *bitte;*
ne. bead.

bee *s.* bêo.

beed *s.* bêodan, biddan.

beêodon, *def. v., prät. pl.* 15,224
bewohnten.

beer *s.* bær, *sb.*

bees *s.* bêo, bêon.

beest, *sb.,* 67,3 *tier; ne.* beast.

befæstan,*schw.v.,*14,24*mitteilen;*
prät. befæste 26,29 *anvertrauen.*

befealdan, *st. v., prät.* befêold
21,24 *umhüllen; vgl.* fealdan.

befeallan, *st.v., me.* befalle 61,
1154; bifalle 43,101; *3. sg. präs.*
kent. befelð 20,43; *prät. me.* befell

59,67; biful 34,14028 *fallen, ge-*
raten; sich ereignen, sich treffen;
me. p. p. bifealle 82,196 *verfallen;*
ne. befall.

befêolan, *st. v.,* 14,58 *anordnen.*

beflêon, *st.v., me.* bi fleon 82,152
entfliehen.

befoir *s.* beforan.

befôn, *st. v., me.* bifon; *p. p.* bifon-
gen 9,259 *umgeben, umkleiden.*

befor,*st.m., Ep.* bebr 1,8; *me.*beuer
82,362 *biber(fell); ne.* beaver.

beforan, *adv., me.* before(n) 59,31
vorne; byvoren 40,8 *voraus; präp.*
(auch nachgestellt) beforan 12,45;
biforan 13,33; *me.* beforan 28,44;
be fore 82,18; bi foren 82,27; bi
fore 82,28; biforen 88,44; biforr
86,15616; biuoren 87,22; bifor
47,1036; bifore 47,1091; beuore
50,74; before 62,15; byfore 61,
1147; befoir 71,1 *vor;* him biuore
87,90 *vor ihm; konj.* byfore þat
51,17 *bevor;* þer before 41,28
vorher; ne. before.

befte, *v., prät.* 45,12 *schlagen.*

befullan, *adv.,* 14,41 *völlig, voll-*
ständig.

bêgen, *zahlw., nom.m.*11,207; *nom.*
akk. fem. bâ 1,4; bû, *verstärkt*
bûtû 4,2b *(vgl.* twêgen); *gen.*
bêgea 11,128; *kent.* boêga 12,13;
me. beien; bo 47,1057 *beide(s).*

begeondan, *präp.,* 17,27; begion-
dan 14,17; *me.* bi-ȝende 46,105;
biȝond 48,10 *jenseits; ne.* beyond.

begêotan, *st. v., p. p.* begoten,
bigoten 4,2a,b *begießen.*

begietan,*st.v.,*9,669;begeotan 12,
21; bigeotan 18,49; *2. kj. präs.* be-
gite 21,5; *prät.sg:Ep.* bigaet 1,15;
begeat 22,56; *me.* biȝat 47,1053;
pl. begêaton 14,35; begêatan 18,
73; *p. me.* bi ȝite 82,105; biȝeten
84,13958 *erlangen, bekommen,*
zeugen, erbeuten, erobern, sich
verschaffen; me. beat (*st.* begat)
82,126 *sündennachlaß erkaufen;*
ne. beget.

beginnan, *st. v., me.* begynnen
62,9; biginnen 44,21; bigynne;
begyn 67,253; *prät.sg.* begann 22,
14; *me.* bigon 83,59; bigan 48,216;
began 67,29; *konj.* bigunne 82,
214; *pl. me.* bigunnenn 36,15620;
bi gunne 82,243; bygonne 51,62;
begouth 60,5;*p.p.*bi-gunne 46,384

beginnen, anfangen, sich an etwas machen, nach etwas streben; me. mit inf. oft nur umschreibend 40,16, 42,27 (vgl. auch cunnan); ne. begin.

b e g i n n i n g, vb.-sb., bi ginninge 32,119; biginning 44,13; begynnyng 60,121 beginn, anfang.

b e g i o n d a n s. begeondan.

b e g i t ẹ s. begietan.

b e g o t e n s. begêotan.

b e g y l e, v., 71,45; p. p. begylit 73,2 betrügen, täuschen; ne. beguile.

b e g y n n a r, sb., 67,406 urheberin; ne. beginner.

b e h a l d(i n g) s. behealdan.

b e h â t a n, st. v., me. bihete(n) 46, 428; 3. sg. präs. ind. me. bi hateð 82,38; bihat; prät. sg. behêt; pl. behêton 22,52; me. be heten 82, 242; p. p. behete 67,430 verheißen, geloben.

b e h e a l d a n, st. v., me. bi healde 82, 284; bihalden(e) 83,19; biholde; behold 67,523; behald 67,509; prät. behêold 4,3b; nh. bihêald 4,3a; me. biheld 47,996 (im auge) behalten, beobachten; 82,388 betrachten, achten auf; merc. imp. bihald 18,26; prät. behelde 59,64 ansehen, sehen, erblicken; 3. sg. präs. ind. bihealdeþ 9,87 halten, bewohnen; bi halt 82,308 beruhen (auf bi); ne. behold.

B e h e m a s s. Bæme.

b e h e t e(n), b e h ê t o n s. behâtan.

b e h i n d a n, adv., 18,60; me. bi hinde 82,87; behynd 67,331 hinten, rückwärts; präp., hinter; ne. behind.

.b e h i o n a n, präp., 14,15 diesseits.

b e h ô f i a n, schw. v., me. bihove; 3. sg. präs. bihoueð 38,28; behwys 62,26 nötig haben, müssen (mit akk. der pers.); bihoueþ, bihouit 85,87 geziemt; ne. behove.

b e h o l d s. behealdan.

b e h w y s s. behôfian.

b e h ÿ d a n, schw. v., p. p. pl. behÿdde 15,95 verbergen, verstecken.

b e h y n d s. behindan.

b ê h ð, st. f., 11,174 zeichen.

b e i e(n) s. bêgen, bîgan.

b e i e s s. bêah.

b e i r s. beran.

b e i s s. bêon.

b e l æ w a n, schw. v., prät. belæwde 22,68 verraten.

b e l e i f s. beleve.

b e l e v e, schw. v., byleve; bi-lefe(þ) 84,13890; biliue(ð) 84,13966; bileve; beleif 73,3; imp. bi-lef 46, 217; prät. beleuede 41,27; byleuede 40,72; p. p. bileued 55,16 glauben; ne. believe.

b e l i a u e, sb., 41,28; bilefue(s) 84, 13942; bileue 84,13889; bileve glaube; ne. belief.

b e l î f a n, st. v., me. bilifen; bilive prät.sg. me. bilæf 86,15550; bileaf 89,1332; bilef 89,1346 bleiben; vgl. bilæuen.

b e l i f e s. ltf.

b e l i m p a n, st. v., 3. sg. belimpeð 17,156; prät. pl. belumpon 16,4 betreffen, gehören zu (mit tô).

b e l l, sb., 70,31 glocke; ne. bell.

b e l l e, sb., 46,390 leib; ne. belly.

b e l o n g e n, v., 41,9 angehen (mit tô); ne. belong.

b e l û c a n, st.v., me.biluke; prät. pl. belucon 22,71; p.p. belocen(e) 22, 46; me. biloken 82,81 umschließen, einschließen, verschließen.

b e l z e b u d, eigenn. (teufel), 32,283.

b e m u r n a n. st.v., 7,176 (be)trauern.

b e n s. bên, bêon.

b ê n, st.f., me. bene 87,84; ben bitte.

b e n d, st. m. f., me. bend; bende; pl. bendes 82,188; dat. pl. bendum 8,625; bende 82,136 band, fessel.

b e n d a n, schw. v., prät. bende 25,9 fesseln, schnüren; me. bend (vp) 78,13 fest spannen; 67,253 beugen; p. p. pl. bende 54,26 neigen; ne. bend.

b e n d e s. bend.

b e n e, adj., 82,337 angenehm, bequem; ne. dial. (schott.) bene, bein, been, bien [lat. bene?].

b e n e s. bên.

b e n e d i c i t e! interj., 46,193 bei gott! beim himmel! u. dgl.

b e n e o ð a n, präp., me. bi neoðen 32,87 unter; adv. be-neyth 67,137 unten; ne. beneath.

b e n i m a n, st. v., 17,161 herleiten; me. bi nimen 82,50; bi nime 82, 44; prät. me. be nam 82,259 (be-) rauben; p. p. binomen 46,295 entfernen.

b e n t, sb., 59,91 feld.

b ê o, beo s. bêon, bî.

b ê o, schw. f., me. bee 49,1; pl. bees 49,16 biene; ne. bee.

bêod, *st. m.*; bîod 13,33; *me.* beod *tisch.*

beod *s.* bêon.

bêodan, *st. v., me. 3. sg. prs. ind.* beot 33,106; *prät. sg.* bêad 21,19; *me.* bad 39,1324; bede 45,8; bed 51,54 *gebieten, heißen; nh.* beada 19a,8; *me.* beden 46,40 *entbieten, melden; me.* bede 45,65; *prät.* beed 46,349; bede 46,129; 48,136 *(sich) anbieten;* bede 57,9; *prät.* bede 45,111 *sich zeigen; oft ist ein inf. zu ergänzen:* þe ic þê bêad (bringan) 21,19; ðat he bed *(prät.)* him to (gon) 39,1292 *befehlen; 3. prs. präs.* beot 32,126 *beten (?); vgl.* biddan.

beode, *sb.,* 32,262 *bote.*

beode *s.* bedu, bêodan.

beofian, *schw. v., me.* bivien; *pl. präs.* beofað 8,708; *prät.* bifode 4,1b; *p. präs.* byfigynde 5,2 *beben, zittern.*

beom *s.* beam.

bêon, *def. v.,* 17,113; bîon 12,6; *me.* ben 27,2; beon 32,39; beo 32,41; be 46,46; by 50,13; buen 51,24; (to) beonne 37,29; *ne.* be; *präs. sg. 1.* bêo 19b,20; *me.* beo 32,4; *2.* bist; *me.* bist; best; bes 46,444; *3.* biþ 8,704; bið 9,11; byþ 21,57; *kent.* bit 20,26; *me.* beoð 32,233; biþ; bið 32,77; buð 32,120; beis 66,433; bees 67,373; *pl.* bêoð 17,91; bêoþ 21,4; bioð 20,33; *me.* beoð 32,75; beoþ 32,19; beod 32, 377; bið 32,76; buð 32,23; buþ 61, 1129; byeþ 50,6; bueþ 51,70; bied 41,40; beon 32,28; ben 35,75; beo 37,167; be 48,242; *präs. konj.* bêo; *me.* beo 32,26; be 35,92; beon 34,13838; bið 33,58; by 50,30; *plur.* beon 32,28; buen 51,29; *ne.* be; *imp. sg.* bêo 21,47; *me.* beo 40,45; *pl.* bîoð 13,41; *ne.* be; *p. p. me.* ibeon 32,3; ben 46,68; yby 50,77; beyn 67,445; bene 69,170,5 *sein, werden (oft futurisch); ne.* been; *vgl.* eart, êom, wesan.

beora, beore *s.* beran.

beorg, *st. m.,* 6,18; *me.* berȝ *berg, hügel; ne.* barrow.

beorgan, *st. v., me.* bergen, berȝe, berwen; *prät. sg.* bearh; *me.* barg 39,1330; *p. p. me.* iboreȝe 32,165 *bergen, schützen, retten.*

beorht, *adj.,* (-ne *akk.*) 7,205; *me.* briht(e) 32,75; bricht; briȝt 43,14;

bright 67,9; bryht 52,26; brycht 60,10; *komp.* brihtere 28,8; *sup.* beorhtast 9,80; *adv.* bryghte 49,6 *hell, leuchtend, strahlend, rein; ne.* bright.

Beormas, *volksn., st. m. pl.,* 17,73 *die bewohner von Perm.*

beorn, *st. m.,* 4,1b; *pl. me.* buernes 59,90 *held, mann.*

beornan, *st. v., me.* bearnen, bernen 34,14000; beornen 37,104; birne 69,168,6; brenne 63,18; *3. sg. präs. ind.* byrneð 9,214; birð 20,28; *me.* burnð 32,249; *p. präs.* burnende 32,218; beorninde 33,13; berninde 33,17; byrnand 60,26; *prät. sg.* barn, born; *pl.* burnon; *p.p.* burnen *brennen (intrans.); ne.* burn.

bêor-setl, *st. n.,* 8,687 *biersitz?*

beot *s.* bêtan.

bêot, *st. n.,* 28,15 *verheißung, gelübde;* 23,27 *(be)drohung.*

bêotung, *st. f.,* 15,74 *drohung.*

bêoþ, bêoð, beoþ, beoð *s.* bêon.

bepǽcan, *schw. v., me.* bipeche 40,58; *p. p.* bepǽht 22,51 *betrügen, verführen.*

bera, *schw. m.,* 17,102 *bär; ne.* bear.

beran, *st. v.,* 6,3; bæron 27,30; *(erg.* sculde) 27,33; *flekt.* berenne 11, 131; *me.* beren 32,95; bere 45,63; beir 71,41; *präs. sg. 3.* biereð 9,199; byrð 17,190; *me.* berð 28,22; berþ 50,19; *pl. me.* bereð 32,46; *me.* bæron; berenn 36,47; *imp. pl.* berað 11,191; *me.* bereth 41,19; bereþþ 36,15570; *prät. sg.* bær 5,2; *me.* bar 39,1306; ber 51,16; bore 44,45; *pl.* bǽron 11,201; bêron 23,67; *me.* beore 34,13970; baren 42,60; bare 48,219; *p. p. me.* iboren 37,23 *tragen, bringen;* 42,47; bereð 34,13872; beris 67, 105; *p.p.* iboren(e) 32,105; bore 47, 1092; ybore 47,983; born 48,54; borne 68,5 *hervorbringen, gebären;* 51,6 *davontragen;* 67,434 *ertragen, leiden (unter), sich stürzen?; ne.* bear; b. ȝewitnesse 28,22 *zeugnis ablegen;* b. biforen 32,95 *vorbringen;* b. to 58,148 *sich stemmen gegen.*

berêafian, *schw. v., p. p.* berêafod 7,168; 26,16; *me.* bi-reved 46,336 *berauben.*

bere-bag, *sb.,* 57,20 *sackträger, spitzname der Schotten (nach ihrem hafersack mit mundvorrat).*

beren, *adj.*, 17,102 *zum bären ge-*
hörig.
bernen, berninde *s.* beornan.
berrhless, *sb.*, 86,103 *rettung, heil.*
berstan, *st. v., me.* bersten; brast
67,264; *prät. sg.* bærst; *me. konj.*
burste 46,360; *pl.* burston; *p. p.*
borsten, *bersten, zerbrechen, zer-*
reißen; ne. burst.
Berwik, *ortsn.*, 57,1: *Berwick, ehe-*
mals schott. grenzstadt.
bescêawian, *schw.v., pl.* -iað 20,2
beschauen, beobachten.
besciran, *st. v.*, 22,5; *p. p.* be-
scoren 22,63 *abscheren.*
bescunian?, *schw. v., me.* bi
scunien 32,152 *vermeiden.*
besêcan, *schw. v., me.* biseche 37,
87; *pl.* bisecheð 33,38; *imp. sg.*
besech 41,50; *p. präs.* besechyng
65,64,1; *prät.* besôhte *ersuchen,*
dringend bitten; ne. beseech.
besele *s.* bysig.
besêon, *st. v., me.* biseon(ne) 37,
137; bisen89,1313; *prät. sg.* biseah
8,627 *sehen; me. 3. sg. präs.* bisihð
(to) 37,81 *auf etwas sehen.*
besettan, *schw.v., me.* bisette; *prät.*
pl. besetton 22,42 *umzingeln; p.p.*
me. biset 37,55 *besetzen;* 46,274
anwenden; ne. beset.
beslêan, *st. v., p. p.* beslagen,
beslægen, beslegen, 18,42 *durch*
schlagen berauben.
besprengan, *schw.v., me.* bisprengen *besprengen; ne. p.p.* besprent.
best *s.* gôd.
bestelan, *st. v., p. p. me.* bi stolen
32,17 *sich heimlich heranmachen.*
bestêman, *schw.v., p.p.* bestêmed
4,2b; *nh.* bistêmid 4,2a *beströmen,*
beflecken.
bestondan,*st.v.,prät.*bestôdon 23,
68 *umstehen (trans.); an etw. stehen.*
besûðan, *präp.*, 14,19 *südlich von.*
beswîcan, *st. v.*, 15,178; *me. 3. sg.*
präs. bi swikeð 32,14; *prät. sg.*
beswâc 21,61; *konj. sg.* beswice
22,52 *betrügen, überlisten.*
besy(e) *s.* bysig.
besyde, *adv., präp.*, 60,45; bezide
50,108 *neben; ne.* beside.
besynes *s.* bysignis.
bet *s.* bêatan, bêtan, gôd, wel.
betæcan, *schw. v., me.* biteche;
prät. me. bitauhte 42,45 *zuweisen,*
übergeben.

bêtan, *schw.v., fl.inf.*tô bêtanne 15,
230; 14,*schl.-ged.*,28; *me. pl. präs.*
betes 57,28 *(aus)bessern; me.*beten
82,134; bete82,238; *3. sg.präs.ind.*
me. bet 32,164; beot 82,126; *p.p.*
me. ibet 32,100 *büßen, sühnen.*
beteldan, *schw. v.*, 9,339; *p. p.*
bitolden 9,609 *umgeben.*
beten *s.* bêtan.
betera(n), bet(e)re *s.* gôd, wel.
betes *s.* bêtan.
betest *s.* gôd, wel.
betid *s.* bitide.
betin *s.* bêatan.
betoknen *s.* bitacnenn.
betst(a), betste, better *s.* gôd.
betwêonum, *adv.*, betwêonan, *me.*
bitweonen 37,28 *dazwischen, zwi-*
schen; präp. betwêonan 17,167;
bitwenen 83,90; bitwenenn 86,
61; bitwene 40,40; bituene 54,55;
bytuene 53,1; bitven 47,1101;
betwene 59,91; betuene 50,45
zwischen; ne. between.
betwux, *präp.*, 22,80; betux 17,
130; betuh 17,138; betwih 15,17;
betwyh 15,57; betweoh 15,232;
me. betwix; betwixt 67,185
zwischen; ne. betwixt
betyn *s.* bêatan.
betŷnan, *schw. v., prät.* betŷnde
16,86 *beschließen.*
bever *s.* befor.
bewayle, *v.*, 63,16 *beklagen; ne.*
bewail.
bewêpan, *st. v., me.* biwepe 83,62
beweinen, beklagen; ne. beweep.
bewerian, *schw. v.*, 15,196; *me.*
bi werien 82,333 *hindern; prät.*
bewerode 26,24 *verteidigen.*
bewitan, *prät.-präs., me.* biwiten;
witen; *prät. me.* biwiste(n) 83,22;
wiste83,55*hüten, unter sich haben.*
bewlîtan, *st. v., prät.* bewlât 10,
2925 *sich umsehen.*
bewty, *sb.*, 67,20 *schönheit; ne.*
beauty.
bewun, *adj., pl.* -e 28,10 *gewohnt;*
vgl. gewun, gewunian.
beye *s.* bycgan.
beyn *s.* bêon.
beytter, *sb.*, 67,311 *verbesserer,*
linderer, heiler.
bezide *s.* besyde.
beþeccan, *schw. v., me.* biþecchen,
p. p. pl. biþeahte 9,605; beðeahte
11,213 *schützen.*

beþencan, *schw. v.*, *me.* bi þenche **82,6**; biðenche **82,325**; *3. sg. präs. ind. me.* bi pencð **82,33**; *prät. me.* biþouhte; bi-þoute **46,13**; *p.p. me.* bi þoht **82,8** *(sich) bedenken, für jemand sorgen, denken an* (on); *vgl. ne.* bethink.

beþenchinge, *vb.-sb.*, **50,43** *erwägung, (be)denken.*

beþrungen *s.* biþringan.

beþurfan, *prät.-präs., prät.* biþearf **8,715** *bedürfen, mangel haben an (gen.).*

bî, *adv., me.* bi and bi **48,143** *der reihe nach*; bî **14,80**; bîg; bi; be; *me.* bi; by *dabei, danach, davon, ab; präp.* bi **7,212**; bî **13,6**; be **10,2905**; *me.* bi **84,13829**; by **51,20** *bei, an*; beo **28,7** *um, über*; be **23,9**; *me.* bie **41,18**; be **50,12** *durch*; by **59,12**; be **69,165,2** *von (beim pass.)*; be hearpan **16,20**; be **17,125** *zu, nach*; be **16,70**; bî **16,71**; *me.* bi **37,170** *betreffend, auf; gemäß* (bî ðære bisene **14,94**; bi one zihte **82,380**; bî gewyrhtum **8,728** *nach ihren werken*; bî ungewyrhtum **13,6** *unverdientermaßen*; bi ðes ilke wihte **82,212** *gleich groß*; **69,167,1**); **46,1**; **67,18** *auf* (bi strete **46,395**; be wege **22,12**; *me.* bi wai **45,76** *unterwegs*); be nome **59,37** *mit*; word be worde **14,67** *für; ne.* by.

bi- *s.* be-.

biaften *s.* beæftan.

biche, *sb.*, **46,354**; bicche **46,372** *hündin; ne.* bitch.

bicherd *s.* becerran.

bidælan *s.* bedælan.

bîdan, *st. v.*, **6,15**; *1. sg.* bîde **6,9**; *me.* bide **46,133**; *prät.* bâd **13,29**; *me.* baid **60,113**; baide **62,35**; *pl.* bidon; *p. p.* gebiden *(er)warten; prät.* bâd **17,62** *abwarten; me.* byde **60,2** *ertragen; me.* bide **46, 26**; biden **46,116** *erhoffen; ne.* bide.

biddan, *st. v.*, **11,187**; *me.* bidde(n) **32,125**; bid **67,418**; *ind. präs. 1. sg.* bidde **8,718**; biddo **12,42**; *me. 3.* biddeð **82,127**; biddeþ **40,51**; biþ; bit **32,126**; bidde **24,23** *pl.* **8,666**; *kj. pl.* bidde we **51,90**; *imp.* bide **24,14**; *p. präs.* biddende **15,97**; *prät. sg.* bæd **15,139**; *me.* bæd **43,81**; bade; *pl.* bædon **22,78**; *merc.* bêdun **19d,17**; *me.* beden **40,74**; *p. p.* gebeden; *me.* ibeden

88,77 *bitten, beten* (mit dat. eth. **40, 42**); *me.* bid **42,48**; bidde **50,13**; *2. sg.* byst **40,19**; *3. sg.* byd **40,22**; *prät.* bad **89,1324**; **42,29** *heißen, befehlen; ne.* bid; *vgl.* bêodan.

bidelue, *st. v.*, **47,1026** *begraben.*

bide(n) *s.* bîdan.

bie *s.* bî.

bied *s.* bêon.

biêode, *def. prät.*, **13,17** *ich erging mich.*

biereþ *s.* beran.

biet *s.* bîgan.

bifalle *s.* befeallan.

bifangen *s.* befôn.

bifealle *s.* befeallan.

bifian *s.* beofian.

bifode *s.* beofian.

bifleon *s.* befleon.

bifôn, bifongen *s.* befôn.

bifor(r), biforan, bi foren *s.* beforan.

biful *s.* befeallan.

bîgan, *schw. v., me.* beie **87,3**; bie **37,18**; *3. sg. präs.* biet **82,126** *(les.); p. p.* gebîged **21,48**; *merc.* gebêged **13,35** *beugen.*

bigan *s.* beginnan.

bizat, bigæt *s.* begietan.

bi zende *s.* begiondan.

bigenga, *schw. m.*, **15,93** *bewohner.*

bigeotan, bizeten *s.* begietan.

bigge, *v., prät.* bigged **58,124** *bauen, machen* [an. byggia].

bigge, biggen *s.* bycgan.

biging, *sb.*, **57,20** *wohnung, haus.*

biginnen *s.* beginnan.

biginning(e) *s.* beginning.

bizite *s.* begietan.

bizð *s.* bycgan.

bigon *s.* beginnan.

bigond, bizond *s.* begeondan.

bigoten *s.* begêotan.

bi gunne, bigunne(nn) *s.* beginnan.

bihald(ene), bihalt, bihêald, biheald-, biheld *s.* behealdan.

bi hateð, bihet *s.* behâtan.

bihinde(n) *s.* behindan.

bihlænan, *schw. v.*, **8,577** *umlehnen, umstellen.*

bihoue(ð), bihouit *s.* behôfian.

bihoue, *sb.*, **85,96a** *nutzen, vorteil; ne.* behoof.

bikecchen, *v., p. p.* bi kehte, **82, 318** *fangen, überlisten.*

biknowe, *adj.*, **42,40** *geständig.*

bilæf *s.* belifan.
bilæue(n), *schw.v.,* 84,13861; bilæfuen 84,13832A; bi-lefue 84, 13832B *bleiben, zurückbleiben; vgl.* belifan.
bileaf, bilef *s.* beleve, belifan.
bilefue, bileue, bileve *s.* beliave, bilæuen.
biléve *s.* beleve.
bileuynge, *sb.,* 40,9 *unterhalt.*
bil-gesleht, *st. n.,* -slyht, -sliht 18,45 *schwerterschlacht.*
bi-lif, *sb.,* 85,96 *lebensunterhalt.*
bilinnen *s.* blinnan.
biliue, bi live *s.* lif.
biliueð *s.* beleve.
bill, *st. n., instr.* bille 10,2931 *schwert; me. ne.* bill.
bille, *sb.,* 67,508 *schnabel; ne.* bill.
biloken *s.* belûcan.
bilyue *s.* lif.
bimelden, *v.,* 46,38 *verraten.*
bindan, *st. v., me.* binde 82,216; bynde 44,41; *prät. sg.* band, bond; *pl.* bundon, bonden; *p. p.* gebunden 22,23 *(fl. pl.* gebundne 18,46); *me.* bonden 48,59; ibounde 61,1147; ybounde 56,2; i-bonden 46,204; bounde 63,12; bonde 68, 32 *binden, fesseln, einkerkern; ne.* bind.
binêotan, *st. v.,* 8,604 *berauben.*
bi neoðen *s.* beneoðan.
binnan, *präp.,* 17,10 *in; me.* binnen 28,54 *innerhalb.*
binomen *s.* beniman.
bio, bioð *s.* bêon.
bîod *s.* bêod.
bipeche *s.* bepæcan.
biqueþen, *v.,* 51,25 *vermachen; ne.* bequeathe.
bi-reved *s.* berêafian.
biriels *s.* byrgels.
birig *s.* burh.
birine, *v.,* 48,11 *(be)regnen.*
birne *s.* beornan.
birrþ, *einpers. v.,* 86,15572; burþ 46,82; *prät.* birrde *es gebührt, ziemt sich* (ae. gebyreð); burde hym 58,117 *er sollte.*
birð *s.* beornan.
biscep(e) *s.* biscop.
biscep-stôl, *st. m.,* 14,73 *bischofstuhl, -sitz.*
bischine, *st. v.,* 48,12 *(be)scheinen.*
biscop, *st. m.,* 15,82; biscep *(les.* bisceop) 14,1; *me.* biscop 83,48;

bissopp(e) 50,74; bischop(is) 71, 24; bischopp(is) 71,22 *bischof; ne.* bishop.
biscop-hâd, *st. m.,* 15,112 *episkopat, bischofswürde.*
bi scunien *s.* bescunian.
biseah *s.* bisêon.
biseche(ð) *s.* besêcan.
bisen *s.* bisêon, bysen.
bisencan, *schw. v.,* 18,22; *me.* bisenchen; *prät.* bisencte 18,3 *versenken.*
bisêon, *st. v., prät. sg.* biseah 8,627; *me.* bisen *sehen.*
biset(te) *s.* besettan.
bisga *s.* bysgu.
bismerian, *schw. v., prät. pl.* bysmeredon, 4,2b; *nh.* bismæradu, 4,2a *verhöhnen.*
bisocnie, *sb.,* 88,87 *besuch.*
bisorgian, *schw.v.,* 9,368 *scheuen.*
bispeken, *st. v., prät.* bispak 47, 1039 *sprechen; vgl.* sprecan.
bîspel, *st. n.,* 13,17; *me.* bispel *sprichwort; ne. dial.* byspel.
bissoppe *s.* biscop.
bistad, *p. p.* 54,9 *zusammengestellt im tête à tête (Hart)* [aisl. staddr].
bi stolen *s.* bestelan.
bit *s.* bêon, biddan.
bitacnenn, *v., (p. p.)* 86,8 *bezeichnen: 3. sg.* betokned 41,40; bitockned 41,31 *bedeuten; ne.* betoken.
bîtan, *st. v., me.* byte 67,220; *3. sg.* biteþþ 86,15581; *beißen, verzehren; vb.-sb.* byting 72,10; *ne.* bite.
bitauhte *s.* betæcan.
bite, *st. m.,* 20,33; *me.* bite *biß, bissen; ne.* bit.
biteldan *s.* beteldan.
bi-tide, *schw. v.,* 46,124; bityde 57,12; *prät.* bitydde 58,61; *p. p.* betid 61,1131 *(sich) treffen, ereignen; ne.* betide.
bitocknen *s.* bitacnenn.
bitolden *s.* beteldan.
bitter, *adj., schw. bitera* 26,26; *me.* biter 82,138; bitter 47,1019 (*pl.* bittere 88,26) *bitter, schneidend; ne.* bitter.
bitterlîce, *adv., me.* bitterliche 88,18 *schmerzhaft: ne.* bitterly.
bitven, bituene *s.* betwêonum.
biuore(n) *s.* beforan.
biwayle *s.* bewayle.
biwindan, *st. v., p. p.* biwunden 9,666 *umhüllen, umgeben.*

biwinnen, *st.v., prät.* biwon **38,7**
erwirken; *p. p. me.* bi-wonne **46,**
381 *erlangen.*
biwiste *s.* bewitan.
bi wonne *s.* biwinnan.
biwrayen, *schw. v., p. p.* biwray
47,1154 *verraten.*
biwunden *s.* biwindan.
biwyrcan, *schw. v.,* **8,**575 *machen,
anfertigen.*
biþ, biŏ *s.* bêon, biddan.
biþeaht, biþecchen *s.* beþeccan.
biþearf *s.* beþurfan.
biŏenche, biþenche, biþencŏ
s. beþencan.
biþoht, bi-þohte *s.* beþencan.
biþouhte, biþoute *s.* beþencan.
biþrungen **9,**341; *p. p. zu* biþrin-
gan, *st. v., umdrängen.*
biþurfan, *prät.präs., prät.* biþearf
8,715 *bedürfen, mangel haben an
(gen).*
blæc, *adj., me.* blac **44,**48; blak
73,19; *pl.* blake **58,**14 *schwarz;
ne.* black.
blâc-hlêor, *adj.,* **11,**128 *mit glän-
zenden wangen.*
blæd, *st. m.,* **9,**662; *me.* blead *erfolg,
ruhm.*
blæd-dæg, *st. m.,* **9,**674 *glückstag.*
blak, blake *s.* blæc.
blame, *sb.,* **46,**198 *vorwurf;* **44,**84
tadel; wie ne.
blame, *v.,* **46,**56 *tadeln; ne.* blame.
blanden-feax, *adj.,* **18,**45 *das
haar mit grau untermischt, ergraut.*
Blasi, *eigenn.,* **47,**984 *Blasius.*
blæst, *st. m.,* **9,**15; *me. pl.* blastis
60,2 *brausen, sturm;* **67,**355 *blasen;
ne.* blast.
blaw, *sb.,* **66,**399 *schlag; ne.* blow.
blâwan, *st. v., me.* blawe **32,**138;
blowe **58,**138; *pl. präs.* bloweþ
58,134; *prät.* blêow; *pl. me.* blewe
61,1116; *p. p.* blâwen; *me.* blawen
49,12; blowen *blasen, wehen, auf-
blähen; ne.* blow.
Blecinga-êg, *ortsn., f.,* **17,**152
landsch. Bleckingen, Südschweden.
blêd, *st. f., instr.* -um **9,**207 *blüte.*
blêdan, *schw. v., me.* blede **44,**103
bluten; ne. bleed.
blegen, *st. f., Ep. cas. obl.* blegnae
1,28; *me.* blaine *blase; ne.* blain.
blencan, *schw. v., me.* blenke; *prät.*
blenkid **45,**119 *zurückweichen, sich
scheuen; ne.* blench.

blendan, *schw. v., prät.* blende
25,9; *p. p. me.* blent **64,**18 *(ver)-
blenden.*
blenkid *s.* blencan.
blent *s.* blendan.
bleo, *sb.,* **52,**16 *farbe, licht.*
blescinge, blessynge *s.* blêt-
sung.
blêtsi(g)an, *schw. v.,* **9,**620; *me.*
bletsen; blesse **46,**201: blisse
32,233; blys; *imp. sg.* bletsa **21,**
59; *prät.* blêtsode **21,**38; *p. p.*
geblêtsod **21,**57; *me.* blissid **67,**
256; blissed; blist **67,**514; *adj. fl.*
blissede **50,**14 *segnen; ne.* bless.
blêtsung, *st. f.,* **21,**60; *me.* bles-
cinge **37,**162; blessynge **40,**74;
blyssyng **67,**178 *segen; ne.* bles-
sing.
blew, *adj., blau; ne.* blue: Staf-
ford blew **67,**200 *Stafforder blau,
stockprügel (wortspiel mit* staf *und*
Stafford); *vgl.* blo.
blewe *s.* blâwan.
bleþeli(che) *s.* blîŏelîce.
blîcan, *st. v.,* **9,**186 *blinken.*
blind, *adj.,* **25,**20; *me.* blind **45,**34;
blinde **45,**33; blynde **48,**162 *blind;
ne.* blind.
blind-felde, *p. p.,* **45,**13 *geblendet.*
blinnan, *st. v., prät.* blonn, **15,**4
aufhören, versagen; me. bilinnen;
blyne **66,**422; blyn **67,**110 *auf-
hören, einhalten.*
blis, blisce *s.* blîŏs.
blis-ful, *adj.,* **37,**19 *voll von freude,
segensreich; ne.* blissful.
blisse *s.* blîŏs, blêtsigan.
blissed(e) *s.* blêtsi(g)an.
blissien, blission *s.* blîŏsian.
blissum *s.* blîŏs.
blist *s.* blêtsigan.
blive *s.* lîf.
blîŏe, *adj.,* **9,**599; *sup.* blîŏust **22,**
78; *me.* blîŏe **32,**172; bliþe **34,**
13831; bliþ **46,**259 *froh, heiter;*
11,159 *gnädig;* blyþe **58,**107 *kräf-
tig; adv.* blîŏe **25,**14; bliþe **34,**
14016; blyþe **54,**14 *heiter; ne.*
blithe.
blîŏelîce, *adv., me.* blîŏeliche **32,**
254; bleþeli **46,**35; bleþeliche **50,**
68 *willig, gern.*
bliŏ-môd, *adj.,* **24,**23; blîŏe-môd
26,15 *froh, gütig.*
blîŏs, *st. f.,* bliss **9,**592; *me.* blisse
32,39 (ablisse = on blisse **32,**200);

blis 67,2; blisce 41,38; blysse 50,
29 (himmels-) wonne, freude, ver-
gnügen; ne. bliss.
bliðsian, schw.v., blitsian; konj.
blissien 18,45; blission 25,14;
p.p.geblissad10,2924(sich)freuen,
erfreuen.
blo, adj., 58,134 bläulich, bleifarben,
[an blár]; vgl. blew.
blôd, st. n., 4,2a; me. blod 33,27;
fl. blode 32,188 blut; 48,58 bluts-
verwandte(r); ne. blood.
blôdig, adj., 11,126; me. blodi;
blody 55,15 blutig; ne. bloody.
blody s. blôdig.
blôma, schw. m., metallklumpen;
me. blome 44,63; pl. blwmys 60,
10 blume, blüte, bestes; ne. bloom.
blonn s. blinnan.
blôstma,schw.m.,9,21; me. blostme
37,22; pl. blosmen 52,2; blos-
mes 55,1 blume, blüte, bestes; ne.
blossom.
blôtan, st. v., 10,2856; prät. blêot
als opfer töten.
blôwan, st. v., me.pl.präs. bloweð
37,37; p. präs. blowend(e) 20,45
blühen; ne. blow.
blowe, bloweþ s. blâwan.
blunder, sb., 67,406 verwirrung,
unheil; ne. blunder.
blusched s. blyscan.
blwmys s. blôma.
blyn, blyne s. blinnan.
blynde s. blind.
blys s. blêtsigan.
blyscan, schw. v., me. prät. blu-
sched 58,117 strahlen, blicken; ne.
blush.
blysse s. bliðs.
blyssyng s. blêtsung.
blyþe s. bliðe.
bo s. begen.
bôc, st. f. (nh. n.), 14,30; me. boc
36,1; bok 40,2; book; boke 48,
94; dat. sg. merc. bôec 13,40; n.
akk. pl. bêc 14,41; me. bokess
36,74; bokes; bokis 59,14 buch,
(heilige) schrift; ne. book; aboc
32,118; aboke 32,224; on boke
40,2 = ae. on bôcum.
bôecæ, boecae s. bêce.
bôcere, st. m., 16,5; me. bocere
gelehrter.
bôd, st. n., me. bode 39,1286 befehl,
gebot.
boda, schw. m., 28,49 bote.

bode s. bod.
bodian, schw. v., 15,119 verkün-
den, predigen.
bodig, st. n., Ep. bodei 1,23; me.
bodiʒ 36,15602; bodi 38,4; bodie
48,132; body 49,32; dat. bodye
50,5 leib, körper; ne. body.
bog, sb., 72,I,15 sumpf; ne. bog.
boga, schw. m., 21,5; me. boʒe;
bowe bogen; ne. bow.
boega s. bêgen.
bogan s. boga.
bogen s. bûgan.
bogh, sb., 67,535 ast, zweig; ne.
bough.
boght, boʒte, bohte s. bycgan.
boinard, sb., 46,288 narr, schuft.
bold, st. n., 6,9; me. bold gebäude,
haus.
bold s. beald.
boldyng, vb.-sb., 59,14 stärkung.
bolla, schw. m., Ep., 1,7; me. bolle
becher, kanne; ne. bowl.
bond, sb., pl. bondes 44,143; ban-
dys 62,19; bandis 67,209 band,
fessel, leid; ne. bond, band.
bonde s. bindan.
bonde-man, sb., 44,32 bauer; ne.
bondman.
bonden s. bindan.
bone, sb., 46,375 bitte; ne. boon.
bone s. bân, boune.
book s. bôc.
bord, st. n., 11,192 brett, schild;
me. pl. bordess 36,15567 tisch;
bord(e) 32,307 altar; 48,115 bord;
ne. board.
bord-weal, st. m., 18,5 schild-
mauer, schlachtreihe.
bore, born(e) s. beran.
borow, sb., 67,204 bürge, schutz.
bôsom, st. m., dat. sg. bôsme 18,27
busen, schoß; me. bosum 58,107
bausch (des segels); ne. bosom.
bost, sb., 48,189 lärm, prahlerei,
rühmen, ruhm; ne. boast.
bosting, vb.-sb., 57,9 prahlen,
rühmen.
bôt, st. f., me. bot(e) 37,132 buße;
ne. boot; cume to bote of 32,314
büßen.
bot(e) s. bât, bûtan.
both, bothe s. baðe.
botm, st. m., me. bothem 58,144
grund, boden; ne. bottom.
Botolfs-ton, stadtn., 46,77 heute
Boston (Lincolns.).

15*

bounde, *sb., grenze, pl.* boundys
65,59,2 *gebiet; ne.* bound.
bounde *s.* bindan.
boune, *adj.,* 57,9; iboen 46,434;
adv. bone 48,168 *bereitwillig.*
bounte, *sb.,* 58,27; bunte 45,116
güte; ne. bounty.
bountyng, *sb.,* 54,53 *amsel.*
bourde, *v.,* 72,II,5 *scherzen, spaß
machen.*
boure *s.* bûr.
bove *s.* bufan.
bowand, bowe *s.* bûgan.
bower *s.* bûr.
boþe(n) *s.* baðe.
brack *s.* brecan.
brǣcon, brǣcon *s.* brecan.
brâd, *adj.,* 15,153; *sup.* brâdost
17,110; *me.* brad(e) 82,337; brod
breit; ne. broad.
brǣd, *st. m.,* 9,240 *fleisch.*
brǣdan, *st. v., me. p. p.* ybrad
54,11 *braten.*
brâde, *adv., me.* brode 58,117 *weit.*
brade *s.* brâd, braid.
brǣde, *schw. f.?, me.* brede 82,145
braten.
brâdost *s.* brâd.
brâd-swurd, *st.n.,* 28,15 *breites
schwert.*
braid, *sb.,* breid, brad (*vgl. ae.*
bregdan) *hastige bewegung, stoß,
angriff, augenblick;* in a brade
67,21 *im augenblick.*
brak *s.* brecan.
branch, *sb.,* 67,511 *zweig; wie ne.*
bras, *sb.,* 51,82 *erz; ne.* brass.
brast(e) *s.* berstan.
brǣð, *st. m., me.* breð 83,45;
breþ; breth 58,145; breþe 58,107
geruch, hauch, wind, sturm; ne.
breath.
braþeli, *adv.,* 45,12 *plötzlich.*
brêac *s.* brûcan.
brêad, *st. n., me.* bried(e) 82,189;
brede 44,98; bred 46,327 (*stück*)
brot; ne. bread.
brêc, *f. pl., Ep.* broec 1,12; *me.*
breech *hosen; ne.* breech(es).
brecan, *st.v., me.* breken(e) 83,33;
breke; brack 72,II,14; *3. sg. präs.*
brecð 32,180; *pl.* brekeð 82,91;
prät. bræc; *me.* brec 82,183; brak
60,94; *pl.* brǣcon; *me.* brǣcon
27,28; *p. p.* gebrocen 9,80; *me.*
ibroken 87,151 *brechen, erbrechen,
verbrechen, zerbrechen (auch intr.),*

zerreißen; *ne.* break; *vb.-sb.* brek-
inge 62,19.
bred, *st. n.,* 15,181 *brett, tafel.*
bredale *s.* brŷd-ealo.
brêdan, *schw. v., me.* breede *(aus)-
brüten, hervorbringen; ne.* breed.
brede, *sb.,* 67,126; breed 67,259
breite.
brede *s.* brǣde.
bredgume *s.* brŷd-guma.
breed *s.* brede, brêgan.
breff, *adj.,* 59,74 *kurz; ne.* brief.
brêgan, *schw. v., prät. konj. pl.*
brêgden 15,136 *fürchten; p. p.
me.* breed 58,143 *erschreckt.*
bregdan, *st.v., me.* breiden; *prät.*
brægd; *pl.* brugdon 11,229 *schwin-
gen; p.p.* brogden 9,602 *verzieren;
ne.* braid.
brego, *st. m.,* 8,666; bregu 9,620
fürst, herrscher.
breke(n), brekeð *s.* brecan.
brêmber, *st. m.,* 10,2928; *me.*
brembre *dorn, pl. gestrüpp.*
brême, *adj., berühmt; me.* breme
42,8 *heftig; adv., me.* 52,27 *herr-
lich, kräftig, laut.*
brendon *s.* bærnan.
brengan, brenge(n) *s.* bringan.
brent *s.* bærnan.
brêost, *st. n. (selten m.; auch f.?),*
10,2866; *me.* brest *brust; oft im.
pl. von einer person* 14,*schl.-ged.*
16; 6,15 *mut; ne.* breast.
Breotone *s.* Bryten.
brêowan, *st. v., me.* brew 70,35;
p. p. gebrowen 17,167 *brauen;
ne.* brew.
Bretayn 48,16 *grafschaft in Frank-
reich; ne.* Bretagne.
breth *s.* brǣð.
brether, brethir *s.* brôðor.
Brettania *s.* Bryttania.
breue, *sb.,* 45,4 (*vgl. ne.* brief)
schreiben, vollmacht.
breve, *v., p. p.* breuyt 59,14
schreiben.
brew *s.* brêowan.
breðe, breþ, breþe *s.* brǣð.
breþer, breþeren, breðre.
breþre *s.* brôðor.
bricht *s.* beorht.
brid, *st. m.,* 9,235; *gen.* briddes 9,
372; *me.* bridd(es) 52,2; bryd 54,
54; bird; *pl.* byrdis 60,3 *junges
eines vogels, vogel; ne.* bird.
bried(e) *s.* brêad.

brigge s. brycg.
bright s. beorht.
brightnes, sb., 67,15 helle, glanz.
briht s. beorht.
brim, st. n., pl. -u 18,71; me. brim
meer, woge.
brim-lîðend, st. m., gen. pl. -ra
23,27 das meer befahrend, see-
fahrer.
brim-man, st. m., 23,49 seemann.
brimu s. brim.
bringan, unreg. v., 9,660; brengan
14,94; me. bringe 82,349; bringen
38,4; bring 42,11; brenge 50,15;
brynge 52,3; bryng 54,21; prät.
brôhte 14,82; me. brohte 32,183;
brouhte 87,86; brouht (brouth)
44,84; broute 46,92; broȝte 48,42;
broȝt61,1149; brouȝt42,14; broght
57,36; brought 59,74; p. p. brôht;
me. ibrocht 41,23; ybroȝt 61,1124;
ibrouht 37,10; broht 88,21; brouht
44,57; ibrout 46,244; ibroht;
ybroht 54,14; broght 59,90;
brocht 60,38; brouht (brouth)
44,167 bringen; 10,2891 darbrin-
gen; 52,3 hervorbringen; zu etwas
bringen (to nouth 44,57; zu grunde
richten; to is lawe 61,1149 be-
kehren; bestimmen, zu stande brin-
gen, machen (br. breff 59,74 kür-
zen); forþ br. 16,7 vorbringen;
vortragen; br. forð 88,4 kommen
lassen; ut br. 82,183 befreien; br.
of 46,189 abhelfen; br. þer to 47,
1050 dazubringen; br. of lyves
dawe 61,1159 ums leben bringen;
ne. bring.
brink, sb., 43,143 rand, küste; ne.
brink; se brink 43,143 seeküste.
britheren s. brôðor.
Brittas s. Bryttas.
broc, st. m., me. brok 58,145 strom,
wasser; ne. brook.
brocen s. brecan.
brocht s. bringan.
brod(e) s. brâd(e).
broȇc s. brêc.
brogden s. bregdan.
broght, broȝt(e), brôht, broht,
brôhte, brohte s. bringan.
brok s. broc.
brond, st. m., 8,581 feuerbrand;
9,216 glut, feuer.
brother s. brôðor.
brouȝt, brought, brouht(e)
s. bringan.

brouke s. brûcan.
broune, adj., 58,14 braun; ne.
brown.
broute, brouth s. bringan.
browe, sb., 58,14; pl. browen 54,
26 augenbraue; ne. brow.
browt, browth s. bringan.
brôðor, unreg. m., 10,2928; brô-
ður 21,14; me. broðer 82,150;
broþer 50,60; broþir 60,65; bro-
ther 67,320; bruder 72,II,3; dat.
breþer 21,9; pl. me. breðre 88,80;
breþre 86,15548; brether 67,318;
breþeren 42,5; britheren 19e,10
bruder; brôðor 16,1; pl. me. brethir
71,26 klosterbruder; ne. brother,
brethren.
brûcan, st. v., 9,674; me. bruken;
brouke; prät. brêac 15,176; pl.
brucon; p. p. brocen gebrauchen,
genießen, sich freuen (mit gen.);
ne. brook.
bruder s. brôðor.
Brug, ortsn., 57,22; Burghes 57,25
Brügge in Flandern (im 14. jahrh.
aufenthalt vieler Schotten).
brugdon s. bregdan.
Brûnanburh, ortsn., 18,5 (heute
Burnswark?).
Bruttes s. Bryttas.
brycg, st. f., me. brigge 47,1158
brücke; ne. bridge.
brycht s. beorht.
bryd, sb., mädchen, jungfrau; ne.
bride.
bryd s. brid.
brŷd-ealo, unreg. n., gen. dat.
-êaloð; me. bredale 41,3 hochzeit;
ne. bridal.
brŷd-guma, schw. m., me. bred-
gume 41,23 bräutigam; ne. bride-
groom.
bryghte, bryht s. beorht.
brymme, st. m., 26,12 meer, woge.
bryne, st. m., 9,229 brand.
bryne-gield, st. n., 10,2891 brand-
opfer.
bryng(e) s. bringan.
brynige s. byrne.
Brytene, st. f., 18,71; Breotone
15,9; me. Britene Britannien; ne.
Britain.
brytnian, schw. v., 12,27; prät. bryt-
node 26,7; me. britnen verteilen.
Brytta s. Bryttas.
brytta, schw. m., 10,2867 verteiler,
spender.

Bryttania, *f.*, **17,6**; Brettania
17,34 *Britannien; ne.* Britannia.

Bryttas, *sb., pl.* **15,100**; Brittas
15,71; *gen.* Brytta **15,44**; *dat.*
Bryttum **26,10**; *me.* Bruttes **34**,
13989 *die keltischen Britones,
Briten.*

bryttian, *schw.v.*, **18,60** *zerteilen,
zerreißen.*

Bryttum *s.* Bryttas.

bûan, *unreg. v.*, *1 sg.* bûge **6,8**;
prät. bûde **17,49**; *p. p.* gebûn **17**,
69 *wohnen, bewohnen.*

buen *s.* bêon.

buern *s.* beorn.

bueþ *s.* bêon.

bufan, *präp.*, **17,112**; *me.* bufen
28,45; buuen **32,87**; bove **46,90**
über; vgl. ne. above.

bûgan, *st.v.*, **4,1b**; *me.* buwe(n)**37,3**;
konj. bowe **58,75**; *p.präs.* bowand
67,76; *prät.* bêah; bêag **17,60**;
me. beaȝ **50,102**; *pl.* bugon; *p. p.*
bogen *sich (ver)beugen; sich fügen,
abbiegen; ne.* bow.

bûge *s.* bûan.

buggen *s.* bycgan.

bunte *s.* bounte.

bur, *sb.*, **58,148** *wind, sturm, un-
gestüm;* with a byr **67,371** *eilig,
schnell.*

bûr, *st. m., me.* bur **38,21**; boure
72,1; *pl.* bower(s) **67,348** *wohnung,
gemach, zimmer; ne.* bower.

burde *s.* birrþ.

burg, *unreg. f.*, **8,691**; burh **17**,
163; *me.* burrh **36,41**; bureh **40,6**;
bureuh **40,73**; *pl.* burwes **44,55**;
gen. dat. sg. ae. byrg **12,34**; byrig
8,665; birig **22,41** *(gen. auch* burge),
burg, stadt; ne. borough, -burgh.

Burgendan, *völkern., pl. m.*, **17**,
42 *Burgunder (urspr. in Nordost-
deutschland)*; Burgenda land **17**,
150 *Bornholm.*

burgeon, *sb., pl.* -ys **60,10** *sprosse,
knospe; ne.* burgeon.

burg-geat, *st. n., pl.* burhgatu
22,45; *me.* burhȝat *stadttor.*

Burghes *s.* Brug.

burg-lêode, *st. m. pl.*, **11,187**;
burhlêode **11,175** *stadtbewohner.*

burh-gatu *s.* burg-geat.

burh-sittende, *st.m.pl.*, **11,159**
stadtbewohner.

burna, *schw. m.*, **14,**schl.-ged.**28**
brunnen, quell; ne. bourn(e).

Burne, *ortsn., st. f., dat.* -an **12,30**;
me. Burne, Bourne?, *ne.* Bourn(e).

burnen(de), burnð *s.* beornan.

burste *s.* berstan.

burwes *s.* burg.

buryel *s.* byrgels.

burþ *s.* birrþ, gebyrian.

burðe *s.* byrthe.

busche, *v.*, **58,143**; busk **57,22**
*(sich) rüsten, sich wohin begeben,
eilen; ne.* busk.

bûtan, *präp.*, bûtan **9,358**; bûton
15,83; bûto **20,12**; *me.* bute **29,3**;
bote **46,137**; bot **48,134**; but **64,9**
außer; **7,207**; bûton **15,160**; *me.*
abuten **32,85**; bute **32,52**; buten
32,179; but **60,30**; bot **60,91** *ohne;
konj. me.* bute; buten; but **64,13**;
bot **62,16** *als;* bûtan **15,72**; bute
32,26; buten **32,100**; bote **46,234**;
bote if **46,181**; bot **47,1161**; bot if
47,1081; but if **64,11** *wenn nicht,
es sei denn daß;* bote **46,130**;
bot **49,2** *sondern;* bote **38,25**;
bot **45,18**; but **59,21** *nun;* bûton
17,61; bote **38,2**; bot **47,1081**;
but **59,33** *aber; adv. (zuerst mit,
dann ohne negation)* bot **60,27**;
bote **43,35**; but **65,62,1** *nur;* bot
47,1070 *erst;* bote þat **46,400**
außer wenn; bot that **69,168** *nur
daß; ne.* but.

butre, *schw. f., fl.* -ran **12,20**; *me.*
butere **27,41** *butter; ne.* butter.

bûtu *s.* bêgen *und* twêgen.

butur-flîogae, *schw. f., Ep.,*
1,19; *me.* boterflie *schmetterling;
ne.* butterfly.

buuen *s.* bufan.

buwe, buwen *s.* bûgan.

buxum, *adj.*, **39,1299** *biegsam, ge-
horsam; ne.* buxom.

buð, buþ *s.* bêon.

by *s.* bêon, bî.

bycgan, *schw.v., me.* bigge **32,65**;
beye **44,53**; buggen **46,272**; *3.prs.
sg.* biȝð **32,146**; *prät.* bohte; *me.*
bohte **32,184**; boȝte **61,1153**; *p.p.*
yboht **55,34**; boght **67,373** *kaufen,
erkaufen;* **56,4** *erlösen; ne.* buy.

byd *s.* biddan.

byde *s.* bîdan.

bydene, *adv.*, **59,79** *zusammen,
durchaus.*

byding, *vb.-sb.*, bydying **67,76**;
bydyng **67,121** *gebot, geheiß, auf-
trag; vgl.* beôdan.

byfigynde *s.* beofian.
bygonne *s.* beginnan.
byleve, byleuede *s.* beleve.
bylwytnes, *st.f.,* 15,221 *einfach-heit.*
bylyue *s.* lif.
bynde *s.* bindan.
byne, *adj.,* 17,109 *bebaut, bewohnt.*
byr *s.* bur.
byrd *s.* bridd.
byrde, *adj., sup.* -sta 17,101 *edel, reich.*
byrdinge *s.* byrðen.
byrd-scype, *st. m.,* 7,182 *(geburt-schaft), empfängnis* (*vgl.* gebyrd).
byre, *st. m.,* 26,10 *sohn.*
byrene, *schw. f.,* 20,40 *bärin.*
byrgels, *st. m., me.* buryel 19e,8 *grabstätte; ne.* burial.
byrgen, *st.f.,* 19b,1; byrgenn 19a,1; byrigen 19c,1; *me.* burien *grab.*
byrig *s.* burg.
byrigan, *schw. v., prät.* byrigde 25,22 *begraben; ne.* bury.
byrnand, byrneð *s.* beornan.
byrne, *schw. f., me. pl.* bryniges [= *altn.* brynja] 27,22 *panzer.*
byrn-hom, *st. m.,* 11,192 *panzer-kleid.*
byrthe, *sb.,* 62,22; burðe 38,21 *geburt; ne.* birth.
byrð *s.* birð, beran.
byrðen, *st. f., me.* birþene; byrdinge 62,18 *bürde, last; ne.* bur-then, burden.
bysen, *st.f., fl.* bisene (*les.* bysene, bysyne) 14,94; *me.* bisne *vorschrift, muster, vorbild.*
bysgu, *f., gen. pl.* bisga 8,625; *me.* bisie *beschäftigung, arbeit.*
bysig, *adj., me.* bisi; busi; besy 62,30; besye 62,36; *adv.* besele 67,240 *geschäftig, rührig, beschäf-tigt; ne.* busy.
bysignis, *st.f., me.* besynes 49,26 *beschäftigung, plage; ne.* business.
byst *s.* biddan.
byte, byting *s.* bîtan.
bytuene, bytwene *s.* betwêo-num.
byð, byþ *s.* bêon.

C.

cable, *sb.,* 58,102 *seil, tau; ne.* cable.
cachen, *v., fangen;* cachen up 58,102 *aufziehen; ne.* catch.

Cafarrnaum, *ortsn.,* 86,15545 *Kapernaum.*
cage, *sb.,* 48,138 *kerker; ne.* cage.
cal, cald(e) *s.* ceallian.
caldron, *sb.,* 70,4 *kessel; ne.* ca(u)ldron.
caelf *s.* cealf.
calis, calle(de), callis, callit, callyt *s.* ceallian.
cam *s.* cuman.
Cam, *eigenn.,* 67,528; Came 67,142 *Cham, Ham.*
camb *s.* comb.
camp, *st. m.?,* 11,200; *me.* camp; comp 84,14024 *kampf, schlacht; ne.* camp.
campodon *s.* compian.
camp-stede, *st. m.,* 18,29 *kampf-stätte, walstatt.*
can *s.* cunnan, ginnan.
canceler, *sb.,* 27,8 *kanzler; ne.* chancellor.
candel *s.* condel.
canon, *st. m., gen.* -es 16,74; *me.* canon *kanon; ne.* canon.
Cantwaraburg, *stadtn., st.f., dat.* Cantuarabyrg 12,2; Cantwara byrig 15,199; *me.* Cantuarieburi 84,13814; Canterberry 71,38; *ne.* Canterbury.
Cantware, *st. pl.,* 15,52 *Kenter.*
captane, *sb.,* 66,379; *hauptmann, gaugraf; ne.* captain.
cardinal, *sb.,* 51,51 *kardinal; ne.* cardinal.
Cardoil, *ortsn.,* 47,1123 *Cardoil.*
care *s.* cearu.
Carendre, *ländern., schw. f.,* 17, 24 *Kärnten.*
carf *s.* ceorfan.
carful *s.* cearful.
carl-man, *sb., pl.* carlmen 27,18 *mann.*
Carnaruan, *ortsn.,* 51,73 *Car-narvon.*
carp, *v.,* 67,360 *sprechen, reden; ne.* carp [*an.* karpa].
carpe, *sb.,* 58,118 *rede;* [*an.* karp].
cart *s.* cræt.
caryon, *sb.,* 67,502 *aas; ne.* carrion.
case, *sb.,* 59,25 *fall; ne.* case.
cæse, *st. m., k.* cæse(s) 12,19; *me.* cæse 27,41; chese *käse; ne.* cheese.
câsere, *st. m., gen.* -s 9,634 *kaiser; vgl.* kaiser.
cast *s.* casten.
cæste *s.* cest.

castel, *st. n., später m., me.* castel;
castelle 48,140; castell 60,45; *pl.*
castles 27,9; castels 48,83 *feste,
burg, schloß:* 67,349 *vorder- oder
hinterkastell am schiff; ne.* castle.

castel ʒate, *sb.,* 61,1116 *schloß-
tor; ne.* castle-gate.

castell(e), castels *s.* castel.

castel-weorc, *sb.,* 27,15 *arbeit
beim schloßbau.*

casten, *v.,* cast(ys) 49,3; kesten
44,81; kest 58,154; *prät.* kest
58,153; *p. p.* ycast 56,6 *werfen;
ne.* cast.

castigacioun, *sb.,* 64,27 *züchti-
gung, bestrafung; ne.* castigation.

castles *s.* castel.

cæstre *s.* ceaster.

castys *s.* casten.

cataylle, *sb.,* 67,156; catalle 67,
326; cattell 72,15 *vieh, haustiere;
ne.* cattle.

cateracte, *sb., pl.* -s 67,343 *wasser-
sturz, flut. ne.* cataract.

cattel(e) *s.* cataylle.

cause, *sb.,* 67,102 *grund; ne.* cause.

ceald, *adj.,* 26,12; *me.* chald 41,33;
schald 41,32; chold 41,49; colde
58,152; cold 67,61 *kalt; ne.* cold.

cealf, *st. m. n., merc.* caelf 18,44
kalb; ne. calf.

ceallian, *schw. v., me.* calle 44,38;
präs. sg. 3. calis 45,58; *prät. me.*
calde 58,131; callit 70,3; *p. p. me.*
callede 49,43; cald 59,70; callit
62,1; callyt 62,4; ycallit 69,170,1
nennen, rufen; cal on 45,58 *an-
rufen;* calle ageyn 48,61 *wider-
rufen; ne.* call.

cêap, *st. m., me.* chep 54,34 *kauf,
geschäft; vgl. ne.* cheap.

cêap-mon, *unreg. m., me.* chap-
man; *pl.* cêapmen; *me.* chapmen
44,51 *kaufmann; ne.* chapman.

cearful, *adj., me.* carful 61,1115
bekümmert; ne. careful.

cear-gealdor, *st. m.,* 8,618 *trauer-
gesang, trauerrede.*

cearian, *schw. v.,* 7,177; *me.* karien
37,43 *sorgen; ne.* care.

cearu, *st. f., me.* kare 82,45; care
84,140290 *sorge;* 87,121 *besorgnis
(wegen), furcht (vor); ne.* care.

cêast, *st. f., me.* cheaste 50,97 *streit.*

ceaster, *st. f., merc.* cester 19b,
11; *pl.* cestre 18,48; ceastra 15,
79; *nh. fl.* cæstre 19d,11; *me.*

chestre; chesstre 86,15547 *stadt
ne.* -chester.

cempa, *schw. m.,* 14,84; kempa, *me.*
kempe 84,137940 *kämpe, kämpfer,
krieger, soldat.*

cêne, *adj.,* 11,200; *me.* kene 42,6
kühn; me. auch scharf; ne. keen.

cennan, *schw. v., me.* kenne *be-
kannt machen, erklären; me.* ken
59,25 *erkennen; prät.* kend 70,3
kennen; ne. arch. ken.

cennan, *schw. v.,* 24,18 *gebären;
p. p.* cenned 9,639 *geboren.*

Cent, *ländern.,* 15,151 *Kent.*

Cent-rîce, *ländern.,* 15,148 *Kent.*

ceole, *schw. f., me.* cheole 82,362
kehle, kehlstück.

ceorfan, *st. v., me.* kerve; *pl.* cur-
fon; *me.* coruen 58,153; *p. p.* cor-
fen *(zer)schneiden; prät.* carf 58,
131 *bilden, schaffen; ne.* carve.

cêosan, *st. v., me.* cheosen 55,33;
chese 48,123 *prüfen, wählen, er-
wählen; p. p.* gecoren(e) 8,605; *me.*
icoren(e) 82,104; 87,67; ycore 51,
24 *auserwählt; vb.-sb. me.* chesing
45,62 *wahl; ne.* choose.

cêpan, *schw. v., me.* kepe 48,108;
kep 61,1111; keip 72,18; *prät.*
kept 48,148 *halten, hüten;* 48,19
beherrschen; kepe out of sorwe
61,1115 *vor kummer schützen; ne.*
keep.

certayn *s.* certeyn.

certes, *adv.,* 46,61 *sicherlich.*

certeyn, *adj.,* 48,158; *adv.* 48,36;
certayn 67,176 *sicher, gewiß, be-
stimmt; ne.* certain.

certeynly, *adv.,* 48,97 *sicherlich.*

cese, *v., prät.* cesit 60,115; *p. p.*
cest 67,451 *nachlassen, aufhören;
ne.* cease.

cêst, *st. f.,* cist; *me.* cęst(e) 27,26;
cheste; chiste *kiste, schrank; ne.*
chest.

cest *s.* cese.

cester, cestre *s.* ceaster.

cete *s.* cite.

chainen, *schw. v., p. p.* ycheyned
68,14 *fesseln, anketten; ne.* chain.

chaise, *sb.,* 78,12 *verfolgung; ne.*
chase.

chald *s.* ceald.

chalmeris, chambres *s.*
chaumbre.

chance *s.* chaunce.

chape *s.* escapen.

chapele, *sb.*, **48**,6 *kapelle; ne.*
chapel.

chapellet, *sb.*, **69**,160,5 *kränzlein,
verziertes haarband; ne.* chaplet.

chapitre, *sb.*, **46**,244 *geistlicher
gerichtshof;* chepture **62**,9 *kapitel;
ne.* chapter.

chapmen *s.* cêapmon.

chapuare, *sb.*, **50**,75; *chaffare
handel, ware; ne. veraltet* chaffer.

chapyt *s.* escapen.

chare, *sb.*, **48**,105; *gen.* chares
48,123 *wagen; vgl. ne.* chariot.

charge, *sb.*, **49**,44 *last, schwere;
ne.* charge.

charge, *v.*, **49**,46 *belasten;* charge
by **51**,20 *verpflichten; ne.* charge.

charite, *sb.*, **67**,165; charyte **49**,14;
cherite **37**,161 *menschen-, näch-
stenliebe, frieden; ne.* charity.

Charlemayn, *eigenn.*, **61**,1129
Karl der Große.

chartre, *sb.*, **48**,48 *brief, urkunde,
die 'Oxforder Provisionen'; ne.*
charter.

charyte *s.* charite.

chasse, *v., p.präs.*, chassand **72**,15
jagen, hetzen; ne. chase.

chaste, *adj.*, **41**,45 *rein, keusch;
ne.* chaste.

chastise, *v.*, **48**,166; chastice **67**,
398; chastyse **67**,403 *strafen,
züchtigen; ne.* chastise.

chaumbre, *sb.*, **38**,22; chaumber
47,1097; *pl.* chambers **67**,129;
chambres **67**,281; chalmeris **72**,
23 *kammer, zimmer; ne.* chamber.

chaunce, *sb.*, **47**,1042 *zufall;*
chance **48**,66 *gelegenheit;* **59**,16
ereignis; **61**,1131 *unglück;* per-
chance **69**,167,3 *vielleicht; ne.*
chance.

chaunge, *v., prät.* -d **47**,1138 *(sich)
verändern; vb.-sb.* chaungyng **59**,
16; *ne.* change.

cheaste *s.* cêast.

chefe, *sb.*, **48**,42 *oberhaupt; ne.* chief.

cheik *s.* cheke.

cheir *s.* cher.

cheke, *sb.*, cheik **66**,403; *pl.* cheken
46,358 *wange; ne.* cheek.

chele *s.* cyle.

chelec-heð, *sb.*, **82**,233 *kälte?*

chelle *s.* cylle.

cheole *s.* ceole.

cheorl, *sb.*, **35**,92; cherril **35**,B,92
bauer; ne. churl.

cheosen *s.* cêosan.

chep *s.* cêap.

chepinng-boþe, *sb.*, **36**,15573
krambude.

chepture *s.* chapitre.

cher, *sb.*, **69**,167,1 *antlitz;* **47**,996;
chere **53**,15; chiere **69**,161,3 *miene;*
gud cheir **71**,35 *gute verfassung,
wohlsein; ne.* cheer.

cherche *s.* cirice.

chere *s.* cher.

cherish, *v.*, **64**,24 *lieben; wie ne.*

cherite *s.* charite.

cherril *s.* cheorl.

cherrið *s.* cierran.

cherubine, *pl.*, **37**,25 *cherubim.*

ches, *sb.*, **67**,281; chese **67**,129
stockwerk?

chese *s.* cæse, cêosan.

chesing *s.* cêosan.

ches(s)tre *s.* ceaster.

cheven, *v., p. p.* cheuyt **59**,16 *zum
ziele bringen (vgl. ne.* achieve).

cheyne, *sb.*, **68**,9 *kette; ne.* chain.

chielde *s.* cild.

chiere *s.* cher.

chilce, *sb.*, **82**,7 *kinderei.*

child(er), children *s.* cild.

chille *s.* cylle.

ching *s.* cyning.

chirche, chireche *s.* cirice.

chiualerie, *sb.*, **51**,66; chyua-
larye **61**,1107 *ritterschaft; ne.*
chivalry.

chold *s.* ceald.

christ(-) *s.* Crist, crist-.

chule *s.* cyle.

churchen *s.* cirice.

churreþ *s.* cierran.

chylder *s.* cild.

chyualarye *s.* chiualerie.

ciclatun, *sb.*, **37**,51 *scharlachtuch,
dann: kostbares tuch.*

cierran, *schw. v.*, cyrran **9**,352;
3. sg. cyrð **20**,43; cherrið **35**,B,85;
churreþ **35**,A,85; *prät. pl.* cirdon
17,68; cyrdan **15**,124; cyrdon **15**,
241 *kehren, sich wenden; ne.* char.

cild, *st. n.*, **9**,639; *me.* child **82**,3
(*fl.* -e **82**,25); childe **47**,1039;
chielde **68**,7; *pl.* cildru; *me.* chil-
der **67**,527; chylder **67**,327; chil-
dren **42**,42 *kind, jüngling; ne.*
child, children.

cild-hâd, *st. m.*, **22**,5; *me.* child-
had, childhod *kindheit; ne.* child-
hood.

cin-bân, *st.n.*, 22,24; *dat.* cimbâne
22,30 *kinnbacken.*
cine- *s.* cyne.
cing *s.* cyning.
cirdon *s.* cierran.
cirice, *schw. f.*, 12,8; cyrice 15,
112; *me.* chirche 88,87; chireche
85,91; kirke 44,36; kyrk 62,24;
pl. churchen 48,64; kirkes 48,5
kirche; ne. church.
cirr, *st. m.*, 17,54; cyrr *wendung,
zeit, gelegenheit.*
cirran *s.* cierran.
cite, *sb.*, 41,4; cete 58,67; citie 59,
85; cytee 19e,11 *stadt; ne.* city.
claithis *s.* clâð.
clǽne, *adj.*, 7,187; *me.* cleane 87,
42; clene 49,6 *rein, fein, herrlich;*
clǽne, *adv.*, 24,11 *in reinheit;*
14,14 *gänzlich; ne.* clean.
clǽnlice, *adv., me.* clanly 59,53
fein, säuberlich; ne. cleanly.
clǽnness, *st. f., me.* clenenesse
37,163; clennesse 50,35; clenesse
88,55 *reinheit; ne.* cleanness.
clǽnsian, *schw. v., me. 3. sg. präs.*
clenzeþ 50,35 *reinigen; ne.* cleanse.
clarc, clark *s.* cleric.
claym, *v.*, 48,44 *beanspruchen; ne.*
claim.
clað, *st. m., me.* cloþ 42,31; *pl.* clothis
19e,3; claithis 71,18 *kleid, tuch,
decke;* 58,105 *segel; ne.* cloth.
claþen, *v.*, cleith 71,4; *p. p.* cloþed
46,6; i-cloþed 46,319; cled 67,
200 *(be)kleiden, sich kleiden; ne.*
clothe.
clêa, *st. f.*, 18,44; *me.* clee; clawe
klaue; ne. claw.
cleane *s.* clǽne.
cled *s.* claþen.
cleir, *adj.*, 70,4 *hell, klar; ne.* clear.
cleith *s.* claþen.
clene, clen- *s.* clǽne, clǽn-.
clêofan, *st. v., me.* cleue(s) 38,5;
prät. sg. clêaf; *pl.* clufan 18,5;
p. p. clofen *spalten; ne.* cleave.
cleopian, *schw. v.,* clypian; *me.*
clupien 32,107; clepe(n), 40,30;
prät. cleopade 8,618; clypode
21,2; *me.* clepede(n) 27,37; cleped
47,1145; clepit 69,166,2; clept 47,
987; *p. p. me.* icluped 32,104;
icleped 40,60; iclepeð 33,3 *(hs.);*
cleped 42,57 *rufen, nennen;* 2. *sg.*
cleopast 7,177 *klagen; ne. veraltet*
clepe, *p. p.* ycleped.

clêowen, *st.n., dat.* clêowne 9,226
kugel, ball; ne. clew, clue.
clepe, cleped(en), clepen,
clepit, clept *s.* cleopian.
clerc *s.* cleric.
clere, *adv.*, 48,33 *rein; ne.* clear.
clerek *s.* cleric.
cleric, *st. m.,* clerk; *me.* clerek
85A,78; clerc 35B,78; clerk 42,
58; clarc 46,348; clerke 48,26
(*pl.* -s 48,4) *kleriker, geistlicher;*
clerk 59,53 *gelehrter; küster; ne.*
clerk.
clerliche, *adv.,* clyerlyche 50,32
klar, deutlich; ne. clearly.
cleuen, cleues *s.* clêofan.
cleuer, *v., p. präs.* cleuering, 69,
159,6 *sich anklammern.*
clif, *st.n.*, 15,90; *me. dat.* cliue 32,
347 *klippe, anhöhe, berg; ne.* cliff.
clippe *s.* clyppan
cliue, *v.*, 50,48 *klimmen.*
clofen *s.* clêofan.
clog, *sb.*, 72,11 *klotz, hundeklöppel;
ne.* clog.
clothis *s.* clâð.
cloude *s.* clûd.
clour, *sb.*, 70,32 *schwellung.*
cloute, *v.*, 67,353 *ausbessern, flicken.*
cloþ, cloþed *s.* clâð, claþen.
club, *sb.*, 70,32 *stab, stock; ne.* club.
clûd, *st. m., felshügel; me.* cloud(e)
52,31 *felsbrocken, scholle.*
clûdig, *adj.*, 17,107 *felsig, steinig.*
clufan *s.* clêofan.
clupien *s.* cleopian.
cluppen *s.* clyppan.
clûstor-loc, *st. n.; me. pl.* cluster-
lokan 88,44 *verschluß, schranke.*
clyerlyche *s.* clerliche.
clymben, *v.*, 69,163,4 *hinaufsteigen,
klimmen; ne.* climb.
clypian, clypode *s.* cleopian.
clyppan, *schw. v., me.* cluppen 38,
23; clippe; *prät.* clypte *umarmen;*
16,61 *hochhalten; ne. veraltet* clip.
cnapa, *schw. m., me.* knape 42,40
knabe.
cnâwan, *st. v., me.* cnawe 38,8;
knawe 44,92; cnowe 46,122;
know(e) 51,9 (knowest 47,1064);
3. *sg.* cnawað 32,110; *prät.* cnew
86,15624; knew 48,64; knewe 48,
146; *p. p.* knowen 48,97; knawin
66,440 *wissen, kennen;* 45,63, 48,97
erkennen; cnouen 85,88 *versehen;
ne.* know.

cnēar, *st. m.*, 18,35 *schiff.*

cneht *s.* cniht.

cnēo(w), *st. n.*, *me.* kne 65,61,5; kneis 69,166,3; *pl. me.* kneon 87,3 *knie; ne.* knee.

cnēo-mǣg, *st. m.*, *dat. pl.* -mǣgum 18,8 *verwandter.*

cnēowung, *st. f.*, *me.* kneouwung(e) 87,136 *das kniebeugen, flehen.*

cnew *s.* cnāwan.

cniht, *st. m.*, 10,2914; *mere.* cneht 18,25; *me.* cnicht; cnith 85,87; cnict 85,78; knyht 85,78; knicht 44,32; kniȝt 47,1134; knyght 48, 51; knyȝt 61,1130; *pl. nom.* cnihtes 84,137930; cnites 60,3; cnihten 84,13793; cnithes 35,97; kniȝtes 43,51; knyght 48,13; knyghtes 48,27; knyhtes 51,19; knightis 59,87 *knabe, junger mann, knecht; waffenfähiger mann; me. ritter, soldat; ne.* knight.

cnihten, cnihtene *s.* cniht.

cnites *s.* cniht.

cnoll, *st. m.*, 22,47; *me.* knoll *anhöhe, gipfel; ne.* knoll.

cnotten, *v.*, *p. p.* cnotted 27,23 *mit knoten versehen; ne.* knot.

cnouen, cnowe *s.* cnāwan.

Cnût, *eigenn.*, *st. m.*, 26,18 *me.* Cnut 80,2 *Canut (könig).*

coate, *sb.*, *dat.* cote 67,262 *rock; ne.* coat.

cocur, *st. m.*, 21,4; *me.* coker *köcher.*

cog(g)e, *sb.*, 58,152 *fahrzeug, schiff; ne.* cog.

col, *sb.*, coylle 67,389 *kohl, kohlsuppe, suppe.*

colar-bane, *sb.*, 66,414 *schlüsselbein; ne.* collarbone.

cold, colde *s.* ceald.

collen-ferhð, *adj.*, 11,134 *mutig.*

collusioun, *sb.*, 64,11 *verschwörung, hinterlist; ne.* collusion.

colur, *sb.*, 43,16; coloure 48,214 *farbe; ne.* colour.

com, côm *s.* cuman.

comaunde, *v.*, commaund 67, 118; *p. p.* comaundid 19e,20 *befehlen; ne.* command.

comb, *st. m.*, *Ep.* camb 1,20; *me.* comb, camb *kamm; ne.* comb.

come *s.* cyme, cuman.

comely, *adj.*, 54,27 *freundlich, anmutig;* comly 67,71 *gütig; ne.* comely.

comen(n), comm *s.* cuman.

commandement, *sb.*, 49,13; commaundement 67,33 *befehl, gebot; ne.* commandment.

commaund *s.* comaunde.

commencement, *sb.*, 41,26 *anfang; ne.* commencement.

commendacioune, *sb.*, 62,9 *empfehlung; ne.* commendation.

comon, *adj.*, 48,50 *allgemein;* 48, 73 *gemeinsam; ne.* common.

cômon *s.* cuman.

comp *s.* camp.

compas, *sb.*, 69,159,5 *umkreis, fläche; ne.* compass.

compian, *schw. v.*, 15,41; *prät. pl.* campodon 15,48; compedon 15,41 *fechten, kämpfen.*

compile, *v.*, *p. p.* compilet 59,53 *zusammentragen, schreiben; ne.* compile.

comun, cômun, comyn *s.* cuman.

con *s.* cunnan, ginnan.

conclusioun, *sb.*, *schlußfolgerung;* as in conclusioun 64,4 *schließlich, überhaupt; ne.* conclusion.

concyens, *sb.*, 49,14 *gewissen; ne.* conscience.

condel, *st. f.*, 18,15; *me.* candel(e) *leuchte, licht; ne.* candle.

conferme, *v.*, 65,59,1 *versichern; ne.* confirm.

confessour, *sb.*, 71,20 *beichtvater; ne.* confessor.

conforme, *v.*, 62,26 *anpassen; ne.* conform.

confort, *sb.*, 69,170,2 *trost; ne.* comfort.

confortien, *v.*, *pl.* -iaþ 61,1154 *stärken, ermutigen; ne.* comfort.

conꝼunde, *v.*, 45,94 *aus der fassung bringen; ne.* confound.

confusioun, *sb.*, 66,431 *verwirrung, verderben; ne.* confusion.

conne *s.* cunnan, ginnan.

conquerour, *sb.*, 51,85 *erobever; ne.* conqueror.

consaile, *sb.* 48,34 *rat; ne.* council.

consederit *s.* consider.

conseil *s.* counseil.

conseilere, *sb.*, 48,22 *ratgeber; ne.* counsellor.

conseyl *s.* counseil.

consider, *v.*, 67,291; *p. p.* consederit 62,5 *betrachten, überlegen; ne.* consider.

contemplacyone, *sb.*, 49,46 *betrachtung; ne.* contemplation.

contenance, *sb.*, 69,161,6 *miene, aussehen; ne.* countenance.

contesse, *sb.*, 65,63,5; countas 48,230 *gräfin; ne.* countess.

contrarie, *sb.*, 41,25 *gegenteil; adj., gegenteilig; ne.* contrary.

coppe *s.* cuppe.

corage, *sb.*, 69,164,7 *mut;* 65,63,4 *sinn; ne.* courage.

cord, *sb.*, cord 47,1141; *pl.* cordes 58,153 *seil, strick; ne.* cord.

corn, *st. n.*, 9,252; *me.* corn 27,41 *korn, getreide; ne.* corn.

coroune, *sb.*, 50,108; krune 87,52 *krone;* crowne 57,10; croune 57, 11 *kopf, schädel;* croune 4 ,348 *tonsur; ne.* crown.

coroune, *v.*, croune(þ) 51,23; krune; *prät.* corouned 48,2; *p. p.* ikruned 87,52 *krönen; ne.* crown.

cors *s.* course.

coruen *s.* ceorfan.

corðor, *st. n., dat.* corþre 8,618 *schar.*

coste, *sb.*, 59,83 *gegend; ne.* coast.

costigan, *schw. v.*, 10,2846 *auf die probe stellen (mit gen.).*

Costontînus, *eigenn.*, (*lesart* Constantinus) 18,38 *Konstantin.*

cosyn, *sb.*, 50,58; cusyng 66,445 *vetter; ne.* cousin.

cote *s.* coate.

coth *s.* coðu.

cou *s.* cû.

couent, *sb.*, 42,7 *kloster; ne.* convent.

couer, *v., prät.* couerid 45,82 *sich erholen; vgl. ne.* recover.

couetous, *adj.*, 67,52 (*für couetyse habgier) habgierig; ne.* covetous.

couetyse, *sb.*, 64,18 *begehrlichkeit; ne. veraltet.* covetise.

couioun, *sb.*, 47,1071 *schuft, elender.*

counsail *s.* counseil.

counseil, *sb.*, 42,44; conseyl 47, 1164; conseil 48,39; consail 48,67; conseile 48,75; counsail 51,34; counsaylle 67,157 *rat, beschluß, beratung;* 42,44 *geheimnis; ne.* counsel.

counselle, *v.*, 67,472 *raten; ne.* counsel.

count, *v.*, 69,171,6 *zählen; ne.* count.

countas *s.* contesse.

countre, *sb.*, 67,487 *gegend, landstrich; ne.* country.

course, *sb.*, 59,73; cors 61,1108 (*ver)lauf;* by c. 59,73 *der reihe nach; ne.* course.

court, 66,425; *fl.* courte 48,49 *hof, gefolge, begleitschar, eskorte; ne.* court.

couth, couthe, couþ, couþe *s.* cunnan, cûð, ginnan.

cowd, cowth *s.* cunnan, ginnan.

coylle *s.* col.

coðu, *st. f., me.* coth 67,417 *übel, krankheit.*

cradol, *st. m., me.* cradel 42,10 *wiege; ne.* cradle.

crafe *s.* crafian.

crafft *s.* cræft.

crafian, *schw. v., me.* crauen 89, 1320; crave 46,352; crafe 67,174 *verlangen, begehren, bitten; ne.* crave.

cræft, *st. m.*, 9,344; *me.* crafte 58, 131 *kraft;* crafft 46,190; crafte 59,25 *kunst;* craft 62,4,35 *kunde; ne.* craft.

cræftig, *adj.*, 26,5 *geschickt, tüchtig; ne.* crafty.

crage, *sb.*, 66,408 *nacken: vgl. ne. dial.* craig.

crak, *v.*, 57,10; *p. p.* crakked 57,11 *zerspalten, brechen; ne.* crack.

cræt, *st. n., me.* karrte 86,48; cart 67,534 *wagen; ne.* cart.

crauen, crave *s.* crafian.

Crêacas, *völkern.*, 14,48 *griechisch; gen.* Crêca 17,28 *die Griechen.*

crêad *s.* crûdan.

creature, *sb.*, 48,10; creatoure 67, 78; *pl.* creaturs 49,29; creaturys 62,31 *geschöpf; ne.* creature.

Crêca *s.* Crêacas.

crede, *sb.*, 46,209 *Credo: ne.* creed.

crêopan, *st. v., me.* crepen 44,68; crepe 68,14 *kriechen; ne.* creep.

crepe(n) *s.* crêopan.

crie(n) *s.* cryen.

cringan, *st. v., prät. pl.* crungun 18,10 *fallen; vgl. ne.* cringe.

crisme-cloþ, *sb.*, 42,54 *taufkleid; ne.* chrisom-cloth.

Crist, *eigenn.*, 4,3b; *me.* crist 82,80; *fl.* criste 82,20; Crist 82,395; Krist 44,62; Cryst 65,64,6 *Christus.*

cristen, *adj.*, 14,27; *we.* cristen 88, 81; christen *christlich; ne. veraltet* christen; *me.* christeneman 41,31;

cristin man **45**,7; christeman
41,33; cristin **45**,2; *pl.* cristen-
emen **82**,293; Cristene folc **28**,54
christ.
cr ist(e)n(e) *s.* cristen, cristnian.
cristen-dôm, *st. m., me.* cristen-
dom **51**,16 *christenheit;* **82**,294;
crisstenndom **86**,43 *christentum,*
christliche religion; ne. christen-
dom.
cristenty, *sb.*, **61**,1157 *christen-*
heit.
Crîstes-cirice, *schw.f., dat.* -an
12,2 *Christchurch (kathedrale zu*
Canterbury).
cristnian, *schw. v., me.* cristnien;
cristen **42**,48; *prät.* cristned **47**,
986; *p. p.* ycristned **47**,991 *taufen;*
ne. christen.
croiz *s.* cros.
cronycle, *sb.*, **65**,63,6 *chronik;*
ne. chronicle.
croos, *sb.*, **41**,14 *krüge?*
cros, *sb.*, **65**,59,1; croiz **51**,31 *kreuz;*
ne. cross.
crossayl, *sb.*, **58**,102 *kreuzsegel.*
croune(n), crowne *s.* coroune.
crucet-hus, *sb.*, **27**,26 *marter-*
haus [lat. cruciatus].
crucifie, *v., p. p.* -d **19**e,5 *kreuzigen;*
ne. crucify.
*crûdan, *st. v., me.* cr(o)ude; *prät.*
crêad **18**,35 *dringen, drängen,*
eilen: ne. crowd.
cruell, *adj.*, **78**,20 *grausam; ne.*
cruel.
cruelly, *adv.*, **66**,424 *grausam;*
ne. cruelly.
cruk, *sb.*, **70**,4 *(kessel)kette, haken;*
ne. crook.
crungun *s.* cringan.
cry, *sb.*, **58**,152 *geschrei; ne.* cry.
cryen, *v.*, crien **56**,14; crie **51**,71;
cry **60**,97; *prät.* cryit **66**,423
schreien, bitten; ne. cry.
cû, *unreg.f., me.* cou **50**,65; *pl.* ken
50,71 *kuh; ne.* cow.
cueð *s.* cweðan.
cubite, *sb.*, **67**,136; *pl.* cubettis
67,124 *elle; ne.* cubit.
cucu *s.* cwic.
cudde *s.* cyðan.
cueð *s.* cweðan.
culpe, *schw. f.*, 7,177 *schuld.*
culufre, *schw.f., me. pl.* cullfress
86,15559 *taube; ne.* culver.
cum *s.* cuman.

cuma, *schw. m.*, **13**,13; *me.* cume
ankömmling, fremder.
cuman, *st. v., nh.* cymma **19**a,6;
me. cumen **82**,155; cumenn **86**,
15553; kumen **87**,66; comen **44**,
18; cumme; cume **82**,26; come
82,141; cum **42**,10; *3. sg. präs.*
ind. cymeð **9**,222; cymð **17**,131;
me. cumeð **82**,73; cumes **38**,5;
cumeþ **40**,30; commys **67**,507;
cummis **78**,11; *pl.* cumað **10**,2881;
me. cumeð **82**,234; *kj.* cume **6**,10;
me. cume **83**,78; kume **87**,117;
come **51**,61; *imp.pl. merc.* cymmas
19a,6; *prät.* cwôm **8**,614; cvôm;
cuôm **19**a,1; quôm **19**d,9; côm
14,2; *merc.* cym **13**,2; *me.* com **27**,6;
comm **86**,15546; cam **48**,71; kam
65,63,7; come **71**,19; *pl.* cwômun
19a,11; cwômon; cwôman **4**,3b;
cvômon; cuômun **19**a,13; cwômu
4,3a; cômon **15**,183; cômun **19**b,
11; côman **15**,55; *me.* come **82**,141;
comen **82**,202; comenn **86**,15548;
com **34**,13785; camen **19**e,9; *kj. sg.*
côme **15**,31; *p. p.* cumen **11**,146;
me. (i)cume(n) **39**,1315; icummen
84,13790; ikumen **87**,112; ycome
42,46; icome **84**,13787; icom **46**,
162; come(n) **52**,1; cumin **60**,90;
comyn **59**,40; cummen *kommen;*
ne. come; *me. vb.-sb.* comyng **65**,
63,2; cummyng **60**,36; cumyne
62,35 *ankunft;* agan cumynge
62,20 *rückkehr.*
cumbol-gehnâd (*hds.* culbod-),
st. n., **18**,49 (*lesart* -gehnâst) *feld-*
zeichenzusammenstoß, kampf.
cumbol-hete, *st. m.*, **8**,637 *kampf-*
haß.
cume(n)(n) *s.* cuman, cyme.
cumpany, *sb.*, **60**,44 *gesellschaft;*
ne. company.
cun *s.* cyn.
cunnan, *prät. präs., me.* cunne;
kunne(n); *präs. 1. 3. sg.* can; con
16,28; conn 7,198; *me.* can **27**,34;
kan **82**,71; con **46**,447; cone **46**,
168; kon; *2. sg.* kanestow **47**,1049;
can **67**,229; *pl.* cunnon **14**,37; *me.*
kunnen; cunne **82**,301; conne
50,53; kane **49**,19; *konj.* cunne
82,213; kunne **87**,134; *prät.* cûþe
8,606; *me.* cuþe **32**,9; kuðe **87**,118;
couþe **44**,93; coude **67**,286; cowd
70,19; couth **60**,97; cowth **67**,473;
pl. cûðen **14**,15; *me.* cuðen **84**,

13806; couþen 51,52; *p. p.* cûð
(*s. d.*), cûþ, couþe; *wissen, ver-*
stehen, können; ne. can, could.

cunne, cunnes *s.* cyn.

cunnes-mon, *unreg. m., pl.* cun-
nesmen 84,13979 *verwandter;*
kinsman.

cunnian, *schw. v.; me.* cunne;
prät. cunnode 10,2846 *versuchen,*
prüfen; ne. con.

cuôm, cvôm *s.* cuman.

cuoeð, cuoða *s.* cweðan.

cuppe, *schw. f., me.* cuppe 44,14;
coppe 46,329 *becher; ne.* cup.

cure, *v.,* 69,167,7 *heilen; ne.* cure.

currus, *lat. m.,* 36,34 *wagen.*

cursen, *v., p. p.* cursed 47,1112
verfluchen; ne. curse.

curteis, *adj.,* 46,119 *gesittet, edel,*
freundlich; ne. courteous.

curteisi, *sb.,* 46,110 *höfisches*
wesen, sitte; ne. courtesy.

curtel *s.* cyrtel.

cusse(n) *s.* cyssan.

custome, *sb.,* 41,16 *gewohnheit;*
ne. custom.

cusyng *s.* cosyn.

cûð, *adj.* (*p. p. zu* cunnan), 7,185;
me. cuð 28,40; cuþ 45,85; couþe
47,1078 *kund, bekannt.*

cûþe, cuþe, cuðe *s.* cunnan.

cûðen, cuðen *s.* cunnan, cýðan.

cuððe *s.* cýðð.

cwacian, *schw. v., me. auch st. v.,*
prät. cwacode; *me.* quaked 44,
135; quoke 45,23 *zittern; ne.*
quake.

cwalu, *st. f.,* 8,613 *hinrichtung.*

cwartern *s.* cweartern.

cwealm, *st. m.,* 8,605 *ermordung,*
hinrichtung; 9,642 *pein.*

cweartern, *st. n.,* 22,71; *me.*
cwartern 28,15; quarterne 27,24
gefängnis.

cwellan, *schw. v.,* 8,637; *me.* quelle
43,63 *töten; ne.* quell.

cwêman, *schw. v., me.* cweman
32,95; queme 42,7; *prät.* cwemde
84,14062; *p. p. me.* icwemed 32,
172 *zufriedenstellen, gefallen.*

cwemde *s.* cwêman.

cwên, *st. f.,* 15,224; *me.* kwene
87,57; quen 43,7 *königin;* quene
44,183; 47,1075 *himmelskönigin;*
ne. queen.

Cwênas, *volksn.,* (*gen.* Cwêna) 17,
119 *Flachlandfinnen.*

cwencan, *schw. v., me.* cwenche
82,248 *löschen; ne.* quench.

cwêne, *schw. f., me.* quen 47,1002
weibsbild, schlumpe; ne. quean.

Cwên-land, *eigenn., f.,* 17,46 *Lapp-*
land, Nordschweden (= „*terra fe-*
minarum“).

Cwên-sæ, *st. m.,* 17,9 *weißes meer.*

cweðan, *st. v., merc.* cwæþan; *nh.*
cuoða 19a,7; *me. 3. prs. sg.* queþeþ
82,79 *les.; prät.* cwæð 14,43; cwæþ
19d,5; *nh.* cueð 19a,6; cuoeð 19a,5;
cuæð; *me.* cweð 33,48; queþ 35,73;
quad 35,73B; quað 39,1311; quat
39,1313; quaþ 47,1048; quod 65,
59,6; quoth 71,11; *ne.* quoth; *pl.*
cwædun 19b,12; cwædon 15,225;
cwæden 14,34; *nh. me.* cwæðen
19c,12; *p. p.* cweden 7,211; *me.*
iqueden 82,9; *sagen, sprechen,*
nennen; cwist þû 21,63; *in fragen*
= *lat.* num, -ne.

cwic, *adj.,* 10,2914; cucu 22,86;
me. quik(e) 82,79; quick 84,13834;
quic 48,88 *lebendig, lebend; ne.*
quick.

cwice, *schw. f., Ep.* quicae 1,27;
quiquae 1,9 *quecke; ne.* quitch-,
couch-(grass).

cwiddian, *schw. v., me. pl.* quiddeþ
40,55; *prät.* cwiddode *sagen.*

cwide, *st. m.,* 20,13; *me.* quide
wort, rede.

cwist *s.* cweðan.

cwôm, cwômu(n) *s.* cuman.

cwylman, *schw. v.,* 15,82 *töten.*

cýdde, cydde *s.* cýðan.

cýgan, *schw. v., prät.* cýgde 10,
2909 *rufen.*

cyle, *st. m.,* 17,197; *me.* chule 82,
197; chele 82,232 *kälte, frost; ne.*
chill.

cyll(e), *st. m., me.* chille (*hs.*
chelle) 87,45 *lederflasche, gefäß,*
rauchfaß.

cym, cym(m)a *s.* cuman.

cyme, *st. m.,* 9,245; *me.* kime;
cume 84,14020A; cumen; come
84,14020O *ankunft.*

cymeð *s.* cuman.

cyn, *st. n.,* 9,330; cynn 8,644; kynn
26,18; *me.* cun(ne) 32,202; kun(n)e
87,9; ken(n)e 48,146; kyn 67,138;
nh. pl. cynno 19a,19 *geschlecht,*
art, weise; ne. kin; oðer cunnes
82,359 *sonstige;* in ani cunnes
wise 46,15 *irgendwie.*

c y n d, *st. f. n., me.* kinde **39,**1339;
kynd **67,**151; kende **47,**1057; *pl.*
kyndis **49,**1 *natur, natürliche
eigenschaft, art, geschlecht, ab-
stammung; ne.* kind.

c y n d e, *adj., me.* kynde **59,**70 *an-
geboren, angestammt, freundlich;
ne.* kind.

c y n e - d ô m, *st. m., me.* kinedom
33,72 *reich, herrschaft.*

c y n e - g o l d, *st. n.,* **9,**605 *krone.*

c y n e l î c, *adj.,* **15,**77 *königlich.*

c y n e - r î c e, *st. n.,* kynerice **14,**66;
me. kineriche *reich.*

c y n e - r ô f, *adj.,* **11,**200 *sehr be-
rühmt.*

c y n e - s c r û d ?, *st. n., me.* kinescrud
37,34 *vornehme kleidung.*

c y n e - s e t l, *st. n.,* **20,**23; *me.* kine-
setle *thron.*

c y n e - s t ô l, *st. m., me.* kinestol
37,25 *thron.*

c y n e - þ r y m, *st. m.,* **9,**634; *fl.* kyne-
þrymme **26,**5 *königlicher ruhm,
königliche herrlichkeit.*

c y n i n g, *st. m.,* **4,**2b; kyninc **4,**2a;
cyninc **15,**198; cyningc **17,**91;
cynyngc **17,**164; kyning **14,**1;
cing(es) **25,**2; cyng; king **26,**1;
kyng **26,**15; *me.* ching **80,**2;
king **82,**80; kyng **48,**49; *pl.
spätw.* cyninges **18,**29 *könig; ne.*
king.

c y n i n g - c y n n, *st. n.,* **15,**63 *königs-
geschlecht.*

c y n l î c, *adj.,* **12,**44 *passend.*

c y r d a n, c y r d o n *s.* cierran.

c y r i c a n *s.* cirice.

c y r r *s.* cirr.

c y r r a n *s.* cierran.

c y r t e l, *st. m. (nh. auch n.?),* kyrtel
17,102; *me.* kirtel; curtel **54,**55
kurzer rock, hemd; ne. kirtle.

c y r ð *s.* cierran.

c y s s a n, *schw. v.,* **21,**42; *me.* kissen
38,22; kysse, kesse; cusse **54,**27;
prät. cyste **21,**43; *me.* keste 50,
107 *küssen; ne.* kiss; *me. vb.-sb.*
kyssyng **65,**60,5 *küssen.*

c y s t, *st. m.,* **26,**23 *vorzug, tugend.*

c y t e e *s.* cite.

c ÿ ð a n, *schw. v.,* **9,**332; *me.* kyðan
19c,10; kiþen(n) **36,**15555; cuðen
34,13844; cuðe **82,**99; kude; *präs.*
3. cyðð **28,**32; cuðð **28,**19; *konj.
präs.* kuðe **37,**118; *prät.* cÿðde
10,2865; cÿdde **21,**72; *me.* cydde

28,51; cudde **82,**191; kyd(de) **58,**
118; kid **45,**75 *künden, verkünden,
zeigen, bekannt machen.*

c ÿ ð ð, *st. f.,* cyþþ **18,**38; *me.* cuððe
34,13980 *heimat, gegend; ne.* kith.

·D.

ð- *s.* þ-.

d æ d, *st. f.,* **8,**707; *me.* a dede (= on
dede) **82,**3; dede **89,**1342; deed
64,4; *pl.* dede **82,**10; deden **41,**35;
dedes **48,**166; dedis **59,**38; dedys
59,50; *dat. pl.* deden **34,**13976;
dedin **35**B,77 *tat, handlung; ne.*
deed.

d æ d e n *s.* dêad.

d æ g, *st. m.,* **8,**694 (*akk.* **9,**334); doeg
19a,1; *me.* dæi **34,**13927A; da33
36,15613; dai **46,**145; day **89,**1301;
dayg **19**c,15; dei **83,**32; *gen.* dæies
27,18; dæi3es **28,**14; dæis **27,**39,
pl. dagas **15,**114; *me.* dages **19**c,
20; da3es **28,**4; da3hess **36,**15599;
daies **65,**63,3; dayes **48,**206; daiis
45,38; dais **45,**39; daus **46,**324;
dat. pl. dagum **15,**173; da3en **28,**
51; dæ3en **34,**13922; *me.* dawe
61,1159 *tag; ne.* day; tô dæge
15,58; *me.* to dai **37,**166; to day
41,3 *heute; ne.* to-day.

d a g a s, d æ 3 e n, d a g e s, d a 3 e s,
d a 3 3, d a 3 h e s s *s.* dæ3.

d a e g h w a m l î c e, *adv.,* **15,**235
täglich.

D â g o n, *eigenn.,* **22,**74.

d æ g - r e d, *st. n.,* **11,**204; *me.* daired
tagesanbruch.

d a g u m, d a i, d æ i, d a i e s, d æ i -
3 e s, d a i i s *s.* dæg.

d a i - l i 3 t, *sb.,* **43,**126 *tageslicht; ne.*
daylight.

d a i s, d æ i s *s.* dæg.

d a i t, *sb.,* **71,**32 *datum; ne.* date.

d a l *s.* dêl.

d æ l, *st. m.,* **9,**261 (*fl.* dælum **15,**30);
me. del **82,**338; dele **67,**450; dal
83,107; dol **37,**150; doylle **67,**390
teil, anteil, erdteil; ne. deal, dole;
me. summ del **86,**98 *einiges;* for
del **51,**50 *ein weilchen;* neuer a
del(e) **39,**1324; **48,**30 *nicht im ge-
ringsten;* ilk a dele **48,**118 *in jeder
hinsicht;* any dele **48,**164 *irgend-
etwas.*

d æ l, *st. n., pl.* dalu **9,**24; *me. pl.*
dales **52,**4 *tal; ne.* dale.

Dalamentsan, *eigenn., schw. pl.*,
17,30 *die Dalaminzen (slawischer
volksstamm um Meissen, zu beiden
seiten der Elbe).*
dælan, *schw. v.*, 28,33; *me.* deale
37,154; *p. p.* delt 66,386 *(ab)teilen,
scheiden, trennen;* dele 48,5 *zu-
teilen, schenken; kj. präs. pl.* hilde
dælon 28,33 *kämpfen; ne.* deal;
vb.-sb. delyng 66,388 *teilen.*
Dalila, *eigenn.*, 22,49.
dalu *s.* dæl.
dam, *sb.*, 72,II,15 *mühlteich, tiefste
flußstelle bei einer mühle.*
dame, *sb.*, 46,37 *herrin, dame;* 47,
1008 *mutter;* dam 67,324 *frau;
ne.* dame; *my* dame 67,298 =
madame.
dampne, *r., prät.* dampnet 59,50
verurteilen; ne. damn.
Dân, *eigenn.*, 22,2.
Danais, *eigenn.*, 17,4 *der fluß Don.*
dange *s.* dingen.
dangere *s.* daunger.
dangerouss, *adj.*, 72,4 *gefährlich;
ne.* dangerous.
dænnede *s.* dennian.
dar *s.* durran.
darað, *st. m.*, 18,54 *leichtes wurf-
geschoß;* daraða lâf *rest des heeres.*
dære *s.* dêore.
Dares, *eigenn.*, 59,60.
darht *s.* durran.
dærne *s.* dyrne.
dar(r)st, darstæ *s.* durran.
dase, *r.*, 67,314 *staunen, bestürzt
sein; ne.* daze.
Datia, *eigenn., pl.*, 17,29 *die Daker.*
Dâuîd, *eigenn.*, (-es) 7,165; *me.*
Dauid 33,40 *David.*
daunger, *sb.*, 58,110; dangere
48,140 *macht, gewalt; ne.* danger.
daunte, *r., p. präs.* dauntyng 65,
64 *bezähmen, kasteien; ne.* daunt.
daus *s.* dæg.
daw, *adj.*, 67,247 *faul, träge.*
dawe *s.* dæg.
dawing, *sb.*, 71,1 *tagesanbruch;
rgl. ne.* dawning.
day, dayes *s.* dæg.
dayes eʒe, *sb.*, 52,4 *gänseblume;
ne.* daisy.
dayg *s.* dæg.
dæð, dæþ *s.* dêað.
de *s.* deien.
dêad, *adj.*, 15,20; *instr.* dêade 19d,7;
me. dæd, dead (*pl.* dæden 34,

14004A; deade 34,14004O); died
32,199; *pl. (sb.)* diede 32,190; ded
47,1037; deed(e) 19e,4; dede 59,
92 *tot; ne.* dead.
dêad, dead *s.* dêað.
deade *s.* dêad.
dêag, dêah *s.* dugan.
deale *s.* dælan.
dear *s.* durran.
dearf, *adj., nh., me.* derff 59,84
kühn; adv. derfly 58,110.
dêaw, *st. m. n., dat.* dêawe 21,45;
me. deaw(es) 52,28; dew; deu
tau; ne. dew.
dêað, *st. m.*, 6,11; dêaþ; *me.* deað
32,322; deaþ 34,13876O; dead
39,1330; dieð(e) 32,106; diþ(e)
43,60; deð 33,94; dæþ 33,9; dæð
34,13876A; deþ 40,5; deth 59,9;
deith 73,14; ded 62,10; dede 62,2;
deid 70,6 *tod; ne.* death.
dêað-dæg, *st. m., nh.* dêothdaeg
8,5; *me.* deethday *totestag.*
deceiuable, *adj.*, 64,3 *trügerisch.*
deciples *s.* discipul.
declare, *r., prät.* declaret 59,77
auseinandersetzen, erklären; ne.
declare.
ded *s.* dêað.
dede *s.* dæd, dêad, dêað, dôn.
dedely, *adj.*, 69,169,2; *tödlich,
toten-; ne.* deadly.
deden, dedes *s.* dæd.
dedeyne, *v.*, 69,168,3 *geruhen,
wollen; vgl. ne.* deign.
dedin *s.* dæd.
dedir, *v.*, 67,314 *zittern, schauern.*
dedis, dedys *s.* dæd.
dee *s.* deien.
deed *s.* dêað.
defade, *v.*, 69,170,4 *verblühen
machen, entmutigen; vgl. ne.* fade.
defend, *r.*, 59,85 *abwehren; ne.*
defend.
defens, *sb.*, 60,96 *verteidigung; ne.*
defence.
defier, *afr. v.*, S. ieo vous defie
48,113 *S. ich verachte euch.*
defless *s.* dêofol.
deʒe *s.* deien.
dêgol, *adj., akk. sg. m.* -ne 6,21;
dat. pl. diglum 15,95; *me.* diʒel
verborgen, heimlich.
degoutit, *p. p. adj.*, 69,161,2 *ge-
fleckt, gesprenkelt.*
degrade, *v., prät.* degrade 67,20
erniedrigen; ne. degrade.

degre, *sb.*, 67,21 *rang, stand; ne.*
degree.
dei *s.* dæg.
deid *s.* dêað, deien.
deien, *v.*, dei(e) 38,1; de3e 51,22;
die 48,212; deye 51,68; de 62,25;
dee 62,24; *pl.* deis 62,23; *prät.*
deid 70,5; deit 70,16; died 48,
218 *sterben; vb.-sb.* deyng 62,4;
ne. die.
deis, deit *s.* deien.
deith *s.* dêað.
del *s.* dæl, deol.
delay, *v.*, 71,15 *verzögern; ne.* de-
lay.
delay, *sb.*, 60,30 *verzögerung, auf-*
schub; ne. delay.
dele *s.* dæl, dælan.
delite, *sb.*, 49,35 *entzücken, genuß;*
ne. delight.
deliuer, *v.*, *prät.* deliuerd 48,210
befreien; ne. deliver.
delt *s.* dælan.
delue, *st. v.*, 47,1051; *p. p.* doluen
47,1022; ydoluen 47,1047 *graben,*
(lebendig) begraben.
delyng *s.* dælan.
delytte, *v.*, *pl. präs.* -s 49,37 *er-*
götzen; ne. delight.
delyverly, *adv.*, 71,9 *ohne zögern.*
dêma, *schw. m.*, 8,594; *me.* dat.
demen 32,96 *richter.*
dêman, *schw. v.*, 8,707; *me.* demen
32,107 (3. *prs.* demð 32,119); de-
mene 33,97; deme 52,30; *prät.*
dêmde; *me.* demed 58,119; *p. p.*
dœmid 3,5; gedêmed 11,196; *me.*
i demed 32,171; idemd 32,106
richten, urteilen über (akk.), ver-
urteilen, erklären, aussprechen;
d. riht 85,79 *recht sprechen; ne.*
deem.
demembrid, *v.*, *p. p.* 61,1159 *zer-*
stückeln; vgl. ne. dismembered.
dêmend, *st. m.*, 8,725 *richter.*
demð *s.* dêman.
den, *sb.*, 47,1001 *lärm, aufsehen;*
ne. den (*vgl.* dynnan).
Dena(-) *s.* Dene(-).
dene *s.* denu.
Dene, *volksn.*, *pl.*, 17,20; Dena
26,19 *Dänen.*
Denemearc, *eigenn.*, *st. f.*, 17,145;
Denamearc 17,140 *Dänemark.*
dennian, *schw. v.*, *prät.* dænnede,
dennade, dennode: *nur* 18,12;
vielleicht verschrieben für dunnode

&c., *s.* dynnan (*Sedgefield liest*
ðanode).
dent *s.* dynt.
dente, *v.*, *p. p.* dent 42,36 *aus-*
zacken, eindrücken; ne. dent.
denu, *st. f.*, *pl.* dene 9,24 *tal; ne.*
den.
dêofol, *st. m. n.*, 8,629; *me.* deofel
32,214; deouel 37,93; deuelle 49,
24; dyeuel 50,80; deuel 61,1148;
dewill; dewyll 66,432; *gen. me.*
deofles 32,193; defless 36,64; *pl.*
me. deofles 32,97; doules 32,177
lesart; deoules 27,16; deuells 49,
18; deoflen 33,47; *gen.* deoflene
37,15 *teufel; ne.* devil.
dêoful-cræft, *st. m.*, 15,178 *teuf-*
lische kunst, teufelswerk.
deol, *sb.*, 51,55; diol 47,1124; duel
51,3; del 46,344 *kummer, trauer,*
schmerz, wehklage.
dêop, *adj.*, 10,2875; diop 14,*schl.-g.*
17; *me.* deop 56,30; depe 69,162,2
tief; ne. deep.
dêope, *adv.*, 7,168 *tief.*
deor, *sb.*, 52,29 *liebhaber? (Morris).*
dêor, *st. n.*, 8,597; *me.* deor 33,30;
deore 32,145; *der tier, rotwild;*
ne. deer.
dêore, *adj.*, 26,19; diore(s) 20,47;
dŷre 17,189; *schw.* dêora 8,725;
me. deore 38,2; dære 27,41; dere
39,1305; deyr 66,445; *sup.* dêorast
8,697; *me.* derrist 59,39 *teuer, wert,*
geschätzt; ne. dear.
dêore, *adv.*, *me.* deore 32;184; dure
32,146; duere 55,34; *teuer; ne.*
dear.
dêore- *s.* dêor-.
dêor-môd, *adj.*, 9,88 *tapferen*
sinnes, tapfer, mutig.
dêor-wurð(e), *adj.*, *sup. dat. sg.*
dêorwurþustan 21,22; *me.* deore-
wurðe 38,12 *teuer, kostbar.*
dêoth- *s.* dêað-.
deouel, deoules *s.* dêofol.
depart, *v.*, *p. p.* departit 60,117;
verteilen; ne. depart; *vb.-sb.* de-
partyng 65,61,4 *scheiden.*
depe *s.* dêop.
depnes, *sb.*, 67,434 *tiefe; ne.* deep-
ness.
depriue, *v.*, *p. p.* depriued 48,234
berauben; ne. deprive.
der *s.* durran.
dere, *sb.*, 67,317 *harm, hindernis.*
dere *s.* dêore, derian.

dereinen, *v., prät. 2. sg.* derein-
edes **88**,20 *streitig machen, als
eigentum behaupten; ne.* derai(g)n.
derf(f), derfly *s.* dearf.
derian, *schw.v.,* **28**,70; *me.* derien
82,334; derie**87**,148; dere**47**,1006
schaden.
derne(like), dernli *s.* dyrne.
Derntoun, *schott. ortsn.,* 71,38
unauffindbar.
derrist *s.* dêore.
dert, *sb.,* **69**,170,7 *schmutz, gemein-
heit; ne.* dirt.
des, *sb.,* **58**,119 *hochsitz; ne.* dais.
desceit, *sb.,* 48,47; dissait **78**,7
täuschung, hinterlist; ne. deceit.
desert, *sb., verdienst, verschuldung;
ne.* desert; *for d. of* **58**,84 *zum
lohne für.*
desert, *sb.,* **78**,10 *wüste, sündhafte
welt; ne.* desert.
desire, *sb.,* **69**,168,2 *wunsch, ver-
langen; ne.* desire.
dêst, dest *s.* dôn.
desyre, *v.,* **64**,23 *wünschen, wollen,
verlangen, ersehnen; ne.* desire.
det, *sb.,* **62**,19 *schuld; ne.* debt.
deth *s.* dêaδ.
deuel(le), deuells *s.* dêofol.
devere, *sb.,* **67**,319 *pflicht.*
devocyoun, *sb.,* **65**,62,7 *andacht,
hingebung; ne.* devotion.
devoutly, *adj.,* **65**,59,4 *ehrerbietig,
andächtig; ne.* devoutly.
deuys, *sb.,* **51**,26 *testament; ne.*
devise.
dew, *adj.,* **59**,61 *zugehörig; ne.*
due.
dewill, dewyll *s.* dêofol.
deye, deyng *s.* deien.
deyr *s.* dêore.
dêδ, deδ, deþ *s.* don, dêaδ.
deδe *s.* dêaδ.
diacon, *st. m.,* **12**,38; *me.* diakne,
dekne *diakon; ne.* deacon.
dîc, *st. m., später f., me. pl.* diche
82,41 *graben; ne.* dike, ditch.
dide *s.* dôn.
die *s.* deien.
died, diede *s.* dêad.
dieδ, dieδe *s.* dêaδ, dôn.
Difelin, *ortsn.,* **18**,55 *Dublin.*
dîglum *s.* dêgol.
digne, *adj.,* **47**,1121 *würdig; comp.*
digner **47**,1066.
dignyte, *sb.,* **67**,166 *würde, hoheit;
ne.* dignity.

dihtan, *schw.v., me.* diʒte; dihte(n)
84,13918A; dyhte; diht **51**,79;
prät. dihte **19**b,c16; *p. p.* diht **51**,
3; dyht; dyght **67**,543 *bestimmen,
anordnen, beherrschen, regieren,
leiten* **84**,14054; *behandeln, ver-
ursachen;* **51**,27 *bringen, schicken,
senden; ne. veraltet* dight.
dihte(δ) *s.* dihtan.
dingen, *v., prät.* dange **66**,411
schlagen, bedrängen; ne. ding.
Dinges mere? *sb.,* **18**,54; *eigenn.
= „irische see" (Grein);* d. m. =
noise, dashing *(Plummer)?*
diol *s.* deol.
dîop *s.* dêop.
dîores *s.* dêore.
disceyued. *p. p. adj.,* **48**,118 *ent-
täuscht; ne.* deceived; *vgl.* desceit.
disciplis *s.* discipul.
discipul, *st. m., pl.* -as **19**,d7;
me. disciplis **19**,e7; deciples **41**,6
jünger; ne. disciple.
disconfite, *v., prät.* disconfited
48,116; *p. p.* disconfite **48**,122;
discumfyst **66**,429; discomfyt
61,1129 *besiegen, vernichten; ne.*
discomfit.
discord, *sb.,* **67**,31 *streit, zwist;
ne.* discord.
discrecioun, *sb.,* **64**,18 *bescheiden-
heit, manierlichkeit; ne.* discretion.
discret, *adj., komp.* discreter 72,
II,10 *verständig, besonnen; ne.* dis-
creet.
discumfyst *s.* discomfyten.
diseß, *sb.,* **60**,73 *unruhe, mühsal,
beschwerde; ne.* disease.
disherite, *v., prät.* disherite 48,
98 *enterben; vgl. ne.* disinherit.
disheriteson, *sb.,* **48**,40 *ent-
erbung; vgl. ne.* disherison.
dishonoure, *sb.,* **48**,58 *schmach,
schande; ne.* dishonour.
dispise, *v.,* **60**,49; dispiß **60**,50
verachten; ne. despise.
dispit, *sb.,* **60**,46 *verachtung, trotz;
ne.* despite.
dispitwisly, *adv.,* **60**,98 *in wut,
wütend; ne.(veraltet)* despiteously.
displaie, *r., prät.* displaied **48**,103
entfalten; ne. display.
displeasse, *v.,* **67**,85 *mißfallen;
ne.* displease.
dispoyle, *v., p. p.* dispoyled **58**,
95 *entkleiden; ne.* despoil.
dissait *s.* desceit.

dissensioun, sb., 64,9 streit; ne.
dissension.
disseuer, v., 63,15; dysseuer 67,27
scheiden, sich trennen, loskommen,
aufhören, aufgeben; ne. dissever.
dissolue, v., p. p. dissoluit 73,22
auflösen; ne. dissolve.
distance, sb., 67,57; distaunce 48,
37 entfernung, uneinigkeit, streit,
zweifel; ne. distance.
distroy, v., 67,93 zerstören; ne.
destroy.
disturbaunce, sb., 48,32 unruhe,
aufstand; ne. disturbance.
Dites, eigenn., 59,61; Dytes 59,60
Dictys (Cretensis).
diverss, adj., diuerse 69,160,2
verschieden; ne. diverse.
diþe s. dêaþ.
doande, dod s. dôn.
Dofere, ortsn., schw. f., me. Do-
uere 44,139; Dover 71,39 Dover.
doeg, st. n., 19,a1 nh. = dôgor tag.
dog, sb., 72,I,4 hund; ne. dog.
doht = doth = doþ s. dôn.
dohtor, unreg. f., 7,191; me.
douhter 42,47 (pl. douhteres 48,
12); douter 46,339 tochter; ne.
daughter.
Doig (gesprochen wie dog), 72,I,
Titel, name eines hofbediensteten
könig Jakobs IV. von Schottland.
doin, dois s. dôn.
dol, adj., me. dull 59,50 töricht;
ne. dull.
dol, sb., 88,15 schmerz; ne. veraltet
dole (vgl. doleful).
dol s. dæl.
dollen, v., p. p. dold 67,266 stumpf,
dumm machen; ne. dull, dulled.
dolour, sb., 72,II,23 schmerz, kum-
mer.
doluen s. delue.
doema s. dêman.
dôm, st. m., 7,168; me. dom(e) 82,
48 urteil, gericht, ruhm; 28,38 lob,
ehre; würde; ne. doom; dômes
dæg; me. domes dei 82,136; d. dai
38,17; domysday 67,25 jüngster
tag; ne. doomsday; me. domes
man, pl. men 82,256 richter.
doemid s. dêman.
dominacioun, sb., 64,16 herr-
schaft, gewalt, macht, einfluß; ne.
domination.
dôn, unreg. v., 14,62; me. don 38,
51; doon 65,61,8; done 82,19; do

32,123; doo 49,23; ne. do; präs.
ind. sg. 2. dêst; me. dest 87,149;
dost 86,15587; dos 67,196; dois
69,166,6; 3. doeð 12,10 (merc. dôð
18,48 schreibfehler); dêð; me. deð
82,35; deþ 82,21; dieþ; dieð 82,
235; ðoð; doþ 86,15; doth 65,63,6;
doht 52,22; konj. 2.3. dô 14,21,76;
me. do 82,20; imper. merc. dôa
13,1; pl. me. don (les. dod) 82,23;
p. präs. doande 49,9; prät. dide;
dyde 8,634; pl. dydun 19,b15;
dydon 15,184; dyden (les. dydan)
15,13; dêdon 19a,15; me. dude
82,2; dide 27,5; dyde; dede 89,
1298; did 48,79; pl. dyden 19c,
15; duden 82,96; p.p. dôn; gedôn
25,11; merc. gedôen 19d,11; me.
idon, 82,15; ydon 82,7; don 46,
226; done 48,206; doyne 67,139;
doin 72,II,21; ido 82,10; ydo 50,87;
do 55,47 tun, lassen, sich befinden
(p.p.: getan, fertig, vorüber, dahin);
stellvertr. umschr. deð ihealden 82,
56; dôn from 14,75; me. 45,100
entfernen aus; do to dede 45,100
töten; don to gode 32,23, (laðe
82,61) gutes (böses) tun; don a furst
82,37 aufschieben; do for to se
45,76 sehend machen; do wai 45,
59 geh mir; don ille 48,30 übel
daran tun; don milce 82,8 gnädig
sein; don iustise 27,10 strafen;
do(o)n of 44,130 (von sich) fern-
halten; 65,61,8 ablegen; adv. mid
ydone 47,1086 sofort.
Donde, ortsn., 57,24 Dundee.
done s. dôn; = ðone s. sê.
donjoun, sb., 48,128 der höchste
turm einer burg, turm, kerker, unter-
irdisches gefängnis; ne. dungeon.
donken, v., 3. pl. präs. donkeþ 52,
28 betauen, befeuchten; vgl. ne.
veraltet dank.
donne s. þonne.
Donua, ortsn., f., 17,7 die Donau.
doore, dore s. duru.
dorste s. durran.
dotage, sb., 63,8 torheit, dummheit;
wie ne.
dote, v., 67,367 faseln, unnütz
herumreden; p. p. doted 63,13
kindisch, schwachsinnig; ne. dote.
dote, sb., 67,265 tor, narr.
doted s. dote, v.
double, adj., 69,173,7 doppelt; ne.
double.

16*

d o u b l e t t, *sb.*, **72,2** *wams, kamisol;*
ne. doublet.

D o u e r e, D o v e r *s.* Dofere.

d o u f e, *sb.*, dowfe 67,505; *pl.* dow-
fys **67,484** *taube; ne.* dove.

d o u g h t y *s.* dyhtig.

d o u h t e r *s.* dohtor.

d o u l e s *s.* dêofol.

d o u n, d o u n e(s) *s.* dûn.

d o u r e 72,2, *adj.*, *widerspenstig,*
unbiegsam; ne. schott. dour.

d o u t a b l e, *adj.*, **62,13** *furchtbar.*

d o u t e, *sb.*, **48,184**; dout **57,14**
zweifel, besorgnis, furcht, scheu;
ne. doubt.

d o u t e, *v., prät. pl.* doutiden **19**e,
17 *zweifeln, fürchten; ne.* doubt.

d o u t h e r *s.* dohtor.

d o w e l l e n *s.* dwellan.

d o w f e *s.* doufe.

d o w i s **66,399**; *wohl verschrieben für*
thowis *von* thowen, *jem.* thow =
du nennen, oder von thowen *s.*
þêowian.

d o w n e *s.* dûn.

d o y l l e *s.* dæl.

d o y n e *s.* dôn.

d o e ð, d ó ð *s.* dôn.

d o þ þ e p e r s, *sb. pl.*, **61,1127** (*Karls*
des großen) *zwölf pairs.*

d r a d d e, d r æ d e n, *v.*, drede **48,**
66; dreid **62,24**; dred **64,28** *(sich)*
fürchten; 3. präs. sg. dreidit **70,6**
zögern, zweifeln; vb.-sb. dreding
60,81 *furcht; vgl.* ondrædan.

d r a f *s.* drîfan.

d r a g a n, *st. v., me.* draȝan **32,47**;
draȝen **32,49**; drawe **48,74**; draw
67,103; *kj. me.* drawe **37,128**; *prät.*
drôg; *me.* drog **39,1327**; drouȝ **42,**
31; drouh **65,64,1**; drowȝ; drow;
pl. droȝen **34,13970**; droghe **59,**
88; drowe **48,28**; *p. p.* dragen;
me. ydraȝe **50,89**; drawe **61,1113**
ziehen (trs. u. intr.), erziehen, auf-
ziehen, eilen, sich begeben; ne. draw;
drawe fra **49,17** *entziehen, weg-*
nehmen (euele ydraȝe *übel zu-*
gerichtet **50,89**; *frz.* malmener).

d r a g o u n, *sb.*, **48,103**; dragon **48,**
112; *drache als feldstandarte; ne.*
dragon.

d r a ȝ t - b r i g g e, *sb.*, **61,1113** *zug-*
brücke; vgl. ne. draw-bridge.

d r a k e, *sb.*, **52,19** *enterich; ne.*
drake.

d r a m, *adj.*, **72,II,23** *traurig.*

d r a n c, d r a n k(e) *s.* drincan.

d r a p e n *s.* drepan.

d r a w, d r a w e *s.* dragan, drîfan.

d r ê a g *s.* drêogan.

d r ê a m, *st. m.*, **9,658** *jubel, freude,*
wonne.

d r e a m e n *s.* drŷman.

d r e c c a n, *schw. v., me.* dreeche(n)
37,148; *prät.* drehte *quälen, plagen,*
anfechten.

d r e d, *sb.*, **47,1129**; drede **48,184**
furcht, ungewißheit, gefahr; but
. dreid **71,15** *ohne zweifel; vgl. zu*
48,184 ofdrædde‸

d r e d(e)(n), d r e d i n g *s.* dradde.

d r e e d *s.* drêogan, dradde.

d r ê f a n, *schw. v.*, *p. p.* gedrêfed **4,3**b;
nh. gidrœfid **4,3**a; *me.* idreaued
37,58 *betrüben, peinigen.*

d r ê g e *s.* drŷge.

d r e ȝ e *s.* drêogan.

d r e i d(it) *s.* dred, dradde.

d r e i d l e s, *adj.*, **70,7** *furchtlos, un-*
verzüglich; ne. dreadless.

d r ê m a n *s.* drŷman.

d r e n c a n, *schw. v., prät.* drencte;
me. p. p. drenched **42,18** *tränken,*
ertränken; ne. drench.

d r e n g, *st. m., me.* dreng **44,31**; *pl.*
dringches **34,13971** (*vgl. Logeman,*
Herrigs Archiv 117, 278 f.) *mann,*
vasall.

d r ê o g a n, *st. v., me. auch schw. v.*,
9,210; *me.* dreoȝen **32,288**; driȝen
34,13833; dreȝe **55,25**; *prät. sg.*
drêag **8,626**; *pl.* drugon **11,158**;
p. p. dreed **67,533** *ertragen, leiden,*
erfüllen, tun, vollenden; ne. (dial.)
dree.

d r ê o r, *st. m. oder n.*, **10,2907** *(hs.)*
blut.

d r ê o r i g, *adj.*, **18,54**; *me.* dreri
46,149 *traurig; ne.* dreary.

d r ê o r l î c, *adj., fl. komp.* drêorlîcre
25,11 *blutig.*

d r ê o s a n *st. v.*, **9,261** *fallen.*

d r e p a n, *st. v., me. auch schw., prät.*
pl. me. drapen **27,25**; *p. p.* drepen
und dropen; *me.* drepit **59,9**
treffen, erschlagen, töten.

d r e r i *s.* drêorig.

d r e r i - m o d, *adj.*, **46,149** *betrübten*
sinnes.

d r e s s, *v.*, **72,II,11**; dres **67,238**;
p. p. drest **69,173,5** *führen, lenken,*
herrichten, bereiten, bereit machen,
in ordnung halten, behandeln

*(schlecht behandeln, quälen); 78,10
sich richten, sich wenden, gehen.*
d r î f a n, *st. v., me.* driuin 85B,95;
driue 82,116; dryve 60,68; dryfe
67,193; *prät. me.* draf 36,15564;
drof 42,4; drawe 66,408; *p. p.*
idryue 85,95; driven 46,247 *trei-
ben, führen; ne.* drive.
d r i ʒ e n *s.* drêogan.
d r i ʒ t t e *s.* dryhten.
d r i h t a n, -(e)n, -on *s.* dryhten.
d r i n c, *st. m., me.* drinche 82,331
trank, trunk.
d r i n c a, *schw. m.,* 22,29; *me.* drynke
40,23; drink(e) 46,133 *trunk; ne.*
drink.
d r i n c a n, *st. v.,* 14,*schl.-g.*22; *me.*
drincan 28,50; drinken 33,88; *3. sg.*
präs. drynkeþ 40,24; *pl.* drinkeþ
41,32; drinked 41,39; *prät. sg.*
dranc 22,31; *me.* dranke 45,82;
drank 70,17; *pl.* druncun 13,18;
p. p. gedruncen; *me.* idrunke 82,
144 *trinken; ne.* drink.; *inf. bei*
me. yeve 40,25 *(mit* to).
d r i n g a n, *v.,* 88,51 *bedrängen.*
d r i n g c h e s *s.* dreng.
d r i n k(e) *s.* drinca.
d r i u e, driven, driuin *s.* drîfan.
d r o f *s.* drîfan.
d r ǿ f a *s.* drefan.
d r o g, droʒen, drogh *s.* dragan.
d r o h t i a n, *schw. v.,* 9,88 *sich ir-
gendwo aufhalten, leben.*
d r o n e, *schw. v.,* 67,372; droun;
drown; *p. p.* drownit 72,II,15 *er-
trinken, ertränken; ne.* drown.
d r ô s, *sb., geschl. ?, Ep.* 1,3; *me.* dros
ohrenschmalz; ne. dross.
d r o u ʒ *s.* dragan.
d r o u n *s.* drone.
d r o u þ, *sb.,* 55,33, *adj., traut, lieb;
geliebter, freund [afrz.* drut, dru].
d r o w, drowe, drowʒ *s.* dragan.
d r o w n, drownit *s.* drone.
d r u g o n *s.* drêogan.
d r u n c e n, *st. n., me.* drunke(n)
82,253 *trunk, trunkenheit.*
d r u n c e n n e s s, *st. f.,* 15,14 *trun-
kenheit; ne.* drunkenness.
d r u n c u n *s.* drincan.
d r û s i a n, *schw. v.,* 9,368 *langsam,
ermüdet, stumpf werden.*
d r y *s.* drȳge.
d r ȳ - c r æ f t, *st. m.,* 15,177 *zauber-
kunst, zauberei.*
d r y c t i n *s.* dryhten.

d r y f e *s.* drîfan.
d r ȳ g e, *adj., kent.* drêge 20,33; *me.*
dry 67,370 *trocken; ne.* dry.
d r y ʒ t y n *s.* dryhten.
d r y h t, *st. f.,* 9,334 *schar, volk,
menge.*
d r y h t e n, *st. m.,* 11,198; dryctin
2,4; drihten 10,2893; *me.* drihten
28,1; driʒtte 46,408; dryʒtyn 58,
110; drihte 82,80; *gen.* dryhtnes
7,186; *dat.* drihtne 15,183 *herr,
gott.*
d r ȳ m a n, *schw. v.,* 9,348; drêman;
me. dreamen 87,27 *jubeln, sich
freuen.*
d r y n c, *st. m.,* 14,*schl.-g.*30; *me.*
drink; drynk 67,197 *trank; ne.*
drink.
d r y n c a n, *schw. v., prät. pl.* drynctun
13,32 *tränken.*
d r y n k(e) *s.* drinca, drincan, drync.
d r y r e, *st. m.,* 9,16 *fall, niederschlag.*
d r y v e *s.* drîfan.
d u d e, duden *s.* dôn.
d u e l *s.* deol.
d u e l l e *s.* dwellan.
d u e r e *s.* dêore *adv.*
d u e r g *s.* dweorg.
d u g a n, *prät.-präs., me.* duʒen;
dowen; *präs.* dêag 7,189; dêah 28,
48; *pl.* dugon *taugen, tüchtig sein,
frommen; p. präs. kent.* dugunde
12,18 *ausgewachsen.*
d u g u ð, *st. f.,* 9,348 *schar; tugend,
ruhm, majestät.*
d u k, *sb.,* 61,1126 *herzog;* duke 59,
92; *pl.* dukes 59,84; dukis 59,88
anführer; ne. duke.
d u l l *s.* dol.
d u l y, *adv.,* 59,60 *gebührend, genau;
ne.* duly.
d û n, *st. f.,* 6,21; *me.* dun(e) 28,34; *pl.*
dounes 52,28 *anhöhe, berg, hügel;
ne.* down: of dûne; adûn; *me.*
a dune; dun 88,2; adun 40,29;
dune 45,51; doun 47,985; doune
57,8; adoun 61,1122; downe 67,
247 *hinunter, herunter, nieder, hin;
ne.* down: *me.* up end dun 82,
240; up so doun 64,5 *auf und
ab;* dounward 69,164 *hinunter;
ne.* downward.
d û n - s c r æ f, *st. n., pl.* dûnscrafu
9,24 *bergschlucht.*
d v n v i l t = ðu ne wilt.
d u r e *s.* dêore, *adv.,* duru.
d u r l i n g *s.* dyrling.

durne *s.* dyrne.

durran, *prät.-präs., me.* durren; *präs. ind. sg. 1.* dear 6,15; *me.* der 37,158; dar 48,79; *2.* dearst; *me.* darrst 36,15598; darst 47,1088; *3.* darh(t) 51,80; *plur.* durron; *me. imp. 3. sg.* dar 46,260; *prät.* dorste 4,1b; *nh.* darstæ 4,2a; *me.* dorste 41,10; durste 44,65; durst 58,144 *wagen; me. auch dürfen, brauchen; ne.* dare.

duru, *st. f.,* 9,12; *me.* dure 32,124; dore 47,1127; doore 67,137; *dat. pl.* durum 6,11 *tür; ne.* door.

duryng, *präp.,* 65,61,7 *während; ne.* during.

dwellan, *schw. v., me.* duelle 44,4; dwellen 44,54; dowellen 58,69; dwelle 67,43; dwell 70,6; *prät.* dwealde; *me.* duelt 60,119; dwelt 70,2 *sich aufhalten, verweilen, bleiben, wohnen; ne.* dwell.

dwelling, *sb.,* 57,24; dwellying 65,63,8 *wohnung; ne.* dwelling.

dwelling-place, *sb.,* 78,10 *aufenthaltsort, heimat; wie ne.*

dweoluhðe, *sb.,* 37,93; dweolðe 37,148 *irreführung.*

dweorg, *st. m., Ep.* duerg 1,15; *me.* dwergh; dwerf *zwerg; ne.* dwarf.

dwolian, *schw. v.,* 20,22 *irren.*

dwollic, *adj.,* 22,36 *töricht, dumm.*

dyde, dyden *s.* dôn.

dyeuel *s.* deofol.

dyght *s.* dihtan.

dyhtig, *adj., me.* doughty 59,84 *tüchtig, tapfer; ne.* doughty.

dyngne, *adj.,* 58,119 *würdig; vgl.* digne.

dynnan, *schw. v., me.* dinien; *prät. pl.* dynedan 11,204 *tönen, dröhnen; ne.* din.

dynt, *st. m., me.* dynt 48,210; dent 48,154 *schlag, stoß; ne.* dint.

dyppan, *schw. v., me.* duppen; dippen *eintauchen; p. präs.* dyppend(e) 19d,19 *taufen; ne.* dip.

dŷre *s.* dêore.

dŷrling, *st. m., me.* durling 32,385 *liebling; vgl. ne.* darling.

dyrne, *adj. und adv.,* derne; *me.* durne 32,78; dærne 36,15629; derne 47,1146 *heimlich, versteckt; adv. me.* dernelike 46,86; dernli 45,100.

dys- *s.* dis-.

êa, *interj.,* 7,164 (*nur mit* lâ) *o!*

êa, *f.,* 17,4; *indekl. oder gen. dat. sg.* ie 17,4; *gen.* êas *fluß.*

êac, *adv.,* 8,679; æc 12,10; æc 12, 14; êc 25,3; *me.* ech 32,3; ec 32,11; ek 37,87; eke 37,91; eik 71,38 *auch, ebenfalls; ne.* eke; *vgl.* swelc.

êaca, *schw. m., me.* eke *vermehrung.*

êacen, *adj.,* 7,205 *groß, mächtig.*

êad, *st. n.,* 9,638 *(macht, reichtum) glückseligkeit.*

êaden, *p. p.,* 7,200 *gewährt, verliehen.*

êad-hrêðig, *adj.,* 11,135 *glücklich.*

êadig, *adj.,* flekt. êadge 8,627; êadega 10,2876; *me.* ʒedi 32,227 *reich, glücklich, selig.*

êad-môd *s.* êaðmôd.

Êadweard, *eigenn.,* 18,7; Êadward 26,1; *me.* Edward 48,114; Eduard 60,64 *Eduard.*

êad-wela, *schw. m.,* 9,251 *reichtum, herrlichkeit, seligkeit.*

êafora, *schw. m.,* 6,12; *pl.* afaran 18,7 *sprößling, kind.*

eafoð, *st. n.,* 8,601 *stärke, kraft.*

êage, *schw. n., me.* heie 46,283; heʒe 54,25; yʒe 58,124; eye 69,159,7; *pl.* êagum 6,5; *merc.* êgan 13,4; *me.* eʒen 32,75; eʒe 32,377; eyʒen 42,22; eien 45,35; heien 46,357; een 59,57; ene 70,13 *auge; ne.* eye.

eahta, *zahlw.,* 26,20; *me.* eahte 28,14; eighte *acht; ne.* eight.

eahtian, *schw. v.,* 8,609 *erörtern, besprechen.*

eahtoða, *zahlw., me.* eahteðe 28, 30 *achter; ne.* eighth.

eal *s.* eall.

êala *s.* êa *und* lâ.

êaland *s.* êalond.

êaлað *s.* ealu.

ealch *s.* ælc.

eald, *adj.,* 9,321; *akk.* ealdne 8,623; *kent. gen. pl.* eldra 20,35; *me.* eald 32,4; ald 33,46; old 39,1284; olde 44,30; hold 46,303; elde 47,1002; *komp.* yldra 21,2; *merc. nh.* ældra *subst.* 19a,d,12; *me.* uldre 32,322; ældre; elder(e) 32,1; *sup.* aldeste 34,13842 *alt; ne.* old; yldran (yldrun) 15,168 *eltern;* ûre ieldran 14,34; *me.* ure ældrene 32,192; ælderne 34,13922 *unsere vorfahren; sb.* Nelde 46,173 *Alte.*

eald-cýð, -cýðδu, *st.f.*, 9,351 *alte
oder frühere heimat.*

eald-genîðla, *schw. m.*, 11,228
alter feind.

ealdigan, *schw.v.*, 21,3; *me.* eal-
dien; *prät.* ealdode 21,1 *altern,
alt werden.*

ealdor, *st. n.*, 8,646 *alter, leben;*
to êaldre 9,594 *für alle zeit.*

ealdor, *st. m.*, aldor 10,2878; 19a,
11; *me.* alder *ältester, oberster,
fürst, herr.*

ealdor-burh, *st. f.*, 15,199; *dat.*
aldorbyrig 15,247 *hauptstadt,
königsstadt.*

ealdor-lang, *adj.*, 18,3 *lebens-
lang.*

ealdor-mon, *st.m.*, 16,48; *nh.kent.*
aldormonn 19a,11; *me.* alderman
fürst, vorgesetzter; 12,1 *gemeinde-
vorsteher; ne.* alderman.

ealdor-sâcerd, *st.m.*, *merc. dat.
pl.* aldursâcerdum 19d,11 *ober-
priester.*

ealdre *s.* ealdor, *n.*

Eald-seaxan, *volksn.*, *schw. m.
pl.* 15,54 *Altsachsen.*

ealgian, *schw.v.*, *prät.pl.* ealgodon
(*les.* -dan) 18,9 *schützen.*

eall, *adj.*, 4,2b; eal 16,45; all 12,26;
me. æll 27,8; al 32,7; eal 32,54;
eall 32,79; æl 32,140; all 36,32;
alle 48,3; *pl.* eallæ 14,41; *me.*
ælle 27,8; alle 27,12; ealle 32,
84; *gen.pl.* ealra 8,697; *me.* ealre
32,161; alre 34,13850; alder 48,
197; alþer; *dat.* ealle 28,30; eallen
28,40 *all, ganz, vollständig; ne.*
all; alþat man mai 32,383 *mit
aller macht.*

eall, *adv.*, eal 25,18; *me.* al 32,19;
eal 32,60; alle 32,377; al 32,376
all, ganz, durchaus; ne. all; *me.*
al one 40,12; allane 60,104 *allein;
ne.* alone; alle if 67,231 *obwohl.*

ealles, *adv. gen*, 6,14 *durchaus,
ganz und gar.*

eall-nîwe, *adj.*, 22,60 *ganz neu.*

eall-reord *s.* ælreord.

eal-meahtig, *adj.*, allmehtig 12,3;
allmectig 2,9; ælmihteg (*les.* æl-
miehteg) 14,20; ælmihtig 8,658;
almehtig 4,1a; ealmihti 16,44
(*les.*); *me.* ealmihtiʒ 32,333; all-
mahhtiʒ 36,57; almihti 37,164;
almichti 41,41; almiʒtten 46,25;
almihty *allmächtig; ne.* almighty.

ealneg = ealne weg, *adv.*, 14,78;
me. alneway 50,57; alle way 67,
59; alway 67,120; alwayis 60,24
immer; ne. alway, always.

ealo, ealoð *s.* ealu.

êa-lond, *st. n.*, (-es) 15,39; êaland
15,151 *eiland, insel.*

eal-swâ, *adv., konj.*, eallswâ 19b,
15; *me.* eal swa 32,161; alswa
38,9; al so 37,160; 40,7; also 43,
30; al zuo 50,11; alsuo 50,89;
alsua 60,10; ealse; aswa 32,78;
alse 27,3; ase 40,10; aze; als
45,13; alls 36,48; alss 59,31; as
39,1333 *ganz so, eben so, so, auch,
ebenfalls, etwa; wie, als, da, als
ob; ne.* also; *ne.* as; *me.* als 48,51
so wahr; ase to 50,5 *was betrifft;
ne.* as to; azewel 50,51 *ebenso;
al ase* 50,10 *gerade so wie;* eal
se ... se 32,67; also ... as 46,95;
as ... as 67,19 *ebenso ... wie.*

ealu, *unreg. n.*, 22,6; ealo 17,167;
gen. dat. ealað 17,199; aloð 12,22;
me. ale 44,14; haill 70,30 *bier;
ne.* ale.

eam *s.* eom.

êam, *st. m.*, *me.* eom 27,3; eyme
66,437; *gen.* emys 66,444 *oheim.*

eani *s.* ænig.

êaran *s.* êare.

eard, *st. m.*, 8,701; *me.* erd *land,
aufenthaltsort, wohnort.*

eardi(g)an, *schw. v.*, 18,37; *prät.*
eardodon 17,143; *me.* erdien
wohnen.

earding, *st. f.*, *pl.* -a 9,673; *me.*
erding *wohnung, wohnsitz.*

eardodon *s.* eardi(g)an.

eard-stede, *st. m.*, 9,195 *wohn-
stätte.*

eardung, *st.f.*, 18,36 *wohnung.*

eardung-stôw, *st.f.*, 15,39 *wohn-
ort, wohnsitz.*

êare, *schw. n.*, *me.* ere 58,64; *pl.*
êaran 6,5; *me.* eres 58,123 *ohr;
ne.* ear.

earfoð, *st. m.*, *gen. pl.* earfeða,
8,626 *mühe, plage, drangsal.*

êar-geblond, *st.n.*, æragebland 18,
26 *meeresgemisch, wogendes meer.*

earh, *adj.*, *me.* *plur.* ærwe 32,19
träge.

earm, *adj.*, 8,616; *me.* earm 32,227;
erm(e) 37,64 *arm, elend.*

earm, *st. m.*, 17,6; *me. pl.* armes
47,1126 *arm; ne.* arm.

earming s. ierming.
earmlîce, adv., 25,15 arm, elend.
earn, st. m., 9,235; me. arn; ern
aar, adler; ne. erne.
earnung, st.f., me. earninge 32,64
verdienst; ne. earning.
eart, def.v., 2. sg. präs. ind. 21,27;
me. ert 37,5; ard; art 39,1315; mit
pron. artu 40,19; ertu 45,17; me.
artow 69,173,5 bist; ne. art; pl.
präs. ind. me. aren 44,161; arn;
ere 48,162; are 49,7; er 57,6; ar
60,90 sind, seid; ne. are; s. bêon,
êom, wesan.
earueð heald, adj., 82,311 schwer
zu halten.
êast, adv., me. in the eest 67,453;
on est 58,133 im osten; 17,8 nach
osten; ne. east.
êastan, adv., 9,325 von osten; be
êastan 17,12 östlich von.
êa-stæð, st.n., dat. êa-steðe 23,63
seegestade.
êast-dæl, st.m., 9,2 östliche gegend.
Êast-engle, volksn., 15,55 Ost-
angeln.
êaster-dæg, st. m., me. esterdei
83,93 ostersonntag; ne. Easterday.
êaste-weard, adj., 15,150 östlich.
êa-steðe s. êa-stæð.
Êast-francan, volksn., schw. pl.,
17,13 Ostfranken.
êast-norþ, adv., 17,16 nordöstlich.
êast-ryhte, adv., 17,61 gen osten.
êast-sæ, st. m. n.f., 15,75 östliches
meer.
Êast-seaxan, volksn., schw. pl.,
23,69 bewohner von Essex.
êast-sûþ, adv., 17,22 südöstlich.
eatas s. etan.
eatdêavde s. ætýwan.
eatol-lic, adj., me. eateliche 33,
18; ateliche 32,281 entsetzlich.
eaxl, st. f., exl 10,2926; me. axle
achsel.
êað, adj., me. eað 38,29 leicht.
êaþe, adv., 6,19; me. eaðe 82,206;
eþe 82,372; eðe 82,157; yþe 43,
59; eth 48,74 leicht.
êaðelîc, adj., 22,14 leicht, un-
bedeutend.
êað-mêdu, f. sg., n. pl.?, 11,170
freude.
êað-môdlîce, adv., 16,84; êad-
môdlîce 15,129 demütig.
êað-môdniss, st. f., 12,6; me.
edmodnesse 87,79 demut.

ebba, schw. m., 28,65; me. eb 73,20
ebbe; ne. ebb.
Ebrêas, volksn., st. pl., 11,218; gen.
Ebrêa 10,2916 Hebräer.
ebrisc-geðîode, st.n., 14,47 (les.
ebreisc-) hebräische sprache.
êbylgðu, st. f., 13,35 empörung.
êc, ec s. êac.
ece, st. m., me. eche 82,197 schmerz;
ne. ache.
êce, adj., 7,209; nh. êci 2,4; schw.
gen. k. æcan 12,4; me. eche 87,39
ewig.
eced, st. n. m., 13,32 essig.
ecg, st.f.,10,2857; me. egge schneide,
schwert; ne. edge.
ech s. ælc, êac.
eche s. ece, êce.
echte s. æht.
edgeong, adj., 9,373 wieder ver-
jüngt, wieder jung.
edlêan, st. n., 18,33; kent. aedlêan
12,4; me. edlen vergeltung, lohn.
edmodnesse s. êaðmôdniss.
ednîwe, adj., 9,241 erneut, frisch.
edwît, st. n., 11,215; me. edwit
vorwurf, hohn.
edwîtan, schw. st. v., 13,14; me.
edwiten schmähen.
een s. êage.
eest s. êast.
efen s. æfen.
efen, adj., me. euen 58,65 eben,
gleich, gerecht, richtig.
efen-blissian, schw. v., 15,239
sich gleicherweise freuen.
efen-ceasterwaran, schw. pl.,
15,242 mitbürger.
efen-cristen, sb., emcristen 32,
306 mitchrist, nächster.
efen-hlêoðor, st. n., 9,621 ein-
klang, harmonischer gesang.
êfern s. æfen.
efestan, schw. v., 15,236; efstan;
me. eftin; prät. efste 10,2872
eilen.
efete, schw. f., me. euete 82,273;
newte eidechse; ne. eft, newt.
effray s. afray.
effraytly, adv., 60,110 erschreckt,
in schrecken.
efftsones s. eft.
effter s. æfter.
efne, adv., 19b,9; me. æfne 84,
13924; euene 43,96; euen 67,10;
euyn 59,27 eben, gerade, gleich;
16,15 eben nur; ne. even.

efning, *sb.*, euening **82,162** *person gleichen ranges;* þin eming **87,24** *deinesgleichen.*

efre *s.* ǽfre.

efreni, *pron.*, **88,29** *irgend ein.*

efsian, *schw. v.*, **22,5**; *me.* evesien; *p. p.* geefsod **22,63** *scheren, die haare schneiden.*

efste *s.* efestan.

eft, *adv.*, **8,633**; *me.* eft **82,52**; efte *wiederum, zurück;* **48,192** *danach;* eft sôna; sôna eft **14,43**; *me.* eftsone **69,159,3**; eftsones **48,** **184**; efftsones **46,384**; eftsonis **60,68** *sogleich, bald danach.*

efter, eftir *s.* ǽfter.

eftin *s.* efestan.

eftsone(s), eftsonis *s.* eft.

ege, *st. m.*, **15,21**; ego **19a,4**; *me.* eige **19c,8**; æie **82,20**; eie **82,277**; ay **48,176** *schrecken, furcht, scheu.*

êgan, eӡe, eӡen *s.* êage.

egesa, *schw.m.*, **10,2866**; egsa **19d,8**; *merc.* ægsa **19d,4**; *me.* eӡese; eise *schrecken, furcht, ehrfurcht.*

egeslic, *adj.*, *me.* eislich(e) **82,281**; egeslîce, *adv.*, *me.* eisliche **88,13**; *schrecklich.*

egh-, êgh- *s.* ægh-.

eglan, *schw. v.*, **11,185**; *me.* eilen; eille **46,337** *belästigen;* ale **67,294** *schmerzen; ne.* ail.

êgland *s.* îegland.

ego *s.* ege.

egsa *s.* egesa.

êh-strêam, *st. m.*, **8,673** *wasserstrom, meer.*

ôhtan, *schw. v.*, *merc.* ôehtan **18,7** *verfolgen.*

ehte *s.* ǽht.

eie, eien *s.* êage, ege.

eige *s.* ege.

êig-land *s.* îegland.

eik *s.* êac.

eille(n) *s.* eglan.

eise *s.* egesa.

eisfull, *adj.*, **60,70** *erfreulich.*

eislich(e) *s.* egeslic.

eit *s.* etan.

eitte *s.* ǽht.

eiðer *s.* ǽghwæðer.

ek, eke *s.* êac.

elc, elcan, elch, elche *s.* ǽlc.

eld *s.* eald, ieldu.

elde *s.* ieldu.

elder(e) *s.* eald.

eldra *s.* eald.

Eli(g)byrig, *ortsn.*, *st. f.*, **25,18**; *me.* Ely **80,1** *Ely (Cambridgesh.).*

ellen, *st. n.*, **10,2847**; *me.* elne *mut, tugend.*

ellen-rôf, *adj.*, **11,146** *stark, mutig.*

ellen-wôdnis, *st. f.*, **16,85** *eifer.*

ellen-þrist, *adj.*, **11,133** *kühn, mutig.*

elles, *adv.*, *me.* elles **82,199**; ellis **62,16**; ellys **62,33**; els **67,299** *anders, sonst; ne.* else; elles hware **82,327** *anderswo.*

ell-ðêodig *s.* el-ðêodig.

elmes-, elmesse *s.* ǽlm-.

eln, *st. f.*, *gen. pl.* elna **17,86**; *me.* elne, elle *elle; ne.* ell.

elne *s.* ellen.

elreord *s.* ǽlreord.

elrich, *adj.*, **70,8** *elfisch.*

els *s.* elles.

el-ðêodig, *adj.*, *gen. pl.* -ra **11,** **215**; *nom. pl.* ellðêodige **15,191**; *me.* elþeodi *einem andern volke angehörig, fremd.*

em *s.* êom.

emang *s.* gemong.

embe *s.* ymbe.

embiht *s.* ombiht.

em-cristen *s.* efencristen.

eming *s.* efning.

emn-lange, *adv.*, **17,108** *in gleicher länge mit.*

emong *s.* gemong.

emperour, *sb.*, **67,74** *kaiser; ne.* emperor.

emys *s.* êam.

en *s.* on.

enarme, *v.*, **59,87** *waffnen, rüsten; ne.* enarm.

enbrace, *v.*, **65,60,3** *umarmen; ne.* embrace.

encheysoun, *sb.*, **50,112** *grund, veranlassung.*

encombre, *v.*, **61,1139** *in bedrängnis bringen; ne.* encumber.

encrese, *v.*, *p. präs.* -yng **65,64,8** *wachsen, zunehmen; ne.* increase.

end(e) *s.* endian, ond.

ende, *st. m.*, **8,661**; *me.* ende **82,52**; ænde, hende **84,138851**; end **62,8** *ende;* **84,14001** *bezirk; ne.* end.

ende-byrdnes(s), *st. f.*, **16,35** *reihenfolge, ordnung;* þurh e. **16,** **20** *der reihe nach.*

ende-lêas, *adj.*, *me.* endelies **82,** **143**; endles **59,2** *endlos, ewig; ne.* endless.

enden *s.* endian.
enderdai, þis e., *adv.*, **45,89** *neulich.*
ende-stæf, *st. m.*, **8,610** *ende.*
endian, *schw. v.*, **9,83**; *me.* endien **82,243**; enden **33,34**; ende **59,4**; *p.p.* ent **48,38** *(be)enden, vollenden, aufhören; ne.* end; *vb.-sb.* endung, *st. f.*, **19a,20**; *me.* ændeng(e) **19c,** **20**; endinge **32,120**; anding **47,** **998**; endyng **48,221** *(lebens-)ende; ne.* ending.
ending *s.* endian.
endlang, *adv.*, **69,167,5** *entlang, der länge nach.*
endlefan *s.* endlufun.
endleofta, *zahlw.*, ændleofta **28,** **34** *elfte.*
endles, endless *s.* endelêas.
endlufun, *zahlw.*, **19b,16**; *nh.* ællefno **19a,16**; *merc.* enlefan **19d,16**; *me.* endlefan **19c,16**; enleuene **19e,16**; ændleofon **28,** **35**; ?allevin **71,21** *elf; ne.* eleven.
endung *s.* endian.
endure, *v.*, **63,27**; induyr **67,148** *dauern, währen, ertragen; ne.* endure.
ene, enes *s.* æfen, æne, êage.
enelche *s.* ælc.
engel, *st. m.*, **8,644**; *me.* ængel **19c,5**; angel **39,1335**; *pl.* engles **82,94**; *gen.* engla **10,2860**; *me.* englene **32,351**; engle **32,376** *engel.*
Engle, *volksn.*, *pl.*, **15,55** *Angeln.*
engle(s), englene *s.* engel.
englisc, *adj.*, **14,16**; *me.* englissh(e) **36,14**; englissc(e) **37,167**; Inglis **57,26** *englisch; ne.* English.
englisc-gereorde, *st. n.*, **16,7** *englische sprache.*
Englond, *eigenn.*, **51,9**; Englaland **27,6**; Engelond(e) **51,21**; Engolond-**51,38**; Ingelond **48,11**; Inglond **48,65**; Yngland **71,34** *England; ne.* England.
eni *s.* ænig.
enlefan, enleuene *s.* endlufun.
enmy, *sb.*, **58,82** *feind; ne.* enemy.
enoghe *s.* genôh.
ensample, *sb.*, **69,172,1** *beispiel; vgl. ne.* example.
ensele, *v.*, *p. p.* enseled **48,48** *mit siegel versehen; ne. veraltet* enseal.
enspire, *v.*, **69,168,4** *einflößen, eingeben; ne.* inspire.
ent = ended *s.* endian.

entent, *sb.*, **59,27** *absicht;* **66,370** *sinn; ne.* intent.
entering, *vb.-sb.*, **62,20** *das eintreten, eingehen; ne.* entering.
entyse, *v.*, *prät.* -yd **67,37** *versuchen, verführen; ne.* entice.
enuy, *sb.*, **67,51** *neid; ne.* envy.
eny *s.* ænig.
êode, *def. v.*, **16,22**; *fehlerh.* **19a,7**; *pl.* êodon **11,132**; êodun **13,1**; êodan **15,3**; *me.* eode **33,10**; hede **46,380**; *pl.* eoden **28,29** *ging.*
eodorcian, *schw. v.*, *p. präs.* eodorcende **16,68** *wiederkauen.*
eom *s.* êam.
eom, *def. v.*, **6,2**; *merc.* eam **7,167**; *nh.* am **19a,20**; *me.* eom **32,4**; æm **32,1**; ham **34,13831**; am **40,59**; *ne.* am; *2. sg. s.* eart *(s. d.); 3. sg.* is **5,1**; ys **21,15**; *me.* is **32,17**; ys **32,7**; iss **36,1**; his **32,68**; es **45,** **21**; *negiert* nis **32,239**; *ne.* is; *plur.* sindun **13,5**; siendon **14,78**; syndon **15,187**; sindon **17,12**; syndon **11,195**; sind **9,359**; synd **17,130**; sint **17,29**; *k.* siondan **12,7**; siondon **12,46**; *me.* sunden **32,286**; seoð **34,13846**; *kj. sg.* sîe **3,2**; sî **21,48**; sig **21,18**; sŷ **17,103**; *nh.* sê; *me.* si **32,118**; *plur.* sîen **12,** **41**; sîn **21,48**; *me.* seon **34,13837** *sein; vgl.* bêon, eart *und* wesan.
eorcnan-stân, *st. m.*, **9,603** *edelstein.*
êored-ciest *s.* êorodcist.
eorl, *st. m.*, **9,251**; *me.* eorl **35,74A**; herl **35,74B**; erl **44,31**; erle **48,14** (*gen.* erlys **48,8**; erle **48,189**) erld **61,1105**; *mit art.* þerl **44,178**; *pl. me.* eorles **82,320** *edler mann, graf; ne.* earl.
eornan, *st. v.*, *me.* ernen, ærnen **34,** **13999**; renne **46,281**; ryn **67,101**; *3. sg. präs.* irnð **17,5**; *me.* rynnis **69,171,5**; *p. präs.* irnende **17,8**; yrnende **17,148**; *nh.* iornende **19a,8**; *merc.* eornende **19d,8**; *prät.* arn **22,30**; *me.* orn **40,65**; ron **56,3**; ran **61,1119**; *plur.* urnon **11,164**; *me.* urnen **19c,8**; vrnen **40,73**; *p. p.* urnen **9,364** *rinnen, fließen, rennen, laufen; ne.* **33,21** *auswerfen; ne.* run.
eornoste, *adv.*, **11,231** *eifrig, heftig.*
êorod-cist, *st. f.*, **18,21**; êored-ciest **9,325** *(erlesene) reiterschar, haufe.*

eorre *s.* yrre.

eorþ-bifung, *st. f.*, 19b,2; *me.*
  eorð-befiunge 19c,2 *erdbeben.*

eorðe, *schw. f.*, 7,200; eorþe 9,331;
  dat. eorðan 4,1b; eorðo 19a,18; *me.*
  eorðe 32,75; erþe 36,60; eorþe
  40,1; erthe 49,4; erth 67,42 *erde;*
  ne. earth; *me.* erthe mouyng 19e,2
  erdbeben.

eorð-hroernisse, *st. f., nh.*,
  19a,2 *erdbeben.*

eorðlic, *adj.*, 28,5; *me.* eordlich
  32,153; erthely 49,11 *irdisch; ne.*
  earthly.

eorþ-styrennis, *st. f., merc.*,
  19d,2 *erdbeben.*

eoten *s.* etan.

eou, eoure, eouwer, êow *s.* gê.

eowde, *st. n.*, (*gen.* -es) 15,13 *herde.*

êower *s.* gê.

Eow-land, *st. n.*, 17,153 *die insel
  Oeland.*

eoðre *s.* ôðer.

epistil(l), *sb.*, *pl.* -lis 71,27 *brief;*
  ne. epistle.

er *s.* hêr, êr, eart.

ere *s.* êr, êare, eart.

erede *s.* erian.

eres *s.* êare.

erest *s.* êrest.

Erewyn, *fluß- und ortsn.*, 66,369;
  ne. Irvine.

erfe-worðnis *s.* yrfeweardnes.

erian, *schw. v.*, 17,106; *prät.* erede
  17,97 *pflügen, bauen.*

erl, erld *s.* eorl.

erlich *s.* êrlice.

erlys *s.* eorl.

erm *s.* earm.

ermine, *sb.*, 32,361; ermyn 69,
  161,1 *hermelin; ne.* ermine.

erming *s.* ierming.

ermitage *s.* hermytage.

ermyn *s.* ermine.

ermðu *s.* iermðu.

ernden, *v.*, *prät.* ernde 55,30 *ver-
  kündigen, verschaffen; vgl.* êrende.

erneþ *s.* eornan.

ernest, *sb.*, hernest 46,230 *ernst;*
  ne. earnest.

ernestly, *adv.*, 69,172,7 *ernst-
  lich, eindringlich, fest; ne.* ear-
  nestly.

erninge *s.* earnung.

errour, *sb.*, 59,46; erroure 48,57
  irrtum; ne. error.

ersbisshop *s.* ærcebiscep.

ert, ertu *s.* eart.

erthe, erþe *s.* eorðe.

es *s.* êom, hê.

escade *s.* âscian.

escapen, *v.*, *prät.* scaped 48,129;
  ascaped 58,110; eschapit 60,105;
  p. p. scaped (oute) 48,155; chapyt
  66,427 *entlaufen, entrinnen, ent-
  fliehen; ne.* escape.

escen *s.* âscian.

escheve, *v.*, *p. p.* eschewyt 62,29
  vermeiden; ne. eschew; *vb.-sb.*
  eschevyng 62,18.

ese *s.* aise.

esol, *st. m.*, 10,2866 *esel.*

espie, *v.*, *p. p.* (a)spide 69,159,3
  erblicken, erspähen; ne. espy.

êst, *st. m. f.*, *me.* este 32,359 *gunst,
  leckerbissen.*

est *s.* êast.

estait *s.* estat.

Estas, *eigenn., pl., st. m.*, *dat.* Estum
  17,156 *die Esthen.*

estat, *sb.*, 64,26 *besitz;* astate 59,
  21 *hoher rang;* estait 73,2 *staat;*
  ne. estate.

este *s.* est.

ester *s.* êaster.

Est-land, *ländern.*, 17,160 *Esth-
  land.*

Est-mere, *eigenn.*, *st. m.*, 17,157
  frisches haff.

êswîc *s.* æswîc.

et *s.* æt.

etan, *st. v.*, 21,6; *me.* etan 28,50;
  eoten 33,87; ete 44,146; eten 46,
  279; *3. sg.* ytt 21,13; *merc.* iteð
  13,14; *prät.* æt 21,56; *me.* ete;
  eit 70,17; *p. p.* eten; *me.* yeten
  essen, verzehren; ne. eat.

ete *s.* æt, etan.

etforen *s.* ætforan.

eth *s.* êaðe.

ettan, *schw. v.*, 17,106 *als weide
  benutzen, abweiden.*

Eue, *eigenn.*, 32,173 *Eva; ne.* Eve.

evel(e) *s.* yfel(e).

euen, even *s.* æfen, efne, efen.

euening *s.* efning.

euenliche, euelyche, *adv.*, 85,79
  gleichmäßig, ohne unterschied;
  euenly 67,258 *genau.*

eventid *s.* æfentîd.

evenyng *s.* æfnung.

euer(e), ever(e), euerech,
  evereich, everi, euerriches,
  eueruyches, everych *s.* æfre.

Euesham, *ortsn.*, 48,194; *ne.*
Evesham.

evete *s.* efete.

eure *s.* ǣfer, gê.

euyn, evyn *s.* ǣfen, efne.

euþer *s.* ǣghwæðer.

ewill *s.* yfel.

excusation, *sb.*, 71,30 *entschul-
digung; ne.* excusation.

exile, *v., p.p.* exild 48,240; exyled
64,17 *verbannen; ne.* exile.

exl(e) *s.* eaxl.

experience, *sb.*, 68,22 *erfahrung;
ne.* experience.

expownd, *v.*, 67,440 *erklären,
sagen, meinen; ne.* expound.

expresse, *v.*, 68,5; expres 67,13
ausdrücken, erzählen; ne. express.

extorcioun, *sb.*, 64,24 *erpres-
sung; ne.* extortion.

eyȝen *s.* êage.

eyme *s.* êam.

eyr *s.* heyre.

eþe, eðe *s.* êaðe.

êðel, *st. m.*, 6,12; *dat.* êðle 11,169
(*nh.* œðel 14,8 *les.); me.* eþel *erb-
sitz, erbe, heimat.*

eþelyng *s.* ǣþeling.

eðel-turf, *st. f., dat.* êðeltyrf 9,321
erbsitz, heimat.

eþem *s.* ǣðm.

êðlete, *adj.*, 82,74 *leicht zu lassen,
wertlos.*

F.

fable, *sb.*, 64,15; *pl.* fablis 59,34
fabel, erdichtung; ne. fable.

fæc, *st. n.*, 15,23 *zeitraum, zeit.*

face, *sb.*, 47,996; fas 47,1138 *ge-
sicht, antlitz; ne.* face.

fâcen, *st. n.*, 7,207; *inst.* fâcne 9,
595 *list, betrug, bosheit.*

fâcenlîce, *adv.*, 21,59 *betrügerisch.*

fæder, *m.*, 7,211; *me.* feder 82,
150; fader 89,1311; fadere 48,29;
uader 50,8; *gen.* fæder 15,145;
nh. fadores 19a,19; *me.* fæder
19c,19; faderr 86,15572; fader 48,
112; federes 82,195; *dat.* fæder
9,610; *me.* feder 88,107; fadir
19e,19 *vater; ne.* father.

fæder-lêas, *adj., me.* faderles
44,75 *vaterlos; ne.* fatherless.

fâg *s.* fâh.

fæge, *adj.*, 9,221; *me.* feȝe; fæie
84,14038; feye 58,20 *dem tode
verfallen, tot; ne. schott.* fey.

fægen, *adj., me.* fagen 89,1343;
fain 46,309; fayn 58,155; fawen;
fawe 87,142 *erfreut, willig, gern;
adv. me.* fain 51,64 *gern; ne.* fain.

fǣger *oder* fæger, *adj.*, 9,85;
sup. fægrest 9,8; *kent.* fegerest
20,15; *me.* feir 82,340; feier 87,
137; ueir 87,150; fair(e) 48,22;
fayr 44,111; uayre 50,19; *komp.*
fairer 48,10; *sup.* fœrest, fairest
84,13797; fæirest 84,13894; feirest
84,13962; feyrest 58,29; farest
67,79 *schön; sb.* ueire 37,152 *die
schöne; ne.* fair; *sb. n.* fæger; *me.*
ueir 87,30 *schönheit.*

fǣgere *oder* fægere, *adv.*, 28,22;
fægre 9,328; *me.* fæire, faire 84,
13820; feier 42,59; fayre 67,255
schön, freundlich, gehörig.

fæger-hâd?, *st. m., me.* fairhede
48,85; uayrhede 50,16 *schönheit.*

fægnian, *schw. v.*, fagnian; *me.*
fainen; fawnen; *prät. pl.* fægno-
don 22,21 *sich freuen; ne.* fawn.

fâh, *adj.*, 9,595; *me.* fo 67,112 *feind-
lich; sb., me.* fa 60,86; fo 73,20;
pl. fan 88,19; foos 44,67; fais 60,
42; for 61,1141 *feind.*

fâh, *adj.*, 8,571; *instr. pl.* fâgum
11,194; *me.* foh; fow *bunt, befleckt;
me. sb.*, fah 82,861 *buntes pelzwerk.*

faht *s.* feohtan.

fai, *sb., glauben;* par ma fai 46,436;
par ma fay 47,1024; by my fay
61,1143 *meiner treu; vgl.* faithe.

fæie *s.* fæge.

fail, *vb.*, 51,80; faylle 67,274; *prät.*
failede 41,7; failed 48,21; failit
69,163,5 *(ver)fehlen, mangeln, im
stich lassen; ne.* fail.

faile, *sb.*, 44,179; faille 46,187;
faylle 67,149 *fehl, irrtum; ne.* fail.

failed(e), failit *s.* fail.

faille *s.* faile.

fain *s.* fægen.

fair *s.* faran.

fair(e), fairer, fairest, fæir-
(est) *s.* fæger.

fair-hede *s.* fægerhâd.

fairly, *adv.*, 71,36 *hübsch, tüchtig;
ne.* fairly.

fairnesse, *sb.*, 48,89 *schönheit;
ne.* fairness.

fais *s.* fâh.

faithe, *sb.*, 62,23; fath 60,88; feith
65,59,6; faith 66,399; fayth 67,228
glauben; treue; ne. faith; *vgl.* fai.

faithfull, *adj.*,72,II,3; feithfull 65,
 60,5 *treu, aufrichtig, zuverlässig;*
 ne. faithful.
faithfully, *adv.*, 59,78 *getreulich;*
 ne. faithfully.
fald, *sb. geschl.?, Ep.* falaed, 1,5
 hürde, stall; me. ne. fold.
fale *s.* fela.
fale, *adj., wohlfeil; me.* be fale of
 58,92 *wenig wert beimessen.*
fall, *sb.*, 69,172,4 *fall; ne.* fall.
falle, falleð *s.* feallan.
falleþ *s.* fyllan.
fallow *s.* felawe.
fallyng *s.* feallan.
fals, *adj., me.* fals 57,21; false
 59,18 *falsch, unwahr; ne.* false;
 st. n., 59,41 *unwahrheit.*
falsdom, *sb.*, 46,65 *falschheit, un-*
 wahrheit.
falset *s.* fals-hed.
falsete, *sb.*, 46,101 *falschheit; ne.*
 falsity.
fals-hed, *sb.*, 59,34; falset 71,43
 unwahrheit, falschheit; ne. false-
 hood.
Falster, *ländern.*, 17,149 *eine*
 dänische insel.
falu *s.* fealo.
fame, *sb.*, 67,141 *ruf; ne.* fame.
fæmne, *schw.f.*, 7,175 *(junge) frau*
 jungfrau.
fan *s.* fåh.
fand *s.* findan.
fandigan, fandian *s.* fondian.
fang, fanggene *s.* fôn.
fantasye, *sb.*, 66,370 *gedanke,*
 einfall; ne. phantasy, fancy.
far *s.* feorr.
faran, *st. v.*, 9,326; *me.* faren 27,
 39 (*pl. präs.* fareð 32,232); uaren
 34,13860; færen 34,13874; farenn
 36,40; fare 44,51; vare; fayre
 67,255; fair 70,19; *prät.* fôr 11,
 202; *me.* for 27,1; fore 59,44;
 p. p. faren 59,29; ifaren 34,13994
 sich begeben, gehen, ziehen, (ver-)
 fahren; 46,173 *sich befinden;* 59,
 29 *vergehen;* 35,98 *ergehen, ein-*
 gehalten werden; ne. fare; how
 fayre ye 67,190 *wie geht's dir?;*
 fare welle! 67,238 *lebe wohl!*
færan, *schw. v., me. prät.* ferde;
 ferd 67,102; *p. p. pl.* ferde 45,
 29 *erschrecken, sich fürchten; ne.*
 fear.
fare *s.* faran, faru.

fare welle *s.* faran.
faren(n), færen *s.* faran.
farest, færest *s.* fæger.
færh *s.* fearh.
færlic, *adj., me.* ferli 46,277; ferly
 47,1119 *gefährlich, entsetzlich,*
 wunderbar; me. sb., pl. ferlies 59,
 95 *wunder, heldentat.*
farman, *eigenn.*, 19d,20 *Farman.*
faerscribaen *s.* forscrifan.
faru, *st. f., me.* fare 27,40 *fahrt;*
 59,44 *verfahren; ne.* fare.
fas *s.* face.
fast *s.* fæste.
fæst, *adj.*, 8,625 *fest (festgehalten);*
 me. fast 56,30 *heftig;* 57,27 *in-*
 ständig; ne. fast; on-uast, *adv.*
 34,14047; faste 39,1334 *nahe.*
fæstan, *schw.v., me.* fasten 58,102
 festbinden; p.p. fest 44,144 *fesseln.*
fæstan, *schw. v., me. prät.* faste
 46,324 *fasten.*
faste *s.* fæst.
fæste, *adj.*, 7,166; *me.* faste 44,82
 stark, schnell; ne. fast; *adv.* fæste
 16,46 *fest; me.* faste 44,144; fast
 42,63 *sehr rasch.*
fæsten, *st. n.*, 11,143; *me.* festen
 44,82 *feste.*
fæsten, *st. n.*, merc. dat. festenne
 13,15; *me.* festen 32,147 *fasten.*
fasten u. fæstan.
fæsten-dæg, *st. m., kent.* festen-
 dæg 12,20; *me.* vestenda; fasttag.
fæsten-geat, *st. n.*, 11,162
 festungstor.
fæstnian, *schw. v.*, 8,654; *me.*
 fæstnien 27,30 *befestigen; ne.*
 fasten.
fæt, *st. n.*, 8,574; *pl.* fatu; *me.* fat
 47,1054; *pl.* faten 41,14 *gefäß;*
 ne. vat.
fætels, *st. m.*, 11,127; *me.* fetles;
 fetless *gefäß, behälter, sack.*
fath *s.* faithe.
fathom, *sb.*, 67,521 *faden; wie ne.*
fætniss, *st. f.*, 21,46; fætnyss
 21,69; *me.* fatnesse *fettigkeit; ne.*
 fatness.
fætt, *adj., kent.* fett 20,11; *me.*
 fat; fet *fett, gemästet; ne.* fat.
fauzt *s.* feohtan.
faute, *sb.*, 48,161 *fehler; ne.* fault.
favoure, *sb.*, 67,79 *gunst; ne.*
 favour.
fawe *s.* fægen.
fay *s.* fai.

faylle *s.* fail, faile.

fayn *s.* fægen.

fayned *s.* feyne.

fayr *s.* fæger.

fayre *s.* faran.

fayth *s.* faithe.

fe, *sb.*, **44**,44 *habe*; fee **67**,490 *nahrung*; *ne.* fee (*vgl.* feoh).

fêa *s.* fêaw.

feald, *adj., me.* fealde **82**,247 *-fältig*; bi foldis seuen **67**,13; *dat.* beo seofen fealden **28**,8 *siebenfach.*

fealdan, *st. v., me.* falden, fold **42**,63; *prät.* fêold *falten, füllen; ne.* fold; uyealdinde stol, *sb.*, **50**, 80 *faltstuhl, fauteuil.*

feale *s.* fela.

fealene *s.* fealo.

feallan, *st.v.*,**23**,54;*me.*fealle;falle **82**,178; uallen **87**,111; ualle **50**, 106; fallen **53**,20; *p. präs.* fallyng **69**,164,6; *prät.* fêol(l); *me.* ful **84**, 13873; felle **48**,170; feol **55**,38; fell **59**,95; *pl.* fêollan **15**,80; *p. p. me.* feole **34**,13873; yfalle **56**,17; fallen **59**,93 *fallen, stürzen;* **84**, 14003 *treffen;* **48**,96 *sich ereignen;* **59**,76 *zufallen;* f.apon **60**,20 *überraschen;* f. be partie **48**,43 *beteiligt sein.*

fealo, *adj.*, **6**,1; *Ep.* falu **1**,10; *akk.* fealene, fealone **18**,36; *me.* falow *fahl, falb; ne.* fallow.

fealowian, *schw.v., me.* valuwen **37**,39 *fahl werden, verwelken; ne. (veraltet)* fallow.

fearh, *st. m., Ep.* faerh **1**,18; *me. pl.* faren *schwein, ferkel; ne.* farrow.

fearn, *st. n.*, **1**,8; *me.* fern *farn; ne.* fern.

fearran *s.* feorran.

fêasceaft, *adj.*, **7**,175 *verlassen, vereinsamt, elend, arm.*

fêaw, *adj.*,**14**,15; *me.* few(e)**32**,104; feaw**32**,350; fiew(e)**32**,345; fune **57**,29; fon(e) **57**,28 *wenig, gering; ne.* (a) few.

feax, *st. n.*, **8**,591 *(haupt)haar.*

feble, *adj.*, **69**,169,3 *schwach; ne.* feeble.

feccan, *schw.v.*, **21**,72; *me.* fecche **32**,222; fech(e) **46**,386; *prät. und p. p.* fet(t) **47**,994 *holen, erlangen, treffen;* **48**,222 *finden; ne.* fetch, fet.

fecche *s.* feccan.

fechtinge *s.* feohtan.

fêdan, *schw. v., me.* fede **44**,100; *prät.* fedde **65**,62; *p. p.* fêded; fêd **20**,8, *me.* iuæd(de), ived **84**, 13984; fedd(e) **49**,35 *nähren, speisen, weiden; ne.* feed.

fedde, fede, fêded *s.* fêdan.

feder *s.* fæder.

fee *s.* fe.

feer *s.* feorr.

feest, *sb.*, **67**,454 *fest, freudenmahl; ne.* feast.

feet *s.* fôt.

fegerest *s.* fæger.

feghtande, feghte *s.* feohtan.

feh *s.* feoh.

feht *s.* feoht.

feier *s.* fæger.

feind *s.* fêond.

feir *s.* fæger.

feire, *sb.*, **46**,77 *jahrmarkt; ne.* fair.

feirest *s.* fæger.

feit *s.* fôt.

feith *s.* faithe.

fel *s.* fell, feallan.

fel, *adj.*, (in wælfel), *me.*fel(l), felle **59**,82 *grausam, kühn; ne.* fell.

fela, *sb.*, *adj. u. adv.*, **7**,172; *kent.* feola **12**,32; *me.* fele **32**,9; fale **32**,10; feale **32**,70; uel(e) **32**,97; feole **33**,20; ueole **37**,9; vele **43**, 58 *viel.*

fêlan, *schw. v., me.* felen **88**,15; fele **67**,121 *fühlen, empfinden;* **58**,121 *einsehen; ne.* feel.

felau(s) *s.* felawe.

felawe, *sb.*, **61**,1126; *schott.* fallow **70**,11; *pl.* felaus **48**,156 *genosse; ne.* fellow.

fêld, *st. m.*, **9**,26; *me.* feld(e) **32**, 344; feyld **66**,427; fild **59**,45; fyld **59**,93 *feld;* **48**,86 *schlachtfeld; ne.* field.

fele *s.* fela, fêlan, fêolan.

feledes *s.* fylgan.

fell, *st. n.*, **17**,101 *fell;* fel **8**,591 *haut; me. ne.* fell.

fell, *sb.*, **70**,2 *felsiges bergland; ne.* fell.

felle *s.* fel, feallan.

fellen *s.* fyllan.

felloun, *adj.*, **60**,102; fellown(e) **66**,372 *unmenschlich, grausam, schrecklich; ne.* felon.

felonie, *sb.*, **48**,102 *bosheit, arglist, schlechtigkeit; ne.* felony.

felowship, *sb.*, **67,363** *gesell-
schaft*; *ne.* fellowship.
felð *s.* fyllan.
femaylle, *adj.*, **67,152** *weiblich*;
ne. female.
fen, *st. n. m.*, *dat.* fenne **14**,*schl.-
ged.*21 *sumpf, moor*; *me. ne.* fen.
fend, *v.*, **48**,**86** *sich verteidigen*;
vgl. ne. defend.
fend, fende(s) *s.* fêond.
feng, *st. m.*, **9,215** *umfangen*.
fêng *s.* fôn.
Fenix, *st. m.*, **9,86** *der vogel Phönix.*
fenne *s.* fen.
fenyl, *sb.*, **52,18** *fenchel*; *ne.* fennel.
fêo *s.* feoh.
fêogan, *schw. v.*, *merc. p. präs.*
figende **13,21**; *prät. pl.* fiodun
13,6 *hassen.*
feoh, *st.n.*, **17,176**; *nh.* feh **19a,12**;
me. feoh **19c,12**; *gen.* fêos **17,178**;
dat. fêo **17,183** *vieh, habe, gut,
besitztum, geld*; *ne.* fee.
feoh-gesteald, *st. n.*, **8,685**
geldbesitz, schätze.
feoht, *st.n.*, *me.* feoht **32,246**; feht
34,14023; fiht **34,14036**; uiht **37**,
60; figt **39,1317**; fight **48,213**;
fiʒt **61,1140** *kampf*; *ne.* fight.
feohtan, *st.v.*, **15,5**; *me.* fiʒte **45**,
22; fight **48,182**; feghte **49,16**;
fechte; fyghte **49,24**; fyhte **51,30**;
fyght **67,138**; viʒte; *prät.* feaht;
me. faht **38,19**; fauʒt **61,1130**;
pl. fuhton; *me.* fuhten **34,14037**;
foght **59,45**; foʒte **61,1132**; *p. p.*
gefohten **11,122**; *me.* foʒt **61**,
1127 *fechten, kämpfen*; *ne.* fight;
davon me. viʒtinge, *vb.-sb.*, **50,85**;
feohtinge **62,6** *kampf*; *ne.* fighting.
fêol *s.* feallan.
feola *s.* fela.
fêolan, *st.v.*, *me.* felen; *merc. präs.
konj.* fele **18,21** *haften.*
feole *s.* fela, feallan.
fêoll, fêollan, feollen *s.*
feallan.
fêond, *st. m.*, **8,573**; *merc.* fiond
13,27; *me.* feond **32,219**; fende
47,1053; feynd **67,35**; feind **71,47**;
pl. fŷnd **11,195**; find **22,58**; *merc.*
fêond **13,7**; *me.* fund **32,279**;
fende **47,988**(?); fendes **58,82**
feind, teufel; *ne.* fiend.
feondliche, *adv.*, **34,14037** *feind-
lich, heftig.*
feor *s.* feorr.

feorh, *st. n. m.*, **6,19**; feorg **9,192**;
gen. fêores **8,679**; *me.* vor *leben,
lebendes wesen, seele.*
feorh-cwalu, *st. f.*, *akk.* -cwale
8,573 *lebensvernichtung, tot.*
feorh-hord, *st. n.*, **9,221** *lebens-
schatz, leben.*
feorm, *st. f.*, fyrm **22**,**75**; *me.*
veorme, ferme *gastmahl, genuß,
nutzen, gebrauch*; lȳtle fiorme
ðâra bôca wiston **14,32** *wußten mit
den büchern wenig anzufangen.*
feormian, *schw. v.*, **9,218** *ver-
zehren, fressen.*
feorr, *adj. und adv.*, feor **9,1**;
me. ueor **37,94**; feorr **40,47**; fer
42,4; uer **50,49**; ferr(e) **59,95**;
feer **65,59**,3; far **70,2**; *komp. me.*
fyrre **58,116**; *sup.* firrest **17,59**;
fern, weit, sehr; *ne.* far; o fere
59,18 = *ne.* afar, *bei weitem.*
feorran, *adv.*, **4,3b**; *nh.* fearran
4,3a; *me.* ferren *von fern.*
fêorwertiʒ *s.* fêowertig.
fêorða, *zahlw.*, **10,2869**; *me.* feorðe
28,20 *vierter*; *ne.* fourth.
fêos *s.* feoh.
fêoung, *st. f.*, **15,12** *haß.*
fêower, *zahlw.*, **8,679**; *me.* fowr
88,32; fowwr(e) **36,4**; four(e) **48**,
126 *vier*; *ne.* four.
fêowerteogeða, *schw. zahlw.*,
fl. -n **15,115** *der vierzehnte.*
fêowertig, *zahlw.*, **15,34**; *me.*
feowertiʒ **28,4**; feorwertiʒ *(fehler)*
28,51; fowwerrtiʒ **36,15594**; fourti
46,324; uourti **50,104**; fourty **67**,
148 *vierzig*; *ne.* forty.
fer, *adj.*, **43,151** *kampffähig, gesund,
stark* [*an.* fœrr].
fer *s.* feorr, for, fŷr.
fêran, *schw.v.*, **10,2849**; *me.* feren;
prät. fêrde **15,202** (*pl.* fêrdon **22**,
16); *me.* uerde(n) **34,13879**; ferde
45,29 *sich begeben, fahren, gehen*;
83,10 *wie es dort zuginge.*
fêr-blæd, *st. m.*, **8,649** *windstoß.*
ferd, *sb.*, **67,315** *furcht.*
ferde, *sb.*, **34,13954** *schar.*
ferd(e) *s.* fêran, fêran.
fêrdon *s.* fêran.
fere *s.* gefêra, feorr.
fere, *sb.*, **69,162,3** *furcht*; *ne.* fear.
feredon *s.* fergan.
ferefull, *adj.*, **69,162,6** *furchtbar*;
ne. fearful.
feren *s.* gefêra, feorr.

fergan, *schw. v.*, 6,13; ferian; *me.* ferien; fere; *prät. pl.* feredon 26,27 *tragen, bringen, schaffen, führen; ne.* ferry.

fergrunden *s.* forgrindan.

ferli, ferly *s.* færlic.

ferme *s.* feorm.

ferre *s.* feorr.

ferry, *sb.*, 71,39 *fähre; ne.* ferry.

fers, *st. n.*, 16,34; *me.* uers *vers.*

fersc, *adj., pl.* -e 17,121 *frisch, süß; ne.* fresh.

ferst *s.* fyrst.

feruent, *adj.*, 67,8; *adv.*, 67,77 *heiß, inbrünstig, eifrig; ne.* fervent.

fest- *s.* fæst-.

festen *s.* fæsten.

fet *s.* fôt, feccan.

feter, *st. f.*, fetor, *me.* fetter 44,82 *fessel; ne.* fetter.

fette *s.* fôt.

fett(en) *s.* feccan.

few *s.* fêaw.

feye *s.* fæge.

feyld *s.* feld.

feynd *s.* fêond.

feyne, *v.*, *prät.* fayned 59,34; feynet 59,41; *p. p.* feynit 59,44 *erdichten; ne.* feign.

feyrest *s.* fæger.

fêþe, *st. n.*, 6,2 *gang.*

fêðe-lâst, *st. m.*, 11,139 *gang- (spur).*

fêþe-mund, *st. f.*, 6,17 ganghand.

feðer, *st. f.*, 9,86; *pl.* fiþru 9,652 *feder, flügel.*

feðer-fotetd, *adj.*, 33,30 *vier- füßig.*

fier *s.* fŷr.

fierst, *st. m. f.*, first 14,60 *frist, zeit, aufschub; me.* don afurst 32,37 *verschieben, zögern.*

fiew(e) *s.* fêaw.

fîf, *zahlw.*, 8,588; *fl.* fife 18,28; *me.* fif 37,102; five; fiue 34,13861; uiue 34,13993; fiwe 39,1284; fyue 40,34; vyue 61,1147; fyve 66,382 *fünf; ne.* five.

fîfta, *zahlw.*, 28,21; *me.* fifte 33, 27; fifþe 34,13907; fift 48,195 *fünfter; ne.* fifth.

fîftene, *zahlw.*, 17,158; fiftyne 17,101; *me.* fiftene 34,13855; fifteyn 67,443 *fünfzehn.*

fîftig, *zahlw.*, 12,40; fifteg 14,74; *me.* fifti; fyfty 67,126 *fünfzig; ne.* fifty; 12,40 *psalmenabschnitt.*

fifþe·s. fifta.

fîgende *s.* fêogan.

fight, figt *s.* feoht.

fiȝte *s.* feohtan.

figure, *sb.*, 68,25 *gestalt, redefigur, gleichnis, metapher; ne.* figure.

fiht *s.* feoht.

fikelnesse, *sb.*, 64,20 *unbestän- digkeit; ne.* fickleness.

fil *s.* fyllan.

fild *s.* feld.

fille *s.* fyllo.

fille, *sb.*, 52,18 *thymian.*

fillen(n) *s.* fyllan.

fin, *sb.*, fyn 44,22 *ende; ne.* fine.

find *s.* feond.

findan, *st. v.*, 7,184; *me.* finden 27,40; finde 32,52; fynde 44,42; fynd 67,99; *prät. sg.* funde (*Sievers, Gr.* § 386, 1, a. 2) 22,24; *me.* fand 36,15556; fond 42,40; faunde 46, 407; *konj.* funde 32,68; *pl.* fun- don; funden 44,56; *p. p.* funden 14,47; *me.* ifunde 32,177; founde 42,1; fondon 48,108; fonden 48, 117; yfounde 51,72; founden 59, 66; fon 67,503; found 69,159,2; fundin 69,169,5 *finden, verschaffen, besorgen; prät. sg.* funde 37,170 *erfinden, dichten;* wæs funden 14,47 *existierte.*

Finnas, *volksn., pl. m.*, 17,52 *die Finnen.*

finta, *schw. m.*, *akk.* fintan 8,606 *folge, ausgang.*

fiodun *s.* fêogan.

fîond *s.* fêond.

fiorme *s.* feorm.

fir *s.* fŷr.

fîras, *st. m. pl.*, *dat.* -um 2,9 *men- schen.*

firen, *st. f.*, 7,181; *dat. pl.* firenum 8,639 *sünde, freveltat, plage.*

firen-lust, *st. m.*, 15,10 *sündige lust, üppigkeit.*

fires *s.* fŷr.

firgen-gât, *st. f.*, *pl. Ep.* firgin- gaett 1,12 *gemse.*

firmament, *sb.*, 67,7 *himmels- feste, himmel; ne.* firmament.

firrest *s.* feorr.

first *s.* fierst, fyrst.

fîrum *s.* fîras.

fisc, *st. m.*, 12,20; *me.* fisc 32,83; fisch; fisch(e) 42,7; fysches 58, 143; fysche 66,369; fysh 67,3 *fisch, kollektiv fische; ne.* fish.

fiscaþ, *st. m.*, 17,53 *fischfang.*
fiscere, *st. m.*, 17,72; *me.* fischer
42,5; fisschere 42,64 *fischer; ne.*
fisher.
fiscian, *schw. v.*, *me.* fisschen,
fysche 66,395 *fischen; ne.* fish.
fisschere *s.* fiscere.
fiue, five, fiwe *s.* fíf.
fiþru *s.* feðer.
flán, *st. m. f.*, 11,221; *me.* flon *pfeil,
geschoß.*
flǽsc, *st. n.*, 9,221; *me.* fles 46,
327; uless 50,7; flesh 68,19;
flessch; flessh 65,64,7; flesch(e)
69,173,6 *fleisch; ne.* flesh.
flǽsclîc, *adj.*, *me.* ulesslich 50,-
10 *fleischlich, leiblich; ne.* fleshly.
flǽsclîce, *adv.*, *me.* flesliche 41,5
dem fleische nach, als mensch.
flatter, *v.*, 71,43 *heucheln, schmei-
cheln; ne.* flatter.
flaw *s.* flêogan.
flay(en), *v.*, 67,380; fleien *ver-
scheuchen, (er)schrecken.*
fle *s.* flêon.
flêah, *st. m.?*, *Ep.* 1,18; *me.* flee
floh; ne. flea.
flêam, *st. m.*, 8,630; *me.* flem
flucht; instr. flêame 6,13; mid
flêame 18,37 *flüchtig, fliehend.*
flec, *sb.*, 27,41 *fleisch; vgl.* flǽsc.
fled, fledde *s.* flêon.
flee *s.* flêogan.
fleich, *v., p. p.* fleichit 71,36 *hinter-
gehen.*
fleien *s.* flay(en).
flêma, *schw. m.*, 18,23 *flüchtling;
me. adj.* fleme 52,36 *verbannt,
vertrieben.*
fleme, *v.*, *p. p.* flemed 48,229;
flemit 71,44 *verbannen, vertreiben.*
fleme *s.* flêma.
flen, *v.*, 48,88 *schinden; ne.* flay.
flêogan, *st. v.*, 9,322; *me.* flye
49,4; flee 49,27; flyghe 49,36;
prät. flêah 11,209; *me.* flaw 66,
405; *pl.* flugon; *p. p.* flogen; *me.*
flon(e) 67,487 *fliegen; ne.* fly;
vb.-sb. fly(e)ghyng(e) 49,30,31 *u.*
34 *flug.*
flêon, *st. v.*, *me.* fle 47,1158; *prät.*
flêah 6,29; *pl.* flugon, *me.* flugen
27,43; floȝen, floȝe 84,14041; flu-
ȝen 84,14042; *p. p.* flogen *fliehen
(mischt sich mit* flêogan); *schw.
prät.* fled 48,130; fledde 68,37
(nach Luick); ne. flee.

flêowen *s.* flôwan.
fle's(s), fless(c)h *s.* flǽsc.
flet, *st. n.*, *me.* flett 67,223 *fuß-
boden, platz;* flet 46,273 *halle;
ne. veraltet* flett.
fleten, *v.*, *p. p.* flett 67,436
schwimmen (vgl. ne. float).
flett *s.* flet, fleten.
flicce, *st. n.*, *me.* flicche; *pl. kent.*
flicca 12,18 *speckseite, schinken;
ne.* flitch.
fligt *s.* flyht.
fliker, *v., p. präs.* flikering 69,173,1
flattern; ne. flicker.
flitt, flittenn, flittis *s.* flutten.
flo *s.* flôwan.
flôc, *st. f.?*, *Ep.* flooc 1,17; *me.*
floke *butte; ne.* flook, fluke.
flocc, *st. m.*, *me.* flok 44,24 *schar;
ne.* flock.
flôd, *st. m. n.*, 18,36; *me.* flod 84,
13792; flode 48,152; *(pl.)* flood(is)
67,101; flude 78,20 *flut; ne.*
flood.
floȝe, floȝen *s.* flêon.
flok *s.* flocc.
flone *s.* flêogan.
floo *s.* flôwan.
flooc *s.* flôc.
flood(is) *s.* flôd.
flôr, *st. m. f.*, *me.* flor 36,15566;
flur(e) 71,9 *flur, boden; ne.* floor.
flot, *st. n.*, 18,35; *me.* flot *schwim-
men, seefahrt, meer (vgl. ne.*
float).
flota, *schw. m.*, *me.* flote *schiff;*
60,15 *flotte; pl.* flotan 23,72; *wohl
gen.* 18,32 *seeräuber.*
flour, *sb.*, 51,48; floure 48,14
blume, blüte; flur 48,15 *feines
(weißes) mehl; ne.* flower, flour.
flôwan, *st. v.*, *me.* flowe 48,119;
flo 67,101; floo 67,115; *p. präs.*
flôwende 23,65; flowinde 88,6;
prät. pl. flêowen 14,*schl.-ged.*5
fließen, fluten; ne. flow; *me. vb.-sb.*
flowing 67,540 *flut.*
flude *s.* flôd.
fluȝen, fluȝen *s.* flêon.
flur *s.* flour.
flure *s.* flôr.
flutten, *v.*, flyt 67,223 *bewegen,
(sich) rühren;* flittenn 86,40 *ziehen,
eilen;* flitt(is) 78,18 *schwanken;
prät.* flyt 67,17 *fliehen; p. p.* flitt
67,540; flyt 67,454 *hinwegfegen;
ne.* flit.

flye, fly(e)ghyng(e) *s.* flêogan.

flyht, *st. m.,* **28**,71; *instr.* flyhte
9,340; *me.* flight **67**,474 *flug,
fliegen; ne.* flight.

flyht-hwæt, *adj., gen.* flyht-
hwates **9**,335 *flugschnell.*

flŷman, *schw. v., p. p.* geflêmed,
geflŷmed **18**,32; *me.* flemed **48**,
229 *verjagen, in die flucht schlagen.*

flyt *s.* flutten.

flyttyng, *vb.-sb., das fortschaffen;*
sall in our flyttyng ga **66**,396
*soll mit uns fort, in unsern besitz
übergehen; vgl.* flutten.

fnæst, *st. m.,* 8,588 *hauch, blasen,
schnauben.*

fo *s.* fâh.

fô *s.* fôn.

fôddor, *st. n.,* 9,259 *futter, nah-
rung; me. ne.* fodder.

fode, *sb.,* **47**,1055 *kind (zu ne.* food).

fôdor-þegu, *st. f.,* 9,248 *nahrung.*

foʒeles *s.* fugel.

foght, foʒt *s.* feohtan.

fol *s.* full.

fol, *sb.,* **46**,115; fool **68**,13; *pl.* folez
58,121 *tor, narr; ne.* fool.

folc, *st. n.,* 7,195; *me.* folc **82**,213;
follc **86**,15616; volk(e) **40**,40;
folk **48**,212; uolk **50**,85 *volk; pl.
völker, leute, menschen: ne.* folk.

folc-âgende, *sb. part., gen. pl.*
-dra **9**,5 *volkbesitzend, herrscher.*

folc-king, *st. m.,* **84**,13818 *volks-
könig.*

folc-stede, *st. m.,* 18,41 *volks-
stätte, kampfplatz.*

folc-toga, *schw. m.,* 11,194 *volks-
führer, fürst.*

foldan *s.* folde.

fold-bûende, *p. präs., dat. pl.* -um
14,*schl.-ged.*2 *erdbewohner.*

folde, *schw. f., flekt.* foldan 16,44;
nh. foldun 2,9; *me.* folde *erde.*

foldis *s.* feald.

fold-wæstm, *st. m.,* 9,654 *erd-
erzeugnis, erdgewächs.*

fold-weg, *st. m.,* 10,2873 *erdweg.*

fole, *adj.,* 48,74? *dumm, töricht;*
58,122 *pl.? oder* [in] f., *sb., torheit.*

fole, *sb.,* 48,74? *füllen; ne* foal.

folewe *s.* folgian.

folez *s.* fol.

folgian, *schw. v.,* 9,591; *me.* fol-
ʒen **82**,14; folewe **46**,350; follow
78,12 *folgen, verfolgen;* follʒhenn
36,71 *durchführen; ne.* follow.

folie, *sb.,* **41**,45 *sünde, torheit;* **47**,
1076 *unzucht;* **48**,79 *tollkühnheit;
ne.* folly.

folk, follc *s.* folc.

follʒheþþ, follow *s.* folgian.

folm, *st. f.,* 10,2906; folme, *schw.
f.,* **28**,21 *hand.*

folvellet *s.* fullfyllan.

fôn, *st. v., me.* fon(e) **85**,88; fong
42,86; fang **67**,245; *3. pl. präs.* fôô
17,94; *prät.* fêng 14,20; *me.* feng;
venk **40**,4; *p. p.* fon; fanggen(e)
15,86; *nh.* gefoen **19a**,15 *fangen,
fassen, greifen, empfangen, an-
fangen;* tô rîce fôn 14,20 *die
regierung antreten.*

fon *s.* fâh, fêaw, findan.

fond, fonden *s.* findan.

fonde *s.* fondian.

fondian, *schw. v.,* fandian 17,54;
fandigan 21,33; *me.* fonde 46,
241 *versuchen, erproben;* **48**,153
erleiden, sich überzeugen; me.
fonde after **61**,1121 *fragen nach;*
uondi of **50**,104 *zu etwas zu ver-
führen suchen.*

fone *s.* fâh, fêaw, fôn.

fong *s.* fôn.

foo *s.* fâh.

foote *s.* fôt.

for, *präp.,* 11,192 *vor;* 19d,4; fore
8,1; *me.* for **82**,16; fore **41**,29; fer
wegen; fo **82**,189; for **84**,13878;
forr **86**,15611; vor **87**,89; uor **50**,
67; ffor **56**,34 *um willen;* uor **87**,18:
for **46**,35 *für, anstatt;* **83**,72; **46**,112
bei; **55**,5 *nach;* 9.344 *als; ne.* for;
for dred 47,1129 *aus furcht;* for
non þing **46**,88; for no þing **46**,
106; for non auʒt **42**,46 *um keinen
preis; mit oder ohne* þe: forðæm
14,33; forðâm 15,193; for þâm
21,37; forþon **6**,12; forðon 7,169;
for þen **46**,185; for þŷ 7,169;
forðŷ **14**,52; *me.* for þi **27**,2; forði
83,5; forrþi **86**,17; for ði **83**,57;
forþy; for thy **49**,24: forþi **58**,23;
forr þatt **86**,31 *deshalb (weil); me.*
forrwhi **86**,99; forquhy **78**,11 *wes-
halb;* forðæmðe **14**,32; for þâm þe
22,29; forðan **25**,4; *me.* vor þet;
forðon **83**,42 *denn;* forðon **18**,1 *da
ja;* forðon **19a**,2 *nämlich; konj.*
for **83**,93; forr **86**,7; vor **87**,15;
uor **50**,27; fore **62**,10 *weil, denn:*
19e,13 *daß; konj.* for **82**,53; for
to **83**,10; forto 44,17; uor to

50,15; forr to 86,15561; forte
42,44 zu, um zu; konj. vort 87,
64 bis; s. tô.

fôr, st. f., 10,2860 fahrt; ne. fore.

foran, adv., me. foren; foran tô
12,31 vor; 12,34 vorher.

forbærnan, schw. v., 10,2858;
me. forbernen; p. p. forbærned
14,29 verbrennen.

forbarre, v., p.p. forbarred 48,46
ausschließen, berauben (einer sache,
mit akk.).

forbêodan, st. v., 3. sg. präs., me.
for but 82,303; prät. forbêad;
me. forbed 59,1329 verbieten; ne.
forbid.

forbeornan, st. v., prät. forborn
8,587 verbrannt werden.

forberan, st. v., 2. sg. prät. me.
uorbere 87,106; p. p. forboren
87,109 nachsicht haben mit jem.;
ne. forbear.

forbod(e), sb., 43,78 verbot.

for but s. forbêodan.

forceorfan, st. v., me. forkerven;
prät. forcearf 22,65 abschneiden.

fordêman, schw. v., me. p. p. pl.
fordemde 82,270 verurteilen.

fordiligian, schw. v., p. p. pl.
fordiligade 15,97 vertilgen, aus-
rotten.

fordôn, unreg. verb., me. fordo
67,100; p. p. fordon 82,270; fl.
fordone 67,145 zugrunde richten;
ne. fordo.

fordrencan, schw. v., me. for
drenche 82,330 trunken machen.

fore s. for.

forebȳsn, st. f., me. uorbisne 50,15;
uorbysne 50,56 beispiel, muster.

forecweðan, st. v., p. p. pl. kent.
forecuaedenan 12,11 vorher an-
führen, -bestimmen.

foregenga, schw. m. f., 11,127
diener(in).

forelîora, nh., schw. v., 19a,7
vorangehen.

foremǽre, adj., 11,122 berühmt.

foresecgan, schw.v., me.p.p.akk.
forsaide 45,72 vorher erwähnen;
vgl. ne. foresaid.

foresprǽc, st. f., 14, titel, (les.)
vorrede.

foresprecan, st. v., p. p. fl. fore-
sprecena 15,1 vorher erwähnen.

foreward, sb., 46,256 verein-
barung.

forgân, def. st. v., me. forgon 52,
35 vorbeigehen; forgaa 49,28 ver-
zichten auf; ne. forego.

forgeaf s. forgiefan.

forȝelden s. forgieldan.

forgiefan, st. v., forgifan 8,729;
me. for ȝiuen 82,213; prät. forgeaf
9,377; p. p. forgifen 10,2935 ver-
geben; 15,164 forgyfan; prät. pl.
forgêafen 15,50 verleihen, schen-
ken; ne. forgive.

forgiefness, st. f., me. for ȝiue-
nesse 82,298; uorȝiuenesse 87,
110 vergebung; ne. forgiveness.

forgieldan, st. v., me. forȝelden
87,135; präs. konj. pl. forgyldon
28,32; p. p. forgolden 11,217 ver-
gelten, bezahlen.

forgietan, st. v., forgitan 21,76;
me. for ȝut 82,25; for ȝite 82,34;
3. prs. for ȝitet 82,38; p. p. for
ȝyte 82,98 vergessen; ne. forget.

forgifan s. forgiefan.

forgitan, for ȝite(t) s. forgietan.

forglopnid, p. p., 45,24 erschreckt.

forgnagan, st. v., me. forgnaȝe
61,1148 zernagen, zerreißen.

forgolden s. forgieldan.

forgon s. forgân.

forgrindan, st.v., p. p. forgrun-
den 9,227; fergrunden 18,43 zer-
malmen, vernichten.

forgrôwan, st. v., verwachsen;
forgrowe (p. p.) in his vysage
65,63,2 durch einen bart unkennt-
lich geworden.

forgrunden s. forgrindan.

forgult s. forgyltan.

for ȝute s. forgietan.

forgyfan s. forgiefan.

forgyldon s. forgieldan.

forgyltan, schw. v., schuldig
machen; p. p. me. forgult 88,23
schuldig.

for ȝyte s. forgietan.

forhâtan, st. v., me. p. p. forhaten
28,22 verheißen, versprechen.

forhelan, st. v., p. p. me. forhole
82,77; for-holen 46,237 verhehlen,
verheimlichen.

forhergian, schw. v., p. präs. for-
hergiende 15,80; p. p. forhergod
14,29 verheeren.

forhogde s. forhycgan.

forhogdniss, st. f., 16,8 verach-
tung.

forhogedon s. forhycgan.

17*

forhole(n) *s.* forhelan.
forhtigan, *schw. v.*, 15,122; *p. präs. pl.* forhtiende 15,89; *prät. pl.* forhtedon 23,21 *fürchten.*
forht-môd, *adj.*, 6,13 *furchtsam.*
forhtniss, *st. f.*, 21,54 *furcht.*
fọr-hwæga, *adv.*, 17,178 *wenigstens.*
forhwierfan, *schw. v., kent. p. p.* forhwerfed 20,29 *verkehren.*
forhycgan, *schw. v., prät.* forhogde 8,620; *pl.* forhogedon 15, 214 *verachten.*
forlǽtan, *st. v.*, 7,208; *me.* forlæte 82,341; forlete; *3. sg. präs. ind. kent.* forlêt 20,41; *me.* for let 82,354; *p. präs. dat. kent.* forlêtendum 20,5; *prät.* forlêt 16,23; *p. p.* forlǽten 14,37 *verlassen, verlieren, zurücklassen, aufgeben, unterlassen;* in forlǽtan 11,150 *hineinlassen.*
forlêosan, *st. v., me.* forle(o)sen, *prät. sg.* forlêas; *pl.* forluron; *p. p.* forloren 14,*schl.-ged.*30; *me.* for loren(e) 82,106; uorloren 37,74; forlore 47,1168 *verlieren, zu grunde richten;* here treothes f. 27,13 *brechen.*
for lese(n), 82,180 *v., erlösen.*
forlet, forlêt(endum) *s.* forlǽtan.
forma, *adj.*, 19b,1; *me.* formeste 28,1; forme 19c,1; *gen.* formes 82,195 *erster.*
forme, *sb.*, fourme 50,10 *gestalt; ne.* form.
formen, *v., prät.* formed 58,92 *bilden, schaffen; ne.* form.
formest *s.* forma.
fornâman *s.* forniman.
fornicacion, *sb.*, 50,104 *unkeuschheit; ne.* fornication.
forniman, *st. v., prät.* fornôm 8,675; *pl.* fornâman 15,77; *p. p. pl.* fornumene 15,83 *hinraffen.*
fornôm, fornumene *s.* forniman.
forquhy *s.* for.
forrow, *präp.*, 60,18 *vor.*
fors, *sb.*, force *gewalt; ne.* force; ma na fors 60,85 *sich nichts daraus machen.*
forsacan, *st.v., me.* forsake 53,19 *entsagen, aufgeben; prät.* forsook 65,61,1 *ausschlagen; 2. präs. sg.* uorsakest 37,131; uorsoc 37,99

im stiche lassen; p. p. forsacan 28,27 *verleugnen; ne.* forsake.
forsacung, *st. f.*, 28,26 *verleugnung.*
forsaide *s.* foresecgan.
for-sape, *v.*, 46,369 *verwandeln, verzaubern.*
forsǽt *s.* forsittan.
forsceâdan, *st.v.*, 14,*schl.-ged.*29 *verschütten.*
forscrîfan, *st. v., Ep. p. p.* faerscribaen 1,4 *verurteilen.*
forsêon, *st. v., 3. sg. präs. ind. kent.* forsîoð 20,12 *verachten.*
forsittan, *st. v., me.* forsitten; *prät.* forsæt 10,2859 *unterlassen (mit instr.)*
forsoth(e), forsoðe, forsoþe *s.* sôð.
forspendan, *schw. v.*, 17,192 *verausgaben, verschwenden.*
forst, *st. m.*, 9,15; *me.* uorst 37,38 *frost; ne.* frost.
forst *s.* fyrst.
forstelan, *st. v., me.* forstelen; *prät.* forstæl 21,62; *pl.* forstǽlan 19b,13; *nh.* -stêlun 19a,13; *merc.* -stælen 19d,13; *me.*-stælen 19c,13 *wegstehlen.*
forstondan, *st. v., me.* forstanden; *prät.* forstôd 14,71 *verstehen.*
forsuth *s.* sôð.
forswelgan, *st. v., konj. präs. sg.* forswelge 18,22 *verschlingen.*
forswerian, *st.v., falsch schwören; ne.* forswear; *p. p. me.* forsworen 27,12; forsworn 57,21; *pl.* for sworene 82,103 *meineidig.*
forte *s.* for, forð.
forth *s.* forð.
forto, for to *s.* for *und* tô.
fortoun, *sb.*, 71,31 *schicksal; ne.* fortune.
fortunate, *adj., beglückend;* goddesse fortunate 69,168,6 *glücksgöttin.*
forw *s.* furh.
forwaken, *v., überwachen, p. p.* forwake 53,31 *überwacht, ermattet.*
forweorðan, *st. v., p. p. akk. m.* forwordene 28,2 *zu grunde gehen, verderben.*
forwiþ þan, *adv.*, 45,34 *vorher.*
forwordene *s.* forweorðan.
forworhtum *s.* forwyrcan.
forwrêgan, *schw. v., me.* for wreჳen 82,97 *anklagen.*

forwundian, *schw. v., p. p.* forwundod 4,4b *verwunden.*

forwyrcan, *schw. v., p. p. dat. sg.* forworhtum 8,632 *verwirken, verlieren.*

forwyrd, *st. f., n.,* 15,97 *vernichtung, untergang.*

forwyrnan, *schw. v., konj. präs. pl.* forwyrnen 8,665 *verwehren.*

forð, *adv.,* 11,139 *vorwärts;* 15,101; *me.* forð 34,13862; uorð 84,13866; forþ 46,397; forth 48,102; furth 70,2 *fort;* 7,211; forð 34,14042 *hinfort;* 10,2873; 84,13812 *(da)hin;* 17,68 *weiter;* 16,7; 48,112; fourth 60,112; forth 64,27 *hervor;* forþe 45,80 *fernerhin; ne.* forth; forðmid 83,60 *zugleich mit; komp.* furðor 8,606; furður 14,61; *me.* forðere 89,1304 *fürder, weiter; ne.* further.

forðâm(þe), forðǽm(þe), forðan *s.* for.

forð-êode, *def. prät., pl.* forðêodan 15,94 *gingen hervor.*

forð-gangan, *st. v.,* 28,3 *fortgehen.*

forþe, forðere *s.* forð.

forþi, forði, for ði(þi) *s.* for.

forþinken, *schw. v.,* 46,139 *mißfallen.*

forðon, forþon *s.* for, furðum.

forð-rihtes, *adv.,* 84,13997 *geradenwegs.*

forð-sîð, *st. m., me.* uorðsið(e) 37, 117 *weggang, hingang, tod.*

forð-yrnan, *st. v., p. präs. dat. sg. f.* forðyrnendre 15,107 *ablaufen.*

fôt, *m., me.* fot 89,1303; *pl.* fêt 10, 2902; *merc. nh.* fôet 19a,d,9; *me.* fet 27,21; feit 66,404; fete 69, 159,5; *dat. pl.* fôtum 10,2855; *me.* fote; uote 37,155; foote 42,44; fette 49,4 *fuß; ne.* foot.

foting, *sb.,* 69,163,5 *tritt, halt für den fuß; ne.* footing.

fotte, *v.,* 45,92 *holen; vgl.* feccan.

foul *s.* fugel, fûl.

foule *s.* fûl.

foulle *s.* fugel.

foundande *s.* fundian.

founde(n) *s.* findan.

four, foure *s.* fêower.

fourme *s.* forme.

fourscore, *zahlw.,* 51,28 *achtzig; ne.* fourscore.

fourtend, *zahlw.,* 48,125 *vierzehnter; ne.* fourteenth; *vgl.* fêowerteogeða.

fourth *s.* forð.

fourti, fourty *s.* fêowertig.

fous *s.* fûs.

fowhel, fowl, fowlle *s.* fugel.

fow(wer)r, fowwre *s.* fêower.

fôð *s.* fôn.

fra, *präp.,* 86,37; fro 39,1285 *von;* fra thine 66,380 *von dort; konj.* fra 60,56 *seit.*

Frǽa *s.* Frea.

frǽcne *s.* frêcne.

fracoð, *adj.,* 7,195 *verhaßt, verabscheut.*

frairis *s.* freir.

fraisten, *v.,* fraist 59,97; frast(en) 67,183 *prüfen, erforschen, fragen.*

fram *s.* from.

Francan, *volksn., pl. gen.* Francena 15,167 *Franken.*

France *s.* Fraunce.

Francland, *ländern.,* 15,157 *land der Franken.*

frast *s.* fraisten.

frǽtewian, *schw. v., me.* fretien; *p. p.* gefrætwad 9,585 *schmücken; ne.* fret.

frǽtwe, *pl. st. f.,* 9,257 *zierde, schmuck;* 9,200 *schätze.*

Fraunce, *ländern.,* 51,33; Fraunce 48,65 *Frankreich; ne.* France.

fray, *sb.,* 67,184 *unruhe, zwist, zank; ne. veralt.* fray.

frayne *s.* frignan.

fre *s.* frêo.

Frea, *eigenn.,* 84,13916; Frǽa 84, 13917; *dat.* Freon 84,13931 *Freyja.*

frêa, *schw. m.,* 2,9; *flekt.* frêan 9, 675; *me.* fre 67,310 *herr.*

freamsum *s.* fremsum.

frêcne, *adj.,* 8,724; frǽcne 15,130 *furchtbar, schrecklich.*

fredom(e) *s.* frêodôm.

freend *s.* frêond.

frêfran, *schw. v., me.* frevren; *merc. p. präs.* frôefrende 18,31 *trösten.*

freind *s.* frêond.

freindlyk *s.* frêondlîce.

freir, *sb.,* 71,5; *pl.* freiris 71,22 *mönch; ne.* friar.

frely *s.* frêolîc.

frem(e)de *s.* fremðe.

fremman, *schw. v.,* 3. *sg. präs.* fremet 20,39; *me.* fremmen *fördern, vollbringen.*

fremsum, *adj., merc.* freamsum 13,24 *gütig.*

fremsumlîce, *adv.*, 15,194 *gütig,*
freundlich.

fremsumness, *st. f.,* 16,80; *me.*
fremsomnes *wohltat.*

fremðe, *adj.,* 18,12; fremde 15,
214; *me.* fremde 82,34; fremede
49,20; *schw. pl.* fremdan 17,193
fremd.

frenchype *s.* frêondscipe.

frend(es), frendys *s.* frêond.

Frenschemen, *volksn.,* pl., 61,
1152 *Franzosen; ne.* Frenchmen.

frenship *s.* frêondscipe.

frêo, *adj.,* 6,19; frîo 14,57; frî; *me.*
fre 42,22; vri 50,8; freo 54,31;
komp. freour 46,242 *frei, edel,*
edelmütig; 46,339 *schön, anmutig;*
freigebig; 46,34 *bereit; ne.* free;
sb.?, gen. pl. frêora 6,19 *kinder?*

frêod, *st. f., akk.* frêode 7,166
friede, liebe, freundschaft.

frêodôm, *st. m., me.* fredom(e)
88,2 *freiheit, vorrecht; ne.* freedom.

frêolîc, *adj., akk., f.* frêolîce 7,187;
adv. frêolîce 24,28; *me.* frely 63,31
frei, edel, schön, lieblich, herrlich.

frêond, *m.,* 17,170; *me.* freond 82,
30; frend 54,47; freend 67,118;
freind 72,II,3; *pl.* frŷnd; frêond(a)
18,41; frêondas; *me.* frund 82,
183; freond(e) 82,220; ureondes
87,33; frendes 48,54; frendis 48,
65; frendys 49,20; freyndis 70,36
freund, verwandter; pl., verwandt-
schaft, freundschaft; adj. freund-
lich; ne. friend.

frêondlîce, *adv.,* 14,2; *me.* frendli;
freindlyk 72,13 *freundschaftlich,*
freundlich; ne. friendly.

frêond-man, *sb., pl.* ureondmen
87,166 *verwandter.*

frêond-scipe, *st. m.,* 20,38; *me.*
freond-scipe 34,13804; frendship
67,121; frenship 67,362 *freund-*
schaft; frenchype 49,27 *verwandt-*
schaft; ne. friendship.

frêora, freour *s.* frêo.

freoþu, *st. m. f.,* 9,597 *sicherheit,*
friede, gnade, schutz.

fresche, *adj.,* 69,160,5; fresse 48,
74; *adv., frisch, schnell, rasch; ne.*
fresh.

frese, *sb., furcht;* no frese 67,391
ohne furcht, ohne zweifel.

fresse *s.* fresche.

fretan, *st.v., me. präs. pl.* freteð 82,
274 *fressen; ne.* fret.

freynd *s.* frêond.

frî *s.* frêo.

fricgean, *st.v.,* 10,2887 *(er)fragen,*
erforschen.

frichte, *v., p. p.,* fricht 69,162,7
erschrecken, einschüchtern.

fricolo, *adv.,* 24,21 *inbrünstig (vgl.*
Engl. stud. 39,337 f.)

frideiȝ, *sb.,* 28,23; friday, fridæi
84,13932 *freitag; ne.* Friday.

frignan, *st. v., me.* frayne 59,97
fragen.

frigtifagen, 89,1331 *(hs.) fürchter-*
lich (d. h. sehr) erfreut?

frimô *s.* frymô.

frîo *s.* frêo.

Frisan, *volksn., schw. m. pl.,* 17,17
die Friesen.

Frise, *ländern.,* Fryse 68,23 *Fries-*
land.

Frisland, *ländern.,* 17,18 *Fries-*
land.

friþ, *st. m. n.,* 28,39; *me.* fryþ, frit
85,92; friþþ 86,69 *friede, ruhe,*
schutz.

friðian, *schw. v., me.* friðie 88,4
in ruhe lassen.

fros *s.* fra.

frôd, *adj.,* 9,84 *klug, alt; schw. nom.*
frôda 18,37 *greis.*

frôfor, *st. f., gen. sg.* frôfre 7,207;
me. frour(e) 40,28 *trost, hilfe.*

froefrende *s.* frêfran.

frog, *sb.,* 72,3 *weites obergewand:*
ne. frock.

from, *präp.,* 9,353; fram 15,35;
me. fram 82,232; urom 87,42;
vrom 87,154; from 46,97; uram
50,49 *von;* 18,8 *vor (bei* âhŷdan*);*
ne. from.

frome *s.* fruma.

fromlîce, *adv.,* 6,17 *tüchtig, mutig,*
rasch.

froure *s.* frôfor.

froward, *adj.,* 69,170,5 *verkehrt,*
entgegenarbeitend; unsere über-
setzung der schwierigen stelle ist:
„*obwohl dein anfang rückwärts*
schreitend war (d. i. wegen der
gefangenschaft des königs), sei
dem widerstrebend entschlossen,
überdies (mit Wischmann: thare
till) klug (aspert); nun sollen sie
(d. h. deine gegner) sich wenden
und auf den schmutz blicken (d. h.
in die grube fallen) (anders Skeat,
2. aufl.)".

f r u m a, *schw. m.*, 9,328 *anfang,
ursprung;* 15,52 *abstammung; me.*
atte frome 61,1104 *zuerst.*

f r u m - c e n n e d, *adj.*, 21,27; *me.*
frumkenned *erstgeboren;* mîne
frumcennedan 21,61 *meine erst-
geburt.*

f r u m - g â r, *st.m.*, 8,685 *vorkämpfer,
fürst.*

f r u m - s c e a f t, *st. f.*, 16,32; *me.*
frumschaft *schöpfung.*

f r u n d *s.* frêond.

f r u t e, *sb.*, 32,273 *kröte; ne. veralt.*
froud.

f r y, *sb.*, 67,66 *same, nachkommen-
schaft; ne.* fry.

f r y m þ, *st. f.*, 9,84 *anfang.*

f r y m þ e l î c, *adj.,schw.fl.* -an 15,211
ursprünglich.

F r y s e *s.* Frise.

f r y þ *s.* frið.

f u g e l, *st. m.*, 9,86; *me.* fowl(e) 49,
42; foul 52,6; fowle 67,3; foulle
67,156; fowlle 67,472; *pl.* fuȝeles
32,83; foȝeles 43,131; fowheles
49,30; foules 52,10; foul 53,3;
gen.pl. fugla 9,335 *vogel; ne.* fowl.

f u g e l e r e, *st.m.*, 17,72 *vogelsteller.*

f u g e l - t i m b e r, *st.n.*, 9,236 *vöglein.*

f u g l a *s.* fugel.

f u g u l - d a e g, *st. m.*, 12,19 *tag, an
dem man fleisch essen darf.*

f u h t e n, fuhton *s.* feohtan.

f û l, *adj.*, 22,6; *me.* ful 27,21; fule
37,94; foule 47,997 *faul, stinkend,
unrein; ne.* foul; *sb., unglück;* f.
mot ȝow fall 66,430 *unglück möge
euch treffen.*

f u l *s.* full, feallan.

f u l e *s.* fûl.

f u l e n d i e n *s.* fullendian.

f u l - f r e m m a n, *schw.v., 3.sg.präs.
kent.* fulfremet 20,31 *vollbringen,
bewirken.*

f û l i a n, *schw. v.*, 17,198 *faulen.*

f u l l, *adj.*, 17,199; ful 8,612; *me.*
ful 32,147; full 36,10; *fl.* fulle
37,110 *voll, vollständig;* 32,219
entschieden; adv., ful 22,73; *me.*
full 36,8; ful 44,7; fol 46,35; fulle
48,63 *sehr, gar; ne.* full.

f u l l e *s.* full, fyllan.

f u l l e n *s.* fyllan.

f u l l - e n d i a n, *schw. v., me.* ful
endien 32,243 *vollenden.*

f u l l - f o r þ e n n, *v., p. p.* fullforþedd
36,15597 *vollenden.*

f u l l - f y l l a n, *schw.v., me.* fulfillen;
uoluele 50,36; fulfill 49,14 *voll-
füllen, erfüllen;* folvellen 41,13;
prät. uuluelden 41,17; *p. p.* uolueld
50,34 *voll füllen; ne.* fulfill.

f u l l i a n, *schw. v., 1. sg. präs. kent.*
fulliae 12,12 *erfüllen, ausführen.*

f u l l i a n, *schw. v.*, 15,228; fulligean
19b,19; *me.* fullien 19c,19; fulli;
folwe; *nh.p.präs.* fulwuande 19a,
19; *p. p.* gefullad *taufen.*

f u l l v, *adv.*, 67,131 *vollständig; ne.*
fully.

f u l n e *s.* full.

f u l p i n e t, *p. p. adj.*, 38,3 *genug
gemartert.*

f u l t u m, *st. m.*, 9,646; *me.* fultum;
dat. fultome 15,171 *hilfe.*

f u l t u m i a n, *schw. v., p. p.* geful-
tumod 16,13 *helfen, unterstützen.*

f u l w i h t, *st. n.*, 15,241 *taufe.*

f u l w u a n d e *s.* fullian.

f u l l w y r c a n, *schw. v., me. p. p.*
fullwrohht 36,15597 *fertig bauen.*

f u l ð *s.* fyllan.

f u l ð e *s.* fylð.

f u n d *s.* fêond.

f u n d e *s.* findan, fundian.

f u n d i a n, *schw. v., me.* funde 43,
105; *p. präs.* foundande 58,126
streben, eilen, sich wenden.

f u n e *s.* fêaw.

f u r - b r e i d, *sb.*, 66,405 *breite einer
furche; vgl.* furh.

f u r d e r *s.* forð.

f u r(e) *s.* fŷr.

f u r h, *f., dat. pl. Ep.* furhum 1,22,
me. furgh; forw *furche; ne.* fur-
row.

f u r l a n g, *st. n., gen. pl.* -a 15,153
achtelmeile; ne. furlong.

f u r r e n, *v., p. p.* furrit 69,161,1
verbrämen; ne. fur.

f u r t h, furð *s.* forð.

f u r ð o n *s.* furðum.

f u r ð o r *s.* forð.

f u r ð u m, *adv.*, 14,16; furðon 15,
125; forþon 16,29 *eben, gerade,
selbst, auch nur.*

f u r ð u r *s.* forð.

f û s, *adj., nom. pl.* fûse 4,3b; fûsæ
4,3a; *me.* fus; fous *bereit zu gehen,
bereitwillig.*

f u t t - s y d, *adj.*, 72,3 *bis auf die
füße reichend.*

f y f t i *s.* fîftig.

f y g h t e, fyhte *s.* feohtan.

f y l, *st. m.*, **23**,71 *fall, tod.*
f y l d *s.* feld.
f y l(i) g a n, *schw. v., 3. sg. präs. ind.*
　fylð **17**,133; *prät. me.* felede **44**,67
　(ver)folgen.
f y l l a n, *schw. v.*, **14**,*schl.-ged.*25; *me.*
　fulle **82**,348; fullen **46**,239; fille
　67,180; *3. sg. präs.* fulð **82**,309;
　imp. fil **44**,14; *prät.* fylde 27,14;
　me. fylde; *p. p.* gefylled 7,181;
　gefyld; *me.* filledd **86**,15576 *fül-*
　len, erfüllen; ne. fill.
f y l l a n, *schw. v.*, 11,194; *me.* fellen;
　felle **48**,64; fulle; *3. sg. präs.*
　kent. felð **20**,15; *pl.* falleþ **34**,
　14002; *prät.* fylde; yfelde; *p. p.*
　gefylled *fällen, niederwerfen,*
　töten; ne. fell.
f y l l o, *schw. f., flekt.* fylle 9,371;
　me. fulle *fülle;* fille 67,207 *„dein*
　reichlich teil"; ne. fill.
f y l ð, *st. f., me.* fulðe **87**,94; fylthe
　49,15 *unreinheit, schmutz; ne.* filth.
f y n *s.* fin.
f y n d *s.* fēond.
f y n d e *s.* findan.
f ȳ r, *st. n.*, 8,591; fīr 8,588; *me.*
　fur(e) **82**,43; fier **39**,1307; fer
　41,36; fir **45**,11; fyr(e) **60**,25;
　feuer; ne. fire.
f y r d - w i c, *st. n.*, **11**,220 *lager.*
f y r e n - f u l l, *adj.*, **15**,23 *sündhaft;*
　vgl. firen(lust).
f y r h t o, *schw. f.*, fyrthu 16,78;
　fyrihto 19a,4; *me.* friȝt *furcht,*
　schrecken; ne. fright.
f y r i e, *adj.*, 71,48; fyrrie *feurig;*
　ne. fiery.
f y r m *s.* feorm.
f y r m e s t, *adv.*, 17,3 *am ersten, am*
　besten.
f y r n - g ê a r, *st. n.*, 9,219 *längst-*
　verflossenes jahr, vergangene zeit.
f y r n - g e s c e a p, *st. n.*, 9,360 *alte*
　schickung, fügung.
f y r n - g e s e t u, *st. n. pl.*, 9,263
　alte wohnung, früherer wohnsitz.
f y r n - g e w e o r c, *st. n.*, 9,84 *alt-*
　werk, früh vollendetes werk.
f y r r e *s.* feor.
f y r r i e *s.* fyrie.
f y r s t, *adj. u. adv.*, 17,94; *me.* forst
　84,13835; ferst **41**,20; first **48**,
　207; uerst **50**,90; furst **58**,150;
　fyrst **62**,9 *erster, zuerst; ne.* first.
f y r s t - m e a r c, *st. f.*, 9,223 *fest-*
　gesetzte frist, bestimmte zeit.

f ȳ s a n, *schw. v.*, 10,2860; *me.* fu-
　sen; *prät.* fȳsde *bereit machen,*
　(sich) rüsten.
f y s c h(e), f y s h *s.* fisc, fiscian.
f y v e *s.* fif.

G.

g â, ga, g ǽ, gaa, gaað *s.* gân.
g a b b e n, *schw. v., 2. prs. sg.* gabbest
　47,1071 *betrügen, lügen.*
g a d-, g æ d- *s.* gead-.
g æ d e *s.* geêode.
g æ d r i a n, g a d r e d *s.* geadrian.
g a f, ȝ æ f *s.* giefan.
ȝ æ f e n n *s.* giefan.
g a f o l, *st. n.*, 17,97; gofol **28**,61
　tribut, abgabe.
g æ f u *s.* giefu.
g a i f(f) *s.* giefan.
g æ i l d *s.* gield.
g a i n *s.* ongegn.
g a i s t *s.* gâst.
g a i t, *sb.*, 70,29 *straße, weg; ne.* gate.
g a l- *s.* geal-.
g a l a n, *st. v.*, 8,629 *singen.*
g æ l î o r n i s e *s.* gelîornis.
g a l l a n, g a l l e *s.* gealla.
g a l w e - t r e *s.* gealg-treow.
g a m- *s.* gom-.
g a m, g a m e n *s.* gomen.
g a n *s.* ginnan.
g â n, *def. v.*, 11,149; *me.* gan **83**,45;
　gon **48**,48; go **48**,99; gaa 49,38; ga
　66,396; *1. sg. präs. ind.* gâ; *2.* gǽst;
　3. gǽð; *kent.* gêð 20,6; *me.* goþ;
　gaþ **36**,26; gase 57,25; goth? 65,
　62,3; *pl.* gâð **13**,40; *me.* gaþ; goþ
　34,13869; gaa 49,38; *konj. sg.* gǽ
　19a,17; *imp. sg. 2.* gâ **21**,32; *me.*
　ga **45**,60; go 47,1100; *pl. 1. me.*
　ga we **82**,339; *2. 3.* gâð; *nh.* gaað
　19a,10; *merc.* gǽþ **19**d,10; *me.*
　gað **32**,347; gaþ **36**,15570; *p. p.*
　gegân **11**,140; *me.* gon **46**,76;
　igon 46,80; gane 60,18; gone
　67,181 *gehen;* **48**,101 *gerichtet sein;*
　go forth 47,1100 *fortsetzen; ne.* go.
g a n a n d, *adj.*, **66**,382 *kleidsam.*
g a n e *s.* wona.
g a n g(e) *s.* gong, gongan.
ȝ a n n e *s.* hwonne.
g a r *s.* gearwian.
g â r, *st. m.*, 11,224; *me.* gar; gor
　geer, speer, lanze.
g æ r *s.* gêar.
g a r e n *s.* gearwian.

gâr-lêac, *st. n., Ep.*, gârlêc 1,2;
me. garlek *knoblauch; ne.* garlic.

gâr-mitting, *st. f.*, 18,50 *geer-
zusammentreffen, schlacht.*

garn(e), *sb.*, 67,298 *garn; ne.* yarn.

garnement, *sb.*, 65,61,8 *kleidung;
ne.* garment.

gâr-ræs, *st. m.*, 23,32 *lanzen-
ansturm, kampf.*

garris *s.* gearwian.

gâr-secg, *st.m.*, 17,5 *ozean, welt-
meer.*

gârt *s.* gearwian.

gârum *s.* gâr.

gase *s.* gân.

gæst, *st. m.*, 6,10; *me.* gest *fremd-
ling, gast, feind; ne.* guest.

gâst, *st. m.*, 3,4; gæst 7,203 *(gen.
pl.* -a 7,198); *me.* gast 32,268;
gost 40,28; goste 69,173,1; gaist
71,7 *geist, seele; ne.* ghost.

gâst-cyning, *st. m.*, 10,2883
seelenkönig: gott.

gâstlîc, *adj., me.* gastliȝ 36,82;
gastli 38,23; gostlich 50,12 *geist-
lich, geistig: ne.* ghostly.

gâstlîce, *adv., me.* gostliche 41,
43 *im geistigen sinne; ne.* ghostly.

gat *s.* gietan.

gæt *s.* giet.

gate *s.* geat, gietan.

gæten, *v.*, geten; get(e) 57,36
sich hüten; p.p. gett 45,105 *hüten,
bewachen.*

gaude, *sb.*, 57,18 *list, schlich.*

gave, ȝave(n), gawe *s.* giefan.

gay, *adj.*, 70,1 *munter; ne.* gay.

gaynlych, *adj.*, 58,83 *gnädig,
gütig; vgl.* geyn.

gê, *konj.*, 11,166; *me.* ȝe; ȝa *und;*
ægðer (gehueder 12,44) gê ... gê
(... gê) 12,13 *sowohl ... als auch
(... und).*

gê, *pers.-pron.*, 8,648; *nh.* giê 19a,5;
me. ȝe 82,23; ȝeo 84,13837; ye 41,
30; ȝhe 66,385; yee 67,397 *ihr;
gen.* êower 18,45; *me.* eouwer
84,13831; ȝure; *dat.* iow 14,*schl.-
ged.*22; êow 11,152; gêow; *nh.*
iuh 19a,7; *me.* eow 82,50; eou
(akk.) 84,13835; ȝuw 86,51; yow
44,160; yu *(akk.)* 41,12; ȝou 19e,7;
ȝu 45,83; ȝow 48,161; you *(akk.)*
68,26; *akk.* êowic; êow 11,188;
iow 12,43; *nh.* iwih 19a,7; iuh
19a,5; *me. wie dat.;* ou 84,13949;
vom gen.poss.-pron. êower 11,195;

flekt. iowrum 14,*schl.-ged.*24; *me.*
eouwer 84,13831; æoure, ȝoure
84,13889; eoure 84,13891; yure
44,171; oure 51,20; ȝowre 57,8;
your 63,31; youre 67,377; eure;
ȝour 72,18 *euer, dein; ne.* ye, your.

ge-, *me.* ȝe- *beim p. p. s. einfaches
verbum.*

gê, gêa *s.* iâ.

geador, *adv.*, 8,714 *zusammen;*
æt gædere 4,2b; *nh.* æt gadre
4,2a; *me.* ætgadere; *ferner* tô-
gædre 9,225; tôgædere 15,46; *me.*
to-gædere 28,31; to-gadere 34,
14021; to gidere 41,19; togidere
48,181; togidre 19e,12; togeder
67,292 *zusammen, beisammen; ne.*
together.

geadrian, *schw. v.*, gædrian 9,193:
me. gaderen; gederen (to) 58,105;
gedren; gadere; gedre; *prät. me.*
gadred 48,190; gedrid 19e,12,
p. p. me. gadered 27,4; gedret
59,86 *(ver)sammeln, zusammen-
kommen; ne.* gather; *me. vb.-sb.*
gadering 27,6 *versammlung.*

gealga, *schw. m.*, 4,1b; *dat. nh.*
galgu 4,1a; *me.* galwe 44,43 *gal-
gen, kreuz; ne.* gallows.

gealgian *s.* geealgian.

gealg-môd, *adj.*, 8,598 *wütend,
boshaft, zornig.*

gealg-trêo(w), *st.n., me.* galwe
tre 44,43 *galgen.*

gealla, *schw. m., merc.* galla 13,
32; *me.* galle 44,40 *galle; ne.* gall.

geæmetigian, *schw. v.*, 14,23
frei machen von (mit gen.).

ȝeanes *s.* ongegn, tôgegnes.

gêar, *st.n. m.*, 9,258; ger 15,104;
me. gær 27,1; ȝer 82,142 *(pl.* ȝere
48,98); *pl.* yeir; yeres 59,12; yeer
65,64,6; ȝeir 71,32 *(pl.* ȝeiris) *jahr;
ne.* year; gêara gongum 8,693
im laufe der jahre; iû gêara 15,
223 *voralters; Ep.* thŷs gêri 1,10
heuer.

gearcian, *schw.v.*, 2.*sg.me.* ȝeir-
kest 37,49 *bereiten.*

geard, *st. m.*, 9,355 *umfriedung,
gehege;* 7,201 *gehöft, haus, woh-
nung; ne.* yard.

geærnan, *schw. v.*, 17,187 *durch
laufen oder rennen erlangen.*

gearo, *adj.*, 15,142; *pl.* gearowe
28,72; *me.* ȝeruh 87,132 *bereit;
ne. (veraltet)* yare.

gearo, *adv.*, **geara** *ganz und gar, genau.*

gearwe, *st. f. pl.*, *me.* gere **67,245** *gerät, werkzeug;* **58,148** *takelage;* ger **60,110** *rüstung; ne.* gear.

gearwian, *schw. v.*, **9,189**; *me.* ʒarwen; gar **46,281**; gere; *prät.* gearwode **21,21**; *me.* gart **70,16**; *p. p.* gegearwod **11,199** *(zu)-bereiten, rüsten, bauen; 3. sg. präs.* garris **72,23** *machen, bewirken;* garen **46,449** *zwingen.*

geat, *st. n.*, **11,151**; *me.* ʒet(t) **70,20**; *dat. merc.* gete **18,17**; gate **28,31**; gate **42,52**; ʒate **61,1116**; *pl.* ʒettis **70,19**; *tor, pforte; ne.* gate.

Gèatas, *volksn., pl. m., gen.* -a, *dat.* -um **15,52** *die Jüten (trotz der lautlichen vermischung mit dem namen der 'Gauten').*

geatwe, *pl. st. f.*, **26,22** *rüstung, schmuck.*

geæþele, *adj.*, **18,7** *angestammt.*

geaxian, *schw. v., 3. sg. präs.* geaxa ð **19b,14**; *me.* geaxoð **19c,14** *erfahren.*

gebâd *s.* gebîdan.

gebær *s.* geberan.

gebed, *st. n.*, **18,18**; *me.* ibede **32, 297**; *pl.* gebedo **15,182** *gebet.*

gebêded *s.* bædan.

gebêged *s.* bîgan.

gebelgan, *st. v., p. p.* gebolgen **8,582** *schwellen, erzürnen.*

gebêodan, *st. v.*, **12,34** *melden.*

gebeorg, *st. n., schutz;* wið ge-beorge **28,31** *um frieden zu er-kaufen.*

gebeorgan, *st. v., me. konj.* ibureʒe **38,39** *schützen.*

gebêor-sçipe, *st. m.*, **16,19**; *k.* gebîorscipe **20,9** *trinkgelage, gast-mahl.*

geberan, *st. v., prät.* gebær **22,45** *tragen;* **7,205**; *me. p. p.* ibor(e)n **87,23** *gebären.*

gebêtan, *schw. v.*, **17,196** *büßen.*

gebîdan, *st. v., me.* ibide; *prät. pl.* gebidan **15,89** *bleiben; prät.* ge-bâd **10,2909** *abwarten (mit gen. oder akk.).*

gebiddan, *st. v.*, **15,225**; *me.* ibidde; *prät. pl. merc.* gebêdun **19d,9** *bitten, beten.*

gebîged *s.* bîgan.

gebindan, *st. v., prät.* gebond **8,616**; *pl.* gebundon **22,19**; *p. p.*

gebunden 22,55; *fl.* gebundenne **25,18**.

gebîorscipe *s.* gebêorscipe.

gebland, *st. n.*, **18,26** *gemisch.*

geblissad, geblitsade *s.* ge-bliðsian.

gebliðsian, *schw. v., p. p.* geblis-sad **8,608**; *fl.* geblitsade **12,41**; *me.* iblissien **85,5** *(er)freuen, be-glücken; p. p.* **9,7**; *me. konj.* iblessi **46,161** *segnen.*

geblôwan, *st. v., p. p.* geblôwen **9,21** *erblühen.*

gebodian, *schw. v., prät.* gebodade **7,202** *ankündigen.*

gebolgen *s.* gebelgan.

gebond *s.* gebindan.

gebreadian, *schw. v., prät.* ge-bredade **9,592**; *p. p.* gebreadad **9, 372** *weben, verändern, verwandeln (nach Brotanek nicht -êa-).*

gebringan, *unreg. v., prät.* ge-brôhte **11,125**; *pl.* gebrôhton **8, 691** *bringen.*

gebrocen *s.* brecan.

gebrôþer, *m. pl.*, **18,57**; gebrôðra **15,60**; gebrôþru **21,65**; *flekt. me.* gebrôðre **19c,10** *gebrüder.*

gebûn, *p. p.*, **17,69**; gebûd **17,74** *bewohnt, bebaut; vgl.* bûan.

gebunden, gebund(en)e, ge-bundon *s.* (ge)bindan.

gebyrd, *st. f.*, **9,360** *geburt;* **17,100** *natur, verhältnis.*

gebyrd-boda, *schw. m.*, **24,17** *bote, verkündiger der geburt.*

gebyrgan, *schw. v., präs. konj.* gebyrge **9,261** *kosten, genießen.*

gebyrian, *schw. v., me. 3. präs.* ibureþ **85,75**; *prät.* gebyrede **25, 22** *gebühren; vgl.* birrþ.

gecêosan, *st. v., prät. pl.* gecuron **15,126**; *p. p.* gecoren **15,128** *(er)-wählen.*

ʒecerden *s.* gecyrran.

gecilae *s.* gicel.

geclingan, *st. v., p. p. pl.* geclungne **9,226** *sich zusammenziehen; vgl. ne.* cling.

gecnâwan, *st. v.*, **14,55**; *me.* icna-we(n) **82,161**; *3. sg.* gecnæwð **21,16**; *me.* icnâweð **82,137**; *pl.* iknoweþ **40,53**; *prät.* gecnêow **21,37**; *p. p.* gecnâwen *kennen, erkennen, verstehen.*

gecoren *s.* (ge-)cêosan.

gecost, *adj.*, **11,231** *erprobt.*

g e c u m a n, *st. v., prät. me.* ycom
hinkommen.

g e c u r o n *s.* gecêosan.

g e c w ê m a n, *schw. v., me.* iqueme
40,44; *prät.* iquemde **32,269**; *p.p.*
icwemed **82,172** *befriedigen, ge-
fallen.*

g e c w ê m e, *adj., (sup. -st)* **20,37**;
me. queme **44,130** *bequem, an-
genehm.*

g e c w e ð a n, *st. v., me.* iqveþe
sprechen, sagen.

g e c ŷ g a n, *schw. v., prät. pl.* ge-
cŷgdon **15,30** *(auf)rufen.*

g e c ŷ g d (= gecîd), *st. n., dat.*
gecŷgde **15,14** *zänkerei, streit-
sucht.*

g e c ŷ g d o n *s.* gecŷgan.

g e c y n d (e), *st. f.,* **9,356** *natur;* **9,**
252 *(keim)kraft.*

g e c y n d n e s s, *st. f., me.* kynde-
nesse **65,60,5** *freundlichkeit; ne.*
kindness.

g e c y r r a n, *schw. v., me.* icherran;
prät. pl. ȝe-cerden **28,20** *zurück-
kehren; konj. präs. pl.* gecyrre
15,198; *p. p.* gecyrred **15,228**
bekehren.

g e d æ d e *s.* gedôn.

g e d a f e n i a n, *schw. v., prät.* geda-
fenade **16,16** *geziemen.*

g e d â l, *st. n.,* **15,71** *trennung, tod.*

g e d æ l a n, *schw. v.,* **8,697**; *me.*
idelen *teilen, trennen;* **7,166** *lösen;
konj. präs. kent.* gedêle **12,32** *ver-
teilen* (tô aelmessan *als almosen*).

ȝ e d e *s.* geêode.

g e d e r e *s.* geador.

g e d e r e n *s.* geadrian.

ȝ e d i *s.* êadig.

g e d i h n a ð *s.* gedihtnian.

g e d i h t a n, *schw. v., prät.* gedihte
14,*titel(les.) verfassen.*

g e d i h t n i a n, *schw. v., 3. sg. präs.*
gedihnað **20,21** *anordnen, ein-
richten.*

g e d ô n, *unreg. v., me.* idon; *pl. präs.
ind.* gedôð **17,199**; *merc.* gedôaþ
19d,14; *nh.* gedôeð **19a,14**; *präs.
konj.* gedôe **12,29**; *pl.* gedôn **12,**
36; *prät. konj.* gedæde **10,2893**;
p. p. gedôn (*rgl.* dôn); *me.* i-don
46,323 *tun, machen; p.p.adj.* idon
84,13802 *beschaffen.*

g e d r ê f e d *s.* drêfan.

g e d r ê f e d n e s, *st. f.,* **20,4** *ver-
wirrung.*

g e d r ê f n e s, *st. f., merc.* gedrôef-
niss **13,28** *verwirrung.*

g e d r e n, g e d r e t, g e d r i d *s.*
geadrian.

g e d r ô e f n i s s e *s.* gedrêfnes.

g e d r y h t, *st. f.,* **9,348** *schar, menge,
schwarm.*

g e d r y n c, *st. n.,* **17,174** *trinkgelage.*

g e d w i m o r, *st. n.,* **22,35**; *me.* idwi-
mor *phantasterei, einbildung.*

g e e *s.* gê *und* iâ.

g e e a l g i a n, *schw.v.,* gealgien **23,**
52 *schützen, verteidigen.*

g e e a r d i a n, *schw.v., prät.* geear-
dode **7,208** *wohnung nehmen.*

g e ê a w a n, *schw. v.,* **9,334** *zeigen,
erscheinen.*

g e ê a ð m ê d a n, *schw. v., konj.* ge-
êaðmêdun **21,47** *sich demütigen
vor (mit dat.); prät.* geeaðmêddon
(-un) **19b,9(17)**; *me.* geeadmede-
don (-medoden) **19c9(17)** *anbeten
(mit* tô).

g e ê c ð *s.* geêecan.

g e e d l æ c a n, *schw. v., kent. 3. sg.
präs.* gehyðlęct **20,39** *wiederholen.*

g e e n d i a n, *schw. v., prät.* geen-
dode **21,50**; geendade **16,86** *be-
enden; vb.-sb.* geendung **19b,20**
ende.

g e ê o d e, *def. v., me.* gæde **27,24**;
ȝede(nn) **36,15594**; yede **44,101**;
ȝed **48,200**; ȝeid **66,436**; yeid *ging;*
ieden on æ. **27,42** *gingen betteln
um (Norgate) oder: lebten von
(J. Hall); for* hem ne yede **44,44**
ihnen half nicht.

ȝ e e p, *adj.,* **54,36** *klug, schlau.*

ȝ e f, ȝ e f *s.* gief, giefan.

g e f a r a n, *st. v., prät. konj.* gefôre
17,146; *p.p.* gefaren **15,121** *fahren.*

g e f æ s t n i (g e) a n, *schw. v.,* **8,**
649; *p. p. merc.* gefestnad **18,2**
befestigen.

ȝ e f e *s.* giefu.

g e f ê a, *schw.m.,* **9,607**; *flekt.* gefêan
8,670; *me.* gefean **19c,8** *freude.*

g e f e a l l a n, *st. v., me.* ifallen;
ivalle; *prät. me.* iuel **41,7**; *pl.* ge-
fêollun **18,14** *fallen, sich treffen.*

g e f ê a n *s.* gefêa, gefêon.

g e f ê l a n, *schw.v., me. prät.* yfelde
48,56 *zu fühlen bekommen.*

ȝ e f e n *s.* giefan.

g e f ê n g o n *s.* gefôn.

g e f e o h t, *st. n.,* **15,70**; *me.* ifiht
gefecht.

gefeohtan, *st. v., prät.* gefeaht
22,25; *p. p.* gefohten 11,122
kämpfen, erkämpfen.

gefêon, *st. v.,* gefêan 15,161; *statt*
gefêoð? 9,248; *prät.* gefeah 11,
205; gefægon; *p. p.* gefegen; *me.*
ifagen 89,3131 *sich freuen (mit
gen.):* *p. prs.* gefêonde 15,235 *mit
freuden.*

gefêra, *schw. m.,* 15,156; *me.* iuere
32,102; ifere 32,229; ivere 40,14;
pl. feren 48,19; ifere *(les.* feren)
48,104 *gefährte, freund;* fere 54,31
geliebter; *ne. (veraltet)* fere.

gefêre, *adj.,* 9,4 *leicht zugänglich.*

gefer-rædden, *sb.,* 28,27 *gesell-
schaft.*

gefestnad *s.* gefæstni(ge)an.

gefeterian, *schw. v., prät.* ge-
feterode 10,2902 *fesseln.*

gefettan, *schw. v., me.* ifetten;
prät. gefette 22,79 *holen.*

geflêmed *s.* flŷman.

geflit, *st. n., dat.* -e 15,15 *streit,
zwist.*

gefôn *s.* fôn.

gefôn, *st. v., me.* ifon 82,282; *prät.
pl.* gefêngon 22,67 *fangen, fassen.*

gefôre *s.* gefaran.

gefrǣge, *adj.,* 9,3 *bekannt; sup.*
gefrǣgost 14,90 *berühmt.*

gefrǣtwian, *schw. v., p. p.*
gefrǣtwad 9,239; gefrǣtewod
11,171 *schmücken.*

gefrêa *s.* gefrêogan.

gefremman, *schw. v.,* 8,722 *voll-
bringen, tun;* *p. p.* gefremed 7,207
formen, bilden; *konj.* 8,696 *ge-
währen.*

gefrêogan, *schw. v., merc. imp.*
gefrêa 13,21 *befreien.*

gefreoðian, *schw. v., imp.* ge-
freoþa 9,630 *verteidigen, schützen.*

gefrignan, *st. v., p. p.* gefrugnen
9,1 *(er)fragen, erfahren.*

ȝeftes *s.* gift.

ȝefue *s.* giefan.

gefulwian, *schw. v., p. p.* geful-
lad 15,235; *pl.* gefulwade 15,220
taufen.

gefyldæ, gefylde *s.* gefyllan.

gefylgan, *schw. v.,* 9,347 *folgen.*

gefyllan, *schw. v., me.* iuald *(st.*
iuælð) 84,14002; *prät.* gefylde
15,19; *p. p.* gefylled 18,66 *fällen,
töten, vernichten;* *p. p.* gefylled
18,41; *pl.* gefyldæ 14,31 *berauben.*

gefyllan, *schw. v., me. pl. präs.*
ȝefylleð 28,52; *prät.* ȝefylde 8,578;
pl. gefyldon 15,74; *p. p.* gefylled
7,181 *(er)füllen.*

gefylled, ȝefylleð *s.* (ge)fyllan.

gegân *s.* gân.

gegangan, *st. v.,* 23,59 *erwerben,
erhaschen.*

gegearwian, *schw. v.,* gegærwan
10,2855; *konj. präs. pl. kent.* ge-
georwien 12,31 *zurecht machen,
(vor)bereiten.*

gegiered *s.* gierwan.

gegladian, *schw. v.,* 3. *sg.* -að 20,6
erheitern, besänftigen.

geglengan, *schw. v., prät.* ge-
glengde 16,6; *p. p.* geglengede
20,27 *schmücken, zieren.*

gegnpæð, *st. m., dat.* gegnpaþe
6,26 *feindespfad.*

gegnum, *adv.,* 11,132 *entgegen,
hin.*

gegrâp *s.* gegrîpan.

gegrâpian, *schw. v., p. p.* ge-
grâpod 21,35 *angreifen.*

gegrêtan, *schw. v., me. prät. pl.*
igrætten 34,13820 *grüßen.*

gegrîpan, *st. v., konj. präs.* ge-
grîpe 13,36; *prät.* gegrâp 10,2904
ergreifen.

gehæftan, *schw. v.,* 3. *pl.* -að 14,
schl.-ged.14 *fangen, festhalten.*

gehǣlan, *schw. v.,* 7,174 *heilen.*

gehât, *st. n.,* 15,233 *versprechen.*

gehâtan, *st. v., prät.* gehêt 8,639;
pl. gehêton 15,88 *versprechen.*

gehât-land, *st. n.,* 16,73 *das gelobte
land.*

gehealdan, *st. v., me.* ihealden
32,56; *prät. pl.* gehîoldon 14,8; *nh.*
gehêalden 19a,9 *(er)halten, hüten,
fassen.*

gehende, *adv.,* 25,24 *zu handen,
nahe, dicht daneben.*

gehêr, gehêrde *s.* gehîeran.

gehêt *s.* gehâtan.

gehicgan, gehiggan *s.* ge-
hycgan.

gehîeran, *schw. v., flekt.* gehŷr-
anne 15,236; *me.* ihuren 82,262;
iheren 33,71; yhere 44,11; ihere,
37,84; iheren; 3. *sg. präs. me.*
ihurð 82,89; *imp. merc.* gehêr 13,
20; *me. pl.* ihereþ 41,30; *prät.* ge-
hîrde 21,7; gehŷrde 8,609 *(pl.* ge-
hŷrdon 11,160); *merc.* gehêrde
13,46; *me.* yhyerde 50,65; *p. p.*

gehŷred 7,171; *nh.* gehêred **19a**, 14; *merc.* gehóered **19**d,14; *me.* iherð **38**,80; iherd, ihord **34**,13883; yhyerd **50**,110 *erhören.*

gehîerness, *st. f., dat.* gehŷrnesse 16,66 *gehör.*

gehihtan *s.* gehyhtan.

gehiltu?, *st. n. pl.,* 10,2905 *griff.*

gehîoldon *s.* geheâldan.

gehîrde *s.* gehîeran.

gehlêoþor, *adj., instr.* gehlêoðre 15,206 *harmonisch.*

gehogod *s.* hýcgean.

gehóered *s.* gehîeran.

gehradian, *schw.v., prät.* gehradode 15,11 *eilen.*

gehrēodan, *st.v., p.p.* gehroden 9,79 *schmücken.*

gehwâ, *indef. pron., gen.* gehwæs 9,598; *dat. m.* gehwâm 7,194; *f.* gehwâre, gehwôre? 9,206,336; *akk. m.* gehwone 8,718; gehwæne 11,186; *nh.* gihuâ; *gen.* gihuaes 2,3; gehwæs 9,598 *jeder (mit gen.).*

gehwǣr, *adv.,* 15,81; *me.* ihwer, uwer *überall.*

gehwâre *s.* gehwâ.

gehwæs *s.* gehwâ.

gehwæðer, *indef. pron.,* 9,374 *jeder von beiden; kent.* gehueder gê … gê 12,44 *sowohl … als auch.*

gehwelc, *indef. pron.,* 14,92; gehwilc; gehwylc 7,180; *me.* iwhillc **36**,15630; uwilc **33**,93 (*fl.* uwilcan **33**,18); uwilch(e) **33**,81 *jeder.*

gehwerîde *s.* gehwyrîan.

gehwone, gehwôre *s.* gehwâ.

gehwylc *s.* gehwelc.

gehwyrîan, *schw. v., prät.* gehwerîde 16,68; *pl.* gehwyrîdon 15,18; *p. p.* gewyrfed 7,188 *umwenden, verwandeln.*

gehwyrîednes, *st. f.,* 15,239 *wandlung, bekehrung.*

gehygd, *st. f. n., dat. pl.* gehygdum 8,652 *gedanke, erwägung, plan.*

gehyhtan, *schw. v., 1. sg. präs.* gehyhtu 13,4; gehihtan *hoffen.*

gehyldra, *komp. zu* gehield, *fl. -e* 15,123 *sicherer; vgl.* gehealdan.

gehŷnan, *schw. v.,* 8,633 *demütigen.*

gehŷr- *s.* gehîer-.

gehŷðlęct *s.* geedlæcan.

ʒeid *s.* geêode.

geîecan, *schw. v., 3. sg. kent.* geêcð **20**,27 *vermehren.*

ʒeiʒen, *v.,* **33**,38 *schreien.*

ʒeiris *s.* gêar.

ʒeirkest *s.* gearcian.

gelæccan, *schw.v., me.* ilacchen lache 42,7; *prät.* gelæhte **22**,12 *ergreifen, fangen; ne. veraltet* latch.

gelædan, *schw.v.,* 6,20; *kent.* gelêdan **20**,45; *me.* ileden *geleiten, führen.*

gelamp *s.* gelimpan.

gelæran, *schw. v., prät.* gelærde 8,574 *lehren; adj. p. p.* gelæred 16,51; *kent. akk.* gelêredne 20,14; *fl. pl.* gelærede 14,77 *gelehrt; me.* ylere 44,12 *(kennen) lernen.*

gelǣstan, *schw. v.,* **23**,11 *folge leisten; me.* ileste **32**,242; *prät.* gelæste **23**,15 *leisten, erfüllen; me. prät.* ilast 40,23 *dauern, währen.*

gelaðian, *schw. v., prät. pl.* gelaðedon 15,30 *einladen.*

ʒeld, ʒelde *s.* gieldan.

gelêaîa, *schw. m.,* 8,653; *me.* ileave *pl.* ileuen **34**,13889; ilæîe; læîe **36**,44 *glaube.*

gelêdan *s.* gelædan.

ʒelêfan *s.* gelîefan.

gelêodan, *st. v., p. p. me.* iledene **34**,13857 *wachsen, anwachsen, werden.*

geleornian, *schw.r.,* 16,67; *prät.* geleornade 15,243; *pl.* geliornodon 14,48 *(kennen) lernen, studieren.*

gelettan, *schw. v., prät.* gelette 25,6 *zurückhalten, hindern.*

gelîc, *adj.,* 9,237; *me.* ylych 50, 11; ilich 50,14; ylich **50**,28; lyk 64,5; like 67,83 *gleich, ähnlich; schw. form* gelica; *me.* þin iliche **37**,68 *deinesgleichen;* iliche **32**,378 *gleichviel (of godes lihte).*

gelice, *adv.,* 16,11; *me.* iliche **32**,66; ilyche **35**,81; yliche 42,25 *gleich; ne.* alike.

gelîcian, *schw. v., me.* ilikien; *prät.* gelicode 15,28; *merc. p. p.* gelîcad 13,19 *gefallen.*

gelîcnes, *st. f.,* 9,230 *bild.*

gelîefan, *schw. v.,* 14,22; *flekt.* gelŷfenne 25,13; *me.* ileue **32**,49; *pl.* ʒelefeð **28**,5; ileueð **32**,131; ileoueð **34**,13944; leueð **43**,46; *imper. me.* ilef 40,45; *prät. pl.* gelŷfdon 15,192; *pl. konj.* gelîfden 14,*schl.-ged.*6 *glauben.*

geliehtan, *schw. v., 3. sg. nh.* gelihteð **19a,1** *dämmern.*

gelimpan, *st. v., prät.* gelamp **15,231**; *me.* ilomp **84,14028** *sich ereignen.*

gelimplic, *adj.,* **16,25** *geeignet.*

geliornis, *st. f.,* **19a,16**; *nh.* gæliornis **19a,10** *weggang (übers.* Galilaea).

geliðan, *st. v., p. p.* geliden **8,677** *kommen, gelangen.*

ȝellpenn *s.* gielpan.

gelôcian, *schw. v.,* **18,25** *ansehen; me.* ilokie **88,105**; iloken **88,92** *beobachten, halten; p. p.* yloked **50,73** *zusprechen.*

gelôme, *adv., me.* ȝelome **82,47**; ilome **82,91**; lome **82,11** *häufig, beständig.*

gelômlic, *adj., komp.* -re **15,27** *wiederholt, häufig.*

gelong, *adj.,* **8,645** *bereit; me.* ilong **87,96**; ylong **55,10** *beruhend auf, abhängig von (me.* mit on, *ne.* of); *vgl. ne.* along of *und veraltet.*

gelpan, ȝelpe *s.* gielpan.

gelȳfenne *s.* geliefan.

gelȳfed, *p. p.* (= gelêfed) **16,18** *geschwächt, vorgerückt (vom alter).*

gemaca, *schw. m., me.* imake; make **46,107** *genosse; pl.* makes **52,20**; na make **45,44** *nicht seinesgleichen; ne.* make.

gemæc-scipe, *st. m.,* **7,199** *gemeinschaft, concubitus.*

gemæded, *adj., p. p.* gemædd; *me.* mad **45,24** *toll; ne.* mad.

gemâh, *adj.,* **9,595** *rücksichtslos, schamlos.*

gemælan, *schw. v., me.* imelen **87,48** *sprechen, sagen.*

gemælan, *schw. v., p. p.* gemæled **8,591** *beflecken.*

gêman *s.* gîeman.

gemâna, *schw. m., (fl.* -an) **12,7**; *me.* imone **40,51**; ymone **40,32** *gemeinschaft.*

gemæne, *adj., kent.* gemęne **12,24**; *me.* ymene **40,30** *gemeinsam;* him gemæne **22,4** *miteinander.*

gemænelîce, *adv.,* **15,126** *gemeinschaftlich.*

gemang *s.* gemong.

gemænsumian, *schw. v.,* **15,193** *mitteilen.*

gemære, *st. n., fl.* -o **15,149** *grenze.*

gêmde *s.* gîeman.

ȝeme *s.* gîeme.

ȝeme *s.* gieman.

gemearc, *st. n.,* **10,2885** *gegend.*

gemecca, *schw. m.,* **12,2**; -mæcca; *me.* macche *gatte, gattin; ne.* match.

gemêrsad *s.* mêrsian.

gemet, *st. n.,* **16,47** *maß; (fl.* -es) **15, 15**; *me.* imet *angemessenheit, beschaffenheit; oft durch „angemessen" zu übersetzen, so* **10,2895.**

gemêtan, *schw. v.,* **8,731**; *3. sg. präs. ind.* gemêt **20,26**; *me.* imeten **82,133**; imete **82,237**; ymete **40,67**; *prät. me.* imette **84,13819**; *merc.* gemoètte **18,31** *begegnen, treffen; p. p.* gemêted **9,231**; gemêt **20,31** *finden.*

gemetegian, *schw. v.,* **26,46**; *p. p.* gemetgod **20,33** *mäßigen, mildern.*

gemet-fæst, *adj.,* **15,99** *gemäßigt, bescheiden.*

ȝemeð *s.* gîeman.

gemiltsian, *schw. v., 3. sg.* -að **24,1** *sich erbarmen über.*

geminsian, *schw. v., prät.* geminsade **8,621** *herabsetzen, verkleinern.*

gemon *s.* gemunan.

gemong, *st. n.,* **11,193**; gemang **11,225**; *me.* imong *menge, schar;* on gemang **14,65**; *me. präpos. dafür später* gemong; *me.* imong *oder* onmang, amang; among(e) **88,32** *unter; adv., me.* among **51,4**; amonge **58,82**; amonges **59,37**; amang **60,118**; emang **67, 112**; emong **67,400** *dazwischen, darunter; ne.* among(st).

gemôt, *st. n.,* **15,25**; *me.* imot *zusammenkunft, beratung; gen.* -es **18,50** *begegnung.*

gemunan, *prät.-präs.,* **15,9**; *me.* imunen; *präs.* gemon **8,624**; geman; *pl.* gemunon; *konj.* gemyne **8,721**; *pl.* gemynen **12,43**; *prät.* gemunde **14,28** *sich erinnern, gedenken (mit akk. oder gen.).*

gemynd, *st. f. n.,* **14,3**; *me.* imunde; munde; mynd(e) **59,10**; mind *erinnerung, gedächtnis; ne.* mind.

gemyndgian, *schw. v., me.* imuneȝen; *prät.* gemyndgade **16,67**; *pl.* gemynegodon **15,65** *sich erinnern, im gedächtnis behalten; p. p. fl.* gemyngedon **15,120** *erwähnen.*

gemyndig, *adj.,* **8,601** *eingedenk.*

gên, *adv.,* **7,192**; gîn **9,236** *noch, wiederum; neg.* **7,198** *noch nicht.*

genam(en), genâme, ʒename, genâmon *s.* geniman.

gend *s.* gentil.

geneâlǽcan, *schw. v., prät.* geneâlǽhte 19b,2; *nh.* genêolêcde 19a,2; *me.* geneahlacte 19c,2; geneohlahte(n) 19c,9; geneohlacte 19c,18 *sich nähern.*

geneât-scolu, *st. f.*, 8,684 *schar der genossen.*

genêdedlíc, *adj.*, 15,245 *erzwungen.*

genêosian, *schw. v., 3. sg.* -að 9,851 *aufsuchen.*

genergan, *schw. v.*, 6,19; *imp.* genere 18,20; *prät.* generede 18,36 *retten, erretten.*

genêt *s.* genîedan.

genîedan, *schw. v., 3. sg. prs. ind. kent.* genêt 20,28; *me.* inede *nötigen, zwingen.*

genihtsumian, *schw. v., prät. pl.* genihtsumedon 15,20 *genügen.*

genihtsumnys, *st. f.*, 15,8 *überfluß.*

geniman, *st. v., me.* inimen; *prät.* genam 10,2929; *konj.* genâme 28, 71; *pl.* genâmon 19b,9; genômen 19d,9; *me.* genamen 19c,9; *p. p.* genumen 17,186; ynome 61,1105 *nehmen, fangen, ergreifen, erlangen, empfangen; prät.* ʒenam 28, 45 *annehmen.*

genîwian, *schw. v., p. p.* genîwad 8,607 *erneuern.*

genôh, *adj.*, 17,168; *me.* onoh 27, 30; inoh 82,235; inou 82,385; inouh 37,62; ynoh 53,13; ynewch 66,446; enogh 67,532; *pl.* inoʒe 34,14052; inowe 48,27; *adv.* anouʒ 42,30 *genug; ne.* enough.

gent *s.* gentil.

ʒent *s.* geond.

gentil, *adj.*, 50,8; gentille 48,9; gent 48,11; gentyl(e) 50,1; gentile 50,53; ientyle 58,62; gend 70,1 *vornehm, fein, edel, gütig, freundlich; ne.* gentle (genteel).

gentilesse, *sb.*, 50,5 *vornehmheit.*

gentylete, *sb.*, 50,52 *adel; ne.* gentility.

gentylnesse, *sb.*, 65,60,4 *freundlichkeit, gnade; ne.* gentleness.

genumen *s.* (ge)niman.

genyhtsum, *adj.*, 19d,12 *genügend, reichlich.*

gêo, geô, ʒeo *s.* gê, hê, iû.

geoc, *st. n.*, 15,16 *joch; ne.* yoke.

gêocend, *st. m.*, 7,198 *helfer, erlöser.*

geoguð, *st. f.*, gioguð 14,57; *me.* ʒeoʒeðe 82,373; ʒouth 69,170,4 *jugend; ne.* youth.

geoguð-cnôsl, *st. n.*, 6,10 *jugendliche nachkommenschaft.*

geômor, *adj.*, 8,703; *me.* ʒeomer 87,40; yemer(e) 41,37 *beklagenswert, traurig.*

geômor-môd, *adj.*, 7,173 *traurig gestimmt.*

geon, *pron.*, gion: *me.* gion 45,88 *jener; ne.* yon.

geond, *präpos.*, 9,82: giond 14,3; *me.* ʒond; ʒent 51,12 *über, über ... hin;* 14,schl.-ged.12 *durch, hindurch; adv.* gonde 34,13854; yond 67,453 *dort; ne.* yond.

geond-wlîtan, *st. v., 3. sg.* -eð 9,211 *überschauen.*

geong, *adj.*, 4,1b (*dat. f.* geongre 7,201); giong 9,355; giung 18,29; *me.* ʒeong; ʒung 82,4; ʒung 82,10; yung 44,30; ʒong 46,361; ʒing 48, 16; yong 67,397 *jung, jugendlich; ne.* young; *kompar.* ʒeonger 82, 322; *davon schw. f.* gingre 11,132 *dienerin; me. pl. m.* ʒingran 28,13 *jünger.*

geonga, geongan *s.* gongan.

georn, *adj.*, 11,210: *me.* ʒeorn; ʒern *gierig (mit gen.):* giorn 14,10 *eifrig.*

georne, *adv.*, 22,53; gerne; *me.* ʒeorne 82,49; ʒerne 46,13 *gierig, eifrig;* 87,80; yerne 44,153 *dringend, inständig;* 10,2846 *genau.*

georn-fulness, *st. f.*, 16,82; -nyss 15,136; *me.* ʒeornfulnesse *eifer.*

geornlíce, *adv.*, 16,81; *me.* ʒeornliche *eifrig, sorgfältig.*

gêotan, *st. v.*, 7,173 *vergießen: p. p. me.* yʒote 51,82 *gießen.*

ʒepined *s.* pinian.

ger, gêr, ʒer *s.* gêar, gearwe.

gerǽcan, *schw. v.*, 6,27: *me.* irechen *erreichen, gelangen.*

gerǽdan, *schw. v.*, 23,36; *prät.* gerǽdde 25,17 *beschließen, ins werk setzen.*

gerǽstan, *schw. v., prät.* gerǽste *rasten, ruhen.*

gere *s.* gearwe, gearwiau.

ʒere *s.* gêar.

geredæ *s.* gierwan.

gerêfa, *schw.m.*, *merc.* dat. gerôefe 19d,14; *nh.* grôefa 19a,14; *me.* ireue 82,50 *vorsteher, beamter; ne.* reeve.

gereord, *st. n.*, 15,125 *sprache.*

gerest, *st. n.?*, *me.* irest 88,5; *fl.* ireste 88,85 *rast, ausruhen.*

gêri *s.* gêar.

geriht, *st. n.*, 11,202; *me.* irihte *gerade richtung.*

gerîm, *st. m.*, 26,7 *zahl, berech-nung.*

gerisen, *adj.*, 15,246 *geeignet, passend, angemessen.*

gerisenlîc, *adj.*, 16,3 *passend.*

Germania, *st.f.*, 17,11; *gen.* Ger-manie 15,51 *Germanien.*

gerne *s.* georne.

gerôefa *s.* gerêfa.

ȝerrsalæm *s.* Hierusalem.

gert *s.* gierwan.

gertest *s.* gyrdan.

ȝeruh *s.* gearo.

gerûma, *schw. m.*, 6,16 *geräumi-ger ort.*

gerŷman, *schw.v.*, *prät. pl.* -don 14,8; *me.* ȝerimen; irumen *erwei-tern, ausdehnen.*

gerŷne, *st. n.*, *pl.* gerŷno 7,196 *geheimnis.*

gesald *s.* sellan.

gesælig, *adj.*, 9,350 *selig, glück-selig.*

gesæliglîc, *adj.*, 14,4 *glücklich.*

gesælð, *st. f.*, 24,6; *me.* y selþ(e) 82,15 *glück.*

gesamnode *s.* gesomnian.

gesætt *s.* gesittan.

gesætte *s.* gesettan.

gesceaft, *st. f.*, 8,728; *me.* ȝe-sceaft(e) 82,84; shafft(e) 86,58 *schöpfung;* 18,16 *geschöpf.*

gesceap, *st. n.*, 16,71 *schöpfung; pl.* gesceapu 9,210 *schicksal, ge-schick.*

gesceot, *st. n.*, 21,4 *geschoß.*

gescieppan, *st. v.*, -scyppan; *prät.* gescôp 9,84; -scêop *schaffen.*

gescomian, *schw.v.*, *prät.* gesco-mede 8,713 *sich schämen.*

gescyldan, *schw. v.*, *kj.* -e 15,140; *me. imp.* ischild 87,120 *schützen.*

gese, *adv.*, gise; *me.* ȝus 46,294; ȝise 58,117 *ja, fürwahr; ne.* yes.

geseah *s.* gesêon.

geseald *s.* sellan.

gesêcan, *schw. v.*, 9,264; *me.* ise-chen; *prät. pl.* gesôhtun 18,27 *(auf)suchen, folgen.*

gesegen *s.* sêon, gesêon.

geseglian, *schw.v.*, 17,127 *segeln; vgl.* gesiglian.

gesellan, *schw. v.*, 12,24; *me.* isellen; *p.p.* geseald 19b,18; *merc.* gesald 19d,18; *me.* geseald 19c,18 *geben, übergeben.*

gesêman, *schw.v.*, 23,60 *zufrieden-stellen, versöhnen.*

gesên *s.* gesêon.

gesêon, *st.v.*, 9,675; ge-ȝion 14,36; *nh.* gesêa 19a,7; *flekt. nh.* gesêanne 19a,1; *me.* ȝe-seone 28,10; gesyen 19c,1; i seon 82,18 (*fl.* iseonne 87,30); iseo 88,63; ise 47,1089; ysen 47,1122; gese; yzy 50,28; *2. sg. präs. ind.* gesihst 21,3; *3. me.* yzyþ 50,22; *pl. präs. konj. merc.* gesên 18,34; *p. präs.* gesêonde 19d,17; *me.* seynge 19e,17; *prät.* geseah 10,2877; *me.* iseh 32,261; isæh 84,14015; yseȝ 50,72; yzeȝ 50,80; *2. sg. me.* iseie 87,105; *pl.* gesâwun 19b,17; *nh.* gesêgon 19a,17; ȝe-seȝen 28,9; ȝeseȝan 28,49; *me.* geseagen 19c,17; iseȝen 82,98; *konj. prät.* gesâwe 15,165; ȝe-seȝe 28,24; *p. p.* gesawen 15,191; ge-segen 16,54; *me.* yzoȝe 50,111 *sehen, ansehen, erblicken.*

gesêoð = sôð 15,192 *wahr, treu; vgl. lesart von T.*

gesetniss, *st.f.*, 22,36; gesettness 12,44; *me.* isetnesse *festsetzung, bestimmung, testament.*

gesett *s.* gesittan.

gesettan, *schw. v.*, *me.* isetten; *prät.* gesette 16,26 *hinlegen;* 9,10; *merc.* gesætte 19d,16 *hinsetzen; bestimmen, einsetzen.*

gesettnesse *s.* gesetniss.

gesewen *s.* sêon.

gesibb, *adj.*, 6,22; *me.* isib *ver-wandt.*

gesibbian, *schw.v.*, *p. p. pl. kent.* gesibbade 20,39 *versöhnen, ver-binden.*

gesiglan, *schw. v.*, 17,60 *segeln; vgl.* geseglian.

gesihst *s.* gesêon.

gesihð, *st. f.*, 18,29; gesyhð 4,1b; *me.* isihðe, sihte 84,13990; syhte; sighte; syght(e) 49,45; sight 48,160; sycht *gesicht, augen, sehkraft;*

gesihþ(uæn)**22,48**; *me.* sihte **82,365**;
siзt(e) **45,47** *(an)blick, vision;* siзt
61,1146; sicht **66,**420 *sicht;* sight
48,50 *einsicht; ne.* sight; ðurh sihte
82,282 *mit offenen augen, wissent-
lich (Hall).*

gesìngan, *st. v., konj. präs.* **12,**37
singen, lesen (von der messe).

gesìon *s.* geséon.

gesìttan, *st. v.,* **9,**671; *prät. nh.*
gesæett **19a,**2; *merc.* gesett **19d,**2
sitzen; **18,**49 *besitzen.*

gesîð, *st. m.,* **11,**201 *genosse, ge-
fährte.*

geslêan, *st. v., prät. pl.* geslôgan
15,43; geslôgon **18,**4; *me. p. p.*
ys(s)laзe **50,**85 *(er)kämpfen.*

gesoden *s.* séoðan.

gesomnian, *schw.v., prät.* gesam-
node **17,**182; *pl.* gesomnedon **15,**
24; *me.* isomnie *(sich) versammeln.*

gesomnung, *st.f.,* **16,**65; gesomm-
nuncg **12,**4; *me.* isommnunge *ver-
sammlung, vereinigung.*

gespôwan, *st. v., prät.* géspêow
11,175 *von statten gehen, gelingen.*

gesse, *schw. v.,* **68,**4 *glauben, ver-
muten; ne.* guess.

gestîgan, *st. v.,* **10,**2853; *nh.* gi-
stîga **4,**1a; *me.* istiзen; *prät.* ge-
stâh **4,**1b *(er)steigen.*

gestihtian, *schw.v., p.p.* gestih-
tad **15,**31 *anordnen.*

gest-liðnes, *st. f.,* **15,**194 *gast-
freundschaft.*

gestondan, *st. v., me.* istonden
prät. gestôd **10,**2898; *pl.* gestôdon
4,4b; *nh.* gistôddun **4,**4a *stehen,
sich stellen.*

gestrangod *s.* gestrongian.

gestrêon, *st. n.,* **17,**190 *besitz.*

gestrîenan, *schw.v.,* **14,**88; ge-
strȳnan; *me.* istreonen *gewinnen.*

gestrongian, *schw. v., p. p.* ge-
strongad **18,**6; gestrangod **15,**144
stärken.

gesufl, *adj., gen. pl.* gesuflra **12,**25
zur zukost gehörig.

geswencan, *schw. v., p. präs.
pl.* geswencende **18,**29; *p. p.* ge-
swenced **18,**26; *me.* iswenchen
plagen, quälen.

geswîcan, *st.v.,* **21,**76; *me.*iswiken
nachlassen, sich legen.

geswinc, *st.n., me.*iswinch **32,**57;
jswinch **82,**36 *arbeit, erarbeitetes.*

gesyhð *s.* gesihð.

get(e), зet *s.* gæten, geat, gìet,
gìetan.

getǽcan, *schw. v.,* **10,**2854; *me.*
itechen *zeigen.*

getæl, *st. n.,* **16,**65; *me.* itel *er-
zählung.*

gete *s.* geat, gietan.

geteald *s.* tellan.

geteld, *st. n.,* **18,**37 *zelt.*

getîdan, *schw. v., me. 3. sg. präs.
ind.* itit **32,**125 *sich treffen, ge-
schehen.*

getimbran, *schw.v.,* **9,**202; *p.p.me.*
зetimbrod **28,**3 *bauen, zimmern;
vgl.* timbran.

getimbro, *st.n.pl.,* **15,**77 *gebäude.*

getrêowian, *schw. v., p. präs.
kent.* getrîowende **20,**40; *prät.
pl.* getrêowodan **15,**5 *vertrauen,
glauben; nh. pl. präs.* getrêwað
19a,14 *überzeugen.*

getrymman, *schw.v., prät.* **15,**233
getrymedon *bekräftigen; p.p.* ge-
trymmed **23,**22 *stärken, ermutigen.*

gett, зett, зette, зettis *s.* gæten,
geat, gìet, gìetan.

getwêogan, *schw.v., prät.pl. nh.*
getwiedon **19a,**17 *zweifeln.*

geue, gewen, зeven *s.* gìefan.
зeve *s.* gielu.

geunnan, *prät.-präs., konj.* geunne
24,5 *gönnen.*

geunrôtsian. *schw.v., p.p.*geun-
rôtsad **18,**30 *betrüben.*

gewær, *adj., me.* iwer **82,**330 *ge-
wahr; vgl. ne.* aware.

gewearnian, *schw. v., flekt. inf.*
-nienne **15,**26 *verhüten, vorbeugen.*

gewelgian, *schw.v., p. p. pl.* ge-
welgade **15,**179 *begaben, aus-
statten.*

gewelt *s.* gewyldan.

geweorc, *st.n.,* **15,**133 *ausführung.*

geweorðan, *st.v.,* gewurðan **22,**
32; *me.* iwurðe, iworþe **84,**13964;
prät. gewearð **7,**210; *merc.* ge-
warð; *p.p.*geworden **18,**15; *fl.* ge-
wordene **19b,**11; *me.* geworðene
19c,11 *werden, geschehen, ein-
treten;* him gewearð **22,**69 *sie
kamen überein.*

geweorðian, *schw. v., me.* iwur-
ðien; *konj.präs. kent.* geuueorðiæ
12,9; *p. p.* geweorðad **16,**2 *feiern,
auszeichnen.*

gewerian, *schw. v., prät. pl.* ge-
weredon **15,**69 *sich verbünden.*

gewîcian, *schw. v.*, **9**,203; *prät.*
gewîcodon **17**,76 *wohnen.*

gewîdmærsod *s.* wîdmærsian.

gewierdan, *schw. v.*, gewyrdan
9,19; *me.* iwreden **37**,38 *vernichten.*

gewiht, *st. n., me.* iwicht; wiht-
32,212; ʒiht(e) **32**,380 *gewicht; ne.*
weight.

gewildon *s.* gewyldan.

gewill, *st. n., selten* will; *me.* ywil
32,14; iwill(e) **32**,73 *wille, freude;
ne.* will; *vgl.* willa.

ʒewilleliche, *adv.*, **38**,1 *willig.*

gewin *s.* gewinn.

gewin-dæg, *st. m.*, **9**,612; *dat. pl.*
gewindagum **8**,611 *tag des streites,
der arbeit, der bedrängnis.*

gewinfullîc, *adj.*, **15**,130 *mühsam.*

gewinn, *st. n.*, **17**,167; *me.* iwinn;
iginn **32**,246 *streit;* gewin **15**,135
mühe; **15**,50 *arbeit.*

gewinna, *schw. m.*, **15**,42 *feind.*

gewislîce, *adv., me.* gewislice
19c,6; iwislîche *gewiß.*

gewiss, *adj., adv., me.* jwis **32**,215;
iwis **37**,142; wiss **36**,59; ywis **48**,
52; ywisse **54**,25; iwysse **58**,69;
to wisse **48**,123 *gewiß, fürwahr;
ne.* I wis; *sb.* mid (myd) iwisse
32,40 *gewißlich;* mid nane jwisse
32,236 *durchaus nicht.*

gewitan, *prät.-präs., me.* iwiten
32,382 *wissen, erfahren.*

gewîtan, *st. v.*, **9**,320; *3. sg. präs.
ind.* gewît **20**,18; *me.* iwiten;
prät. gewât **10**,2869; *pl.* gewiton
15,58; gewitan **18**,53 *gehen, sich
begeben.*

gewit-loca, *schw. m.*, **14**,*schl.-ged.*
13 *geistesbehältnis, brust.*

ʒewitness, *sb.*, **28**,22; iwitnesse,
witnesse **32**,108; wittnes **48**,48
zeugnis; ne. witness; *davon me.
v.* witnesse *zeuge sein, bezeugen;
ne.* witness.

gewitt, *st. n.*, **9**,191; *instr.* gewitte
8,597 *verstand, geist.*

geworden(e), gewordne *s.*
geweorðan.

geworht(e), -ra *s.* (ge)wyrcan.

geworðene *s.* geweorðan.

gewrit, *st. n.*, **9**,332; *me.* iwrit(e)
32,101; *pl.* ʒewriten **28**,16 *schrift,
heilige schrift; schriftstück, brief.*

ʒewriten *s.* wrîtan, gewrit.

gewuna, *schw. m., me.* iwune **34**,
14017 *gewohnheit; vgl.* wuna.

gewunian, *schw. v., me.* iwunie;
iwone; *prät.* gewunode — gewu-
nade **15**,225; *p. p.* gewunod; *me.*
iwoned **34**,14025 *sich aufhalten,
bleiben; me.* is iwuned **32**,57;
wæs ywoned **50**,71 *pflegt(e).*

gewurðan *s.* geweorðan.

gewyldan, *schw. v., 3. sg. präs.
ind. kent.* gewelt **20**,48; *me.* iwel-
den; *prät.* gewylde; *pl.* gewildon
22,75; *p. p.* gewyld **22**,56 *bewälti-
gen, beherrschen; ne.* wield.

gewyrcan, *schw. v.*, **17**,197; ge-
wyrcean **15**,174; *me.* iwerche;
prät. geworhte **8**,711; *p. p.* gen.
pl. geworhtra **7**,179 *machen, ins
werk setzen, verüben; prät. pl.*
geworhton **22**,75 *veranstalten;*
16,79 *dichten.*

gewyrdan *s.* gewierdan.

gewyrht, *st. n.*, **8**,728 *werk, ver-
dienst.*

gewyrpan, *st. v., p. p.* gewyrped
(*hs. les.*) **7**,188 *(ver)ändern.*

geyff *s.* giefan.

geyn, *adj., sup.* geynest **58**,37
schön, gütig; ne. dial. gain [*an.*
gegn].

geðafian, *schw. v.*, **20**,17; *me.*
iðauien **37**,142; *prät.* geþafode
25,3 *gestatten, sich in etwas finden.*

geðafung, *st. f., fl.* -e **15**,96 *erlaub-
nis, übereinstimmung.*

geþæhtung, *st. f.*, **19**d,12 *be-
ratung.*

gêð *s.* gân.

geþanc *s.* geþonc.

geðencan, *schw. v.*, **14**,24; geðen-
cean **14**,19; *me.* iðenche **32**,118;
3. sg. me. iðencð **32**,201; *imp.* ge-
ðenc **14**,24; *me.* iþench **37**,100;
prät. geðohte; *me.* iþohte(n) **34**,
14026; iþout **46**,184 *gedenken,
sich erinnern, erwägen.*

geþêodan, *schw. v., konj. präs. pl.*
geðêode **15**,197; *prät.* geþêodde
16,47; *pl.* geþyddan **15**,237; *p. p.*
geþêodde **15**,47 *verbinden, zu-
fügen, einfügen;* **16**,64 *in die
schar aufnehmen.*

geþêode, *st. n.*, **17**,80; geðîode
14,33; *gen. pl.* geðêoda **14**,46
sprache; **17**,194 *stamm.*

geþêodniss, *st. f., dat.* -e **16**,8
verbindung, „appetitus".

geþêon, *st. v., me.* iðeon; *prät.* ge-
þêah; *me.* iþeʒ; *pl.* geþugon; *p. p.*

geþogen; *me.* iþoʒen *gedeihen;* ich iðeo **87**,121; wel iþeo **87**,130 *es geht mir gut.*

geþingian, *schw. v., präs. konj.* geþingige 8,717 *fürbitte einlegen.*

geþolian, *schw. v.,* **23**,6; *me.* iðolien **38**,42 *dulden, ertragen.*

geþonc, *st. m. n.,* geþanc **23**,13; *me.* iðanc **82**,108; i þank(e) **82**,69 *gedanke.*

geþring, *st. n., me. dat.* þrynge 40,73 *gedränge;· vgl. ne.* throng.

geðûht *s.* þyncan.

geþungen, *p. p.* **26**,9 *erwachsen, vollendet;* 11,129 *vollkommen.*

geþýddan *s.* geþêodan.

ʒhe *s.* gê, iâ.

gi- *s.* ge-.

gibaen *s.* giefan

gibêataen *s.* bêatan.

gicel, *st. m.?, Ep.* gecilae **1**,23; *me.* ikil *eiszapfen; ne.* (ic)icle.

gidere *s.* geador.

gidrœfid *s.* drêfan.

gîe *s.* gê.

gied, *st. n.,* 8,719 *gesang, gedicht.*

gief, *konj.,* gif 6,7; gyf 17,127; *merc.* geʃ 19d,14; *me.* ʒief; ʒif **82**,121; ʒef **83**,1; gif **83**,6; yif 44,126; if **46**,32; ʒeif **46**,443; yef; yf 49,23; ʒef þat 51,32; gife 70,37 *wenn, ob; ne.* if.

giefan, *st. v.,* 8,657; *me.* gyuen 27, 38; ʒieuen **82**,64; ʒyue(n) **82**,395; ʒeue **83**,77; ʒeuen **34**,13959; ʒiue **38**,30; ʒeve 46,191; geve 46,223; geyff 66,447; geue 69,172,4; giff 72,2; *2. sg. präs. ind.* ʒevest 46, 287; *3. sg. präs. ind.* ʒiuet **82**,71; ʒifð **82**,146; ʒeueð **83**,101; ʒiueþ 47,1111; yefþ 50,37; *pl.* ʒiueð **82**, 189; ʒefue **84**,13922; ʒifuen **84**, 13928; *konj. prs.* ʒiue **82**,56; ʒýue **82**,122; ʒefe **83**,66; yeue 40,23; ʒeve 46,442; gyue 48,167; *imp. sg.* ʒif 37,102; yef 40,17; ʒef 55, 22; *prät. sg.* geaf 15,246; *me.* ʒaue 19e,12; ʒef **34**,14050; ʒœf **34**,14051; ʒaff **86**,62; gaf 48,236; yeaf 50,68; gawe 66,407; *konj.* yeaue 50,67; *pl.* gêafan 15,47; *me.* iafen 27,8; ʒæfenn **86**,15585; gaf 48,193; gave 68,19; *p. p.* gibaen 1,11; gegyfen 15,167; *me.* gyuen ʒiuen **88**,27; ʒouen 42,34; ʒouun 19e,19; igiven 46,246 *geben, schenken; prät.* ʒaff **86**,62; ʒef 56,

35 *opfern, hingeben; pl.* gouen hem ille 44,164 *benahmen sich untröstlich;* gaif our 66,436 *ließ liegen; mit inf.* (**82**,395) *lassen; ne.* give.

giefeðe, *adj.,* gifeðe 11,157; *me.* ʒeveðe *verliehen, bestimmt.*

giefu, *st. f.,* 9,327; gifu; *fl.* gife 15,140; gyfu 9,624; *kent.* gæfu 12,1; *me.* ʒiue **82**,74; ʒefe *gabe, geschenk, gnade.*

gield, *st. n.,* gild; gyld; *me. pl.* gæildes 27,37 *bezahlung, abgabe.*

gieldan, *st. n.,* gyldan 8,619; *me.* ʒelde **88**,27; ʒeld 48,42; yelde 50,66; *3. sg.* ʒrräs. gylt 17,100; *p. p.* golden; *me.* yyolde 50,73 *bezahlen, vergelten;* yeld 61,1139; *p. p.* ʒelde 61,1133 *(über)geben, gewähren; ne.* yield.

gielpan, *st. v.,* gelpan 18,44; *me.* ʒellpenn **86**,15598; ʒelpe 46,227; yelpe 50,52 *(sich) rühmen; ne.* yelp.

gîeman, *schw. v., me.* ʒeme(ð) **87**,42; yeme(n) 44,131; *achtgeben, hüten, halten;* 44,172 *regieren; prät.* gêmde 16,81 *nach etwas streben.*

gîeme, *schw. f., me.* ʒeme 37,121 *sorgfalt, obacht.*

gierwan, *schw. v., prät. pl.* gierdon 14,*schl.-ged.*10; *p. p.* gegiered 14, *schl.-ged.*23 *rüsten, bereiten, herrichten; me. prät.* gert 60,117 *veranlassen; nh.* geredœ 4,1a *(statt on-) entkleiden.*

gîet, *adv.,* 14,36; gýt 11,182; gît 21,67; gêt; gîeta (*les.* gýta, gîta) 18,66; *me.* get 27,3; gæt 27,44; ʒyet **82**,5; ʒut **82**,289; ʒette **88**,20; ʒet **86**,98; yet 41,42; ʒute **43**,72; giet 45,113; ʒete 47,1017; ʒit 48, 150; yete *(immer) noch;* yit 63,17 *gleichwohl, doch;* 15,224; 51,68 *schon; ne.* yet.

gietan, *st. v.,* (*ae. nur in kompos.*); *me.* gete 44,147; geten 46,447; gett 70,30; ʒet; *prät.* gat 45,3 *bekommen, erlangen; prät.* gate 59,76 *ergreifen; p. p.* ygete 42,50 *besorgen, holen; ne.* get.

gif, ʒif *s.* gief, giefan.

gif- *s.* gief-.

gife *s.* gief.

grîêngun *s.* gefôn.

giff *s.* giefan.

gîfre, *adj., me.* ʒivre *gefräßig, gierig.*

g i f t, *sb.*, **46**,223; *pl.* ʒeftes **84**,13960
　geschenk, gabe; ne. gift.
g i f u *s.* giefu.
ʒ i f u e n, ʒ i f ð *s.* giefan.
ʒ i h t *s.* gewiht.
g i h u a e s *s.* gehwâ.
g i l e, *sb.*, **57**,6; gyle **67**,214 *trug,
　(hinter)list, tücke; ne.* guile.
g i l e r i e, *sb.*, **48**,123; gilery **48**,64
　betrug, list.
G i l l e, *eigenn., (abkürz. von* Gillian
　= Juliana) **67**,219, *verächtlich:
　weibsbild.*
g i m, *st. m.*, **9**,183; *me.* ʒimm *edel-
　stein.*
g i m - s t â n, *st. m., pl.* ʒimstones
　87,55 *edelstein.*
g i n, *adj., gen.* ginnan **11**,149 *weit,
　geräumig, groß.*
g i n, *sb.*, **46**,289 *list, erfindung;* gyn
　67,128 *kunst, maschine; ne.* gin.
g î n *s.* gên.
g i n d - w a d a n, *st. v., prät.* gind-
　wôd **14**,86 *durchschreiten, durch-
　wandern.*
g i n - f æ s t, *adj.*, **10**,2919 *groß.*
ʒ i n g, ʒ i n g e, ʒ i n g r a n *s.* geong.
g i n n a n *s.* gin.
g i n n a n *(in komp.), st. v., me.*
　ginne; *prät. me.* gon **83**,71; gan
　84,13968; con **51**,12; conne **56**,
　28; can **66**,400; gunne **89**,1344;
　pl. gunnen **84**,13811; gun **42**,
　12; gunne **48**,53; gan **48**,109 *be-
　ginnen, oft rein auxiliar; auch
　prät.* couth **60**,97; cowd **70**,19 *in
　demselben sinne.*
g î o *s.* iû.
g i o - *s.* geo-.
g i r d e *s.* gyrdan.
g i r e n, *st. n. f., merc.* **18**,33 *schlinge.*
g i r n e, *v.*, **72**,10 *die zähne fletschen;
　ne.* grin.
ʒ i r n e *s.* ʒyrnen.
g i r t e *s.* gyrdan.
ʒ i s e *s.* gese.
g i t, *pers. pron.*, 2. *pers. dual., me.*
　ʒit (*für akk.* **57**,6); *gen.* incer; *dat.*
　inc; *akk.* incit **10**,2880; inc **19**d,10
　ihr beide.
ʒ i t, g î t (a) *s.* ʒiet.
g î t s e r e, *st. m., me. pl.* ʒyscers (ʒitce-
　res, witceres) *les. für* witteres,
　82,267 *geizhals.*
g i û *s.* iû.
g i u e n *s.* giefan.
g i u n g *s.* geong.

G i u s, *volksn., pl. m.*, **41**,15; Iuwis
　45,94; Iewis **19**e,15; *sg.* Iue **58**,109
　die Juden; ne. Jew(s), *vgl.* Iûdeas.
ʒ i v - *s.* gief-.
g l æ d, *adj., dat.* gladan **9**,593; *me.*
　gled **87**,54; glad **46**,328; glaid
　66,406 *heiter, froh; ne.* glad.
g l â d *s.* glîdan.
g l a d (e), g l a d a n *s.* glæd, gladian.
g l a d i a n, *schw. v., me.* gladien **88**,
　17; glade **67**,491; glade **69**,170,2
　sich freuen, erfreuen.
g l æ d l î c e, *adv., me.* glaidly **62**,25
　gern; ne. gladly.
g l æ d - m ô d, *adj.*, **11**,140 *heiteren
　sinnes.*
g l æ d n i s, *st. f.*, **19**a,8 *heiterkeit;
　me.* glednesse **87**,169; gladnesse
　65,60,2 *freude; ne.* gladness.
g l æ d - s c i p e, *st. m., me.* gledscipe
　88,88; gledschipe **87**,14; glad-
　shipe **54**,5 *freude.*
g l a i d *s.* glæd, glîdan.
g l a i d l y *s.* glædlîce.
g l a m, *sb.*, **58**,63 *stimme, ruf.*
g l æ m, *st. m.*, **9**,253 *glanz, schimmer,
　schönheit.*
g l a s, *st. n., me.* **48**,14 *glas; ne.* glass.
G l a s k o w, *ortsn.*, **66**,380 *Glasgow.*
g l e *s.* glêo.
g l ê a w, *adj.*, **11**,171; *me.* gleu *klug.*
g l ê a w - h ŷ d i g, *adj.*, **11**,148 *klug.*
g l ê a w - m ô d, *adj.*, **14**,86 *klug.*
g l ê d, *st. f., me.* glede **82**,218; *pl.*
　gleden **88**,37 *glühende kohle; ne.*
　veraltet gleed.
g l e d (-) *s.* glæd(-).
g l e n g a n, *schw. v.*, **9**,606; 3. *sg. präs.*
　glenget **20**,36; *p. p. pl.* glengede
　20,36 *zieren.*
g l ê o, *st. n., Ep.* glîu **1**,8; *me.* gle
　67,529 *freude; me.* gleo **82**,288
　unterhaltung, musik; ne. glee.
g l ê o - b ê a m, *st. m., pl. me.* gleo-
　beames **87**,62 *musikholz, harfe.*
g l ê s a n, *schw. v., prät. merc.* gleo-
　sede **19**d,20 *glossieren.*
g l e w, *sb., pl.* glewis **69**,160,4 *ge-
　schick, bestimmung.*
g l e w e, *v.*, **54**,6 *sich freuen, sich er-
　lustigen, musizieren.*
g l î d a n, *st. v., me. p. präs.* glidende
　88,37; *prät.* glâd **18**,15; *me.* glod
　58,63; glaid **66**,414 *gleiten, gehen,
　kommen; ne.* glide.
g l î u *s.* glêo.
g l o d *s.* glîdan.

g l ô f, *st. f.*, *Ep.* gloob 1,14 *hand-schuh: me. ne.* glove.

g l o r i u s, *adj.*, 67,166 *rühmlich, ruhmvoll; ne.* glorious.

g l o r y e, *sb.*, 58,94 *glorie; ne.* glory.

g l o t o n y, *sb.*, 67,37; glotyny 67,52 *schwelgerei; ne.* gluttony.

g l o u m b e, *v.*, 58,94 *finster drein-sehen, zornig sein; vgl. ne.* gloom, glum.

g l ô w a n, *st. v., me. p. präs.* glowande 58,94 *glühen, strahlen; ne.* glow.

g n a g a n, *st. v., me.* gneȝe(ð) 83,36; gnawe(th) 68,10 *nagen; ne.* gnaw.

g n a w e(t h) *s.* gnagan.

g n ê a ð, *adj., me.* gnede 44,97 *karg.*

g n o r n u n g, *st. f.*, 20,7 *trauer.*

g o *s.* gân.

g o d, *st. m.*, 4,1a; *nom. akk. plur.* godu 8,598; *me.* god 32,8; godd 84,13891; Goed 46,210; *gen.* godis 67,227; *pl.* goddis 59,45; *dat. pl.* goden 84,13919 *gott; ne.* god.

g ô d, *adj.*, 17,83 (*gen.* gôdaes 8,4); *me.* god 32,19; good 89,1341; gode 42,33; goed 46,251; guod 50,39; goude; gude 57,14; gud 70,5; guid 72,II,1; *dat. fem.* goder 46, 261; *akk. mask.* godne 85,75; *pl.* gode 44,1; *gut, tüchtig;* to gode 32,23 *freiwillig; ne.* good; *komp.* bet(e)ra 18,48; *me.* betre; betere 82,28; better 57,32; bet 37,166; betera(n) weorþan 18,48 *überlegen sein; sup.* betest 14,89; betst 21, 12; *me.* betst(e) 82,51; best 37,129; *st. n.*, gôd(a) 9,615; *me. pl.* guodes 50,36 *gut, vermögen;* 82,27 *gutes;* couþe gode 47,1096 *wußte sich gut zu benehmen.*

g o d - b e a r n, *st. n.*, 9,647 *gottessohn.*

g o d - c u n d, *adj.*, 12,10; *akk. mask.* godcundne 15,4; *me.* goddcunnd 36,15541 *göttlich, geistlich.*

g o d - c u n d l î c e, *adv.*, 16,13 *von gott.*

g o d - c u n d n i s s, *st. f., me. fl.* godcunnesse 82,389 *göttlichkeit, gottheit.*

g ô d - d æ d, *st. f.*, 9,669 *gutes werk.*

g o d d e s s e, *sb.*, 69,159,4 *göttin.*

g o d d i s *s* god.

g o d d o t = god wot (*s.* witan).

g o d e n *s.* god.

g o d e r *s.* gôd.

g o d - l ê a s, *adj., me.* godlies(e) 32, 344 *gottlos; ne.* godless.

---

g o d l e c, *sb.*, 46,227 *wohltat* [*an.* góðleikr].

g o d l i e s e *s.* godlêas.

g o d l y, *adv.*, 54,2 *anmutig, reizend;* gouþlich 46,5 *schön, stattlich;* gudely 66,448 *geziemend; ne.* godly.

g o d n e *s.* gôd.

g ô d n e s s, *st. f., me.* godnesse 87, 109 *güte; ne.* goodness.

g o d - s p e l l, *st. n.*, 22,37; *me.* god-spell 50,73; goddspell 86,23; god-spel 41,3 *evangelium; ne.* gospel.

g o d d - s p e l l - b o k, *sb.*, 86,4 *evan-gelienbuch; ne. veralt.* gospel-book.

g o d - s p e l l e r e, *st. m.*, 28,37 *evan-gelist; ne. veralt.* gospeller.

g o d d - s p e l l - w r i h h t e, *sb., pl.* -ss 86,28 *evangelist.*

g o e d *s.* gôd.

g o f o l *s.* gafol.

G o g - m a - g o g, *eigenn.*, 72,19 *aus den biblischen namen* Gog *und* Magog *zusammengezogen; nach* Geoffrey von Monmouth *ein kelti-scher riese.*

ȝ o l, *sb.*, 46,116 *weihnachtsfest, freudenfest; vgl. ne.* yule.

g o l d, *st. n.*, 8,688; *me.* gold 27,4 *gold; ne.* gold.

g o l d - h r i n g?, *st. m., me.* goldring 87,34 *goldring; ne.* goldring.

g ô m a, *schw. m., pl.* gôman 18,4; *me.* gome *gaumen; ne.* gum.

g o m e *s.* guma.

g o m e l, *adj.*, 9,258 *alt, bejahrt.*

g o m e n, *st. n.*, gamen 22,79; *me.* gamen 82,288; gom(e) 87,62; game 47,1143; gam 67,214 *freude, musik, spiel, unterhaltung;* 69,166,5 *scherz; me.* a game 47,1106 *beim liebesspiel; ne.* game.

g o m o l - f e r h ð, *adj.*, gamolferhð 10,2867 *alt.*

g o n *s.* gân, ginnan.

g o n d e *s.* geond, gân.

g o n e *s.* gân.

ȝ o n g *s.* geong.

g o n g, *st. m.*, 8,693; *me.* gang 72,23 *gang, schritt, lauf.*

g o n g a n, *st. v*, 8,703; gangan 28, 40; *me.* gange 45,27; gang 70,29; *konj. pl.* gangon 28,56; *imp.* gang 21,5; *prät.* gêng; geong; *p. p.* gegangen *gehen.*

g o o d *s.* gôd.

g o o n *s.* gân.

ȝore, *adv.*, **53,34** *ehemals, lange her, seit lange; ne.* yore.

gore, *sb.*, **46,**5 *tuch, kutte;* **53,**37 *weibliche kleidung.*

gôs, *st. f., me.* goos, *pl. k.* goͤes **12,**18 *gans; ne.* goose.

gost- *s.* gâst-.

Gotan, *eigenn., schw. m. pl.,* **17,**29 *die Goten.*

goth *s.* gân.

Gôtland, *st. n.,* **17,**134 *Gotland* [*westnord.* Jótland].

ȝou *s.* gê.

goude *s.* gôd.

gouen, ȝouen *s.* giefan.

goulen, *v., prät. pl.* gouleden **44,** 164 *heulen, wehklagen; ne. dial.* gowl.

ȝoure *s.* gê.

ȝouth *s.* geoguð.

ȝouun *s.* giefan.

gouþlich *s.* godly.

gowne, *sb.,* **67,**262 *oberkleid, rock; ne.* gown.

ȝowre *s.* gê.

grace, *sb.,* **41,**43 *gnade;* **65,**64,1 *erlaubnis;* **59,**76; *gras* **47,**1043 *glück; ne.* grace.

gracious, *adj.,* gracius **67,**165; gracyous **67,**28 *freundlich, gütig, gnädig; ne.* gracious.

graciously, *adv.,* **48,**153 *günstig, glücklich; wie ne.*

gracius, gracyous *s.* gracious.

grǣdan, *schw. v., me.* greden **37,** 155; *prät.* gradde **40,**68; grede **44,**96 *rufen, schreien.*

grǣdig, *adj.,* **18,**64; *Ep.* grêdig **1,**11; *me.* gredi **32,**264 *hungrig, gierig; ne.* greedy.

grǣg, *adj.,* **10,**2865; grêg; *me.* gray **42,**32 *grau; ne.* gray, grey; *me.* grǣi, *sb.,* **32,**361 *grauwerk.*

graidly, *adj.,* **59,**54; graiþly *bereitwillig, eifrig; ne. dial.* gradely [*an.* greiðliga].

gram- *s.* grom-.

grânian, *schw. v., me.* grone **67,** 409 *klagen, jammern; ne.* groan; *p. präs.* graninde **33,**35 *jammervoll.*

grante(d) *s.* graunt.

grantise, *sb.,* **46,**414 *gewähr.*

grâpian, *schw. v., me. prät.* grapode **28,**32 *anfassen, befühlen; ne.* grope.

gras *s.* grace.

grǣs, *st. n.,* **6,**6; *me.* gras **43,**132; *pl.* gressis **60,**13 *gras; ne.* grass.

grǣs-wong, *st. m.,* **9,**78 *grasgefilde.*

grat *s.* grêat.

grath, *sb.,* **67,**482 *eile; neuschott.* graith [*an.* greiðe].

grath, *v.,* greyþi **40,**9 *vorbereiten; p. präs.* grathing **73,**4 *sich bereit machen; ne. dial.* graith [*an.* greiða]; *vgl.* graidly.

graunt, *v.,* **67,**178; *konj.* grante **46,**364; graunte **63,**31; *p. p.* granted **48,**168 *gewähren; ne.* grant.

gray *s.* grǣg.

grêat, *adj., me.* gret **42,**15; gret(e) **48,**40; grat **50,**80; greet **65,**62,7; grit **70,**32; grytt **72,**19; greit **78,**2; *sup.* grattest(e) **50,**47 *groß;* gret **51,**44 *bekümmert; ne.* great.

grede, greden *s.* grǣdan.

grêdig *s.* grǣdig.

greet *s.* grêat.

gref, *sb.,* **46,**36 *gram; ne.* grief.

grein, *sb.,* **54,**2 *perle; ne.* grain.

greit *s.* grêat.

Grekys, *volksn., pl.,* **59,**40 *Griechen.*

grêne, *adj.,* **6,**6; *me.* grene **32,**339; greyne **66,**382 *grün;* **56,**28 *frisch; ne.* green; *sb.* greyn **67,**534 *grünbewachsener platz, feld.*

grennian, *schw. v., prät.* grennade **8,**596 *grinsen, fletschen; vgl. ne.* grin.

Grese, *ländern.,* **59,**90; Grice **59,** 40 *Griechenland.*

gressis *s.* grǣs.

gret *s.* grêat.

grêtan, *schw. v.,* **14,**1; *me.* greten **37,**152; grete **55,**43; *prät.* grêtte **16,**27; *me.* grette **46,**160; *p. p. me.* igret **44,**163 *(be)grüßen, anrufen; ne.* greet; *vb.-sb.* gretunge **37,**85 *begrüßung, anrufung, verkündigung;* greting **54,**50 *schutz.*

grêtan, *schw. v., me. meist st. v., me.* greten; graten; groten; *prät. me. pl.* greten **44,**164 *weinen; davon vb.-sb.* gretung(e) **37,**135; greting **44,**166.

grete *s.* grêat.

greten, greting(e) *s.* grêtan.

gretliche, *adv.,* **47,**1137 *in hohem grade, sehr; ne.* greatly.

grette *s.* grêtan.

gretunge *s.* grêtan.

grevance, *sb.,* **67,**58 *beschwerde, mühsal, kummer; ne.* grievance.

g r e v e, *v.*, **46,59**; greue **58**,112 *be-
schweren, ein leid antun; ne.* grieve.
g r e w *s.* grôwan.
g r e w î s, *sb. pl.,* **60**,13 *(les.)* 'growing
things', *Warton, ed. Hazlitt 2, 288,
nach Skeat* = grevis *haine (ae.*
grǽf?).
g r e y n, g r e y n e *s.* grêne.
g r e y þ i *s.* grath, *v.*
G r i c e *s.* Grese.
G r i m *s.* Lof.
g r i m, *adj.*, **15**,18; *me.* grim **44**,155
grimmig, schlimm; ne. grim.
G r î m b o l d, *eigenn., dat.* -e **14,70**.
g r i m l y, *adj.*, **56**,6 *grimmig; adv.,*
56,28 *heftig.*
g r i n, *st. n.*, **27**,29 *(les.) schlingenfalle.*
g r i n d a n, *st. v.*, **22**,72; *me.* grinden
zermalmen, mahlen; ne. grind.
g r i p, *sb., pl.* grippis **69**,171,4 *griff;
ne.* grip.
g r i p e, *v.*, **48**,53 *ergreifen; ne.* gripe.
g r i s t - b i t i a n, *schw. v., prät.* -ade
8,596 *mit den zähnen knirschen.*
g r i t *s.* grêat.
g r i ð, *st. n.*, **28**,35; *me.* grið(e) **33**,88;
gryþ, gryt **35**,91; griþþ **36**,60;
grith **44**,61; griþ **46**,267 *(königs-)
friede, sicherheit.*
g r o ê f a *s.* gerêfa.
g r o m, *adj.*, gram(um) **8**,628; *me.*
gram *zornig.*
g r o m, *sb.*, **47**,1150; grome **42**,27
knabe; ne. groom.
g r o m a, *schw. m., me.* grame **32**,
166; grome **34**,13956 *gram, zorn.*
g r o m e *s.* grom, groma.
g r o m i a n, *schw. v., me. 3. sg. präs.*
gramet **32**,165 *erzürnen, ver-
drießen.*
g r o n e *s.* grânian.
g r o u n d *s.* grund.
g r ô w a n, *st. v., me.* growe; *prät.*
grêow; *me.* grew **59**,80 *wachsen,
entstehen;* grufe **67**,463 *anbrechen;
ne.* grow.
g r o w n d *s.* grund.
g r u c c h e n, *vb.*, gruche **62**,28
*murren, unzufrieden sein (mit
wyth); ne.* grudge.
g r u f e *s.* grôwan.
g r u n d, *st. m.*, **13**,2; *me.* grund(e)
32,178; ground(e) **42**,2; grownd
67,462; *pl.* groundis **59**,80 *grund,
boden; ne.* ground.
g r y m e t a n, *schw. v., prät.* gryme-
tade **8**,598 *schnauben, brüllen.*

g r y t *s.* grið.
g r y t t *s.* grêat.
g r y ð *s.* grið.
ʒ u *s.* gê.
g u d, g u d e *s.* gôd.
g u d d a m e, *sb.*, **70**,1 *großmutter.*
g u d e l y *s.* godly.
g u i d *s.* gôd.
g u l- *s.* gyl-.
g u m a, *schw. m.*, **4**,2b; *me.* gome **43**,
22; *pl.* gumen, gomes **34**,13788
mensch, mann.
g u n *s.* ginnan.
ʒ u n g *s.* geong.
g u n n e(n) *s.* ginnan.
g u o d *s.* gôd.
g u r d e *s.* gyrdan.
ʒ u r s t e n - d a i, *adv.*, **46**,73 *gestern.*
ʒ u s *s.* gese.
ʒ u t *s.* ʒîet.
ʒ u w *s.* gê.
g û ð, *st. f.*, **11**,123 *kampf.*
g û ð - f a n a, *schw. m., dat.* -um 11,
219 *kriegsfahne.*
g û ð - f r e c a, *schw. m.*, **9**,353 *der
kampfkühne, der kampfheld.*
g û ð - g e m ô t, *st. n.*, **6**,26 *zusammen-
treffen im kampf.*
g û ð - h a f o c, *st. m., les.* cûð-heafoc
18,64 *(kampf)habicht, adler.*
g û ð - p l e g a, *schw. m.*, **28**,61 *kampf-
spiel.*
g y d e r o p e, *sb.*, **58**,105 *anhalter;
ne.* guy-rope.
ʒ y e t *s.* ʒîet.
g y f, g y f f *s.* gief, giefan.
g y l d a n *s.* gieldan.
g y l d e n, *adj., me.* gulden(e) **37**,45
golden.
g y l e *s.* gile.
g y l p a n *s.* gielpan.
g y l t, *st. m., me.* gult **32**,164; *akk.
pl.* gultes **32**,272 *schuld, sünde;
ne.* guilt.
g y l t *s.* gildan.
g y l t a n, *schw. v., me. pl. präs.* gultet
32,91; gulteð **32**,311 *sündigen.*
g ŷ m a n *s.* ʒîeman.
g y n *s.* gin.
ʒ y n g *s.* geong.
g y n n y n g, *vb.-sb.*, **48**,198 *anfang;
vgl.* ginnan.
g y r d a n, *schw. v., me.* gurde; *prät.*
gyrde **10**,2865 *(um)gürten; ne.*
gird.
g y r d e l s, *st. m., Ep.* gyrdils 1,12
gürtel, leibbinde; vgl. ne. girdle.

gyrn, *st. m. n.*, **6**,6 *leid, unglück.*
ȝyrnen, *v.*, ȝirne **46**,45; *p. p.* yȝyr-
   ned **58**,34 *begehren, wünschen; ne.*
   yearn.
ȝyscere *s.* gitsere.
gŷt *s.* giet.
gyv-, ȝyv- *s.* gief-.
gyue, gyuen *s.* giefan.

H.

ha *s.* habban, hê.
habban, *schw. r.*, **14**,13; *me.* habbe
   32,15; hafe **36**,30; habben **37**,65;
   hafen; hauen **69**,1319; have **46**,
   164; haue **47**,990; haf **48**,29; han
   51,64; ha **51**,69; hawe **66**,383;
   haiff **66**,395; haif **67**,286; *1. sg.*
   präs. ind. hæbbe **7**,169; hafu; *me.*
   habbe **32**,3; habb **32**,5; hafe **36**,
   30; haue **44**,119; have **46**,58;
   kontrah. ichaue **47**,1154; ichabbe
   58,9; *2.* hæfst; hafast; *me.* hauest
   33,77; hæfuest **34**,13883; haues
   38,21; hest **41**,25; havest **46**,194;
   has **48**,59; hast **51**,62; hase **67**,
   430; hes **71**,13; *3.* hæfð; hafað
   9,667; *me.* haued **32**,40; haueð
   32,65; hefð **32**,66; hafð **32**,117;
   hauet **32**,171; hafeþþ **36**,22; hauis
   45,11; haveð; haveþ **46**,112; haþ
   47,1155; has **48**,227; hatz **58**,114;
   hase **67**,550; hath **69**,170,5; hes
   72,II,21; *pl.* habbað **10**,2883; *vor*
   pron. habbe (hæbbe) wê **17**,1;
   me. habbeð **32**,36; habbe **32**,100;
   habbet **32**,101; habbeþ **41**,30; hafe
   49,14; han **51**,72; haueþ **54**,25;
   hes **71**,23; heff **72**,4; *konj.* hæbbe;
   me. haue **31**,2; habbe **35**,91; have
   46,202; havi (= have I) **46**,267;
   2. sg. haue **67**,156; *pl.* hæbben **14**,
   58; *konj.* hębben **12**,30; *imper. me.*
   haue **33**,41; haf **48**,149; *prät.* hæfde
   10,2892; *me.* hadde **27**,3; hæfde
   28,7; hehde(?) **34**,13921 (*verschrie-*
   ben für hefde; *nach Logeman für*
   hehte [*verhieß*]; *nach Brotanek s.*
   heȝen); hafde(n) **34**,13994; haffde
   36,15539; heuede(st) **37**,107; he-
   fede(st) **37**,143; hefde(s) **38**,16;
   hauede **44**,90; hauid **45**,35; he-
   vede **46**,9; hede **46**,347; had **48**,
   16; hade(st) **51**,86; *pl.* hæfdon **4**,
   677; *me.* hefden **27**,17; hadden
   27,11; hedde **32**,51; hedden **32**,
   320; haueden **44**,163; had **48**,68;

konj. sg. hedde **37**,144; *p. p. me.*
   iheved; hadde **47**,1055 *haben,*
   innehaben, behalten, erhalten; **59**,
   55 *finden;* god haf **48**,206 *gott*
   sei gnädig; ne. have.
habeit, *sb.*, **71**,35; abbeit, **71**,3;
   abyte **71**,28 *kleid; ne.* habit.
haboundanle, *adv.*, **66**,376 *in*
   großer menge; vgl. ne. abundantly.
hâd, *st. m.*, *me.* had; hod *person;*
   gen. pl. -a **14**,4 *stand;* **9**,372
   gestalt.
hadde(n), hade *s.* habban.
hædno *s.* hæðen.
hâdor, *adj.*, **9**,212 *heiter;* hædre,
   adv., **9**,619 *hell.*
haf *s.* habban.
hæfde *s.* hêafod.
hafde, hæfde, hæfdon, hafe,
   hæfe *s.* habban.
Hæfeldan, *volksn.*, *pl. m.*, **17**,42
   die slawischen Wilzen an der Havel.
hæfen, -e, *st. schw. f.*, *me.* havene;
   hauen **58**,108 *hafen; ne.* haven.
hafen *s.* habban.
hafenian, *schw. v.*, *prät.* hafenode
   23,42 *emporheben, festhalten.*
hafettan, *schw. v.*, *3. sg. präs.*
   kent. hafet **20**,42 *klatschen.*
haffde *s.* habban.
hafoc, *st. m.*, **23**,8 *habicht, adler.*
hæft, *st. m.*, **25**,6 *fessel, haft.*
hæfuest *s.* habban.
hafð, hæfð *s.* habban.
haga, *schw. m.*, **20**,11; *me.* hawe
   hecke, zaun; ne. haw.
hage-steald man, *st. m.*, **26**,14
   (*unverehelichter*) *junger krieger.*
hagol, *st. m.*, **20**,24; *gen.* hægles
   9,16; *me.* hawel, hail *hagel; ne.*
   hail.
hęh *s.* hêah.
hæhliche, *adv.*, **84**,13816 *höchlich;*
   ne. highly.
hæhste *s.* hêah.
hæhte *s.* hâtan.
haif(f) *s.* habban.
haill *s.* ealu, hâl.
hailsen, *v.*, *p. präs.* hailsing **69**,
   166,4 *grüßen.*
hairt *s.* heorte.
hairtfully, *adj.*, *adv.*, **70**,36 *herz-*
   haft, von herzen.
haithill *s.* æðele.
hâl, *adj.*, **13**,1; *me.* hâl **32**,114; hol
   48,151 *heil, gesund, wohl, froh;*
   haill **60**,118; hoylle **67**,388 *ganz;*

hole **69,171,6** *das ganze;* hâle
wese gê **19b,9;** *me.* hale wese ge
19c,9; *(unter skand. einfluß)* heil
ʒe **19e,9;** haill **70,11** *heil sei euch;*
ne. whole, hale, hail.

h ǽ l a n, *schw. v., me.* hǽlen; healen
87,124; helen *heilen; ne.* heal;
urspr. p. präs., st. m., hǽlend **9,**
616; hǽlende **9,590;** hǽlvnd
19b,5; *me.* hælend **19c,5;** hæ-
lennd **86,47;** helend *heiland.*

h a l b *s.* healf.

h ǽ l d a *s.* hyldan.

b a l d a, h a l d e(n), hǽlden, hal-
d i n, h ǽ l d u n *s.* healdan.

h a l e, v., **69,169,4** *sich ziehen; ne.*
haul.

h â l e g, h a l e ʒ e n *s.* hâlig.

h ǽ l e n d e *s.* hǽlan.

h â l e t t a n, *schw. v., prät.* hâlette
16,27 *begrüßen.*

h ǽ l e ð, *st. m.,* **4,1b;** *nom. pl.* hǽleð
8,586; *gen. pl.* hǽleþa **18,25;** *me.*
heleð *mann, held.*

h a l f, hǽlf *s.* healf.

h â l g a n, h a l ʒ e n *s.* hâlig.

h â l g i a n, *schw. v., me.* haliʒen **83,**
82; *p. p.* gehâlgod **22,62** *heiligen,*
weihen; ne. hallow.

H â l g o l a n d, *ländern.,* **17,124** *nörd-*
lichster teil norwegens.

h â l g o n, h a l i *s.* hâlig.

h â l i - d æ g, *st. m., me.* haliday **19e,1**
feiertag; ne. holiday.

h â l i g, *adj.,* **9,626;** hâleg **2,6;** *schw.*
hâlge **8,589;** hâlga(n) **9,339;** hâl-
gon **12,3;** *me.* hali **82,384;** haliʒ;
holi **87,70;** holy **40,28;** haly **49,45;**
hooly **19e,19;** *schw.* halie **88,40;**
hallʒhe **86,50;** holie **87,71** *heilig,*
geweiht; holi **46,205** *fromm; sb.*
me. haleʒ(en) **88,74;** halʒe(n) **50,**
17 *heiliger; ne.* holy, *vgl.* Âllhal-
lows.

h a l i ʒ e n *s.* hâlgian.

h â l i g n e s s, *st. f., me. fl.* holinesse
87,168 *heiligkeit; ne.* holiness.

h a l l e *s.* heall.

h a l l ʒ h e *s.* hâlig.

h ǽ l o, *schw. f.,* **7,202;** *k.* hêla **12,5;**
gen. hǽlo; haêlu **18,20;** *me.* hele
82,200; heale **87,6;** hile **46,269**
heil, seligkeit; me. haelo **15,48;**
me. hele **84,14029** *sicherheit;* hele
82,373 *gesundheit;* **58,92** *wohl-*
ergehen; **26,8** *glück.*

h a l s *s.* heals.

h a l s i e n, *schw. v., 1. sg. präs.* hals
47,1007; *prät.* halsed **47,1009** *be-*
schwören; ne. dial. halsen.

h a l y, *adv.,* **60,57** *gänzlich, zur*
gänze; ne. wholly.

h a l y *s.* hâlig.

h ǽ l y n d *s.* hǽlan.

h a m *s.* eom, hê.

h â m, *st. m.,* **8,683;** *me.* hom **46,97**
heimat; pl. hâmas **18,10** *wohnun-*
gen; aet hâm **12,24** *daheim; ne.*
home; *adv.* hâm **9,244;** *me.* hom
42,49; home **48,71** *nach hause.*

h a m e l i a n, *schw. v., prät.* hame-
lode **25,10** *verstümmeln, ent-*
mannen.

h a m o r a *s.* homor.

h a n *s.* habban.

h a n d- *s.* hond-.

h æ n d e l i c h e, *adv.,* **84C,13982**
herrlich; hendeliche **84O,14061**
geschickt.

h æ n d e s t, *adv.,* **84,13974** *zunächst.*

h a n d s e l e n, *st. f., me.* hansell **60,**
120 *handgeld; ne.* han(d)sel.

h a n g e n, h a n g e t *s.* hongian.

h a n s e l l *s.* handselen.

h a p, *sb.,* **58,9** *schicksal, glück.*

h a p p e, *v.,* **68,22;** happyn **67,481**
sich ereignen, geschehen; als hilfs-
verb.: möglicherweise; ne. happen.

h â r, *adj.,* **18,39;** *me.* hor *grau; ne.*
hoar.

h ê r, *st. n.,* hêr **6,4;** *me.* har; her
53,13 *haar; vgl. ne.* hair.

h ǽ r *s.* hêr.

h a r b r y, *sb.,* **70,14** *wohnung; vgl.*
herberwe, herebeorgian.

h a r d *s.* heard, hîeran.

h a r d e *s.* hearde.

h a r d e l y, *adv.,* **48,79** *kühnlich,*
sicher; ne. hardily.

h a r d i e **48,114;** hardy, *adj.,* **60,65**
(tollkühn); ne. hardy.

h a r e *s.* hê.

h ǽ r e, *adj., merc. schw.* hêran **13,16;**
me. heren *hären.*

h ǽ r e n *s.* hîeran.

h ǽ r f e s t, *st. m.,* **9,244;** *me.* heruest
48,198 *herbst; vgl. ne.* harvest.

h æ r ʒ i e n *s.* hergian.

h ǽ r i n g, *st. m., Ep.* hering(as) **1,22;**
me. hering *hering; ne.* herring.

h a r m, h ǽ r m *s.* hearm.

h ǽ r n e s, *sb.,* **27,24** *gehirn; ne. dial.*
harns.

h ǽ r r a, h ǽ r r e *s.* hêarra.

h a r t *s.* heorte.
h a s *s.* habban.
h â s, *adj., pl.* hâse **18**,3; *me.* hoos,
    hors *heiser; ne.* hoarse.
h æ̂ s, *st. f.,* **10**,2864; *me.* hése **82**,
    91; heste **40**,10 *geheiß, befehl;
    ne. (poet.)* hest.
h a s e *s.* habban.
h â s e *s.* hâs.
h æ s e l, *st. m., Ep.* haesil 1,7; *me.*
    hasel *haselnußstrauch; ne.* hazel.
h a s o - p â d, *adj., akk.* hasewanpâdan
    18,62 *mit graubraunem kleid.*
h æ̂ s t, *st. f.,* hêst **6**,28 *streit, heftig-
    keit.*
h̨ a s t, *vb.,* **67**,182 *eilen; ne.* haste.
h a s t *s.* habban, haste.
h a s t e, *sb.,* **61**,1117; hast **67**,293
    hast, eile; ne. haste.
h a s t e l i c h e, *adv.,* **41**,17; hastely
    67,39; hastly **67**,109 *rasch; ne.*
    hastily.
h a s t i f, *adj.,* **48**,81 *eilig, schnell.*
h â t, *adj., schw.* hâta **9**,613; *me.* hât
    86,15580; hot **41**,39; *komp.* hattre
    82,247 *heiß; ne.* hot.
h a t, *sb.,* **66**,408 *hut; ne.* hat.
h a t *s.* hâtan.
h â t a *s.* hât.
h â t a n, *st. v.,* **14**,1; *me.* haten;
    hatten **81**,1; heten; hote; hat **45**,
    18; hihte; highte; hight **67**,46;
    3. sg. präs. ind. hæ̂tt **17**,5; hæt
    17,10; *me.* hot **41**,12; hiʒte **45**,48;
    heiʒʒte **46**,177; *prät.* heht **10**,2867;
    hêt **8**,575; *me.* het **82**,304; hæhte
    84,13901; hiʒt **45**,10; hiʒte **45**,46;
    highte **68**,5; hete **47**,1084; het
    50,88; *pl.* hêton **15**,44; *p. p.* ge-
    hâten **22**,2; hâten **9**,86; *pl.* hâtene
    17,152; *me.* ihate(n) **83**,3; ihote
    84,13852; ʒehatenn **86**,82; hoten
    44,106; *altes medium* hâtte **17**,124;
    me. hatte **84**,13847 *im sinne des
    präs. und prät., heißen, nennen,
    befehlen; pl.* hetes **57**,26 *verheißen,
    geloben.*
h â t e, *adv.,* **8**,581 *heiß.*
h a t e, *sb.,* **82**,276 *haß; ne.* hate;
    vgl. hete.
h a t e *s.* hatian.
h a t h *s.* habban.
h æ̂ t h *s.* hæ̂ð.
h â t - h e o r t n i s s, *st. f.,* **18**,13 *eifer.*
h a t i a n, *schw. v., me.* hatien; hate
    87,145; *prät.* hated **44**,40 *hassen;
    ne.* hate.

h æ t t, h â t t e *s.* hâtan.
h æ t t i a n, *schw. v., prät.* hættode
    25,10 *skalpieren.*
h a t t r e *s.* hât.
h æ̂ t u, *schw. f.,* **9**,17; *me.* hete **82**,
    138 *hitze; ne.* heat.
h a t z, h a u e þ *s.* habban.
h a u e, h a v e, h a u e d *s.* habban.
h æ v e d *s.* hêafod.
h a u e n, h a v e n e *s.* hæfen.
h a v e n, h a u e s, h a v e s t, h a v e ð,
    h a u e þ, h a u e þ *s.* habban.
h a v i, h a v i d, h a v i s *s.* habban.
h a u t e y n, *adj.,* **48**,157 *hochmütig,
    übermütig; vgl. ne.* haughty.
h a w e *s.* habban.
h a w y e *s.* hefig.
h a y, *sb.,* **67**,159 *heu; ne.* hay.
h a y s e *s.* aise.
h a þ *s.* habban.
h æ̂ ð, *st. m. n., Ep.* haêth 1,24; *me.*
    heeþ *heide(kraut); ne.* heath.
h æ̂ ð e n, *adj.,* **8**,589; *me.* hethen **27**,
    44; heðen(e) **82**,291; hæðen(e) **34**,
    13799 *heidnisch; subst.* hæðene
    28,55; *nh. pl.* hæðno **19a**,19 *heide,
    bes. däne; ne.* heathen.
h æ̂ ð e n n e s, *st. f., gen.* -se **15**,237
    heidentum.
H æ̂ þ u m, *æt, eigenn.,* **17**,138 *Schles-
    wig.*
h ê, *pers. pron., (oft reflexiv)* **2**,3;
    me. he **82**,26; heo **84**,13930; ha
    41.13; hi **41**,34; hee **61**,1123;
    f. hêo **8**,592; hîo **15**,169; *me.* hi
    41,10; hye **41**,11; hoe **46**,20; by
    50,52; hue **51**,27; he **58**,15; heo
    54,7; ʒeo **84**O,13917; she **44**,122;
    sho **44**,122 *les.;* sche **44**,126; scho
    48,95: *n.* hit **17**,111; hyt **17**,180;
    me. hit **82**,13; it **89**,1520; itt **86**,2;
    gen. (poss.) m. n. his **4**,4b; hys
    17,188; is **20**,32; *me.* his **28**,4;
    hiss **86**,10; hise **89**,1300; is **89**,
    1305; hijs **44**,47 *(hs.);* hire(?) **50**,
    21; ys **51**,6; hys **66**,444; *f.* hyre **15**,
    168; hire **17**,161; *me.* hire **40**,15;
    here **41**,8; hore; hyr **49**,4; hare
    50,52; hyre **54**,31; hir **70**,14; *dat.
    m. n.* him **8**,2; hym **17**,144; *me.*
    him **28**,6; himm **86**,15547; hym
    49,16; hem; *fälschl.* hire **33**,86;
    f., wie gen. (hire **54**,9); hare **50**,
    71; *akk. me.* hine **4**,1b; hiene **14**,
    24; hyne **19b**,7; *merc. nh.* hinæ
    4,1a; *me.* hine **84**,13810; *dann
    wie dat.; f.* hîe **14**,48; hî **11**,150;

hêo; *nh.* hîa **19a**,2; *me. wie dat.* (hire **46**,14) *und* his **50**,68; hise **50**,69; hes; es (þus = þu es **32**,129; hes = he his, *var. zu* **32**,40); *n., wie nom.* — *plural nom.* hîe **4**,4b; hîæ **4**,4a; hig **19b**,8; hî **15**,41; hŷ **8**,599; hêo **16**,55; *kent.* hîo **20**,33; *kent. merc.* hîæ **12**,30; *nh.* hîa **19a**,10; hêa **19a**,10; *me.* hyo **19c**,1; hi **27**,8; he **27**,12 (**35**,79); heo **28**,10; hy **32**,22; ha **33**,22; hii **34**,13799; (*vgl. altn.* þeir) þeʒʒ **36**,47; teʒʒ **36**,39; þai **47**,985; þei **48**,51; thay **49**,13; þay **49**,20; þey **49**,23; they **68**,3; thei **19e**,4; thai **67**,353; þe **48**,55; *gen. (u. poss.)* heora **15**,98; hira **17**,74; hiera **17**,77; hyra **17**, 173; *kent.* hiora **12**,8; *merc.* heara **13**,34; *me.* her **27**,22; here **27**,23; heora **28**,36; heore **32**,238; hare **33**,34; hore **37**,22; huere **52**,8; hor **59**,8; hur **61**,1108; hure **61**, 1112; þeʒʒre **36**,15601; teʒʒre **36**, 15608; þer **38**,16; thair(e) **49**,13; (thairis = *ne.* theirs), þair(e) **49**, 20; þeire **49**,25; theyre **49**,37; þere **59**,9; there; þar **60**,11; thar **62**,22; thare **62**,25; ther **65**,62,1; theire **68**,3; *dat.* hym **17**,98; him **17**,198; hêóm **19d**,18; *me.* hym **19c**,17; hem **32**,388; ham **33**,5; him **34**,13801; hemm **36**,15551; hom **59**,33; hymen **61**,1107; þaim **45**,7; thaym **49**,2; þaym **49**,38; tham **49**,18; þam **49**,21; þame **60**,20; thaim **62**,5; thayme **67**, 143; theym; thame **69**,165,3; *akk. ae. wie nom., me.* hi **32**,22; heom **27**,18 *und wie dat., und* hes; his; es; *er, si, es; subst.* his **48**,205 *die seinigen; ne.* he, she, it.
hêa *s.* hêah.
hêafde(s) *s.* hêafod.
heafela, *schw. m.,* 9,604 *haupt.*
hêafod, *st. n.,* **6**,1; *dat.* hêafde 9,604; *instr.* hêafde 8,604; *me.* hefed **27**,22; hæued **27**,23; heaued **38**,2; heuid **45**,51; heved **46**,335; heued **50**,108; *pl.* hæfden **34**,13958; hevede **60**,11; hede **67**,387; hed **69**,160,6; heid **70**,33 *haupt; ne.* head.
hêafòd-man, *m., pl.* hêafodmen **22**,76; *me.* hevedman *hauptmann, vornehmer mann.*
heafunæs *s.* heofon.

hêag-engel, *st. m.,* 7,202; *me.* hehangel **33**,48; hehengel **33**,59 *erzengel.*
hêah, *adj.,* 9,590; *me.* heʒ(e) **32**, 162; heaʒ(e) **32**,347; heh **33**,76; hæh **34**,13912; heih **37**,25; hei(e) **37**,66; hey(e) **40**,50; heiʒ(e) **47**, 1072; heyʒ; hiʒ; hyʒ(e) **58**,93; hegh(e) **61**,1118; hye **67**,553; *gen.* hêas; *schw.* hêan **10**,2854; *akk. sg. m.* hêanne **4**,1b = hêahne; *pl.* hêa **10**,2877; *komp.* hîera; hîerra; higher **67**,443; *sup.* hŷhsta 8,716; *me.* hæhste, hehest **34**,13908; heʒeste **50**,48 *hoch; ne.* high; an heʒ **61**,1118 (heyʒe **42**,60); on hye 69, 163,6 *(nach) oben, in der höhe;* on hie **48**,113 *mit lauter stimme; adv.* hêah 9,23; hêage; *me.* heye **44**, 43; hie **48**,6; heyʒe **51**,69; hyʒe **58**,93; hiʒe **58**,142 *hoch, laut.*
hêah-mægen, *st. n.,* 8,645 *hohe macht.*
hêahness, *st. f., fl.* hêannesse 9,631, hêanisse **13**,3 *höhe; me.* heʒnesse **50**,49; Hienes 72,II,9 *hoheit; ne.* highness.
hêah-seld, *st. n.,* 9,619 *hochsitz, thron.*
hêah-ðungen, *p. p. adj., pl.* -e **17**,171 *hochgestellt.*
heal *s.* Scîringes heal.
healdan, *st. v.,* 15,170; *fl.* healdene **19d**,20; *nh.* halda **19a**,20; *me.* healden **32**,55; healde; bælden **34**,13810; hold **42**,61; halden; holden **46**,71; *präs. sg. me.* holde **40**,59; oldest **46**,115; *pl.* healdað 8,656; halde **49**,11; *präs. konj. pl.* healdun **19b**,20; *me.* healden **19c**, 20; *p. präs. plur. nh.* haldendo **19a**,4; *imp.* held **47**,1077; *prät.* hêold 15,113; *2. sg.* hêolde **21**,63; *me.* heolde **32**,170; held **42**,33; helde **59**,21; hold; hel; *pl.* hêoldon **11**,142; hîoldon **14**,34; *me.* heelden **19e**,9; helden **44**,69; held **48**,83; holdyn **59**,50; *p. p. me.* ihealden **32**,56; ihalden **34**, 13988; ihialde **41**,25; halde; holden **48**,53; haldin **60**,88; holde **64**,10 *(ab)halten, erhalten, besitzen, zurückbehalten; ansehen; wachen, hüten, weiden; bestehen;* **41**,25 *aufbewahren;* uele h. **32**,170 *schlecht behandeln; ne.* hold.
heale *s.* hælo.

healen s. hǽlan.
healf, adj., 17,23; me. healf, helue;
    half 54,37 halb; ne. half.
healf, st. f., 9,206; Ep. halb(ae)
    1,4; me. healf 82,317; half, hælf
    84,14018; halue 84,14042 hälfte,
    seite; ne. half.
heall, st. f., me. halle 42,41 halle,
    haus; ne. hall.
heals, st. m., hals 6,1; me. hals
    27,32 hals.
healsung, st. f., 15,177 begrü-
    ßung, zauberformel.
hêan, adj., 8,615; me. heane, hehne
    84,13988; hene niedrig, verachtet,
    elend.
hêanisse, hêannesse s. hêah-
    ness.
hêanlîc, adj., 28,55 schimpflich,
    schmachvoll.
hêanlîce, adv., 25,10 (les.) niedrig,
    schimpflich, schmählich.
hêanne s. hêan, hêah.
hêap, st. m., 9,336; me. hep; hepe
    58,149 haufen; ne. heap.
hêap-mǣlum, adv., 15,64 in
    hellen haufen.
heara s. hê.
heard, adj., 9,613; me. heard(e)
    82,169; hard(e) 44,143; akk. m.
    sg. me. herdne 82,169 hart, mutig,
    schwer; ne. hard.
hearde, adv., 11,216; me. herde
    82,157; hard 48,53; harde 61,
    1106 hart, schwer, sehr; ne. hard.
hearm, st. m., 7,171; me. hearm(e)
    82,196; hærm, harm 84,13800;
    herm 87,36; pl. harmes 57,26
    harm, leid, nachteil, schade; ne.
    harm.
hearm-lêoð, st. n., 8,615 harmlied,
    trauerlied, klagelied.
hearpe, schw. f., dat. -an 16,20;
    me. harpe harfe; ne. harp.
hêarra, schw. m., hêrra, hêrra
    26,32; me. hærre 84,13810 herr.
hêas s. hêah.
heaued s. hêafod.
hêawan, st. v., me. hewen; prät.
    pl. hêowan 18,6 (zer)hauen; ne.
    hew.
heaþo-lind, st. f., pl. -e 18,6
    kampfschild.
heaðo-rinc, st. m., gen. -es 11,179
    kampfheld.
heaþo-rôf, adj., 9,228 (kampf)-
    kühn.

hebban, st. v., p. p. hafen 8,693
    heben, erheben.
heben s. heofon.
hedde s. habban.
hede, sb., 56,27 achtung, acht, ob-
    acht, sorgfalt; ne. heed.
hede s. êode, habban, hêafod.
heder, hedir s. hider.
hee s. hê.
heeld s. healdan.
hefæn s. heofon.
hefde s. habban.
hefed s. hêafod.
hefedest s. habban.
hefel-þrǣd, st. m., pl. -as 22,58
    weberfaden, faden; vgl. ne. heald,
    heddle.
hefen, heffnes s. heofon.
heff s. habban.
hefig, adj., 15,194; me. heuy 49,27;
    hevy 62,17; hawye 72,11 schwer,
    hinderlich; ne. heavy.
hefígness, st. f., me. heuynes
    49,31 schwere; ne. heaviness.
hefô s. habban.
heȝ(e) s. êage, hêah.
heȝen, schw. v., prät. hehde 84,
    13921 hochheben, stiften (nach Bro-
    tanek).
hegh(e) s. hêah.
heght, sb., 67,125; hight 67,136;
    hicht 69,172,4 (an)höhe; ne. height.
heh s. hêah.
hehde s. habban oder heȝen.
hehengel, hêha- s. hêag-engel.
hehne s. hêan.
heht s. hâtan.
hei s. hêah.
heid s. hêafod.
heie s. êage, hêah.
heiȝ(e) s. hy.
heiȝe s. hêah.
heiȝte s. hâtan.
heih s. hêah.
heil s. hâl.
heir s. hêr.
hel s. healdan.
hêla s. hǽlo.
helan, st. v., 7,193; prät. pl. merc.
    hêlen; me. helen 82,160; p. p.
    hele (verschrieben? oder jüngere
    nebenform für hole[n]) 84,14029;
    helian; schw. v., me. helien; hele
    61,1125 hehlen, verbergen; 46,241
    schweigen; vb.-sb. me. heling 60,11
    bedeckung, bekleidung.
helch s. ælc.

held(e) *s.* healdan.
helde *s.* ieldu.
hele, helen *s.* hǽlo, helan.
helen(d) *s.* hǽlan.
heleð *s.* hæleð.
Helfred *s.* Ælfred.
helian, helien *s.* helan.
Helianore, *eigenn.*, 48,9 *Eleanor.*
Helias, *eigenn., dat.* Helian 28,6 *Elias.*
heling *s.* helan.
hell, *st. f.,* 8,682; *me.* helle 82,229 *hölle; ne.* hell.
helle-cyning?, *st. m., me.* helle king 82,216 *höllenfürst.*
helle-duru, *st. f., me.* helle dure 82,180 *höllentür.*
helle-fȳr, *st. n., me.* helle fur 82, 150 *(lesarten) höllenfeuer.*
helle-gǽst, *st. m.,* 8,615 *höllengeist.*
helle-geat, *st. n., me.* helleȝet 38, 13 *höllentor.*
helle-grund, *st. m., me.* helle grund 82,178 *höllengrund.*
helle pine, *sb.,* 82,152 *höllenpein.*
helm, *st. m.,* 11,193 *helm; pl.* -as 8,722 *schützer, behüter; me. ne* helm.
helma, *schw. m., me.* helme 67, 272 *steuerruder, steuergriff; ne.* helm.
helmas *s.* helm.
help, *st. f. n.,* 8,645; *me.* help(e) 37,80; help 46,164 *hilfe: ne.* help.
helpan, *st. v., me.* helpen 84, 13930; helpe 38,16; *imp.* help 61, 1153; *pl.* helpeþ 51,23; *p. p. me.* iholpen 37,9 *helfen; ne.* help.
helpe *s.* help, helpan.
helue *s.* healf.
hem(m) *s.* hê.
hence *s.* heonan.
hende, *adj., nahe;* 46,154 *geschickt, hilfreich;* 46,61 *weise;* 46,119 *freundlich, gütig; sup.* hendest 84,13938 *tüchtig, edel.*
hende *s.* ende, hond.
hendeliche *s.* hændeliche.
hendy, *adj.,* 58,9; hendi 58,30 *geschickt, angenehm.*
hengen, *v., 3. sg.* -es 38,2; *konj.* henge 88,31; *prät.* henged 27,20 *hängen, hängen lassen.*
hengen *(prät.) s.* hôn.
henne *s.* heonon.
hennfugol, *st. m.,* 12,19 *huhn.*

Henry, *eigenn.*, 48,2 *Heinrich III., könig von England.*
hens *s.* heonan.
hentan, *schw. v., me.* hente(n); hent 67,420; *prät.* hent 48,146; hynt 66,406; *p. p. me.* yhent 58,9 *ergreifen, nehmen; ne. (Shakesp.)* hent.
henu *s.* heonu.
hen-wyfe, *sb.,* 70,24 *hühnerweib (nebensinn: Venus' h. kupplerin).*
hêo, heo *s.* hê.
heofon, *st. m.,* 16,41 *gen. sg.* heofenes 4,4b; *pl.* heofonas 9,626; heofenas 18,47; *gen.* heofona 4,2b; heofuna 9,631; *nh.* heben 2,6; heafun(æs) 4,2a; *me.* heofen(e) 28,41; heuen(e) 82,27; hefen(e) 88,90; heffen 86,46; heuin 45,11; heuen 67,11; heven 67,343; hevin 71,25; *daneben, schw. f.,* heofone 19b,2; *me.* heofene 19c,2; heouene 82,81; heuene 44,62; hevene 46, 31 *himmel; ne.* heaven.
heofon-cyning, *st. m.,* 9,616; *me.* heue king 82,63; heuen king 82, 350; heouen kinge 87,86; hevene king 46,31 *himmelskönig.*
heofon-engel, *st. m., gen. pl.* -engla 8,642 *himmelsengel.*
heofonlîc, *adj.,* 15,222; *me.* heuenlich(e) 82,96; heuenly 68,43 *himmlisch; ne.* heavenly.
heofon-rîce, *st. n.,* 9,12; hefonrice 14,schl.-ged.8; *nh.* hefaenrici 2,1; *me.* heuene- 82,42; heue- 82, 65; heuen- 82,176; heofene- 38, 107; heoue- 87,24; heveriche; heuenerike 44,133 *himmelreich.*
heold *s.* hold.
hêold(e), hêoldon *s.* healdan.
heolfrig, *adj.,* 11,130 *blutig.*
heom *s.* hê.
heonan, *adv.,* 8,661; heonon 10, 2854; *me.* henne 82,396; hens 67,292 *von hinnen, von hier;* hence 67,25 *von jetzt an; ne.* hence.
heonu, *interj., nh.* 19a,2; *merc.* henu 19d,2 *siehe!*
heora *s.* hê.
heorcnian, *schw. v.,* hercnian; *me. pl.* herkneþ 44,1; herkneþ 51,2 *horchen, zuhören; ne.* hearken.
heord, *st. f.,* 16,24; *me.* herde *obhut, herde; ne.* herd.
heore *s.* hê.
heor(i)en, heoreð *s.* herigan.

heoro-drêorig, *adj.*, heoredrêo-
rig(es) 9,217 *zum tode traurig,
lebensmüde.*

heoro-gîfre, *adj.*, 8,586 *gierig ver-
derben zu bringen, vernichtungs-
gierig.*

heorte, *schw.f.*, 7,174; *me.* heorte
32,74; herrte 36,15581; herte
38,5; hert 47,1124; huerte 51,1;
hart 62,33; hairt 70,21; *pl. me.
(dat.)* herten 50,38; hertis 59,14
herz; ne. heart.

heorte-blod, *sb.*, 37,4 *herzblut.*

heorð-werod, *st. n.*, 28,24 *herd-
genossen, hausgesinde.*

heouen(e) *s.* heofon.

heouene kwene, *sb.*, 37,83;
heuen quen 47,1038 *himmels-
königin.*

hêow, *st. n.*, hîw 9,81; *me.* heow(e)
28,9; hew *aussehen, form, schön-
heit;* heu 58,13; *pl.* hewis 69,160,2
farbe; ne. hue.

hêowan *s.* hêawan.

hepe *s.* hêap.

her *s.* hê, hêr.

hêr, *adv.*, 9,23; *me.* her 32,53; here
32,169; her 32,241; er; hyer 50,
30; heir 60,69 *hier;* 34,13798
hierher; ne. here; *me.* herefter
33,52 *hernach; ne.* hereafter;
kent. haer beforan 12,45; *me.* her
bifore *vorher, oben;* her-of 34,
14003 *davon.*

hêr *s.* hêr.

hêra *s.* hîeran.

her-berwe, *sb.*, 34,14046 *herberge;
ne.* harbour; *vgl.* harbry.

her-breit *s.* herebeorgian.

hercnian, hercnen *s.* heorcnian.

herd, hêrd *s.* heard, hîeran.

herde, herdne *s.* heard(e).

herde(n), hêrdon *s.* hîeran.

here, *st. m.*, 11,161; *me.* here 35B,
90; *gen.* herges 8,589; heriges
18,31; *dat.* herige 11,135 *heer,
menge.*

here *s.* hê, hêr, hîeran.

hêre *s.* hêre.

here-beorgian, *schw.v., me.* her-
berзen; *p. p. me.* herbreit 60,48
beherbergen; ne. harbour.

herede *s.* herigean.

hêred-men *s.* hîredman.

hêreflêma, -flŷma, *schw. m.*,
18,23 *der flüchtige, flüchtling.*

here-folc, *st. n.*, 11,234 *kriegsvolk.*

here-geatu, *st. f.*, 28,48 *kriegs-
ausrüstung.*

heregong *s.* heriung.

here-lâf, *st. f.*, 18,47 *heerüber-
bleibsel, rest des heeres.*

hereness, *st. f.*, 16,34 *lob, preis.*

here-toga, *schw. m.*, 15,98 *heer-
führer.*

here-wæða, *schw. m.*, 11,126
heerweidmann, feldherr.

hergan, hergen *s.* herigean.

herge *s.* here.

hergian, *schw. v.*, 15,73; *me.* hær-
зien 34,14000 *verheeren, plündern.*

hergu *s.* herigean.

hergung *s.* heriung.

herige(s) *s.* here.

herigean, *schw.v.*, 16,36; herigan,
hergan 2,1; *me.* herien; heoren
34,13900; heorien; herie; *1. präs.
sg. merc.* hergu 13,42; *konj. präs.
pl.* hergen 8,645; *prät. me.* herede
34,14062 *loben, preisen.*

herin, *adv.*, 46,321 *herein.*

hering *s.* hæring.

her-inne, *adv.*, 46,25 *herinnen.*

heritage, *sb.*, 60,76 *erbteil; wie ne.*

heriung, *st. f., pl.* hergung(e) 15,
27; *me.* herivnge, heregong 85,90
verwüstung; ne. harrying.

herknen, herkneþ *s.* heorcnian.

herm *s.* hearm.

hermytage, *sb.*, 65,63,7; ermitage
50,103 *einsiedelei; ne.* hermitage.

hermyte, *sb.*, 65,64,3 *einsiedler; ne.*
hermit.

hernde = ernde *s.* ærende.

herne, *sb.*, 47,1145 *ecke.*

hernest *s.* ernest.

herof *s.* here.

herrde *s.* hîeran.

hêrsumian *s.* hîersumian.

hert, her(r)te *s.* heorte.

herteli, *adv.*, 38,15; hertely 67,
388 *herzlich, innig; ne.* heartily.

heruest *s.* hærfest.

hes *s.* hê, habban.

hese *s.* hæs.

hespð *s.* hyspan.

hest *s.* habban.

hêst *s.* hæst.

heste *s.* hæs.

het, hêt *s.* hâtan.

hete, *st. m., me.* hete 42,49 *haß;
vgl.* hate *und ne.* hate.

hete *s.* etan, hâtan, hæto.

hetes *s.* hâtan.

h e t h e n *s.* hæðen.

hettend, *p. präs. sb.,* 18,10; *gen. pl.* hettendra 8,663 *feind.*

heu *s.* hêow.

heue, heve-, *s.* heofon.

heved´s. hêafod.

heuede, heved(e) *s.* habban.

heven, heuen(-) *s.* heofon(-).

heuen quen *s.* heouene kwene.

hevere *s.* æfre.

heueriche *s.* heofonrîce.

hevid *s.* hêafod.

heuin, hevin *s.* heofon.

heuy, hevy *s.* hefig.

heuynes *s.* hefigness.

hewe, *sb.,* 47,1165 *knecht (vgl. an.* hîwa.).

hewis *s.* hêow.

hey, heye, heyჳe *s.* hêah.

heyre, *sb.,* eyr 44,110; *pl.* heyres 48,40 *erbe; ne.* heir.

heþen, *adv.,* 46,295; heþenn 36, 15570; heðen 89,1316 *von hier.*

heþenes hæðen.

heþenn *s.* heþen.

hi, hîa, hîæ *s.* hê.

hicgan *s.* hycgan.

hicht *s.* heght.

hîd, *st. f., gen. pl.* hîda 15,151 *eine hufe landes; ne.* hide.

hidden *s.* hỹdan.

hider, *adv.,* 14,*schl.-ged.*11; hieder 14,12; hider *(hs.!)* 17,143; *me.* hider 46,180; heder 67,290; hedir 67,291 *hieher; ne.* hither.

hider-cyme, *st. m.,* 15,108 *hieherkunft, ankunft.*

hiderward, *adv.,* 46,255 *hieher.*

hidous, *adj.,* 67,101; hidus 67, 417; hidwiss; hydwiß 60,2 *gräßlich, schrecklich; ne.* hideous.

hidwiss *s.* hidous.

hie *s.* hêah, hîgian.

hîe *s.* hê.

hieder *s.* hider.

hiene *s.* hê.

hienes *s.* hêahness.

hiera, hîerra *s.* hêah.

hiera *s.* hê.

hîeran, *schw. v.,* hỹran 17,145; *me.* hæren 84,13920; heoren 84,13900; heren 84,13809; here 44,4; *imp.* here we 80,4; *3. sg. präs.* hỹrð 17,139; *prät.* hỹrde 26,32; *me.* herde 89,1285; herd 47,1068; *pl.* hêrdon 14,*schl.-ged.* 10; hỹrdon 26,14; *me.* herr-

denn 86,15583; herden 47,1015; herd 61,1152; *p. p. me.* herd 47, 1155; herde; hard 67,46 *hören, gehorchen, gehören zu; ne.* hear *(vgl.* gehîeran).

hierde, *st. m., pl.* hyrdas 15,14 *hirte, priester.*

Hierde-bôc, *st. f.,* 14,67 *hirtenbuch.*

hîersum, *adj.,* hỹrsum 15,160 *gehorsam.*

hîersumian, *schw. v., (prät.)* 14,6; hỹr- 15,119; *kent.* hêr- 20,34; *me.* hersumien *gehorchen.*

Hierusalem, *stadtn.,* 15,76; Ᵹerrsalæm 86,15554; Iherusalem(e) 40,43; Ierusaleme(s) 40,50; Iurselem 45,8; Jerusalem 51,65 *Jerusalem.*

hiჳ *s.* hêah, hy.

hîga, *schw. m., pl. kent.* hîgon 12, 35,42; *gen.* hîgna 12,14; *dat.* hîgum 12,27 *(kloster-)genosse.*

hige *s.* hyge.

hiჳe *s.* hêah, hy.

hight *s.* hâtan.

hîgian, *schw. v., me.* hie 48,6; hye 61,1106; hỹ 67,289 *eilen; ne.* hie.

hîgna, hîgon, hîgum *s.* hîga.

hiჳt, hihte *s.* hâtan.

hii, hijs *s.* hê.

hil *s.* hyll.

hild, *st. f.,* 23,8; *instr.* hilde 23,33 *kampf.*

hilde-lêoð, *st. n.,* 11,211 *kriegslied.*

hilde-nædre, *schw. f.,* 11,222 *kampfnatter, geschoß.*

hilde-pîl, *st. m.,* 6,28 *(kampf-)geschoß.*

hilde-rinc, *st. m.,* (les. ring) 18, 39 *kriegsheld.*

hilde-wôma, *schw. m.,* 8,663 *kampfgetöse.*

hile *s.* hælo.

hill *s.* hyll.

him *s.* hê.

hin *s.* in, *sb.*

hinæ *s.* hê.

hindan, *adv.,* 18,23 *von hinten.*

hindir, *adj.,* 71,1 *vergangen, letzter.*

hine, *sb.,* 87,112 *diener (vgl.* hîga); *ne.* hind.

hine *s.* hê.

hin-gong, *st. m., nh. dat.* hiniongae 8,3 *hingang, tod.*

hinne *s.* in, *sb.*

hîo s. hê.
hîra s. Îras.
hird s. hîred.
hire s. hê.
hîred, st. m., me. hired(e) 84,
13815; hird 87,51 hausgenossen-
schaft, klostergemeinschaft, gefolg-
schaft, hofleute, schar, hof.
hîredman, sb., dem hause ange-
höriger; pl. hired-men 84,13916;
heredmen 84,13917 hausgenossen,
höflinge.
his s. eom, hê.
hise, hit s. hê.
hitten, r., prät. hitt 66,415; hit
70,32 treffen, schlagen; ne. hit.
hîw s. hêow.
hladan, st. v., 10,2901; me. laden;
prät. pl. hlôdan 14,schl.-ged.9;
laden, schichten; imp. hladaδ 14,
schl.-ged.22 schöpfen; ne. lade.
hlâf, st. m. (nh. n.?), gen. pl. -a
12,17; me. lof laib, brot; ne. loaf.
hlæfdige, schw. f., me. læuedi,
leafdi 84,13913; læfdi 84,13931;
lefdi 87,2; lauedi 88,11; lafdi 88,
14; leuedi 41,5; levedi; leuedy
47,1107; lady 48,11; ladie 48,131;
ledy 51,90; gen. sg. Leddeis 70,24;
gen. hlæfdigean, -gan herrin, frau,
gebieterin; ne. lady.
hlâford, st. m., 4,2b; nh. blâfard
4,2a; me. hlauord 82,80; hlauerd
82,187; laverd; lauerd 88,4; lau-
erδ 88,62; louerd 88,65; lourd 84,
13883; laferrd 86,56; lord 41,18;
loverd 46,17; lorde 60,107; gen.
lordys 65,62,8 herr, gebieter; ne.
lord.
hlâfording, st. m., me. lordyng
48,45 pl. lordinges 41,41 (kleiner)
herr; ne. lording.
hlanc, adj., 11,205; me. lonc mager,
schlank; ne. lank.
hlæw, st. m., pl. hlæwas 9,25 höhe.
hlêapan, st. v., me. lepen 88,33;
prät. hlêop; me. lhip 50,107; lep
58,154; lap 71,10 laufen, springen;
ne. leap.
hlehhan s. hliehhan.
hlêo, st. m., 9,374 obdach, schirm.
hlêonian, schw.v., 9,25 gedeihen.
hleonian, schw.v., me. lene; p.p.
lent 58,11; ylent 58,25 sich neigen
zu, sich lehnen an; ne. lean.
hlêor, st. n., 6,4; me. leor; ler
wange, backe; ne. leer.

hlêotan, st. v., 8,622 durchs los
erlangen, empfangen.
hlêoδedon s. hlôδian.
hlêoþor, st. n., 9,656 rede; gen. pl.
hlêoþra 9,12 klang, gesang.
hlêoδrian, schw. v., sprechen;
prät. hit hlêoδrode swiδe tôward
H. 25,4 H. wurde bevorzugt.
hlid, st. n., me. lid; pl. liddes 45,35
(les.) deckel, (augen)lid; ne. lid.
hliehhan, st. v., hlehhan (les.
hlihhan) 18,47; me. lhezze; lazhe;
laghe; lawe 46,401; prät. hlôh;
me. louz 42,32; loh 58,15; lewch
66,430; luch 70,21 lachen, lächeln,
frohlocken, sich freuen; ne. laugh.
hlîfian, schw.v., (pl. präs. -aδ) 6,4;
hlîfigan 10,2877 ragen.
hlimman, st. v., prät. pl. hlummon
11,205 rauschen, tosen.
hlinc, st. m., 9,25 hügel.
hlîsa, schw.m., 15,166; me. hlise ruf.
hlôdan s. hladan.
hlôδ, st. f., akk. pl. hlôþe 8,676
schar, haufe, menge.
hlôδian, schw.v., prät. hlêoδedon
15,6 beute machen, plündern, rau-
ben.
hlûd, adj., 14,schl.-ged.20 laut; ne.
loud.
hlûde, adv., 10,2908; me. lude 88,
35; loude 61,1135; lowde 66,430
laut; ne. loud.
hlummon s. hlimman.
hlusten s. hlystan.
hlûttor, adj., 9,183; hlûtor 14,
schl.-ged.20 lauter, hell, heiter.
hlŷdan, schw.v., 22,21; prät. hlŷdde
laut sein, schreien, lärmen.
hlystan, schw.v., 21,11; me. hlu-
sten 82,226; lusten 88,1; lust 84,
13843; liste zuhören, hören auf
(mit gen. u. dat.); ne. list; gleich-
bedeutend ist me. (vgl. ae. hlysnan)
listene 42,2; listen 47,1147; lystne
54,39; prät. listned 48,67; ne.
listen; vb.-sb. listening 47,1111
gehör.
hnâg s. hnîgan.
hnesce, adj., 20,1; me. nesche
weich, zart; ne. dial. nesh.
hnîgan, st. v., prät. hnâg 4,3a,b;
hnâh sich neigen.
hnitu, f., Ep. 1,13; me. nite niß,
lausei; ne. nit.
ho, interj., 67,229; ho!; verbal 67,
411 aufhören, einhalten.

hôd, *st. m.?*, *Ep.* hood 1,8; *me.*
  hood *kapuze; ne.* hood.
hoe *s.* hê.
hof *s.* of.
hof, *st. n.*, 9,228 *hof, haus.*
hog, *sb.*, 72,7; *pl.* hogges 50,51
  schwein; ne. hog.
hol *s.* hâl.
hold, *adj., me.* hold 44,74; *pl.* holde
  82,265; heolde 40,10; *sup.* holdost
  23,24 *hold, ergeben, treu.*
hold(e), holden *s.* eald, healdan,
  hold.
holdlîce, *adv.*, 26,14 *willig.*
holdyn *s.* héaldan.
hole, *sb.*, 47,984 *loch, öffnung,*
  fenster; ne. hole.
hole *s.* forhelan.
holegn, *st. m., Ep.,* 1,3; holen; *me.*
  holin; holi *stechpalme; ne.* holm,
  holly.
holi(e) *s.* hâlig.
holocaustum, *sb.*, 89,1319 *brand-*
  opfer; ne. holocaust.
holt, *st. n.*, 8,577 *holz;* 23,8 *gehölz;*
  me. ne. holt.
holy *s.* hâlig.
hom *s.* hê, hâm, hwâ.
hom-come, *sb.*, 46,108 *heimkehr.*
home *s.* hâm.
homor, *st. m., me.* hamer; *gen. pl.*
  hamora 18,6 *hammer; ne.* hammer;
  hamora lâf = *schwert* (*s.* lâf).
homward, *adv.*, 47,1152 *nach*
  hause; heimwärts; ne. homeward.
hôn, *st. v., me.* hon; hangen; *prät.*
  hêng; *pl. me.* hengen 27,22; *p. p.*
  hongen; hangen *hängen, kreu-*
  zigen; ne. hang.
hon *s.* on.
hond, *st. f.,* 11,130; hand 10,2917;
  me. hond 89,1287; hand 61,1127;
  pl. honda 10,2902; handa 21,23;
  dat. handum 23,4; handon 23,7;
  me. honde 87,15; hond; hondes
  44,152; hende 45,73; handis
  67,211; hend 67,34; *dat. (akk.)*
  honden 88,15 *hand; ne.* hand;
  on hand 15,3 *in die hände;* neyh
  honde 40,46 *nahebei;* word ond
  honde 46,240 *handschlag;* on
  honde 68,30 *vor uns;* i habbe
  en hande 82,192 *lastet auf mir.*
hond-cwyrn, *st. f.,* handcwyrn
  22,72 *handmühle.*
hond-dæd, *st. f., me. pl.* handdede
  44,92 *werke seines armes.*

hond-geweorc, *st. n., me. pl.*
  handewerkis 62,32 *werk der hand;*
  ne. handiwork.
hondlian, *schw. v.*, 3. *sg. präs.*
  handlap 21,15; *me.* handlen *be-*
  rühren; ne. handle.
hond-plega, *schw. m.*, 18,25 *spiel*
  der hand, handgemenge, kampf.
hondred *s.* hundred.
hongian, *schw. v., me.* 3. *sg. präs.*
  hanget 82,308; *konj. präs.* honge
  47,1141; *prät.* hong 69,160,6; *p. p.*
  hangid 61,1158 *hangen, hängen;*
  ne. hang; *vgl.* hôn.
honour, *sb.*, 51,46 *ehre;* 48,226
  würde; ne. honour.
honourable, *adj.*, 64,23 *ehren-*
  wert; ne. honourable.
honoure(n), *v., p. p.* honoured
  51,60 *ehren; ne.* honour.
hony *s.* hunig.
hood *s.* hôd.
hooly *s.* hâlig.
hope, *sb.*, 34,13899 *hoffnung; ne.*
  hope.
hopian, *schw. v., me.* hopie 82,24;
  hopye 50,48; *prät.* hoped 48,154;
  hope *hoffen (auf to); ne.* hope.
hor *s.* hê.
hôran *s.* hîeran.
hord, *st. n.*, später *m.*, 14,87 *hort,*
  schatz (*s.* lâf); *ne.* hoard; *me.* leggen
  an (en) horde 82,12 *aufsparen,*
  zurücklegen.
hordom, *sb.*, 82,253 *hurerei; ne.*
  whoredom.
hore *s.* âr, hê.
hore, *sb.*, 46,99 *dirne; ne.* whore.
Horigti, Horoti, *völkern., pl.*,
  17,31,32 *die Kroaten.*
horling, *sb.*, 82,103 *ehebrecher.*
horn, *st. m.*, 18,44; *me.* horn 61,
  1116 *horn; ne.* horn.
horn-boga, *schw. m.*, 11,222 *horn-*
  bogen.
Horoti *s.* Horigti.
horrible, *adj.*, 61,1108; horreble
  62,2 *entsetzlich, schrecklich; ne.*
  horrible.
hors, *st. n.*, 17,182; *dat. pl.* horsan
  17,97; *me.* hors 44,94; *pl.* hors
  48,142 *roß, pferd; ne.* horse.
Hors, *eigenn.*, 84,13848 *Horsa.*
horsc-hwæl, *st. m.*, 17,81 *wal-*
  roß.
horst, *p. p.*, 70,14 *auf dem pferde*
  getragen; ne. horsed.

hose, *sb.*, 67,225 *(strumpf-)hose;*
  wie ne.
hosebounde *s.* hûsbunda.
hosp, *st. m.*, 7,171 *hohn, übermut.*
host, *sb.*, 61,1113; ost 48,190 *heer;*
  ne. host.
hot *s.* hât.
hot, hoten *s.* hâtan.
hou *s.* hwâ.
hounbinden *s.* onbindan.
houncurteis *s.* uncurteis.
hounderstonde *s.* understondan.
houne *s.* âgan.
hounger *s.* hungor.
hounlaw *s.* unlaw.
hounsele *s.* unsele.
houre *s.* wê.
houre, *sb.*, 69,171 *stunde; ne.* hour.
hous *s.* hûs, wê.
house-end, *sb.*, 71,49 *hausgiebel,*
  hausdach.
houssebonde *s.* hûsbunda.
houssewif, *sb.*, 46,361 *hausfrau;*
  ne. housewife.
houte *s.* ût.
how *s.* hwâ.
howe, *sb.*, 47,1129 *sorge, angst* [*ae.*
  hoga; *vgl.* hycgan].
howe wiif, *sb.*, 47,994 *hebamme.*
hoylle *s.* hâl.
hoyne, *v.*, 67,319 *lässig sein, zögern.*
hrâ, hræ *s.* hræw.
hræbn- *s.* hræfn.
hrædlîce, *adv.*, 19b,7; *merc.* hreð-
  lîce 18,26; *me.* rædlice 19c,7;
  redliche 88,70; radly 58,65 *rasch,*
  schnell.
hrædnes, *st. f.*, 15,19 *schnelligkeit.*
hræfn, *st. m.*, 18,61; hrefn 11,206;
  me. raven; ravyn 67,499; reven
  rabe; ne. raven; hraebnes foot
  Ep., 1,20; *me.* revenfoot *hahnen-*
  fuß.
hrægl, *st. n.*, 8,590; *merc.* hregl
  18,16; *merc.* rægl 19d,3; *me.* rail
  kleid; ne. rail; *vgl. v.* raylen.
hrân, *st. m.*, *pl.* -as 17,92 *rentier.*
hrâw, *st. n.*, hræw *les.* 18,60; hrâ
  9,228; hræ 18,60 *leib, leiche.*
hræþe, *adv.*, 19d,7; *nh.* hraeðe 19a,7;
  raðe 23,30; *me.* raðe 82,133; raþe
  46,236 *schnell; komp. me.* redþer
  88,74 *eher, lieber (ne.* raþer*).*
hreconlîce *s.* recenlîce.
hrefn *s.* hræfn.
hregl *s.* hrægl.
hrêman *s.* hrîeman.

hrêmig, *adj.*, 18,59; *pl.* hrêmge
  9,592 *sich rühmend, freuend.*
hrêoh, *adj.*, 8,595 *rauh, wild, zornig.*
hrêosan, *st. v.*, *prät. pl.* hruran
  15,80 *zusammenfallen, -stürzen.*
hrêowan, *st. v.*, *me.* ruwen 82,21;
  reowe(n) 82,354; reowe 87,101;
  rew 46,235; rew 78,5 *leid tun;*
  (on…) 46,114 *mitleid haben (mit):*
  67,202 *beklagen, (be)reuen; ne.* rue.
hrêowful, *adj.*, *me.* rewful(e)
  88,3 *kläglich, bejammernswert; ne.*
  rueful.
hrêowlîce, *adv.*, 15,85; *me.* reow-
  liche 83,36; reuliche 46,302; rwly
  58,96 *kläglich, jämmerlich.*
hreðlîce *s.* hrædlîce.
hricg *s.* hrycg.
hrîeman, *schw. v.*, hrêman (*les.*:
  hrŷman) 18,39 *sich rühmen; me.*
  remen 88,35 *schreien.*
hrîm, *st. m.*, 9,16 *reif; ne.* rime.
hrînan, *st. v.*, *1. sg.* hrîno 6,28; *me.*
  rinen *berühren, angreifen (mit*
  akk., gen., dat.).
hrincg, *st. m.*, hring 9,339; *me.* ring
  87,34 *ring, umringender haufe; ne.*
  ring.
hrîno *s.* hrînan.
hrîðer, *st. n.*, 12,18; *gen. pl.* hrŷðera
  17,95; *me.* reoþer; reþer; ruþer
  rind; ne. veraltet rother.
hrôc, *st. m.?*, *Ep.* hrooc 1,9 *saat-*
  krähe; me. ne. rook.
hrôf, *st. m.*, 2,6; *me.* rof *dach;* 6,27
  spitze, gipfel; ne. roof.
hrooc *s.* hrôc.
hroernisse *s.* eorðhroernisse.
hrôðor, *st. m.*, *gen. pl.* hrôþra 8,681
  freude, trost.
hruran *s.* hrêosan.
hrycg, *st. m.*, hricg 10,2854; *me.*
  rig, rug *rücken; ne.* ridge.
hrŷman *s.* hrîeman.
hryre, *st. m.*, 9,16 *fall;* 9,645 *unter-*
  gang.
hrŷðer *s.* hrîðer.
hu- *s.* hw-.
hu *s.* hwâ.
huaeg *s.* hwæg.
huaet *s.* hwâ.
huanne(s) *s.* hwonne, hwonon.
hud *s.* hŷdan.
hue *s.* hê.
huer *s.* hwær.
huere *s.* hê.
huerte *s.* heorte.

hufe, v., 67,461; p. präs. hufing
69,159,4 (ver)weilen, zögern; vgl.
ne. hover.

huge, adj., 61,1110 sehr groß; ne.
huge.

hulde s. hyldo.

hull s. hyll.

Humber?, st. f., flußname, gen.
Humbre 15,149; dat. Humbre
14,15; me. Humbre, Vmbre 34,
14018 Humber.

humble, adj., 65,59,7; umble 41,44
demütig, bescheiden; ne. humble.

hund, zahlw. n., 17,135 hundert;
me. hund.

hund-nigontig, zahlw., 15,108
neunzig.

hundred, zahlw. n., me. hundred
32,54; hondred 46,104; hundreth
48,126; hundrid; hundir 60,16
hundert; ne. hundred.

hundred-fealde, adj., 32,54;
anhondreduald 50,66 hundert-
fältig; ne. a hundred-fold.

hund-seofontig, zahlw., 8,588
siebzig.

hund-teontig. zahlw., 15,116
hundert.

hund-twelftig, zahlw.n., hundert
und zwanzig.

hungor, st. m., 9,613; hungur
15,1; me. hungær 27,33; hunger
32,147; hounger 46,310; dat.
hungre 15,87; me. hungre 67,155;
hunger; ne. hunger.

hunig, st. n., 12,22; me. hony 49,
18 honig; ne. honey.

hunta, schw.m., dat.pl. -um 17,72
jäger.

huntoð, st. m., 17,52; me. hontep
jagd, jagdbeute.

huntum s. hunta.

huo s. hwâ.

hur, hure s. hê.

hurlen, v., prät. hurled 58,149
werfen, schleudern; ne. hurl.

hûru, adv., 17,158; me. hwure 33,
66 wenigstens.

hús, st.n., 8,648; me. hus 36,15572;
hous 46,273 haus; ne. house; to
house 46,92 nach hause.

hus s. wê.

husband s. hûsbunda.

husberner, sb., 41,35 mordbrenner.

hûsbunda, schw. m., me. hosse-
bonde 46,341; houssebonde 46,
137; hoseboud(e) 50,98; hus-

band(is) 67,208 hausherr, gatte;
ne. husband.

hv- s. hw-.

hw s. hwâ.

hwâ, frage- und später relativpron.,
14,80; me. hwa 33,80; hwo 40,22;
wo 46,140; who 47,1063; huo 50,
59; quha 66,432; quho 69,162;
ne. who; hwæt 7,176; nh. huaet
3,4; me. wet 32,23; hwet 32,79;
whet 32,90; what 34,13845; whæt
34,14006; whatt 36,15583; hwat
37,106; wat 41,9; quat 45,25; what
48,96; quhat 60,63; gen. hwæs, me.
hwes; hwas; whos 65,64,5; quhais
72,II,3; dat. hwâm 22,54; hwæm;
me. quam 45,47; wam 46,387; wham
48,193; hwam 51,6; quhwam 66,
399; whom; hom; urspr. instr.
mit präp. hwan 32,95; hwon;
whan 32,326; wan 34,13859; akk.
m. hwone; hwane; me. wie dat.,
n. wie nom.; wer? was? instr. n.
hû 7,183; me. hwu 28,13; hu 32,
138; hou 42,1; hw 44,93 (hs.);
w 44,120 (hs.); how 47,1060 wie?
ne. how; hwŷ; hwî 21,77; me.
hwy 28,1; hwi 32,105; wi 46,64;
whi 47,1060; whi þat 48,96; quhy
60,52; why 67,14; warum? me.
why; hwæt .eart þû 21,26; me.
hwat artu 40,19; quat ertu 45,17
wer bist du? huaet gôdæs 3,4 =
quid boni; auch indefinit.: nom.
hwâ 22,32; akk. hwæne 23,2; me.
hwa 33,6; mit präp. wham 48,193
irgend wer; ae. swâ hwæt (hwâ)
swâ 16,4; me. mit ever(e) u. dgl.
33,105; so 44,4; sa 70,3; sum
45,30; þet 50,59; at u. dgl.; hwo-
so 44,83; whose 54,38; wose
(ever) = hwo so (ever) 46,361
wer immer, jeder der; ae. hwæt!
22,43; me. wat 46,235 fürwahr!;
me. adj., whæt, wat 34,13837;
what 47,1102 was für (ein)?; me.
präp., wat 41,26 bis; what . . .
and teils . . . teils.

hwæg, st. m. n.? Ep. huaeg 1,24;
me. whei molken; ne. whey.

hwæl, st. m., 17,85; gen. hwales
17,99; me. hwæles 17,100 walfisch;
ne. whale.

hwæl-hunta, schw.m., pl. -n 17,
58 walfischfänger.

hwæl-huntað, st. m., 17,87 wal-
fischjagd.

hwan, hwæn(n)e s. hwâ, hwonne.

hwǽr, *frageadv.*, 10,2890; hwâr; *me.* hware 28,4; hwer 33,52; hwar 37,106; quar 39,1311; wer 41,15; huer 50,18; whare 57,7; quhar 60, 22; where 65,62,6; wher 67,22; quhare 69,159,3; *wo?* 39,1311, 42, 23 *woher?; indefin. irgendwo, (nach verben der wahrnehmung) wie da;* wel hwǽr 14,78 *überall; me. relat. zusammensetzungen:* huer by 50,15 *wodurch;* huer of 50,7; quor of 39,1314 *wovon;* quaron; quor on 39,1310 *worauf;* quhere as 69,165,1 *wie;* wherfor 48,174; whare fore 49,29; quarfore 45,16; quarefore 45,99; quhairfoir 71,24 *darum;* qhare till *(st.* tharetill) 69,170,6 *dorthin;* nohwere 40,44 *nirgends;* war-to 46,313 *wozu;* whar þurch 47,1065 *weshalb.*

hwat, hwæt s. hwâ.

hwǽt, *adj., pl.* hwate 18,13 *kühn.*

hwǽte, *st. m., gen.* -s 21,46; *me.* whete *weizen; ne.* wheat.

hwǽten, *adj., kent. gen. pl.* huæ̂tenra 12,17; *me.* hueten *von weizen; ne.* wheaten.

hwǽt-hwugu, *pron. n.,* 16,28 *irgend etwas.*

hwǽtlîce, *adv., me.* whattlike 36,15571 *rasch.*

hwǽðer, *fragepron.,* 17,61; hwæþer 17,65; *me.* wheðer 32,236 *wer von beiden? welcher von beiden? ne.* whether; *n. als fragepartikel (= lat.* utrum, num) whar 34,13839 *ob;* hwæðer.. þê 21,33; *me.* quhe-þir... or 60,70; *konj.* 17,55; *me.* wheder... or 67,363 *ob... oder; indef. pron. kent.* suę hwaeder suae 12,23 *wer von beiden immer.*

hwǽðere, *adv.,* hwæðre 9,222; hwæþre 9,366 *wie auch immer; konj.* hwæðere 4,3b; hwæðre 4,1b; *nh.* hweþræ 4,3a; *me.* þeh wheðer 32,131; þohhwheþþre 36,15659 *doch, dennoch.*

hwealf, *adj.,* 11,214 *gewölbt.*

hwearf s. hweorfan.

hwearfian, *schw. v., ae. sich wenden, sich verwandeln;* me. p. p. wharrfedd 36,15539 *verwandeln;* wharrfenn 36,15559 *(les.) wechseln.*

hwelc, *fragepron.,* 14,3; hwilc 10, 2847; hwylc 15,176; *nh.* huelc 19a, 20; *me.* hwylc(e) 28,7; hwilc 32,

138; whilch(e) 32,132; wulch(e), woch(e) 34,13889; hwych 35,82; wych(e) 41,35; wylk(e) 49,28; which(e) 59,68; quhilk 62,4; quhich(e) 69,168,6; *me. (selbstän-dig oder nach* þe, the) *auch relat.,* welcher; hwych so 35,82; whilche ... se eure 32,132 *welcher auch immer.*

hwelp, *st. m., dat. pl.* whelpum 20, 40; *me.* welp(e) 46,287 *tierjunges; ne.* whelp.

hwêne s. hwôn.

hwenne s. hwonne.

hwêol, *st. n., me.* whel(ess) 36,22; quhele 69,159,6 *rad; ne.* wheel.

hweorfan, *st. v.,* 8,703; *prät.* hwearf 15,146 *sich wenden; (um-her)gehen.*

hwer s. hwǽr.

hwet s. hwâ.

hweðer s. hwæðer.

hweþræ s. hwæðere.

hwî s. hwâ.

hwider, *adv.,* 8,700; *me.* whider 42,14; whedir 67,313 *wohin?; ne.* whither.

hwîl, *st. f.,* 8,674; *me.* hwile 32,238; whyle 53,35; while 67,213 *zeit, stunde; me.* lif-wile 46,103 *lebens-zeit; konj.* þâ hwîle ðe 14,59 (..þe 25,21); *me.* wile 27,36; (þa, ðe, þe) hwile (þe, þet) 32,21, 33,64, &c; þe hwule ðet 37,12; þe wile 46, 444; to whille 48,119; to whils 48,190; ðor quiles 39,1282; while þat 47,1004; þer whiles 47,1028; whil 54,6; qwiles 59,39; while 59, 56; whils; quhill 66,404; whyls 67,397 *(bes. schott.) solange als, während, bis, als; ne.* while; *adv.* hwŷlum 17,177; *me.* hwylem 41,41; quhilum 69,160,2 *bisweilen, einst;* hwîlum... hw. 14,67 *bald ... bald; ne. poet.* whilom; *me.* oþer whyle 53,121; other while 67,213 *mitunter, ein andermal.*

hwilc, hwilch s. hwelc.

hwînan, *st. v., me.* whyne 67,229 *weinen, jammern; ne.* whine.

hwît, *adj.,* 6,1; *me.* hwit 19c,3; hwit(e) 37,37; whit 43,15; whyt(e) 54,51; quhite 69,161,1; *komp.* whittore 53,28 *weiß; ne.* white.

hwîta sunnandæg, *st. m., me.* witsunnedei 33,96 *pfingstsonntag; ne.* Whitsunday.

h w o *s.* hwâ.

h w o n *s.* hwâ, hwonne.

h w ô n, *n.,* 17,62; *instr.* hwêne *kleinigkeit, ein wenig.*

h w o n n e, *adv., konj.,* 6,10; hwanne; hwænne 21,3; *me.* whanne 19e, 11; hwenne 82,35; ʒanne 82,150 *(les.);* wanne 82,396; hwon 87, 119; quan *(dat.)* 89,1322; hwan 44,67; quanne 44,134; quen 45, 73; wen 46,198; wenne 46,284; when 47,1155; whan 48,68; huanne 50,11; quhen 60,1; whon; wan 61,1121; *wann? wann, wenn, da, als; ne.* when.

h w o n o n, *adv.,* 16,53; *me.* huannes 50,83; whænnenen, wanene 84, 13838; whanene 84,13846 *woher?; vgl. ne.* whence.

h w u *s.* hwâ.

h w u l e *s.* hwil.

h w u r e *s.* hûru.

h w y c h, h w y l c *s.* hwelc.

h w y l e m *s.* hwîl.

h y, *sb., eile;* an biʒe *(hs.* heiʒe) 47, 1152; on hye 69,163,1; in hy 60,58 *in eile; vgl.* hîgian.

h y *s.* hê, hîgian.

h y c g a n, *schw. v., p. p.* gehogod 10,2892 *denken (an), bedacht sein (auf);* hicgan 23,4 *sich verlassen (auf); me.* howe.

h y d *s.* hŷdan.

h ŷ d, *st.f.,* 17,83 *haut, fell; ne.* hide.

h ŷ d a n, *schw. v., prät.* hŷdde; *pl. me.* hidden 44,69; *p. p. me.* ni húd = ne ihud 82,77; hyd 54,56 *verbergen, verstecken; ne.* hide.

h y d w i ß *s.* hidous.

h y e *s.* hê, hêah, hîgian, hy.

h y e r *s.* hêr.

h y ʒ e *s.* hêah.

h y g e, *st. m.,* 8,604; hige 23,4 *seele, geist, gemüt, sinn, gedanke.*

h y g e - g r i m, *adj.,* 8,595 *grimmig.*

h y g e - s o r h, *st. f., akk.* hygesorge 7,174 *(gemüts)sorge, kummer.*

h y g e - þ o n c o l, *adj.,* hige- 11,131 *gedankenvoll, klug.*

h ŷ h s t a n *s.* hêah.

h y h t, *st. m.,* 8,607; *gen. pl.* hyhta 8,682; *me.* hiht *hoffnung.*

h y h t l î c e, *adv.,* 9,79 *angenehm, lieblich, herrlich.*

h y l d a n, *schw. v.,* 4,2b; *nh.* hælda 4,2a; *me.* helden *(sich) neigen; ne.* heel.

h y l d o, *schw.f.,* 10,2921; *me.* hulde *(les.* helde) 82,343 *huld, gunst.*

h y l l, *st. m., später f.,* 6,27; *me.* hull(e) 82,347; hil 89,1290; hill 61,1108; *pl.* hillys 67,442; hyllys 67,466 *hügel, berg; ne.* hill.

h y m, h y m e n, h y n e *s.* hê.

h y n t *s.* hentan.

h y o, h y r, h y r a *s.* hê.

h ŷ r a n, h ŷ r a ð *s.* hîeran.

h y r d a s *s.* hierde.

h y r e *s.* hê.

h y r n e d - n e b, *adj.,* 11,212 *mit gehörntem, d. h. gekrümmtem schnabel.*

h ŷ r s u m(i a n) *s.* hiersum(ian).

h ŷ r ð *s.* hîeran.

h y s *s.* hê.

h y s p a n, *schw. v.,* 3. *sg. präs. k.* hespð 20,35 *höhnen, tadeln; vgl.* hosp.

h y s(s)e, *st. m., gen. pl.* -a 28,2 *jüngling.*

h y t *s.* hê.

I, J.

i *s.* ic, in.

i- *s.* ge- *oder einf. sb. oder verb.*

i â, *adv.,* 21,39; *me.* ʒe 46,232; ʒa; yei 67,353 *ja; ne.* yea.

J a k, *eigenn., deminutiv für John* 67,336 *Hans; ne.* Jack.

i a f e n *s.* giefan.

i a n g l e, *v., p. präs.* ianglande 58,90 *schwatzen, schimpfen; ne.* jangle.

I a p h, *stadtn.,* 58,90 *Jaffa.*

i b e d e *s.* gebed.

i b e d e n *s.* biddan.

i b e o n *s.* bêon.

i b e t *s.* bêtan.

i - b l e s s i *s.* gebliðsian.

i b o e n, *adj., s.* boune.

i b o n d e n *s.* bindan.

i b o r e ʒ e *s.* beorgan.

i b o r e n e *s.* beran.

i b o u n d e *s.* bindan.

i b r o k e n *s.* brecan.

i b r o u h t *s.* bringan.

i b u r e ʒ e(n) *s.* gebeorgan.

i b u r e þ *s.* gebyrian.

i c, *personalpron.,* 4,1b; *me.* i 27,34; ic 82,2; ich 82,1; icc 36,30; ihc 43,3; y 41,15; I 46,1; hic 46,237 *ich; ne.* I; *gen. (possess.)* mîn 5,1; *me.* mi 82,2; mine 34,13827; min 84,13950; *my* 48,94; myne 50,60; myn 51,25; *gen. dat. sg. fem. des poss. ae.* mînre 21,11; *me.* mire

87,5; *alk. f. des poss.* mîne 18,15;
dat. mê 6,3; *me.* me 44,118; *akk.*
mec 6,7; mê 12,42; *me.* me 82,227;
ic ðe 12,44 *der ich; me.* miselve
46,183; miself 46,184; my self
51,32; mi selue 55,11 *ich selbst;*
mi suluen 87,100 *mich selbst.*

ich *s.* ælc, ic, ylca.

ichabbe 53,9 == ich habbe; *s.* ic.

ich-a-deylle, *adv.*, 67,299 *jeder*
teil, ganz ausführlich, s. ælc.

icham 47,1056 *und* 58,8; *s.* ic *und*
eom.

ichaue 47,1154 *s.* ic *und* habban.

ichil(l) 47,1052; ycholde 51,32
s. ic *und* willan.

ichon *s.* ælc.

ichot 52,23; *s.* ic *und* witan.

ichulle 53,19; *s.* ic *und* willan.

icleped, iclepeð *s.* cleopian.

icloþed *s.* claþen.

icluped *s.* cleopian.

icnawe(ð) *s.* gecnâwan.

icoren(e) *s.* ceosan.

icwemed *s.* gecwêman.

id *s.* hê.

îdel, *adj., gen.* îdles 16,15; *me.* ydel
82,9; ydill 49,1; ydele 50,63 *eitel,*
müßig; ne. idle.

îdelness, *st.f., me.* idelnesse 82,7;
ydyllnes 49,7 *eitelkeit, müßiges*
wesen; ne. idleness.

idemd, i demed *s.* dêman.

ides, *st. f.,* 11,128 *weib, frau.*

îdles *s.* îdel.

ido, idon *s.* dôn, gedôn.

idreaued *s.* drêfan.

idrunke *s.* drincan.

idryue *s.* drîfan.

iede(n) *s.* geeode.

îeg-búend, *subst. p. präs. pl.,* 14,
83 *inselbewohner.*

îeg-land, *st. n.,* îgland 17,37; îg-
lond 9,9; eigland 18,66; *me.* iland
insel; vgl. ne. island.

ielde, *st. pl., nh. gen.* aelda 2,5
menschen.

ieldra *s.* eald.

ieldu, *st.f.,* yldu 9,190; yldo 9,614;
yld; *kent.* held 20,45; *me.* ylde
82,17; ulde 82,322; eld(e) 82,16
alter; ne. poet. eld; of elde 44,174
erwachsen.

ientyle, *adj.,* 58,62 *edel; ne.*gentle.

iermðu, *st.f.,* yrmþu 8,634; *merc.*
ermðu 18,30; *me.* ermþe *elend,*
unglücksfall.

ierming, *st. m., me. pl.* erminges
82,319 *elender mensch; me. adj.,*
erming 88,6; earming 83,23
elend.

Jerusalem, Ierusalemes *s.*
Hierusalem.

Iesu, *eigenn.,* 88,7; Iesus, 51,91;
Ihesus 19e,9; *gen.* Iesusess 86,25
Jesus.

Iewis *s.* gius.

if, iff *s.* gief.

ifagen *s.* gefêon.

iginne *s.* gewinn.

îgland, îglond *s.* îegland.

igrætten *s.* gegrêtan.

ihate *s.* hâtan.

ihealden *s.* healdan.

iherd, ihere(n) *s.* gehîeran.

Iherusaleme *s.* Hierusalem.

iherð *s.* gehîeran.

Ihesu(s) *s.* Iesu.

iheved *s.* habban.

ihialde *s.* healdan.

iholpen *s.* helpan.

ihord *s.* gehîeran.

ihud *s.* hŷdan.

ihuren, ihurð *s.* gehîeran.

ikruned *s.* coroune.

ikumen *s.* cuman.

ilæd *s.* lædan.

ilast *s.* gelæstan.

ilca *s.* ylca.

ilch *s.* ælc.

ilco *s.* ylca.

Ildebrand, *eigenn.,* 29,3 *Hilde-*
brand.

iledene, *p. p., s.* gelêodan.

ilef, ileouen *s.* geliefan.

ileste *s.* gelæstan.

ileued *s.* libban.

ileuen *s.* gelêafa.

ileue(ð), *s.* geliefan.

Ilfing, *flußname, f.,* 17,160 *Elbing.*

iliche, ilyche *s.* gelîc(e).

ilk *s.* ælc, ylca.

ilkane *s.* ælc.

ilke *s.* ylca.

ilkon, ilkone *s.* ælc.

ille, *adj.,* 82,74; ill 57,31 *übel, böse,*
schlecht, schlimm; ne. ill; *als sb.*
48,55; 60,100 *übel, unglück.*

illke *s.* ylca.

iloken, ilokie *s.* gelôcian.

ilome *s.* gelôme.

ilong *s.* gelong.

ilusd *s.* lêsan.

iluued *s.* libban.

image, *sb.*, ymage **50**,16 *bild; ne.*
image.
imaingd *s.* mengan.
imelen *s.* gemǣlan.
imeng(d) *s.* mengan.
imete(n) *s.* gemētan.
imone *s.* gemāna.
in, *präp.,* **6**,6; *nachgestellt* **9**,362; *me.*
in **32**,233; inne **32**,151; inn **36**,95;
i **34**,13822; ine **37**,104 *in, an, auf;*
adv., in **11**,150 *hinein;* in **38**,8; yn
54,11 *darin, ein;* inn **25**,2 *herein;*
ne. in; in to **37**,98 *in .. hinein;*
into **41**,18; **59**,14 *in (auch auf die*
frage „wo?"); **44**,139 *bis; me.* in
til; inntill **36**,46; intil **44**,128; in
till **49**,27 *in, hinein in, bis; me.*
in sa mekle as **62**,11 *insofern als.*
in (*gen.* innes), *st. n., me.* hjn **34**,
14046; hinne **34**,14006 *(hs.);* in
40,9; inne **45**,71; *pl.* innys **72**,II,
13; *dat. pl.* innen **34**,14007 *zimmer,*
wohnung; ne. inn.
inbecuman, *st. v.,* inbe-
cômon **23**,58 *hereinkommen.*
inbryrdniss *s.* onbryrdnyss.
inc *s.* git.
inca, *schw. m.,* **7**,178 *zweifel, arg-*
wohn.
inch, *sb.,* **70**,12 *zoll; ne.* inch.
incit *s.* git.
inclyne, *v.,* **66**,448 *sich verneigen.*
indryhto, *st. f.,* **9**,198 *ruhm,*
wonne.
induyr *s.* endure.
ine *s.* in.
inêodan, *def. prät. pl.* **15**,176 *gingen*
hinein; s. êode.
infant, *sb.,* **68**,21; *kleines kind.*
Ingelond *s.* Englond.
Inglis men *s.* englisc.
Inglond *s.* Englond.
ingong, *st. m.,* **16**,73; *me.* inʒong
eingang.
inlîhtan, *schw. v.,* *merc.* in lîhte
19d,1 *dämmern.*
inn *s.* in.
innan, *adv. und präp.,* **8**,691; inne
17,169; *me.* innan **33**,29; inne **32**,
245 *innen, innerhalb, in; darinnen;*
9,200 *hinein.*
innanbordes, *adv.,* **14**,8 *im innern.*
inne *s.* in.
innen *s.* in, *sb.*
innoð, *st. m. (f.?),* **14**,*schl.-ged.*4
das innere.
innys *s.* in, *sb.*

inoʒ(e), inoh, inou, inouh,
inow(e) *s.* genôh.
interupcyoun, *sb.,* **65**,62,1 *unter-*
brechung; ne. interruption.
intil(l) *s.* in.
intinga, *schw. m.,* **15**,71 *ursache.*
into *s.* in.
inweardlîce, *adv., komp.* inweard-
lîcor **15**,242 *innerlich, innig.*
inwidda, *schw. m.,* **18**,46 *feind,*
widersacher.
inwit-rûn, *st. f., akk.* inwitrûne
8,610 *boshafter beschluß.*
inwyt, *sb.,* **50**,*titel: gewissen.*
Johnes toune *s.* Saint.
ioie, *sb.,* **38**,14; ioye **61**,1137; ioy
62,21 *freude; ne.* joy.
Jon, *eigenn.,* **48**,1 *könig Johann (ohne*
Land) von England; ne. John.
iornan *s.* eornan.
Jôsêph, *eigenn.,* **7**,164; Iosep(e)
28,15 *Josef.*
îow *s.* gê.
ioy, ioye *s.* ioie.
ioyful, *adj.,* **58**,109 *freudenvoll;*
ne. joyful.
ioyles, *adj.,* **58**,146 *traurig, freudlos.*
ioyne(n), *vb.,* **50**,44 *(ver)binden; p.*
p. ioyned **58**,62 *einsetzen; ne.* joyn.
ipined *s.* pînian.
iqueden *s.* (ge)cweðan,
iquemde, iqueme *s.* gecwêman.
Ira-land, *ländern.,* **17**,130 *Irland*
(Shetlandsinseln? Island?).
Îras, *volksn., gen. pl.* hîra **18**,56 *die*
Iren.
ire, *sb.,* **60**,32 *zorn, haß; ne.* ire.
îren, *st. n., me.* iren **27**,31 *eisen;*
ne. iron.
irest, ireste *s.* gerest.
ireue *s.* gerêfa.
irnende, irnð *s.* eornan.
îs, *st. n., me.* is **33**,27 *eis; ne.* ice.
is *s.* eom, hê, îs.
isæh *s.* gesêon.
ische, *v., prät.* ischyt, **60**,112 *heraus-*
gehen, kommen; ne. issue.
isched *s.* sceâdan.
ischild *s.* gescyldan.
ischrud *s.* scrŷdan.
ischyt *s.* ische.
iscrud, iscrudde *s.* scrŷdan.
ise *s.* gesêon.
ised, iseid *s.* secgan.
iseʒen(n), iseh, iseie *s.* (ge)-
sêon.
iselþe *s.* gesǣlð.

isene *s.* sêon.

iseo, iseon(ne) *s.* (ge)sêon.

îsern, *st.n.(urspr.adj.),* 15,83 *eisen, stahl, waffe.*

iserued *s.* serve.

iset, iseyd *s.* secgan.

iseye *s.* (ge)sêon.

ishend *s.* scendan.

i-shoed, *p.p. adj.,* 46,320 *beschuht;* vgl. ne. shud.

isomned *s.* (ge)somnian.

isprungen *s.* springan.

Israhel, *volksn., gen. pl.* -a 16,73 *Israelit.*

iss *s.* eom.

ist 67,517 *s.* eom und hê.

iswinch, jswinch *s.* geswinc.

it *s.* hê.

iteð *s.* etan.

itit *s.* getîdan.

itt *s.* hê.

iû, *adv.,* 14,3; giû 14,40; giô; geô 5,1 *schon einmal, einst;* iû gêara 15,223 *schon seit alter zeit.*

iuædde *s.* fêdan.

iuald *s.* gefyllan.

iû-dæd, *st. f., inst. pl.* iûdædum 8,703 *einst vollführte tat.*

iudaysse, *adj.,* 40,54; *schw.* Judiss-kenn 86,15552 *jüdisch.*

Iude *s.* Gius.

Iude, *ländern.,* 58,61 *Judäa.*

Iûdêas, *volksn.,pl.m.,dat.* Iûdêum 19b,15; *me.* Iudeam 19c,15; Juþewess 86,15592 *die Juden;* vgl. Gius.

Iudelond, *ländern.,* 40,19 *Judäa.*

Iue *s.* Gius.

ived *s.* fêdan.

iuel(e), ivel *s.* gefeallan, yfel.

iuere, ivere *s.* gefêra.

jugement, *sb.,* 46,246 *richter-spruch, urteil; ne.* judgement.

îuh *s.* gê.

iung *s.* geong.

juperti, *sb.,* 46,276 *wagestück; ne.* jeopardy.

jurne, *sb., pl.* iurnees 89,1291 *tage-reise; ne.* journey.

Iurselem *s.* Hierusalem.

iustise, *sb., gerechtigkeit;* no i. don 27,10 *keine strafen verhängen;* 47,1025 *richter; ne.* justice.

iuwis *s.* Gius.

Juþewess *s.* Iûdêas.

iwent *s.* wendan.

iwer *s.* gewǽr.

iwhillc *s.* gehwelc.

îwih *s.* gê.

iwill *s.* gewill.

jwis, îwis(se) *s.* gewiss.

iwoned *s.* gewunian.

iworþe *s.* geweorðan.

iwrat *s.* wyrcan.

iwreden *s.* gewierdan.

iwreken *s.* wrecan.

iwrite *s.* gewrit.

iwune, *sb.,* 34,14017 *gewohnheit;* vgl. gewunian.

iwuned *s.* gewunian.

iwurðe *s.* geweorðan.

iwysse *s.* gewiss.

iðanc, iþank *s.* geþonc.

iðauien *s.* geðafian.

iðenche, iðencð *s.* geðencan.

iðeo *s.* geþêon.

iþinlic, *adj.,* 45,52 *eifrig.*

iþohte, iþou(h)t *s.* geþencan.

K.

k- *s.* c-.

kaiser, *sb.,* 45,64 *kaiser.*

Kalice, *stadtn.,* 71,34 *Calais.*

kan, kane *s.* cunnan.

kare *s.* cearu.

karien *s.* cearian.

karrte *s.* cræt.

kay, *sb.,* 57,36 *schlüssel; ne.* key.

keille, *v.,* 67,300; keyle 67,118 *kühlen, lindern, stillen, beruhigen.*

keip *s.* cêpan.

kell, *sb.,* 70,4 *haube oder* = kill, *sb., kamin, schornstein.*

kempa, kempe *s.* cempa.

ken *s.* cû, cennan.

ken- *s.* cyn-.

kend *s.* cennan.

kende *s.* cynd.

kene *s.* cêne.

kenliche, *adv.,* 85,88 *kühnlich, eifrig; vgl.* cêne *und ne.* keenly.

kenne *s.* cennan, cyn.

kenrede, *sb.,* 50,53 *geschlecht, ver-wandtschaft; ne.* kindred.

kep, *sb.,* kepe *acht, obacht;* kep nimen 89,1333 *achtgeben, hinblicken;* tak kepe 68,26 *achtgeben.*

kepar *s.* kepere.

kep(e) *s.* kep, cêpan.

kepere, *sb.,* keper 45,102; kepar 72, I, *Tit. hüter, wächter; ne.* keeper.

kepyng, *sb.,* 48,235 *gewahrsam; ne.* keeping; vgl. cêpan.

kerve *s.* ceorfan.
kesse *s.* cyssan.
kest, kesten *s.* casten.
keste *s.* cyssan.
keyle *s.* keille.
kid *s.* cýðan.
Killyngworth, *ortsn.*, 48,191
  Killingworth.
kinde *s.* cynd.
kindel, *v.*, 57,10 *anzünden, ent-*
  brennen, erregen, bereiten, ent-
  stehen; ne. kindle.
kine- *s.* cyne-.
kine-lond, *st.n.*, 34,13895; *könig-*
  reich.
king, kinge *s.* cyning.
kinge-riche, *sb.*, 43,17 *königreich.*
kirk, kirke, kirkes *s.* cirice.
kissen *s.* cyssan.
kiþeþþ *s.* cýðan.
knafe, *sb.*, 67,173; knave 46,201;
  knecht, mann; ne. knave.
knape *s.* cnapa.
knaw(e), knawin *s.* cnâwan.
kne, kneis *s.* cnéow.
knelen, *v.*, knele; *präs.sg. 3.* kne-
  lith 65,59,4; *p. präs.* kneland 67,
  488; knelyng 65,61,5 *knien; ne.*
  kneel.
kneon *s.* cnêow.
kneouwunge *s.* cnêowung.
knew *s.* cnâwan.
knict, knicth *s.* cniht.
knif, *sb., dat.sg.* kniue 43,110 *messer;*
  ne. knife.
knight(is), knith *s.* cniht.
knitt *s.* knyt.
kniue *s.* knif.
knok, *sb.*, 67,342 *schlag; ne.* knock.
knoke, *v.*, 47,1127 *klopfen, pochen;*
  ne. knock.
knowen, knowest *s.* (ge)cnâwan.
knowlage, *sb.*, 59,73 *kenntnis; ne.*
  knowledge; *vgl.* cnâwan.
knyght, knyghtes, knyȝt,
  knyht *s.* cniht.
knyt, *v., me. prät.* knitt 47,993;
  p. p. knyt 67,451 *knüpfen, binden,*
  fesseln, abschließen; ne. knit.
Krist *s.* Crist.
krune *s.* coroune.
kuckald, *sb.*, 72,II,17 *hahnrei; ne.*
  cuckold.
kume *s.* cuman.
kunn(e), kunne(s) *s.* cunnan, cyn.
kuning, *sb.*, 82,361 *kaninchen,*
  kaninchenfell; ne. coney.

kurs, *sb.*, 81,2 *verwünschung, fluch;*
  ne. curse; *vgl.* cursen.
kuðe *s.* cunnan, cýðan.
kwene *s.* cwên.
kyd, kydde *s.* cýðan.
kylle, *st. f. m.*, 14,*schl.-ged.*26 *krug.*
kyn *s.* cyn.
kynd, kyndis *s.* cynd, cynde.
kyndenesse *s.* gecyndness.
kyne-þrymme *s.* cyneþrym.
kyng, kyning(as) *s.* cyning.
kynn *s.* cyn.
kyrk *s.* cirice.
kyrtel *s.* cyrtel.
kyssyng *s.* cyssan.
kyðað *s.* cýðan.

L.

l 19a,1 = vel *oder* oððe.
lâ, *interj.*, 21,67; *me.* la 88,66; loo
  45,26; lo 67,238; lew 67,507 *o!*
  siehe!; ne. lo.
labour, *sb.*, 66,381 *arbeit;* 65,64,4
  mühsal; ne. labour.
lâc, *st. η. f.*, 10,2858; *me.* lac 82,
  73 *geschenk, opfer.*
lâcan, *st. v., prät.* leolc 8,674
  springen, schwimmen, schiffen.
læce, *st. m., me.* leche 82,302 *arzt;*
  ne. leech.
lache *s.* gelæccan.
lack, *sb.*, lak 64,7 *mangel; ne.* lack.
lâd, *st. f., me.* lode 58,156 *weg,*
  lebensweg, leben.
lædan, *schw. v.*, 8,613; *me.* lede
  32,5; læden 32,123; læde 82,272;
  leden 32,395; leide 66,371; *3.*
  sg. präs. ind. læt; *me.* let 32,338;
  pl. ledeð 32,209; lede 48,59; *p.*
  präs. merc. lêdende 18,44; *prät.*
  lædde 11,129; *me.* ledde 82,93;
  ladde 42,52; *pl.* læddon 22,70;
  leyd 67,393; *me.* ledden 83,47;
  lad 48,193; *p. p.* læded 8,689;
  me. ilæd 82,5; led 48,56 *leiten,*
  führen, tragen, bringen, behandeln;
  ne. lead.
ladde, *sb.*, 58,154 *bursche; ne.* lad.
ladde, lædde *s.* lædan.
ladde borde, *sb.*, 58,106 *back-*
  bord; vgl. ne. larboard?
læddon, læded, læden *s.* lædan.
læden, *st. n., dat.* -e 14,16; *me.* leden
  latein, sprache.
læden-geðíode, *st. n.*, 14,61;
  lateinische sprache.

læden-spréc, *st. f.*, 14,96 *lateinische sprache.*

Læden-ware, *pl. m.*, 14,49 *Römer, Lateiner.*

ladie *s.* hlǽfdige.

lâdigan, *schw. v.*, 7,183 *sich reinigen von, sich schützen gegen etwas.*

ladlich *s.* lâðlîce.

lady *s.* hlǽfdige.

lâf, *st. f.*, 9,376; *me.* lave *nachlaß, erbe, überbleibsel;* layff 66,409 *die übrigen;* daraða lâf 18,54 *was die wurfgeschosse übrig gelassen haben;* hamora lâf 18,6 *schwert; ne. dial.* lave; to lafe bêon 17, 176 *übrig bleiben.*

lǽfan, *schw. v..* me. leven 46,153; *imp.* leue 38,15; leiff 66,392; *prät.* lǽfde 14,36; *me.* lefte; left 48, 191; leuyt 59,74; *p. p. me.* left 48,128; lefte 59,26; lewyt 66,435 *lassen, hinterlassen, bleiben; ne.* leave.

lafdi, læfdi *s.* hlǽfdige.

læfe *s.* gelêafa.

laferrd *s.* hlâford.

lafian, *schw. v., me.* laue 58,154 *ausgießen, waschen, wasser ausschöpfen; ne. veralt.* lave (*vgl.* lavish).

laȝ, *adj.*, louh 65,63,4; low 67,21; *schw. pl. me.* laȝen 32,162; *adv.* lowe 51,11; lawe 69,164,2; *niedrig, danieder, tief; bescheiden; unten; ne.* low.

læg, læge *s.* licgan.

laȝe *s.* lagu.

laȝe-lies, *adj.*, 32,291 *ohne gesetz, ohne glauben; ne.* lawless.

laȝen *s.* laȝ, lagu.

laȝhe *s.* lagu.

lagu, *st. f., me.* law(e) 47,1113; law 64,28; *pl.* laȝhe 32,170; laȝe 32,309; laȝen 33,49; lawes 44,28; lawis 71,13 *gesetz, recht, glaube, religion;* laȝe, lawe 35,97 *brauch, sitte; ne.* law.

lagu-flôd, *st. m.*, 8,674 *seeflut, meer.*

lǽgun *s.* licgan.

lagu-strêam, *st. m.*, 23,66 *meeresflut, flut (im gegensatz zu 'ebbe').*

lai, *sb.*, 37,167 *lied, gedicht; ne.* lay.

lai *s.* licgan.

Laicestre, *stadtn.*, 48,14; Leicestre 48,230 *Leicester.*

laid(e), læiden *s.* lecgan.

lait *s.* late.

lak *s.* lack.

Lǽ-land, *ortsn., st. n.*, 17,149 *die dänische insel Laaland.*

lâm, *st. n.*, 13,2; *me.* loom *lehm, schlamm; ne.* loam.

lam *s.* lomb.

lame, *adj.*, 46,199 *lahm; ne.* lame.

lǽmen, *adj.*, 8,574 *irden, tönern.*

lâm-fæt, *st. n.*, 8,578 *irdenes gefäß.*

lammesse [*ae.* hlâf-mæsse], *sb., brotmesse, erntedankfest; ne.* Lammas; Lammesse tide 48,195 *erntefestzeit.*

lǽn, *st. f., me.* lene; lane; lone *das leihen, lehen; ne.* loan; tô lǽne bêon 14,80 *ausgeliehen sein.*

lǽnan, *schw. v., me.* lenenn 36, 15561; lene; *3. sg. konj.* lenne 32, 122; *prät.* lǽnde; *me.* lende; *p. p. me.* ylent 42,8; lent 42,34 *(ver-) leihen, gewähren;* l. from 58,11 *entleihen; ne.* lend.

lance, *sb.*, 48,86 *lanze; ne.* lance.

land *s.* lond.

land-bigenga, *schw. m.*, 15,67 *einwohner, bewohner.*

land-bûende, *p. präs.*, 11,226 *landbewohnend.*

land-scaru, *st. f.*, dat. landscare 14, *schl.-ged.* 18 *land, grundstück.*

lǽne, *adj., akk. sg. m.* lǽnne 9,220 *geliehen, vergänglich.*

lang *s.* long.

langage, *sb.*, 59,59 *sprache, das reden; ne.* language.

Langaland, *ortsn., st. n.*, 17,149 *die dänische insel Langeland.*

langar *s.* long.

lange *s.* longe.

langett, *sb.*, 67,224 *lederner strang, peitschenriemen.*

lap *s.* hlêapan.

lâr, *st. f.*, 14,10; *me.* lar(e) 28,53; lore (alore = on l.) 32,1 *lehre, belehrung, gelehrsamkeit, kenntnis, einsicht, rat; ne.* lore.

lǽran, *schw. v.*, 8,638; *fl.* lǽranne 15,146; *me.* lere 45,28; *3. sg. präs.* lærepþ 36,15634; *imp. pl. me.* lǽred 19c,19; *prät.* lǽrde 15,132; *me.* lerde 32,306; lerd 45,42; *p. p.* gelǽred 16,12; *kent.* gelêred 20, 25; *pl.* gelǽrede 19b,15; *me.* gelǽrde 19c,15 *lehren, raten;* 16,62 *auffordern; me.* leir 62,32; lere 69,171,2 *lernen, erfahren.*

lârêow, st.m., me. larew; larþeu;
pl. lârêowas 16,70; gen. lârêowa
14,21 lehrer.

large, adj., 44,97 freigebig; ne.
large.

læs, adv., weniger; verbunden mit
þê, þŷ 8,649 damit, daß nicht; me.
lest; konj.63,8; leste 46,202 damit
nicht; aus furcht, daß; drede lest
67,55 fürchten, daß; ne.lest; vgl.
lŷtel.

lasse s. lŷtel.

last s. læstan, læt.

last, sb., fl. -e 37,69; pl. lasten
37,123 tadel, fehler.

lâst, st.m., 10,2850 fußspur, schritt;
on lâst 11,209 hinter, nach; vgl.
ne. last.

læstan, schw. v., me.(a)lesten 32,
148; leste 32,315; lasten; laste
43,6; last 59,2; 3. sg. präs. lest
32,167; lesteþ 51,89; p. präs.
lastand 48,213; prät. læste; me.
lastede 27,35; laste 43,6; last
59,56; p. p. lestyt 66,412 dauern,
bleiben; last 67,265 leisten, aus-
halten; ne. last.

lastand s. læstan.

laste s. last, læstan.

læste s. lŷtel.

lasten s. last, læstan und læt

læt, adj., 8,573; schw. lata; me.
late langsam, spät; ne. late; sup.
latost; me. latest; latst; last 48,
146; at þe laste 46,141; ate lasten
50,101; at the last 69,159,1 zu-
letzt; ne. at last.

lætan, st.v., 8,622; me. late 42,51;
lete 55,45; 3. sg. präs. ind. leteð
32,128; let 32,129; letes 58,88;
konj. late 44,17; lete 51,75; pl.
lete(we) 32,303; imp. latt 66,442;
lætað 8,622; prät. leort; lêt 17,
56; pl. lêton 11,221; lêtan 18,
60; me. leten 32,266; lete 44,92;
let 61,1117; p. p. lattin 70,21
lassen, unterlassen, aufgeben; ne.
let; lêt swâ 22,64 ließ es dabei
bewenden; lute let of 32,260
kehrte sich wenig an; lete (and
liste) 45,95 still sein; teres lete
47,1019 weinte.

late, adv., me. late 32,8; lait 73,5;
komp. later 32,133 langsam, spät;
67,442 letzthin, kürzlich.

late s. latian.

lath s. lâþ.

latian, schw. v., me. late 42,51
zögern.

latin, adj., 36,12 lateinisch; sb.
latyn 59,32 latein; ne. Latin (vgl.
læden).

latt s. lætan.

latte(n) s. lettan.

lattin s. lætan.

lât-têow (lâd-ðêow), st. m., pl.-as
. 15,59 führer, feldherr.

latyn s. latin.

læue s. lêaf.

laue s. lafian.

læuedi, lavedi s. hlæfdige.

laueliche s. lawelich.

lauerd, laverd, -ð s. hlâford.

lauerok, lâuuercae s. lâwerce.

lawe s. laჳ, lagu.

lawelich, adj., dat. pl. lawelyche
35,77; laueliche (hs. -i) 35,B77
gesetzmäßig, gerecht.

lâwerce, schw. f., Ep. lâuuercae
1,25; me. lauerok 54,53; larke
lerche; ne. lark.

lawis s. lagu.

lay, sb., 61,1142 gesetz, lehre, glaube
[afrz. lei; vgl. lagu].

lay s. lecgan, licgan.

layden, layid s. lecgan.

layff s. lâf.

lâþ, adj., 7,194; lâð 11,226; me.lâð
32,341; (schw.) laðe 32,44; loð(e)
37,93; loþ(e) 34,13942; lath 44,
76; loth 48,62; komp. lâðre 23,
50; sup. lâðesta(n) 11,178 leid,
feindlich, verhaßt; st. n., gen. pl.
lâþra 18,9; me. loth 48,62 feind;
ne. loath.

laðedon s. laðian.

lâð-gewinna, schw. m., 6,29 ver-
haßter gegner, feind.

laðian, schw. v., prät. pl. laðedon
15,67 einladen.

lâðlîce, adj., me.ladlich(e) 32,279;
loþlich 47,1000 verhaßt, abscheu-
lich; ne. loathly.

lâþra, lâðre s. lâþ.

læððu, st.f., gen.pl.læðða 11,158;
me. leððe; laþþe leid, kränkung.

lêad, st. n., gen. -es 8,578; me.
lead blei; ne. lead.

lêaf, st. f., me. leue 45,3; leve 46,
58; leiff 66,395 erlaubnis; leyff
66,448 urlaub; læue, lefue 34,
13967 abschied; ne. leave.

lêaf, st. n., me. pl. leues 52,14
blatt, laub; ne. leaf.

313

l e a f d i *s.* hlǽfdige.
l ê a f n e s s, *st. f., fl.* -e 15,169; lêf-
     nesse 15,229; lêfnys 15,143; lўf-
     nesse 15,201 *erlaubnis.*
l ê a f-s c e a d u, *st. m. f., dat.* -e 9,
     205 *laubschatten.*
l e a h t o r, *st. m., gen. pl.* leahtra
     8,583 *schimpf, frevel, verbrechen.*
l ê a n, *st. n., gen. pl.* -a 8,622; *me.*
     lien 82,64 *lohn, wohltat.*
l ê a p, *st. m., me.* lepe 45,107 *korb.*
l ê a s, *adj., me.* leas(e) 82,255 *un-*
     wahr, verlogen.
l ê a s, *adj.,* 7,188 *mit gen., frei von*
     etwas; vgl. ne. -less.
l ê a s u n g, *st. f.,* 15,12; *me.* leasunge
     87,75; leasinge; lesing 84,13884
     lüge, erdichtung, falschheit; ne.
     (veralt.) leasing.
l e a t *s.* lûtan.
L e a u s, *stadtn.,* 48,109 *Lewis in*
     Sussex (schlacht 1264).
l e c g a n, *schw. v.,* 10,2850; *me.* leg-
     ge(ð)82,316; lay67,34; leye; *prät.*
     pl. legdun 18,22; *me.* læiden *(pl.)*
     27,37; leide 82,259; leyde 40,64;
     laid 45,51; laide 67,282; layid
     71,8; *p. p. me.* yleid 82,12; leid
     89,1325; laid 48,56 *legen, setzen;*
     ne. lay; lay 67,479 *wetten;* on
     lâst l. 18,22; lâstas l. 10,2850
     nachsetzen; doun l. 48,56 *zu falle*
     bringen; prät. layden in 58,106
     einholen.
l e c h e *s.* lǽce.
l e c h e r i e, *sb.,* 41,34; lechery 67,
     53 *wollust; ne.* lechery.
l e c h u r, *sb.,* 41,45 *wollüstling; ne.*
     lecher.
l e d, l e d e *s.* lêod.
l e d(e n), l ê d e n d e *s.* lǽdan.
l e d e n e *s.* lêod.
l e d e r *s.* lўðre.
l e d e ð *s.* lǽdan.
l e d y *s.* hlǽfdige.
l e e s t *s.* lўtel.
l e f *s.* lêof.
l ê f a n, *schw. v.,* lўfan, lîfan; *me.*
     lefenn 86,15621; leve 46,147;
     leue 51,61; *prät. pl.* lêfdon 14,26
     erlauben, gestatten, lassen, glauben.
l e f d i *s.* hlǽfdige.
l e f e *s.* lêof.
l e f l y *s.* leofliche.
l e f m o n *s.* lêof.
l ê f n e s s e, l ê f n y s *s.* lêafness.
l e f t, l e f t e *s.* lǽfan.

l e f u e *s.* lêaf.
l ê g, *st. m.,* lîg 8,585; *me.* leie 82,
     278; *pl.* leies 83,18 *lohe, flamme.*
l e g a t e, *sb.,* 48,237 *gesandter, legat;*
     ne. legate.
l e g d u n *s.* lecgan.
l e g e n *s.* lêogan.
l e g e n d, *sb., pl.* legendis 71,21 *le-*
     gende; ne. legend.
l e g e r, *st. n.,* 17,192 *das liegen, die*
     aufbahrung.
l ê g e t *s.* lîgit.
l e g e ð *s.* lêogan.
l e g g e n, l e g g e ð *s.* lecgan.
l ê h t *s.* lîgit.
L e i c e s t r e *s.* Laicestre.
l e i d(e) *s.* lǽdan, lecgan.
l e i e(s) *s.* lêg.
l e i e n *s.* licȝan.
l e i f f *s.* lǽfan, lêaf.
l e i ȝ e(þ) *s.* lêogan.
l e i r *s.* lǽran.
l e i t *s.* lîgit.
l e l e, *adj.,* 45,61 *treu; ne.* leal, *vgl.*
     loyal.
l e l e, *adv.,* 67,446 *zuverlässig, wahr-*
     lich; vgl. ne. loyally.
l e n c g *s.* longe.
l e n c t e n, *st. m., (dat.* -ne) 9,254;
     me. lenten 52,1 *lenz, frühling; ne.*
     lent.
l e n d a n, *schw. v., me.* lenden, lende;
     prät. lende 25,19; *p. p. me.* ylent
     42,22 *landen, in den hafen brin-*
     gen, richten, gehen, abgehen, sich
     abwenden.
l e n d e *s.* lendan.
l e n d e, l e n e n n *s.* lǽnan.
l e n g, l e n g e r, l e n g h t *s.* longe.
l e n g r a *s.* long.
l e n g ð *st. f., me.* length(e) 61,1110;
     lennth(e) 67,123; lenght 67,257
     länge; ne. length.
l e n n e *s.* lǽnan.
l e n n t h e *s.* lengð.
l e n o d e *s.* hleonian.
l e n t *s.* hleonian, lǽnan.
l e n t e n *s.* lencten.
L e n v o y, *sb.,* 68,*tit. geleit eines ge-*
     dichtes; Envoy *vor* 68,25 *epilog*
     oder nachschrift; botschaft an den
     leser.
l ê o, *schw. f., akk.* lêon 22,12; *me.*
     leo; le *löwe.*
l ê o d, *st. f., me.* leode 84,13863;
     lede 36,42 *volk (aus* lêode *nach*
     analogie von þeod).

l ê o d e, *st. m., pl.* lêode **22,17**; lêoda
(*les.* lêode) **18,11**; *me.* leoden;
leden; ledene; *dat. pl.* lêodum
11,147; lêodon **28,23** *leute; me.*
auch sg. leod; led; lede **59,62**;
leyde **67,48** *mann.*

l ê o d - f r u m a, *schw. m.,* **9,345** *(leute-)*
fürst.

l ê o d o n *s.* lêod.

l ê o f, *adj.,* **8,647**; *me.* leof **82,73**;
lief **32,257**; lef; lof; loof; *flek-*
tiert lêofne **23,7**; *me.* leoue **82,44**;
leofue **34,13891**; lefe; leve **46,30**;
komp. f. lêofre **10,2920**; *me.* leoure
82,29; levere **46,382**; leuere **61,**
1143; leuer **63,13**; *sup.* lêofost
28,23; *me.* leouest **87,76** *lieb,*
teuer; ne. lief; nouþer of lefe ne
loth **48,62**; for lefe ne for loth
48,173 *weder um liebes noch um*
leides willen; sb., **21,39**; *me.* lef
88,1 *liebe(s), liebste(r)* = *me.* leof-
mon **88,20**; leumon **46,127**; lef-
mon **46,376**; levemon **46,418**; *pl.*
leofemen **88,1** *(anrede des pre-*
digers an die zuhörer); ne. veraltet
leman.

l e o f l i c h e, *adv.,* **84,13809** *freund-*
lich, gern; lefly **54,19** *lieblich, an-*
genehm.

l e o f t *s.* lyft.

l e o f u e *s.* lêof.

l ê o g a n, *st. v., me.* leoꝫen **82,287**;
me. 2. sg. präs. lext **47,1002**; *3. sg.*
legeð **89,1281**; leiꝫeþ **47,1142**;
konj. präs. 2. sg. leiꝫe **47,1115**; *imp.*
liꝫ **46,229**; *prät.* lêag; *pl.* lugon;
me. luꝫen **82,159**; *p. p.* logen, *me.*
ylowe **47,1108** *lügen; ne.* lie.

l ê o g e r e, *adj., me.* liꝫere **88,57**
verlogen, falsch, lügnerisch.

l e o h t *s.* liht.

l ê o h t, *st. n.,* **26,28**; *me.* liht(e) **82,76**;
ligt **89,1318**,*les.;* liꝫt **42,9**; lyht
52,25; light **67,557** *licht; ne.* light.

l ê o h t, *adj.,* **8,653**; *me.* liꝫt **42,58**;
lyht(e) **52,14**; licht **60,114** *licht,*
hell; ne. light.

l ê o h t e, *adv., me.* lihte; licht **60,26**
hell.

l e o l c *s.* lâcan.

l ê o m a, *schw. m.,* **7,204**; *me.* leome
87,2; leme *licht, glanz, strahl.*

l e o m u *s.* lim.

l e o r n e r e, *st. m.,* **16,51** *gelehrter.*

l e o r n i a n, *schw. v., me.* lerne **46,48**;
prät. leornade **16,12**; *pl.* leornodon

16,70; *p. p.* geliornod **14,41** *lernen,*
erfahren, studieren; ne. learn.

l e o r n i n g, *st. f.,* liornung(a) **14,11**;
me. lernyng **59,32** *belehrung, stu-*
dium; ne. learning.

l e o r n i n g - c n y h t, *st. m.,* **19b,7**;
me. leorningcniht **19c,7**; lerninng-
cnihht(ess) **86,38** *schüler, jünger.*

l ê o s a n, *st. v., in komp.; me.* leose
56,8; liese(d) **41,38**; lese **48,124**;
lose **67,363**; *prät.* lêas; *me.* les
48,78; lese **48,131**; leste; lost
48,214; *pl.* luron; *me.* lese **47,989**;
les **48,208**; *p. p. me.* lor(e)n **48,**
215; ilore **51,65**; lost **61,1137**;
ylost **61,1141** *verlieren, zugrunde*
richten; ne. lose; *p. p.* lest **58,88**
verschollen.

l e o s e *s.* lêosan.

l e o u e, l e o v e s t, l e o u r e *s.* lêof.

l ê o ð, *st. n.,* **16,3**; *me.* leoð; leð;
lied.

l ê o ð - c r æ f t, *st. m.,* **16,12** *dicht-*
kunst.

l ê o þ - s o n g, *st. m.,* **16,7** *gesang,*
lied.

l e o ð u *s.* lið.

l e p, l e p e n *s.* hlêapan.

l e p e *s.* lêap.

l e r d, l e r d e, l e r e *s.* lǽran.

l e r n e *s.* leornian.

l e r n i n n g(-), l e r n y n g *s.* leor-
ning(-).

l e s *s.* lêosan.

l ê s a n, *schw. v.,* lȳsan **4,1b**; *me.*
lese; lesenn **86,63**; *p. p. me.* ilusd
82,136 *(er)lösen, befreien.*

l e s e, *sb. pl., me.* lügen; without lese
67,390 *in wahrheit.*

l e s e(n) *s.* lêosan.

l e s e, l e s e n n *s.* lǽsan.

l e s i n g *s.* lǽasung.

l e s s e *s.* lȳtel.

l e s t *s.* lǽs, lêosan, lȳtel.

l e s t e *s.* lǽs, lǽstan, lêosan.

l e s t e n *s.* lǽstan, lystan.

l e s t y t *s.* lǽstan.

l e t *s.* lǽdan, lǽtan, lettan.

l e t a n î a, *schw. m.,* **15,205** *litanei.*

l e t e, l e t e ð *s.* lǽtan.

l e t t a n, *schw. v., me.* letten; latte **51,**
35; lette; let **67,341**; *3. sg. präs.*
ind. let **87,56**; *prät.* lette *zurück-*
halten, hindern; ne. veraltet let.

l e t t r e, *sb.,* lettur **59,26**; *pl.* lettres
88,9 *buchstabe, schrift;* **51,43** *brief*
(auch pl.); ne. letter.

leue *s.* gelîefan, lêaf, lêfan.
leve *s.* lêaf, lêfan, lêof.
levedi *s.* hlæfdige.
levemon *s.* lêof.
leven *s.* læfan.
levere, leuer(e) *s.* lêof.
leues *s.* lêaf.
leueþ *s.* gelîefan.
levit *s.* libban.
leumon *s.* lêof.
leute, *sb*, 46,229 *treue, aufrichtig-*
keit [*afrz.* leuté; *vgl. ne.* loyalty].
levyn, *sb., pl.* 67,346 *blitz.*
levyr *s.* lifer.
leuyt *s.* læfan.
lew *s.* lâ.
lewch *s.* hliehhan.
lewyt *s.* læfan.
lext *s.* lêogan.
leyd *s.* lædan.
leyde *s.* lêode, lecgan.
leye *s.* lecgan.
leyt *s.* lîgit.
lhip *s.* hlêapan.
libban, *schw. v.,* lifgan 7,194; *me.*
libbe 32,33; libben 32,200; lyuen
51,22; lif 67,4; *1. sg. präs. ind. me.*
liuie 37,12; *konj.* live 46,333; *3.*
sg. merc. liofað 13,45; *pl.* lifgað
9,596; *me.* libbeð 32,204; *p. präs.*
lifgend 8,653; lifigende 15,21;
pl. libbendu 14,*schl.-ged.*4; *me.*
liuiende 38,45; lyfande 49 29;
lifyng 67,47; liffyng 67,48; lif-
fand 67,73; *prät.* lifode; lyfode
25,16; *me.* liuede 43,76; liuid
45,38; levit 70,23; *pl.* lifdon 15,
217; *p. p.* iluued, ileued 34,13828;
liffyd 67,58 *leben; ne.* live.
libr *s.* lifer.
lîc, *st. n.,* 8,592; *gen. nh.* lîcæs 4,4a;
me. lic; lik(e) 38,20; lich *leib,*
leiche.
lîca, *schw. m., in kompos., me.*-liche
gestalt.
licame, licames *s.* lîchoma.
licgan, *st. v.,* (-að) 17,26; *me.* lien
27,32; liggen 37,155; lie; lye; ly
48,106; ligge 51,8; *1. sg. me.* lig
67,409; *3. sg. präs.* ligeð 9,182;
lîð 15,154; *me.* liþ 51,11; lys 51,
31; ligis 67,84; lyis 69,167,2; *pl.*
ligget 32,279; *p. präs. me.* liynge;
liggand 45,50; *prät.* læg 17,67;
me. lay 42,10; lai 45,13; *konj.* læge
17,55; *pl.* lægun (*les.* lâgon) 18,28;
p. p. leien 46,383 *liegen; 3. sg.*

präs. lyþ 50,*vor*76 *vorhanden sein;*
ne. lie.
liche *s.* lîca.
lîc-homa, *schw. m.,* 9,220; *me.*
lichame 28,16; licame 37,163;
licome 33,33; *gen.* licames 32,394
leichnam, leib.
licht *s.* lêoht, lêohte.
lîcian, *schw. v.,* 13,43; lýcigan
21,6; *me.* licen; like(ð) 37,29;
liken 46,82; lyke; *3. sg.* lîcað 13,
43; *me.* likes 52,24; likith 69,172,5;
prät. lîcode 21,21; *me.* licede 32,
13 *gefallen; ne.* like; *vb.-sb. me.*
likinge 38,23; likyng 67,75; ly-
kyng 59,20 *vergnügen, lust, ver-*
langen; ne. liking.
licken, *v., lecken;* lik on 67,378
zu schmecken bekommen; ne. lick.
licome *s.* lîchoma.
lid, *st. n.,* 18,27 *fahrzeug, schiff.*
liddes *s.* hlid.
lief *s.* lêof.
lien *s.* lêan, licgan.
liese(d) *s.* lêosan.
lif *s.* libban.
lîf, *st. n.,* 7,204; *me.* lif 32,5; lyf
58.156; *flekt.* liue 32,115; lifue
34,13827; liuen 34,13834; life 48,
78; *gen. me.* liues 37,2; lyues 55,
48; *pl.* lyues *leben; ne.* life; on
lîfe 24,5; *me.* on life 28,24; on
liue 33,69; on lyue 43,133; o
life 48,8; alife 32,23; aliue 32,32;
oliues 47,1004 *am leben, lebend;*
ne. alive; to liue go 43,99 *am*
leben bleiben; me. biliue 34,13994;
bilyue 58,71; bylyue 58,78; blive;
belife 67,192 *lebhaft, rasch.*
lîfan *s.* lêfan.
lif-daȝ, *sb.,* 34,14060 *lebens(zeit).*
lifer, *st. f., Ep.* libr 1,25; *me.* livere;
levyr 67,399 *leber; ne.* liver.
liffand, liffyng. lifgan, lif-
gend, lifian, lifigende *s.*
libban.
lift *s.* luften, lyft.
liften *s.* luften.
lifue *s.* lîf.
lif-wile, *sb.,* 46,103 *lebenszeit.*
lig *s.* licgan.
lîg *s.* lêg.
liȝ(en) *s.* lêogan.
liȝere *s.* lêogere.
lîges *s.* lyge.
liges, ligeð, ligge, liggen,
ligget *s.* licgan.

light *s.* lêoht.
lightly *s.* lihtlîce.
lightnes, *sb.*, **67**,16 *helligkeit.*
lîgit, *st. n. m.*, **19**b,3; *merc.* lêget
19d,3; *nh.* lêht 19a,3; *me.* leit
33,32; leyt 19c,3 *blitz.*
ligt, liȝt *s.* lêoht.
lîg-þracu, *st.f.*, **9**,225 *angriff, das
wüten, lodern der flamme (lohe).*
liht *s.* lêoht.
lîht, *adj.*, *schw. fl.* leohtan 15,17;
me. liht **32**,312 *leicht; ne.* light.
lîhtan, *schw. v., me.* liȝte; *prät.*
lihte **23**,23; *me.* liȝte 61,1122;
lycht; lyhte; lychtyt 66,390; *p.p.*
lyht **58**,12 *(vom pferde) herab-
steigen, sich zuwenden; ne.* alight.
lîhtan, lihting *s.* lŷhtan.
lîhtlîce, *adv., me.* lihtliche **32**,
147; lightly 48,63; lyghtly 49,5;
lyȝtly **58**,88 *leicht, vielleicht; ne.*
lightly.
lihtnesse, *sb.*, lightnes 59,15
leichtigkeit, freudigkeit; ne. light-
ness.
lik *s.* licken.
like *s.* gelîc, lîc, lîcian.
likinge *s.* lîcian.
liknen, *v.*, **50**,25 *gleichen; ne.*
liken.
liknes, *sb.*, **67**,28 *abbild, bildnis,
ähnlichkeit, gestalt; ne.* likeness.
likyng *s.* lîcian.
lilie, *schw. f., me.* lilie **37**,53 *lilie;
ne.* lily.
lim, *st. n., me.* lim; *pl.* leomu **16**,
25; *me.* limes 27,28 *glied;* 44,86
zeugungsglied; ne. limb.
lîm, *st. m., me.* lim 42,41 *mörtel,
leim; ne.* lime.
Lîminas?, *ortsn.*, **12**,16 = Ly-
minge *(Kent) oder* Lympne *(Süd-
ostkent).*
limpan, *st. v.*, **12**,16; *me.* limpen
33,2 *gehören, sich belaufen auf,
betragen (mit* tô).
lim-wêrig, *adj.*, 4,4b; *nh.* lim-
wœrig(nœ) 4,4a *mit müden glie-
dern, tot.*
Lincol *s.* Lindcyln.
Lincolne-schire, *ortsn.*, 46,78
Lincolnshire.
lind, *st.f.*, 11,191; *me.* linde *linde,
(linden-) schild; ne.* lind, lime,
veraltet line.
Lindcyln, *st.f., ortsn., me.* Lincol
27,7 *Lincoln.*

Lindes-aȝe, *ortsn.*, **34**,14050 *das
nördliche Lincolnshire.*
liofað *s.* libban.
liorn- *s.* leorn-.
liss, lisse *s.* lîðs.
list *s.* lystan.
liste, listene, listening,
listned *s.* hlystan.
lite, litel, litill(e), lîtle *s.* lŷtel.
liue *s.* lîf.
live, lives, livien *s.* libban, lif.
lîxan, *schw. v.*, **9**,604 *leuchten.*
liynge *s.* licgan.
lið, *st. n., pl.* leoðu **8**,592 *glied.*
lîð, lîþ *s.* licgan, lîþan.
liþe, *sb.pl.*, **44**,65 *leute, untertanen*
[*an.* lŷðr?].
lîþan, *st. v.*, *3. sg. präs.* lîð 1**7**,157;
me. lîðen **34**,13866; lîðe **34**,13862
gehen, ziehen, fließen.
liþen, *v.*, liþe; lyþe **43**,2 *lauschen,
hören.*
lîðs, *st. f.*, liss(e) **9**,672; *me.* lisse
32,235 *ruhe, linderung, freundlich-
keit, gnade.*
lo *s.* lâ.
loc, *st. m.*, *pl.* loccas **13**,5 *locke,
haar; ne.* lock.
locan *s.* lôcian.
loccas *s.* loc.
lochen *s.* lûcan.
lôcian, *schw. v., me.* lokien **33**,10;
lokenn **36**,15634; loki 50,55; loke
59,75; luke(n) 69,170,7; *imp.* loke
46,398; look 67,129; *prät. me.* lo-
kede; lokyt 59,36; lukit 70,21
*(an)schauen, blicken, zuschauen;
achten auf;* locan **33**,93 *halten,
beobachten; bewahren, wahren, er-
halten; ne.* look; *vb.-sb. me.* lokyng
48,88 *gutachten, schiedsgericht.*
lode *s.* lâd.
lof, *st. n. (selten m.)*, 8,638; *me.* lof
lob.
lof *s.* lêof.
Lof and Grim, *sb.*, 27,29 *unbekann-
tes marterwerkzeug (J. Hall hält die
überlieferung für verderbt).*
lofe *s.* lufe.
lofian, *schw. v.*, *pl. präs.* lofiað
9,337 *lobpreisen.*
lof-song, *st. m.*, 8,689; *me.* **37**,8
lobgesang.
loge, *v.*, *prät.* logede 59,62 *wohnen,
sich aufhalten; ne.* lodge.
loh *s.* hliehhan.
loke, lokien, lokyng *s.* lôcian.

lomb, *st. n., me.* lomb; lam 72,II,4
lamm; ne. lamb.
lome *s.* gelōme.
lond, *st. n.,* 9,2; land(e) 8,677; *me.*
land(e) 82,82; lond(e) 84,13850
land, boden; mâre land 17,36 *fest-
land (= Skandinavien); ne.* land.
lond-folk, *sb.,* 48,45 *volk, lands-
leute.*
lond-gemære, *st. n.,* 17,1 *grenze.*
lond-mearc, *st. f.,* 8,635 *landes-
grenze.*
Londreis, *sb. pl.* 48,95 *Londoner.*
long, *sb.,* 67,399 *lunge; ne.* lungs.
long, *adj.,* 8,674; lang 23,66 *(schw.*
-an 8,670); *me.* long 42,35; lang;
komp. lengra 11,184 *lang; ne.* long.
longe, *adv.,* 6,29; lange 17,198; *me.*
lange 82,3; longe 83,50; lannge
86,15551; long 48,213; lang 67,
244; longly 48,233 *lange; ne.* long;
komp. ae. leng 11,153; lencg 17,
171; *me.* lenger 42,51; leng 46,
148; langar 66,441; longer 67,
531; langer 69,165,7 *länger, weiter.*
longian, *schw. v., me.* (me) longeð
37,115; *p. präs.* longinge *ver-
langen, sich sehnen (einpersönl.);
ne.* long.
longinge, *vb.-sb.,* 58,25 *verlangen,
sehnsucht; ne.* longing.
loo *s.* lâ.
lord, lorde *s.* hlâford.
lordinges *s.* hlâfording.
lord-schip, *sb.,* 48,56 *herrschaft;
ne.* lordship.
lordyng *s.* hlâfording.
lore *s.* lâr.
lorn *s.* lêosan.
lorverd *s.* hlâford.
lose *s.* lêosan.
losian, *schw. v., loben, preisen,
feiern.*
lossom, *adj.,* 52,17 *lieblich, an-
genehm* [*ae.* lufsum].
lot, *st. schw. n.,* 84,13859; *pl.* lotes
84,13857; loten 84,13858 *los.*
loth *s.* lâð.
loude *s.* hlûde.
loue, love, louede *s.* lufe, lufian.
loue longinge, *vb.-sb.,* 58,5;
louelongynge 55,3 *liebessehn-
sucht.*
louerd, loverd *s.* hlâford.
louʒ *s.* hliehhan.
louh *s.* laʒ.
louie, lovie(n), lovye *s.* lufian.

loving, *sb.,* 71,16 *lob, preis.*
louren, *v., p. präs.* louring 69,161,4
mürrisch, trübe, finster blicken.
louye *s.* lufian.
low, lowe *s.* laʒ.
lowde *s.* hlûde.
lowsien, *v., prät.* lowsyd 67,209
lösen, befreien; ne. loosen.
loþ, loð, loðe *s.* lâð.
loþlich *s.* lâðlîce.
lûcan, *st. v.,* 9,225; *prät. pl.* lucon
23,66; *me. p. p.* lochen(e) 23,31
versperren, (sich) schließen.
luch *s.* hliehhan.
lucon *s.* lûcan.
lud, *sb.,* 53,4 *stimme, ton; vgl.* hlûd.
lude *s.* hlûde.
luf *s.* lufe, lufian.
lufade *s.* lufian.
lufe, *schw. st. f.,* 7,167; lufu 8,669;
me. luue 82,333; lufe 86,15580;
loue; love 46,69; luf 48,178 *liebe;
ne.* love; for ... lufon 12,44; *me.*
for ... luue 32,56 *um ... willen.*
lufe, *sb.,* 67,462; lofe 58,106 *wind-
seite; ne.* loof, luff.
lufian, *schw. v.,* 18,50; lufigean 16,
61; *me.* luuien, louien 84,13898;
lovien 46,7; love 46,87; lufe 49,
21; louye 50,3; loue 64,28; luf
67,47; *konj.* luuie 82,305; *prät.*
lufode; lufede; lufade 15,242;
me. luuede 82,253; louede 44,30;
pl. lufodon 14,26; *me.* luueden
32,93; *p. p.* i-loved 46,178 *lieben;
ne.* love.
luflîce, *adv.,* 14,2; *me.* loveliche
in liebe; ne. lovely.
lufode, lufodon *s.* lufian.
lufon *s.* lufe.
luft *s.* lyft.
luften, *v., prät.* lift 48,103 *er-
heben, in die luft heben; ne.* lift.
lufu *s.* lufe.
luʒen *s.* lêogan.
luitel *s.* lȳtel.
luke *s.* lôcian.
lune, *sb.,* 87,126 *ruhe; ne. dial.* lun.
loun [*an.* logn].
lungre, *adv.,* 7,167; lunger 26,25
sofort, plötzlich.
lurken, *v.,* 44,68 *sich verstecken;
ne.* lurk.
lusd *s.* lêsan.
lust, *st. m.,* 11,161; *me.* lust 64,9
lust, freude; ne. lust.
lust, lusten *s.* hlystan.

lust-fullian, *schw.v.*, **15,232** *sich
erfreuen, vergnügen finden (an).*
lusti, *adj.*, **59,15** *erfreulich;* lusty
71,33 *lustig, freundlich; ne.* lusty.
lustlîce, *adv.*, **21,13** *mit lust,
mit vergnügen.*
lusty *s.* lusti.
lûtan, *st. v., me.* luten **34,13892**;
loute; *prät.* lêat; *me.* leat **50,82**
sich beugen, verbeugen (vor to).
lute, lutel *s.* lŷtel.
luue *s.* lufe.
luuien, luvien *s.* lufian.
luþer, luðere *s.* lŷðre.
luðernesse, *sb.*, **87,107** *schlech-
tigkeit, elend.*
ly *s.* licgan.
Lycas, *eigenn.*, **28,25** *Lukas.*
lycht(yt) *s.* lîhtan.
lŷcigan *s.* lîcian.
lye *s.* licgan.
lyf *s.* lîf.
lyfe *s.* libban.
lŷfnes *s.* lêafnes.
lyft, *st. m.f.n.*, **9,340**; *me.* leoft(e)
28,12; luft(e) **32,83** *luft, himmel.*
lyge, *st.m., gen.* lîges *(hds.)* **15,12**
lüge; ne. lie.
lyge man, *sb.*, **65,59,7** *lehnsmann;
ne.* liegeman.
lyghtly, lyʒtly *s.* lihtlîce.
lyht *s.* lêoht, lîhtan.
lŷhtan, *schw.v.*, **9,187**; lihtan 9,
587; *me.* lihten *leuchten, dämmern;
ne.* light; *vb.-sb., me.* lihting **33,**
78 *dämmerung.*
lyhte *s.* lihtan.
lyk- *s.* lîc-.
lyk, lyke *s.* gelîc.
lympe, *v., hinken; prät.* lympit of
59,36 *abkommen von, verlassen;
ne.* limp.
lyne, *sb.*, **67,461** *leine, seil; ne.* line.
lynis, *st.m., Ep.pl.* lynisas **1,1**; *me.*
lins *lünse, achsnagel; ne.* linch-
(pin).
lyŝ *s.* licgan.
lŷsan *s.* lêsan.
lystan, *schw. v., me.* liste; lesten
32,383; *3. sg. präs.* list **59,20** *ge-
lüsten (me. einpers. mit* to, after
nach etwas).
lystne *s.* hlystan.
lyte *s.* lŷtel.
lŷtel, *adj.*, **14,31**; *Ep.pl.* lŷtlae **1,7;**
me. litel **32,12**; lite **32,46**; lutel
32,137; lute **32,260**; luitel **46,362;**

lyttill **49,21**; lyttel **58,94**; litle **59,**
36; litill **60,18**; lytill **62,4**; lytel
65,64,3; lyte **69,161,3**; *fl.* lŷtle **17,**
96; litle **18,34**; *me.* litle **32,327;**
litille **67,187** *klein, wenig; adv.,
durchaus nicht; ne.* little; *komp.*
læssa **17,85**; *me.* lesse **82,60**; lasse
51,53; les **67,94**; *ne.* less; *sup.*
lǣst(e) **14,96**; *me.* lest **82,61**; leest
67,452; *ne.* least.
lyuen *s.* libban.
lyve, lyves *s.* lîf.
lyþ *s.* licgan.
lyþe, *sb.*, **44,147** *linderung.*
lyþe *s.* lîþe.
lŷðre, *adj.; me.* luðer(e) **37,123**; lu-
þer **58,156**; leder **67,289** *liederlich,
träge, schlecht, elend; ne.* lither.

M.

ma, mâ *s.* micel.
ma, maad *s.* macian.
mæcan *s.* mêce.
maced *s.* macian.
mache, *v., 3. sg. präs.* -s **58,99**
gesellen zu (with); *ne.* match.
macian, *schw.v.*, **22,78**; macigan
21,12; *me.* makien **37,91**; maken
39,1312; make **42,50**; mak **48,32**
ma **60,9**; *3.sg.präs.* maket **41,46;**
konj. sg. makie **37,91**; *prät.* ma-
code; *me.* macod **27,6**; makede
27,13; maked **41,44**; made **44,38;**
mad **45,116**; maad **65,61,4**; maide
67,28; *2. pers.* maidest; maid **60,**
52; maide **67,3**; *p.p.* macod; *me.*
maad **19e,2**; maked **27,11**; maced
27,30; mad **39,1296**; imaked **41,3;**
made **42,21**; ymad **50,39**; ymaked
56,5; maid **60,54**; maide **67,73**
*machen, bereiten, schaffen, verfer-
tigen, bauen;* **60,9** *hervorbringen;*
41,27 *wirken;* **27,6** *abhalten;* **41,3**
feiern; **27,11** *leisten;* **39,1312** *dar-
bringen;* makes her paye **58,99**
*befriedigt sie, bezahlt sie; mit inf.
(mit oder ohne* for to) *lassen, be-
wirken daß;* m. on **48,238** *ver-
söhnen;* m. on **60,52** *anzünden;
ne.* make.
macod(e) *s.* macian.
maecti *s.* meaht.
mad *s.* gemǣded.
mad(e) *s.* macian.
madmes *s.* mâðum.
mæg *s.* magan.

m ǣ g, *st. m.,* 7,165; *me.* mæi **82**,29;
mei **82**,185; *gen. pl.* mǣga 18,40;
dat. mâgum 17,169 *verwandter;*
10,2907 *sohn.*

m a g a n, *prät. präs., präs. sg. 1., 3.* mæg
6,19; *me.* mai 27,34; mei **82**,16;
mæi **84**,13930; ma33 **86**,7; may
40,2; *2. sg.* meaht 16,31; miht;
me. miht **82**,129; mihht **86**,15598;
myht; mi3tt **46**,34; maistow
69,170,1; mait **46**,49; mi3t **46**,
135; mai3t **46**,258; mai 45,19;
may **48**,63; myght**67**,5; *pl.* magon
11,177; *me.* mu3e **82**,23; mu3henn;
ma3en **82**,157; mu3en **82**,206;
muwen(n) **82**,372; mowen 44,11;
may **49**,27; *konj.* mæge 14,23;
merc. maege 12,21; *pl.* mægne
14,55; *me.* ma3e; mu3e **82**,125;
muhe **88**,17; mowe 44,175; moue
46,370; mow 47,1051; *prät.*
meahte 8,570; mehte 17,66;
mihte(st) 21,30; *pl.* meahtun 8,
599; mihten 11,136; myhte 27,
32; myhtes 27,39; my3te; *me.*
(oft konj.) mihte **82**,15; mihhte
86,15596; mi3t **42**,28; mau3t **42**,
48; michte 44,42; mouhte 44,145;
mouchte 44,147; mo3te **45**,6;
mo3t **45**,40; moute **46**,14; mait;
maut **46**,221; mi3tte **46**,83; myght
48,118; moghte **49**,28; micht;
myht **51**,83; my3t **58**,100; might
59,72; mycht **60**,16 *können, im-*
stande sein; 14,60 *geeignet sein.*

m ǣ g - b u r h, *st. f., gen.* mǣgburge
6,20 *familie.*

m a g d a l e n i s c, *adj., fem.* -isce
19b,1; -esca 19a,1; -isca 19d,1;
me. -issca 19c,1 *aus Magdala.*

m ǣ g d e n, *st. n., me.* meiden **83**,52;
mayden 44,111; maiden **46**,92;
meide; *gen.* mǣgdnes 8,608; *dat.*
maydne 44,83; *pl.* maidenes 43,
74; maydnes **44**,2; *gen.* meidene
87,21 *mädchen, jungfrau; ne.*
maiden, maid.

m â g e, *schw. f., me.* ma3e **32**,29;
ma3he **82**,185 *verwandte.*

m ǣ g e, m a 3 e, m a 3 e n *s.* magan.

m ǣ g e n, *st. n.,* 15,94; *inst.* mægne
8,599; *pl. gen.* mægna 8,729; *merc.*
megna 13,10; *me.* mayn **61**,1145
kraft, macht; with alle oure mayn
67,310 *soviel wir können; ne.* main.

m ǣ g e n - þ r y m, *st. m.,* 9,665 *menge*
der himmlischen heerscharen.

m a g e s t e, *sb.,* 59,1 *majestät; ne.*
majesty.

m ǣ g e s t e r, *st. m., me.* meister
88,22; maistir **45**,67; maister 48,
149; mayster **50**,86; maistur
59,1 *(mischt sich mit dem aus dem*
französischen entlehnten maistre*);*
pl. mægestras; *me.* meistres **88**,25
aufseher, meister, herr; m. of lare
45,67 *lehrmeister; ne.* master.

m a 3 e, m æ g e(n), m a 33 *s.* magan.

m a 3 h e *s.* mâge.

m a g o, *st. m.,* 10,2916 *sohn, mann.*

m a g o n *s.* magan.

m a 3 t *s.* meaht.

m â g u m *s.* mǣg.

m ǣ g - w l i t e, *st. m., nh.* mēgwlit
19a,3 *aussehen.*

m ǣ g ð, *f.,* 7,176; *pl.* mægð 11,135
magd, jungfrau.

m ǣ g ð, *st. f.,* 17,196 *kraft, vermögen,*
fertigkeit.

m ǣ g ð, *st. f.,* 15,63; *me.* ma33þe
verwandtschaft, geschlecht, stamm.

M a e g þ a l a n d, *eigenn., n.,* 17,32 *Ost-*
preußen? Mazovien? (Bosworth)
oder die aus dem namen der fin-
nischen Kwenen (Cwēnas) *falsch*
gedeutete fabelhafte 'terra femi-
narum' im hohen norden (Rieger).

m a h h t(e) *s.* meaht.

M a h o u n, *eigenn.,* 61,1123 *Mahomet.*

m a h t, m æ h t *s.* meaht.

m æ h t e *s.* magan.

m æ h t i *s.* meahtig.

m a i *s.* magan.

m æ i *s.* mǣg, mâgan.

m a i d, m a i d e(s t) *s.* macian.

m a i d e n(e s) *s.* mǣgden.

m a i r, *sb.,* 45,105 *bürgermeister; ne.*
mayor.

m a i r, m a i s t *s.* micel.

m a i s t e r, *sb.,* mester; mister *not-*
wendigkeit, not; þan hom maister
were 59,35 *als es für sie nötig war.*

m a i s t e r, m a i s t i r, m a i s t u r
s. mægester.

m a i s t o w *s.* magan.

m a i s t r i e, *sb.,* 48,122 *herrschaft,*
oberhand; maistri 46,277 *meister-*
stück.

m a i t *s.* magan.

m a k, m a k e *s.* macian.

m a k e *s.* gemaca.

m a k e d(e), m a k e n *s.* macian.

m a k e r, *sb.,* 59,1 *schöpfer; ne.*
maker.

makes *s.* gemaca.

maket *s.* macian.

mæl, *st. n.,* 15,180 *zeichen, kreuz.*

mælan, *schw. v., me.* mele; *prät.* mælde 10,2912 *(in der versammlung) reden, sprechen.*

male, *sb.,* 44,48 *mantelsack, felleisen, sack; ne.* mail.

malice, *sb.,* 72,II,6; malys 58,70 *bosheit, böse absicht; ne.* malice.

malt *s.* mealt.

malys *s.* malice.

man *s.* mon.

mân, *st. n.,* 9,633; *dat. pl.* mannum 15,15 *unrecht, verbrechen, laster.*

manace, *sb.,* 48,61 *drohung; ne.* menace.

mænan, *schw. v.,* 8,712; *me.* mane; mone; *prät.* mende 40,27; ment 48,96 *meinen, bedeuten, mitteilen; erwähnen;* 40,16 *klagen;* mene 82,168; *3. sg. präs.* menys 66,432 *(sich) beklagen; ne.* mean, moan.

mancessa *s.* moncus.

mancunn, mancynn *s.* moncynn.

mân-dæd, *st. f., gen. pl.* -a 16,82; *me.* mandede *übeltat.*

manden, *v.,* 52,16 *entbieten, aussenden.*

maneg *s.* monig.

maner, *sb.,* 42,46 *art, weise, grad;* in maner 65,60,2 *gleichsam, gewissermaßen; ne.* (in a) manner.

mân-fremmende, *st. m.,* 9,6 *böses, übles tuend, übeltäter.*

manies, manig, mænig *s.* monig.

manke *s.* moncus.

mankinn, mankyn, manne cunne *s.* moncyn.

mannum 15,15 *s.* mân.

manred *s.* monrǽden.

mansed *s.* âmânsumian.

manslechter *s.* monsliht.

mân-swara, *schw. m.,* 7,193 *eidbrüchiger, meineidschwörer.*

mantill, *sb.,* 69,160,7 *mantel; ne.* mantle.

Manue, *eigenn.,* 22,1 *Manuel.*

many *s.* monig.

mar *s.* marren, micel.

mâra *s.* micel.

mæran, *schw. v.,* 9,338; *p. p.* gemæred 16,2 *bekannt, berühmt machen.*

mæran *s.* mære.

marc, *st. f., me.* mark; *pl.* marke 82,70; mark 42,37 *mark;* markis 72,5 *marke, siegel; ne.* mark.

marchaundise, *sb.,* 46,18 *handel; ne.* merchandise.

mare, mâre, mære *s.* micel.

mære, *adj.,* (*schw.* -an) 7,165; *me.* mere 82,389 *wovon gesprochen wird, berühmt, herrlich, feierlich, hehr.*

Marȝe *s.* Mârîa.

Margeri, *eigenn.,* 46,177 *Margarete.*

Mârîa, *eigenn.,* 7,176; *me.* Marie 19c,1; Marȝe 36,15546; Marye 55,26; Mary 67,209 *Maria.*

mariage, *sb.,* 63,6 *ehe; ne.* marriage.

mark(e), markis *s.* marc.

Maroara, *volksn., m. gen. pl.,* 17,22 *die Mährer.*

marren, *v., konj. präs.* mar 67, 129 *hindern; p. p.* marrit 71,7 *erschrecken;* marred 54,20 *verderben; ne.* mar.

marrie, *v., p. p.* married 48,15 *verheiraten; ne.* marry.

marrit *s.* marren.

mærsian, *schw. v.,* 9,617; *p. p. nh.* gemêrsad 19a,15 *bekannt, berühmt machen.*

martird *s.* martyrian.

martre, *sb., me.* gen.-s 82,362 *marder; vgl. ne.* marten.

Martyn, *eigenn., gen.* -s 66,383 *Martin, Martinsfest.*

martyr, *st. m., me. pl.* martyrs 27,20 *blutzeuge; ne.* martyr.

*martyrian, *schw. v., me.* martæn; *p. p. me.* martird 88,12 *martern;* martyrit (doun) 66,423 *abschlachten; ne.* martyr.

mary, *interj.,* 67,220 *wahrlich; ne.* marry.

Mary, Marye *s.* Mârîa.

marynere, *sb., pl.* -s 58,99 *seemann; ne.* mariner.

mærð, *st. f.,* 14,90 *ruhm, ruhmvolle tat.*

mâse, *schw. f., Ep.* mâsae 1,18; *me.* mose *meise; ne.* (tit)mouse.

mæsse, *schw. f., k. pl.* messan 12, 37; *me.* messe; masse 51,57 *messe; ne.* mass.

mæsse-prêost, *st. m.,* 15,81; *k.* messeprîost 12,37; *fl.* -e, mæsseprîoste 14,70 *priester.*

20*

m æ s s e - s o n g, *st. m., meßgesang,
gottesdienst;* m. dôn **15,227** *messe
lesen.*

m æ s t, *st. m., me.* mast **58,150** *mast,
mastbaum; ne.* mast.

m æ s t *s.* micel.

m a s t i v, *sb.,* **72,17** *kettenhund; ne.*
mastiff.

m a t e, *adj.,* **69,169,1** *schachmatt; ne.*
mate.

m a t e, *v.,* **69,168,7** *schachmatt sein,
verloren gehen; ne.* mate.

m a t e r e, *sb.,* **68,30**; mater **59,35**
sache, gegenstand; ne. matter.

M a t h e u s, *eigenn.,* **19a,20**; *me.*
Matheus **28,21** *Matthäus.*

m a u g r e, *präp., trotz;* maugre his
48,199 *trotz seiner, wider willen.*

m a u ʒ t, m a u t *s.* magan.

m â w a n, *st. v., me.* mowen **82,22**;
mowe, mouin **85,83** *mähen; ne.*
mow.

m a y *s.* magan.

m a y, *sb.,* **47,1042**; **48,8** *jungfrau,
mädchen, weib; ne.* may.

M a y, *sb.,* **48,125** *Mai; ne.* May.

m a y d e n, m a y d n e s *s.* mægden.

m á y l l e, *adj.,* **67,152** *männlich;
ne.* male.

m a y n *s.* mægen.

m a y n e, *sb.,* **50,81**; meyne **48**,
110; menʒe **60,15**; menʒhe **60,57**;
menye **67,22**; meneye **67,290** *haus-
gesinde, haushalt, gefolge, gefolg-
schaft; ne. veraltet* meinie, meiny.

m a y n t e n, *v.,* **48,52** *(be)halten, auf-
recht halten; ne.* maintain.

m a y s t e r *s.* mægester.

m a ð e l i a n, *schw. v., prät.* maðe-
lode **10,2892**; *me.* maþelien *reden.*

m â ð u m, *st. m., gen. pl.,* mâðma
14,30; *me. pl.* madmes **34,14052**
kleinod.

m e, m ê *s.* ic, mon.

m ê a g o l, *adj.,* **9,338** *stark, mächtig.*

m e a h t, *st. f.,* **8,620**; miht **15,31**;
nh. maecti **2,2**; *merc.* mæht **19d,18**;
me. mihte **32,77**; mahht **86,71**;
mahht(e) **86,15541**; micht **44,35**;
miʒte **45,21**; miʒtte **46,253**; miʒt
47,989; myght **48,49**; myht **51**,
76; maʒt **58,112**; mycht **60,19**;
pl. nh. mæhto **19a,18** *macht, kraft,
eigenschaft; ne.* might.

m e a h t, *adj., schw. nom. m.* meahta
9,377 *mächtig.*

m e a h t e *s.* magan.

m e a h t i g, *adj., mihtig* **11,198**; *me.*
mæhti, mihti **84,13914**; mihty(e)
40,66; mighty; miʒty **61,1145**;
myghty **67,168** *mächtig; ne.*
mighty.

m e a h t u n *s.* magan.

m e a l t, *st. n.?, Ep.* malt **1,5**; *me.*
· malt *malz; ne.* malt.

m e a r c i a n, *schw. v.,* **9,333** *merken,
anmerken, bemerken.*

m e a r m - s t â n, *st. m.,* **9,333** *marmor-
stein.*

m e a r ð, *st. m.,* **17,101** *marder.*

m e a s s e, *sb.,* **67,389** *mahlzeit; ne.*
mess.

m e c *s.* ic.

m ê c e, *st. m., instr. pl.* mêcum **18**,
24; *gen.?* mêcan *(les.* mêca *&c.)*
18,40 *schwert; me.* meche.

m e c k l e, m e c u l l *s.* micel.

m ê d, *st. f.,* **10,2916**; *me.* mede **82**,
217 *belohnung, bestechung; ne.*
meed.

m e d e, *sb., pl.* medes, medis **85,94**
wiese, matte, mahd; ne. mead.

m e d e *s.* mêd.

m ê d e r *s.* môdor.

m e d ʒ e o r n, *adj.,* **82,256** *bestechlich.*

m e d i l l e - e r d *s.* middeleard.

· m e d i n g, *sb.,* **46,271** *belohnung, s.*
mêd.

m e d m i c e l, *adj.,* **16,5** *mittelgroß,
unbedeutend.*

m e d o, *st. m. n.(?),* **17,166** *met.*

m e d o - b u r h, *f., dat.* medobyrig
11,167 *stadt, wo man met trinkt.*

m e d o - w ê r i g, *adj.,* **11,229** *müde
von met, trunken.*

m e e k l y, *adj., adv.,* **65,61,1**; meklye
66,384 *sanft; ne.* meekly; *vgl.*
meoke.

m e g n a *s.* mægen.

m ê g w l i t *s.* mægwlite.

m e i *s.* mæg, magan.

m e i d e n *s.* mægden.

m e i n d *s.* mengan.

m e i s t *s.* micel.

m e i s t e r - d e o v e l, *sb., pl.* meister-
deoflen **83,22** *oberteufel.*

m e i s t r e s *s.* mægester.

m e i t *s.* mêtan, mete.

m e k e l, m e k i l l, m e k i l l e *s.* micel.

m e k l e *s.* micel.

m e k l y e *s.* meekly.

m e l d a, *schw. m., dat.* -n **8,621** *er-
zähler, verräter.*

m e l e *s.* mælan.

mele-dêaw, *st. m.*, 9,260 *mehltau;*
  ne. mildew.
melle, *v.*, 67,44 *melden, künden;*
  vgl. maðelian.
melody, *sb.*, 60,8 *melodie, Jied;*
  ne. melody.
membre, *sb.*, 48,219 *glied; ne.*
  member.
men *s.* mon.
mende *s.* mǽnan.
mene *s.* mǽnan, mon.
mene, *sb., pl.* menis 46,142 *klage;*
  vgl. mǽnan.
meneye *s.* mayne.
meneþ *s.* mǽnan.
mengan, *schw. v., me.* mengen;
  prät. me. mengit 45,98; *p. p. me.*
  i meng (*les.* imaingd, imengd,
  meind, meynd) 82,144 *mengen,*
  mischen, verwirren.
menʒe, menʒhe *s.* mayne.
mengu *s.* menigeo.
menig *s.* monig.
menigeo, *schw. f.*, 14,31; menigo
  15,19; *merc.* mengu 18,19; *me.*
  menye 59,37 *menge; vgl. ne.* many.
menis *s.* mene.
menn *s.* mon.
mennisc, *adj.*, 15,4 *menschlich.*
menniscnes, *st. f.*, 16,75; men-
  niscnys 15,35 *menschwerdung.*
mens *s.* mon.
menske, *sb.*, 46,93 *ehre, tugend,*
  freundlichkeit.
ment *s.* mǽnan.
menye *s.* mayne, menigeo.
menys *s.* mǽnan.
meoke, *adj.*, 56,11 *mild, sanft;*
  ne. meek.
meolc, *st.f.*, 17,165; meoluc *milch;*
  ne. milk.
meord, *st.f., pl.* meorde 8,729 *lohn,*
  vergeltung.
Môre, *volksn., pl. m.*, 17,153 *ein-*
  wohner der landschaft Möre (Süd-
  schweden).
meotod, meotud *s.* metod.
meraly *s.* murge.
merci, *sb.*, 88,41; mercie 48,3 *er-*
  barmen; mercy 48,183 *schonung,*
  gnade; 50,75 *mildtätigkeit;* 46,127
  als beteuerung; ne. mercy.
merciable, *adj.*, 64,17 *barmherzig.*
mere, *st. m.*, 17,159; *me.* mere 58,
  112 *meer; pl.* meras 17,121 *binnen-*
  see; ne. mere.
mere *s.* mǽre.

merie *s.* murge.
Merlin, *eigenn.*, 47,987 *Merlin.*
mersh, *sb.*, 53,1 *März; ne.* March.
meruail, *sb.*, 47,1014 *wunder, ver-*
  wunderung; ne. marvel.
meruayl, *adj.*, 58,81 *verwunder-*
  lich, seltsam; vgl. meruail.
mervelus, *adj.*, 67,12 *wunderbar;*
  ne. marvelous.
mery *s.* murge.
mesaventer, *sb.*, 46,202 *unglück,*
  mißgeschick; vgl. ne. misadventure.
message, *sb.*, 48,71 *botschaft; ne.*
  message.
messager, *sb.*, 51,41; messengere
  48,34 *bote; ne.* messenger.
messan, *sb.*, 72,21 *hündchen, schoß-*
  hund.
messan, messe- *s.* mæsse(-).
messengere *s.* messager.
Messyas, *eigenn.*, 40,55 *Messias.*
mest *s.* micel.
mester *s.* maister.
met, *adj., komp.* meter 72,II,9 *ge-*
  eignet, passend; ne. meet.
mêtan, *schw. v.*, 9,247; *me.* mete
  46,394; meit 60,59; *prät.* mêtte
  17,70; *me.* mette 46,157; met 60,
  37 *begegnen, treffen, zusammen-*
  treffen (me. mit akk. oder wiþ); ne.
  meet.
mete, *st. m.*, 9,260; *me.* mete(s)
  28,23; meit 70,17 *(fleisch)speise,*
  gericht, essen, futter; me. meat.
mete niðing, *sb.*, 82,230 *wer mit*
  speise kargt.
meter *s.* met.
metod, *st. m.*, 10,2871; *nh.* me-
  tud(æs) 2,2; meotud(es) 7,197;
  meotod(es) 16,37 *schöpfer, gott.*
meven, *r.*, meue 59,98; move 41,
  19; *prät.* meuyt 59,30; *p.p.* mevid
  67,542 *(sich) bewegen, mischen,*
  sich begeben, entschwinden; vgl. ne.
  move; *vb.-sb.* mouyng 19e,2 *beben.*
meynd *s.* mengan.
meyne *s.* mayne.
mi *s.* ic.
micel 8,632; mycel 15,18; *nh.*
  micil 19a,2; *f.* micelu 19d,2; *gen.*
  miceles; micles; miccles; *dat. f.*
  micelre 12,6; *dat. pl.* myclum 15,
  38; *me.* mycel(en) 28,38; muchel
  32,12; michel 82,60; mikell 36,
  102; (*fl.* miccle 86,15617) michil
  89,1339; mikel 44,181; mikil 45,
  42; mykille 48,212; mekel; mekill

49,21; mochel **50**,10; mecull **59**,
10; mekle **62**,7 (in sa m. as *s.* in);
mekill(e) **67**,109; meckle **72**,17;
mychel **19**c,2; *adj., groß, viel,
wichtig, entscheidend, hochgestellt,
angesehen; neutr. (adv.) viel, sehr;
verkürzte form me.* moche **50**,22;
muche **51**,52; myche **59**,41; much
58,70; *instr. beim komparativ* micle
17,85; miccle **22**,85; miclum **8**,
608; *me.* muchele **32**,386; *ebenso
me.* mucheles **33**,82 *um vieles;
komp.* mâra **14**,46; *me.* mare 27,
44; more **32**,2; mære **34**,13868;
mor; mar; mair **70**,17 *größer,
mehr;* mâre land **17**,36 *s.* lond;
daneben als subst. n. und adv. mâ
15,123; *me.* mo **48**,225 *mehr, lieber,
eher; adj.* mâ **14**,93; ma **66**,395
mehr; im früh- ne. mo; *vgl.* æfre;
þa more, þe more **34**,13800 *desto
mehr; superl.* mæst **8**,579; *me.*
mest **32**,7; most **48**,186; meist **62**,
10; maist **72**,II,3 *meist, am meisten;
me.* mest al **32**,7 = *ne.* almost all;
most party **67**,49 *meistenteils =
ne.* for the most part.
micelnyss, *st. f.,* **21**,46; micel-
niss **21**,65 *menge, fülle.*
micht *s.* magan, meaht.
miclan, micles *s.* micel.
miclian, *schw. v.,* **13**,43; myclian
15,66; *me.* miklen; muchelen *ver-
größern, verherrlichen, sich ver-
mehren.*
mid, *präp.,* **6**,9; *Ep. merc. nh.* miδ
1,16; *nh.* miþ **4**,2a; *me.* mid 27,
16; myd **35**,77; mit **46**,289 *mit,
bei; adv.* **8**,676 *(mit) dabei;* mid
þâm þe **22**,43; mid þŷ (*les.* þâm)
15,10; miδ δŷ **19**a,11 *während,
da, als; me.* mid þan δe **32**,65 *mit
dem was;* mid þon **40**,61 *da, nun.*
mid, *adj.,* midd **9**,340; mydd; *ebenso
me. mittel-;* ætmiddre nihte **9**,262;
on midre nihte **22**,44 *um mitter-
nacht; subst. n., mitte;* on middum
9,340; tô middes **22**,45; in myddis
69,159,3 *inmitten.*
middan-eard, *st. m., me.* middan
eard **32**,140; middeneard **28**,2 *erde.*
middan-geard, *st. m.,* **9**,4; *nh.*
middungeard **2**,7 *erde.*
middel, *sb.,* **53**,16 *mittlerer teil des
körpers, taille, wuchs; ne.* middle.
middel-eard, *sb.,* **32**,193; middell-
ærd **36**,35; medille-erd **67**,234 *erde.*

midden-eard *s.* middaneard.
midde-weard, *adj.,* **17**,111 *in der
mitte; me.* inne middewarδe helle
33,43 *mitten in der hölle.*
midding, *sb.,* **72**,14; mydyng 67,
376 *misthaufen, düngerhaufen; ne.*
midding(g).
midding-tyk, *sb.,* **72**,14 *hund,
der auf dem misthaufen liegt.*
middun-geard *s.* middangeard.
mid ydone, *adv.,* **47**,1086 *als-
bald; vgl.* δôn.
mighty *s.* meahtig.
miʒt(e), miʒtt *s.* magan, meaht.
miʒty *s.* meahtig.
Mihhal, *eigenn.,* **33**,8 *erzengel
Michael.*
mihht(e), miht(e) *s.* magan,
meaht.
mihtig, mihtye *s.* meahtig.
mikel(l) *s.* micel.
mîl, *st. f.,* **17**,178; *pl. me.* mile 46,
104; *gen.* mila **17**,111; *dat.* mîlum
17,183 *meile; ne.* mile.
milce *s.* milds.
milcien *s.* mildsian.
milde, *adj.,* **8**,667; *me.* milde
27,9; myld **43**,82; mylde **55**,28;
mild; *komp.* milder(e) **33**,76 *mild,
freundlich, nachsichtig, gnädig;
ne.* milδ.
mildelîce, *adv., me.* mildelice;
mildeliche **33**,65; mildelike **39**,
1321 *mild, sanft; ne.* mildly.
mild-heortnis, *st.f.,* **13**,24; *gen.*
-se **13**,19; *me. dat.* mildheortnesse
37,78 *mildherzigkeit, barmherzig-
keit.*
milds, *st.f., (gen.pl.)* **13**,24; milts(e)
8,657; *me.* milce **32**,8 *gnade, milde.*
mildsian, *schw. v.,* miltsian, *me.*
milcien **33**,68; *konj. präs. sg.* milcie
33,74 *gnädig sein.*
mile *s.* mîl.
miles, *sb. pl.,* **52**,20 *tiere (Morris),
weibliche tiere?.*
miltse *s.* milds.
mîlum *s.* mîl.
min, *adj., geringer, minder, kleiner;*
more and myn **67**,112 *groß und
klein;* **67**,278 *dick und dünn.*
mîn *s.* ic.
mind *s.* gemynd.
mîne, mine *s.* ic.
minetere, *sb., pl.* mineteress **36**,
15559 (*lesart*) *geldwechsler.*
mînre *s.* ic.

miracle, *sb.*, 41,22 *wunder; ne.* miracle.

mire *s.* ic.

miri *s.* murge.

mirk *s.* myrce.

mis, *sb.*, mys 67,551 *unglück, miß-geschick.*

mis-biʒeten, *adj.*, 47,1107 *un-ehelich erzeugt.*

mis-chef, *sb.*, 61,1151 *unheil, leid; ne.* mischief.

mis-dǣd, *st. f., me.* mis dede 82,132; *pl. dat.* misdeden 87,156 *missetat, sünde; ne.* misdeed.

mis-dōn, *unregelm. v., me.* mis don 82,206; *prät. me.* mis dude 82,99 *unrecht tun, fehlen, sündigen; ne.* misdo.

miself, miselve *s.* seolf.

mis-lîc, *adj.*, (*dat.*-um) 14,65; *me.* mislich *verschieden.*

mis-lîce, *adv.*, 25,7 *verschieden, verschiedentlich.*

mis-lîcian, *schw.v., me.3.sg.präs.* mis lichet 32,13 *mißfallen; ne.* mislike.

misse, *st. f.?, me.* misse *mangel; ne.* miss; *me.* misse habben 32,234 *vermissen.*

missan, *schw.v., me.* misse 43,124; mis 46,144; mys 67,237; *prät.* miste *missen, (ver)fehlen, verlieren, nicht da sein; ne.* miss; *me.* he ne mei missen of 37,80 *es kann ihm nicht fehlen an.*

missenlîc, *adj.*, 15,248 *verschieden.*

missenlîce, *adv.*, 14,*schl.-ged.*12; *verschieden.*

mis-seyen, *v., prät.*-seyde 44,49 *schlecht sprechen, schmähen; ne.* missay.

missour, *sb.*, 70,17 *maß; ne.* measure.

mist, *st. m., me.* mist 32,18 *nebel, finsternis; ne.* mist.

mister *s.* maister.

mit *s.* mid.

mitta, *schw.m.*, 12,22 *maß, scheffel.*

miδ, miþ *s.* mid.

mo, moche, mochel *s.* micel.

mōd, *st. n.*, 8,608; *me.* mod(e) 84, 13898; mod 46,109 *mut, sinn, herz; ne.* mood.

moder, moeder *s.* môdor.

moderliche *s.* môdorlîc.

môd-geþanc, *st. m.*, 16,37; môd-gidanc 2,2 *(herzens)gedanke.*

modi *s.* môdig.

môdig, *adj.*, 4,1a *mutig, groß-mütig; me.* modi 33,57 *übermütig;* mody 52,22 *schwermütig, traurig; ne.* moody.

môd-lufu, *schw. f., dat.*-an 8,699 *liebe, zuneigung.*

môdor, *st. f.*, 7,210; *me.* moderr 36,15546; moder 37,1; 'mother; *gen.* môdur 21,48; *merc.* moeder 13,13; *dat.* mêder 21,20 *mutter; ne.* mother.

môdorlîc, *adj., me.* moderlich(e) 88,13 *mütterlich; ne.* motherly.

môd-weleg, *adj., sup.* -ost 14,90 *sinn-, gedankenreich.*

moghte, moʒt(e) *s.* magan.

molde, *schw.f., (fl.)* 9,10; *me.* mold 67,62 *erde.*

mold-graf, *st. n., dat.* moldgrǣfe 8,690 *erdgrab, begräbnis, grab.*

momenette, *sb.*, 50,78 *götze; ne. veraltet* mawment, maumet [*afrz.* mahumet].

mon, *m.*, 14,75; man 17,90; man 22,34; *me.* man 27,9; mon 35,82; mann 36,68; *gen.* monnes 7,199; mannes 17,192; *me.* mannes 32, 257; monnes 35,84; *dat.* men 11, 167; menn 26,14; *me.* manne 82, 20; *pl.* men 4,1a; menn 12,7; *me.* men 82,227; menn 36,45; mene; *gen.* monna 8,718; manna 11,235; manne 32,376; mens 49,45; *dat.* monnum 16,12; mannum 17,95; *me.* monne 33,34; monnen 84, 14008 *mensch, mann, diener; pl. leute; ne.* man; *indef. pron.* mon 8,578; man 17,114; *me.* me 27,5; men 39,1293 *(gewöhnl. mit sg.) man; cumen* to manne 32,117 *geboren werden.*

mon, *v.*, 46,182; 2. *sg. präs.* mon 71,5 *müssen; ne. dial. (nördl.)* maun.

môna, *schw. m., me.* mone 32,76; moyne 67,6; *dat.* monen 34,13935 *mond, monat; ne.* moon.

monad(e) *s.* monian.

mônan-dǣg, *st.m.,me.*monedei(s) 33,78; monedǣi 34,13935; mone-day 34,13923 *montag; ne.* Monday.

monay *s.* monei.

monaþ *s.* monian.

mônaδ, *st.m.*, 15,114; *dat.* mônδe 17,127 *monat; ne.* month.

moncun *s.* moncyn.

m o n c u s, *st. m., gen. pl.* mancessa
14,74; *me.* manke · 82,70 *(les.)*
mancus, eine münze = ein achtel
pfund.

mon-cyn, *st. n.*, 2,7; mancyn 4,1b;
me. manne cunn(e) 82,303; man-
cunn(e) 82,336; moncun 83,97;
mannkinn 86,63; mon kunn(e)
56,35; mankyn 67,71· *menschen-*
geschlecht.

m o n e *s.* mǽnan, môna, monian,
munan.

m o n e, *sb.*, 57,27 *klage; vgl.* mǽnan.

m o n e d æ i, -day, -d e i *s.* mônan-
dæg.

m o n e i, *sb.*, money 19e,12; monay
geld; ne. money.

m o n e k *s.* munuc.

m o n e n *s.* môna.

m o n e s *s.* mone, munan.

m o n e y *s.* monei.

m o n g u n, m o n i *s.* monig.

m o n i a n, *schw. v.*, 8,717; manian;
me. monien, mone; *prät.* monade
16,62; *p. p.* monad 15,115 *mahnen,*
ermahnen, auffordern.

m o n i g, *adj.*, 14,17 (*dat. pl.* mongun
9,4); manig 4,1b; mænig 17,135;
me. mani 27,28; manie(s) 82,36;
mony(e) 40,72; moni 46,67; many
48,131; many(e) 50,84 *manch, viel;*
ne. many; *me.* maniman 82,38
mancher.

m o n i g f e a l d, *adj.*, -fald 19a,12;
manigfeald (*les.* -fald) 14,65; *me.*
monifold(e) 83,62; -uold 37,61;
many fold 67,54 *mannigfach; ne.*
manifold.

m o n i g f e a l d i a n, *schw. v., me.*
monivolden; *p. p. pl. merc.* ge-
monigfaldade 13,5 *vervielfäl-*
tigen.

m o n k e s *s.* munuc.

m o n k u n n e *s.* mon-cyn.

m o n n- *s.* mon-.

m o n-r æ d e n, *st. f., me.* manred
27,11 *huldigung.*

m o n-s l y h t, *st.m., me.* manslechter
41,34 *mord; vgl. ne.* manslaughter.

m ô n ð e *s.* mônaþ.

m ô r, *st. m.*, (*pl.* -as) 17,108; *me.*
mor; mure 66,421 *moor, moor-*
land; 19a,16 *berg; ne.* moor.

m o r, m o r e *s.* micel.

m o r g e n, *st. m., flekt.* morgen 16,
59; morgenne 16,48; *me.* morȝen;
morn 60,114; morwe 61,1114;

morow 67,205; morne 70,18
morgen; ne. morrow.

m o r g e n-t î d, *st. f.*, 18,14; *me.*
moreȝetid *morgenzeit.*

m o r n, m o r n e *s.* morgen.

m o r n i n g, *sb.*, 42,9; mornyng 67,
498 *morgen; ne.* morning.

m o r o w, m o r w e *s.* morgen.

m o r þ o r, *st. n. m.*, 7,193; *gen. pl.*
morðra 11,181 *untat, verbrechen,*
todsünde, qual, mord; vgl. ne.
murder.

m o s t *s.* micel, môton.

m ô s t(e) *s.* môtan.

m ô t a n, *prät.-präs., me.* moten; *präs.*
sg. môt 6,20; *me.* mot 84,13860;
mote 87,165; *2.* môst 23,30; *me.*
most 46,437; mostu = most þu
40,20; mot 71,17; *pl.* môtun 9,668;
môton; môtan 17,188; *kent.* môten
12,6; *me.* mote 82,313; moten 44,
18; *konj.* môte 9,190; *me.* mote
82,33; mot 61,1146; *pl.* moten
82,396 *prät.* moste 11,185; *me.*
moste 43,65; *pl.* moste 84,13875;
konj. sg. most 47,1093; · moste
56,21; *prät. mit präs.-bedeutung*
must 67,80&c. *dürfen, mögen,*
können, müssen; ne. must.

m o t e *s.* môtan, môtian.

m o t h e r *s.* môdor.

m ô t i a n, *schw. v., me.* motien 83,50;
mote *verhandeln, streiten, disku-*
tieren; ne. moot.

m o u c h t e, m o u e *s.* magan.

m o v e, m o v e t h *s.* meven.

m o u h t e *s.* magan.

m o u i n *s.* mâwan.

M o u n t f o r t, *eigenn.*, 48,70; Mun-
fort 48,180 *Simon von Montfort.*

m o u r n e n *s.* murnan.

m o u r n y n g, *vb.-sb.*, 54,20 *klage,*
jammer, trauer; ne. mourning.

m o u t e *s.* magan.

m o u t h, m o u þ(e) *s.* mûð.

m o u y n g *s.* meven.

m o w e, m o w e n *s.* magan, mâwan.

m o y n e *s.* môna.

m u c h, m u c h e l *s.* micel.

m u ȝ e, m u ȝ e n, m u h e *s.* magan.

m u k, *sb.*, 67,62 *mist, kot: ne.*
muck.

m u l t i p l i e, *v.*, 67,31; multiply
67,179; multyply *sich vermehren;*
ne. multiply.

m u l t i t u d e, *sb.*, 69,159,7 *menge:*
ne. multitude.

m u n a n, *prät.-präs., gedenken; me.*
mone(s) 48,166 *sich erinnern.*
m u n d, *st. f., dat.* -um 9,333; *me.*
mounde *hand.*
muneches, munecon *s.* munuc.
m u n e ʒ (e) i n g *s.* mynnen.
m u n n e, m u n n e n *s.* mynnen.
m u n t, *st. m.,* 9,21; *me.* munt(e) 28,
46; mount *berg; ne.* mount.
m u n u c, *st. m., mé.* munuch 37,
169; monek 50,77; *pl. dat.* mune-
con 25,20; *akk.* munecas 15,118;
me. muneches 30,1; monkes 42,7
mönch; ne. monk.
m u n u c - h â d, *st. m.,* 16,63 *mönch-
tum.*
.m u r c ð e *s.* myrhð.
m u r e *s.* môr.
m u r g e, *adv., me.* merie 30,1; murie
37,27; miri 42,12; mery *lustig;
ne.* merry; *me.* meraly 60,5; *ne.*
merrily.
m u r g e n, *v.,* 52,20 *froh machen,
erfreuen.*
m u r h ð e *s.* myrhð.
m u r m w r, *sb.,* 62,34 *murren; ne.*
murmur.
m u r n a n, *st. u. schw. v.,* 11,154; *me.*
murnen 37,44; mournen 58,36;
prät. mearn *u.* murnde *trauern,
klagen; ne.* mourn.
m u r u h ð e, m u r þ e *s.* myrhð.
m u r þ i r *s.* myrðrian.
m u s t *s.* môtan.
m u s t a r t, *sb.,* 46,280; mustard 46,
287 *senf; ne.* mustard.
m u w e n *s.* magan.
m û ð, *st. m.,* 13,23; *me.* muð 37,
48; muþ(e) 40,17; mudh 41,36;
mouþ(e) 44,113; mouth 54,27
mund; ne. mouth.
m û þ a, *schw. m.,* 17,18 *mündung:
ne.* mouth.
m y *s.* ic.
m y c h e *s.* m y c h e l *s.* micel.
m y c h t *s.* meaht, magan.
m y c l i a n *s.* miclian.
m y d, m y d d, m y d ð e *s.* mid.
m y d y n g *s.* midding.
m y g h t *s.* magan, meaht.
m y g h t f u l l e, *adj.,* 67,1 *mächtig;
ne.* mightful.
m y g h t y *s.* meahtig.
m y ʒ t (e), m y h t (e) *s.* magan,
meaht.
m y k i l l e *s.* micel.
m y l d e *s.* milde.

m y l e n - s c e a r p, *adj.,* 18,24 *auf
einem mühlstein geschärft.*
m y n *s.* ic, min, mynnen.
m y n d, m y n d e *s.* gemynd.
m y n e *s.* ic.
m y n e, *st. m.,* 8,657 *geist, sinn, er-
wägung, absicht, neigung.*
m y n n e n, *v.,* munne(n) 56,31; myn
59,37 *eingedenk sein, beachten, ge-
denken, nennen, erzählen; vb.-sb.
me.* muneʒing 33,94; muneʒeing
33.95 *erinnerung; vgl.* (ge)munan.
m y n s t e r, *st. n.,* 14,76; *me.* mun-
ster *münster, kloster; ne.* minster.
m y r a n *s.* myre.
m y r c e, *adj.,* mirk 48,214; myrk
60,21 *finster; ne. (veraltet)* mirk,
murk; *vgl.* murky.
M y r c e, *volksn., pl.,* 15,56 *bewohner
von Mercia.*
m y r e, *schw. f., gen.* myran 17,165;
mire *stute, mähre.*
m y r h ð, *st. f., me.* murcð(e) 32,154;
murhðe 32,154; muruhðe 37,61;
murþ(e) 54,28 *freude; ne.* mirth.
m y r k *s.* myrce.
m y r k n e s, *sb.,* 60,106 *dunkelheit;
ne. veralt. und dial.* murkness.
myrðrian, schw. v., (for-, of-),
me. murþir 45,104 *morden; ne.*
murder.
m y s *s.* mis, missan.

N.

n- *s.* ne.
n â, *adv.,* 21,17; nô 9,259; *me.* no 34,
13829; na 60,55 *niemals, nimmer,
durchaus nicht, nicht; ne.* no; *me.*
no 48,183 *noch;* na...na; no...no
47,1115 *weder ... noch;* nâ þy læs,
me. neoðeles 34,13949 *nichtsdesto-
weniger, indessen; vgl. ne. (dicht.)*
nathless, nevertheless.
n a *s.* nân.
n a b a e *s.* nafu.
n a b b a n, *v.,* = ne habban; *1. sg.
präs. me.* nabbe 40,31; *3.* nalð
32,134; *2. sg. präs.* nauest 37,103;
pl. nabbeð 32,98; nabbet 32,235;
nabbed 32,378; *prät.* næfde 17,95;
me. nevede 46,11 *nicht haben.*
n a b f o g a r *s.* nafogâr.
n a c h t *s.* nâwiht.
n æ c h t, n æ c h t- *s.* neaht, neaht-.
n a c o d, *adj.,* 21,24; *me.* naked 44,6
nackt, bloß; ne. naked.

nadder *s.* nædre.

nædl, *st. f., Ep. dat.* naeðlae 1,
17; *me.* nedle *nadel;* nedill 60,23
magnetnadel; ne. needle.

nædre, *schw. f.; me. pl.* nadres 27,
24; nadderes 29,1; neddren 82,
273 *natter; ne.* adder.

nadrinke 48,144; *s.* ne *und*
adrenche.

nafogår, *st. m., Ep.* nabfogår
1,25; *me.* navegor; nauger *bohrer;*
ne. auger.

næfre, *adv.,* 9,88; *me.* næure 27,20;
neure 27,40; nefre 88,32; nauere
84,13830; nauer 34,13877; neuer
87,38; neuere 87,143; neauer 88,
32; nevere 46,100; newer 46,118;
ner 51,75; neuir 60,54; nevir 70,
17; newir 72,II,6 *niemals, nimmer;*
ne. never; never more 46,103;
neuermore 87,68; neauer mare
88,32 *nimmermehr;ne.* nevermore;
neure so strong 44,80 *noch so*
stark; ne. never so strong.

nafu, *st. f., Ep. gen.* nabae 1,13;
me. nave *nabe; ne.* nave.

nafð *s.* nabban.

nægel, *st. m., me.* nayl(e) 55,14;
naylle 67,273 *nagel; ne.* nail.

næglan, *schw. v., me. p. p.* neiled
88,31 *nageln; ne.* nail.

nægled-cnearr, *st. m.,* 18,53
genageltes, beschlagenes schiff.

naჳt *s.* nåwiht.

nagulte 56,12; *s.* ne *und* ågyltan.

næht *s.* neaht.

naht *s.* nåwiht.

nå-hwær, *adv., me.* nohwere 40,
44 *nirgends; ne.* nowhere.

nahwæðer, *pron.,* nåwþer 7,189;
nåðor; *me.* naðer ... nor 82,297
keiner von beiden; ne. nor; *konj.*
nôhwæðer nê ... nê 14,26; *me.*
naðer 82,298; nouþer 40,49; now-
der 67,534 (ne) ... ne(na); n ...
then 67,535; noþer ... nor 62,27
weder ... noch; me. nor 67,138
noch; nach komp., als.

naked *s.* nacod.

nai *s.* nay.

nalden, nallas nallað *s.* nyllan.

nalles, *adv.,* 10,2863; nales 13,22;
nalæs 15,12; nalæes; næs 21,17 =
ne (e)alles *durchaus nicht, keines-*
wegs.

nam *s.* niman.

nam, nama *s.* noma.

naman *s.* nån.

namare, *adv.,* 82,353; nammore
27,38; namore 41,10 = na more
nicht mehr, nichts mehr.

name, namon *s.* noma.

namys *s.* noma.

nån, *indef. pron.,* 14,32; *me.* na
27,5; nan 27,11; nan(e) 82,235;
no 82,388; non 87,47; none 87,
92; noon 65,61,7; *akk. sg. m.* nånne
11,233; nønne 14,42 *(les.); me.*
nenne 29,3; nanne 82,119 *kein,*
keiner; me. hi nan 27,11 *keiner*
von ihnen; me. no man 82,24;
naman 82,109; nanme 82,168;
noman 47,1003; *akk.* nanne man
82,119 *niemand; ne.* no, none;
adv. nånne dèl 14,42; nån wuht
14,32; *me.* no wiht 87,47; nån
þing 21,2; *me.* nan þing 28,39;
naþing 82,98; no þing 87,56;
noþing 42,18; no þyng 58,91; no
thing 64,25; no thyng 67,289
(vgl. þing) *nicht, gar nicht, nichts;*
ne. nothing.

nænig, *indef. pron.,* 15,9; *nh.* naènig
8,1; nenig; neni *kein, niemand.*

nanme, nånne, nønne, nanne,
nånre, nånum *s.* nån.

nar *s.* nêah.

næren *s.* næs.

nareu, narew, nærew, nære-
wei *s.* nearo.

næron, nærun *s.* næs.

nas *s.* næs.

næs, *st. v.,* 8,573; *me.* nes 33,56; nas
34,13991; nass 86,15626; = ne
wæs, wes, was(s) *war nicht; pl.*
nærun; næron; *me.* neren 82,
379; nere 83,24; neoren 81,14060
waren nicht; kj. nære; *me.* nere
82,199 *wäre nicht; pl.* nèren.

næs *s.* nalles.

nat *s.* nåwiht.

nat, nåt *s.* nytan.

næteness, *st. f., kent. fl.* nêtenesse
20,44 *schande.*

nåt-hwylc, *indef. pron., gen.* -es
7,189 *ich weiß nicht wer.*

nature, *sb.,* 62,28 *natur; ne.* nature.

naturell, *adj.,* 62,19 *natürlich:*
ne. natural.

naturelliche, *adv.,* 41,39; natu-
reliche 41,32 *natürlicherweise,*
von natur; ne. naturally.

nauene 82,248; *s.* nê *und* Afen.

nauer, nauere *s.* næfre.

nauest *s.* nabban.

nauʒt *s.* neaht, nâwiht.

nŭeure *s.* nŭefre.

naut *s.* nâwiht.

naw *s.* nû.

nâwiht, *indef. pron., adv.;* nâuht; nôht 14,17; nâht 16,30; *me.* naht 82,48; nawiht 32,167; nawhiht 82,212; nawhit 32,249; nouht 82, 378; nout 82,379; noht 34,13865; nawihht 36,15551; nohht 36,15572; nawt 38,3; nocht 41,22; nacht 41,28; nouʒt 42,2; nauʒt 42,47; noʒt 43,108; nowicht 44,97; naut; noʒte 45,32; nouiʒt 46,56; not 48, 64; noghte 49,2; naʒt 50,13; nat 63,3; noght 67,96 *nichts, keineswegs, nicht; ne.* naught, nought, not; *gen.* nohtes 34,13947 *wertloser art; of me self is me riht* nowht (*hs.* nowt) 44,123 *um mich selbst handelt es sich mir nicht.*

nâwþer *s.* nâhwŭeðer.

nay, *adv.,* 47,1023; nai 46,43; *sb.,* 67,2 *nein; ne.* nay.

nayl, nayle, naylle *s.* nŭegel.

naðer *s.* nâhwŭeðer.

naþing *s.* nân.

ne, *adv.,* 4,2b; *nh.* ni 4,2a; *me.* ne 82,16 *nicht; oft mit dem folgenden worte kontrahiert; s.* nabban, nadrinke, nagulte, nalles, nân, nŭes, nâwiht, nis, nyllan, nytan.

nê, *konj.,* 22,35; *me.* ne 82,249 *und nicht, noch;* nŭe . . . nŭe 14,26; *me.* ne . . . ne 27,32 *weder . . . noch; me. manchmal mit folgendem vokalisch anlautenden wort zusammengezogen:* nauene 82,248; ni hud 82,77.

nêad, -beþearf *s.* nîed, -beþearf.

nêah, *adj., adv.,* 8,635; nŭeh 15,79; *me.* neh 86,45; nei 46,310; neiʒe 47,1046; nyʒ 19e,18*(les.); ne.* nigh; *komp.* nêar 21,33; *me.* noer 80,3; nerre 58,85; ner 66,378; nar 71,10; *me. oft (wie ne.* near) *ohne komparative bedeutung:* nere 45,27 *u. dgl.; sup.* nêxt; nest 11, 128; nŷhst 17,181; *me.* next 48,54; nest 51,24 *nahe, beinahe; me.* neyh honde 40,46 *nahe bevorstehend; adv.* nêah 17,80; *me.* nere 48,138; neir 60,44; ner 66,438 *nahezu; ŭet* nêxtan 22,62 *zuletzt.*

nêah-lŭecan, *schw. v.,* nêalêcan 16,21; *prät.* nêaleahte 21,43; *pl.*

nêalêcton 15,202; *me.* neyhleyhte 40,6 *sich nahen, nahe kommen.*

neaht, *f.,* 16,25; niht 8,626; *merc. nh.* nŭeht 19a,d,13; *me.* nihte 82, 78; niht 83,32; nigt 89,1300; nauʒt 42,47; niʒt 43,125; nicht 44,143; nyght 48,214; nyʒt 50,106; nyht 56,7; nycht 60,20; *gen. sg. auch* nihtys 19b,13; *me.* nyhtas 19c,13; nihtes 58,22; be (bi) nihtes 27,17; bi niʒte 47,1125 *nacht, nachts; ne.* night; *pl.* niht; *me.* niʒte 45, 41; *ne.* (fort)night.

neahte-gale, *schw. f.,* nihtegale; *Ep.* nectaegalae 1,21; *me.* nyhtegale(s) 52,5; nychtingale 60,4 *nachtigall; ne.* nightingale.

neaht-hrŭefn, *st. m., Ep.* naechthraebn 1,14 *nachtrabe; ne.* nightraven.

neaht-rest, *st. f.,* nihtrest 10,2863 *nachtruhe.*

nêal- *s.* nêahl-.

nêan, *adv.,* 9,326 *aus der nähe.*

nêar *s.* nêah.

nearo, *adj., me.* nareu 27,26; nŭerew(ne) 82,339; *pl.* nearwe 6,24 *eng, schmal; ne.* narrow; nŭerewei 82,345 = nŭerewe wei.

nêat, *st. n.,* (*gen. pl.* -a) 16,24; *me.* net *rind; ne.* neat.

neauer *s.* nŭefre.

nêawist, *st. f.,* 22,29; *me.* neweste *nähe, nachbarschaft, gegend.*

neb, *st. n.,* nebb; *me. fl.* nebbe 88, 38 *schnabel, gesicht; ne.* neb, nib.

nect- *s.* neaht-.

neddre(n) *s.* nŭedre.

nêd, ned-, nede *s.* nîed, nîed-.

nedill *s.* nŭedl.

Nedy *s.* niedig.

need-þearflîc, *adj.,* 15,215 *nötig; vgl.* nŷd-ðearf.

nefa, *schw. m., me.* neue(s) 27,8 *neffe; vgl.* neuou.

nefre *s.* nŭefre.

neh *s.* nêah.

nei *s.* nêah.

neid *s.* nîed.

neide *s.* niedig.

nêidfaerae *s.* nîedfaru.

neiʒe *s.* nêah.

neiʒe, *v., prät.,* neiʒede 19e,2*(les.) nahen, nahe kommen.*

neigh-bour, *sb.,* 64,12 *nachbar; ne.* neighbour.

neiled *s.* nŭeglan.

neir *s.* nêah.

neither, *adv., auch nicht, nicht einmal; ne.* neither; *s.* ne *und* æghwæðer.

Nelde, *adj.-sb.* = (a)n *oder* (mi)n elde 46,173 *alte.*

nele, nelle, nelt *s.* nyllan.

nemde *s.* nemnan.

nemen *s.* niman.

nemnan, *schw.v.*, 14,*tit.(les.); prät.* nemde (*les.* nemnde) 16,27; *p. p.* genemned 14,66; nemned 15,57; *me.* nemmnedd 86,1 *nennen.*

nemne, *konj.*, 9,260 *mit ausnahme von.*

nenne *s.* nân.

nêod, neod, neode *s.* nîed.

nêodful, *adj.*, 8,720 *eifrig, inständig.*

nêolan *s.* neowol.

neominde *s.* niman.

neoren = ne weoren; *s.* næs.

neorxna wang, *st. m., me. dat.* neorxenewanʒe 28,5 *paradies.*

nêosan, *schw. v.*, 8,631 *aufsuchen, ausfindig machen.*

nêotan, *st. v.*, 9,361 *genießen, sich freuen.*

nêowe, neowe *s.* nîwe.

neowol, *adj.*, nêol 8,684 *steil, tief.*

neoðeles *s.* nâ.

ner *s.* nêah, næfre.

nere(n) *s.* næs, nêah.

nergan, *schw. v.*, 6,13; *prät.* nerede *retten; p. präs., dann sb.,* nergend(es) 10,2863 *heiland.*

nerre *s.* nêah.

nes 82,292 *s.* næs; 54,5 = ne is.

nest, *st. n.*, 9,189; *me.* neste 49,32; nest 69,173,4 *nest; ne.* nest.

nest, *st. n.*, 11,128 *lebensunterhalt, mundvorrat.*

nest *s.* nêah.

net, *st. n.; me. pl.* nettes 42,6 *netz; ne.* net.

netan *s.* nytan.

nêten, *st. n.*, 16,67; *me.* neten *tier, rind; ne.* neat; *vgl.* nêat.

nêtenesse *s.* nêteness.

neton *s.* nytan.

nettes *s.* net.

neue *s.* nefa.

nevede *s.* nabban.

neuen, *v.*, 67,12 *nennen* [*altn.* nefna].

neuer, neuere, never, neuir, nevir *s.* næfre.

neuou, *sb.*, neuow 48,137 *neffe; ne.* nephew [*afrz.* neveu]; *vgl.* nefa.

neure, nevre *s.* næfre.

newe, newenn *s.* nîwe.

newir *s.* næfre.

newly *s.* nîwelîce.

next, nêxt(an), neyh *s.* nêah.

neyhleyhte *s.* nêahlǽcan.

ni *s.* ne, nê.

Nicholle, *eigenn., abkürzung von* Nicholas; Nicholle Nedy, *schimpfname,* 67,405 *etwa: armer tropf; vgl.* nîedig.

nichte *s.* nêaht.

nicnawað 82,110 *s.* gecnâwan.

nîed, *st.f.*, nêod 9,189; nêd(e) (*les.* nêade) 18,33; *me.* neode 82,261; ned(e) 86,15611; ned 46,142; neid 62,27 *not, bedürfnis; ne.* need; at nede 44,9 *in der not; adv.* neod 34,13860; neid 71,12; o neid 62,27 *notwendigerweise; ne.* needs; *me.* hauis na nede 45,66 *braucht nicht.*

nîed-beþearf, *adj., sup.* -osta 14,54 *notwendig; vgl.* nŷdðearf.

nîed-faru, *st. f., nh. dat.* nêidfaerae 3,1 *notwendige fahrt, tod.*

nîedig, *adj., me.* nêdi; nedy 67, 405; neide 62,21 *notleidend, arm; ne.* needy.

nigon, *zahlw.*, 15,34 *neun; ne.* nine.

nigoða, *zahlw., me.* niʒeðe(n) 28,32 *der neunte; vgl. ne.* ninth.

nigt, niʒt(e), niht *s.* neaht.

nihtegale *s.* neahtegale.

ni hud 82,77, *s.* nê *und* hŷdan.

niker (*ae.* nicor), *pl.* nikeres 29,2 *nix, seeungeheuer.*

nilest *s.* gelêstan.

niman, *st. v.*, 15,73; *me.* nimen; nim 42,16; nyme 58,66; *p. präs.* neominde 33,107; *prät. sg.* nôm; nam 21,60; *me.* nam 27,7; nom 34,13967; *pl.* nôman 15,156; nâmon 25,12; *me.* namen 27,16; nome 42,13; nemen 48,62; nam 48,72; *p. p. me.* inumen 37,107; numen 39,1316; nummen 58,76; ynome 61,1105; nome 61,1133 *(an)nehmen, gefangennehmen, erhalten; konj. präs. sg.* nime 9,380 *verzehren; me. (mit ellipse von* þe wai 42,16; 48,72 *und mit oder ohne refl.) sich begeben, gehen;*

imp. ʒeme nim to **87**,121 *acht-
geben auf.*
n i s **9**,3; *me.* **82**,77 = ne is *ist nicht.*
ni seʒen **82**,102; *s.* geseôn.
nist, niste *s.* nytan.
nister **29**,3 = ne is þer.
nîwe,*adj., adv.,* **15**,188; *merc.* nîowe
13,44; nêowe; *me.* niwe **82**,309;
neowe **84**,13840; newe **89**,1286;
new **59**,13 *neu;* **51**,23 *binnen kur-
zem, bald; ne.* new; *davon adv.*
nîwan; nêowan; *me.* newenn **86**,
15553 *neuerdings, wieder.*
niwelîce, *adv., me.* newly **60**,122
neulich, binnen kurzem; ne. newly.
nîð, *st. m.,* 8,623 *haß, feindschaft.*
niðer, *adv.,* **84**,13948 *unten.*
nið full, *adj.,* **32**,274 *boshaft.*
nîð-hycgend, *p. präs. pl.* -e 11,
233 *feindlich gesinnt.*
nîðing, *st. m., me.* niþing(e) **41**,45
geizhals.
nîð-sceaþa, *schw. m.,* 6,24 *feind-
licher schädiger, feind.*
nô, no *s.* nâ, nân.
noble, *adj.,* **50**,5; nobyll **59**,5;
nobill **59**,49; nobulle **67**,276 *edel,
adlig.*
noblelich, *adv.,* 47,1067 *vornehm,
vortrefflich; vgl. ne.* nobly.
noblesse, *sb.,* **50**,1 *adel; ne. ver-
altet* noblesse.
nobulle, nobyll *s.* noble.
nocht *s.* nâwiht.
noen *s.* nôn.
noer *s.* nêah.
noght, noghte, noʒt, noʒte,
nohht, nôht, noht(es) *s.* nâ-
wiht.
nôhwæðer *s.* nâhwæðer.
nohwere *s.* nâhwær.
noise, *sb.,* noys **58**,137; noyis 60,
108 *lärm; ne.* noise; noyß making,
vb.-sb., **60**,91 *lärmen.*
nolde, nolden *s.* nyllan.
nôm, nom *s.* niman.
noma, *schw. m.,* 8,720; nama **5**,1;
me. nome **87**,126; name **42**,57;
nam **45**,120; *dat.* namon **12**,45;
pl. namys **59**,60 *name; ne.* name.
noman *s.* nân.
nôman, nome *s.* niman.
nomeliche, *adv.,* **37**,118 *nament-
lich, besonders; ne.* namely.
no-more *s.* nân *und* micel.
nôn, *st. m., me.* non **88**,78; noen
46,433; nowne **66**,372; none 67,

317 *drei uhr nachmittags, nach-
mittag; ne.* noon.
non *s.* nân.
none *s.* nân, nôn.
noon *s.* nân.
nor *s.* nâhwæðer.
Normandi, *ländern.,* 27,1 *Nor-
mandie; ne.* Normandy.
norture, *sb.,* 48,9 *(feine) erziehung.*
norysse, *v.,* **50**,51 *nähren; ne.*
nourish.
norð, *adv.,* 14,93; *komp.* norðor
17,110 *nach norden;* 17,162 *nörd-
lich; me.* norð, norþ **84**,13951 *im
norden; me.* bi north **67**,477 *von
norden; ne.* north.
norþan, *adv.,* 9,324 *von norden;*
wið norþan 17,8; *präp.* be norþan
17,16 *nördlich (von).*
norþan-êast, *präp.,* bi norþan-
êastan 17,29 *nordöstlich (von).*
norþan-westan, *präp.,* be n.
17,17 *nordwestlich von.*
Norð-dene, *volksn., pl. m.,* 17,38
die Norddänen.
norð-êast, *adv., me.* northest *nord-
östlich; me.* norþ est **58**,137 *sb.,
nordosten; ne.* northeast.
norþerne, *adj., gen. pl.* -a18,18; *me.*
norþerne *nördlich; ne.* northern.
norðe-weard, *adj.,* 17,112; nor-
ðeweardum, *präp.,* 17,119 *nördlich
von, gegen norden.*
norð-folc, *st. n.,* 15,150 *nordleute.*
Norð-hymbre, *volksn., st. pl., gen.*
Norðhembra 15,56 *Northumbrier.*
Norð-man(n), *volksn., pl.* Norþ-
men(n) 17,47; *gen.* Norðmonna
17,49; Norðmanna 18,33 *Skandi-
navier.*
norþmest, *adv.,* 17,49 *am nörd-
lichsten.*
norðor *s.* norð.
norþ-ryhte, *adv.,* 17,55 *in nörd-
licher richtung, nach norden.*
norþ-weardum, *adv.,* 17,50
nördlich.
Norð-weg, *st. m.,* 17,132 *Nor-
wegen.*
norð-þêode, *st. pl., gen.* norð-
þêoda 15,28 *nordleute.*
not (= ne wot) *s.* nytan, nâwiht.
note, *sb., pl.,* notes **52**,5; notis **60**,7
note, ton; 67,368 *bemerkung; ne.*
note.
note, *r., p. p.* notyde **62**,5 *bemer-
ken, beachten; ne.* note.

note *s.* notu.
notes *s.* note.
nothing *s.* nân.
nothire *s.* ôðer.
notis *s.* note.
notu, *st. f., flekt.* note 14,59; *me.* note 37,88 *nutzen, verwendung.*
notyde *s.* note, *v.*
nou *s.* nû.
novel, *sb.,* 67,508 *nachricht, neuigkeit; vgl. ne.* novel.
nouȝt, nouiȝt, nouht *s.* nâwiht.
noumbre *s.* numbre.
nout *s.* nâwiht.
nouþer *s.* nâhwæðer.
now, nowe *s.* nû.
nowder *s.* nâhwæðer.
nowhere *s.* nâhwær.
nowicht *s.* nâwiht.
no-wider-wardes, *adv.,* 27,32 *nach keiner richtung hin.*
nowiht *s.* nâwiht.
nowmber *s.* numbre.
nowne *s.* nôn.
nowt *s.* nâwiht.
nowwt, *sb.,* 36,15558 *rind; ne. (nördl.) dial.* nowt [*an.* naut]; *vgl.* nêat.
noyis, noys, noyß- *s.* noise.
noþer *s.* nâhwæðer.
noþing *s.* nân.
nû, *adv.,* 2,1; *me.* nu 32,13; nou 34,13880; nv 40,46; now 42,2; nowe 49,39; naw(?) *nun, jetzt; ne.* now; *konj.,* 21,61 *nun, da;* nû þâ, *me.* nuþe 32,10; nuðe 32,244; nuþen 40,56 *jetzt; me.* nuge 39, 1328 *schon* (? = *ae.* nû gên 15, 188 *oder Orms* nuȝȝu = nû geô *oder nach Schumann* = genoȝe).
nuge *s.* nû.
nul, nul(l)e, nulli *s.* nyllan.
numbre, *sb.,* 48,133; nowmber 59, 86; noumbre 65,63,1 *(an)zahl; ne.* number.
nummen *s.* niman.
nuste, nuten *s.* nytan.
nuþe, nuðe, nuþen *s.* nû.
nuðer helde, *sb.,* 32,343 *(les.) neigung nach unten, senkung.*
nycht *s.* neaht.
nychte, *v., prät. 3. sg.* nychtit 70,15 *von der nacht überrascht werden.*
nychtingale *s.* neahtegale.
nŷdan, *schw. v., prät.* nŷdde 15, 240 *nötigen, zwingen.*

nŷdðearf, *st. f.,* 15,247 *notwendigkeit, bedürfnis.*
nye, *sb., pl.* nyes 58,76 *beschwerde, kummer; vgl. ne.* annoy.
nyȝ *s.* nêah.
nygh, *v., 3. sg. präs.* nyghys 67,370 *sich nähern.*
nyght, nyȝt *s.* neaht.
nŷhst *s.* nêah.
nyhtegale *s.* neahtegale.
nyllan =ne willan, *unregelm. vb.,* nellan, 15,193*(les.);* 1. *sg. präs. ind.* nele 6,16; *me.* nelle (ich) 32,287; nulli 46,295; 3. *sg. me.* nulle 33,92; nele 32,123; nule 40,58; nul 46,314; *pl. me.* nulen 38,4; nulle 56,27; *imp. pl. nh.* nallas 19a,5; nallað 19a,10; *me.* nyȼe ȝe 19e,5; *prät.* nolde 14,38; *nh.* nalde; *me.* nolde 32,140; *pl.* nolden 32,238; nalde(n) 33,34 *nicht wollen.*
nyme *s.* niman.
nys 19b,6; 54,36 = ne ys; *s.* eom.
nysse, nyste *s.* nytan.
nytan, *prät. präs.,* = ne witan, 1.3. *sg. präs.* nât 8,700; *me.* nat 32,148; *pl.* neton 8,660; *me.* nuten 32,236; *prät.* nysse 17,61; nyste 17,78; *me.* nuste 40,27; niste 41,21; *pl. me.* nusten 32,225; nuste 32,102; niste 42,28 *nicht wissen, nicht bemerken.*
nytt, *adj., me.* nut (*vgl.* 32,5) *nützlich;* n. gedôn 12,29 *zum besten jemandes (dat.) verwenden.*

O.

o *s.* ân, of, on.
ô *s.* â.
obediand, *adj.,* 67,121 *gehorsam; ne.* obedient.
obey, *v.,* 72,II,21 *gehorchen; ne.* obey.
obligacioun, *sb.,* 64,2 *verpflichtung, bindendes; ne.* obligation.
obout *s.* onbûtan.
oc *s.* ac.
occupy, *v.,* 60,76 *in besitz nehmen; ne.* occupy.
od, *adj.,* 67,57 *überzählig, darüber; ne.* odd.
oder *s.* ôðer.
of, *adv.,* 8,701; *me.* of 48,219 *ab, weg; präp.* of 4,2b; *me.* of 32,20; off 36,3; 59,5; hof 46,2 *von, aus,*

vor (eië of; of alle þinge), *mit*
(21,69; merci of; fulfillit of), *in
betreff, wegen* (preve of); *an* (86,
15606); be of *gehören zu;* off þatt
36,15610 *mit beziehung darauf,
daß; abgekürzt zu* a, o: adun
(*s.* dûn); o neide men 62,21; *ne.*
of, off.

o f *s.* oft.

o f d r æ̂ d d, *p. p., me.* of dred
32,43; *pl.* of dredde 32,94 *in
angst, erschreckt; vgl.* dradde,
ondræ̂dan.

o f e n, *st. m., me.* ouen 33,17 *ofen;
vgl. ne.* oven.

ô f e r, *st. m., dat.* ôfre 17,7 *ufer,
gestade.*

o f e r, *präp.,* 6,5; *me.* over; ouer
33,37; *ouir 45,21; oure 71,39;
ower 72,18 über; 9,4 über hin;
15,29 jenseits, von jenseits her;
11.161; me.* ouer 88,29; *auf;* ofer
eall 15,229; *me.* oueral 34,13999
überall, ganz durch; 47,1000 *über-
aus; adv.* ouere 48,153 *hinüber,
drüben;* 48,169 *vorüber; vor adj.
und anderen adv.* 59,36; 72,I,21
allzu; ne. over.

o f e r c u m a n, *st. v.,* 11,235; *me.*
ouercumen, ouercome 34,14026;
ourcum 60,86; *prät. sg.* ofercôm
26,18; *me.* ouercom 61,1149; *pl.*
ofercôman (*les.* -on) 18,72; *p. p.
me.* ouercome 61,1132 *überwinden,
besiegen; p. p.* 50,106 *übertölpelt;
ne.* overcome.

o f e r d r î f a n, *st. v., p. p. me.* our-
driffin 60,3 *vertreiben, überstehen,
besiegen.*

o f e r f ê r a n, *schw. v.,* 17,115 *über-
schreiten.*

o f e r f ê r n e s, *st. f.,* 15,154 *durch-
watbarkeit.*

o f e r f r o r e n, *p. p.* 17,200 *übereist,
bis oben gefroren.*

o f e r g å n, *def. v., me.* ouer go 48,
169 *vorübergehen.*

o f e r h î g i a n, *schw. v., me. p. p.*
ouerheghed(e) 49,5 *zu hoch er-
heben.*

o f e r h y g d, *st. f. n., instr.* oferhŷdo
15,14 *stolz, übermut.*

o f e r m æ g e n, *st. n., dat.* ofer-
mægne 9,249 *übermacht.*

o f e r r e c c a n, *schw. v., überzeugen;
me. prät.* ouerraght 59,69 *über-
setzen.*

o f e r s ê o n, *st. v.,* 17,134; *3. sg.
präs. ind. me.* oue sihð 82,75 *über-
schauen; ne.* oversee.

o f e r s w i þ a n, *schw. v.,* 15,178 *über-
wältigen.*

o f e r w e o r p a n, *st. v., me. prät.*
oferrwarrp 36,15567 *(les) um-
werfen.*

o f e r w r ê o n, *st. v., me.* overwreon;
prät. oferwrâh 13,11 *überdecken,
verhüllen.*

o f e s l î c e *s.* ofostlîce.

o f e s t *s.* ofost.

o f f *s.* of.

o f f e n d, *v.,* 67,108 *beleidigen; ne.*
offend.

o f f e r e n d a, *schw. m., me.* offrande
39,1298; offrende 39,1309; of-
rende 39,1314 *opfer.*

o f f i c e, *sb.,* 48,50 *dienst;* houses
of offyce 67,134 *nebengebäude,
stallung.*

o f f p u t y n g, *vb.-sb.,* 62,17 *das ab-
legen.*

o f f r a n d e, o f f r e n d e *s.* offerenda.

o f f r e n, o f f r e d *s.* offrian.

o f f r i a n, *schw. v., me.* offrien 37,4;
offren 39,1289; *prät.* offred 42,60
opfern; ne. offer.

o f f t e *s.* oft.

o f f y c e *s.* office.

o f g i e f a n, *st. v., prät.* ofgeaf 10,
2863 *aufgeben.*

o f h e r e n, *v., prät.* ofherde 48,43
hören.

o f o s t, *st. f., me.* oveste *eile; dat.
pl.* ofstum 10,2911; ofestum 9,190
in eile.

o f o s t l î c e, *adv.,* 11,150; ofestlîce
10,2849; ofeslîce 8,582 *eilig, rasch.*

o f r e n d e *s.* offerenda.

o f s e r u e, *v.,* 41,36 *verdienen.*

o f s l æ ʒ e n, o f s l a ʒ e *s.* ofslêan.

o f s l ê a n, *st. v.,* 22,33; *flekt. inf.*
ofslêanne 21,71; *prät.* ofslôh 22,
15; *konj.* ofslôge 17,88; *me. prät.
pl.* of-sloʒen 34,14022; *p. p.* of-slæ-
ʒen, of-slaʒe 34,14059/60 *erschla-
gen, töten.*

o f s p r i n g, *st. m., me.* óf spring 82,
196 *nachkommenschaft; ne.* off-
spring.

o f t, *adv.,* 14,2; *me.* oft 82,21; of,
ofte 34,13953; offte 65,60,5 *oft,
häufig; komp.* oftor; *me.* ofter
83,49; *sup.* oftost 14,23; *ne.* often,
(*poet.*) oft.

ofte sythes, adv., 49,25 oftmals.

ofþyncan, schw. v., me. óf ðinche 82,203; ofðinche 48,108; 3. sg. präs. ind. óf þinchet 82,10; óf ðinchet 82,132; óf þincð 82,164; prät. me. óf ðufte (fehlerhaft) 82, 271 bereuen, gereuen, mißfallen (urspr. einpers. mit dat. der pers. und gen. der sache; me. he ofþincheþ hit und hit ofþincheþ him).

ofþyrst, p. p. 22,27; me. ofþurst, aþirst verdürstet, durstig; ne. athirst.

ogain, oȝain s. ongegn.

oghe s. âgan.

oghte, ohht, s. âwiht.

oht s. âwiht, âð.

oˆehtan, oˆehtende s. êhtan.

ohte s. âgan, âwiht.

ôhwǽr, adv., ôwer 7,199 irgendwo.

ôlǽcung, st.f., 22,54; me. olhnunge schmeichelei.

old s. eald.

olden s. healden

olif, sb., 67,510 olive; oliv tre ölbaum; ne. olive.

oliues s. lîf.

ombiht, st. m., 10,2879 diener.

ombor, st. m., gen. pl. ombra 12, 21 ein flüssigkeitsmaß = ¹/₄ mitta.

on, adv. und präp., 4,1a; an 8,712; me. onne 27,30; on 27,37; o 27,42; a 82,1; en 82,86; an 84,13827; onn 86,14; hon 46,18 an, in, auf, über; oþe 56,3 = on þe; ne. on; on gesyhðe 4,1b vor den augen; bið on 14,74 ist wert; him ys on 54,45 ihm fehlt; on-to 66,447 an, zu; onuppan 19b,2; me. onuppon 19c,2; anuppon 83,50; anuppan; onuppe 87,25; anvppe 40,42 darauf, an der spitze, auf, über; anunder 87,32 unter, darunter; ae. on ân 10,2892 ein für allemal oder sogleich; me. anan 86,15620; anon 40,65; onon 44,136; onan 47,1036; anoon 65,61,3; onone 67, 275; anone 67,490; annone 71, 29; in einem fort, beständig, sofort, sogleich; ne. anon.

on s. ân.

onǽlan, schw.v., 8,580; me. anelen; p. p. onǽled 9,216 anzünden; vgl. ne. anneal.

onan(e) s. on.

onbǽrnan, schw. v., 8,579; p. p. onbǽrned 16,85; pl. onbǽrnde 16,9 entzünden.

onbêodan, st. v., prät. onbêad 15, 159 entbieten, befehlen.

onbidan, st. v., gen. des part präs. kent. anbîdincges?, 20,38 warten; ne. abide.

onbindan, st. v., mischt sich mit unbindan; 3. sg. präs. ind. me. vn bint 82,394; konj. hounbinde 46, 315; prät. me. un band 82,188 entbinden, aufbinden, befreien; imp. pl. unnbindeþþ 86,15590 zerstören; ne. unbind.

onblôtan, st.v., prät. onblêot 10, 2933 opfern.

onbryrdnyss, st.f., 15,114; inbryrdniss(e) 16,6 andacht.

onbûtan, adv., abûtan; me. abuton 27,23; abuten 88,47; aboute 46,80; abouthe 48,139; obout 57,15 umher, herum (soghe about 58,67 sãe aus); was aboute 48. 119 war daran; präp. abuten 82, 85; a buten 88,108 ohne; 50,81 um, um ... herum.

oncnâwan, st. v., 28,9 erkennen.

oncweðan, st. v., prät. oncwæð 10,2910 antworten.

ond, konj., 4,1b; and 15,3; nh. end 2,2; me. ænd 19c,14; and 82,1; end 82,3; annd 86,3; an 50,3; ant 51,4; ande 62,2 und, auch; and 67,502; 78,14 falls, wenn, als ob; ne. and, an (if).

onda, schw. m., me. ande 82,193 ärger, neid.

onder- s. under-.

ondgiet, st. n., (les. andgiet. andgit, ondgit) 14,68 verstand, sinn.

ondgietfullîce, adv., sup. andgitfullîcost 14,72 verständlich.

ondleofne s. andleofen.

ondlong, adj., akk. -ne 18,21 der ganzen länge nach, ganz.

ondrǽdan, urspr. st. v., (p. präs. -ende) 15,119; adrǽdan, merc. ondrêdan 19d,10; nh. ondrêde 19a,5; ondrêda 19a,10; me. ondrǽde 19c,5; adrede(n) 82,6; prät. ondrǽddon 15,122 fürchten (mit oder ohne refl. dat.); p. p. adrad 42,28; adred 67,201 erschreckt; be adrad of 42,28 sich fürchten; ne. dread; vgl. dradda, ofdrǽdd.

ondrysne, *adj.*, 10,2861 *furcht-bar, ehrwürdig.*

ondswarian, *schw. v., p. präs.* answeringe 19e,5; *prät.* andswarade 15,186; ondswarode 16, 28; andswaróde 19b,5; *nh.* ondswaréde 19a,5; *me.* andswerede 19c,5; onswerde 33,62; onswerede 33,76; andswerde(n) 34,13805; answerede 34,13841; answærede 34,13885; andswarede 34,13893; answerde 41,9; answerd 42,25; answarede 43,44; ansuerede(n) 44,176; ansuerde 45,53; ansuerd 48,161 *antworten; ne.* answer.

ondswaru, *st. f., akk.* ondsware 7,184; andsware 16,33; *k.* andsware 20,1; *me.* anndswere 36, 15589; answere 47,1005; ansuer 66,384 *antwort; ne.* answer.

ondweard, *adj.*, andwerd(an) 19b, 15; *merc.* ondward(an) 19d,15; *me.* andweard(en) 19c,15 *gegenwärtig;* him andweardum 16,51 *in ihrer gegenwart.*

ondwlita, *schw. m.*, 18,42 *antlitz.*

ondwvrdan, *schw. v., me.* andwurden; *prät.* andwyrde 14,43; andwirde 21,53 *antworten.*

one, *v.*, 50,44 *einen, verbinden.*

one *s.* ân.

oneardian, *schw. v., 3. sg. präs.* oneardað 15,53 *bewohnen.*

onest, *adj.*, 59,48 *ehrlich; ne.* honest.

ônettan, *schw. v., prät.* ônette 10,2872; *pl.* ônettan 11,139 *eilen.*

oneþ *s.* one, *v.*

onfangene, onfêhð, onfêng(-) *s.* onfôn.

onfindan, *st. v.*, 6,7; *me.* a finden 32,58 *auffinden; st.-schw. prät. ws.* onfunde 7,178; 23,5 *bemerken, wahrnehmen.*

onfôn, *st. v.*, 10,2918; *3. sg. präs. ind.* onfêhð 20,26; *konj.* onfô 24, 28; *prät.* onfeong; onfêng 7,187; *pl.* onfêngon 15,102; onfêngun 19b,15; *me.* onfengen 19c,15; *konj.* onfênge 16,63; *p. p.* onfongen 7, 182; *fl.* onfongne 16,58; onfangen(e) 15,128 *empfangen, erhalten, aufnehmen, übernehmen;* 9,192 *anfangen (mit dat. oder akk.);* rîce o. 15,36 *zur herrschaft gelangen.*

onfunde *s.* onfôn.

ongan(n) *s.* onginnan.

ongegn, *adv., präp.*, 11,165; ongêan 8,628; *merc.* ongægn 19d,9; *me.* ongean 19c,9; aȝean 32,347; aȝen 34,14046; onnȝæn 36,15593; agen 39,1343; ogain 45,22; gain 45,90; aȝein 46,296; oȝain 47,992; ageyn 48,35; aye 50,74; aȝeyn 61, 1144; agein 64,29; agayne 66,384; agayn 67,548; ayene 68,27; agane 69,162;2; again 72,6; ægane 2,5; agænes 27,13; ȝeanes 82,347; aȝaines 38,19; aȝenes 43,78; oȝaines 47,1113; agaynes 49,16; aganes; aȝens 19e,9 *entgegen, gegen, verglichen mit, dawider, wieder(um), zurück;* 17,134 *gegenüber; ne.* again, against; calle ageyn 48, 61 *widerrufen;* agan cumynge, *vb.-sb.*, 62,20 *rückkehr.*

Ongelþêode *s.* Angelþêod.

ongemang *s.* gemong.

ongeslêan, *st. v.*, him wæl ongeslôgan 15,7 *verübten an ihnen ein gemetzel.*

onget *s.* ongietan.

ongierwan, *schw. v., prät.* ongyrede 4,1b; *nh.* (on)geredæ 4,1a *entkleiden.*

ongietan, *st. v.*, ongiotan 14,32; *me.* onȝiten; *prät.* onget 21,43; *pl.* ongêaton 11,168 *wahrnehmen, merken, fühlen, verstehen, erkennen.*

onginnan, *st. v., 3. sg. präs. ind.* onginneð 9,188; onginð 22,7; *prät.* ongon 8,595; ongan 10, 2845; ongann 10,2859; *pl.* ongunnan 15,5; ongunnon 15,94 *beginnen, anfangen.*

Ongle *s.* Angle.

ongon, ongunnan, ongunnon *s.* onginnan.

ongyn, *st. n.*, 9,638 *anfang.*

ongyrede *s.* ongierwan.

onhæle, *adj.*, 6,7 *verborgen.*

onhalsien, *v.*, 83,70 *beschwören, dringend bitten.*

onhætan, *schw. v., me. 3. sg. präs. ind.* anhet 41,39; *p. p.* anheet 41, 48 *erhitzen.*

onhergian, *schw. v., prät. pl.* onhergedon 15,6 *verheeren, ausplündern.*

onhlîdan, *st. v., p. p.* onhliden 9, 12 *öffnen, erschließen.*

onhrêodan, *st. v., prät.* onhrêad 10,2931 *schmücken (oder lies onrêad, zu onrêodan röten?).*

onhyrigean, *schw.v.*, 15,211 *nachahmen, nacheifern.*
onlêon, *st.v.*, *prät.* onlêah 11,124 *verleihen.*
onlepi *s.* ânlêpe.
onlêsde *s.* onlîesan.
onlîc, *adj.*, 9,242 *ähnlich.*
onlîcness, *st.f.*, anlîcness(e) 15, 180; andlîcness(e) 15,204; *me.* anlycness(e) 50,9; anlikness(e) 50, 47 *ähnlichkeit, ebenbild, bild.*
onliehtan, *schw.v.*, *prät.* onlŷhte 19b,1; *me.* onlîhte 19c,1 *dämmern; 3. sg. präs. konj.* onlŷhte 7,204 *erleuchten, umleuchten.*
onlîesan, *schw.v.*, *merc. prät.* onlêsde 13,8 *lösen, bezahlen.*
onlûcan, *st.v.*, *prät. Ep.* andlêac 1,21 *aufschließen.*
onlûtan, *st.v.*, 14,39 *sich neigen.*
onlŷhte *s.* onliehtan.
onn, onne *s.* ân, on.
onoh *s.* genôh.
onon *s.* on.
onrêad, onrêodan *s.* onhrêodan.
onsâwan, *st.v.*, *p.p.* onsâwen 9,253 *säen.*
onscunian, *schw. v.*, *kj. pl.* -en 13,10 *verabscheuen, sich scheuen.*
onsêcan, *schw.v.*, *p.p.pl.* onsôhte 8,679 *suchen, abfordern, abverlangen.*
onsecgan, *schw.v.*, 10,2852 *opfern.*
onsegednes, *st.f.*, 20,34 *opfer.*
onsendan, *schw.v.*, 14,74; *p.p.* onsended 24,15 *entsenden, schicken.*
onsîen, *st.f.*, 13,12; onsŷn 8,730; ansŷn 19b,3; *merc.* onsêone 19d,3; *me.* ansiene 19c,3; ansine; onsyne; onsene 87,27 *anblick, angesicht.*
onsîen, *st.f.*, *me.* ansine 46,306 *not, mangel.*
onsittan, *st.v.*, 6,23 *sich entsetzen vor (mit oder ohne refl. pron.).*
onslǽpan, *schw. v.*, *prät.* onslǽpte 16,26 *einschlafen.*
onsôhte *s.* onsêcan.
onstal, *st.m.*, 14,20 *einrichtung, anfang.*
onstellan, *schw.v.*, *prät.* onstealde *einrichten; ôr o.* 16,39 *anfangen.*
onsund, *adj.*, 8,593 *unversehrt, heil, gesund.*
onswerien *s.* ondswarian.
onsŷn(e) *s.* onsîen.
ontful, *adj.*, 88,57 *neidisch.*

on-to *s.* on.
on uast, *präp.*, 84,14047 *nahe; vgl.* fæst.
onuppan, -e, -on *s.* on.
onwæcnan, *schw. v*, 9,648 *erwachen.*
onweald, *st. m.*, 14,7; onwald 9, 663; anweald 19b,18; *me.* anweald 19c,18; anwald(e), anwold(e) 84, 13950 *gewalt, macht; 22,41 machtbereich; vgl.* onwold.
onweg, *adv.*, 15,16 *fort, hin(weg); ne.* away.
onwendan, *schw. v.*, *p. p.* onwended 9,82 *wenden, sich verwandeln.*
onwis *s.* unwîse.
on-wold, *v.*, 46,311 *beherrschen, der gewalt haben (anders Engl. in Stud., 31,268); vgl.* onweald.
onwrêon, *st. v.*, *prät.* onwrâh 7, 195 *enthüllen; p. p. me.* un wriʒen 82,160; onwryʒe 50,30 *unverhüllt.*
onwrîðan, *st.v.*, 11,173 *aufdrehen, enthüllen.*
onwryʒe *s.* onwrêon.
ony *s.* ǽnig.
onys *s.* ân, ǽne.
oo *s.* â.
oon, oone *s.* ân.
oonly, *adv.*, 67,288; oonely 67,307 *allein, nur; ne.* only; *vgl.* ân.
oostre, *sb.*, 67,329 *haus; vgl. ne.* hostelry, *veralt.* hostry.
op, ope *s.* ûp.
open, *adj.*, 9,11; *me.* opin 45,85 *offen; ne.* open.
openian, *schw. v.*, *me.* oppne(s) 88,7 *öffnen; ne.* open.
openlîce, *adv.*, 15,72; *me.* opennliʒ 36,55; openlich 88,9; openliche 50,24 *offen, öffentlich, deutlich; ne.* openly.
opon, oppon *s.* ûp.
oppnes *s.* openian.
opposyt, *adj.*, *entgegengesetzt; sb.*, 69,170,6 *gegner; ne.* opposite; *s.* froward.
oppressen, *v.*, 69,170,4 *bedrängen, niederdrücken; ne.* oppress.
oppressioun, *sb.*, 64,12 *bedrückung; ne.* oppression.
or *s.* ǽr, âwðor.
ôr, *st. n.?*, 2,4 *anfang; vgl.* ord.
ord, *st. m. n.*, 10,2876; *me.* ord 82,85 *anfang, spitze;* 6,5 *fußspitze;* 28,

47 *pfeilspitze;* **88**,13 *speerspitze;*
28,69 *vornehmster, anführer.*

ordand, ordayn *s.* ordeyne.

orders *s.* ordyre.

ordeyne, *vb.,* **69**,168,1; ordayn **67**,
309; *prät.* ordand **67**,119; ordanyt
62,29; *p. p.* ordanyt **62**,28 *einrichten, anordnen;* **67**,468 *bestimmen; ne.* ordain.

ord-fruma, *schw. m., ursprung;*
15,244 *gewährsmann.*

ordinance, *sb.,* **48**,89 *vereinbarung;*
ordinaunce **47**,1090 *bestimmung;*
ne. ordinance.

ordyre, *sb.,* **49**,19 *befehl, gebot;*
pl. orders **67**,10 *rangstufe, ordnung; ne.* order.

ore *s.* ân, âr, ær, âwðor.

ores *s.* âr.

ôret-mæcg, *st.m., pl.nom.-as* 11,
232; *dat.* -um **26**,11 *kämpfer.*

orgeilus, *adj.,* **41**,44 *stolz; ne.*
(Shaksp.) orgulous.

origt *s.* riht.

orisune *s.* ureisun.

ormæte, *adj.,* **8**,627 *übermäßig,*
unendlich.

orn *s.* eornan.

orsorh, *adj.,* **22**,47; *pl.* orsorge
19d,14 *sorglos, unbekümmert.*

ôsle, *schw. f., Ep.* ôslae, 1,14; *me.*
osel *amsel; ne.* ousel, ouzel.

ost *s.* host.

ostage, *sb.,* **48**,137 *bürge, geisel;*
ne. hostage.

Osti, *volksn., pl. m.,* **17**,40 *die*
Esthen.

Ôst-sæ, *ortsn., st.f.,* **17**,35 *Ostsee.*

otêcan, *schw. v., prät. pl. merc.*
otêctun **18**,39 *hinzufügen.*

oth *s.* âð.

other, othir *s.* âwðor, ôðer.

otr, *st. m., Ep.* 1,13; *me.* oter *otter;*
ne. otter.

otsperninc, *st. f., kent.,* **20**,12
anstoß.

ou *s.* gê.

oven *s.* ofen.

over(-), ouer(-) *s.* oue-, ofer(-).

ouercasten, *v., p. p.* ouercast
67,354 *bedecken, bewölken.*

ouercom(e), ouercumen *s.* ofercuman.

ouergo *s.* ofergân.

ouergrete, *adj.,* **48**,211 *übergroß.*

ouerheghede *s.* oferhîgian.

ouerleggen, *v., p. p. fl.* ouerlaide
67,306 *überdecken, überströmen.*

ouerraght *s.* oferreccan.

overtake, *v.,* ourtak **60**,95; *p.p.*
ouertan **58**,127; ourtane **70**,11
einholen, erreichen, erhaschen; ne.
overtake.

ouerthrawe, *v., p. p.* ouerthrawe
69,163,7 *um-, niederwerfen; ne.*
overthrow.

ouer-thwert, *adv.,* **69**,167,5 *der*
breite nach.

ouesihð *s.* ofersêon.

ouh *s.* âgan.

ouht *s.* âwiht.

ovir *s.* ofer.

ounderfost *s.* underfôn.

oune *s.* âgan.

ounseli *s.* unsele.

ounwis *s.* unwise.

our, our(e) *s.* gê, ofer, wê.

ourcum *s.* ofercuman.

ourdriffin *s.* oferdrîfan.

ourestrecchen, *v., p. p.* ourestraught **69**,164,2 *darüberstrecken.*

our-small, *adj.,* **66**,389 *zu wenig;*
ne. oversmall.

ourtak, ourtane *s.* overtake.

ous *s.* wê.

out(e) *s.* ût.

outher, outhire *s.* âwðor.

outtak, *p. p. oder imperat. präs. als*
konj. **60**,104 *ausgenommen.*

ouþer *s.* âwðor.

owe(n) *s.* âgan.

ower *s.* ofer.

ôwer *s.* ôhwær.

owere *s.* âgan.

owt, owte *s.* ût.

owthyre *s.* âwðor.

owune *s.* âgan.

Oxnaford, *stadtn., st. m., me.*
Oxeneford **27**,6; Oxenford **48**,85
Oxford.

oyle, *sb.,* **67**,46 *öl; ne.* oil.

oð, *präp.,* **8**,694; oþ **19**b,15; *nh.* oðð
19a,15; oð tô **19**d,20; *me.* oðð
28,44; oððe **19**c,20 *bis; konj.* oð
11,140; oð tô **15**,58; oþþæt **9**,263;
oð þæt **10**,2874; oððæt **15**,104;
oþ þe **17**,180; *me.* a þet **88**,66;
a þa **88**,78 *bis.*

oðbregdan, *st.v., p.p.pl. dat.* oðbrodenum **20**,40 *entreißen.*

oþe *s.* on.

oðêawan, *schw.v.,* **9**,322 *sich zeigen.*

œðel *s.* êðel.

oðer, oþer *s.* âwðor.

ôðer, *zahlw. und indef. pron.*, 14,26; ôþer 9,343; *nom. f. nh.* ôðero 19a,1; *akk. m.* ôþerne 8,702; *me.* oðer 19c,1; *other* 27,22; *flekt.* ôðræ 14,51; *me.* oðre 28,17; oþer 32,391 (oðres 82,30); eoðre 88,49; oþerr 86,15544; oþir; oþur 42,45; othere 49,8; othir\e) 49,41; *pl.* oþer 41, 23; oþre 41,35; othyre 49,14; oþren 50,69; vthere 62,6; other 67,54; oder 67,160 *der zweite, der andere, ein anderer; ne.* other; ôþre sîþe 21,62 *zum zweiten male; sb.* 23,64 *gegner; me.* anoþer 50,89; a nothire 49,3 = an othire; þe toþer 48,80; the tother 59,63; the tothir 66,417 = that other *der (die) andere;* þe toþer 48,242 *die übrigen;* noon other 65,61,7 *nicht anders.*

oðercende 16,68 *(les.) s.* eodorcian.

ôðerlîce, *adv., me. komp.* oþerluker 82,150 *(lesarten) anders.*

ôðerre *s.* ôðer.

oþerweies, *adv.*, 84,14028 *anders.*

oðfæstan, *schw v., p. p. pl.* oðfæste 14,59 *übergeben, widmen.*

oðfeallan, *st. v.*, 14,45; *p. p. fem.* oðfeallenu 14,14 *verfallen.*

oðflêogan, *st. v.*, 9,347 *entfliegen.*

ôðræ, ôðre, ôþre, oþren, oðres, ôðrum, ôþrum *s.* ôðer.

oðð, oþþæt, oþ þe *s.* oð.

oþþe, *konj.*, 17,55; oððe 14,16; *nh.* aeththa 8,4; *kent.* oðða 12,23 *oder;* oððe ... oððe 17,106 *entweder ... oder.*

oðþringan, *st. v.*, *prät.* oðþrong 11,185 *entreißen.*

P.

paciens, *sb.*, 62,37 *geduld; ne.* patience.

padde, *sb., pl.* pades 27,25 *(vielleicht auch 29,2) kröte; vgl. ne.* paddock.

paen, *adj.*, -e 43,149 *heidnisch.*

paie, *v.*, 88,29 *bezahlen; p. p.* paied 48,100 *behandeln;* paide 67,283 *befriedigen; ne.* pay.

pain *s.* payne.

pains *s.* payen.

paire, *v.*, 48,39 *schaden leiden, schlechter werden; vgl. ne.* impair.

pale, *adj.*, 69,169,2 *blaß; ne.* pale.

paleys, *sb.*, 65,60,8 *palast; ne.* palace.

palle, *sb.*, 46,23 *kostbares gewand.*

Pante, *flußn., schw. f., akk.* Pantan 23,68 *Blackwater (in Essex).*

pâpa, *schw. m.*, 14,85; *me.* pape 48, 237; pope 51,41 *papst; ne.* pope.

paradis(e), *sb.*, 37,10; paradys 50,29 *paradies; ne.* paradise.

paramoure 67,80 *s.* amour.

parlement, *sb.*, 48,32 *versammlung, parlament; ne.* parliament.

parlour, *sb., pl.* -es 67,133 *wohnzimmer; ne.* parlour.

par ma fai *s.* fai.

part, *v., teilen;* p. with 59,96 *(sich) trennen von; ne.* part.

part(e), *sb.*, 45,69; part 60,47 *teil, abteilung; ne.* part.

partie, *sb.*, party 67,49 *teil;* partie 48,80 *partei, anhang; ne.* party; in to party 60,115 *zum teil, teilweise;* 67,49 *s.* micel.

pas *s.* passe.

pas, *sb.*, 47,992 *schritt, gang, passus;* 48,126 *verlauf;* 48,196 *fortschreitender bericht, erzählung; ne.* pace.

passage, *sb.*, 58,97 *überfahrt;* p. of 62,1 *das weggehen von, verlassen; ne.* passage.

passe, *v.*, paß 60,35; pass 78,6; pas; *pl. präs.* passes 49,30; *prät.* passed 48,152; past 71,39; *p. p.* passed; past *passieren, ziehen, sich begeben;* 59,96 *weitergehen; p. p.* paste 59,9; past 71,32 *vergehen;* is passed (*ne.* past) 65,64,4 *hat überstanden;* past 67,181 *vorüber; ne.* pass; *vb.-sb.* pasing 62,16 *hinübergehen.*

passion, *st. f., pl.* passione 12,38 *passion, leidensgeschichte.*

passkeda33, *sb.*, 86,15552 *ostertag.*

past, paste *s.* passe.

patez, 29,2, *vielleicht fehler für* padez; *s.* padde.

Paulus, *eigenn.*, 28,22; Paul 88,8 *Paulus.*

paye, *sb., befriedigung;* 58,99 *bezahlung; ne.* pay; *vgl.* paie.

payen, *sb.*, 50,78; payn 48,43; *pl.* pains 48,61; paynes 43,78; payns 43,87 *heide; vgl.* paen.

payment, *sb.*, 62,19 *bezahlung; ne.* payment.

payn *s.* payen.

payne, *sb.*, **50**,20 *mühe, anstrengung;* pain **47**,1170; *pl.* peynes **55**,17; paynes **67**,40 *schmerz, qual; ne.* pain.

paynes *s.* payen, payne.

pæð, *st. m., me.* pað **32**,345 *(les.) pfad, weg; ne.* path.

Pehtas, *volksn., pl., dat.* Pehtum **15**,69; *me.* Peohtes, Peutes **34**, 13951 *die Pikten.*

peler, *sb.*, **57**,15 *plünderer, räuber; ne. veralt.* peeler.

pelten, *schw. v., prät.* pelt **47**,1053; *p. p.* pelt **47**,1044 *hineinstecken; ne.* pelt.

penaunce, *sb.*, **65**,64,7 *buße; ne.* penance.

pending, *st. m.*, pening, *me.* peni(e) **32**,67; *pl.* penes **46**,274 *pfennig; ne.* penny; penny doylle **67**,390 *s.* dǽl.

penes, penie *s.* pending.

penny- *s.* pending.

Peohtes *s.* Pehtas.

peopull, *sb.*, **59**,16; pople **47**,1036; peple **71**,40 *volk, leute; ne.* people.

pepir, *sb.*, **46**,279 *pfeffer; ne.* pepper.

peralis *s.* peril.

peraventure, *adv.*, **67**,503 *zufällig, gelegentlich; ne.* peradventure.

perce, *schw. v., prät.* perced **48**, 207 *durchdringen, eindringen in; ne.* pierce.

perceyue, *v., prät.* perceyued **48**, 47; persavit **60**,92 *bemerken; ne.* perceive.

perchance *s.* chaunce.

perde, *interj.*, **48**,163 *bei gott!, wahrhaftig!*

perell(ys) *s.* peril.

perelus, *adj.*, **62**,2; perulus **62**,13; perlous **67**,431 *gefährlich; ne.* perilous.

perfyte, *adj.*, **62**,8 *vollkommen; vgl. ne.* perfect.

peril, *sb.* **58**,114; perell **66**,412; *pl.* peryles **58**,85; peralis **60**,60; perellys **62**,18 *gefahr; ne.* peril.

perish, *v.*, **67**,94 *umkommen, zugrunde gehen; ne.* perish.

perlous *s.* perulus.

permutacioun, *sb.*, **64**,19 *vertauschung, veränderung; ne.* permutation.

perpetuall, *adj.*, **62**,21 *beständig; ne.* perpetual.

persavit *s.* perceyue.

person, *sb.*, *pl.* personis **62**,17; persons **67**,2 *person; ne.* person; persone **47**,1104 *pfarrer; ne.* parson.

Persy, *eigenn.*, **60**,43; Persye **66**, 379 *Percy.*

perulus *s.* perelus.

peryles *s.* peril.

pes, *sb.*, **48**,77 *friede; ne.* peace.

Peutes *s.* Pehtas.

peynes *s.* payne.

Peyters, *sb. (gen.)*, **51**,57 *die St.-Peters-Kirche.*

Phebus, *eigenn.*, **84**,13901 *gott Phöbus.*

Philistêi, *volksn., pl.* **22**,16; *gen.* Philistêa **22**,8; *akk.* Philistêos **22**,14 *die Philister.*

Philistêiscan, *schw. adj., dann sb. pl.*, **22**,20 *die Philister.*

pic, *st. n., me.* pich **32**,218; pik **67**,127; pyk **67**,282 *pech; ne.* pitch.

pilche, *sb.*, **46**,225 *pelz(werk).*

pilgrym, *sb.*, **65**,59,4; pilgrame **73**,9 *pilger; ne.* pilgrim.

pîn, *st. f., me.* pin(es) **27**,34; pin(e) **32**,286; pyne **55**,25; *pl.* pine **33**,29; pynes **58**,91; *dat.* pinan **33**,39; pinen **33**,42 *pein, leiden. leid; ne. (veraltet)* pine.

pînian, *schw. v., me.* pinen **33**,23; pyne; *prät. me.* pined **27**,18; *p. p. me.* pined **27**,20; ʒepined **28**,23; ipined **32**,187 *peinigen, martern; me.* pinie **32**,142 *pein dulden; ne. (veraltet)* pine.

pînung, *st. f., me. (inneres objekt)* pining **27**,19 *peinigung.*

pit, *sb.*, **69**,162,2 *grube; ne.* pit.

pitee, *sb.*, **64**,17 *mitleid; ne.* pity.

pitous, *adj.*, **65**,61,5 *mitleiderregend; ne.* piteous.

pitscher, *sb., pl.* pitscheris **70**,34 *krug; ne.* pitcher.

pitwisly, *adv.*, **60**,97 *mitleiderregend; ne.* piteously.

place, *sb.*, **58**,68 *ort, stelle; ne.* place.

plaie *s.* plegian.

planette, *sb., pl.* planettis **67**,345 *planet; ne.* planet.

plantian, *schw. v., prät. me.* planted **58**,111 *pflanzen, schaffen; ne.* plant.

play *s.* plega, plegan.

playn, *sb.*, 48,218; playne 66,418 *plan, feld; ne.* plain.

plega, *schw. m.*, 17,174; *me.* pleie 37,62; play 48,160 *spiel, freude; ne.* play.

plegian, *schw. v., me.* pleie(δ) 37,28; plaie 46,438; play (him) 48,159; *prät.* plegode 22,82; *p. p. me.* ypleyd 47,1105 *spielen (mit gen.), unterhalten, sich vergnügen, ergötzen, tournieren (?); prät. pl.* plegodan 18,52; *ne.* play; *vb.-sb.* pleing 48,32 *spiel, unterhaltung.*

pleinte, *sb.*, 44,134 *klage; ne.* plaint.

pleise *s.* plese.

plente, *sb.*, *menge; ne.* plenty; *adv.*, 67,146 *in menge.*

plenteuous, *adj.*, 19e,12 *reichlich; ne.* plenteous.

plese, *v., p. p.* pleisit 72,II,*titel gefallen; ne.* please; *p. präs.* plesande 60,8 *angenehm, gefällig.*

pleyne, *v., p. p.* pleyned 48,224 *beklagen; vgl. ne.* complain.

plight, *v.*, pliȝtte 46,252; *prät.* plight 48,181 *verpfänden, geloben.*

pliht, *st. m., me.* plyt 58,114 *zustand; ne.* plight.

plogh *s.* plouh.

plom, *sb., senkblei; ne.* plumb; *adj., adv.*, 67,520 *lotrecht, senkrecht.*

plouh, *sb.*, 35,95; plogh 67,534; *pl.* plouis 35,95 *pflug; ne.* plough.

plûme, *schw. f., Ep.* plûmae 1,19; *me.* ploume *pflaume; ne.* plum.

plyt *s.* pliht.

poore *s.* povere.

pope *s.* pâpa.

popig, *sb., geschl.?, Ep.* popaeg 1,19; *me.* popi *mohn; ne.* poppy.

pople *s.* peopull.

pore-men 51,77 *s.* povere, mon.

port, *st. m. n.*, 17,125; *me.* port 58, 90 *hafen; ne.* port.

porter, *sb.*, 61,1117 *pförtner; ne.* porter.

posstless *s.* apostol.

post, *st. m.*, 22,46; *me.* post *pfosten; ne.* post.

postpone, *v.*, 71,28 *verschieben; ne.* postpone.

pouer *s.* povere.

povere, *adj.*, poure 35,80; pouer 42,42; pouere 44,58; povre 46, 306; pore(men) 51,77; pure 62, 37; poore 65,62,7 *arm, armselig;*

sb. 35,80; 44,101 *die armen; ne.* poor.

poverte, *sb.*, 46,304 *armut; ne.* poverty.

pound *s.* pund.

pour, *v.*, 70,34 *hinuntergießen, einschenken; ne.* pour.

poure *s.* povere, pure.

pouste, *sb.*, 45,57 *macht; nschott. veralt.* poustie.

pout-staff, *sb.*, 66,402 *stange zum ziehen des fischnetzes.*

power, *sb.*, 47,1006; powere 48,21 *macht; ne.* power.

poyete, *sb.*, *pl.* poyetes 59,33; poyetis 59,47 *dichter; ne.* poet.

poynt, *sb.*, 48,78 *punkt; ne.* point; at þe poynt 58,68 *im augenblick.*

praie *s.* preyen.

prass, *sb.*, 28,68 *stolze pracht.*

pray, *sb.*, 61,1107 *beute; ne.* prey.

pray, prayand, praye, prays *s.* preyen.

preche *s.* prechie.

prechement, *sb.*, 48,238 *predigen.*

prechie, *v.*, 40,4; preche 58,81; preiche 71,14; *p. p.* preichit 71,37 *predigen; ne.* preach; *vb.-sb.* preching(e) 50,65 *predigt.*

precious, *adj.*, 62,12; pretiouxe 62,10 (*les.*) *kostbar, wert; ne.* precious.

prede *s.* prȳte.

pref, *sb.*, *probe, beweis; vgl. ne.* proof; in pref 61,1150 *erprobt(?).*

preiche, preichit *s.* prechie.

prêost, *st. m., me.* prest 42,58; *pl.* prêostas 15,118; *me.* prestis 19e,11 *priester; ne.* priest.

pres, *sb.*, 48,207 *andrang, gedränge, haufe; ne.* press.

president, *sb.*, 19e,14 *landpfleger; ne.* president.

presence, *sb.*, 69,166,1 *gegenwart; ne.* presence.

present, *sb.*, 42,24 *geschenk; ne.* present; to present 48,219 *als schaustück.*

present, *sb.*, *gegenwart; ne.* present; in pressent 42,35 *gegenwärtig, vor.*

pressent *s.* present.

prest, prestis *s.* prêost.

preve, *v.*, prufe 67,460; *p. p.* preuyt 59,47 *prüfen, untersuchen, beweisen, erweisen; vgl. ne.* prove.

preue, *adj.*, **60,62** *geheim, vertraut;*
ne. privy.

preuely, prevely *s.* priueliche.

preyen, *v.*, preye **44,**169; pray
63,29; praie **65,**62,8; *2. sg. präs.*
prays **67,**242; *p. präs.* prayand
49,8; *prät.* preiede **56,**21 *bitten,*
beten; ne. pray.

preyse, *v.*, **44,**60 *preisen, loben;*
ne. praise.

prician, *schw. v., me. 3. pl. präs.*
prykyaþ **61,**1106 *spornen, reiten;*
ne. prick; *p. p.* priked obout **57,**
15 *herumreiten, streifzüge machen.*

pride *s.* prŷte.

prik *s.* prician.

prime, *sb.*, **69,**171,5 *die erste tages-*
stunde, 9 uhr morgens; ne. prime.

prince, *sb.*, **48,**7 *fürst; ne.* prince;
prince(s) of prestis **19**e,11; **45,**3
hoherpriester.

princes, *sb.*, **72,**II,1 *prinzessin;*
ne. princess.

priorie, *sb.*, **48,**110 *priorei, kloster;*
ne. priory.

pris, *sb.*, **46,**446; prise **59,**47 *preis,*
wert; **51,**86 *lob; ne.* price; of pris
46,120 *anerkannt.*

prise, *v., p. p.* prist **59,**33 *preisen;*
ne. prize.

prisun, *sb.*, **27,**8; prisoun **48,**127;
prison **48,**136; prisune; prysoun
58,79 *gefängnis; ne.* prison; **61,**
1112 *gefangener.*

prisuning, *sb.*, **45,**55 *einker-*
kerung.

priueliche, *adv.*, **50,**79; preuely
60,91; prevely **70,**20 *im geheimen;*
ne. privily.

privité, *sb.*, *heimlichkeit; ne.* pri-
vity; in privité **46,**84 *insgeheim.*

processe, *sb.*, **48,**73 *hergang, vor-*
gang; process **71,**29 *umschweif,*
formalität; ne. process.

proffer, *sb., pl.* proffres **65,**60,6;
profres **65,**61,1 *anerbieten; ne.*
profer.

profyt, *sb.*, **68,**426 *vorteil, nutzen;*
ne. profit.

prologe, *sb.*, **59,**96; prologue **59,**
99 *vorrede; ne.* prologue.

promys, *v.*, **65,**59,1 *versprechen;*
ne. promise.

proper, *adj.*, **69,**173,4 *eigen, richtig;*
ne. proper.

prophete, *sb.*, **40,**68 *prophet; ne.*
prophet.

propreliche, *adv.*, **50,**19 *eigent-*
lich, genau; ne. properly.

proud *s.* prût.

prouendis, *pl., sb.*, **48,**5 *präbenden,*
pfründen; vgl. ne. prebend.

prouerbe, *sb., pl.* -s **63,**25 *sprich-*
wort; ne. proverb.

Prouince, *ländern.*, **48,**8 *die*
Provence.

provyd, *v.*, **73,**6 *versorgen (mit);*
ne. provide.

prowde *s.* prût.

prowdly, *adv.*, **67,**17 *stolz; ne.*
proudly.

prowesse, *sb.*, **50,**109 *heldentat;*
ne. prowess.

prud *s.* prût.

prude *s.* prŷte.

prufe *s.* preve.

prût, *adj., me.* prud **88,**56; proud
46,3; proude **52,**32; *pl. (sb.)* prute
82,274; *sup.* prowdist **67,**543 *stolz,*
hochmütig; ne. proud.

prykyaþ *s.* prician.

prysoun *s.* prisun.

prŷte, *schw. f.*, prŷde; *me.* prude
46,125; pryde **49,**12; prede **50,**63;
pride **60,**46 *stolz; ne.* pride.

psalme *s.* sealm.

Pulgara, *volksn., st. m. gen. pl.*
17,27 *die Bulgaren.*

pulle, *v., ziehen; ne.* pull; *p.* up
67,153 *aufziehen, entfalten.*

pulpet, *sb.*, **71,**37 *kanzel; ne.* pulpit.

pund, *st. n.*, **12,**19; *me.* pund(e)
82,67; pound **46,**224 *pfund; ne.*
pound.

punderngeo(n)(d) (*oder besser*
punderngeorn?),*sb.p.präs.(adj.?),*
kent. **20,**19 *abwägender.*

pupplisse, *v., p. p.* -id **19**e,15
verkündigen; ne. publish.

purchace, *v.*, **48,**62; *prät.* pur-
chaisid **45,**4 *sich verschaffen; ne.*
purchase.

pure, *adj.*, poure **49,**18 *rein; ne.*
pure.

pure *s.* povere.

purvaye, *vb.*, **67,**553 *versorgen, an-*
weisen; purvay **60,**74 *bestimmen;*
ne. purvey.

purueiance, *sb.*, **48,**85 *verfügung,*
vorkehrung, vertrag; ne. purvei-
ance.

putte, *vb.*, **49,**3; *prät.* put **67,**21;
p. p. put **67,**39; putt **19**e,6 *setzen,*
legen; **49,**3 *bringen, schaffen; ne.*

put; to be put **62**,5 *sich befinden;*
refl. **60**,58 *sich begeben;* p. þerto
59,33 *sich daran machen;* put by
71,30 *beiseite lassen;* put ira **49**,
10 *ausstoßen aus;* put doun **64**,
15 *unterdrücken;* put vp **48**,111
entfalten.
pyk *s.* pic.
pyn, *sb., stecknadel? ne.* pin; set i
not at a pyn **67**,364 *halt ich nicht*
eine stecknadel wert.
pyn, *v., 3. pl. präs. ind.* pynez **58**,79;
p. p. pynd **67**,332 *einpferchen, ein-*
sperren; ne. pin.
pyne, pynes *s.* pîn, pînian.
pynez *s.* pyn.

Q.

qu- *s.* cw-, hw-.
quad *s.* cweðan.
quair, *sb.*, **69***(titel) buch.*
quairfoir, *konj., s.* hwǽr.
quaked *s.* cwacian.
quam *s.* hwâ.
quan, quanne *s.* hwonne.
quar, quar(e)fore *s.* hwǽr.
quarterne *s.* cweartern.
quasse, *v., prät.* quassed **48**,99
aufheben, verwerfen; ne. quash.
quat *s.* cweðan, hwâ.
quatsum *s.* hwâ.
quaynte, *adj.*, **50**,50 *eingebildet,*
kundig, wissend; (original: . . . se
font si cointe de . . .); *ne.* quaint.
quað, quaþ *s.* cweðan.
quaþþrigan, *sb.*, **36**,3 *viergespann.*
quead-schipe, *sb.*, **87**,42 *schlechtig-*
keit.
quelle *s.* cwellan.
queme *s.* gecwême, cwêman.
quen *s.* hwonne.
quen(e) *s.* cwên.
quer-faste, *adv.*, **38**,31 *querüber.*
queþ *s.* cweðan.
quha *s.* hwâ.
quhairfoir *s.* hwǽr.
quhais, quham *s.* hwâ.
quhar *s.* hwǽr.
quhat *s.* hwâ.
quhele *s.* hwêol.
quhen *s.* hwonne.
quhethir, quheþir *s.* hwǽðer.
quhich, quhilk *s.* hwelc.
quhill, quhilum *s.* hwil.
quhirlen, *v., drehen; ne.* whirl;
vb.-sb. quhirlyng **69**,165,2 *drehen.*

quho, quhy *s.* hwâ.
quicae *s.* cwice.
quic, quick *s.* cwic.
quiddeþ *s.* cweðan.
quiet, *sb.*, **69**,173,2 *ruhe; ne.* quiet.
quik, quike *s.* cwic.
quiles *s.* hwîl.
quiquae *s.* cwice.
quite, *adj.*, **47**,1169 *los, frei; ne.* quit.
quod *s.* cweðan.
quoke *s.* cwacian.
quom *s.* cuman.
quor *s.* hwǽr.
quoth *s.* cweðan.
qwite, *v.*, **67**,216; qwyte **67**,228
vergelten; vgl. ne. requite.

R.

rac, *sb., pl.* rakkes **58**,139 *dunst,*
wolke; ne. (veraltet) rack.
racen-têah, *st. f.,* racetêag(um)
22,70; *me.* raketeȝe **82**,279 *kette,*
fessel; pl. rachenteges **27**,29 *hals-*
eisen.
rad, *adj.*, **45**,23; red **72**,10 *erschreckt,*
besorgt, in furcht.
râd *s.* ridan.
rǽd, *st. m.*, **6**,16; *me.* red(e) **32**,4;
red **46**,328 *rat, weisheit, klugheit;*
45,99; *pl.* redis **45**,101 *beschluß;*
48,135 *anerbieten; vorteil; ne. (ver-*
altet) read; *me.* couþe red **44**,148
wußte rat; whet sceal us (hwat
shal me **44**,118) to rede? **82**,90
was wird uns (mir) helfen?; kent.
swâ mǽst rêd sîe **12**,27 *wie es*
am vorteilhaftesten ist; tô rǽde
gecuron **15**,126 *erkoren sich zum*
ratschluß.
rǽdan, *st. später schw. v., me.* rǽden,
reade **34**,14003; rede **44**,104; ree-
de **67**,341; *3. sg. präs. konj.* rede **82**,
156; *prät.* rǽdde **26**,18; *me.* radde
46,152; *pl.* rǽddon **15**,25 *raten,*
rat erteilen, rat, hilfe schaffen;
für jemanden sorgen, beherrschen;
rede **82**,224; reden **88**,8; reid 71,
23; *3. sg. präs.* rǽt **82**,307; ret
50,76; *prät.* redde **51**,45; *p. p.* red
67,46 *lesen;* rede **51**,54; *p. präs.*
redande **49**,8 *gebete lesen; ne.* read.
radde, rǽdde, rǽddon *s.* rǽdan.
rǽde, *adj., me.* redi **39**,1321; radi
42,30; redy **48**,156; reddy **62**,34
bereit; **45**,26 *gern; ne.* ready.
rǽden *s.* rǽdan.

r æ d l î c, *adj.*, 14,*schl.-ged.*19 *ratsam.*
r æ d l i c e, r a d l y *s.* hrædlîce.
r æ f n a n, *schw.v.*, 9,643 *vollbringen,*
   aushalten, erleiden.
r æ f t e r, *st. m., Ep. pl.* reftras 1,1;
   me. rafter *balken; ne.* rafter.
r a g g e, *sb., pl.* raggis 68,9 *lumpen;*
   ne. rag.
r æ g l *s.* hrægl.
r a i d *s.* rîdan.
r a i r *s.* rârian.
r a i s s *s.* rîsan.
r a k k e s' *s.* rac.
r a m - s k y t, *sb.*, 67,217 *bocksdreck;*
   vgl. schott. skite; *ne.* shite.
r a n *s.* eornan.
r a n d, *st. m., pl.* -as 23,20 *schild.*
r a n d - *s.* rond-.
r a n d - w i g g e n d, *sb. p. präs., gen.*
   pl. -ra 11,188 *schildkämpfer; vgl.*
   wîg.
r a n g *s.* ring.
r â p, *st. m.*, 22,20; *me.* rop(e) 47,985;
   rop 58,150 *strick, tau; ne.* rope.
r â r i a n, *schw. v., me.* rair 60,97
   schreien, brüllen; ne. roar.
r â s, r a s *s.* rîsan.
r â s, *st.m.*, 8,587 *bedrängnis, gefahr;*
   me. rase 67,429 *andrang, schwall.*
r æ s t a *s.* restan.
r æ s w a, *schw. v.*, 11,178 *herrscher.*
r æ t *s.* rædan.
r a t h, *sb.*, 44,75 *berater* (*vgl.* ræd).
r æ u e d e n *s.* rêafian.
r æ u e r e s, *st.m.pl.*, 84,14059 *räuber.*
r a u n s o n, *sb.*, 48,184 *lösegeld; ne.*
   ransom.
r a v y n *s.* hræfn.
r a y k e, *v.*, 58,65 *sich trollen, begeben;*
   ne. prov. reike, rake.
r a y l e(þ), *v.*, 52,13 *schmücken; vgl.*
   hrægl.
r a y n, *v.*, 67,147; *pl. präs.* renys
   67,351 *regnen.*
r a y n *s.* regn.
r a þ e, r a ð e *s.* hraðe.
r ê a d, *adj., me.* read 37,53; red 44,
   47 *rot; ne.* red.
r ê a d *s.* rêodan.
r e a d e *s.* rædan.
r ê a f, *st. n.*, 19b,3; *me.* reaf 19c,3
   kleid; reif 60,118 *beute.*
r ê a f i a n, *schw. v., me.* reue 49,18;
   prät. merc. rêafade13,7; ræuede(n)
   27,38; refte44,94; *p.p. me.* revede
   60,12 *rauben; ne.* (be)reave; *me.*
   vb.-sb. reauing 32,253 *raub.*

R ê b e c c a, *schw. f.*, 21,7 *Rebekka.*
*rêcan,*schw.v.*, reccan; *me.* recche
   32,221; recke; *3. sg. präs. ind.* recþ
   32,135; *prät.* rôhte; *me.* rohte(n)
   34,13804 *sich kümmern; ne.* reck;
   prät. pl. rouȝt 42,14 *es lag ihnen*
   an etwas.
r ê c a n, *schw. v., me.* reken; *p. präs.*
   akk. m. reccendne10,2932*rauchen;*
   ne. reek.
r e c c a n, *schw. v., me.* rechen; *prät.*
   reahte; *pl.* rehton 16,55 *in ord-*
   nung bringen; erklären, übersetzen.
r e c c e l ê a s, *adj.*,14,44; *me.*recheles
   sòrglos, nachlässig; ne. reckless.
r e c c h e, r e c c h e n *s.* rêcan, reccan.
r e c e n e, *adv.*, 11,188 *sogleich.*
r e c e n l î c e, *adv., nh.* hreconlice
   19a,8; *me.* rekenli *sogleich.*
r e c k e *s.* rêcan.
r e c o m a u n d e, *v., p. präs.* -yng 65,
   61,3 *empfehlen; vgl. ne.* recom-
   mend.
r e c o u e r e, *sb.*, 48,154 *erholung,*
   wiederherstellung; ne. recovery.
r e c þ *s.* rêcan.
r e d *s.* ræd, rad, rædan, rêad.
r e d d y *s.* rêde.
r e d e, r e d e n *s.* ræd, rædan.
r e d i *s.* rêde.
r e d i s *s.* ræd.
r e d l i c h e *s.* hrædlice.
r e d y *s.* rêde.
r e d y n e s s e, *sb.*, 40,39 *bereitschaft;*
   ne. readiness; *vgl.* rêde.
r e d þ e r *s.* hraðe.
r e e d e *s.* rædan.
r e f f u s s *s.* refuse.
r e f t e *s.* rêafian.
r e f t r a s *s.* ræfter.
r e f u s e, *v.*, reffuss 71,5 *versagen,*
   entsagen; ne. refuse; *vb.-sb.* re-
   fusyng 48,91 *weigerung.*
r e ȝ ȝ s e n n, *v.*, 36,15599; *3. prs. sg.*
   reȝȝseþþ 36,70 *erheben, aufrichten;*
   prät. reised 48,82 *stiften; ne.* raise.
r e g i o u n, *sb.*, 64,26 *gegend, reich;*
   ne. region.
r e g n, *st. m.*, rên 9,14; *me.* rein(e)
   87,58; rayn 67,445 *regen; ne.* rain.
R e g n e s b u r g, *eigenn., f.*, 17,15
   Regensburg.
r e g o l l î c, *adj., dat. pl.* regollecum
   16,83 *von der regel vorgeschrieben.*
r e h t o n *s.* reccan.
r e h t w - *s.* rihtw-.
r e i d *s.* rædan.

reif s. rêaf.

rein(e) s. regn.

reised s. reȝȝsenn.

reke, v., 47,1027 vergraben; vgl. ne. rake und d. rechen.

relation, sb., pl. -is 71,27 persönliche bitte, ersuchen; ne. relation.

rele, v., prät. reled 58,147 schwanken; 69,165,7 sich herumdrehen; ne. reel.

relefe, sb., 48,41 taxe eines mündels bei seiner lehensergreifung; ne. relief.

religiouss, adj., 71,3 religiös, kirchlich, geistlich; ne. religious.

religiun, sb., 41,16 religion, ritus; ne. religion.

remanant, sb., 69,171,7 das übrige, der übrige teil; ne. remnant.

remeid, v., 73,5 abhelfen, sich bessern; ne. veralt. remeid, remede.

remen s. hrîeman.

rên s. regn.

rene, renne s. eornan.

renk s. rinc.

rent, sb., 48,31 rente, einkommen; ne. rent.

renys s. rayn.

rêodan, st. v., prät. rêad 10,2931 (les.) röten.

reogolward, st. m., kent. 12,27; reogolweord 12,34 regelwart (lat. praepositus).

reord, st. f., 9,338; me. rurd 58, 64; rerd 67,230 rede, ton; 67,101 lärm.

reordian, schw. v., 9,632; prät. reordade 7,196 reden, preisen.

rêow, reow s. rôwan.

reowe(n), reoweð s. hrêowan.

reowliche s. hrêowlîce.

repent, v., 67,81; repente 67,91 bereuen; ne. repent.

repentans, sb., 62,14; repentance 67,56 reue; ne. repentance.

repreif s. repreve.

reprevable, adj., 64,25 tadelnswert, schande machend; vgl. ne. reprovable.

repreve, v., repreif 60,84 tadeln; ne. reprieve, reprove.

reprufe, sb., 67,84 widerspruch, schmach; ne. reproof.

rerd s. reord.

reren, v., p. p. rered vp 51,69 aufrichten; ne. rear.

resaue, v., 62,27 empfangen; ne. receive.

resoun, sb., 64,15; resone 66,385; reson 67,81 vernunft, recht; ne. reason; bi resoun 47,1052 mit recht.

rest, st. f., 16,26; me. reste 82,360; rest 88,6; rist 42,15; ryst(e) 49,10 rast, ruhe(stätte); 87,70 aufenthalt; ne. rest.

restan, schw. v., 10,2880; me. resten 87,41; ryste 49,37; pl. präs. ind. rested 83,103; prät. reste 40, 12; rested 48,37 rasten, (aus-) ruhen, zur ruhe kommen; ne. rest.

restedæg, st. m., 19b,1; me. restesdaig 19c,1; restedayg 19c,1 ruhetag, sabbath.

restore, v., p.p. restord 67,29 wiederherstellen, ersetzen; ne. restore.

ret s. rêdan.

retreie, v., prät. retreied 48,143 wieder versuchen.

retrograde, adj., 69,170,5 rückwärts schreitend; ne. retrograde; s. froward.

retwrnynge, sb., 62,17 rückkehr; ne. returning.

reu s. rôwan.

reue, revede s. rêafian.

reuliche s. hrêowlîce.

reuþe, sb., 46,318 mitleid, erbarmen.

rew, rewe(n) s. hrêowan.

rewful(e) s. hrêowful.

rewle, v., 67,429 lenken, leiten; rule 72,II,11 verwalten; ne. rule.

reylle, sb., 67,298 rolle, spindel, haspel (?); ne. reel.

reyne, v., p. präs. reynand 67,111 herrschen; ne. reign.

rêþe, adj., 6,16; me. reþe; komp. fl. rêðre 15,27 wild, grausam.

ribaudie, sb., 48,193 unzucht, liederlichkeit; ne. ribaldry.

rîce, adj., 10,2845; nh. akk. m. riicnæ 4,2a; me. rice 27,13; riche 84,13865; sup. rîcost(an) 17,165 mächtig; 27,43; rich(e) 82,41; ryche (sb.) 85,80 reich, prächtig; ne. rich. — 85,B91 wohl fehlerh. für chiriche.

rîce, st. n., 9,664; me. riche 82, 324 reich; 14,19 regierung; ne. (bishop)ric.

rich, riche s. rice.

richelie, adv., 48,4 reichlich; ne. richly.

r i c h t, r i c t *s.* riht.
r î d a n, *st. v.*, 17,188; *me.* riden 44,10;
ride (*les.* ryde) 43,34; *präs.* rydand
70,10; *prät.* râd 23,18; rod 43,32;
rode 48,207; raid 66,382; *pl. me.*
riden 43,35 *sich bewegen, reiten;*
43,138 *fahren lassen; ne.* ride.
R i f f e n, *gebirgsn.*, 17,33 *montes
Rhipaei (Ural?).*
r i f i l, *v., prät.* rifild 57,16; *p. p.*
rifild 57,17 *rauben, plündern, weg-
nehmen; ne.* rifle.
r i g h t, ri3t *s.* riht, rihtan.
r i g o u r, *sb.*, 65,64,7 *strenge; ne.*
rigour.
r i h t, *adj.*, 15,79; ryht 7,196; *me.*
rihht(e) 36,44; ri3t 42,12 *recht,
richtig, gerade; subst. n.*, richt
44,36; right 64,20 *recht; ne.* right;
on riht; on ryht 9,664; *me.* o ri3t
39,1299; ari3t 50,4; aryht 51,25;
mid rihte(n) 34,13824; wiþ ri3t(e)
47,1114 *ordentlich, recht; me.* bi ri3t
47,990 *rechtmäßig; me.* to richt
44,109; to ryht 51,77 *in ordnung,
adv.*, rihte 23,20; ryhte 17,5; riht;
me. rihte 82,109; riht, rict 85,79;
rihht 86,8; ri3t 42,3; right 48,163;
rycht 60,5; richt 60,121 *richtig,
recht, ganz, gerade;* ri3t 47,1036
sehr; ne. right.
r i h t a n, *schw. v., prät. me.* right 59,
69 *richten, bearbeiten; prät.* rihte
15,113 *regieren; ne.* right.
r i h t e *s.* riht, rihtan.
r i h t e s *s.* riht.
r i h t - l ê c a n, *schw. v., me.* ryht-
leche 40,57 *belehren.*
r i h t - s p e l l, *st. n.*, ryhtspell 14,85
rechte, wahre kunde.
r i h t - w î s, *adj., merc.* rehtwis 13,
41; *me.* ryghtwys(e) 49,6; richt-
wis(e) 44,37 *gerecht, rechtschaffen;
ne.* righteous.
r i h t - w î s n e s s, *st. f., merc.* reht-
wîsnis 13,40; *me.* rihtwisnesse
82,72 *gerechtigkeit; ne.* righteous-
ness.
r î m, *st. n.*, 8,587 *zahl, anzahl.*
r î m a n, *schw. v.*, 15,182; *prät.* rimde
aufzählen, hersagen.
R î n, *flußn., m.*, 17,4; *gen.* -es 17,7;
dat. -e 17,12 *der Rhein; vgl. ne.*
Rhine.
r i n c, *st. m.*, 10,2845; *me.* rink, renk,
mann, diener.
r i n g *s.* hrincg.

r i n g, *v., 3. sg. präs. ind.* ryngeþ
52,12; *prät.* rang 70,31 *erklingen,
widerhallen; ne.* ring.
r i n k *s.* rinc.
r i o t e r i e, *sb.*, 48,192 *schwelgerei,
prassen; ne.* riotry.
r î p a n, *st. v., me.* ripen 82,22 *ernten;
vgl. ne.* ripe.
r î s a n, *st. v., me.* risenn 86,15612;
imp. rys 58,65; *prät.* râs; *me.* ras
45,33; ros; roos 19e,6; raiss 70,18;
pl. rison; *me.* risen 42,15; ryse;
ros 58,139; *p. p.* risen; *me.* risun
19e,7; risenn 86,15605 *sich erheben
(oft mit up, upp), auf(er)stehen;
p. p.* rysen 67,442 *steigen; ne.* rise.
r i s t *s.* rest.
r i s u n *s.* rîsan.
r i u e, *sb.*, ryue 43,134 *ufer.*
r i u e l i n g, *sb.*, 57,19 *schottische
fußbekleidung von rauhem fell;
dann schimpfwort für die Schotten
(etwa: bundschuh).*
r i x l e n, *v., 3. sg. präs. ind.* rixlet
82,393 *regieren.*
r î ð, *st. ? m.*, 14,schl.-ged.19 *bach,
wasserlauf.*
r o, *sb.*, 46,291 *ruhe* [*an.* ró].
r o b b, *v., prät.* robbed 48,84 *rauben;
ne.* rob.
r o b b e r e, *sb., pl.* (w)robberes 44,
39 *räuber; ne.* robber.
r o b e, *sb., pl.* robbis 72,II,11
kleidungsstück; ne. robe.
r o b e r i e, *sb.*, 41,34 *räuberei; ne.*
robbery.
r o c h e, *sb.*, 43,75 *felsen; vgl. ne.* rock.
r ô ð, *st. f.*, 4,2b; *me.* arode (= on
rode) 32,187; rod(e) 87,88; rod
42,60; roed 46,254; *dat. sg.* roden
19c,5 *stamm, kreuz;* rode 52,13
strauch: ne. rod, rood.
r o d, rode *s.* rîdan.
r o d e *s.* rôð, rudu.
r o d e n *s.* rôð.
r o d e r a, roderum *s.* rodor.
r ô d e - t r ê o, *st. n., me.* rodetre 86,9
kreuzesstamm.
r o d o r, *st. m., pl. gen.* rodera 9,664;
rodra 14,89; *dat.* roderum 8,644
himmel.
r o e d *s.* rôð.
r o 3, rogh, rogh- *s.* rûh, rûhlîc.
r o h t e n *s.* rêcan, reccan.
r o i a l l, *adj.*, 65,59,1; royall 65,60,4,
königlich; ne. royal.
r o k, *sb.*, 67,338 *rocken; ne.* rock.

Rokesburw, *ortsn.*, 44,139 *Rox-burgh.*
rollen, *v.*, *p. p.* rold 69,163,5; rollit 69,172,2 *rollen; ne.* roll.
rom(m), *st. m.*, 10,2926; *me.* ram 67, 217 *widder; ne.* ram.
Rôm, *ortsn.*, *st. f.*, *gen.* Rôme 14, 85; *me.* Rome 46,105 *Rom; ne.* Rome.
Rômâne, *volksn.*, *pl.* 15,224 *Römer.*
Rômânisc, *adj.*, 15,99 *römisch.*
Romayn, *volksn.*, 59,69 *Römer; ne.* Roman.
rome, *v.*, 44,64 *durchstreifen, durchreisen; ne.* roam.
Rôme, Rome *s.* Rôm.
Rôm-ware, *volksn.*, *pl.*, *gen. pl.* Rômwara 14,89 *Römer.*
ron *s.* eornan.
roos *s.* rîsan.
rop(e) *s.* râp.
ros *s.* rîsan.
rose, *schw. f.*, *me.* rose 87,53 *rose; ne.* rose.
rose-red, *adj.*, 48,16 *rosenrot; ne.* rosered.
rôthor *s.* rôðor.
rouȝt *s.* rēcan.
roun *s.* round.
roun, roune *s.* rûn.
round, *adj.*, 69,159,2 *rund; ne.* round; on roun(d) 58,147 *im kreise herum; ne.* around.
rout, *sb.*, 57,16; route 48,115 *rotte, schar, haufe; ne.* rout.
rôwan, *st. schw. v.*, *me.* rowe 30,3; *prät.* rêow; *me.* reow; reu 80,2; rowit 60,19 *rudern, zu schiffe fahren; ne.* row.
rowe *s.* rîh, *sb.*
rowned *s.* rûnian.
royall *s.* roiall.
rôðor, *st. n.*, *Ep.* rôthor 1,24; *me.* roþer *ruder; ne.* rudder.
ruchen *s.* *ryccan.
rudnyng, *sb.*, 58,139 *röte (blitz?).*
rudu, *st. f.*, *me.* rode 52,13 *röte, rote farbe.*
rugh-fute, *adj.*, 57,19 *rauhfüßig.*
rûh, *adj.*, 21,15; *schw. flekt.* rûwan 21,37; *me.* roȝ 58,139 *haarig, rauh; ne.* rough; *me. sb.* roȝ 58,144 *rauheit;* rowe 48,66 *strenge.*
*rûhlîc, *adj.*, *adv.*, *me.* roghlych 58,64 *rauh; ne.* roughly.
rule *s.* rewle.
rûm, *adj.*, 9,14 *geräumig.*

run *s.* rûnian.
rûn, *st. f.*, 8,656; *me.* run(e) 82,89; roun *geheimnis;* roun(e) 46,71 *heimliches geplauder; rede;* 52,2 *gesang, lied.*
rûnian, *schw. v.*, *me.* run 45,101; *prät.* rowned 58,64 *raunen, (zu)flüstern; ne. veralt.* roun, round.
rurd *s.* reord.
rûwaȝ *s.* rûh.
ruwen *s.* hrêowan.
rwly *s.* hrêowlice.
rybaud, *sb.*, 58,96 *pl.* -es *schurke; ne.* ribald; *vgl.* ribaudie.
*ryccan, *v.*, *me.* ruchen 58,101 *(seemännisch) überholen, einholen, ordnen; vgl. an.* rykkja, *ahd.* rucchen.
ryche *s.* rîce.
rychesse, *sb.*, 65,60,7 *reichtum; ne.* riches.
rycht *s.* riht.
rydand, ryde *s.* rîdan.
ryfe, *v.*, 3. *sg. präs.* ryfis 67,399 „ zerreißen, zerspringen; ne.* rive.
ryge, *st. m.*, *Ep.* rygi 1,23; *me.* rie *roggen; ne.* rye.
ryght, ryht(e) *s.* riht.
ryht-fremmend, *p. präs.* 9,632 *recht handelnd.*
ryht-norþanwind, *st. m.*, 17,64 *ein genau nördlicher wind.*
rym, *sb.*, 44,21 *reim, gedicht; ne.* rhyme, rime.
rŷman, *schw. v.*, *prät. pl.* rŷmdon 14,8 *erweitern; vgl.* gerŷman.
ryn *s.* eornan.
ryngeþ *s.* ring.
rynne(n) *s.* eornan.
ryp, *st. n.*, 9,246 *reife, ernte; vgl.* ripan.
ryse *s.* rîsan.
ryste *s.* rest, restan.
ryue *s.* riue.

S.

sa *s.* swâ.
sæ, *st. m. f.*, sae(s) 18,3; *me.* sæ 27,1; ȝe 82,83; sea 83,25; see 84,13787; ȝe 50,91 *see, meer; ne.* sea.
saah *s.* sêon.
sabeline, *sb.*, 89,362 *zobel.*
sabill, *sb.*, 78,19 *zobel, schwarze farbe; als adj. schwarz; ne.* sable.
saboth, *sb.*, 19e,1 *sabbath; ne.* sabbath.

saca *s.* sacu.

sæcc, *st. f., gen. dat.* sæcce 18,4
streit; vgl. sacu.

sâcerd, *st. m., pl.* sâcerdas 15,81;
gen. sâcerda 19a,11 *priester.*

sæcga(s), sæcgeað *s.* secgan.

sac-lêas, *adj., (pl.* -o) 19a,14; *me.*
sakles 57,3 *schuldlos; ne. dial.*
sackless.

sacrament, *sb.,* 62,23 *sakrament;*
ne. sacrament.

sacu, *st. f., pl.* saca 20,29; saku
streit(sache); me. sake 38,7; 58,84
schuld, sünde; me. for ... sake 42,
38; for ... saik 70,39 *um ... willen;*
ne. for ... sake; *vgl.* sæcc.

sæd, *adj.,* 18,20; *me.* sed 32,388;
sead 37,30 *satt;* said 73,21 *miß-*
gestimmt, traurig; ne. sad.

sæd, *st. n.,* 9,253; *merc.* sêd 13,49;
me. pl. sedes, sedis 35,93 *same,*
samenkorn; ne. seed.

sæd, sæde, sædon *s.* secgan.

safe *s.* save, sauf.

sag, saʒ *s.* sêon.

saga, sægca, sægde, sægdon,
sægdun *s.* secgan.

saʒes *s.* sagu.

saeʒhenn *s.* sêon.

sagu, *st. f.,* 22,36; *me.* sawe 46,57;
saʒe(s) 58,67 *ausspruch, erzählung,*
wort; 48,67 *gerede;* 22,36 *sage; ne.*
saw.

sæʒð *s.* secgan.

sâh *s.* sigan.

sæh, sahh *s.* sêon.

sahtnyss, *st. f., me. akk.* sahht-
nesse 36,68 *versöhnung.*

sai, said(e), sæide(n) *s.* secgan.

said *s.* sæd.

saie(n), sæigde, sæiʒð *s.* secgan.

saik *s.* sacu.

saill *s.* segl.

Saint Johnes toune, *ortsn.,* 57,7
die stadt Perth, wo heute noch
eine St. John's Church steht.

sainte, *adj.,* 50,31; seinte 28,17;
seynte 37,1; seint 44,177; saynt;
seyn 47,1103; saynd 50,26; saint
50,37; seynt 61,1128 *heilig; ne.*
saint (*vgl.* sanct).

sair *s.* sâr, sâre.

sais, saith *s.* secgan.

sake *s.* sacu.

sakles *s.* saclêas.

sæl, *st. m. f., me.* sel; sele; seylle
67,301 *glück.*

sal *s.* sculan.

salch *s.* sealh.

saldae, saldon, -un *s.* sellan.

Salemanness *s.* Salomon.

sælîc, *adj.,* 15,29 *zur see gehörig,*
überseeisch.

sæ-lida, *schw. m.,* 23,45 *schiffer.*

sall, salle *s.* sculan.

sallme-, salme- *s.* sealm-.

Salomon, *'eigenn.,* 36,34; Sale-
mann 36,54 *Salomon.*

salowig-pâd, *adj., fl.* -a 11,211;
saluwigpâdan 18,61 *mit dunklem*
kleide.

salt *s.* sculan, sealt.

saltu *s.* sculan.

saluen, *v., prät.* saluede 61,1123
grüßen; ne. dicht. salve.

saluwig-pâdan *s.* salowig-pâd.

salwe *s.* sealh.

sêlð, *st. f.,* 10,2934; *me.* sellþe 36,
102; selðhe 39,1341 *glück.*

sam *s.* som, somen.

sam- *s.* som-.

same, *pron.,* 14,50; *me.* same 65,
64,3; sam 72,II,11 (*der*)*selbe; ne.*
same; *vgl.* some.

same *s.* sceomu.

samen *s.* somen.

sæ-men *s.* sæ-mon.

samenyng, *sb.,* 48,222 *versamm-*
lung, begegnung.

sammyn *s.* somen.

samned *s.* somnian.

samod *s.* somod.

sæ-mon, *st. m., pl.* -men 23,29
seemann.

sanct, *adj., me.* scē 28,22 = sancte
33,8; sannte 36,15546; sanct 70,20
heilig; sb. pl. santis 45,56; sanctis
71,22 *heilige(r); (vgl.* sainte, *ne.*
saint).

sand, *sb.,* 67,75 *sand, land; ne.* sand.

sande *s.* sond.

sang *s.* singan.

sang, sæng *s.* song.

sanke *s.* sincan.

sâr, *adj.,* 7,209; *gen. pl.* sârra 11,
182; *me.* sar(e) 32,36; sair 60,
40 *schmerzlich, schwer; st. n.,* 8,
709; *me.* sor 37,133 *leid, gram;*
me. sor 32,374; sor(e) 40,77 *qual;*
ne. sore.

Sarazin, *volksn., pl.* Sarazins 48,
40; Sarazyns 61,1105 *Sarazene.*

sâr-cwide, *st. m., gen. pl.* -a 7,170
verletzende rede.

såre, *adv.*, **4**,3b; *me.* sare **82**,124;
    sore **82**,6 *schmerzlich;* sore **87**,82;
    sare **45**,98; sair 70,21 *sehr; ne.* sore.
sårgian, *schw. v., p. präs.* -ende
    13,41; *me.* sarigen *traurig sein.*
særi *s.* sårig.
sårig. *adj.*, **21**,58; *me.* særi, sori
    84,13989; sory **55**,20 *traurig, be-*
    trübt; ne. sorry.
sårigness, *st. f., me.* sorinesse
    87,36 *traurigkeit; ne.* sorriness.
sårlice, *adv., superl.* sårlîcast 8,571
    schmerzlich.
Sarra, *eigenn.,* **89**,1345 *Sarah.*
sårra *s.* sår.
sarui *s.* serve.
sat, sæt, sæten(n) *s.* sittan.
sateresdai *s.* sæterndæg.
sætern-dæg, *st. m.,* sæterdæg;
    me. saterdei **83**,78; sætterdæi,
    sateresdai **84**,13933 *sonnabend;*
    ne. Saturday.
Sathanas, *eigenn.,* **82**,283 *Satan.*
sæton *s.* sittan.
sætterdæi *s.* sæterndæg.
save, *v.,* saue 48,184; safe 67,309;
    p. p. ysaued **42**,20; sauyd 67,517
    retten; präp. saue 48,241; sayf 67,
    106 *außer, ausgenommen; ne.* save.
sauely, *adv.,* 48,226 *unbehelligt,*
    sicher; ne. safely.
sauf, *adj.,* 69,165,4; save; safe
    heil, wohlbehalten, sicher, frei;
    ne. safe.
sauh *s.* sêon.
såul, saule(n) *s.* såwol.
saunfayl, *adv.,* 47,1013; saunfail
    47,1163 *ohne irrtum, sicherlich.*
saut, *sb.,* 46,222 *versöhnung* [*zu*
    an. sátt], *oder p. p. versöhnt von*
    saute(n).
sauten, *v.,* saute 46,220 *versöhnen.*
sauter, *sb.,* 58,120 *psalter; vgl. ne.*
    psalter.
sauyd *s.* save.
saw *s.* sêon.
såwan, *st.v., me.* sowen, souin **85**,93;
    sogh(e) 58,67; *3. sg. präs.* soweþ,
    souit **85**,82; *prät. pl.* seowen **82**,
    22 *säen, ausstreuen; ne.* sow.
sawe *s.* sagu, sêon.
såwol, *st.f.,* såwul 8,669; såul 25,
    25; *gen.* såwle (= *dat. akk.* 13,1)
    15,22; såule 24,4; *pl.* såwla 9,584;
    såula 12,5; *dat.* såwlum 9,589;
    me. saul(e) 27,5; *flekt.* sawle **82**,
    302; soule **82**,394; zaule 50,9;

saull 62,11; *pl.* saulen **83**,6; saule
    88,20; saules 48,206 *scele; ne.* soul.
sawte, *sb.,* 59,57 *angriff; vgl. ne.*
    assault, veraltet sault.
Saxelond, *sb.,* **84**,14032 *Sachsen-*
    land.
Sæxisc, *adj.,* **84**,13978; Saxisc(e)
    84,14011 *sächsisch.*
sæxta *s.* sixta.
say *s.* secgan, sêon, swå.
sayd(e) *s.* secgan.
sayf *s.* sauf.
sayl(l)e *s.* segl.
sayn *s.* secgan.
saynd, saynt *s.* sainte.
says, saith *s.* secgan.
sæþ *s.* sêað.
scaith *s.* scaþe.
scal, scæl *s.* sculan.
scale, *v., prät.* scalit **60**,93 *sich*
    zerstreuen; ne. dial. scale.
scalu, *st. f., me. pl.* scalis **45**,79
    schale, schuppe; vgl. ne. scale.
scam-, scame, scamu *s.* sceom-.
scaped *s.* escapen.
scærp *s.* scearp.
scaet *s.* sceatt.
scateren, *v., prät.* scatered 27,4 *zer-*
    streuen, verschwenden; ne. scatter.
scawede *s.* scêawian.
scaþe, *sb.,* 46,235; scaith 66,440
    schaden, leid, schmerz.
scaþe *s.* sceaða.
scaþel, *adj.,* 58,155 *schädlich, ge-*
    fährlich.
scê 28,22 *s.* sancte.
scêabas *s.* scêaf.
sceacan, *st. v.,* 8,630; *me. prät.*
    schuk 66,404 *(sich) rasch bewegen,*
    schütteln; me. doun schake 48,120
    niederschmettern; prät. schock 48,
    84 *sich stürzen; ne.* shake; *me.*
    vb.-sb. 19e,2 *(les.)* schakyng *beben.*
sceâdan, *st. v., prät.* scêd, *me.*
    shedde, *ae. scheiden; me. p. p.*
    ished **87**,88; yssed 50,86 *ver-*
    gießen (vgl. ae. forscêâdan); *ne.*
    shed.
sceadu, *st. f.,* 9,210; *dat.* sceade
    9,234 *schatten; ne.* shade.
scêaf, *st. m., Ep. pl.* scêabas 1,2;
    me. scheef *garbe; ne.* sheaf.
sceal *s.* sculan.
scealc, *st. m., me.* shalke 59,72; *pl.*
    scealcas 11,230; *me.* shalkis 59,89
    knecht, mann, mensch.
sceamu *s.* sceomu.

s c e a n *s.* scînan.

s c ê a p, *st. n., (gen. pl.* -a) 17,96; *kent.*
scêp 12,18; *me.* ahep 36,15558; sep
39,1334 *schaf; ne.* sheep.

s c e a r d, *adj.,* 18,40 *beraubt (mit
gen.); vgl.* scieran.

s c e a r p, *adj., m.* scærp(e) 27,27;
scharp(e) 88,5; sharp 67,350
scharf, spitz; ne. sharp.

s c e a r p l î c e, *adv., me.* 48,212;
scharply 62,5 *scharf, eindring-
lich; ne.* sharply.

s c ê a t, *st. m.,* 9,3; *me.* sciet 32,363
schoß, decke.

s c e a t t, *st. m.,* 22,52; *Ep.* scaet 1,6
münze, geld (oft im plur.), schatz.

s c e a u d e *s.* scêawian.

s c ê a w e r e, *st. m., späher; me.* sse-
were 50,31 *spiegel; ne.* shower.

s c ê a w i a n, *schw. v.,* 9,327; *fl. inf.* to
sceawenne 19d,1; *me.* shæwenn
36,98; schewe (*hs.* schowe) 46,
69; scheawe(s) 48,198; ssewe(þ)
50,74; schew 64,27; schawe 72,5;
p. präs. schewand 49,9; *prät.* scêa-
wode; *me.* scheawe; scawede 38,
11; sceawede 38,12; sceaude 38,
17; schewed 48,112; *p. p. me.*
shæwedd 36,30; showed 67,82
*ae. schauen, me. schauen lassen,
zeigen; ne.* shew, show.

s c ê a w u n g, *st. f.,* 15,83 *bezeigung;*
17,81 *besichtigung.*

s c ê a ð, *st. f.,* 11,230; *me.* sheþe
scheide; ne. sheath.

s c e a ð a, *schw. m., gen. pl.* sceaþena
8,672; *me.* scaþe *schädiger, feind.*

s c e l *s.* sculan, skil.

s c e n c, *st. m., me.* scench(e) 32,331
becher.

s c e n c a n, *schw. v., me.* schenchen
37,46 *einschenken.*

s c e n d a n, *schw. v., me. konj. sg.*
schende 37,92; *prät.* schent 48,
192; *p. p.* ishend 46,213; shend
46,346; schent 48,168 *schänden,
beschimpfen, zugrunde richten;
ne. (veraltet)* shend.

s c e n e *s.* scîene.

s c ê o h - m ô d, *adj.,* 8,672 *(scheu-
mütig), furchtsam.*

s c e o l d e *s.* sculan.

s c e o m i a n, *schw. v.,* scomian 18,9;
sceamian; *me.* scamian 32,163;
3. präs. sg. scamet 32,165 *(per-
sönlich und einpersönlich) sich
schämen; ne.* shame.

s c e o m l î c e, *adv., me.* schomely
58,128 *in beschämender weise.*

s c e o m u, *st. f., Ep.* scamu 1,16;
scomu 18,12; *flekt.* scome 16,22;
me. scame 32,166; scome, same
34,13955; sham 44,56; shame 44,
83; scam 45,57; shome 46,196;
schame 47,1144 *schmach, schande,
scham;* tô sceame 22,15 *schmach-
voll; ne.* shame.

s c e ô þ *s.* scieppan.

s c e o r t, *adj., me.* scort 27,26; short
59,72; schort 60,28 *kurz; me. adv.*
schorte 48,233; to schort he
schote of his ame 58,128 *er ver-
fehlte das ziel; ne.* short.

s c ê o t a n, *st. v., me.* shete; *prät. me.*
schote 58,128 *schießen, sich stür-
zen; p. p.* scoten 18,19 *erschießen;
prät.* schote(st) vp 47,1130 *auf-
reißen; ne.* shoot.

S c e o t t a *s.* Scott.

s c ê þ *s.* scêap.

s c e p p e n *s.* scieppend.

s c e þ þ a n, *schw. v.,* 9,595; *3. sg. präs.*
sceþeð 9,88 *schädigen, schaden
zufügen; ne.* scathe.

s c h- *s.* sc-.

s c h a k e, s c h a k y n g *s.* sceacan.

s c h a l *s.* sculan.

s c h a l d *s.* ceald.

s c h a l t(o w), s c h a l t u *s.* sculan.

s c h a m e *s.* sceomu.

s c h a m e f u l, *adj.,* 47,1157 *schmäh-
lich, schimpflich; ne.* shameful.

s c h a r e *s.* scieran.

s c h a r p e *s.* scearp.

s c h a w e *s.* scêawian.

s c h e *s.* hê.

s c h e a w e *s.* scêawian.

s c h e l d *s.* scild.

s c h e n c h e n *s.* scencan.

s c h e n d e n, s c h e n t *s.* scendan.

s c h e r a n d *s.* scieran.

s c h e t *s.* schutten.

s c h e w (e)(d) *s.* scêawian.

s c h i n, *sb., pl.* schinnis 72,II,14
schienbein; ne. shin.

s c h i n e *s.* scînan.

s c h i r *s.* sire.

s c h i r e *s.* scîre.

s c h o *s.* hê.

s c h o g, *v.,* 72,23 *zittern, beben; ne.
prov.* shog; *verw. mit* sceacan.

s c h o k *s.* sceacan.

s c h o l d(e), s c h o l d e n, *s.* sculan.

s c h o m e l y *s.* sceomlice.

schort, schorte s. sceort.
schotest, schotte s. scêotan.
schowe s. scêawian.
schrewe s. scrêawa.
schrewyne s. scrîfan.
schrifte s. scrift.
schrude s. scrŷdan.
schuk s. sceacan.
schulder, sb., pl. schuldris 69,
  160,7 schulter; ne. shoulder.
schuld(est), schuldi, schule,
  schulen, schulle s. sculan.
schup, schupes s. scip.
schust s. sculan.
schutten, v., prät. schet 47,1132
  schließen; ne. shut.
schyneth s. scînan.
schyp s. scip.
Sci' 15,223 = lat. Sancti.
sciene, adj., scŷne 9,591; me.
  scene 32,340; shene 59,89 schön;
  ne. sheen.
scieppan, st. v., scyppan; me.
  scheppen; schapen; prät. sceôp
  16,40; nh. scôp 2,5; me. scop 82,
  84; shop 46,354; ssop 50,9; shope
  59,72; p. p. me. yssape (orig. re-
  formé) 50,15 schaffen, machen;
  ne. shape.
scieppend, st. m., scyppend(es)
  9,327; scippend 16,41(les.); nh.
  scepen 2,6; me. shippend schöpfer.
scieran, st.v., me.p.präs. scherand
  66,414; prät. pl. schare 48,219
  scheren, abhauen; ne. shear.
sciet s. scêat.
scild, st. m., 11,204; scyld(um)
  8,584; sceld; me. sheld; scheld(e)
  48,55 schild; ne. shield.
scildan, schw.v., me.sculden 32,
  301; sheld 67,301; pl. präs. ind.
  sculdeð 32,346; konj. sg. sculde
  32,220; konj. shilde 44,16 schützen,
  schirmen (wið, of, fro vor); ne.
  shield.
scînan, st.v., 9,183; me. scine(n)
  32,275; schine; schyne(th) 19e,1;
  shyne 67,9; prät. scean 33,31;
  shon 54,2; shone 68,21 scheinen,
  leuchten; ne. shine.
scip, st.n., 8,672; scyp 15,39; me.
  schup(e)(s) 48,105; schyp 58,98;
  schip 58,108; ship 67,119; shyp;
  pl. scypu 17,122; scypa 17,123;
  scipen, sipes 34,13791; schipes
  48,39; ssipes 50,92; shippes 59,
  89 schiff; ne. ship.

scipen s. scip.
scipen-mon, st. m., me. dat. pl.
  -nen 34,13795 schiffsleute.
scip-flota, schw. m., pl. -n 18,11
  wiking, seefahrer.
scip-here, st.m., 15,45 seemacht,
  flotte.
scippe(n), schw.v., 47,1159 sprin-
  gen; ne. skip.
scip-râp, st. m., 17,84 schiffstau.
scîr, st.f., 17,124 grafschaft, gau;
  ne. -shire.
scîr, adj., 8,728; sup. scîrost 14,
  schl.-ged.29; me. shir glänzend;
  hell (vgl. ne. sheer).
scîre, adv., me. schire 60,26 hell.
Scîringes heal, st. m., 17,126;
  Scîringes heal 17,131 Skîrings-
  salr, königssitz, tempel u. handels-
  platz an der südküste norwegens.
scîr-mæled, adj., 11,230 mit
  glänzender verzierung.
Scittisc s. scyttisc.
scofl, st. f.?, Ep. 1,25; me. scho-
  vele schaufel; vgl. ne. shovel.
scolde(n) s. sculan.
scom(-) s. sceom(-).
Scôh-êg, inseln, 17,149 Schonen.
scôp, scop s. scieppan.
scop-gereord, st.m., 16,5 dich-
  terische sprache.
scopen, v., 58,155 schöpfen; vgl.
  ne. scoop.
scort s. sceort.
scortlîce, adv., 17,1 in kürze;
  ne. shortly.
Scot, st.m., dat.pl. Scottum 26,9;
  me. Skotte 57,25; Skot 57,33;
  Scot 66,383; pl. Scottis; Skottes
  57,1 das keltische volk der Scoti,
  Schotten; gen. pl. Sceotta 18,11
  Iren; ne. Scot.
Scot-land, ländern., 48,128 Schott-
  land; ne. Scotland.
Scottis, adj., 48,15 schottisch;
  ne. Scottish, Scots, Scotch (vgl.
  Scyttisc).
scræf, st. n., 8,684 höhle (hölle).
scrêade, schw.f., me. shrede 44,
  99 abgeschnittenes stück, bissen;
  ne. shred.
scrêawa, schw.m., me. pl. schrewe
  48,58 spitzmaus, schurke, schelm;
  ne. shrew (shrew-mouse).
screncan, schw. v., me. screnchs
  82,332 ein bein stellen, (mit akk.)
  betrügen.

scribun s. scrîfan.

scriche, v., 42,27 schreien, krei-
schen, weinen; vgl. shryke und
ne. screech.

Scrîde-finnas, volksn., pl. m.,
17,47 Schreitfinnen (so genannt
vom schreiten oder laufen auf
skiern).

scrîfan, st.v., 8,728; me.shriven;
prät. pl. Ep. scribun 1,16; p. p.
scrifen bestimmen; p. p. pl. me.
schrewyne 62,23 beichte hören;
absolvieren; ne. shrive.

scrift, st. m. (auch f.?), me. scrift
33,34; schrift(e) 37,152 beichte;
ne. shrift.

scrûd, st. n., me. scrud 32,363;
srûd 46,6 kleid, decke; ne.
shrûd.

scrŷdan, schw.v., me.schrude 37,
139; prät. scrŷdde 21,22; p. p.
me. escrydd 28,11; pl. iscrudde,
iscrud 34,13983; ischrud 37,51;
srûd 46,23 bekleiden; vgl. scrûd.

Scs 15,131 = Sanctus.

scûfan, st.v., 8,584 schieben, sto-
ßen; ne. shove.

sculan, präteritopräs., 1.3.sg. präs.
sceal 6,12; sceall 17,101; scel; me.
scbal 19e,7; (nach me pl.) 37,45;
sceal 28,54; scæl 32,21; scal 32,171;
sal 35,83; sbal 44,117; salle 48,150;
ssel 50,29; sall 57,34; shall 59,78;
schall 65,61; shalle 67,100; 2. sg.
scealt 7,166; me.schalt 37,149; salt
39,1289; schaltu 43,48; sal 45,28;
saltu 45,28; shalt 46,118; shaltow
= schalt þou 47,1050; salle þou
48,60; saltou = salt þou 57,23;
sall· 66,395; shal thou 67,121;
shalle thou 67,461; pl. sculan
16,36; sculon, sculun 16,36(les.);
sceolon 17,181; sceolan 17,196;
nh. scylun 2,1; me. sculen 28,
53; scule (we) 32,92; scullen
32,372; sculle 32,384; solle 34,
13832; schulle 35,79; schulen
37,41; shall 67,115; shulen 46,
275; sullen; salle 48,66; ssolle
50,27; shule 55,49; sull; sall 66,
397; shalle 67,24; shal 67,145;
schulen 19e,7; opt. scyle 7,193;
prät. sceolde 7,204; scolde 24,18;
me. sculde 27,2; scolde 32,37;
shollde 36,15553; schuldi 38,10
·· schulde i; schuld 42,20; schold
42,61; scholde 43,102; suld 45,7;

shulde 46,59; schulde 40,9; should
67,76; 2.sg.sculdest 27,40; sschol-
dest 42,48(les.); schuldest (hs.
schust) 47,1114; pl. scoldon 14,12;
sceoldon 14,13; sceoldan 15,41;
me. scolden 28,49; scolde 32,51;
solde 34.13874; sulden 39,1326;
shulden 44,140; sulde 49,17; ssol-
den 50,55; suld 62,24; shuld 67,
325; konj. sceoldon 15,178 schul-
dig sein, sollen; auch zur um-
schreibung des fut. und kondit.;
mit ellipse des inf. 8,699,701; ne.
shall, should.

sculde(n), sculdeð s. scildan.

scule(n), scullen s. sculan.

scûr, st. m., 8,651; me. schowr;
shower 67,350 schauer, regen; ne.
shower.

scŷan, schw.v., merc.19d,14 raten,
überreden.

scyld, st. f., 18,8; me.sculd schuld,
sünde.

scyld s. scild.

scyle s. sculan.

scyll, st. f., 9,234 schale; ne. shell.

scylun s. sculan.

scyndan, schw. v., 15,236 hasten,
eilen.

scŷne s. sciene.

scyp(a), scypu s. scip.

scypen, st.f., 16,24; me. shipne;
shipun schuppen, stall; ne.shippen,
shippon.

scyppend s. scieppend.

Scyttisc, adj., Scittisc 18,19
schottisch, irisch; vgl. Scot.

sê, demonstr. pron., nom. m. 8,580;
me. ðe 32,112; þatt 36,15,21; þat
51,10; f. sêo 7,195; sio 17,124;
n. þæt 4,1b; me. ð (= ðæt) 27,26;
ðat 39,1292; þat 47,983; that 49,
13; þet 50,4; gen. m. þæs 7,182;
f. ðære 15,222; n. þæs 10,2885;
me. þes 37,100; dat.m. þâm 8,723;
þæm 16,62; me. ðo; f. nh. thêre
8,1; me. þare 32,324; þare 40,62; n.
ðêm 12,6; ðæm 12,16; ðæm 14,
22; þan 15,66; þo 41,3; akk. m.
þone 8,716; ðone 14,27; f. þâ
8,724; me. þo 50,7; n. þæt 8,631;
ðæt 11,204; me. þatt 36,45; tat
38,30; instr. þŷ 8,587 (þŷ beim
komp. 8,650 desto; ðŷ ... ðŷ 14,46
desto ... je; me. ði 32,126; þa, þe
34,13800; forþŷ 7,169, forðŷ 14,
52; me. for þi 27,2; for ði 38,57;

for thy **49,24** *deshalb;* þý **lǣs**
8,649; ðýlǣs **14,***schl.-ged.***29** *damit*
nicht); nê .. þý mâ **18,46** *ebenso-*
wènig; þon **8,677**; *me.* (mid) þan
2×,51, þon **40,61**; *pl. m. f. n.*
nom. ðâ **11,208**; *me.* þo **32,381**;
þeo **40,41**; *gen.* þâra **11,158**; *dat.*
þâm **11,175**; ðâm **11,220**; *kent.*
ðaᵉm **12,27**; ðǣm **14,58**; *me.* ðan
thaᵛm **49,2**; *akk.* þâ **7,179**; ðâ
17,120; *me.* þo **48,170?**; tho **67,**
228 *dieser, -e, -es; me. jener, -e,*
-es; ⸴*ne.* the, that. — *best. artikel.*
nom. n. sê **4,1b**; *nh.* ðe **19a,5**; *me.*
the **27,3**; se **28,37**; þe **32.34**; ðe
32.34; te **32,268**; þæ **84,13909C**;
f. sîo **8,589**; sêo **8,600**; *me.* syo
19c,1; þe **32,201**; si **41,46**; the
49,1; *n.* þæt **17,109**; *me.* þe **42,1**;
the **62,12**; *gen. m.* þæs **4,2b**; ðæs
14,6; *me.* ðes **32,254**; þes **85,97**;
þe **85,97**; *f.* þǣre **8,607**; ðo **39,**
1303; *n.* þæs **8,588**; *kent.* ðæs **12,4**;
ðaes **12,4**; *me.* þas **19c,15**; *dat. m.*
þâm **4,3b**; ðan **25,13**; *me.* þan
28,17; þon **83,5**; þa **83,2**; *f.* þǣre
8,636; ðǣre **11,167**; *kent.* ðêre
12,3; ðǣere **12,8**; *me.* þere **34,**
13789; þare **40,3**; *n. me.* þen **46,**
19; þe **50.73**; *akk. m.* þone **8,606**;
ðone **14,5**; þæne **17,179**; þane **18,**
62; *me.* þanne **19c,2**; þe **27,7**; te
27,7; ðene **32,337**; þe **27,15**; þen
83,66; þene **34,13927**; þane **50.98**;
f. thâ **2,7**; þâ **17.4**; ðâ **17,128**;
me. þa **19c,1**; þo **82.15**; þe **82,27**;
te **83,7**; þen *(hs.* þem *fehlerh.)* **46,**
22; *n.* þæt **8,578**; *kent.* ðaet **12,**
28; *me.* þat **88,3**; tat **38,5**; ðat **39,**
1325; *pl. m. f. n.* ðâ **14,9**; þâ **16,**
69; *me.* þe **27,15**; the **27,9**; ta
36,15592; *gen.* ðâra **12,8**; ðeâra
12,45; þâra **16,65**; þǣra **21,23**;
me. þare **19c,11**; þe **27,28**; ther
80,4; *dat.* þâm **9,611**; ðâm **11,220**;
kent. ðaᵉm **12,27**; ðêm **12,41**; ðǣm
14*schl.-ged.***4**; þǣm **16,79**; *me.* þam
19c,5; þan **28,45**; the **27,21**; þe
86,42; tho **65,63,3**; *akk.* þâ **8,572**;
ðâ **15,124**; *me.* þe **27,14**; the **27,**
39; þa **36,15619** *der, die, das; ne.*
the. — *relativpron. (ae. allein oder*
mit þe), *nom. m.* sê **9,10**; *me.* þe
82,25; ðe **82,30**; þatt **86,15**; þet
50,64; þat **54,19**; *f.* sêo **17,4**; *nh.*
ðiu **19a,1**; *me.* þat**55,6**; *n. kent.* ðet
12,22; *me.* þet **32,13**; ðe **82,68**;

gen. m. þæs **8,599**; *akk. m.* þone **15,**
127; ⸴*n.* þæt **10,2890**; *kent.* ðaet
12,21; *me.* þat **82,7**; þet **82.51**;
tatt **86,15578**; ðat **89,1292**; that
68,30; *pl. m. f. n.* ðâ **18,9**; þâ **15.**
215; þæ **18,26**; *me.* þe **82,10**; ða
82,98; þat**84,13798**; þo **85,75**; þet
87,50; that**62,22**; *gen.* þâra **16,24**;
þǣra **16,35**; *dat.* þâm **15,213**; *akk.*
me. þe **27,17**; ð(æt) **27,33**; þet **50,**
69 *welcher, -e, -es (vgl.* þæt*konj.);*
me. þe *verschmilzt oft mit folgen-*
dem vokalisch anlautendem worte:
þabot **42,29** = þe abot; þerl **44,**
178 = þe erl.

sê *s.* eom, swâ.
se *s.* sǣ, sêon.
sea *s.* sǣ.
sead *s.* sæd.
seagen, seah *s.* sèon.
seald(e), sealdan, sealdon
  s. sellan.
sealh, *st. m., Ep.* salch **1,22**; *me.*
  salwe *weide; ne.* sallow.
sealm, *st. m., me.* salm(es) **83,51**:
  salm(e) **36,15579**; psalme *(mit*
  s-alliteration!) **58,120** *psalm; ne.*
  psalm.
sealm-wyrhta, *schw. m., me.*
  sallme-wrihhte **36,15578**; salme-
  wrihte **88,25** *psalmist.*
sealt, *st. n., me.* salt **42,54** *salz:*
  ne. salt.
sealt, *adj., akk. m.* sealtne **14,82**;
  me. salt **82,248** *salzig, gesalzen;*
  salt flod**42,59** *taufwasser, bei dem*
  salz in anwendung kommt; salt
  weter **82,248** *meerwasser.*
searo, *st. n., list, trug.*
Searo-burh, *stadtn., st. f., me.*
  Sereberi **27,7** *Salisbury.*
searo-ðonc, *st. m.,* **14,87** *kluger*
  gedanke, klugheit.
searo-ðoncol, *adj.,* **11,145** *klug.*
Seax, *volksn., st. schw. m., pl.* Seaxe
  18,70; Seaxan **15,43**; *gen.* Seaxna
  15,29; *dat.* Seaxum **15,51**; Sexum
  26,11 *Sachse.*
sêað, *st. m.,* **13,23**; *me.* seaþ; sæþ
  brunnen, grube.   •
sêaþ *s.* sêoðan.
sêcan, *schw. v.,* **6,25**; *flekt.* sêcanne
  15,26; *me.* seche **84,13858**; sechen
  84,13881; sek **45,5**; *me. 3. sg. präs.*
  sechð **82,215**; *pl. präs.* sêceað
  19b,5; *merc.* soêcað **13,10**; *nh.*
  soêcas **19a,5**; *me.* secheð **82,237**;

seken **19**e,5; *p.präs.* sêcende **15**,
70; *prät.* sôhte. **8**,571; *me.* soȝte
43,41; socht **60**,102; *pl.* sôhton
8,682; sôhtan 18,71; *me.* sohten
34,13803; *p. p. me.* sout 46,423;
soȝt **58**,116; soght **59**,54 *suchen,
aufsuchen;* 17,92 *besuchen gehen;
ne.* seek.
s(ê)cet *s.* sŷcan.
secg, *st. m.*, **4**,3b; *pl.* secgas 11,
201; sêcgas *(hs.)* 18,13; *me.* seg,
segge *mann.*
secgan, *schw.v.*, 11,152; *nh.* sægca
19a,8; *me.* seggen **32**,92; segge **32**,
94; sugge(n) **34**,13888; seqqenn
36,55; siggen **37**,134; sigge **41**,10;
sai **45**,14; saie 46,2; saien **46** 49;
say 47,1153; zigge 50,65; seyn
63,9; *1. sg. präs. ind.* secge 7,197;
2. sg. me. seyst **40**,33; seist **46**,61;
seistow, seystow 47,1135; *3. sg.*
segeð **23**,45; *me.* sæȝð 28,18; sæiȝð
28,21; seið 32,112; seit **33**,91;
seȝȝþ **36**,15542; seid **41**,37; seiþ
46,179; seyt 47,1140; sais **49**,16;
zayþ **50**,26; says **58**,65; seyþ **61**,
1128; seith 19e,10; saith **63**,4;
pl. secgað 15,188; *me.* siggeð **37**,
72; sais **45**,42; zayþ 50,64; sayn
61,1128; say 67,382; *2. sg. konj.*
saie **46**,55; *3. konj.* secge **22**,34;
me. segge **32**,114; *imp. sg.* saga
7,209; sege **28**,50; sey **40**,39; seie
43,149; sai 45,15; say 47,1087;
pl. sæcgeað 19b,7; secgeaþ 19b,
13; *nh.* sæcgas 19a,10; *me.* seggeð
19c,7; seie 19e,7; *p.präs.* seyinge
19e,18; *prät. sg.* sægde 7,203;
sæde 17,105; *me.* savde 19c,5;
sæigde 19c,6; sede **32**,131; svide
33,64; saide **34**,13885; seȝȝde
36,15568; seyde 40,31 *(2. -st*
47,1087*)*; sevd **42**,22; said 48,
113; zede **50**,58; zayde **50**,94;
savde **51**,19; sayd 67,302; *pl.*
sægdon **19**a,11; *merc.* sægdun
19d,11; sædon 15,72; *me.* seiden
34,13807; seide **34**,13821; sæiden
34,13995; seyde 40,63; seyden
44,176; said **48**,30; *p. p.* sæd 15,
58; gesæd 17,1; *me.* seid 19e,7;
ised **32**,141; iset *(fehlerh. für* iseit*)*
33,89; seȝȝde **36**,15608; iseyd 40,
38; said **46**,268 *sagen, erzählen,
nennen; ne.* say.
secge, *schw. f.*, 7,190 *rede (?).*
seche, sech(e)ð *s.* sêcan.

securly, *adv.*, 67,38 *sicherlich; ne.*
securely *(vgl.* sicor*)*.
sed *s.* sæd.
sêd *s.* sæd.
sede *s.* secgan.
sedes, sedis *s.* sæd.
Sedulie, *eigenn.*, **28**,18 *Sedulius,
verfasser des 'Carmen Paschale'.*
see *s.* sæ, sêon.
seeth *s.* sêon.
sefa, *schw.m.*, 14,87 *sinn, geist.*
seȝ *s.* sêon.
sege, *sb.*, **58**,93 *sitz; vgl. ne.* siege.
sege, segeð, seȝȝd(e), segge,
seggen(n), seȝȝþ *s.* secgan.
seȝen, segh, seghe *s.* sêon.
segl, *st. m.*, 17,148; *me.* sayl 58,
151; saylle 67,153; saill **78**,13
segel; ne. sail.
segl-gyrd, *st. f., Ep.* segilgaerd
1,5; *me.* seilȝerd *segelstange; ne.*
sail-yard.
seglian, *schw. v.*, 17,129; *prät.*
sêglode *(hs.)* 17,137 *segeln; ne.* sail.
seh, sei *s.* sêon.
seid, seide(n), seie *s.* secgan.
seignorie, *sb.*, 48,44 *feudales
herrschaftsrecht; ne.* seign(i)ory.
seilȝerd *s.* seglgyrd.
seint, seinte *s.* sainte.
seise, *vb., prät.* sesid 48,115; *p. p.*
seisid **48**,194 *ergreifen, in besitz
nehmen; ne.* seize.
seist, seistow, seit, seith,
seið, seiþ *s.* secgan
sek, sek(n) *s.* sêoc, sêcan.
sekirly *s.* sicor.
seknes(se) *s.* sêocness.
sêl, *komp.adj.*, sêlra; *sup.* sêlest(an)
9,620; *kent.* sôelest 12,28; sêles(t)
20,14 *besser, beste.*
sêl, *komp. adv.*, 15,22 *besser.*
seldan, *adv., me.* selde **32**,46 *selten;
ne.* seldom.
seldcûð, *adj.*, selcûð; *me.* seolcuð
33,18; selcuð **34**,13788; selkuð
39,1286 *seltsam, wunderbar; me.
sb.*, selcouth 44,124 *wunder.*
selde *s.* seldan.
seldlîc, *adj.*, sellîc 9,606; *me.*
sellich **32**,181; *komp.* sellicra(n)
9,329 *seltsam, wunderbar; me.
subst.* selly **58**,140 *wunder.*
seldlîce, *adv., me.* sellik **39**,1315;
sellic **39**,1316 *wunderbar.*
sêlest, sêlestan *s.* sêl.
self, selfe *s.* seolf.

22*

seli, *adj.*, 46,315 *gut, unschuldig;*
sely 69,169,1 *arm; ne.* silly; *vgl.*
gesǽlig.
selkuð *s.* seldcûð.
sellan, *schw. v.,* 12,2; syllan 15,
195; *me.* sellen 44,53; *präs. konj.*
selle 12,20; sylle 21,45; *pl.* syllon
24,61; *prät.* sealde 14.24; *Ep.*
saldae 1,12; *pl.* sealdan 15,47;
sealdon 15,72; *kent. nh.* saldon
12,9; *merc.* saldun 13,31; sealdun
19b,12; *me.* sealden 19c,12; sal-
denn 36,15557; *p. p.* seald 15,143;
geseald 19b,18; *merc.* gesald 19d,
18; *me.* geseald 19c,18 *(über)geben,*
schenken; 25,8 *verkaufen; ne.* sell.
sellend, *st. m.,* 8,668; syllend 8,705
verleiher, spender.
sellfenn *s.* seolf.
sellîc(ran), sellic, sellich,
sellik, selly *s.* seldlic, -lice.
sellþe *s.* sǽlð.
sêlra *s.* sêl.
selve, selue(n), seluyn *s.* seolf.
sely *s.* seli.
selôhe *s.* sǽlð.
seme, *v.,* 52,33; *3. sg. präs.* semes
49,45; semys 62,2; *prät.* semyt
69,160,2 *scheinen; ne.* seem.
semly, *adj.,* 52,26; *superl.* semlokest
53,6 *anmutig, gefällig, schön; ne.*
seemly.
semninga, *adv.,* 8,614 *plötzlich.*
sen *s.* sêon, sibþan.
sencan, *schw. v.,* *(hs.)* 10,2906;
me. senchen *senken, versenken.*
sendan, *schw. v.,* 14,93; *me.* sende
32,51; *3. sg. ind. me.* sent 32,
42; sendes 38,2; sendis 62,38; *pl.*
me. sendet 32,46; *konj. me.* send
82,27; send 67,207; *imp.* sende
47,1150; *prät. sg.* sende 11,190; *me.*
sende 33,95; sent 42,20; zente
50,14; *pl.* sendon 11,224; sendan
15,43; *me.* senden 34,13977; sent
48,34; send 48,69; *p. p. me.* isend
37,16; ysent 42,5; sende 45,74;
send 46,214; sent 53,10 *schicken,*
senden; 11,224 *schleudern, werfen;*
sâwle s. 26,2; sawle s. 38,2 *die*
seele gott empfehlen; ne. send.
sene *s.* sêon, sibþan.
senne *s.* syn.
sent *s.* sendan.
sêoc, *adj., me.* sic 32,199; sec; sek
46,199; seke 48,106; sike 55,20
krank; ne. sick.

sêocness, *st. f., me.* seknesse 46,
200; seknes 62,18 *krankheit; ne.*
sickness.
seodðan *s.* sibþan.
seofon, *zahlw.,* 22,55; seofan 22,
66; syfan 17,86; *flekt.* seofene
(les. seofone) 18,30; *me.* seofen
28,7; seoue 32,142; seofe 33,18;
seue 43,98; seuen 67,13; seven
67,423; sevin 70,22; *fl.* seouene
82,28 *sieben; ne.* seven; seofon
niht; *me.* seoueniht(es) 82,142
woche; ne. sennight; beo seofen
fealden 28,7; bi foldis seuen 67,
13 *siebenmal;* be sic sevin 71,22
siebenmal so viele, bei weitem.
seofoða, *zahladj.,* 28,28; seofeþe
83,28; seoueðe, soueþe 34,13911
der siebente; vgl. ne. seventh.
seolc, *st. n., me.* selk; silk 42,31
seide; ne. silk.
seolcuð *s.* seldcûð.
sêoles *s.* seolh.
seolf, *pron.,* 16,69; self 9,374; sylf
7,180; *gen. pl.* sylfra 15,182; *me.*
sylf(e) 28,29; sulf 32,46; self 32,
114; seolf 33,83; selfe 59,63 *selbst;*
ne. self; *refl. pron.* mê selfum 14.
43; *me.* mi suluen 37,100; i selue
45,67; miselve 46,183; miself 46,
184; my self 51,32; mi selue 55,11
ich, mich (mir) selbst: ne. myself;
þe sulf 32,29 (suluen 37,64; seluen
39,1319) *du (dir, dich) selbst; ne.*
thyself; him sylfum 7,213; *me.*
him sulfne 32,14 (selue 82,25;
sulue 32,32; sulf 32,40; self 32,
114; seolue 34,14008; sellfenn
36,15609; seluen 39,1338); seolf
40,12; hym seluyn 59,69 *er u. s. w.*
selbst; ne. himself; *pl.* wê .,. selfe
14,25; our self 62,31 *wir selbst;*
ne. ourselves; gê sylfe 8,660 *ihr*
selbst; þam selfe 49,11 *sich selbst;*
ne. themselves; *dem.* the self 69,
161,2 *derselbe.*
seolfor, *st. n., me.* syluer 27,5;
sylver 27,19; seoluer 32,264;
siluer 42,39; syluir 66,447 *silber;*
sillferr 36,15561 *geld; ne.* silver.
seolh, *st. m., gen* sêoles 17,100; sîo-
les 17,104 *seehund, robbe; ne.* seal.
seolue *s.* seolf.
seoluer *s.* seolfor.
seomian, *schw. v., 3. pl. präs.*
seomað 8,709 *weilen, (ver)harren,*
bleiben.

sêon, *st.v., me.inf.* seon 82,158; *(fl.)*
sene 32,388; seo 38,9; se 42,19;
sen 46,278; see 54,35; *1. sg. präs.*
sen 61,1151; *3. sg. präs.* (oue)sihð
82,75; ses 48,134; zyþ 50,30; *pl.*
sen 44,168; se4ᴗ,55; *imp. pl.* seeth
19e,6; *p.präs.* seynge 19e,17; *prät.
sg.* seah; *me.* saah; sæh, seh 34,
13830; sahh 36,15631; sag 39,
1301; seyʒe 42,24; say 42,29; saʒ
43,127; sei 46,16; sauh 48,202; seʒ
58,116; saw 61,1140; sye 69,159,6;
sawe 69,162,1; *pl.* sægon; sâwon;
me. seʒen 82,102; sæʒhenn 36,
15584; seghe 41,29; seye 42,10;
saʒ 45,30; segh 59,22; see 59,57;
saw 60,26; *p. p.* gesawen (*les.*
gesewen) 15,191; gesegen 16,54;
me. iseye 40,68; isene 43,94;
yzoʒe 50,111; sene 57,3; seyn 60,
31; seyne 66,381 *sehen, schützen;
ne.* see.

s e o n *s.* eom.

s e o r u w e *s.* sorh.

s e o u e(ne), s e o u e n i h t e s *s.*
seofon.

s e o u e ð e *s.* seofoða.

s e o w e n *s.* sâwan.

s e o ð *s.* eom.

s ê o ð a n, *st. v., prät.* sêaþ 21,25;
pl. sudon; *p.p.* gesoden(ne) 21,51
kochen, sieden; ne. seethe.

s e o ð ð a n, seoðþan, seoððen
s. siþþan.

s e p *s.* scêap.

s e p u l c r e, *sb.,* 19e,1 *grab; ne.*
sepulchre.

s e r a p h i n e, *sb.,* 37,26 *seraphim.*

s e r c h e, *v.,* 59,24 *suchen, unter-
suchen; ne.* search.

s e r e, *adj.,* 49,38; seyr 67,487 *ver-
schieden.*

S e r e b e r i *s.* Searoburh.

s e r e v e, serewe *s.* sorh.

s e r f f *s.* serve.

s e r g a n t, *sb., pl.* serganz 41,11
diener; ne. serjeant, sergeant.

S e r m e n d e, *volksn., pl.,* 17,33 *die
Sarmaten (in Livland, Esthland,
Litauen).*

s e r m o n, *sb., pl.* sermonis 71,27
predigt; ne. sermon.

s e r v a n d, *sb.,* seruant 67,65;
seruand 67,110; serwand 71,4
diener, untergebener; ne. servant.

s e r v e, *vb.,* 46,197; sarui 34,13822;
serui 50,3; serwi(s) 66,393; serff

66,397; *prät.* seruede(n) 32,319;
p. p. iserued 41,20 *dienen, auf-
warten, bedienen, auftragen (mit
of);* 66,399 *verdienen; s.* affter
46,197 *streben; ne.* serve.

s e r u i s e, *sb.,* 37,50; seruys 49,33;
seruice 66,443; serwice *dienst;
ne.* service.

s e r w a n d *s.* servand.

s e r w i s *s.* serve.

s o r w i c e *s.* seruise.

s e s *s.* sêon.

s e s i d *s.* seise.

s e t *s.* sittan.

s e t l, *st. n.,* 15,174; *gen.* setles 15,113;
me. setel *sessel, sitz; ne.* settle;
sigan tô setle 18,17 *untergehen.*

s e t t a n, *schw. v.,* 12,44; *me.* sette
65,59,5; set 67,340; *imp.* (tô)sete
13,39; *me.* sete 40,29; *prät.* sette
9,328; *me.* sette 2ᴗ,30; zette 50,13;
set 58,120; *pl.* setten 43,136; *p. p.*
geseted 16,17; *me.* sett 36,27; set
44,162 *setzen, stellen; ne.* set; *p.
präs.* settand 49,21 *daransetzen;*
48,36 *festsetzen;* 13,16 *machen;* 28,
30 *aufzeichnen;* 9,328 *bestimmen;*
zette 50,99 *sich vornehmen; zu-
erkennen;* 67,364 *schätzen; geben,
verleihen;* wæs geseted in 16,17
gehörte an; gesettnesse settan
12,44 *bestimmung treffen;* weren
set 44,162 *hatten sich gesetzt;*
48,88 *sich setzen;* zette payne
(*konj.*) 50,13 *sich mühe geben;*
setten spel on ende *s.* spel.

s ê t u n *s.* sittan.

s e u e(n), s e v e n, s e v i n *s.* seofon.

s e x(e) *s.* six.

s e x t e *s.* sixta.

s e x t i *s.* syxtig.

S e x u m *s.* Seax.

s e y, seyd(e), s e y d e n *s.* secgan.

s e y e, seyʒe *s.* sêon.

s e y i n g e *s.* secgan.

s e y l l e *s.* sæl.

s e y m l a n d, *sb.,* 67,211 *antlitz, aus-
sehen; ne. dicht.* semblant.

s e y n(e), s e y n g e *s.* secgan, sêon.

s e y n, s e y n t, s e y n t e *s.* sainte.

s e y r *s.* sere.

s e y s t(ow), s e y t, s e y þ *s.* secgan.

s ê-þ ê a h, *adv.,* 7,211 *gleichwohl.*

s e þ þ e n *s.* siþþan.

s h a f f t e *s.* gesceaft.

s h a l k e, s h a l k i s *s.* scealc.

s h a l(l), s h a l l e *s.* sculan.

sham, shame s. sceomu.
sharp s. scearp.
shæwedd, shæwenn, sha-
wesst s. scêawian.
she s. hê.
sheld s. scildan.
shend s. scendan.
shene s. scięne.
shep s. scêap.
shew(ed) s. scêawian.
shiling, sb., 46,270 *schilling:* ne.
shilling.
ship, shippes s. scip.
shlepe s. slæp.
sho, sb., pl. shon 46,225: shone
67,353 *schuh;* ne. shoe.
sho s. hê.
shog s. schog.
shollde s. sculan.
shome s. sceomu.
shon, shone s. scînan, sho.
shop, shope s. scieppan.
short s. sceort.
shewed s. scêawian.
shower s. scûr.
shrede s. scrêade.
shuld, shulde s. sculan.
shyne s. scînan.
si s. sê, eom.
sî s. eom.
sib, *st. f., fl.* sibbe 8,698 *verwandt-
schaft, freundschaft;* 8,652 *liebe;*
9,622; sibb 8,668; *me.* sib 37,60
frieden.
sib, *adj., me.* sibb(e) 32,34; sybbe
49,20 *verwandt;* ne. *veralt.* sib,
sibbe.
sib-gedryht, *st. f.,* 9,618 *be-
freundete schar.*
sic s. swelc, sêoc.
sîcan, *st. v., me.* sike(ð) 33,35; syke
51,4 *seufzen;* ne. *dial.* sike.
sich s. swelc.
sicht s. ʒesihð.
sicor, *adj., me.* siker 32,39: *adv.
me.* sicerlice 28,49; sikerliche;
sicerlic; sikirlic 45,114; sekirly
60,66; sykerly 61,1156 *sicher;
adj.* sikir 19e,14 *ungestraft (vgl.
securly).*
sîd, *adj., gen. pl.* sîdra 7,170 *aus-
gedehnt, zahlreich.*
side, *schw. f., fl.* sîdan 4,2b; *me.*
side 34,14042; syde 44,127; zide
50,7; zyde 50,54; syd 72,II,18
seite; (se) side 43,33 *ufer;* 50,61
art, wesen; 48,120 *partei; ne.*

side; on sîdan: *me.* a syde 65,
59,1; asyde 69,159,5 *beiseite; ne.*
aside.
sîd-folc, *st. n.,* 8,692 *(ausgebreitetes)
volk.*
sido, *st. m.,* siodo 14,7 *sitte (vgl.
me.* sidefull).
sîdra s. sîd.
sîd-weg, *st. m.,* 9,337 *weiter weg,
ferne.*
sîe, sien, siendon s. eom.
siftan, *schw. v., Ep.* siftit 1,7; *me.*
siften *sieben; ne.* sift.
sîg s. eom.
sîgan, *st. v., me.* siʒen; *prät.* sâh
18,17 *sinken;* 9,337 *sich bewegen.*
sige, *st. m.,* 15,7 *sieg.*
sige-folc, *st. n.,* 11,152 *siegreiches
volk.*
sige-rôf *adj.,* 11,177 *siegberühmt.*
sige-þûf, *st. m.,* 11,201 *siegesfahne.*
siggen, siggeð s. secgan.
sight s. gesihð.
siglan, *schw. v.,* 17,69; *prät.* siglde
17,62 *segeln (vgl.* seglian).
signefiance, *sb.,* 41,30 *bedeutung;
vgl. ne.* significance.
signifie, *v., 3. sg. präs.* signified
41,37 *bedeuten; ne.* signify.
sigor, *st. m.,* 8,668 *sieg.*
sigor-lêan, *st. n.,* 10,2918 *sieges-
lohn.*
siʒt, siʒte, sihte s. gesihð.
sihðinge, *vb.-sb. schauen;* sihðin-
ges land 39,1288 *„terra visionis".*
sike s. sêoc, sîcan.
siker(liche), sikir(lic) s. sicor.
silk s. seolc.
Sillende, *ländern.,* 17,19 *küsten-
strich nördlich der Eider.*
silifer, siluer s. seolfor.
simle, *adv.,* 12,31; symle 8,669
immer.
sîn, *poss. pron.,* 10,2862 *sein, ihr.*
sîn s. eom.
sinagoge, *sb.,* 45,84 *synagoge.
ne.* synagoge.
sinc, *st. n.,* 23,59 *schatz.*
sin-caldu, *st. f.,* 9,17 *große kälte.*
sincan, *st. v., me.* sinke 43,106;
prät. sanke 42,2 *sinken; ne.* sink.
sind, sindon, sindun s. eom.
singal, *adj.,* 15,211 *beständig.*
singan, *st. v.,* 9,617; *me.* singen
33,51; singe 37,8; sing 42,12;
syng 48,6; synge 51,54; *3. sg. präs.*
singð 32,307; *pl.* singeð 37,28;

p. präs. pl. singende 15,182; *imp.*
sing 16,28; *prät.* sang 11,211;
song 16,46; *pl.* sungun 13,18;
sungan 15,206; *me.* sungen 80,1;
p. p. me. isungen 37,167 *singen;*
16,33 *dichten; ne.* sing; *vb.-sb.*
me. synging 60,6 *gesang.*

s i n - h î w a n, *schw. pl.* 8,698 *haus-
genossen für immer, gatten.*

s i n k e *s.* sincan.

s i n t *s.* eom.

s i n t o s t e n t e 20,13 = sind tô-
stencte; *s.* tôstencan.

s i n u, *st. f.,* 22,55; *me.* sinewe *sehne;
ne.* sinew.

s i o d o *s.* sido.

s î o l e s *s.* seolh.

s i o n d a n, s i o n d o n *s.* eom.

s i p e s *s.* scip.

s i q u a r e, *sb.,* 45,113 *zeit? (vgl. anm.).*

S i r, sir *s.* sire.

s i r c u m s t a n c e, *sb.,* 71,30 *um-
schweif; ne.* circumstance.

s i r e, *sb.,* 46,75; Sir 48,55; schir
60,49; syr 67,294; syre 67,396
herr, hausherr; 58,93 *gott; als
adelstitel* Sir 48,69; *als richtertitel*
sir 47,1089 *Sir; ne.* Sire, Sir, sir.

s i s t e *s.* sixta.

s i t h e n *s.* sippan.

s i t t a n, *st. v.,* 15,184; *me.* sitten
27,32; site 46,308; zitte 50,108;
sit 67.247; *3. präs. ind.* siteð 9,208;
me. syttes 58,93; *pl.* sittes 58,133;
p. präs. sittende 27,40; *imp.* site
21,28; *me.* site 46,28; *prät.* sæt
19b,2; *me.* sæt 19c,2; set 40,74;
zet 50,80; sat 19e,2; *pl.* sæton
11,141; *merc.* sêtun 13,17; *me.*
sæten 28,35; sætenn 36,15560;
sat 69,163,6 *sitzen, sich setzen;*
syttis me sor 66,439 *schmerzen
mich sehr; ne.* sit.

s i x, *zahlw.,* syx 15,114; *me.* sexe
36,15595; sex 48,20; *gen.* syxa
17,88 *sechs; ne.* six.

s i x t a, *zahladj.,* syxta 15,36; *me.
(dat.)* sixten 28,25; siste 88,27;
sexte 34,13862; sæxte, sixte 84,
13909 *der sechste; ne.* sixth.

s î þ, *st. m.,* 9,208; *instr.* siðe 10,2859
reise, weg; sîþ(e) 21,62; *me. pl.*
siðen 28,14 *mal, zeit;* siþ 46,258
geschick; sume siðe 37,101 *einst.*

s î ð, *adv.,* 10,2934; *me.* sith *später.*

s i þ e d a n *s.* sîðian.

s i ð e n *s.* sippan.

s î ð - f æ t, *st. m.,* 8,700; sîðfætt 15,
130 *reise.*

s î ð i a n, *schw. v.,* 10,2868; *präs.
pl.* siþiað 9,584; *prät. pl.* siþedan
8,714 *reisen, gehen.*

s i þ i n *s.* siððan.

s i þ þ a n, *adv.,* 6,22; siððan 10,2853;
syðþan 17,114; siðþan 18,13;
syþþan 21,77; syððan 25,22; *me.*
seodðan 83,16; seodþan 88,43;
seoðõen 84.13975; siðen 39,1295;
seþþen 42,60; siþin 45,43; sithen
59,66; sythen 67.42 *sodann, nach-
her;* syððan 15,9 *seither; konj.,*
syððan 11,218 *nachdem;* siððan
10,2882; syððan 11,189 *sobald;
me.* syððen 32,9; suððe 82,117;
svn 59,29 *seit;* syððan 11,160;
siððan 14,50; *me.* siððe 32,205;
siðen (þat) 38,10; sen 60,71; syn
67,73 *da, da ja;* or syne 67,228
bevor lange, bald; vgl. ne. since.

s k a n t, *adj.,* 67,198 *spärlich, wenig;
ne.* scant [*an. neutr.* skamt].

s k a r r e, *v.,* 71,11; *prät.* skarrit 71,6
erschrocken sein; ne. dial. skar [*an.*
skirra]; *vgl. ne.* scare.

s k e l p, *sb.,* 67,323 *streich, schlag.*

s k e t e, *adv.,* 47.1083; sket 47,986
sofort, alsbald [*an.* skjótt].

s k i l, *sb.,* scel(e) 28,39 *geschicklich-
keit, fertigkeit, kenntnis;* skil 46,
52 *gebührliches;* skille 67,334 *ver-
stand; ne.* skill [*an.* skil].

S k o t(t) *s.* Scot.

s k r y k e, *v.,* 67,232 *kreischen,
schreien; vgl.* scriche *und ne.*
scritch.

s l a i n *s.* slêan.

s l a k e, *v.,* 69,161,4 *aufhören;* slokin
69,168,5 *dämpfen; ne.* slake,
slacken.

s l æ p, *st. m.,* 16,45 *schlaf; me.*
shlep(e) 59,6 *vergessenheit; ne.*
sleep.

s l æ p a n, *st. schw. v., me.* slepen 27,32;
p. präs. slæpende 16,45; *nh. merc.*
slêpend 19a,d,13; *me.* slepand
60.83; sleping 69,173; *prät. me.*
sleipit 70,18; *pl.* slêpun 19b,13; *me.*
slepen 19c,13 *schlafen; ne.* sleep.

s l a u c h t i r, *sb.,* 60,116 *gemetzel;
ne.* slaughter.

s l â w i a n, *schw. v., me.* slawen 32,
37 *langsam sein, zögern; ne. ver-
alt.* slow.

s l a y n *s.* slêan.

sle s. sleie.
slêan, st. v., 20,46; me. slon 39,
1328; slen 43,87; slo 46,184; pl.
präs. me. sleaþ 34,14000; imp.
sleah 10,2913; prät. slôh 22,83;
me. slow 61,1140; 2. prät. sg. slôge
13,38; pl. slôgon 11,231; slᴋgan
15,75; me. sloȝen 34,14036; slogh
57,3; slew 60,83;p. p. slagen;
slægen (les. slegen) 15,81; slain
46,310; yslawe 47,1114; slayn
48,132; ysslaȝe 50,85; yslaȝe 50,
97; sleyn 61,1129 (er)schlagen,
töten; ne. slay.
slege, st. m., 22,28; me. sleȝe 33,61
schlag.
sleie, adj., 46,159; sle 66,375;
adv. sleye 42,59 schlau, geschickt,
kundig; vgl. ne. sly.
sleipit s. slǣpan.
slen s. slêan.
slepande, slepen, slêpende,
sleping, slêpun s. slǣpan.
slew s. slêan.
sleye s. sleie.
sleyn s. slêan.
slic, pron., slyke 67,233 solcher [an.
slīkr].
slicht, sb., 60,105; pl. slyȝtes 58,
130 list; slyght 67,137 geschick-
lichkeit; vgl. ne. sleight.
slîdan, st. v., me. p. p. slydyn 59,6
gleiten; ne. slide.
slingan, st. v., me. p. p. slungin
69,165,1 schleudern; ne. sling.
slip, v., 67,364 durch die hand gleiten
lassen, abspinnen; ne. slip.
slîtan, st. v., p. präs. slîtende 20,
30; me. slite zerreißen; vgl. ne. slit.
slo, slôgan, slôge, sloȝen,
slogh, slôgon, slôh s. slêan.
slokin s. slake.
slomering s. slumerian.
slon s. slêan.
sloppare, adj., 69,163,2 schlüpfrig.
sloth, sb., 67,53 trägheit; ne. sloth.
slow s. slêan.
*slumerian, schw. v.; ne. slumber;
me. vb.-sb. 59,6 slomering schlum-
mern.
slungin s. slingan.
slyc s. slic.
slydyn s. slîdan.
slyght, slyȝtes s. slicht.
slyke s. slic.
smæl, adj., 17,106; Ep. smael 1,10;
me. smal 58,16; pl. smale 60,3;

smalle 67,90; sup. smalost 17,112
schmal, klein, dünn; ne. small.
smêc, st. m., me. smeche 32,18;
smech 32,277 rauch; vgl. smoca.
smelt, st. m., Ep. 1,23; me. smelt
stint; ne. smelt.
smelt s. smylte.
smeorte, sb., 32,114; smert 69,
167,4 schmerz; ne. smart.
smert s. smeorte.
smerte, v., 55,19 schmerzen; ne.
smart.
smêþe, adj., 21,15 glatt; vgl. me.
smoþe; ne. smooth.
smite, v., 48,54; smyte 67,215;
2. sg. präs. ihd. smytis 67,220;
konj. präs. sg. smite 46,335; smyte
67,218; prät. smote 48,115; pl.
smyten 48,55; p. p. smyten 48,
217 schlagen, treffen, werfen; ne.
smite.
smitta, schw. m., smitte, schw.f.,
me. smitte 45,36 fleck, kleinigkeit.
smoca, schw. m., me. smoke 27,21;
smowk 71,48 rauch; ne. smoke;
vgl. smêc.
smocian, schw.v., me.prät. smoked
27,21 räuchern; ne. smoke.
smok, sb., 54,55; fl. smoke 47,1128
frauenhemd; ne. smock.
smoke s. smoca, smok.
smoked s. smocian.
smorðer, sb., 33,28 stickluft =
rauch, qualm; vgl ne. smother.
smote s. smite.
smowk s. smoca.
smyle, v., 67,215; p.präs. smylyng
69,166.5 lächeln; ne. smile; vb.-sb.
smylyng 69,161,5 lächeln.
smylte, adj., kent. smelt 20,24
heiter, milde.
smyte(n), smytis s. smite.
snâ, st.m., 19a,3; snâw 9,14; merc.
snâu 19d,3; me. snaw 19c,3; snou
37,38; snow 19e,3 schnee; ne.
snow.
snaca, schw. m., me. pl. snakes 27.
25; snaken 32,273 schlange; ne.
snake.
snægl, st.m., Ep. snegl(as) 1,7; me.
snaill 70,10 schnecke; ne. snail.
snaill s. snægl.
snâu, snâw, snaw s. snâ.
sneglas s. snægl.
snel, adj., 9,347; mc. snell schnell;
pl. snelle 23,29; gen. snelra 11.
199 mutig, streitbar.

snotor, *adj., fl. fem.* snotere 11,
125 *klug.*
snou, snow *s.* snâ.
snûde, *adv.*, 11,125 *schleunig.*
snyttro, *schw. f.*, 14,87 *klugheit.*
snyttru-cræft, *st. m.*, 9,622
weisheitsfülle.
so *s.* swâ.
soecas, soecað *s.* sêcan.
soch(e) *s.* swelc.
socht *s.* sêcan.
socour, *sb.*, 67,157; socoure 67,254
hilfe, beistand; ne. succour.
sod, *sb.*, 67,58; sode *erdklumpen;
ne.* sod.
sodaynly, sodeynly *s.* sudaynly.
sodein, soden, soding *s.* sudayn.
soferan, *sb.*, 67,92 *herrscher; ne.*
sovereign.
sôfte, *adj., me.* softe 27,10 *sanft,
freundlich; ne.* soft.
sôfte, *adv.*, 23,59 *sanft, leicht: ne.*
soft.
sogh, soghe *s.* sâwan.
soght *s.* sêcan.
soȝnyng *s.* swôgan.
soȝt(e), sôhte, sohte(n) *s.* sêcan.
soiorne, *v.*, 48,149; *prät.* soiorned
48.192 *sich aufhalten, bleiben; ne.*
sojourn.
soiorne, *sb.*, 48,150 *wohnung; ne.*
sojourn; holde soiour 65,64,2
sich aufhalten.
solas, *sb.*, 59,22 *trost, vergnügen;
ne.* solace.
solde *s.* sculan.
sole, *sb.*, 67,391 *boden, platz.*
solempnely, *adv.*, 48,1 *feierlich;
ne.* solemnly.
solempnete, *sb.*, 51,58 *feierlich-
keit; ne.* solemnity.
solen, *adj.*, 46,238 (*hs., laut Mätzner*
= soleyn) *allein; ne.* sole.
soler, *st. m.*, 9,204 *söller; ne.* sollar.
soelest *s.* sêl.
solle *s.* sculan.
som *s.* sum.
some, *adv.*, 6,2; (swæ) same 14,50
ebenso; sam ... sam 17,200 *ebenso
wie; vgl.* same.
somen. *adv.*, ætsamne 18,57; *me.*
samenn 86,15564; somyn 59,66;
sammyn 60,72; sam (togeder)
67,292 *zusammen.*
somer, *sb.*, *(saum)esel;* to ben
somer driven 46,247 *schandesel
reiten.*

somer-blome, *sb.*, 46,294 *sommer-
blume.*
somnian, *schw. v.*, 9,193 *sammeln;* 9,
324; *prät. me.* samned 48,102; *p. p.*
gesamnod(e) 17,182; *me.* isomned
84,13856 *(sich) versammeln.*
somod, *adv.*, 9,584; samod 17,159;
merc. somud 13,30 *zusammen, zu-
gleich; als konj.* 11,163 *u. s. f.* = *und.*
somony, *v.*, 50,13 *mahnen; ne.*
summon.
somud *s.* somod.
somyn *s.* somen.
son *s.* sôna, sunne.
sôna, *adv.*, 10.2859; þâ sona 15,45;
me. sone 82,34; son 48,71; soyne
60,38; soyn 60,90; soone 19e,8
bald, sogleich; ne. soon; *konj.*
sôna swâ 21,43; *me.* sone swa
28,47 *sobald als.*
sond, *st. f., me.* sonde 84,14005;
sond 48,69 *sendung, botschaft;*
42,34 *schickung, gnade;* sande 82,
262; sond'42,20; *pl.* zondes 50,
12 *sendbote.*
sondre *s.* sunder.
sone *s.* sôna, sunu.
sonedæi *s.* sunne.
song, *st. m.*, 9,337; *me.* sæng 30,4;
sang(e) 82,351; song 87,60 *gesang,
lied; ne.* song.
song *s.* singan.
song-cræft, *st. m.*, 16,14 *dicht-
kunst.*
sonne *s.* sunne.
sonne(s), sonnys *s.* sunu.
soone *s.* sôna.
sor, sore *s.* sâr, sâre.
sorewe *s.* sorh, sorgian.
sorful *s.* sorhfull.
sorg(a), sorȝe(n) *s.* sorh.
sorg-cearig, *adj.*, 8,603 *kummer-
voll, besorgt.*
sorg-cearu, *st. f., akk.* sorgceare
7,209 *besorgnis, beunruhigung.*
sorgian, *schw. v., me.* sorewe 51,4
bekümmert sein; p. präs. sorgiende
15,91 *bekümmert, ängstlich; ne.*
sorrow.
sorg-stæf, *st. m., pl. dat.* -stafum
8,660 *kummervoller zustand.*
sorgum *s.* sorh.
sorh, *st. f.*, sorg(um) 4,3a; *me.* sorȝe
82,194; sorewe 82,374; seoruwe
87,60; sorhe 38,12; sorwe 44,57;
serewe 46,182; serewe 46,186;
sorow 67,206; *pl. me.* sorȝe 82,166;

gen. sorga 7,170; *dat. me.* (a)sorȝen
32,204 *kummer, sorge; ne.* sorrow.
s o r h - f u l l, *adj., me.* sorful **44**,151
kummervoll; sorrowful.
s o r h - l ê a s, *adj.,* 19b,14; *me.* sohr-
leas(e) *(hs.!)* 19c,14 *sorgenfrei,
unschuldig; ne.* sorrowless.
s o r i *s.* sârig.
s o r i n e s s e *s.* sârigness.
s o r o w, s o r w e *s.* sorh.
s o r y *s.* sârig.
s o t, *adj.,* **32**,**30** *töricht; vgl. ne. sb.* sot.
s o t h(li), s o t h l e *s.* sôð, sôðlîce.
s o t h r o u n, *adj., sb.* **66**,388 *südlich,
südländer* (= *engländer); ne.* sou-
thron.
s o t l i c e, *adv.,* **27**,4 *töricht; vgl.* sot.
s o u e þ e *s.* seofoða.
s o u ȝ e d *s.* swôgan.
s o u i n, s o u i t *s.* sâwan.
s o u l e *s.* sâwol.
s o u n d, *sb., pl.* soundis **60**,7 *ton,
laut; ne.* sound.
s o u n d, *adj.,* **69**,165,4; sounde **56**,5
gesund; ne. sound; *vgl.* onsund.
s o u r, *adj.,* **70**,30 *sauer; ne.* sour.
s o u t **46**,423 = souht; *s.* sêcan.
s o u t h e *s.* sûþan.
S o u t h - l a n d, *sb.,* **66**,442 *südliches
land; hier adj.* = *englisch.*
S o w d a n, *sb.,* **72**,19 *sultan; vgl. ne.*
sultan.
s o w e n, s o w e þ *s.* sâwan.
s o w e n y n g *s.* swôgan.
s o w n d, *v.,* **67**,438 *sondieren; ne.*
sound.
s o w w þ, *sb., pl.* sowwþess **36**,15565
schaf [an. sauðr].
s o y n(e) *s.* sôna.
s ô ð, *adj.,* 8,669; *me.* soþ **36**,37; *gen.*
sôþes 17,79; *(schw.) fl.* sôðan 15,
162; *me.* soþe 40,68; zoþe 50,1;
sothe 59,11; soth **67**,512 *wahr,
wahrhaft; ne.* sooth; *st. n.,* sôð
7,190; *me.* soth 44,36 *wahrheit;
for* soðe **32**,174; *to* soþe **33**,7;
þurh soðen **34**,13836; *for* soþe
47,1044; vorzoþe **50**,1; forsuth
66,396; forsothe 19e,4 *wahrlich;
ne.* forsooth.
s ô ð, *adv. (nh.),* 19a,15 *in der tat, aber.*
s ô ð - c y n i n g, *st. m.,* 9,329 *wahrer
könig.*
s ô ð e, *adv.,* 7,213 *in wahrheit.*
s ô þ - f æ s t, *adj.,* 9,587; *schw. fl.,*
sôðfæsta 24,8; *me.* sothfast *wahr-
haftig, gerecht.*

s ô ð - f æ s t n e s, *st. f., dat.* (-se) 15,
219; *gen.* sôðfæstnysse 15,11;
merc. dat. sôðfestnisse 18,20; *me.*
sothfastnesse 63,2 *wahrhaftigkeit.*
s ô ð l î c e, *adv.,* 7,203; sôþlîce **21**,70;
me. sodlice 19c,1; soþliche 46,391;
sothli 19c,3; sothle **67**,496 *in
wahrheit, wahrlich; ne.* soothly.
s ô ð n e s, *st. f., me. fl.* zoþnesse **50**,
35 *wahrhaftigkeit.*
s p a c, s p a c c *s.* sprecan.
s p a c e, *sb.,* **48**,19 *(zeit)raum; ne.*
space.
s p æ c h e *s.* spræc.
s p a c k *s.* sprecan.
s p a d e, *schw. f., pl. Ep.* spadan 1,26;
me. spade *spaten; ne.* spade.
s p a k, *adv.,* **58**,104 *flink; ne. dial.*
spack [*an.* spakr].
s p a k *s.* sprecan.
s p a r, *sb.,* **67**,130 *sparren; ne.* spar.
s p a r *s.* sperren.
s p a r e *s.* sparian.
s p a r e, *adj.,* **58**,104 *reserve-, aus-
hilfs-; ne.* spare *(nach Gollancz* =
spar, *sb., sparren, mast).*
s p a r i a n, *schw. v., me.* spare **46**,443;
prät. pl. sparedon 11,233 *schonen;*
48,173 *sparen; ne.* spare.
s p e a r c a, *schw. m., me.* sparke **44**.
91 *funken; ne.* spark.
s p ê c, s p e c h e *s.* spræc.
s p e c *s.* sprecan.
s p ê d, *st. f., eile; pl.* spêda 14,58; *me.*
sped **46**,141 *erfolg, glück;* 17,90
reichtum; 9,640 *machtfülle; merc.*
spoed 18,2 *kraft, stoff, festigkeit;
ne.* speed.
s p ê d a n, *schw. v., imp. me.* speid
73,11; *prät.* sped *(mit refl.)* **60**,28
sich sputen: präs. pl. spêdað **23**,34;
me. spede **44**,93 *erfolg haben; ne.*
speed; god spede! **67**,190 *gott sei
mit dir, ne.* Good speed (you)!
s p ê d i g, *adj.,* 9,10 *(erfolg)reich,
mächtig; ne.* speedy.
s p e i d *s.* spêdan.
s p e i k *s.* sprecan.
s p e k(e) *s.* spræc.
s p e k e(d), s p e k e n, s p e k e s.
s p e k e ð, s p e k i s *s.* sprecan.
s p e l, *sb., holzstück oder stahlfeder
zum emporschleudern des balles
beim spiele* knur and spell; *ne.*
spell, spill; setten s. on ende **46**,
62 *richtig zu schleudern trachten,
gerade auf sein ziel losgehen.*

spelian, *schw. v., me.* spele 48,230
schonen; ne. dial. spele.

spell, *st. n.,* 16,56; *instr. Ep.* spelli
1,21 *kunde, erzählung; me.* spell(e)
50,66 *evangelium; ne.* spell.

spellian, *schw. v., me.* spelle 44,15
reden, erzählen; spellenn 36,42;
spel 45,84 *predigen; ne.* spell;
vb.-sb. spelling 45,43 *predigen.*

spendan, *schw. v., me.* spend 67,
130; *p. p.* ispend 32,12 *verwenden,
ausgeben; ne.* spend.

spêow *s.* spôwan..

spere, *st. n., me.* spere 38,5 *speer;
ne.* spear.

sperit *s.* spyrian.

sperren, *v., p. p.* sperred 38,31
auseinandersperren; spar out 67,
128 *aussperren, abhalten.*

spert *s.* sprǽdan.

speryt *s.* spyrian.

spie, *v., p. p.* spyde 67,544 *erspähen,
erblicken; ne.* spy.

spilen, *v., prät.* spilede 34,13816
spielen, sich ergötzen.

spillan, *schw. v.,* 23,34; *me.* spille
46,233 *verschütten, vernichten,
töten;* spill 57,33 *verschwenden;
ne.* spill; make of limes spille
44,86 *entmannen.*

spitus, *adj.,* 67,416; spytus 67,455
feindselig, gehässig; vgl. ne. sb.
spite, *adj.* despiteous.

spoêd *s.* spêd.

spon *s.* spyn.

spor, *st. n.,* 8,623; *me.* spor *spur.*

spot, *sb., pl.* spottis 69,161,2 *flecken;
ne.* spot.

spouse, *sb.,* 46,91; spuse 38,21
gemahl(in); ne. spouse.

spôwan *st. v., prät.* spêow 14,9
glücken, gelingen.

sprǽc, *st. f., fl.* sprǽce 7,183;
sprêc(a) 21,57; *kent.* spêc 20,2;
me. spæch(e) 36,12; speche 59,34;
spek 60,61 *sprache, rede;* 10,2910
ansprache; 15,175; *me.* speche 40,
59 *unterredung; ne.* speech.

sprǽdan, *schw. v., me.* sprede
44,95; sprude 58,104; *3. sg. präs.
ind.* spert 37,140 *(sich) ausbreiten,
erstrecken; ne.* spread.

spray, *sb.,* 53,2 *sproß, zweig; ne.*
spray.

sprecan, *st. v.,* 7,171; *me.* speke
32,9; speken 32,147; speik 72,13;
2. sg. präs. spricest 7,179; *me.*

spekis 67,206; *3. sg. me.* speked
83,39; *pl.* spekes 57,31; *p. präs.*
sprecende 16,31; spreccend 19a,
18; *prät. sg.* sprǽc 10,2848; *me.*
spacc 36,15602; spec 40,28; spac
41,11; spak 43,139; spek 51,18;
spack 72,11,6; *pl.* sprǽcon 17,80;
me. speken 42,25; *p. p.* sprecen
sprechen, reden, sagen; ne. speak.

sprede *s.* sprǽdan.

sprêot, *st. m., me.* sprete 58,104
spriet; vgl. ne. sprit.

springan, *st. v., me.* springe 43,
132; spryng 60,13; *prät.* sprang
(*les.* sprong) 43,126 *entspringen,
entsprießen;* 51,12 *wachsen; p. p.*
isprungen 32,173 *entstammen;
prät.* sprong 8,585 *sich ergießen:
prät.* sprong forth 44,91 *vorwärts-
springen; ne.* spring.

sprude *s.* sprǽdan.

spusbreche, *sb.,* 41,34 *ehebruch;
vgl.* spouse *und* brecan.

spuse *s.* spouse.

spyde, spye *s.* spie.

spyn, *v.,* 67,238; *p. p.* spon 67,337
spinnen; ne. spin.

spyndille, *sb.,* 67,364 *spindel; ne.*
spindle.

spyrian, *schw. v., prät. me.* sperit
(at) 60,39; speryt 66,428 *(auf)-
spüren, nachfragen.*

spytus *s.* spitus.

sroud *s.* scrûd.

srud *s.* scydan.

ssel *s.* sculan.

sseper(e), *sb.,* 50,38 *schöpfer; vgl.*
scieppan.

ssewe *s.* scêawian.

ssewere *s.* scêawere.

ssipes *s.* scip.

ssolden, ssolle *s.* sculan.

ssop *s.* scieppan.

stable, *adj.,* 64,1; stabill 78,17
standhaft, beständig; ne. stable.

stabylnes, *sb.,* 49,42 *stätigkeit;
ne.* stableness.

stæf, *st. m., me.* staf 67,381 *stab; ae.*
stæf 22,37 *buchstabe; pl. dat.* sta-
fum 16,4 *schrift; ne.* staff, stave.

Stafford, *ortsn., s.* blew.

stale, *sb.,* 69,169,5; stalle 67,345
wohnung, platz, gefängnis; ne.
stall.

stale *s.* stalu.

stæl-hrân, *st. m.,* 17,93 *lockrenn-
tier; vgl.* stalu.

stall *s.* stelan.

stalle *s.* stale.

stallen, *v., p. p.* stold 67,525; stallit 69,170,3 *stellen; ne.* stall.

stalu, *st. f., me.* stale 82,253 *diebstahl.*

stæl-wierŏe, *adj., me.* stalworþi 44,24; *sup.* stalworþeste 44,25 *brauchbar, wertvoll, trefflich; ne.* stalworth, -wart.

stân, *st. m.,* 7,192; *me.* ston 42,41; stone 48,144; stoon 19e,2; *pl. me.* stanes 27,27 *stein;* stane 60, 23 *magnetstein; ne.* stone.

stæna, *schw. m., me.* stene 40,15 *steingefäß.*

stân-clif, *st. n., pl.* stânclifu 9,22 *felsenklippe; ne.* stonecliff.

standan(d), stande(n), standis *s.* stondan.

stænen, *adj.,* 22,80; *me.* stonen *steinern.*

stane-still, *adj.,* 57,32 *stumm wie ein stein (vgl.* 42,44; 67,525).

Stânhâm-stede, *ortsn., st. m.,* 12,3 *Stanstead in Kent.*

stant *s.* stondan.

stape, *adj.,* [*p. p. zu* steppan?] 58,122 *(hs.) außerordentlich.*

stêr, *st. n.,* 16,66 *erzählung; vgl.* storie.

starc *s.* stearc.

starian, *schw. v.,* 11,179; *me.* stare *starren, fest blicken; ne.* stare.

stark *s.* stearc.

starne *s.* steorra.

state, *sb.,* 48,39 *stand, zustand;* 67,443 *lage; ne.* state; *vgl.* estat.

statute, *sb.,* 48,77 *satzung; ne.* statute.

stæþ, *st. n., dat. sg.* staŏe 17,159; stæŏe 23,25 *gestade, ufer.*

staþol, *st. m.,* 8,654 *grundlage.*

steah *s.* stîgan.

stêap, *adj.,* 6,18; *me.* stepe *steil, hoch; ne.* steep.

stearc, *adj., me.* stark 46,223 *stark, viel;* starc 67,268 *steif; adv.* 58,122 *sehr, völlig; ne.* stark.

stearc-ferhŏ, *adj., pl.* stearcferþe 8,636 *starkgesinnt; vgl.* stercedferhŏ.

stecan?, *st. v., (ein)stecken; me. p. p.* stoken up 59,11 *verdrängen.*

sted *s.* steden.

stêda, *schw. m., me.* stede 43,49 *hengst, streitroß; ne.* steed.

stede, *st. m.,* 23,19; *me.* stede 82, 26; sted 62,27 *stelle, ort; ne.* stead; in stede of 69,165,7 *anstatt; ne.* instead of.

stede-heard, *adj.,* 11,223 *standfest, festhaltend?*

steden, *v., stellen; p. p.* hard sted with 67,199 *schwer betroffen von.*

sted-fast, *adj.,* 64,1 *standhaft, beständig; ne.* steadfast.

sted-fastnesse, *sb.,* 64,7 *festigkeit, beständigkeit; ne.* steadfastness.

stefn, *st. f., (instr.* stefne) 10,2848; stemn 21,35; *me.* steuen(e) 33, 76; steuen 42,27; steuin 45,14; stevyn 67,72 *stimme.*

stefn, *st. m., dat.* stefne 18,34; *me.* stem *steven; vorderschiff; ne.* stem; *vgl.* stemme.

stek, steked, stekit *s.* stician.

stel *s.* stele.

stelan, *st. v., p. präs.* stelende 19a,13; *prät. me.* stall 70,20; *pl.* stelen 82,159; *p. p.* stolen 19e,13 *stehlen; ne.* steal.

stele, *sb.,* 67,120; stel 46,95 *stahl; ne.* steel.

stemme, *v., p. präs.* stemmand (apon) 60,25 *mit dem steven losseqeln, richtung nehmen (auf); ne.* stem.

stemn *s.* stefn.

stenc, *st. m.,* 9,8 *duft, geruch; me.* stunch 83,28; stench 87,44; stynk 71,48 *gestank; ne.* stench, stink.

stene *s.* stæna.

stent *s.* stondan.

stêor, *st. f., me.* ster(e) 43,103 *steuer, schiff.*

stêor-bord, *st. n.,* 17,57 *steuerbord, rechte schiffsseite; ne.* starboard.

steoren *s.* stêran.

steorfan, *st. v., me. prät. pl.* sturuen 27,42 *(hungers) sterben; ne.* starve.

steorra, *schw. v., me.* steorre 82,275; *pl.* sternes 67,8; starnes 67,423 *stern; ne.* star.

steppan, *st. schw. v.,* 6,5; *prät.* stôp 23,8; *me.* steppit 69,171,3; *pl.* stôpon 11,200; *merc.* stôpen 19d,9 *schreiten, gehen, treten; ne.* step.

stêran, *schw. v., me.* steoren 87,45 *räuchern.*

sterced-ferhŏ, *adj., pl.* -e 11, 227 *starkgesinnt; rgl.* stearcferhŏ.

stere, v., 67,175 *steuern, leiten;*
ne. steer; *vgl.* stêor.
stere *s.* stêor.
stere-man, *sb.,* 67,427 *steuer-*
mann; ne. steersman.
steren *s.* styrne.
ètere-tre, *sb.,* 67,433 *steuerruder.*
sterne, *sb.,* 58,149 *steuerruder,*
schiffshinterteil; ne. stern.
sternes *s.* steorra.
Steuen, *eigenn.,* 48,2; Steph. 27,1
Stephan; ne. Stephen.
steuen(e), steuin, stevyn *s.*
stefn.
sticce(-), sticche *s.* stycce(-).
stician, *schw. v., prät. me.* steked
38.22 *stecken;* sticode 15,86;
stekit 66,418 *stechen, töten; ne.*
stick.
stîg, *st. f., pl.* -e 6,24; *me.* stize;
stie *steg, weg.*
stîgan, *st. v., me.* stizen 28,51;
prät. steah 28,41 *steigen.*
stigu, *st. f., Ep.* 1,3; *me.* stie
schweinestall; ne. sty.
stil *s.* stille.
stillan, *schw. v., me.* stille 67,217
zur ruhe bringen; ne. still.
stille, *adj.,* 9,185; *me.* stille 32,
112; still 60,119 *still, ruhig; adv.*
stille 10,2909; *me.* stille 42,44
still; 46,86 *verschwiegen; ne.* still.
stilness, *st. f.,* 14,56; *me.* stilnesse
stille, ruhe; ne. stillness.
stime, *sb.,* 45,40 *kleinigkeit.*
stincan, *st.v., me. konj. präs.* stynk
67,381 *stinken;* stinken 37,44
riechen; ne. stink.
stingan, *st. v., me. prät.* stong
55,4 *stechen; ne.* sting.
stinken *s.* stincan.
stiorc *s.* styric.
stirten, *v.,* 2. *sg. prät.* stirtest vp
47,1128 *aufspringen; vgl.ne.* start.
stith(e) *s.* stîð.
stîð, *adj.,* 10,2848; *me.* stith(e)
59,7 *fest, mutig.*
stîð-hÿdig, *adj.,* 10,2896; *pl.*
stîðhygde 8,654 *starksinnig.*
stîðlîce, *adv.,* 23,25 *fest, mutig.*
stîð-môd, *adj.,* 4,1b *stark-*
sinnig.
stocc, *st. m., me.* stokk(e) 40,52
baumstrunk, stock; pl. stokkes 58,
79 *fußblock; ne.* stocks.
stod(e), stôd(on) *s.* stondan.
stoken up *s.* stecan.

stokke(s) *s.* stocc.
stôl, *st. m., me.* stol(e) 50,81 *stuhl;*
ne. stool.
stold *s.* stallen.
stolen *s.* stelan.
ston *s.* stân.
stondan, *st. v.,* 9,22; standan 10,
2927; *me.* stande 32,312; stand
48,89; stonde 55,11; 3. *sg. präs.*
ind. standeð 17,159; stent 17,
138; stynt 23,51; *me.* stent 32,20;
standis 67,210; stant 69,167,3; *pl.*
standað 6,3; *p. präs. me.* standand
48,144; standyng 67,416; *prät.*
stôd 8,589; *me.* stod 34,14056;
stode 37,90; stood 65,59,3; stude
69,160,4; *pl.* stôdon 14,30; *me.*
stode 61,1152; stude 69,166,2;
p. p. stonden; standen *stehen,*
treten; 48,89 *sich halten (an); ne.*
stand; *me.* st. æie of 32,20 *scheu*
haben vor.
stone *s.* stân.
stoned, stonie *s.* stunian.
stong *s.* stingan.
stood *s.* stondan.
stoon *s.* stân.
stôp, stôpen, stôpon *s.* steppan.
storc, *st. m., me.* storke 49,43
storch; ne. stork.
store, *sb., vorrat, wert; ne.* store;
he settis no store 67,92 *er küm-*
mert sich nicht um.
storie(s) *s.* story.
storke *s.* storc.
storm, *st. m.,* 13,3; *me. gen.* stor-
mes 42,18; *pl.* stormes 42,8 *sturm,*
gewitter; ne. storm.
story, *sb.,* 48,198; *pl.* stories 59,11
geschichte; ne. story; *vgl.* stær.
stounde *s.* stund.
stoure, *sb.,* 48,13 *kampf;* [*afrz.*
estour]; *ne. dial.* stour.
stout, *adj.,* 57,13 *stolz, kühn;* stoute
48,156 *stark, gewaltig; ne.* stout
[*afrz.* estout *zu hd.* stolz].
stoutly, *adj.,* 48,213 *heftig.*
stôw, *st. f.,* 8,636; *nh.* stôu 19a,6;
pl. stôwa 14,34; *me.* stowe 19c,6
ort, stelle.
stowned *s.* stunian.
straie, *v., prät.* straied 48,152
schweifen lassen; ne. stray.
strak *s.* striken.
strêl, *st.m.f.,* 4,4b; *nh.* strêl 4,4a;
me. stral *pfeil.*
strang, strange *s.* strong.

strange, adj., 48,49 fremd; 69,
163,3 seltsam; ne. strange.
stranglaker s. stronglîce.
strǽt, st. f., 6,18; me. stret 82,
337 (fl. strete 82,231); pl. stretes
57,25 straße, weg; ne. street.
straught s. streccan.
strêam, st. m., 14,schl.-ged.14; me.
striem 82,248; strem 52,21; pl.
stremes 83,21 strom, fluß; ne.
stream.
streccan, schw. v., me. strek 46,
441; streche 69,169,3 strecken,
dehnen; p. p. straught out of
mynde 59,11 aus der erinnerung
geschwunden; ne. stretch.
streght, adv., streit 48,48 gerade-
wegs, stracks; ne. straight; vgl.
streccan.
strek s. streccan.
strêlum s. strǽl.
strem, stremes s. strêam.
stren, sb., 47,1021 ableger; nach-
komme, sohn; vgl. gestrêon.
strencðe s. strengðu.
streng, st. m., me. pl. strenges 27,
23 strang, strick; ne. string.
strenght s. strengðu.
strengre s. strong.
strengþen, v., 46,170; p. p.
istrengþed 41,29 stärken, kräfti-
gen; ne. strengthen.
strengðu, st. f., 9,625; strengð
22,51; me. strengðe 82,313;
streynþ(e) 55,22; strynth 60,87;
strenght 67,261; dat. strengðe
22,12; me. strencðe 82.168; stärke,
kraft, gewalt; strength(e) 61,1111
gewahrsam; ne. strength.
stret, strete(s) s. strǽt.
streynþe s. strengðu.
strica, schw. m., 22,38; me. strike;
streke strich, tüttelchen; ne. streak.
strîdan, st. v., me. striden; 3. sg.
präs. Ep. strîdit 1,26 schreiten;
ne. stride.
striem s. strêam.
strif, sb., 48,82; stryfe 59,28; pl.
stryfis 67,400 streit, zwist; ne.
strife.
Striflin, ortsn., 57,13; Stryuelin
48,188 Stirling (schottische stadt).
striken, v., konj. präs. strike 67,
231; prät. strak 66,413 streichen,
schlagen, treffen; 3. sg. präs.
strikeþ 52,21 dahinfließen; ne.
strike.

stroke, sb., pl. strokis 67,382
streich; ne. stroke.
strond, st. n., me. strond 42,19
strand, ufer; ne. strand.
strong, adj., 8,651; strang 4,1b;
schw. fl. stranga 10,2899; me.
(pl.) strang(e) 82,279: strong 84,
13896; komp. strengra(n) 15,45;
n. strengre 7,192 (oder zum ae.
adj. strenge derselb. bed.?); me.
strengre 83,19; sup. strangesta
15,51; me. strongest 59,7 stark,
kräftig; 44,114 heftig; strang 82,
312; pl. stronge 55,35 schwer;
7,192 schlimm; ne. strong; þi
stranger 45,22 stärker als du.
stronglîce, adv., me. stronglike
44,135; komp. stranglaker 50,24
stark, sehr; ne. strongly.
strucyo, sb., 49,43 = lat. struthio
strauß.
stryf(e) s. strif.
stryfe, v., 67,107 streiten; ne.
strife; vgl. strif.
stryffe, stryfis s. strif.
stryke s. striken.
strŷnd, st. f., fl. -e 15,62 geschlecht.
strynth s. strengðu.
stryuelin s. Striflin.
stude s. stondan, styde.
study, v., 62,36 (in) studieren, sich
vorbereiten (auf); ne. study.
stuf, v., 67,85 stopfen, anfüllen;
ne. stuff.
stunch s. stenc.
stund, st. f., me. stund(e) 82,149;
stounde 42,4 zeit; stunde 45,93;
stounde 48,14 kurze zeit; gehzeit;
vmbe st. 58,122 manchmal.
stund s. stunian.
stunian, schw. v., me. prät. ston-
ed 48,144; stowned 58,73; p. p.
stund 45,11 betäuben, in erstaunen
setzen, müde machen; ne. stound,
stun.
stunt, adj., me. stunt; kent. gen.
pl. stunra 20.2 stumpf, dumm.
Stûr, flußn., st. f., me. sture 82,248
der Stour (in Hampshire).
sturdely, adv., 60,94 stark, ge-
waltsam; ne. sturdily.
Sture s. Stûr.
sturien, v., styr 67,366 (sich) be-
wegen; prät. styrd 67,37 reizen;
ne. stir; vgl. eorþstyrennis.
sturne s. styrne.
sturuen s. steorfan.

s t y c c e, *st. n., me.* (a)sticche 32,
189; stuche; *dat.pl.* sticcum 22,13
stück.
s t y c c e - m æ l u m, *adv.*, 17,52;
sticcemælum 15,94 *stellenweise,
hie und da.*
s t y d, *st. n., nh.* 19a,6 *ort.*
s t y d e, *st. m., me.* stude 33,43 *ort,
stelle; vgl.* stede.
s t y l e, *sb.*, 71,41 *lebensweise; ne.*
style.
s t ȳ m a n, *schw.·v.*, 9,213 *rauchen,
dampfen; vgl. ne.* steam.
s t y n k *s.* stenc, stincan.
s t y n t *s.* stondan, -styntan.
-s t y n t a n, *schw.v., me.* stynt 48,176
hemmen, einhalt tun; to be stynt
(p. p.) 58,73 *aufhören; ne.* stint.
s t ȳ p e l, *st. m., dat.* stȳple 25,24
(kirch)turm; ne. steeple.
s t y r, s t y r d *s.* sturien.
s t y r i c, *st. n., me.* stirk; *kent. dat.*
stiorce 20,11 *stierkalb; ne.* stirk.
s t y r m a n, *schw. v., me.* sturmen;
prät. pl. styrmdon 11,223 *stürmen,
lärmen; vgl. ne.* storm.
s t y r n e, *adj., me.* sturne 34,14024;
steren 57,13 *streng, trotzig, stark;
ne.* stern.
s t y r n - m ô d, *adj.*, 11,227 *grimmen
sinns.* ·
s û *s.* sugu.
s u á, s u a, s u æ, s u a e *s.* swâ.
s u a g a t, *adv.*, 45,48 *so, so und so.*
s u a l u u a e *s.* swealwe.
s u b b a r b, *sb., pl.* subbarbys 65,59,2
vorstadt; ne. suburb.
s u c c e s s o u r, *sb.*, 65,64,5 *nach-
folger; ne.* successor.
s u c h *s.* swelc.
s u d a y n, *adj.*, 69,163,1; sodein;
soden; soding 62,15 *plötzlich;
ne.* sudden.
s u d a y n l y, *adv.*, 69,165,3; sodeynly
69,161,5; sodaynly 69,166,4 *plötz-
lich; ne.* suddenly.
S u d d e n e, *ländern.*, 43,140 *Horns
heimat (Insel Man? n. Schofield).*
s u e, *v., prät.* suet 59,24 *folgen; ne.*
sue.
s u ę *s.* swâ.
s u e h o r a s *s.* swêor.
s u e l c e *s.* swelc.
s u e n c t e n *s.* swencan.
s u e r d *s.* sweord.
s u e r e *s.* swerian.
s u ę s e n d a *s.* swæsenda.

s u e t *s.* sue.
s u e t e *s.* swête.
s u e t i n g *s.* sweting.
s u e y n *s.* sweyn.
s u f f e r, *v.*, 58,113; *imp.* suffer
64,25; *prät.* suffred 48,29; suf-
feryt 66,374 *dulden, zulassen; ne.*
suffer.
s u f f i c e, *vb.*, suffyse 63,21 *genügen;
ne.* suffice.
s u f f i c i a n t, *adj.*, 62,14 *hinlänglich;
ne.* sufficient.
s u f f r e d *s.* suffer.
s u f f y s e *s.* suffice.
s u f l, *st. n., kent. gen. pl.* sufla 12,32;
me. sufel *zukost (portion).*
s u g g e n *s.* secgan.
s u g u, *st. f.*, sû(e) 6,4 *(les.); me.* sowe
sau; ne. sow.
s u i c, s v i c h *s.* swelc.
s u i k e s *s.* swica.
s u i l c(e), s u i l k *s.* swelc.
s u l d, s u l d e *s.* sculan.
s u l f(n e), s u l u e(n) *s.* seolf.
s u m, *pron.*, 10,2908; *me.* sum 32,27;
som 67,157; *akk. m.* sumne 11,148;
f. sume 21,75; summ 36,15; *pl.
nom.* sume 19b,11; *nh.* summe 19a,
11; *me.* sume 19c,11; summe 33,
34; som 47,1080; some 49,30; sum
59,17; *dat.* sumum 17,107; *akk.*
summe 33,14 *irgendein, manch;
pl. einige; ne.* some; *gen.* sumes
(adv.) 9,242 *in gewisser hinsicht;
gen. f.* sumre tîde 16,23; *me. (akk.)*
sum wile 27,43; sum tyme 57,32;
som tyme 64,1; sume siðe 37,101
einst; sumne dæl 14,52; *me.* sum-
del 45,112 *viel, sehr;* sum hwat
38,15; summ del 36,98 *einiges;*
sumþing 40,7 *einigermaßen;* fêo-
wertiga sum 15,156 *einer von
vierzig;* syxa sum 17,88 *einer von
(oder mit) sechsen; pl.* sume þâ
weardas 19b,c,11 *einige von den
wächtern;* sume … sume 15,87f.
die einen … die andern.
s u m, *adv., me.* (swa) summ 36,30 *wie;*
quat sum 45,30 *was auch immer.*
s u m d e l *s.* sum, *pron.*
s u m e(s), s u m m(e) *s.* sum, *pron.*
s u m o r, *st. m.*, 1 ,200; *me.* sumer
37,39; *gen.* sumeres 9,209; *me.*
someres 43,29; *dat.* sumera 17,53
sommer; ne. summer.
s u m r e, s u m u m, s u m þ i n g *s.*
sum, *pron.*

sunden s. eom.

sunder, adj., gesondert; adv. in sondre 66,408; in sunder 67,407 entzwei, mitten durch; vgl. ne. asunder.

sunezede, -ude s. syngian.

sunen(a) s. sunu.

sunfulle s. svnfull.

sungan, sunger, sungun s. singan.

sunne, schw. f., 9,587; me. sunne 28,8; sonne 52,26; son 67,6; fl. sunnan 9,17; me. Sunne 34,13934; sonne 47,1031 sonne; ne. sun; sunnan dæg, st. m., me. sunedei 33,3; sunnedei 33,66; sonedæi 34,13934 sonntag; ne. Sunday.

sunne s. sunu, svn.

sunu, st. m., 10,2884; me. sune 82, 186; sone 46,167; sonne 48,22; gen. sunu 19a,19; suna 19b,19; me. sune 19c,19; dat. suna 21,8; me. sunne 33,108; sune 37,26; sone 19e,19; akk. sunu 7,197; me. sune 39,1287; sone 43,9; sonne 48,2; zone 50,14; pl. nom. suna 21,48; me. sunen 34,13993; sones 43,21; sonnes 48,12; zones 50,26; sonnys 66,444; suness; gen. sunena 21,78 sohn; ne. son.

suore(n), suorn s. swerian.

suppe, v., 58,151 schlürfen, trinken; ne. sip.

supplication, sb., pl. supplicationis 71,26 bitte; ne. supplication.

suppose, v., 67,221 annehmen, vermuten; konj. suppos 66,374 obgleich; ne. suppose.

surcote, sb., 69,160,1 oberkleid, überwurf; ne. surcoat.

sure, adj., 67,282; by sure 58,117 sicher; ne. sure.

Surpe, volksn., pl. 17,31; Surfe 17,44 die Sorben (Slawen in Norddeutschland).

suspecyoun, sb., 65,59,5 verdacht; ne. suspicion.

suster s. sweostor.

suteliche s. sweotollîce.

sutelte, sb., 60,87 schlauheit, list; ne. subtelty.

suyftest s. swift.

suyðe s. swîðe.

sûð, adv., 14,93; sûþ 17,7; me. souþ; south nach süden; im süden; ne. south.

sûþan, adv., 9,186; sûðan 14,82; me. bi southe 67,477 von süden; präp. be sûþan (mit dat.) 17,13; wið sûðan (mit akk.) 17,132 südlich von.

Sûþ-dene, volksn., st. m. pl., 17,33 südliche Dänen.

sûðe-weardum, adv., 17,117; präp. on s. (mit dat.) 17,126 südlich (von); ne. southward(s).

sûð-folc, st. n., 15,150 südliches volk.

sûð-portic, st. n., 25,25 südtor.

sûþ-ryhte, adv., 17,65 nach süden.

Sûð-seaxan, volksn., schw. m. pl., 15,54 südliche Sachsen.

suððe s. siþþan.

swâ, adv., 9,23; swæ 14,14; me. swa 27,20; sua 27,30; se 32,67; swo 82, 75; sa 82,205; so 32,389; zuo 50,22 so; kent. swaê 12,32; me. swa 49,17; al zuo 50,11 ebenso; nh. suæ, suâ 19a,3; swylce swê 6,4; swâ swâ 17,177; swæ swæ 14,68; swilc se 32,80 so wie; al so 40,18 wie eben; swâ þeah 22,49 dennoch (verstärkt); me. so mit attrib. adj. 67,165 so (steigernd): swæ oftost 14,23 so oft nur; swâ hwæt swâ 16,4 alles was; quat so 39,1324 was immer; kent. suę hwaeder suaê 12,23 was von beiden immer; swâ summ 36, 30 wie auch immer; ne. so; konj. swâ 9,322; swæ 14,56; kent. suê 12,10; kent. nh. suæe 12,25; me. se 32,240; swa 34,13806 wie; so 37,129 so wie; swâ ... swâ 9,650; swæ ... swæ swæ 14,77; me. swa swa 28,5; (eal) se ... se 32,67; swa ... se 32,365; so ... so 46, 156; sa ... as 62,11 so ... wie; me. so 46,26; sa 60,53 so wahr als; me. so ... so 46,156 so ... als; swâ ... swâ 17,110; me. þe ... zuo 50,21 je ... desto; swâ ðætte 16,4; swâ þæt 22,85; me. swa þat 60,22 so daß; sôna swâ 21,43; al so 40,11 sobald als.

swæcc, st. m., instr. pl. swæccum 9,214 geruch, duft.

Swæfas, volksn., st. m. pl., 17,13 die Sueven.

swain(es) s. sweyn.

swallt s. sweltan.

swanc s. swincan.

sware, sb., 36,15585 antwort; 51, 20 schwur.

swarm, *sb.*, 69,165,5 *schwarm; ne. swarm.*
swǽs, *adj.*, 9,375 *eigen, lieb, traut; pl.* swǽse ond gesibbe 6,22 *die lieben-verwandten.*
swǽsenda, *st.n.pl., kent.* suęsenda 12,26 *speisen, mahl.*
swât, *st. m.*, 18,13(*les.*); *me.* swot, swet *schweiß, blut; ne. sweat.*
swæð, *st. n.*, 14,36 *spur; ne. swath.*
swaðu, *st.f., dat.* swaþe 6,25 *spur; ne. swath.*
swê *s.* swâ.
swealwe, *schw. f., Ep.* sualuuae 1,10; *me.* swalwe *schwalbe; ne. swallow.*
sweart, *adj., schw. akk.* sweartan 18,61; *instr.* sweartan 10,2857; *me.* swiert(e) 32,278 *schwarz, dunkel; ne. swart.*
sweem, *sb.*, 65,62,2 *sorge, trauer.*
swefn, *st. n.*, 16,26; *me.* sweven *schlaf, traum.*
swefte *s.* swifte.
swêg, *st. m.*, 9,618 *ton, gesang.*
swêgan, *schw. v., me.* sweie(ð) 37,28; *prät.* sweyed 58,151 *tönen, rauschen.*
sweȝe, *vb.*, 58,72 *sich rasch bewegen;* [*an.* sveigja] *vgl. ne. sway.*
swegl, *st. n.*, 7,203 *himmel, äther.*
sweieð *s.* swêgan.
sweines *s.* sweyn.
sweit *s.* swête.
swelc, *pron.*, 14,93; swylc(e) 9, 233; *me.* swilc, swilch 32,80; swioh 32,120; swulch(e), soch(e) 34,13830; swulchere (*dat. f.*) 34, 13990; swuch 35,83; swillc 36,47; swiche (a) 42,24; suich (a) 44,60; selc (a) 46,83; selk 46,101; silk 46, 198; sulk(e)(a) 46,264; selke (a) 46, 313; suilk 48,10; swylk(e) 49,23; (a) such 51,72; sic 60,113; such (a) 61,1139; sich (a) 67,78 *solcher, solch einer;* al swuch (swich) 35, 83; suilc(e) ... suilc(e) 12,43; *me.* alsuic, alse 27,2; swylc ... swylc 28,45; swilc ... swa 33,31; swuch ... as 38,30 *solch ... welch, solch ... wie (korrel.); ne.* such; *konj.* swylce (swê) 6,4 *ebenso;* swylce êac 15, 165; swelce êac 16,79; swilce êac 18,19; êac swylce 15,1; êac swelce 16,9 *ebenso auch;* swelce 14,34; *me.* swilc 32,118 *als ob;*

adv. swylce 19b,3; *nh.* suelce 19a,4; swylce 19c,3 *gleichsam.*
sweltan, *st. v.*, 7,191; *konj. präs. sg.* swelte 21,14; *prät.* swallt 36,31 *dahinsterben;* swelten 37, 104 *dahinschmachten; ne. veralt.* swelt.
swencan, *schw. r., me.* swenche 32,250; *prät. pl.* suencten 27,14 *quälen, peinigen.*
swengan, *schw.v., me.* swenge 58, 108 *schlagen, schwingen, treiben; ne. swinge.*
Swêo-land, *ländern., st.n.*, 17,118 *Schweden.*
Swêon, *volksn., schw.pl.m.*, 17,43 *die Schweden;* 17,154 *für: Schweden (land).*
*sweopu, *st.f., me.* swepe 36,15562 *peitsche, geißel.*
swêor, *st.m., Ep.pl.* suehoras 1,26; *me.* swêor *schwiegervater.*
swêora, *schw. m., me.* sweore 32, 146; swyre 53,28; *akk.* swîran 15,16; swûran 21,24 *hals.*
sweord, *st. n.*, 10,2857; swyrd 11,230; swurd 23,47; *me.* swerd 39,1307; suerd 48,210; *gen. pl.* sweorda 18,4 *schwert; ne.* sword.
sweord-bite, *st.m.*, 8,603 *schwert-biß, schwertstreich.*
sweord-slege, *st.m.*, 8,671 *schwert-schlag.*
sweore *s.* swêora.
sweostor, *f., me.* suster 32,150; zoster 50,61 *schwester; vgl. ne. sister.*
sweotole, *adv.*, 11,177 *klar, deut-lich.*
sweotollîce, *adv.*, 11,136; sweo-tolice 15,32; *me.* suteliche 33,2 *klar, deutlich.*
swepe *s.* *sweopu.
swêr, *st.m.*, (-um) 22,80; *me.* sweor *säule; vgl.* swêora.
swerian, *st.v., me.* swere 47,1024: suere 48,51; *prät.* swor 39,1338; swore 47,1037; suore 48,76; *pl.* suore 48,89; *p. p.* suoren 27,11; yswore 47,1011; suorn 48,53 *schwören; ne.* swear.
swêrum *s.* swêr.
swête, *adj.*, 9,214; *fl.* swêtan 15,17; *me.* swete 32,145; suet(e) 46,176; sweit 71,20; *sup. fl.* swêtestan 9,193 *süß, angenehm, köstlich;* 55, 41 *gütig; ne.* sweet.

Zupitza-Schipper, Alt- u. mittelengl. übungsb. 12. aufl. 23

Go gle 367

swete, v., 67,195 schwitzen; ne.
sweat.
sweteli s. swêtlîce.
sweting, sb., sueting 46,222 lieb-
ling.
swêtlîce, adv., me. sweteli 38,22
süß, innig; ne. sweetly.
swêtness, st. f., 15,221; swêtniss
16,6; me. swettnes 49,40 süßig-
keit, anmut; ne. sweetness.
sweyed s. swêgan.
sweyn, sb., swain 44,32; sueyn
48,172; pl. swaines, sweines 34,
13985 junger bursche, knappe,
knecht; ne. swain.
sweþrian, schw. r., 9,229 auf-
hören.
swica, schw. m., me. pl. suikes 27,9
verräter.
swîcan, st. v., me. swiken 33,32 nach-
lassen; p. p. pl. swikene 32,103
(fehlerhaft für swikele [les.]; vgl.
swicol) im stich lassen, verraten.
swic-dôm, st. m., 22,50; me.
swikedom verrat, betrug.
swich(e) s. swelc.
swicol, adj., me. swikel 33,57; fl.
f. swicole 22,56; me. pl. swikele
32,103 (les.); swichele 32,251
betrügerisch, tückisch.
swierte s. sweart.
swift, adj., 6,2; me. suyft 48,145;
schw. pl. swiftan 17,189; sup.
swyftost(e) 17,182; swiftost(e)
17,185; me. suyftest 48,147 schnell,
hurtig; ne. swift.
swifte?, adv., me. swefte 58,108
schnell.
swiftenes s. swiftness.
swiftlîce, adv., me. swyftly 58,
72 schnell; ne. swiftly.
swiftness, st. f., me. swiftenes
59,12 schnelligkeit, schneller ver-
lauf; ne. swiftness.
swîge, schw. f., 7,190 schweigen.
swikel(e) s. swicol.
swiken(e) s. swîcan.
swilc(e), swilch, swilk s. swelc.
swîma, schw. m., schwindelanfall;
me. swym 59,12 vergessenheit.
swîn, st. n., me. swin 46,272; gen.
swunes 32,145; gen. pl. swŷna
17,96 schwein; ne. swine.
swinc, st. m. n., me. swinc 37,136; fl.
swinches 32,64; aswinche (= on
swinche) 32,204; swinke 46,134
mühe, arbeit; vgl. geswinc.

swincan, st. v., me. swinken 37,
43; swinke 37,97 beladen sein;
swynk 67,195; prät. swanc 32,358;
pl. swunche 32,254 sich mühen,
arbeiten; swynke 40,26+ gehen.
swinche s. swinc.
swindan, st. n., me. swinden 32,
57 hinschwinden.
swingan, st. v., prät. swong 8,617
mit streichen strafen, geißeln.
swinke s. swinc.
swinkeð s. swincan.
swinsian, schw. v., 9,618 jubeln.
swinsung, st. f., 16,57 wohllaut.
swîran s. swêora.
swiþast s. swîðe.
swîðe, adv., 10,2872; swiþe 16,83;
swŷðe 17,90; swŷþe 17,105; me.
suyðe 27,14; swyðe 28,38; swuðe
32,145; swiðe 32,178; swiþe 34,
13788; swuþe 37,123; swyþe 61,
1108; komp. swyðor 11,182 sehr,
gar; swîðe swîðe 14,40 gar sehr;
tô ðon swŷðe 15,2; tô þan swîðe
15,66 so sehr; swiþe 44,140; suiþe
46,156 schnell; sup. swîþost 17,80
sehr schnell; swîþast 8,620 haupt-
sächlich.
swiþeliche s. swîðlîce.
swîðlîc, adj., 22,79 stark, groß.
swîðlîce, adv., me. swiþeliche
33,98 sehr.
swîþost s. swîðe.
swo s. swâ.
swôgan, st. v., me. prät. souʒeð
58,140 tönen, tosen, lärmend
stürzen; me. ohnmächtig werden;
ne. sough; vb.-sb. sowenyng 61,
1134; soʒnyng 61,1135 ohnmacht;
vgl. swêg(an).
swol, st. n., dat. swole 9,214 hitze,
glut.
swolowe, v., prät. swolowet 59,
12 verschlingen; ne. swallow.
swon, st. m., me. swon 58,28 schwan;
ne. swan.
swong s. swingan.
swon-râd, st. f., 8,675 weg der
schwäne = meer.
swor, swore s. swerian.
swuch, swulch(ere) s. swelc.
swuluncg, st. n., kent. 12,3 flächen-
maß = 120 englische morgen.
swunche s. swincan.
swunes s. swîn.
swûran s. swêora.
swurd s. sweord.

s w u ð e, s w u þ e *s.* swîðe.
s w y f t l y *s.* swiftlice.
s w y l c(e) *s.* swelc.
s w y l t, *st. m.,* 8,675 *tod.*
s w y l t *s.* sweltan.
s w y l t - c w a l u, *st. f., dat.* swylt-
cwale 9,369 *todesqual, tod.*
s w y l t - h w î l, *st. f., fl.* -e 9,350
todesstunde.
s w y m *s.* swîma.
s w ŷ n a *s.* swîn.
s w y n k(e) *s.* swincan.
s w y r d *s.* sweord.
s w y r e *s.* swêora.
s w ŷ ð e, s w ŷ þ e, s w y ð e, s w y þ e
s. swîðe.
s ŷ *s.* eom.
s y b b e *s.* sib.
s ŷ c a n, *schw. v.,* 3. *sg. präs. kent.*
s(ê)cet 20,30 *säugen; vgl. ne.* suck.
s y c h t *s.* gesihð.
s y d e *s.* sîde.
s y e *s.* sêon.
s y f a n *s.* seofon.
s y g h t, s y h t e *s.* gesihð.
s y k e, *sb.,* 51,4 *seufzer; vgl.* sican.
s y k e *s.* sîcan.
s y k e r l y *s.* sicor.
s y l f, s y l f r a *s.* seolf.
s y l f r e n, *adj.,* 15,180 *silbern.*
s y l l a n, s y l l e *s.* sellan.
s y l u e r, s y l v e r, s y l u i r *s.*
seolfor.
s y m b e l, *st. n., dat.* symble 16,22
mahl, gelage.
s y m l e *s.* simle.
S y m o u n, *eigenn.,* 47,1103; Symon
48,72 *Simon (von Montfort).*
s y m p l e, *adj.,* 67,173 *einfach; ne.*
simple.
s y n,*st.f.,me.*sunne 32,194;senne 46,
194; syn 49,15; zenne 50,4; sinne
51,33; *gen. me.* syn 67,88; *pl. gen.*
synna 7,180; *dat.* synnum 8,571;
akk. me. sunne 32,238; sunnes
55,45 *sünde, unrecht; ne.* sin.
s y n *s.* siþþan, syngian.
s y n d *s.* eom.
s y n d e r l î c e, *adv.,* 16,1; *me.* sin-
derliche *besonders.*
s ŷ n d o n 15,188 *s.* eom.
s y n d r i g, *adj., me.* syndry 60,7
verschieden; ne. sundry.
s y n e *s.* siþþan.
s y n f u l l, *adj., me.* sunfull(e) 33,12;
synfull 62,13 *sündig; ne.* sinful.
s y n g(e), s y n g i n g e *s.* singan.

s y n g i a n, *schw. v., me.* syn 67,37;
prät.sg. suneʒude 32,258; *pl.*sune-
ʒede 82,282 *sündigen; ne.* sin.
s y n n a, s y n n e, s y n n u m *s.* syn.
s y n - s c a þ a, *schw.m.,* 8,671 *sünder,*
frevler.
s y r, s y r e *s.* sire.
s y r w u n g, *st. f., fl.* -a 22,44 *hinter-*
list, nachstellung.
S y s y l e, *volksn., m. pl.* 17,22 *Siusli,*
ein teil der slawischen Sorben?
s y t h e n *s.* siþþan.
s y t t e, s y t t i s *s.* sittan.
s y x, s y x a *s.* six.
s y x t a *s.* sixta.
s y x t i g, *zahlw.,* 17,89; *me.* sexti
48,107 *sechzig; ne.* sixty.
s y þ þ a n, s y ð þ a n, s y ð ð a n, s y ð -
ð e n *s.* siþþan.

T.

t- *nach* t, d, s *s. auch* þ-.
t a *s.* taken, sê, þâ.
t a b l e, *sb., tafel, tisch; pl.* tables
42,35 *schreibtafel; ne.* table.
t a c *s.* taken.
t ǽ c a n, *schw. v., me.* teche 32,301;
teich(e) 71,13; *prät.* tǽhte 10,
2873; *me.* taute 46,219; teichit
71,40; *p.p.me.*tauʒt 19e,15 *zeigen,*
weisen; teche 63,22; *prät.* tauchte
40,8 *lehren; me.* techen (*hs.* tegen)
37,48 *mitteilen, sagen; ne.* teach.
t â c e n, *st. n.,* 9,254; *me.* takenn
36,15586; tokyn 67,517; *pl.* tac-
ness 36,15617 *zeichen, wunder;*
ne. token.
t â c n i a n, *schw. v., p. p.* getâcnod
11,197 *bezeichnen, vorherverkün-*
digen.
t ǽ h t e *s.* tǽcan.
t a i l e *sb.,* 48,33 *schnitte, teil; ne.*
tally [*afrz.* taille].
t a i l l, *sb.,* 70,12 *schwanz; ne.* tail.
t a i n g, *sb., pl.* taingis 72,II,14
(*feuer)zange; ne.* tongs.
t a k e n, *v.,* 39,1340; take 42,37;
tak 48,178; te; *imp.* tac 39,1287;
tak 63,17; *prät.* toc 36,9; tok
39,1300; toke 32,43; took 65,61,3;
tuk 66,403; towk 71,49; *p. p.*
taken 39,1311; tane 45,81; ytake
61,1112; takun 19e,12; takyne
62,37; tase 68,23 *nehmen, ergrei-*
fen, fassen; 48,127 *bringen, er-*
halten; 42,57 *übernehmen:* 48,94;

ta 60,72 *bestehen;* t. to honde 39,
1340 *verschaffen;* t. kepe 63,26
achtgeben; treffen, schlagen; 42,12
(*mit* way) *einschlagen;* 48,69 *sich
aufmachen;* iuel tok him 44,114
krankheit befiel ihn; t. on honde
51,37 *unternehmen; ne.* take.

tǽlan, *schw. v., prät.* tǽlde 8,598
schmähen, lästern; me. tælde 28,
36 *verspotten.*

tald, talde *s.* tellan.

tǽlde, tælde *s.* tǽlan.

talu, *st. f., me.* tale 44,8 (*pl.* tales
47,1146); taylle 67,315 *erzählung,
nachricht, geschichte, rechenschaft;
ne.* tale; þei gaf no tale of wham
48,193 *sie nahmen keine rücksicht
auf irgend wen.*

tam, *adj., gen. pl.* tamra 17,92; *me.*
tame 46,200 *zahm; ne.* tame.

tane *s.* taken.

tapor, *st. m., me.* taper 42,58 *kerze;
ne.* taper.

tar *s.* teru.

tær *s.* þær.

Tarce, *ortsn.,* 58,87 *Tarshish.*

tærtekenn (= þær to ekenn)
86,15595 *überdies, ferner; vgl.*
êaca *und* tô-êacan.

tary, *v.,* 67,210 *aufhalten, verweilen;
ne.* tarry; *vb.-sb.* taryyng 67,377
zögern.

tast, *v.,* 67,448 *versuchen, prüfen;
ne.* taste.

tat(t) *s.* sê, þæt.

tauȝt, tauhte *s.* tǽcan.

tauld *s.* tellan.

taunen, *v.,* 89,1290; *prät.* tawnede
89,1294 *zeigen.*

taute *s.* tǽcan.

taylle *s.* talu.

te *s.* sê, taken, tô.

teagor, *st. m., me.* ter; *pl.* têaras
7,172; *me.* teres 38,37 *zähre,
träne; ne.* tear.

teala *s.* teale.

tealde *s.* tellan.

teale, *adv.,* 6,16; teala; tela *gut,
recht.*

têaras *s.* teagor.

teche(n) *s.* tǽcan.

techee, *adj.,* 67,186 *zänkisch; ne.*
te(t)chy.

tee, teen *s.* têon.

tefor *v.* tôforan.

tegen *s.* tǽcan.

teȝȝ, teȝȝre *s.* hê.

têh *s.* têon.

tehte *s.* tôtǽcan.

teiche, teichit *s.* tǽcan.

tekenn *s.* êaca.

teld, telde *s.* tellan.

telga, *schw. m.,* 9,188 *zweig.*

tellan, *schw. v., me.* tellen 27,34;
telle 82,228; tel 45,55; tell 57,
titel; 2. *sg. präs. me.* tellys 67,164
3. *sg.* telþ 41,3; telles 58,77; *prät.*
tealde; *me.* talde 45,115; tolde
46,76; telde 47,1031; telt 47,
1091; tealde 50,76; teld 48,73;
told 48,78; tald 60,40; tauld 66,
437; *p. p.* teald; geteald 20,47;
me. told 89,1283 *zählen, erzählen,
reden;* 47,1110 *für etwas halten;
ne.* tell.

temen *s.* tîeman.

Temes, *flußn., st. f., fl.* Temese 14,
19; *me.* Temese 84,13789 *Thames
(daneben* Temese, *schw. f.).*

tempel, *st. n., flekt.* temple 7,186;
me. temple 89,1296; temmple 36,
15556 *tempel; ne.* temple.

tempeste, *sb., pl.* -s 50,92 *sturm:
ne.* tempest.

tên, *zahlw.,* 12,31; týn 15,114; *me.*
ten 28,52 *zehn; ne.* ten.

tene *s.* têona, teonen.

Tenet, *eigen.,* 15,151 *Thanet (Insel).*

tênhund, *zahlw.,* 12,31 *tausend.*

tenserie, *sb.,* 27,37 *schutz(geld).*

tent, *sb.,* 48,167 *acht, aufmerksam-
keit, sorgfalt.*

tent, *v.,* 67,421 *achten auf, bedienen:*
67,291 *hingehen, eilen; ne. prov.*
tent.

tent, *zahlw.,* 67,478 *zehnte; ne.* tenth.

têon, *schw. v., prät.* têode 16,43;
nh. tîadæ 2,8 *schaffen.*

têon, *st. v., me.* teen 89,1344; tee
58,87; *prät.* têah; *p. p.* togen (*sich*)
ziehen, sich begeben.

têona, *schw. m., me.* tene 46,158;
teyn 67,533 *anklage;* 58,90 *ver-
druß;* teone 37,61; tene 49,25
kummer, leid; ne. veraltet teen.

teonen, *v.,* tene; teyn 67,210
plagen, quälen; ne. dial. teen.

têon-ræden, *st. f.,* 22,22; *akk.*
têon-ræddenne 22,18 *leid.*

têoða, *zahlw., fl.* -n 15,110; *me.*
teoðe 28,33 *der zehnte; vgl.* tent.

teran, *st. v.,* 8,595; *me. präs. pl.*
tereð 32,274 *zerreißen; ne.* tear.

teres *s.* teagor.

tereð *s.* teran.

Terfinna land, *eigenn., st. n.,* 17,75 *das land eines finnenstammes zwischen bottnischem golf und Nordkap.*

terme, *sb.,* 62,18 *grenze, ende; pl.* termes 58,61 *gebiet; ne.* term.

terreble, *adj.,* 62,10 *schrecklich; ne.* terrible.

teru, *st. n., Ep.,* 1,21; *me.* tere; tar 67,127 *teer; ne.* tar.

Teruagant, *eigenn.,* 34,13911 *erfabelter heidengott.*

text, *sb.,* 59,51 *text; ne.* text.

teyn *s.* têona, teonen.

têð *s.* tôð.

thâ *s.* sê.

Thabor, *bergn.,* 28,46 *Tabor.*

thai, thaim, thair *s.* hê.

thairfoir, thairfra *s.* þǽr.

thairis *s.* hê.

tham *s.* hê.

than *s.* þonne.

thanke *s.* þoncian.

thanne, thænne *s.* þonne.

thar(e) *s.* hê, þǽr.

tharî *s.* þearf.

tharfor(e) *s.* þǽr.

that *s.* sê, þæt.

thay, thaym *s.* hê.

the *s.* sê, þêon, þû.

thederward *s.* þiderweard.

thedir, thedur *s.* þider.

thee *s.* þû.

thei, theire *s.* hê.

then *s.* þonne.

thennes, thens *s.* þonan.

ther, there *s.* hê, þǽr.

ther(e)with-all, *adv.,* 69,171,1 *damit, zugleich; s.* þǽr.

therfor(e) *s.* þǽr.

thes *s.* þêoh.

thes, these *s.* þes.

theues *s.* þêof.

they *s.* hê.

thi *s.* þû.

thilke *s.* ylca.

thin *s.* þû.

thine *s.* þonan.

thing *s.* þing.

thinke *s.* þencan.

thir *s.* þes.

thirte *s.* þrîtig.

this, thise *s.* þes.

tho *s.* sê, þâ, þêah.

thocht *s.* þêah, þencan, þôht, þyncan.

thogh *s.* þêah.

thoght *s.* þencan, þyncan.

thoght(es) *s.* þôht.

thôhae *s.* þô.

thonc-snotturra *s.* þoncsnoter.

thoner *s.* þunor.

thoo *s.* þâ.

thoro *s.* þurh.

thou *s.* þû.

thoucht *s.* þyncan.

though *s.* þêah.

thought *s.* þyncan.

thousande *s.* þûsend.

thral *s.* þrǽl.

thre *s.* þrî.

threip, *v.,* prät. threipit 70,5 *fest bei etwas bleiben, versichern; ne. dial.* threap.

thretes, threting *s.* þrêatian.

thridde *s.* þridda.

thrife *s.* þrife.

thringen *s.* þringan.

thrist, *v.,* prät. thrist 48,102 *treiben, stoßen; ne.* thrust.

thrist *s.* þurst.

thristill *s.* *þrýstle.

thristy, *adj.,* 70,37 *durstig; ne.* thirsty; *vgl.* þurst.

thrittene *s.* þrêotŷne.

throte *s.* þrote.

throu, throug(he), throw *s.* þurh.

thryd *s.* þridda.

thryfe *s.* þrife.

thryft, *sb.,* gedeihen; ne. thrift; *by my* thryft 67,218 *so wahr es mir gut gehen möge; vgl.* þrife.

thûma *s.* þûma.

thus *s.* þus.

thy *s.* sê, þû.

thyn *s.* þû.

thyng *s.* þing, þyncan.

thynk(ande) *s.* þencan, þyncan.

thyrde *s.* þridda.

thyrty *s.* þrîtig.

thŷs *s.* þes.

tîadæ *s.* têon.

tîber, *st. n.,* dat. tîbre 10,2852 *opfer.*

Tiberias, *ortsn.,* gen. Tiberiadis 28,33 *der see Tiberias.*

tîbre *s.* tiber.

ticcen, *st. n.,* 22,14; *pl.* tyccenu 21,12; *me.* ticchen *zicklein.*

tîd, *st. f.,* 8,712; *me.* tyde 60,1 *zeit;* tid(e) 82,139 *stunde;* 12,26 *fest; ne.* tide; *that* tyde 69,160,1 *zu jener zeit.*

tid. *adv.*, tite 48,121: tyd 58,127 *rasch, geschwind, bald;* als tite 48,210; as tyd 58,100; als tit 60,80; as tyte 67,219 *so schnell, sehr schnell* [*an.* tiðr, *neutr.* tītt].

tîdan, *schw. r., me.* tide; *prät. me.* tidde; tide 59,81 *sich ereignen, geschehen.*

Tidea, *göttern.*, 84,13936; Tydea 84,13924 *(statt* Ti, *Tiwe *dea?, s. Anglia, Beibl., 27,195) Ziu.*

tiding, *vb.-sb.*, 89,1286; tydinge, tiðende 84,13785; tiþinge 48,130; tiþand 45,115; tiþennde; *pl.* tyþynges 58,78; tydynges 61,1121; tythingis 66,439; tythyngis 67, 199; tidingis 69,162,5 *kunde, nachricht; ne.* tiding.

tidum *s.* tid.

tîeman, *schw. r.*, tŷman; *me.* temen 32,108 *zu gewähr ziehen, vorbringen; ne.* teem.

tihte *s.* tyhtan.

til, *adj., gut.*

til, *adv., me.* till 86,15570 *hin; präp., nh.* 2,6; *me.* till 86,77; til 45,61; tille 48,45 *zu, bis zu, bis, nach, an, in: konj.* til 27,8; tille 48,170; till 60,114; till þat 60,20 *bis.*

tilian, *schw. v., me.* tilien: tile; tille 48,178; *prät.* tilode; *p. p. me.* tiled 27,40 *erzielen, erstreben, gewinnen;* 11,208 *verschaffen (mit gen.), arbeiten; p. p. me.* tiled 27,40 *pflügen;* 46,440 *(obszön) den acker bestellen; ne.* till.

till(e) *s.* til, tilian.

tilwarde, *präp.*, 45,10 *auf ... zu.*

tilð, *st. f., me.* tilðe 32,57 *bearbeitung des bodens, saat; ne.* tilth.

tîma, *schw. m.*, 9,246; *me.* time 32, 132; tim 45,45; tyme 57,32; tym 60,28 *zeit, mal; ne.* time; þa III dais time 45,39 *während dieser 3 tage;* any tym 49,40 *jemals.*

timbran, *schw. v.*, 9,188; *fl.* timbrianne 15,230; *me.* timbren; *p.p. pl.* timbrede 18,48 *zimmern, bauen, erschaffen; ne.* timber.

tîmlîc, *adj., me.* timlich 50,75 *zeitlich, irdisch; ne.* timely.

tintreg, *st. n.*, tintrega, *schw. m.*, 22,18; *me.* tintrehe *qual, marter.*

tintregian, *schw. v.*, 22,22; *me.* tintraʒen *martern.*

tintreglîc, *adj.*, 16,78 *qualvoll.*

tîr, *st. m.*, 11,157; tŷr 18,3 *(les.): me.* tir *ruhm, ehre.*

tîr-fruma, *schw. m.*, 7,206 *der erste an ehren, ehrenfürst.*

tirhð *s.* tyrgan.

tirpeile, *sb.*, 48,76 *streit, aufruhr.*

tisdæi, *sb.*, 84,13936; tisdei 34, 13924 *dienstag; ne.* Tuesday.

tit, tite *s.* tid.

tiþand, tiðende, tiþennde, tiþinge *s.* tiding.

to *s.* twêgen.

tô, *adv., me.* tu 32,4; to 32,11; te 82,350 *allzu; präp.* tô 6,11 *(nachgest.* 22,3); *me.* to 32,2; te 32,261 *zu, an, um zu (vor inf., vgl.* for to), *bis, bis zu, bis nach, im verhältnisse zu, für;* 17,113 *nach ... zu;* 32,24 *auf u. dgl.; ne.* too, to; tô ôëm 14,22 *zu dem zwecke;* to ð (= þæt) 27,23 *bis zu dem grade, so daß;* to fewe 48,36 *zu wenige; to and fro 67,111 *hin und her, überall;* ase to 50,5 *was ... anlangt; ne.* as to.

tôberstan, *st. v., me.* toberste, *prät. pl.* tôburston 23,23 *zerbersten, zerbrechen, zerreißen.*

tôbrecan, *st v., me.* tobreke; *prät.* tôbræc 22,58; *p. p. me.* tobroke 50,92 *zerbrechen, zerreißen, zerschmettern.*

tôbregdan, *st. v.*, tôbrêdan; *me.* tobreiden; *prät.* tôbræd 22,22 *auseinanderreißen;* 22,13 *zerreißen.*

tobroke *s.* tôbrecan.

tôburston *s.* tôberstan.

toc *s.* taken.

tôclêofan, *st. v., me.* tocleue 38, 13 *zerspalten.*

to dai *s.* dæg.

tôdælan, *schw. v.*, 17,176; *me.* todealen 37,95; *prät. me.* todeld 27,3 *zerteilen, verteilen, trennen.*

today *s.* dæg.

todeld *s.* tôdælan.

tôdrâf *s.* tôdrîfan.

tôdragan?, *st. v., me.* todrawe(n) 37,141; *p. p. me.* todrawe 61,1143 *zerreißen, schleifen.*

tôdrîfan, *st. v., prät.* tôdrâf 25,7 *vertreiben.*

tô-êacan, *präp.*, 17,81 *zu, nächst.*

toemnes, *präp.*, 17,117 *längs, entlang.*

tôflôwan, *st. v.*, 14,schl.-ged.15 *zerfließen, wegfließen.*

tôforan, *präp., me.* touore 50,102;
tefor 40,5 *vor; adv. me.* tofore
69,172,1 *zuvor, zunächst.*

tôgæd(e)re, togædere, to-ga-
dere, togeder *s.* geador.

tôgegnes, *adv. und präp.,* tô-
gêanes 9,11; *nh.* tôgægnes 19a,9;
nachgest. 22,21; *me.* tojeines 88,
65; tojenes 43,58 *(ent)gegen, zu;*
to jeanes 32,76 *im vergleich zu.*

tôgeþêodan, *schw. v., p. p. pl.*
tôgeþêoddan 15,153 *verbinden,
zusammenhängen.*

to gid(e)re *s.* geador.

tohopa, *schw. m., me.* tohope 87,6
hoffnung.

tohte, *schw. f., dat.* tohtan 11,197
(aus)zug, kampf.

tok, toke *s.* taken.

tokyn(s) *s.* tâcen.

tokynyng, *sb.,* 67,476 *zeichen.*

told(en) *s.* tellan.

tôlicgan, *st. v., 3. sg. präs.* tôlîð
17,155 *(geographisch) trennen.*

tolter, *adv.,* 69,164,4 *unbeständig.*

tôlŷsan, *schw. v., p. p.* tôlŷsed
8,585 *auflösen, zerteilen.*

tôm, *adj., frei, leer; me. sb.,* tome
42,16; tom 58,135 *muße, zeit.*

tô middes *s.* mid.

tomurte *s.* tômyrtan.

*tômyrtan, schw. v., me. prät.
tomurte 58,150 *zerreißen, zer-
brechen.*

tong, tonge *s.* tunge.

tonn, tonne *s.* tunnę.

too *s.* twêgen.

took *s.* taken.

top, *sb., pl.* toppys 67,469 *spitze;*
67,271 *topmast; ne.* top.

tôrendan, *schw. v., p. p. me.* torent
58,96 *zerreißen.*

torfer, *sb.,* 59,81 *mühsal* [*an.* tor-
fǽrr].

torht, *adj., schw. dat.* -an 7,186
glänzend, strahlend.

torhtlîc, *adj.,* 11,157 *glänzend,
strahlend.*

tôrinnan, *st. v.,* 14,*schl.-ged.*19
wegrinnen.

torn(e) *s.* turnian.

torn-word, *st. n., gen. pl.* -a 7,172
beleidigende rede.

tortle *s.* turtille.

tôsǽlan, *schw. v.,* 6,25 *entgehen
(einpers. mit dat. der person und
gen. der sache).*

tôsâwan, *st. v.,* 20,4 *aussäen.*

tôscâdan, *st. v.,* tôsceâdan 15,
150; *p. p.* tôscâden 8,584 *zerteilen,
scheiden.*

tôscerian. *schw. v., 3. sg. präs.
kent.* tôscereð 20,29 *trennen.*

tôscylian, *schw. v., p. p. me.* to-
scyled 28,27 *absondern, trennen.*

tôsete *s.* settan.

tôslîtan, *st. v.,* 8,698; *me.* toslyten
zerschleißen, zerreißen.

tôstencan, *schw. v., p. p. pl.* tô-
stencte 15,93; *kent.* tôstente 20,13
zerstreuen, vereiteln.

tôtǽcan, *schw. v., me. prät.* to
tehte 32,268 *zeigen, lehren.*

tôteran, *st. v., me.* totere; *prät.
konj. sg.* tôtǽre 22,13 *zerreißen.*

tother, tothir *s.* ôðer.

tou *s.* þû.

toun, toune *s.* tun.

touore *s.* tôforan.

tour, *sb.,* 61,1121; *pl.* towres 67,
349 *turm; ne.* tower.

tour = to our *s.* in.

tourne *s.* turnian.

towch, *v.,* 67,462 *berühren; ne.*
touch.

towe, *v.,* 58,100 *ziehen, führen,
bringen; ne.* tow.

tôweard, *adj.,* 11,157; tôward(on)
12,5 *künftig, bestimmt; adv., präp.,*
tôweard 17,184; tôweardes; *me.*
towardes; towarrd 36,15580; to-
ward 41,47 *entgegen, gegen, auf...
zu, auf, zu; ne.* towards, toward.

tôwegan, *st. v., p. p.* tôwegen
9,184 *zerstreuen.*

tôweorpan, *st. v.,* 8,650 *zerstören.*

towiþere, *präp.,* 7,185 *gegen.*

towk *s.* taken.

towres *s.* tour.

towrye, *v.,* 69,164,4 *herumdrehen.*

tôwyrd, *st. n.,* 15,71 *gelegenheit.*

tôð, *m., me.* toþ; *dat. sg.* têð 22,30;
n. pl. têþ 17,82; *dat.* tôþum 17,82
zahn; ne. tooth.

traie, *v., prät.* traiet 59,42 *be-
trügen, verfälschen; vgl. ne.* betray.

traist, *v.,* 59,17; trust 59,42; trist
67,515 *trauen, glauben; ne.* trust.

traitour, *sb.,* traytour(es) 58,77;
tratour 60,52 *verräter; ne.* traitor.

tramme, *sb.,* 58,101 *gerät, takel-
werk; ne.* tram?

transitorie, *adj.,* 73,23 *vergäng-
lich; ne.* transitory.

translate, v., 59,71 übersetzen;
   ne. translate.
trappe, sb., 63,24 falle; ne. trap.
trastly, adv., 60,81 vertrauensvoll.
tratour s. traitour.
'trauail(l)e s. trauayle.
trauayle, sb., 49,8; trauaille; tra-
   velle 67,440 arbeit; ne. travail,
   travel.
trauayle, v., 49,10 arbeiten; tra-
   uaile 48,150 vergelten; ne. travail,
   travel.
traw, trawe s. trêowan.
tray s. trega.
trayne, sb., 59,94 verrat; ne. train.
traytoures s. traitour.
tre, tree s. trêow.
trega, schw. m., me. treȝe 82,371;
   treie 87,61; tray 67,533 schmerz,
   kummer, leid.
treie s. trega.
trêo(w), st. n., 9,200; me. tre 67,
   34; tree 67,253; pl. treon 88,13;
   treis 60,9 baum; dat. trêowe 9,
   643 balken; me. tre 42,17 holz;
   me. pl. tres 58,101 bretter, deck?;
   ne. tree.
trêo(w), st. f., akk. trêowe 8,655
   treue.
trêowan, schw. v., me. trowwenn
   86,15621; trouue 46,369; (2. sg.
   troustu 46,370); trow 58,127;
   trawe 67,45; traw 67,244 ver-
   trauen, glauben; ne. veraltet trow.
trêowe, adj., me. treow(e) 34,
   13839; trowwe 86,69; trew(e)
   88,8; tru 59,17; trowe 46,121;
   trew 67,120; sup. trewest 51,13
   treu, wahr; ne. true.
trêowlîce, adv., me. trewly 65,
   59,8 fürwahr; ne. truly.
trêowð, st. f., me. treuthe 27,12;
   treuth48,181; truthe59,94; troupe
   46,252; truth 59,42; trouthe 68,2;
   pl. treothes 27,12 treuversprechen,
   treue, wahrheit; ne. truth, troth.
tres s. trêow.
treson, sb., 48,202; tresoun 48,64
   verrat; ne. treason.
tresor, sb., 27,3; tresore 42,39; tre-
   sour 65,60,7 schatz; ne. treasure.
tresorie, sb., 48,235 schatzmeister-
   amt; ne. treasury.
tresoun s. treson.
tresour s. tresor.
trespas, sb., 78,14 übertretung,
   sünde; ne. trespass.

trety, sb., 62,4 abhandlung; ne.
   treaty.
treuth, trêuthe(s) s. trêowð.
trew, trewe s. trêowe.
trewly s. trêowlîce.
trie, r., prät. triet 59,17 versuchen,
   erproben; ne. try.
triful, sb., pl. -s 59,43 kleinigkeit,
   posse; ne. trifle.
trigg, adj., 36,69 treu [an. tryggr].
trine, v., prät. tron 58,101 treten,
   gehen.
trinite, sb., 67,30; trynyte 67,83;
   trynyty 67,169 dreieinigkeit; ne.
   trinity.
trist s. traist.
trome s. truma.
tron s. trine.
trone, sb., 37,22 thron; ne. throne.
trouble, sb., 69,173,6; trubbill 78,7
   beschwerde, mühe, not, leiden; ne.
   trouble.
troustu, trouue s. trêowan.
trouthe, troupe s. trêowð.
trow s. trêowan.
trowe, trowwe s. trêowe.
trowwenn s. trêowan.
tru s. trêowe.
trubbill s. trouble.
trum, adj., komp. trumra 8,650
   stark, kräftig.
truma, schw. m., me. trome 44,8
   schar.
trumlîc, adj., 22,36 fest.
trus, v., 67,316 zusammenpacken;
   ne. truss.
truse, sb., 59,94 waffenstillstand;
   ne. truce.
Trûsô, ortsn., 17,147 ort am
   Drausensee in der nähe von El-
   bing.
trust, sb., 87,125 vertrauen; ne.
   trust.
trust s. traist.
truth, truthe s. trêowð.
trymman, schw. v., prät. trymede
   15,132 (be)stärken; trymian 23,17
   ermutigen; 8,638 ermuntern.
trymnys, st. f., dat. trymnysse
   15,144 ermunterung.
trynyte, trynyty s. trinite.
tu s. tô, twêgen, þû.
tu s. tw-.
tuælf- s. twelf.
tûcian, schw. v., me. tuken, touken;
   prät. tûcode 22,15 quälen.
tuenty s. twêntig.

t u k *s.* take.

t u l k e, *sb.,* 59,63 *mann.*

t û n, *st. m., dat.* tûne 17,179; *me.*
tun 86,15544; *dat.* tune 27,40;
toun(e) 46,70; *pl. me.* tunes 27,37;
tounes 48,82 *umzäunung, gehöft,*
ort, stadt; 54,4 *vogelbauer?; ne.*
town; *me.* to toun 42,16; to toune
52,1 *nach haus.*

t u n g e, *schw. f.,* 15,135; *me.* tunge
82,285; tonge 51,81; tong 67,217
zunge; ne. tongue.

t û n-g e r ê f a, *schw. m.,* 16,48 *guts-*
verwalter.

t u n g o l, *st. n. m.,* 18,14 *gestirn.*

t u n n e, *schw. f., me.* tonne 42,13;
tonn 42,14 *tonne; ne.* tun.

t u o, t v o *s.* twêgen.

t u r f, *st. f., dat.* tyrf 9,349 *erd-*
schollen, boden; ne. turf.

t u r n i a n, *schw. v., me.* turrnenn 86,
15573; turn 57, *titel;* torn(e) 46,
109; *konj. präs.* turne 48,66; *me.*
prät. turned 47,992; *p. p.* turnd
46,430 *wenden, verwandeln; p. p.*
turned 47,1056; turnd 61,1142
bekehren; (kj.) prät. turnide 19e,2
wälzen; tourne 46,147; turne(d)
48,121; torne 61,1104 *sich wen-*
den; 48,185 *werden;* t. vt of 44,
154 *befreien; ne.* turn.

t u r t i l l e, *sb.,* 67,506; tortle 54,3
(turtel)taube; ne. turtle.

t u s s *s.* þus.

t w ê g e n, *zahlw., me.* 10,2867; *kent.*
tuêgen 12,23; *f.* twâ; *k.* tuâ 12,
18; *n.* tû 6,4; twâ 21,11; *me.* twa
27,29; tweien 83,9; two 89,1291;
to 42,5; tweie 43,24; tvo 47,1070;
tuo 48,12; too 65,64,6; *gen.* twêgra;
twêga 10,2882; *dat.* twâm 15,154;
twêm; *me.* twam 28,20 *zwei; ne.*
twain, two.

t w e l f, *zahlw., fl.* twelfe, *me.*
twelf 28,13; twelve *zwölf; ne.*
twelve.

t w e l f-m ô n a ð, *m. pl., kent.* tuælf-
mônað 12,9, *me.* twelfmonþ *ein*
jahr; ne. twelvemonth.

t w e l f t a, *zahlw., me.* twelfte 28,
34; twelfth *zwölfter; ne.* twelfth.

t w ê n t i g, *zahlw.,* 17,95; *me.* twenti
46,270; tuenty 48,224 *zwanzig;*
twenty 66,368 *zwanzigster; ne.*
twenty.

t w ê o, *schw. m.,* 14, *schl.-ged.* 6; *ak.*
twêori 15,160 *zweifel.*

t w ê o g a n, *schw. v., prät. pl. merc.*
twêodun 19d,17 *zweifeln.*

t w ê o n *s.* twêo.

t w ê o n i a n, *schw. v., prät. pl.* twêo-
nedon 19b,17; *me.* tweonoden
19c,17 *zweifeln.*

t w i n k l y n g, *sb.,* *zwinkern;* tw. of
an eye 69,163,7 *augenblick; ne.*
twinkling.

t w œ̂- *s.* twê-.

t w y n e, *v.,* 66,421 *trennen, sich*
trennen.

t w y y s, *adv., zweimal;* this twyys
67,362 *zum zweitenmal; ne.* twice.

t y c c e n u *s.* ticcen.

t y d, t y d e *s.* tîd, tid.

T y d e a *s.* Tidea.

t y d e l y, *adv.,* 67,291 *schnell, bei-*
zeiten; vgl. tîd.

t y d i n g e, t y d i n g(g e) *s.* tiding.

t y e, *v.,* 67,225 *binden; ne.* tie.

t y h t a n, *schw. v., me. prät.* tihte
32,268 *anreizen.*

t y k *s.* midding tyk.

t y m, t y m e *s.* tîma.

t ŷ n *s.* tên.

t y n e, *v., verlieren;* tyne a tra-
velle 67,441 *eine arbeit vergebens*
machen; ne. prov. tine.

t y p p e d, *adj.,* 58,77 *erz-, haupt-*
[*vgl. an.* typpt.].

t ŷ r *s.* tir.

t y r f *s.* turf.

t y r g a n, *schw. v.,* 3. *sg. präs. ind.*
kent. tirhð 20,3 *quälen, verhöhnen.*

t y t e *s.* tid.

t y t h i n g i s, t y t h y n g i s, t y þ y n-
g e s *s.* tiding.

U, V.

u- *s.* f-.

v- *s.* f-, w-.

u a d e r *s.* fæder.

v a i l e *s.* avaylle.

v a i l l, *sb.,* 78,7 *tal; ne.* vale.

v a i r *s.* fæger.

v a l d e *s.* willan.

v a l e, *v.,* 69,172,4 *talwärts gehen,*
herabsteigen, herabsinken; vgl. vaill.

u a l l e n *s.* feallan.

u a l u w e n *s.* fealowian.

v a n e i s, *v., prät.* vaneist 71,48
verschwinden; ne. vanish.

v a n y t e, *sb.,* 49,12; *vanity eitel-*
keit; ne. vanity.

u a r d *s.* weard.

uare, uaren s. faran.
variable, adj., 64,8 veränderlich, wandelbar; ne. variable.
variance, sb., 69,161,7 veränderung, veränderlichkeit; ne. variance.
vatit s. waite.
vayne, adj., 49,26 eitel; in vayn 67,360 vergeblich, umsonst; ne. (in) vain.
uayre s. fæger.
uayrhede s. fægerhåd.
uoh, vch, uche s. ælc.
ueir, veir s. fæger.
velany(e) s. vilanye.
uele, vele s. fela.
velthye s. welþi.
venge, v., 58,71; wenge 60,79 rächen; ne. (a)venge.
vengeance, sb., 48,168 veniance 67,55 rache; ne. vengeance.
venk s. fôn.
venym, sb., 58,71 gift, giftigkeit, tücke; ne. venom.
ueole s. fela.
ver, sb., fl. were 60,1 frühling.
verament, adv., 67,6 wahrhaftig, in der tat.
veray, adv., 67,1; verray 69, 169,1; verry 70,27 wirklich, sehr; ne. very.
uerc s. weorc.
uerden s. fêran.
veriour s. werriour.
verre, v., p. p. verrit 59,49 anerkennen; vgl. ne. aver.
uers s. fers.
uerste s. fyrst.
vertuus, adj., virtuus 59,49 tugendhaft; ne. virtuous.
verty, sb., 64,16; uertue 50, vor 64; pl. uertues 41,45; vertus 49, 15 tugend; uertu 41,50; uertue 50,34 wunder; ne. virtue.
ves s. wesan.
uessele, sb., 45,62 gefäß; vesselle 67,327 schiff; ne. vessel.
ufan, adv., 10,2908 von oben.
ufel, vfel(e) s. yfel.
ufeweard, adj., 22,47 der obere.
vgly, adj., 69,162,2 häßlich, garstig; ne. ugly.
viage, sb., 65,63,5; vyage 65,62,3 weg; vgl. ne. voyage.
vif s. wif.
viʒte, viʒtinge s. feohtan.
uihte s. feoht.
vikkit s. wicked.

vilanie, sb., 48,94; vilani 46,128; vyleynye 50,3; vilanye 58,71; velanye; velany 67,67 gemeinheit, niederträchtigkeit, schimpf: ne. villany.
vile, adj., 49,11 niedrig, gemein, schlecht; ne. vile.
vill s. willan.
vilté, sb., 46,47 gemeinheit; vgl. vile.
violently, adv., wyolently 62,24 gewaltsam; ne. violently.
Virgill, eigenn., 59,49 Virgil.
virtuus s. vertuus.
viß s. wise.
vitaylle, sb., 67,155 lebensmittel; ne. victual(s).
vith s. wið.
ulde s. ieldu.
uldre s. eald.
uless(lich) s. flæsc(lîc).
um, vmbe s. ymb.
umble s. humble.
Vmbres s. Humber.
unable, adj., 64,10; vnable 59,46 unfähig, untüchtig, schwach, ungeschickt, plump; ne. unable.
unaneomned, neg. p. p., 83,29 unbenannt, unbestimmbar.
unâsêðenlîc, adj., kent. 20,9 unersättlich.
unband s. onbindan.
unbeboht, adj., 17,92 ungekauft, eigener zucht; vgl. unboht.
unbefohten, neg. p. p., 28,57 unangefochten.
unbint s. onbindan.
unbisorʒeliche, adj., 88,53 rücksichtslos.
vnblendyde, neg. p. p., pl. 49,15 unvermischt, nicht vermischt; ne. unblended.
unblîðe, adj., me. vnbliþe 44,141 unfroh, traurig.
unboht, neg. p. p., me. un boht 82,59 unerkauft, unbezahlt, ungebüßt; ne. unbought; vgl. unbeboht.
unbryce, adj., 9,642 unzerbrechlich, unvergänglich.
unc, unce, uncer(ra) s. wit.
vncessantle, adv., 67,147 unaufhörlich; ne. veralt. uncessantly.
unclæne, adj., me. vnclene 49, 15 unrein; ne. unclean.
uncle, sb., wncle 66,441 oheim: ne. uncle.

u n c u r t e i s, *adj.*, houncurteis
46,46 *unhöflich, unartig; vgl. ne.*
uncourteous.

u n c û ð, *adj.*, 15,130; *me.* uncuð(e)
34,13864; vnkuþ(e) **40,18** *unbe-
kannt, fremd; ne.* uncouth; *(ae.
mit folgendem indirekten fragesatze
absolut)* 14,76 „*da man nicht weiß*".

u n c ý ð þ u, *st.f.*, 8,701 *unbekanntes
land, unbekannte gegend.*

u n d ê o p, *adj.*, undiop 14,*schl.-ged.*
20; *me.* undep **27,27** *nicht tief,
niedrig, seicht.*

u n d e r, *präp.*, 9,14; *me.* under **28,
55**; vnder **35,75**; vndur **42,44**;
anunder **37,32**; anvnder **58,139**
unter; vnder þan **34,13785** *unter-
dessen;* vnder, *adv.*, **59,18** *darunter;
ne.* under.

u n d e r f ô n, *st. v., me.* vnderfo **40,
20**; *2. sg. präs. me.* ounderfost **46,
378**; *pl.* unnderrfoþ **36,103**; *imp.
me.* vnderfong **55,50**; *prät.* under-
fêng; *p. p. me.* underfangen **27,2**
empfangen, aufnehmen, merken.

u n d e r f o n g *s.* underfôn.

u n d e r g i e t a n, *st. v., me.* under-
geten; *prät.* undergeat **22,44**; *pl.
merc.* undergæton; *me.* under-
gæton **27,9** *merken.*

u n d e r l i n g, *sb.*, **33,50** *untergebener;
ne.* underling.

v n d e r n e t h, *präp.*, 69,162,1 *unter;
ne.* underneath.

u n d e r s t o n d a n, *st. v.*, 14,16; -stan-
don 14,72*(les.); me.* -stande **32,191**;
-stonden **33,1**; -stonde; vnder-
stonde **38,15**; hounderstonde 46,
263; *imp.* vndirstande 45,20; *pl.*
me. vnderstondes 58,122; *prät.* -stôd;
me. vnderstode 47,1095; *pl.* unn-
derrstodenn 36,15575; *konj.* vn-
derstode 40,21; *p. p.* -stonden;
me. vnderstonde 40,48 *verstehen,
wissen, erfahren, einsehen, erken-
nen, aufnehmen; me. pl. imp.*
under standeð 32,227 *hören (auf
to);* *ne.* beo vnderstonde 40,45
laß dir sagen; ne. understand;
vb.-vb. me. vndirstandynge 49,44;
onderstondinge 50,42 *verständnis,
verstand; ne.* understanding.

v n d e r t a k e, *v.*, 67,274 *unterneh-
men, auf sich nehmen, versichern;
ne.* undertake.

u n d e r þ ê o d a n, *schw. v., p. präs.
pl.* underþêoddende **15,16** *unter-*

werfen; p. p. underþêoded 16,84
ergeben.

u n d î o p *s.* undêop.

u n d i r -, v n d i r - *s.* under-.

u n d ô n, *unrglm. v., me.* vndo 42,
29 *auftun, öffnen; 3. sg. präs.*
wndois 62,8 *lösen, vernichten; ne.*
undo.

v n d u r *s.* under.

u n ê a þ e, *adv.*, 21,50; *me.* un ieðe
32,181; un eðe 32,189; unneþe,
vnneþ 48,164 *unleicht, mit mühe,
mit not, kaum; ne. veraltet* uneath
(Shakesp. H 6, B II, 4, 8).

u n f e d, *adj.*, 45,38 *ohne nahrung;
ne.* unfed.

u n f e o r, *adv.*, 10,2927 *unfern.*

u n f o r b æ r n e d, *neg. p. p.*, 17,169
nicht verbrannt.

u n f o r c û ð, *adj.*, 28,51 *nicht un-
recht, nicht schlecht, redlich, tapfer;
vgl.* cûð.

u n f o r ȝ o l d e, *neg. p. p.*, 32,59
unvergolten.

u n f o r h t, *adj.*, 8,601 *furchtlos.*

u n f r e m u, *st. f., me.* unfreme 32,
226 *schaden.*

u n f r i þ, *st. n.*, 17,69 *unfriede, feind-
seligkeit.*

u n g e f ô g e, *adv.*, 17,189; *me.* uni-
foge; vnnifoȝe 34,14044 *ungeheuer,
ungewöhnlich, übermäßig, zahllos;
ungeordnet, panikartig.*

u n g e l ê a f s u m, *adj.*, 15,125 *un-
gläubig.*

u n ȝ e l e a f s u m n e s, *sb.*, 28,36 *un-
gläubigkeit.*

u n g e l ê a f u l î c, *adj.*, 22,39 *un-
gläubig.*

u n g e l î c, *adj.*, 15,76; *me.* unilich(e)
32,356 *ungleich, unähnlich; ne.*
unlike.

u n g e l î c e, *adv.*, 8,688 *ungleich,
unähnlich.*

u n g e m e t e g ê d, *neg. p. p.*, *kent.*
20,3 *ungemäßigt.*

u n g e m e t l î c e, *adv.*, 21,55 *über
die maßen.*

u n g e r ý d e l î c e, *adv., me.* unn-
riddliȝ 36,15567 *(les.) ungestüm.*

u n g e s æ l ð, *st. f., me.* un iselðe 32,
198; vn sealþe 32,374 *unglück.*

u n g e s ê n e, *adj., me.* unsene 45,17
unsichtbar; ne. unseen.

u n g e w e m m e d, *neg.p.p., akk.* -ne
15,170; *instr.* ungewemde 8,590
ungeschändet, unbeschädigt.

ungewyrht, *st. n., fehlen von ver-*
dienst oder schuld; bi ungewyrh-
tum 18,6 *ohne mein hinzutun,*
grundlos.
unglæd, *adj., me.* vnglad 58,63
unfroh, traurig.
unglêawnes, *st. f., kent.* un-
glêaunes(se) 20,8 *unerfahrenheit.*
unhǽlð, *st. f., me.* unhelþe 82,16;
un helðe 82,197; vn helðe 82,373
krankheit.
unhold, *adj., unhold; me. subst.*
un hold(e) 82,36 *feindlich gesinnt.*
uni- *s.* unge-.
unieðe *s.* unêaþe.
unifoge *s.* ungefôge.
unket *s.* wit.
unknowlage, *sb.,* wnknawlage
62,3 *unkenntnis.*
vnkuþ *s.* uncûð.
vn'kyndnes, *sb.,* 67,12 *lieb-*
losigkeit, ungehorsam; ne. un-
kindness.
unlǽd, *adj.,* 8,616 *arm, elend, un-*
selig.
unlaw, *sb.,* hounlawe 46,60 *un-*
recht, ungerechtigkeit.
unlifigende, *neg. p. präs., gen.*
unlyfigendes 11,180 *nicht lebend,*
tot.
unmǽte, *adj.,* 9,625 *ungemessen,*
sehr groß.
unmihtig, *adj.,* 22,64; *me.* un-
miȝti *machtlos, kraftlos; ne.* un-
mighty.
unn- *s.* un-.
unnan, *prät.-präs., me.* unne(n) 32,
314; *präs. sg.* ann; an 10,2915; *me.*
vnne 54,46; *pl.* unnon; *prät.* ûðe
11,123 *gönnen, gewähren;* 11,183
schenken (mit gen. der sache);
lassen (mit inf.).
unnbindeþþ *s.* onbinden.
unne, vnne *s.* unnan.
vnneþ *s.* unêaþe.
vnnifoȝe *s.* ungefôge.
unnriddliȝ *s.* ungerýdelíce.
unnyt, *adj.,* 14,*schl.-ged.,*15; *me.*
vn nut 82,5 *unnütz.*
unoferswîþendlîc, *adj.,* 15,46
unbesiegbar.
unrid, *adj.,* 67,40 *groß, heftig,*
hart, grausam; vgl. ungerýdelíce.
unriht, *st. n.,* 25,5; *me.* unriht
82,93 *unrecht, ungerechtigkeit.*
unrihtwîslîc, *adj., merc.* un-
rehtwîslic 18,7 *ungerecht.*

unrihtwîslíce, *adv., me.* vn-
ryghtwysely 49,22 *mit unrecht;*
vgl. ne. unrighteously.
unrihtwîsness, *st. f., merc. fl.* un-
rehtwîsnisse 18,39; *me.*unriȝtwis-
nesse *ungerechtigkeit; vgl. ne.* un-
righteousness.
unrîm, *st. n.,* 8,625 *unzahl.*
unrôt, *adj., me.* unrot 28,26 *un-*
froh, traurig; vgl. geunrôteian.
unsceððǽnde, *neg. p. präs., adj.,*
15,221 *harmlos, unschuldig.*
unsceððig, *adj.,* 25,1 *unschuldig,*
schuldlos, harmlos.
vnsealþe *s.* ungesǽlð.
unsele, *adj.,* 82,199; ounseli 46,
98 *unselig, unglücklich;* hounsele,
sb., 46,175 *unglück, trauer.*
unsene *s.* ungesêne.
unslagen, *neg. p. p.,* 39,1332
unerschlagen, am leben.
unsmêþe, *adj.,* 9,26 *uneben.*
unsôfte, *adv.,* 11,228 *unsanft.*
vnsoght, *neg. p. p.,* 67,97 *nicht*
heimgesucht, straflos; vgl. sêcan.
unspêdig, *adj., fl.* -an 17,166 *un-*
vermögend, arm.
unstedefest, *adj.,* 82,241 *wankel-*
mütig, vergänglich; ne. unstead-
fast.
untellendlic, *adj.,* 27,19 *unsäg-*
lich; nach Björkman: *unzählbar.*
vntew *s.* vnto.
vntille, *präp.,* 67,218 = tille *zu;*
ne. until, till.
vnto, *präp.,* 48,15; unto 48,121;
hin... zu, zu, an, bis; vn to 65,
61,6; vntew 67,505 *zur bezeichnung*
des dat. (auch nachgestellt); vgl. tô.
untrêowe, *adj., me.* vntrew 59,47
untreu, unwahr; ne. untrue.
untruwnesse, *sb.,* 82,265 *untreue,*
treulosigkeit.
untýmende, *neg. p. präs.,* 22,2;
me. unteminde *unfruchtbar.*
unwǽr, *adj., me.* vnwar 58,115
unvorsichtig, töricht; vgl. ne. un-
wary.
unweaxen, *p. p.,* 10,2871 *uner-*
wachsen.
unwine, *st. m., me.* unwine 37,127
(böser) feind.
unwîsdôm, *st. m.,* 18,8; *me.* un-
wisdom *unklugheit, torheit; ne.*
unwisdom.
unwîs, *adj., me.* ounwis 46,117;
onwis 46;218; vnwis(e) 48,165;

vnwys **63,27** *unweise, unklug, töricht; ne.* unwise.

v n w r a s t, *adj.*, **34,13943** *schwach, schlecht, gottlos.*

unwrizen *s.* onwrêon.

unwunne, *sb.*, **32,208** *gegenteil von wonne, leid.*

vnwys *s.* unwîse.

unþêaw, *st. m., me.* unðeaw(e) **32,346** *unsitte, sünde.*

void, *adj.*, **69,164,1** *leer; ne.* void.

volde, *v.*, *prät.* voided **48,33** *léeren, säubern; ne.* void.

uolk, volke *s.* folc.

uolueld, uoluelþ *s.* fullfyllan.

uondi *s.* fondian.

uor, vor *s.* for.

uorbisne, -bysne *s.* forebysn.

uorloren *s.* forlêosan.

uorsakest, uorsoc *s.* forsacan.

uorst *s.* forst.

vort, *konj., wohl* = for te, for to **37,64** *bis.*

Vortiger, *eigenn.*, **34,13786;** Uortiger **34,13801;** Uortigerne **34,13813;** *ae.* Wyrtgeorn **15,29** *Vortigern.*

voÞzoþe *s.* sôð.

vote *s.* fôt.

vourti *s.* fêowertig.

vowchsafe, *v.*, vowch sayf **67, 172** *sich herablassen, geruhen, gestatten; ne.* vouchsafe.

ûp, *adv.*, **10,2855;** uppe **9,629;** upp **15,155;** *me.* uppe **34,13970;** upp **36,46;** vp **47,1128;** up **67,153** *auf, hinauf, in die höhe, oben; ne.* up; *me.* up and dun; up end dun **32, 240** *auf und ab;* up ande dune **45,5;** vp and doun **48,84** *überall; ne.* up and down; up so doun **64,5** *das oberste zu unterst, auf den kopf (gestellt); vgl. ne.* upside down; *adv.* ûp on **8,644** *oben in; präp.* upp on; *me.* uppon **33, 13;** vppen **34,13859;** upponn **36, 15579;** upo **38,1;** vpo **38,12;** opon **42,19;** oppon **46,204;** ope **50,80;** vppon **59,6;** apon **60,20;** vpon **61,1114;** apone **66,413;** upon **67, 229** *oben auf, auf, an, in; ne.* upon.

upâhafenes, *st. f., kent.* **20,19** *überhebung.*

upâstîgnes, *st. f.*, **16,76** *himmelfahrt.*

vpbraid. *sb.*, **48,162** *vorwurf, beschimpfung.*

upbraide, *v., vorwerfen, vorrücken, beschuldigen; ne.* upbraid.

vp-bricht, *adj.*, **73,19** *vollständig hell.*

upflôr, *st. f.*, **22,76** *dat.* upflôra. *oberer flur, söller.*

uplîc, *adj.*, **9,663** *oben befindlich, hoch erhaben.*

upo, vpo, upon, vpon, upp, uppe, vppen, uppon *s.* ûp.

vpward, *adv.*, **69,165,6** *aufwärts.*

uram *s.* from.

ûre, ure, vre *s.* wê.

vrechit *s.* wrecca.

ureisun, *sb.*, **37,***titel;* orisune **45, 52.** *gebet; ne.* orison.

ureondes, ureondmen *s.* frêond(-).

vri *s.* frêo.

ûrig-feðera, *schw. adj.*, **11,210** *mit feuchten federn.*

ûrne *s.* wê.

urnen, urnon *s.* eornan.

urom, vrom *s.* from.

Urs, **31,1** *lat.* ursus *(William von Malmesbury; Vocaris Ursus, habeas Dei maledictionem).*

urum *s.* wê.

ur, us, vs *s.* wê.

vse, *v.*, **57,30** *anwenden, gebrauchen; ne.* use.

ûsic, uss, ûssa *s.* wê.

ût, *adv.*, **14,8;** of … ût **9,233;** *me.* ut **36,15564;** out **47,1131;** oute **48,155;** owte **49,3** *hinaus, heraus, nach außen hin;* oute **45,21** *ganz und gar;* houte **46,79** *außer hause; ne.* out; ût of *präp.*, **11,135;** *me.* ut of; ut off **36,64;** out of **46, 347;** owt of; out off **66,420** *aus, außerhalb; ne.* out of.

ûtamæran, *schw. v., p. p.* ûtamærd(e) **15,93** *hinaustreiben, vertreiben.*

ûtan, *adv.*, **9,204;** ûton **17,6;** *me.* uten *von außen.*

ûtanbordes, *adv.*, **14,12** *von außen her, von auswärts.*

ûte, *adv.*, **15,174** *draußen;* **14,13** *im auslande.*

ute *s.* wîtan.

ûtgong, *st. m.*, **8,661** *auszug.*

uthire *s.* ôðer.

ûtlaga, *schw. m., me. pl.* utlazen **34,14059;** vtlawes **44,41** *der geächtete; ne.* outlaw.

utlazen, vtlawes *s.* ûtlaga.

ûton *s.* ûtan.
uton *s.* witan.
uu- *s.* w-.
uuǽg *s.* wǽg.
· ûuaren, uuæren, uuæs *s.*
    wesan.
uueartae *s.* wearte.
uuę̂ge *s.* wǽg.
uuel, vuele *s.* yfel.
uuelesces *s.* welesc.
uuele speke, *sb.*, 82,274 *ver-*
    leumder.
uuenden *s.* wênan.
uneorthae *s.* weorþan.
uuermôd *s.* wermôd.
uuerse *s.* yfel.
uuiurthit *s.* weorþan.
uuldur- *s.* wuldor-.
uuluellen *s.* fulfyllan.
uundra *s.* wundor.
uuord *s.* word.
uurecce *s.* wrecche man.
uurythen *s.* wrîðan.
uut, vut *s.* witodlîce.
uwer *s.* gehwǽr.
uwilc(h) *s.* gehwelc.
vyage *s.* viage.
uyealdinde *s.* fealdan.
vyleynye *s.* vilanye.
vyn *s.* winnan.
vyntir(-) *s.* winter(-).
vysage, *sb.*, 65,63,2 *gesicht; ne.*
    visage.
vyue *s.* fîf.
uþe *s.* ŷð.
ûðe *s.* unnan.
ûðwita, *schw. m.*, 18,69; *me.* uþwite
    weiser mann, gelehrter.

W.

w *s.* hwâ.
w â, *interj. und adv.*, 8,632; *me.*
    auch sb., wa 82,151; wo 43,52;
    woo 52,8 *weh; ne.* wo, woe; *me.*
    wæs .. wa 33,69; ich am wo 43,
    117 *leid tun.*
w â c, *adj., me.* wac 88,29; woc
    87,40 *schwach; akk. mask. sg.* -ne
    23,43 *schwank, biegsam; vgl. ne.*
    weak.
wacan, *st. v., me. prät.* woke 69,
    172,7 *erwachen.*
wǽcan, *schw. v., prät.* wǽcte 15,2
    schwächen, erschöpfen; ne. weaken.
w æcce, *schw. f., dat. pl.* wæccum
    15,212 *das wachen, die wache.*

wæccende, *p. präs.*, 8,662; *me.*
    wacchende *wachend; ne.* wat-
    ching.
wacian, *schw. v., me.* wake(s) 49,
    45; *p. präs.* walking = waking
    69,173,6 *wachen, bewachen;* 67,89
    erwecken; ne. wake.
wâcian, *schw. v.*, 23,10 *weichen;*
    nachgeben; vgl. wâc.
wæcnian, *schw. v., in* âwæcnian;
    prät. me. wakened 58,132 *er-*
    wachen, sich erheben; ne. waken.
wǽcte *s.* wǽcan.
w æ d, *st. f.*, wǽde, *st. n., nh.* wêde
    19a,3; *merc.* wǽda 19d,3; *me.*
    wede 44,94; weid 71,11 *gewand,*
    kleid; ne. weed(s).
wadan, *st. v.*, 10,2886; *me.* wade
    waten, gehen; ne. wade.
wâfian, *schw. v.*, 9,342 *staunen.*
wâfung, *st. f.*, 22,79 *schauspiel,*
    schaugepränge.
w æ g, *st. m., gen.* wǽges 8,680;
    pl. me. wawghes 67,426; wawes
    58,142 *flut, welle, woge, meer.*
w æg, *st. f., kent.* unę̂g(e) 12,20; *me.*
    weie *woage, gewicht; ne.* wey,
    weigh; wey of cheese *gewöhn-*
    lich = zwei zentner.
wǽgan, *schw. v., p. präs. kent.*
    wêgende 20,37 *betrügen.*
wagge, *v.*, 44,89 *schwingen; ne.* wag.
waȝȝnenn, *v.*, 86,37; waynye
    50,21 (*hs.; vgl.* waiue) *in einem*
    wagen führen, bringen (vgl. ae.
    p. p. bewægned).
wægn, *st. m., me.* waȝȝn 86,21
    wagen; ne. wain.
wâh, *st. m., me.* wah 88,32 *wand.*
wai *s.* weg.
wait *s.* witan.
waite, *v.*, wayte 58,130 *wachen,*
    achtgeben; wayte 58,86; *prät.* vatit
    60,36 *erwarten (mit akk. oder* after);
    45,103 *abwarten; ne.* wait.
w aith, *sb.*, 66,386; waithyng
    66,387; wathe 67,486 *beute beim*
    jagen, fischen etc., speise.
waiue, *v.*, 42,10 *umherirren, treiben,*
    schwanken; wayuye 50,21 *ent-*
    fernen; ne. waive.
wake *s.* wacian.
wakened *s.* wæcnian.
wakes *s.* wacian.
wakese *s.* weaxan.
w æl, *st. n.*, 15,7; wæll 15,105; *pl.*
    walu *gesamtheit der gefallenen;*

strages, clades; *der körper eines im kampfe gefallenen.*

w ǽ l, *st. m. n.,* 14,*schl.-ged.*16; wǽll *pfuhl, wasser(tiefe); ne. dial.* weel.

w a l c a n d e *s.* wealcan.

w a l d *s.* weald, willan.

w a l d, *sb.,* 36,64 *gewalt, macht (vgl. ae.* geweald).

w a l d a n *s.* wealdan.

w a l d(e) *s.* willan.

w æ l d e(n), w a l d e n(d) *s.* wealdan.

w a l e, *v., wählen, aussuchen;* wisest to wale 59,8 *die weisesten, die zu finden waren.*

w æl-feld, *st. m.,* 18,51 *walstatt.*

w æ l-gîfre, *adj.,* 11,207 *leichengierig.*

w æl-grim(m), *adj.,* 6,8 *mordgrimmig.*

w æl-hwelp, *st. m.,* 6,23 *mörderischer hund.*

w a l k e ð *s.* wealcan.

w a l k i n g - w a k i n g; *s.* wacian.

w æll *s.* wæl.

w ǽ l l *s.* wǽl.

w a l l(e) *s.* weall.

w a l l e, *sb.,* 40,12 *brunnen.*

w æll-hrêownyss, *st. f.,* 15,11 *blutgier, grausamkeit.*

w a l l i t, *p. p.* 69,159,2 *ummauert, befestigt; ne.* walled.

w æl-stôw, *st. f.,* 18,43 *walstatt.*

w a l t *s.* wealdan.

w a l t e r e, *v., prät.* waltered 58,142 *sich wälzen, rollen; vgl. ne.* welter.

w a l u *s.* wæl.

W a l u m *s.* Wealh.

w a m *s.* hwâ.

w a m b e *s.* womb.

w a n *s.* hwâ, hwonne.

w a n a n d *s.* wanie.

w a n d *s.* windan.

w a n d e r i t *s.* wandrian.

w a n d r e t h, *sb.,* 67,40 *wirrsal, elend, unglück.*

w a n d r i a n, *schw. v., me.* wandre *wandern; prät.* wanderit 70,8 *sich verirren; ne.* wander.

w a n e *s.* wene, wona.

w a n e n e *s.* hwonon.

w â n i a n, *schw. v., me.* wanen, wonen *weinen, klagen; me. vb.-sb.* wanunge 32,231.

w a n i e, *v., 3. präs. ind.* wanys 67, 458; *p. präs.* wanand 67,493; *p. p.* wanyd 67,450 *schwinden, abnehmen, weniger werden; ne.* wane.

w a n n *s.* wonn.

w a n n e *s.* hwonne.

w a n t, *sb.,* 67,194 *mangel; ne.* want.

w a n t i s *s.* wonte.

W a n t s u m o, *flußn.,* 15,152 *Wantsum.*

w a n t t i s *s.* wonte.

w a n u n g e *s.* wânian.

w a n y s, w a n y d *s.* wanie.

w ǽ p e n, *st. n., fl.* 8,623; *me.* wepen, *fl.* wepne 32,336; *pl.* wappynis 66, 401 *waffe; ne.* weapon.

w ǽ p e n-g e w r i x l e, *st. n.,* 18,51 *waffenwechsel, kampf.*

w ǽ p n e d m o n, *m., me.* weppmann 86,15; wepman; *pl.* wepmen 88, 101 *(bewaffneter) mann;* wepmon 40,32 *zeugungskräftiger mann.*

w ǽ p n e s *s.* wǽpen.

w a p o l i a n, *schw. v.,* 20,2 *sprudeln.*

w a p p y n i s *s.* wǽpen.

w a r *s.* wær, warian, wesan.

w æ r, *adj., me.* war 84,13826; wær 84,13940; ware 69,164,3; whar; *komp.* wærra; *kent.* werra 20,3 *vorsichtig, klug, gewahr; ne. veralt. (Shakespeare)* ware.

w ǽ r, *st. f., gen. sg.* wǽre; *nom. pl.* wǽra 26,3 *bund, vertrag, verheißung.*

w a r d(e s) *s.* weard.

w a r d r a i p a i r, *sb.,* 72,II,2; wardraipper 72,1 *garderobier, vorsteher der kleiderkammer; ne.* wardrober.

w a r d r o p, *sb.,* 72,I,*titel;* wardroippe 72,18; wardrope 72,II,10 *kleidervorrat, garderobe; ne.* wardrobe.

w a r e *s.* wær, warian, waru, wesan.

w ǽ r e, w æ r e(n)(n) *s.* wesan.

W a r e n n e, *ortsn.,* 48,129 *Varenne.*

w ǽ r-f æ s t, *adj.,* 10,2900 *wahrhaft, treu.*

w a r i a n, *schw. v., me.* warie; war 57,6 *wahren, sich hüten;* wery 57,23 *behaupten, innehaben; me.* wary(s) 59,19 *wahrnehmen, anwenden; vgl. ne.* beware.

w â r i g, *adj., me.* wori 32,144 *schmutzig.*

w a r k, *v.,* 67,269 *schmerzen; neuschott.* wark, werk; *vgl. ae.* wærc, *sb., schmerz.*

w a r k(e) *s.* weorc.

w a r l d, w a r l d e *s.* weorold.

w æ r l î c, *adj.,* 8,662 *vorsichtig.*

warlok, *sb.*, 58,80 *fußfessel; ne.* warlock.

warm *s.* wearm.

warn(e), warnian, warnie, warnode *s.* wearnian.

wǽron, wǣron, wǣrun *s.* wesan.

warp, warrp *s.* weorpan.

wǣrra *s.* wǣr.

wars *s.* yfele.

war-to *s.* hwǣr.

waru, *st. f., me.* ware 32,68 *ware, schutz, gewährleistung; ne.* ware.

–waru, *st. f., bürgerschaft; me.* were 37,21 *schar.*

waruð, *st. m.*, worð; *me.* warþ *ufer.*

wary *s.* wirigan.

warys *s.* warian.

was, wæs *s.* wesan.

wascan, *st. v., me.* wassche 37,139; *prät.* wôsc; *me.* wesch 38,7; *pl.* wôscon; *me.* wesse 41,16 *waschen, baden, reinwaschen* (mit of); *ne.* wash.

wâse, *schw. f., me.* wose 50,7; woze 50,53 *schlamm; vgl. ne.* ooze.

wass *s.* wesan.

wassche *s.* wascan.

wâst *s.* witan.

wǣstm, *st. m. f. n.*, 9,243; *pl. gen.* wǣstma 15,8; *akk.* wǣstma 9,332; *instr.* wǣstmum 9,237 *körperbeschaffenheit, wuchs, gestalt, gewächs, frucht.*

wǣstmbǣrness, *st. f.*, wǣstmbǣrnysse 15,44 *fruchtbarkeit.*

wat *s.* hwâ.

wât, wate *s.* witan.

Wat Wynk, *schimpfn.*, 67,382; Wat = *Walter*, wink, *v., schielen, blinzeln; etwa: Hans Narr.*

wǣter, *st. n.*, 10,2875; *me.* weter(e) 32,82; waterr 36,15539; water 38,7; watere 41,14; watter(es) 58,138; wattir 66,369; *gen. merc.* wetres 13,22; *pl.* wǣtru 14,*schl.- ged.*5; *merc.* weter 13,1; *gen.* wǣtra 9,184; *merc.* wetra 13,21 *wasser; ne.* water.

wǣterscipe, *st. m.*, 14,*schl.-ged.*1 *wassermasse, wasser;* 22,29 *wasserstelle.*

wathe *s.* waith.

watter, wattir *s.* wǣter.

watz *s.* wesan.

wâwa, *schw. m., me.* wawe 32,151 *weh, leid.*

wawes, wawghes *s.* wǣg.

wax, waxe(n) *s.* weaxan.

way, waye *s.* weg.

wayle, *sb.*, 54,1 *eine schönheit, eine schöne.*

waynye *s.* waȝȝnenn.

wayte *s.* waite.

wayuye *s.* waiue.

wê, *personalpron.*, 9,668; *me.* we 32,19; *ne.* we; *gen. (possess.)* ûser: ûre 14,34; *gen. pl.* ûssa 8,619; *fl. possess.* ûrne 28,58; *me.* ure 28,1; vre 32,57; our 42,26; ur 45,47; houre 46,31; oure 46,75; *ne.* our; *dat.* ûs 8,729; *me. dat. und akk.* us 32,48; uss 36,15542; ous 46, 90; hous 46,220; vs 49,18; hus 67,46; *akk.* ws; vs; ûsic 9,630; ûs 11,184 *wir; ne.* us; vs 67,292 (*bei einpersönl.* must) weðe 32,91; we þe 32,96 *die wir.*

we, *interj.*, *s.* wêa.

wêa, *interj., me.* we 46,115 *wehe, was nun?*

wealcan, *st. v., me.* walken 32, 237 (*sich*) *wälzen; p. präs.* walcande 45,118 *gehen, wandern; ne.* walk.

weald, *st. m.*, 9,13; wald 11,206; *me.* wald *wald, bewaldetes land; ne.* weald, wold.

wealdan, *st. v.*, 25,4; waldan, *me.* wǣlde(n) 32,2; wealden 32,55; welde 44,129; *3. sg. präs.* walt 32, 79 (*les.*); wealdeð 32,84; wealded 32,387; *p. präs.* weldand 67,494; *prät.* wêold 26,9 *gewalt haben, stark sein, in der gewalt haben,* (be)*herrschen*; 46,83 *besitzen; sbst. p. präs.* wealdend 26,6; waldend 8,723; *me.* waldend; walden 34, 13925 *herrscher, herr, könig.*

wealde(n)d, wealdeð *s.* wealdan.

wealgate *s.* weallgeat.

Wealh, *st. m., gen.* Wêales; *pl. dat.* Walum 26,9; *akk.* Weallas (*hs.:* weealles, *les.* wealas) 18,72 *der nichtgermane, fremde, wälsche.*

wealh-stod, *st. m.*, 14,51 *übersetzer, dolmetsch; vgl.* Wealh.

weal(l), *st. m.*, 8,650; *me.* wall(e) 32,41 *wall, mauer; ne.* wall.

weallan, *st. v.*, wyllan; *me.* weallen(de) 32,218; welle 54,41; *3. sg. präs. me.* wealð 32,245; *prät.* wêol 8,581 *wallen, kochen; 3. sg. präs.* wilð 17,4 *entspringen.*

weall-geat, *st. n., dat.* wealgate
11,141 *mauer-, stadttor.*

Weallas *s.* Wealh.

wealð *s.* weallan.

weard, *st. m.,* 10,2865; *nh.* uard
2,1; *me.* weard(es) 19c,4; ward
wart, hüter, herr.

weard, *st. f.,* 8,664; *me. wache, rück-
sicht; pl.* wardes 48,41 *vormund-
schaftsgerechtsame; ne.* ward.

weardian, *schw. v.,* 9,85 *bewachen.*

wearm, *adj.,* 9,18; *me.* warm(e)
46,225 *warm; ne.* warm.

wearmian, *schw. v.,* 9,213 *sich
erwärmen, warm werden; ne.*
warm.

wearnian, *schw. v., me.* warnie
32,226; werni 32,300; wearnen
88,10; warn 67,110; *p. p.* warned
68,25 *warnen (vor of, wið), raten;
versagen; prät.* warnode 15,175
sich schützen; ne. warn.

wearte, *schw.f., Ep.* uueartae 1,16;
me. warte; werte *(brust)warze; ne.*
wart.

wearð, wearþ *s.* weorþan.

weax, *st. n.,* 12,28; *me.* wax *wachs;
ne.* wax.

weaxan, *st.v.,* 9,232; *me.* waxe 43,
97; wakese 46,182; wexe 50,75;
waxen 52,15; wax 67,179; *me.
3. sg. präs. ind.* wext 50,62; *prät.*
wêox(on) 22,72; wêoxs *(urspr.*
wôx)22,10; *me.*wex45,85*wachsen,
erwachsen, zunehmen;* wax 67,60;
3. pl. präs. waxeþ 52,32; *prät.*
wex 47,1029; wox 60,21 *werden;
ne.* wax.

weccan, *schw. v.,* 10,2901; wecan
9,255; *me.*wecchen; *prät.* we(a)hte
*(er)wecken, erregen, aufregen, her-
vorrufen, hervorbringen, erzeugen;
(feuer) anzünden.*

wed *s.* wedden.

wêdan, *schw. v., schott.* weide 66,
438; *prät.* wêdde 8,597 *wüten,
toll werden.*

wedden, *v.,* wedde 63,18; *p. p.*
wedded 46,8; wedde 46,137
heiraten, vermählen; wed 64,29
verbinden; ne. wed.

wedding, *vb.-sb.,* 63,24 *hochzeit,
ehe; ne.* wedding; *s.* wedden.

wêde, wede *s.* wêd.

weder, *st. n.,* 9,18; *me.* weder 67,
417; wedir 67,470 *wetter, un-
wetter, sturm; ne.* weather.

weder-condel, *st.f.,* 9,187 *wetter-
leuchte, sonne.*

wedir *s.* weder.

wedmen, *sb. pl.,* 67,400 *eheleute;
vgl.* wedden.

wedows *s.* widuwe.

wee(s) *s.* wiga.

weealles *s.* Wealh.

weg, *st.m.,* 6,21; *merc.*wæg; *me.*wei
82,72; wêy 82,345 *(les.);* wei(e)
39,1300; way 42,12; wai(e) 46,1;
way(e) 49,37 *weg, wandel, weise;
ne.* way; on weg, *adv.,* aweg 22,
68; *merc.* awæg 19d,11; *me.* awæi,
awey 34,14041; awei 87,94; away
46,17; awai 46,149; awaye 49,3;
avay 60,33 *hinweg, weg;* do wai
45,59 *geh weg, hör auf; ne.* away.

wêg, *st. m.,* 10,2932; wêoh *heilig-
tum, altar.*

wegan, *st. v., me.* weჳen 82,63 *be-
wegen, wägen;* w. ankres 58,103
die anker lichten; ne. weigh.

weჳen *s.* wegan.

wêgende *s.* wêgan.

wegh(es) *s.* wiga.

wei *s.* weg.

weid *s.* wêd.

weide *s.* wêdan.

weie *s.* weg.

weill *s.* wel.

weir *s.* werian.

weir, *sb.,* 71,50 *furcht, zweifel.*

weiweri, *adj.,* 40,13 *vom wege
müde.*

wel, *adv.,* 18,19; well; *me.*wel 82,3;
well 36,15557; wele 42,13; weil
60,16; weyle 66,438; welle 67,13
wohl, gut, leicht, füglich, sehr, weit;
51,71 *gar; komp.* betre 14,53;
bet; *me.* bet 82,15; beter 46,274
betere 46,389; *sup.* betest; betest
15,192; wel hwær (gehwær) 14,
77 *überall; ne.* well.

wel, wela(n) *s.* weola.

welcome(n), welcomore *s.*
wilcuma.

weldand *s.* wealdan.

welde *s.* wealdan, gewyldan.

welder, *sb.,* 58,129 *walter, herr;
vgl.* wealdan.

wele *s.* wel, weola.

weler, *st. m. f., fl.* -e 20,37; *dat. pl.*
welerum 14,*schl.-ged.*14 *lippe.*

welesc, *adj.,* uuelesc(es) 12,22;
me. welsch *wälsch; ne.* Welsh;
vgl. Wealh.

welfare, *sb.*, 62,21 *wohlfahrt, wohlergehen; ne.* welfare.
welig, *adj.*, 8,569; weoli 34,13904 *reich, mächtig.*
well, welle *s.* wel.
wella, *st. m. und* welle, *schw. f.*, 14,*schl.-ged.*24; wielle, wylle; *me.* welle 83,21; wille 37,46; well 69,168,5 *quelle, brunnen; ne.* well.
wellen *s.* weallan.
well-spryng, *st. m.*, welsprynge 14,*schl.-ged.*7; *me.* welsprung 87,72 *(ur)quell, quellursprung; ne.* well-spring.
welm *s.* wylm.
welpe *s.* hwelp.
welsprung, welsprynge *s.* wellspryng.
welt, *v., prät.* welt 58,115 *sich wälzen, bewegen.*
weltering, *vb.-sb.*, 69,163,1 *das rollen, drehen; ne.* weltering.
welþi, *adj.*, velthye 62,37 *reich; ne.* wealthy.
wemme, *sb.*,45,109 *flecken, schaden (vgl. ae.* womm, wemman).
wên, *st. f.*, 7,212 *wahn, meinung, erwartung.*
wênan, *schw. v.*, 14,17; *me. 1. sg.* wene 47,1075; weyn 67,444; *pl.* weneð 32,41; *konj.* wêne 21,6; *prät.* wênde 14,43; *me.* uuende(n) 27,2; wende(n) 27,17; wende 47, 990; wend 48,117 *wähnen, glauben, denken;* 8,686; *p. p. me.* wend 48,106 *halten für;* 87,111; 58,111 *hoffen, fürchten; vb.-sb. me.* wenyng 58, 115 *hoffnung; ne. (Shakespeare)* ween.
wend(e) *s.* wênan, wendan.
wendan, *schw. v.*, 8,570; *me.* wenden; wend; *prät. pl.* wendon 14, 48; *me.* went *(mit reflexiv.* him) 45, 110; *p. p.* ywent 42,33 *wenden; p.p.* iwent 41,18 *verwandeln;* 46,118 *umstimmen; konj. präs.* wende 46, 181 *ändern;* wende 34,13968; *konj. präs.* wende 32,86; *prät.* wente 39, 1343; wend 46,17; went 48,92; wende 51,49; *p. p.* (out) went 46, 345 *sich wenden, gehen; vgl. ne.* wend, went.
wênde *s.* wênan.
Wendel-sæ, *eigenn., st. m.*, 17,9 *Mittelmeer (auch Schwarzes Meer).*
wende(n) *s.* wênan, wendan.

wendes-dæi, *sb.*, wendesdei 34, 13928 *mittwoch; ne.* Wednesday.
wendon *s.* wendan.
wene, *sb.*, wane 82,151 *(lesarten) unglück, elend.*
wene, weneð, weneþ *s.* wênan.
weng, *sb., pl.* wyngez 49,6; wenges 49,43; wing *flügel; ne.* wing. [f]
wenge *s.* venge.
wenges *s.* weng.
wenne *s.* hwonne, wunne.
went, wente *s.* wendan.
Wenus, *eigenn.*, 72,1 *Venus.*
wenyng *s.* wênan.
wêoh *s.* wêg.
wêol *s.* weallan.
weola, *schw. m.*, 26,7; wela(n) 14, 35; *me.* wele 32,153; weole 52,35; wel *wohl, fülle, schätze, reichtum; freude, glück, gunst; ne.* weal.
wêold *s.* wealdan.
weoli *s.* welig.
Weonoð-land, *ländern., st. n.:* 17,148; Weonodland 17,154; Winodland(e) 17,160 *Wenden-land.*
wêop, weop(en) *s.* wêpan.
weorc, *st. n.*, 8,569; *nh.* uerc 2,3; *me.* weorc 82,108; weork(es) 32. 63; weorch(es) 82,11; werk 48,17 *(pl.* werkes 41,33); werc 46,374: werke 59,4; wark(e) 67,130 *werk, arbeit; ne.* work.
weord(e) *s.* word.
weore(n) *s.* wesan.
weorod, *st. n.*, 9,187; weorud 8,647; werod 11,199 *schar, volk, menge; gen. pl.* wereda 14,*schl.-ged.*1 *engelschar.*
weoruld, *st. f.*, woruld 8,711; *merc.* weoruld(e) 19d,20; worold; *kent.* uueorold(e) 12,40; *me.* woruld 32, 153; worlde 88,7; werd(e) 39. 1315; werld(e) 39,1318; warld(e) 62,1; world(e) 50,20; *gen. nh.* woruldes 19a,20; *me.* worulde 19c,20; woruld *(les.* wurldes) 82. 222; woreltes 82,334 *welt; ne.* world.
weorold-cund, *adj.*, woruldcund 7,212 *weltlich;* 12,41 *öffentlich.*
weorold-gestrêon, *n. pl.* woruldgestrêon 9,255 *weltliche schätze.*
weorold-hâd, *st. m.*, woruld-hâd 16,17; woruldhâd 16,62 *laien-stand.*

weorold-wela, *schw. m., me.* wo-
ruldwele 32,153 *irdischer reichtum.*
weorold-þearf, *st. f., fl.* woruld-
þearfe 15,200 *weltliches bedürfnis.*
weorold-þing, *st. n.,* woruld-
ðing 14,22 *weltliche angelegenheit.*
weorpan, *st. v., me.* werpen 34,
13858;*prät.*wearp;*me.*warp 33,17;
warrp 36,15566 *werfen; ne.* warp.
weorud *s.* weorod.
weoruld(-) *s.* weorold(-).
weoruld-men,*st.m.,pl.*15,13*laien.*
weorþan, *st. v.,* 9,378; weorðan
14,44; *me.* wurðen; wyrðen; wir-
ðen; *3.sg.präs.ind.*weorþeþ 9,80;
weorðeð 9,211; weorþeð 9,364;
wyrðeð, wirðeð 3,1 *(les.):* werð
14,*schl.-ged.*21; *nh.* uuiurthit 3,1;
me. worþ 47,1156; wurð 37,68;
wurþ; *konj.* weorðe 14,*schl.-ged.*
30; *nh.* uueorthae (*les.* wurðe) 3,5;
*me.*wurðe 32,330;wrþe 13,82 *(les.);*
worþe 46,213; wurth 57,5; worth
57,11; *prät.* wearð 7,200; wearþ
19b,2; *me.* warð 19c.2; wurð 39,
1308; *schott. schw.* worthit 66,438;
pl. wurdon 8,586; wurdun 18,48;
konj. wurde 23,1?; *p.p.* geworden
13,12; *fl.* gewordne 13,4; *me.* ge-
worðen 19c,2 *werden;* (þe king)
þat wurþ 40,56 *der sein wird.*
weorþian, *schw. v.,* 9,343; *me.*
wurðien 33,82; wurþien 33,98;
3.sg.präs. wurðeð 37,21; *prät. nh.*
worðadon 19a,9; *p. p.* geweorðad
16,2 *wert halten, verehren, aus-*
zeichnen.
weorðlíc, *adj., me.* wurdlich(e)
33,99; worly 54,13 *wertvoll, aus-*
gezeichnet, vortrefflich.
weorðlíce, *adv.,* wurðlíce 25,23
würdig, ehrenvoll.
weorð-mynd, *st.f.n.,* 9,636 *ehre,*
würde, herrlichkeit.
weorðscipe, *st.m., me.* wurschipe
37,13; wurchipe 37,130; wurð-
scipe 37,141; wurðschipe 37,143;
akk. me. wurðscipe, worsipe 34,
13836 *würdigkeit, ehre, verehrung;*
davon v. worschipe; worship 68,
11; -shyp 68,5; *prät. me.* wor-
ssipede 50,56; worschipide(n)
19e,17 *verehren; ne.* worship.
wêox(on), wêoxs *s.* weaxan.
wêpan, *st. v., me.* wepen 33,59;
weopen 37,44;wepe 38,16;wepyn
65,60,2; *prät.* wêop 21,68; *me.*

weop 33,60; *pl. me.* wepen 44,
152 *weinen; vb.-sb., me.* wepyng
65.61,5; *ne.* weep.
wepen, wepne *s.* wǽpen.
wep(p)man, wepmen, wepmon
s. wǽpnedmon.
wepyn, wep \ ng *s.* wêpan.
wer, *st. m.,* 9,331; wêr *(hs.)* 15,111;
me. wer 32,31; were 40,30; *pl. me.*
were 37,21?; *gen.* wera 22,26
mann, jüngling, ehemann.
wer *s.* werre, wesan.
wera *s.* wer.
werc *s.* weorc.
werche *s.* wyrcan.
werde *s.* weorold.
werdes *(ae.* wyrd), *sb., gen. pl.*
werdis 69,169,6 *geschick.*
werdi *s.* wyrdig.
were *s.* ver, wer, werian, werre.
wêre *s.* wesan.
wereda *s.* weorod.
werede *s.* werian.
weren *s.* wesan.
weri *s.* wêrig.
werian, *schw. v., schott.* weir 71,12;
prät. werit 69,160,1 *(ein kleid)*
tragen; p. p. pl. werede 9,596
bekleiden, umgeben; ne. wear [got.
wasjan].
werian, *schw. v., me.* werie, weriin
85.89; werien (heom sich 32,321)
wehren, verteidigen, schützen (mit
wið, of); 14,*schl.-ged.*13 *wahren,*
eindämmen (mit on); were 48,52
halten [got. warjan].
wêrig, *adj.,* 18,20; *imp.* werie 87,
147; *me.* weri 32,240; wery 48,
144 *müde, matt; ne.* weary.
wˣerit *s.* werian.
werk(e)(s) *s.* weorc.
werld(e) *s.* weorold.
wermôd, *st. m., Ep.* uuermôd 1,4;
me. wermod *wermut; vgl. ne.*
wormwood.
werni *s.* wearnian.
werod *s.* weorod.
wêron *s.* wesan.
werpeð *s.* weorpan.
werra *s.* wǽr.
werrai, *v.,* 45,16,19,90 *kämpfen*
(*mit akk.,* gain, on); *vgl. ne.* war.
werre, *sb.,* 48,20; were 59,88;
wer 59,8; *pl.* werren 50,84 *krieg,*
kampf; ne. war.
werriour, *sb.,* veriour 60,85
krieger: ne. warrior.

24*

werse, werste s. yfel.
wert s. wyrt.
wêrun s. wesan.
wery s. wêrig, warien.
werð s. weorþan.
wer-þeod, st. f., volk, nation; pl.
    werþeode 8,643 menschen.
werðnes s. *wierðnes.
wes, wese, weseð s. wesan.
wesan, st. v., 9,373; 2. pl. imp. wese
    gê 19b,9; nh. wosað giê 19a,9; me.
    wese ge 19c,9; prät. 1. 3. sg. wæs
    4,1b; Ep. uuaes 1,11; merc. wes
    13,31; me. wæs 19c,3; wes 27,2;
    was 27,9; wass 36,15544; ves 46,
    79; watz 58,62; 2. sg. me. was
    67,120; wes; pl. wæron 11,225;
    wærun 19b,11; merc. wêrun 13,4;
    nh. wêron 19a,4; me. wæron 19c,4;
    uuaren 27,15; uuæren 27,19; were
    32,100; weren 32,102; wære 32,
    291; weoren 34,13796; weore 34,
    13799; ware 41,15; war 45,112;
    wer 48,5; wore 48,10; konj. wêre
    9,639; me. were 33,48; wære 36,
    79; ware 45,114; war 57,32; wer
    50,88; pl. wæren 14,79; me. wæren
    19c,4; wærenn 36,48; were 54,32;
    ware 61,1156 sein.
wesch, wesse s. wascan.
Wes-seaxe(na) s. Westseaxe.
west, adv., 17,4 westlich.
westan, adv., 9,325 von westen;
    be westan, präp., 17,17; adv., me.
    bi weste 43,5 im westen.
westan s. witan.
westan-norþan, adv., von nord-
    westen; be westannorþan, präp.,
    17,46 nordwestlich von.
westan-wind, st. m., 17,62 west-
    wind.
weste s. westan, witan.
wêste, adj., 15,59; f. merc. wôestu
    13,36; me. weste wüst.
wêsten, st. n., 9,201; akk. wêstenne
    17,46; me. westen wüste.
west-ende, st. n., 25,24 westliches
    ende.
West-mynstere, eigenn., 48,1
    Westminster, kathedrale in London.
west-norð, adv., 17,18 nordwestlich.
west-sæ, st. f., 15,75 westliches
    meer, Atlantischer Ozean.
West-seaxe, st. schw. m. pl., West-
    seaxan 15,55; Wesseaxe 18,20; gen.
    Wesseaxena 18,59 Westsachsen.
wet s. hwâ.

weter(e), wetra, wetres s.
    wæter.
wex(e), wext s. weaxan.
weyle s. wel.
weyn s. wênan.
wêðe s. wê.
wêþel, st. f., 9,612 dürftigkeit,
    mangel.
wh- s. hw-.
whal s. hwæl.
whalles bon, sb., 54,1 elfenbein:
    vgl. ne. whalebone.
whan s. hwonne.
whanene, whænnenen s.
    hwonon.
whanne s. hwonne.
whar s. wær, hwæðer.
whare, wharefore s. hwær.
wharrfedd, wharrfenn s.
    hwearfian.
wharþurch s. hwær.
what, whatt, whæt s. hwâ.
whattlike s. hwætlîce.
wheder s. hwæðer.
whedir s. hwider.
whel s. hwêol.
when s. hwonne.
wher s. hwær, hwæðer.
where, wherfor s. hwær.
whet s. hwâ.
wheðer s. hwæðer, hwæðere.
wheþþre s. hwæðere.
whi s. hwâ.
which(e) s. hwelc.
whider s. hwider.
whil s. hwîl.
whilch s. hwelc.
while(s), whille, whils s. hwil.
whit, whittore s. hwît.
whom s. hwâ.
whon s. hwonne.
whos, whose = who so s. hwâ.
why s. hwâ.
whyle, whyl(e)s s. hwîl.
whyne s. hwînan.
whyp, sb., 67,378 peitsche, geißel:
    ne. whip.
whyt(e) s. hwît.
wi s. hwâ.
wi, interj., 32,104 wehe!
wîbed (wig-bedd), st. n., 15,82
    altar; vgl. wêg.
wîc, st. n. f., 6,8; me. wik wohn-
    stätte, ort (oft pl.).
wiche, v., 46,353 hexen, verhexen,
    zaubern; ne. witch.
wicht s. wiht.

wîcian, *schw. v.*, 17,52; *prät. me.*
wicode 28,4 *wohnen, leben, sich
aufhalten; prät.* wîcode 17,128
anker werfen.
wîcing, *st. m., gen. pl.* -a 28,26
wiking, seeräuber.
wicke, *adj.*, 44,66; wykke 58,69
ruchlos, schlimm; vgl. wicked.
wicked, *adj.*, wikked 68,31; vikkit
60,12 *ruchlos, schlimm; ne.* wicked.
wickednesse, *sb.*, wikkednesse
68,7 *schlechtigkeit, schlechtes; ne.*
wickedness.
wîcode, wicode *s.* wîcian.
wictest *s.* wiht, *adj.*
wîd, *adj., me.* wid *weit; ne.* wide.
widder, *v.*, 67,63 *dahinschwinden;
ne.* wither.
wîde, *adv.*, 7,185; *me.* wide 36,40
weit, weithin; ne. wide.
wîd-mærsian, *schw.r., p. p.* ge-
wîdmærsud 19b,15; *me.* gewid-
mærsod 19c,15 *verbreiten.*
wîd-sæ, *st. m. f.*, 17,57 *die weite
see, der ozean.*
widuwe, *schw. f., me.* widewe;
wedow(s) 67,389; *pl. me.* wydues
44,33 *(hs.); dat.* widuen 44,79
witwe; ne. widow.
wielle *s.* welle.
*wierônes, *st. f.*, wurônes; *kent.*
werônes 20,31; *me.* worþnesse;
worthinesse 64,28 *würde, würdig-
keit, wert; vgl. ne.* worthiness.
wîf, *st. n.*, 11,148; *me.* wif 32,31;
vif 46,83; wife 48,23; wyf 54,12;
wyfe 70,1; wyff 72,11,13; *gen.*
wifes 8,600; *me.* wyues 40,36;
wyves 68,20; *dat. me.* wife 32,24;
wive; wyfe 32,45; wyue 50,67;
pl. wif 11,163; *me.* wif, wifues
34,13869; wiues 44,2; wyues 44,
33; wives 46,303; wyve; wifis
67,144; *dat.* wifum 19a,5; wîfon
19b,5; *me.* wifon19c,5 *weib, gattin;
ne.* wife.
wîfe, *v.*, 48,7 *ehelichen; ne.* wive.
wîf-hâd, *st. m.*, 9,357 *weibliches
geschlecht, weibliches wesen.*
wîfis *s.* wîf.
wîfmon, *st.m.*, wîfman; wimman;
me. wifman; wummon 87,23;
wymmon 40,14; wyman 41,10;
wiman 42,50; wuman (*les.* wman)
44,174; wimmon 46,8; womon
46,122; wimon 46,205; woman
67,80; *pl.* wimmen 22,77; *me.*

wimmen 27,18; wifmen 33,101;
wummen 37,19; women 49,38;
wymmen 52,32; *dat.* wymmanne
(*les.* wimmenne) 43,69 *weib; ne.*
woman; *pl.* women.
wîfon, wifon, wifues, wîfum
s. wîf.
wîg, *st. n.*, 6,23; *gen.* wîges (*les.*
wigges) 18,20; *me.* wiʒ; wi *kampf.*
wiga, *schw. m.*, 6,8; *pl. gen.* wigena
8,641; wibgena 15,46; *me.* wiʒe
kämpfer, held; me. wegh 59,19; *pl.*
wees 59,23; wy 71,50 *mann;* wyʒ
58,111 *wesen (von gott).*
Wigemore, *eigenn.*, 48,154 *ein
schloß in Nord-Herefordshire.*
wigena *s.* wiga.
wîgend, *sb. p. präs.*, wiggend 11,
141 *kämpfer.*
wight *s.* wiht.
wiglung, *st. f., kent.* wîlung 20,
22; *me.* wiʒelunge *wahrsagung.*
wîg-smiþ, *st. m., pl.* wîgsmiþas
18,72 *kampfschmied, kämpfer.*
wiʒt *s.* wiht, *adj.*
wihgena *s.* wiga.
wiht, *f. n.*, 6,23; wuht; *me.* wiht(e)
40,66; wyht; wight 67,47; wyght
67,544; wicht 71,43; *pl. me.* wihte
82,79 *wesen, mensch, ding, irgend
etwas; akk. adv., irgend; nân* wuht
14,32 *nichts; ne.* wight, whit.
wiht, *adj.*, wiʒt 61,1138; wyʒt;
superl. wichteste (*hs.* wicteste)
44,9 *mutig; adv.* wyht 52,36; wiʒt
58,103 *flink, schnell.*
wiht *s.* gewiht.
Wiht, *ortsn.*, 15,53 *insel Wight.*
Wiht-sætan, *volksn., schw.m.pl.*,
15,52 *bewohner der insel Wight.*
wik *s.* wîc.
wike *s.* wucu.
wikked *s.* wicked.
wikkednesse *s.* wickednesse.
wil *s.* hwil, gewill, willa(n).
wil-cuma, *schw. m., me. adj.*, wel-
come 44,159; welcomen 46,167;
welcom 48,242; *me. komp.* wel-
comore 46,426 *der willkommene;
ne.* welcome.
wild *s.* willian.
wilde, *adj.*, 8,597; *me.* wilde 34,
13870 *wild; ne.* wild.
wildor, *st. n., dat. pl.* wildrum 17,
91 *wildes tier, wildes renntier.*
wile, *sb.*, 48,141; wyle 71,42 *list,
kunstgriff, niedrigkeit; ne.* wile.

wile *s.* hwîl, willan.
Wilekin, *eigenn.*, 46,43 *Willy.*
wilful, *adj.*, 64,13 *vorsätzlich,*
eigenwillig; ne. wilful.
wilfulnesse, *sb.*, 64,6 *eigensinn,*
hartnäckigkeit, willkür; ne. wil-
fulness.
wil-gedryht, *st. f.*, 9,342 *be-*
gleitende schar, williges geleit.
will *s.* willa, gewill.
willa, *schw. m.*, 8,600; *me.* wille
82,82; will 32,348; wil 87,62; wyl
50,42; wyll 62,26 *wille, wunsch,*
absicht, wohlgefallen, freude, zu-
neigung; ne. will; at wylle *nach*
wunsch; ne. at will; with wille
48,179; wiþ wille 52,15 *mit ge-*
walt, mächtig; ne. with a will.
willadon *s.* willian.
willan, *unrglm. v., präs. sg. 1. 3.*
wile 10,2919; wylle 11,187; wille
14,62; *me.* wule 82,39; wulle 82,
155; wolle 84,13835; wullen 84,
13844; wile 36,97; wille 44,169;
wil 47,1152; will 49,2; wyle 50,45;
wol 52,33; wole 52,35; wyl 59,86;
2. *me.* wult 37,121; wilt 89,1312;
wolt 46,241; wille 48,166; wiltou
57,21; vill 60,71; *konj.* wille 8,633;
me. wule 83,6; wolle 84,13823;
pl. wyllaδ 15,193; willaδ 15,194;
me. willeδ; wulleδ 32,34: wulle
82,226; wuleδ 83,1; wullen 34,
13839; wilen; wille 67,45; will;
wil; *konj.* wille we 17,2; *prät.*
wolde 4,1b; *nh.* walde 4,1a; *me.*
wolde 28,2; walde 83,50; wollde
36,15610; wulde 39,1320; wald 42,
11; valde 62,25; wold 67,47; *pl.*
woldon 14.45; woldan 15,22; *me.*
wolden 19c,1; walden 84,13807;
wald 62,32; wold 67,107 *wollen,*
wünschen, pflegen; auch umschrei-
bung des futurs und konditionals;
ichil 47,1052; ichulle 53,19 *ich*
will; ycholde 51,32 *ich wollte;*
p. präs. me. weill willand 60,41
wohlwollend.
wild *s.* willian.
wille *s.* wella, willa, willan.
Willʒham, *eigenn.*, 66,401 *Wilhelm;*
ne. William.
willi 46,35 = will I; *s.* willan.
willian, *schw. v., me.* willien; *prät.*
willadon 15,192 *(les.): me.* wild 48,4
wollen, willens sein, begehren; 48,5
lassen; 48,67 *sich entschließen.*

will-sele, *st. m.*, 9,213 *wonnesaal*
(= *nest*).
will-wong, *st. m.*, 9,89 *wonneland.*
wilnian, *schw. v.*, 15,192 *(les.); me.*
wylny 50,45 *(mit akk.); pl.* wilnieδ
(*elter*) 82,315 *wünschen, begehren.*
wilnung, *st. f., dat.* -a 14,45; *me.*
wylnynge 50,44 *wunsch, sehn-*
sucht.
wil-sumlîc, *adj.*, 15,245 *freiwillig,*
angenehm.
Wilte, *volksn., m. pl.*, 17,20 *die*
Wilzen (slawischer stamm).
wiltou *s.* willan.
wilung *s.* wiglung.
wilδ *s.* weallan.
wim(m)an, wimmen, wim(m)on
s. wîfmon.
wîn, *st. n.*, 13,18; *kent.* uuîn(es)
12,23; *me.* win(e) 82,144; wyn
41,7; win 41,47 *wein; ne.* wine.
win *s.* wyn.
Wincestre, Winchestre *s.*
Wintanceaster.
wind, *st. m.*, 8,650; *me.* wind(e)
82,138; wynd(e) 49,5; wind 57,
33; wynd 67,355 *wind; ne.* wind.
windan, *st. v., me.* winde *(um)win-*
den; prät. wand 23,43 *schwingen;*
p. p. me. ywounde 42,3; wounde
68,9 *einwickeln; ne.* wind.
windas, *sb.*, wyndas 58,103 *winde;*
vgl. ne. windlass.
windowe, *sb.*, 47,1130; wyndo
67,136; wyndow 67,280 *fenster;*
ne. window.
wine, *st. m.*, 24,4; *me. pl.* wines
32,219 *freund.*
wine *s.* wîn.
Winedas, *eigenn., st. m.*, 17,41; *gen.*
pl. Wineda 17,21; *dat.* Winedum
17,138 *die Wenden.*
wines *s.* wine.
wing *s.* weng.
winnan, *st. v., fl.* winnenne 22,
14; *prät.* won 18,3; *pl.* wunnon
15,49 *sich mühen, kämpfen; me.*
winnen; wyn 48,118; wynne 51,
31; wynnen 51,40; vyn 60,11;
win 69,168,5; *p. p.* wonne 46,58;
ywonne 51,64; *durch anstrengung*
erreichen, bekommen, gewinnen:
wyn away 67,24 *sich wegbemühen,*
wegkommen.
winnterr *s.* winter.
Winod-land *s.* Weonoδland.
wîn-sele, *st. m.*, 8,686 *weinsaal.*

Wintan-ceaster, *stadtn., st.f., dat.*
Wincestre 25,2; *me.* Winchestre
44,158; *ne.* Winchester.

winter, *st. m., (gen. -tres)* 9,245;
me. wintre 27,35; winnterr 36,
15594; winter; wynter 52,8; vyn-
tir 60,12 *winter; pl. me.* winter
89,1284; *gen.* wintra 9,363 *jahr;
ne.* winter.

winter-gewæde, *st. n.,* 9,250
wintergewand.

winter-scûr, *st. m.,* 9,18 *winter-
licher schauer.*

winter-tide, *sb.,* vyntirtyde 60,1
winterzeit.

Wiogora-ceaster, *stadtn., st.f.,*
14,*tit.; me.* Wirecestre *Worcester.*

wiotan, wiòtona *s.* wita.

wiotonne *s.* witan.

wirchen *s.* wyrcan.

wirigan, *schw.v.,* 21,17; wergan;
me. werye 57,23; wary 67,208
fluchen, verfluchen.

wirignys, *st. f.,* 21,18 *fluch.*

wirk(e), wirkand *s.* wyrcan.

wirriand *s.* wyrgan.

wirðan, wirðeð *s.* weorþan.

wîs, *adj.,* 14,50; *me.* wis 82,33; wys
48,80; wise 59,53 *weise; ne.* wise.

wîsan *s.* wîse.

wîsdôm, *st. m.,* 14,9; *me.* wis-
dom(e) 28,39 *weisheit; ne.* wis-
dom.

wîse, *schw.f.,* 9,359; *me.* wise 82,
269; wyse; viß 60,78 *weise, art;*
16,58 *sache („suscepto negotio“);
ne.* wise; *ae.* on nâne wîsan; *me.*
o non wise 47,1026; no wyse
68,27 *durchaus nicht; ne.* nowise.

wisely *s.* wislîce.

wish, *sb.,* 67,4 *belieben, wunsch,
gebot; ne.* wish.

Wîsle, *eigenn., f.,* 17,155 *die
Weichsel;* Wîsle lond 17,28
Weichselgegend.

Wîsle-mûða, *ortsn., schw. m.,*
17,155 *Weichselmündung.*

wîslîce, *adv., komp.* wislîcre 15,
123; *me.* wisliche 84,13805; wisely
48,155; wysely *weise, klug, ver-
ständig; ne.* wisely.

wiss, *adj., adv.,* to wisse 43,123
gewiß; s. gewiss.

wisse *s.* wiss, wissian, witan.

wissian, *schw. v., me.* wisse 44,
104; wysse 51,38 *lenken, führen;*
wysshe 59,4 *mit inf.bewirken daß,*

lassen; *vb.-sb. me.* wyssynge 40,
71 *unterweisung.*

wisste, wisstenn, wiste,
wist *s.* witan, bewitan.

wist, *st.f.,* 9,245 *wohlstand, nahrung.*

wit, *pers. pron. der 2. pers. dual.,* 10,
2881; *me.* wit; *gen.* uncer 10,2882;
dat. unc; *akk.* uncit; unc 4,2b;
nh. unket 4,2a; *poss. akk. sg. fem.*
unce 12,9; *gen. plur.* uncerra 12,5
wir beide.

wit, *st. n., me.* wit 82,2; witt 86,
82; wytt(e) 40,27; wyt 58,129;
pl. wittis 69,168,4 *witz, verstand,
sinn; ne.* wit.

wit *s.* wîtan, wið.

wita, *schw. m., pl.* wiotan 14,3; *gen.*
wiotona 14,40; *me.* wite *weiser.*

wîta *s.* wîte.

witan, *präterito-präs., fl.* wiotonne
14,54; *me.* witen 28,49; wite 84,
13835; *präs. sg. 1. 3.* wât 9,355;
me. wat 19c,5; wot 40,37; wote
48,96; wate 67,444; wait 71,42;
woot 19e,5; 2. wâst 18,8; *pl.* witon
17,3; *me.* witeð 82,290; wyten
40,53; witen 48,218; *me. p. präs.*
witinge; *prät.* wisse 17,62; wiste
21,21; *me.* wyste 82,17; wist 42,
53; weste 46,79; *pl.* westan 11,
207; wiston 14,32; *me.* wiste 82,
141; wisstenn 86,15603; wist 48,
68; *p.p. me.* wist *wissen, erfahren,
kennen lernen, kennen; ne.* wit;
wat god 46,235; goddot = god
wot 46,439; God wait 71,42
weiß gott!

wîtan, *st.v., me.* witen 83,64; 3. sg.
präs. ind. me. wit 82,84; *kj.* wit
(*für* wite) 32,122 *sehen, beob-
achten;* wîte 87,147 *behüten, sor-
gen;* 89,1302 *weisen;* wyte 54,12
*verweisen, vorwerfen; 1. pl. präs.
konj.* wuton, uton; *me.* ute 82,333
mit inf. (vgl. frz. allons) *wohlan,
laßt uns!*

witchecraift, *sb.,* 46,206 *zauberei,
zauberkraft; ne.* witchecraft.

wîte, *st. n.,* 9,644; *pl.* wîtu 8,572;
gen. wîta 8,631; *dat. instr.* witum
8,617; *me.* wite *strafe, höllenstrafe.*

wite *s.* witan.

wîte-dôm, *st.m.,* 7,212 *weissagung,
prophezeiung.*

witedra *s.* witian.

wîtega, *schw. m., me.* witeʒe 83,40
weissager, prophet.

witen s. witan, wîtan.

witer, adj., wyter 58,26 weise, ver-
ständig; witter 39,1308 gewahr;
pl. (fehlerh. les.) witteres 82,267
kundig, sicher.

witerliche, adv., 88,8 genau;
witterlike 39,1322; witerli 46,
232 kundig, gewiß.

witeð s. witan.

with s. wið, hwît.

within(ne) s. wið.

without(en), withoutin, with-
outten s. wið.

witian, schw. v., me. witien; p. p.
witod 6,6; gen. pl. witedra 8,686
bestimmen, anweisen, zuweisen.

Wit-land, eigenn., st. n., 17,155
deutsche bezeichnung der Bern-
steinküste.

wit-lêas, adj, me. wytles 58,
113 unverständig, töricht; ne.
witless.

witness(e), witnessing s. ʒe-
witness.

witod s. witian.

witodlîce, adv., konj., 19b,2;
witudlîce 19b,17; abgekürzt uut.
19a,1; me. witodlice 19c,2 wahr-
haftig, fürwahr (für lat. autem,
enim u. s. w.).

witsunnedei s. hwîta.

witt s. wit.

witter, witteres s. witer.

witterlike s. witerliche.

wittnes s. ʒewitness.

wittyng, vb.-sb., 48,75 wissen; vgl.
witan.

wîtu s. wîte.

witudlîce s. witodlîce.

wive, wiues, wives s. wîf.

wiz s. wið.

wið, präp., 8,663; wiþ 18,9; me.
wið 32,226; wiþ 35,90; wiz 46,
162 (hs.); with 48,72; wyth 49,
47; vith 60,2; wyþ 61,1127; wit
70,32 wider, gegen; gegenüber;
23,8 auf ... zu; 23,39 zwecks;
32,228 vor; wiþþ 36,10 mit (46,
162 nachgestellt); 59,40 bei, unter;
46,248 von (beim passiv.); ne. with;
adv. with alle 61,1155 durchaus;
ne. withal; wið þâm þe 22,52; wið-
ðon þe 15,88; me. wið ðan þe 82,
152; with (hs. wit) þat 44,19; wiþ
þat 46,192 wofern, damit; wiðinn-
nan, adv. und präp., me. wiðinn-
nen 88,20; wiðinna 88,46; wiðinne

37,24; wiþinne 40,43; wiþin 45,41;
within 59,89; withinne 65,60,8
drinnen, innerlich, innerhalb (von),
in (58,120; 67,70 nachgestellt),
unter; ne. within; adv. und präp.
wiðûtan; me. adv., wiðuten 37,91;
without 67,127 außen; präp..
wið uten 84,13795; wiðute 37.59;
wiðduten; wiþouten 42,29; with-
uten 44,179; wiþoutin; wiþhou-
ten 46,36; wiþhoute 46.392; wiþ
outen 47,1170; withouten 48,20;
withoute 48,91; wiþoute 50,101;
wiþ outen 51,89; wythouten 58,
66; withoutten 67,2; without
87,31; withoutin 69,169,5 ohne
(wið uten 32,367 nachgestellt);
(außerhalb); ne. without.

wiðcoren, adj., 15,32 nicht aus-
erwählt, böse.

wiðduten s. wið.

wiþere, adj., 84,13958 feindlich;
vgl. wyþerly.

wiþer-feohtend, st. m., 8,664
entgegenkämpfend, widersacher,
feind.

wiþerling, sb., 48,150 gegner.

wiðerweard, adj., 15.218 feind-
lich, widrig.

wiðhogode s. wiðhycgan.

wiþhoute(n) s. wið.

wiðhycgan, schw. v., prät. wiðho-
gode 10,2864 verachten, vernach-
lässigen.

wiðinna, wiðinne(n), wiþin(ne)
s. wið.

wiþoute(n) s. wið.

wiðscûfan, schw.v., fl. -ne 15,27
zurückschlagen, zurückweisen.

wiþstondan, st. v., 8,599; me.
wiþstande; prät. wiðstôd 15,75;
me. wiþstode 45,97 widerstehen,
gegenübertreten; ne. withstand.

wiðtaken, v., p. präs. withtakand
49,9 mitnehmen, tadeln.

wiðûtan, wiðute(n) s. wið.

wiððe, schw. f., me. pl. wiþþess
36,15563 strick; ne. prov. with,
withe.

wiððon s. wið.

wlanc s. wlonc.

wlîtan, st. v., 9,341; me. wlyten
52,11 schauen, sehen auf, entgegen-
sehen, zurückblicken auf.

wlite, st. m., 9,332; me. wlite 28,7
gestalt, aussehen; 8,590 schöne
gestalt, schönheit; 9,609 wonne.

w l i t e g, *adj.*, 11,137; wlitig 9,7;
me. wliti *schön, lieblich.*
w l ô h, *st. n.*, 8,590 *franse, zipfel.*
w l o n c, *adj.*, wlanc 18,72; *me.* wlanc
stattlich, stolz.
w l y t e n *s.* wlîtan.
w m a n *s.* wîfmon.
w n- *s.* un-.
w o *s.* hwâ, wâ.
w o c *s.* wâc.
w o c h e *s.* hwelc.
w ô d, *adj., me.* wod 46,182; wode
47,1129 *wütend, toll, verrückt; ne.*
veraltet (Shakesp.) wood.
w o d *s.* wudu.
w o d e *s.* wôd, wudu.
W o d e n, *eigenn.*, 34.13903 *Wodan.*
w o d e-r o u e, *sb.*, 52,9 *waldmeister;*
ne. woodruff.
w o f u l l, *adj.*, 69,167,6 *betrübt,*
kummervoll; ne. woeful.
w o g h *s.* wôh.
w ô g i a n, *schw. v., me.* wohen; *pl.*
wowes 52,19 *werben; ne.* woo;
me. vb.-sb., wohunge 38,*titel;*
wouing 46,125; wowyng 53,31
werben, liebessehnsucht; ne. wooing.
w ô h, *st. n., me.* woh(e) 33,50; wouȝ
42,29; wou 46,96; wogh 67,533
unrecht, weh.
w o h u n g e *s.* wôgian.
w o k e *s.* wucu.
w o l *s.* willan.
w ô l, *st. m.*, 15,10 *seuche, pest.*
w o l c e n, *st. m. n., dat. pl.* wolcnum
9,27; *me.* wolcnen 28,44 *wolke,*
himmel; vgl. ne. welkin.
w o l d(e), w o l d i 46,88 = wold I,
w o l d o n, wole, wolle, wollde,
w o l t *s.* willan.
w o m, *st. m. n., gen. pl.* womma 7,
179 *fehler, makel, sünde.*
w ô m a, *schw. m., dat. pl.* wômum
8,576 *geräusch, getöse.*
w o m a n *s.* wîfmon.
w o m b, *st. f.*, wamb; *me.* wambe
82,147 *bauch; ne.* womb.
w o m e n, w o m o n *s.* wîfmon.
w o m m a *s.* wom.
w o n *s.* winnan, wonn, wuna,
wunian, wyn.
w o n. *sb.*, 46,132 *hoffnung, glück.*
w o n a, *schw. m., me.* wane 82,355;
gane 32,369 *mangel; me* is wane
82,368 *mir fehlt; ne.* wane.
w o n d *s.* wondian.
w o n d e *s.* wund, wondian.

w o n d e r *s.* wundor.
w o n d e r- *s.* wundrian.
w o n d i a n, *schw. v.*, wandian; *me.*
wond42,18; wonde 46,138 *zögern.*
w o n d r y n g, *sb.*, 54,41 *verwunde-*
rung, erregung, aufregung; ne.
wondering; *vgl.* wundrian.
w o n e *s.* wuna, wunian.
w o n e d(e), *ne.* wont, *s.* wunian.
w o n e n *s.* wânian.
w o n g, *st. m.*, 9,7 *feld, gefilde, stätte.*
w o n g e, *sb., pl.* wonges53,23*wange.*
w o n i e *s.* wunian.
w o n n, *adj.*, wann(a) 11,206; *me.*
wonne 58,141 *dunkel, trüb;* won
58,23 *bleich; ne.* wan.
w o n n e *s.* winnan, wonn, wunne.
w o n t e, *v.*, 52,34; *3. sg.* wonteð
87,73 *fehlen; 2. sg.* wanttis 66,
446; wantis 69,160,7 *bedürfen,*
wünschen, wollen; ne. want.
w o n y e *s.* wunian.
w o o *s.* wâ.
w o o r d *s.* word.
w o o s t, w o o t *s.* witan.
w ô p, *st. m., me.* wop 28,28 *weinen,*
klagen.
w ô p i g, *adj.*, 8,711 *klagend, weh-*
klagend.
w o r d, *st. n.*, 19a,15; *me.* word 19c,
15; weord(e) 82,3; woord 72,II,6;
pl. word 9,655 (*gen.* -a 7,169);
kent. uuord 12,12; *me.* word 82,9;
wordes 47,1040; wourdis 73,15
wort, rede; pl. wordes 59,31 *wo-*
von geredet wird, sache; ne. word.
w o r d l e *s.* weorold.
w o r e, *sb.*, 58,32 *wehr, mühlenwehr,*
sumpf.
w o r e *s.* wesan.
w o r e l d *s.* weorold.
w o r h t e *s.* wyrcan.
w o r i *s.* wârig.
w o r k e, w o r k e þ *s.* wyrcan.
w o r l d, w o r l d e *s.* weorold.
w o r l y *s.* weorôlic.
w o r m(e s) *s.* wyrm (*oder* wyrms?).
w o r n, *st. m.*, 7,169 *menge, haufe.*
w o r o l d *s.* weorold.
w o r s, w o r s e *s.* yfele.
w o r s c h i p e, -i d e n, w o r s h i p,
w o r s h y p, w o r s i p e, w o r-
s s i p e d e *s.* weorôscipe.
w o r t h(e), w o r t h i t *s.* weorþan.
w o r t h i n e s s e *s.* *wierônes.
w o r t h i(e s t), w o r t h y *s.* wyrôig.
w o r u l d(-) *s.* weorold(-).

worð s. waruð.
worþ(e) s. weorðan.
worðadun s. weorðian.
worþie s. wyrðig.
worþynesse s. wîerðnes.
wosað s. wesan.
wose s. wâse.
wose ever s. hwâ.
wo'estu s. wêste.
wot, wote s. witan.
woth s. woþe.
wou, wouʒ s. wôh.
wouing s. wôgian.
wounde s. windan, wund.
wounden s. wund, wundian.
wounder s. wundor.
woundes s. wund.
wourdis s. word.
wowe, v., 3.pl.präs. woweþ 52,31
  nach Wülker = ae. wagian, sich
  bewegen (vgl. wagge); oder zu
  wôgian.
wowen, wowes, woweþ, wow-
  yng s. wôgian.
wox s. weaxan.
woze s. wâse.
woþe, sb., 82,151 (les.); woth 67,
  416 gefahr [an. vâði].
wræc, st. n., 15,23 rache; vgl.
  wracu.
wræce s. wracu, wrecan.
wræc-lâst, st. m., 26,17 ver-
  bannung.
wracu, st. f., 15,76 (les.); wræce
  15,76 (text; vgl. Sievers, Ags.gr.³,
  § 253, a. 2); me. wreche 82,205;
  wrake 42,49; wreke verfolgung,
  rache, elend; vgl. wræc und ne.
  (Shakespeare) wreak.
wræken s. wrecan.
wrancwis s. wrongwis.
wrang, st. n., me. wrang(e) 82,
  168; wrong 44,72 unrecht, leid;
  ne. wrong.
wræstan, schw. v., me. wrast 58,
  80 drehen, heraustreiben; ne.wrest.
wræstlian, schw. v., me. wrastel
  58,141 ringen, kämpfen; ne.
  wrestle.
wrætlîce, adv., 9,367 wunderbar.
wrâð, adj., me. wroþ 42,38; wroth
  48,174; wroht 56,16 zornig, böse;
  sb. 7,185 feind; ne. wroth.
wræðan, schw. v., in gewræðan
  zürnen; me. wreþi 50,4; prät. me.
  wreðede 37,101 erzürnen; vgl.
  wrâð.

wrâðian, schw. v., in gewrâðian;
  me. wraþþen 46,41 erzürnen; me.
  prät. wrathed 58,74 zornig sein.
wrâðlîce, adv., me. wroþely 58,132;
  komp. wroþeloker 58,132 zornig,
  heftig.
wraðu, st. f., akk. wraðe 9,247;
  me. wraðe hilfe.
wraþþen s. wrâðian.
wrecan, st.v., 8,623; me. wræken,
  wreke 34,13957; p. p. iwreken
  46,215; wroken 57,4; wrokin
  57,5 rächen; prät. konj. wræce
  8,719 vortragen; ne. wreak.
wrecca, schw. m., me. wrecche(n)
  37,63; wretche 57,21; wrechche
  58,113; wrech 69,169,1; wreche
  78,1 vertriebener, elender, wicht;
  me.adj., wrecche 82,250; wreche
  83,11 elend, unglücklich, arm; ne.
  wretch; dasselbe me. wrecched;
  vrechit 62,1; wrechit 69,167,6;
  ne. wretched.
wreccan, schw.v., prät.pl. wrehton
  11,228 wecken.
wrecce-man, sb., pl. uureccemen
  27,15; wreccemen 27,35; wrecche
  men 82,170 unglücklicher.
wreccehed, sb., 27,44 elend.
wrecche(n) s. wrecca.
wrecchednesse s. wrechidnes.
wrechche(n) s. wrecca.
wreche s. wracu, wrecca.
wrechidnes, sb., 49,26; wrecched-
  nesse 64,13; elend, schlechtigkeit;
  ne. wretchedness.
wrechit s. wrecca.
wrêgere, st. m., pl. me. wreieres
  44,39 ankläger, angeber.
wrehton s. wreccan.
wreke s. wracu, wrecan.
wrenk, st. m., me. wrink 71,42
  list; dat. pl. me. wrenche 82,251
  ränke; ne. wrench.
wrêon, st.v., me. wrien; prät. pl.
  me. (un-)wriʒen 82,160 verhüllen,
  verdecken.
wretche s. wrecca.'
wreðede s. wræðan.
wreðful, adj., 33,57 jähzornig:
  vgl. ne. wrathful; vgl. wrâð.
wreþi s. wræðan.
wrîdian, schw. v., 3. präs. sg.
  wridað 9,27 wachsen, gedeihen.
wriʒen s. wrêon.
wrightry, sb., 67,250 arbeit, zimmer-
  mannshandwerk; vgl. ne. wright.

wringan, *st. v.*, *me.* wrynge 51,15;
p. präs. wryngand 67,211; *pl.*
wringinde 43,114; *prät.* wrong
61,1136; *pl.* wrungen 44,152
drehen, ringen; ne. wring.
wrink *s.* wrenk.
writ, *st. n.*, *me.* wryt 62,10 *schrift;*
pl. writes 44,136 *brief, botschaft;*
ne. writ.
wrîtan, *st. v.*, 14,80; *me.* writen
28,39; wryte 63,7; *prät.* wrât;
me. wrat 28,25; wrot; wrote 48,
133; *pl.* writon 16,70; *me.* write
82,224; wrote 59,58; *p. p.* ʒe-
writen, writen; *me.* ʒewriten(e)
28,39; writen 42,36; write 51,26;
jwriten 82,118; iwryten *schrei-*
ben; ne. write; *vb.-sb. me.* wryt-
ing(es) 50,12; writyng 59,23 *das*
schreiben, die schrift; 72,9 *schrift-*
liche anweisung.
wrîtere, *st. m.*, *dat. pl.* -um 14,92;
me. writere *schreiber; ne.* writer.
writes *s.* writ.
writon, writyng *s.* wrîtan.
wrîðan, *st. v.*, *me.* wryþe 58,80;
prät. pl. wriðon; *me.* uurythen
27,23 *drehen, binden, zusammen-*
schnüren; ne. writhe.
wro, *sb.*, *pl.* -s 44,68 *winkel, ecke.*
wrobbere *s.* robbere.
wrocht, wroght, wroʒte,
wrohht, wrohhte *s.* wyrcan.
wroht *s.* wrâð, wyrcan.
wrôht, *st. m. f.*, 9,612 *streit.*
wroken, wrokin *s.* wrecan.
wrong *s.* wrang, wringan.
wrong-wîs, *adj.*, *me.* wrancwis(e)
82,48; *schottisch* wrongous *un-*
recht, ungerecht.
wros *s.* wro.
wrot, wrote *s.* wrîtan.
wroth *s.* wrâð.
wrother-haile, *sb.*, *unglück;*
adv., 48,216 *zu bösem heile, zum*
unheile; s. wrâð.
wrouʒt, wrout *s.* wyrcan.
wroþ *s.* wrað.
wroþeloker, wroþely *s.* wrâð-
lîce.
wrungen *s.* wringan.
wrye, *v.*, *drehen, wenden; ne.* wry.
wryngand, wrynge *s.* wringan.
wryt *s.* writ.
wryte *s.* wrîtan.
wrythen *s.* wrîðan.
wryting, wrytinge *s.* wrîtan.

wryþe *s.* wrîðan.
wrþe *s.* weorðan.
ws *s.* wê.
wucu, *schw. f.*, 17,115; *me.* wuce
(*gen.* wuca) 28,2; woke 19e,1;
wike 34,13927 *woche; ne.* week.
wudu, *st. m.*, 9,85; *me.* wude 32,
344; wod 48,232; wode 52,12
holz, gehölz, wald; ne. wood.
wudu-bêam, *st. m.*, 8,576 *holz-*
balken.
wudu-blêd, *st. f.*, 9,194 *blüte der*
bäume.
wudu-holt, *st. n.*, 9,362 *wald,*
gehölz, hain.
wuht *s.* wiht.
wulche *s.* hwelc.
wulde *s.* willan.
wuldor, *st. n.*, 11,155; wuldur 15,
138; *gen.* wuldres 8,600 *glorie, ehre,*
herrlichkeit; 11,155 *herrlichster.*
wuldor-blæd, *st. m.*, 11,156
herrlicher ruhm.
wuldor-cyning, *st. m.*, 9,196
ruhmreicher könig.
wuldor-fæder, *st. m.*, *gen.* 16,38;
nh. gen. uuldurfadur 2,3 *ruhm-*
reicher vater.
wuldor-gâst, *st. m.*, 10,2912
ruhmreicher geist.
wuldor-torht, *adj.*, 10,2874
herrlich glänzend.
wuldre(s), wuldur *s.* wuldor.
wule, wuleð *s.* willan.
wulf, *st. m.*, 11,206; *me.* wulf *wolf;*
ne. wolf.
Wulfstân, *eign.*, 17,146, *Wulfstan.*
wulle(n), wulleð, wult *s.* willan.
wumman, wummen, wumon
s. wîfmon.
wuna, *schw. m.*, *me.* wune; wone
34,14017 *gewohnheit, art; me.* won
46,21 *wohnung, ort;* in kindes
wune 89,1345 *nach geschlechtes-*
(*d. h. verwandten-*) art; *vgl.* gewuna
und ne. wont.
wund, *st. f.*, 8,710; *me.* wunde
38,6; wonde 45,109; wound(e)
55,39; *pl. gen.* wunda 13,38; *instr.*
wundun 18,43; *me.* wounden 56,
30; *me. dat.* wunden 37,102; *akk.*
wunden 28,33; woundes 55,35
wunde; ne. wound.
wunder *s.* wundor.
wunderlukeste *s.* wundorlic.
wundernesse, *sb.*, 40,40 *wunder-*
lichkeit.

wundian, *schw. v., me.* wounden
54,25; wunde; *p. p. nh.* giwun-
dad 4,4a *verwunden; ne.* wound.
wundor, *st. n., pl. gen.* wunder
15,234; *nh.* uundra 2,3; *me.* won-
der 46,359 *wunder;* 47,1016 *ver-
wunderung;* wunder 27,10 *wunder-
tat, untat, böses; adverbial: pl. dat.*
wundrum 9,85; *me.* wunder 32,
311; wounder 52,32; wonder 56,
16 *wunderbar, sehr; ne.* wonder.
wundor-cræft, *st. m.,* 8,575
wunderkraft.
wundorlīc, *adj.,* 9,359; *me. sup.*
wunderlukest(e)32,68 *wunderbar,
seltsam.*
wundorlîce, *adv., me.* wunder-
liche 33,59 *wunderbar, sehr.*
wundra *s.* wundor.
wundrian, *schw. v.,* 9,331; *me.*
wundren; wonder; *konj. präs.*
wundrie 22,32; *p. präs.* wundri-
ende 15,221; *prät.* wundrade 14,
40; *me.* wundrede 40,62; wonderit
45,87 *sich wundern, bewundern
(mit gen., me.* 45,87 on); *prät.*
wundrode 21,55 *sich entsetzen;
ne.* wonder.
wundun *s.* wund.
wune *s.* wuna.
wunede, wunedon *s.* wunian.
wunian, *schw. v.,* 9,82; wunigan
15,59; *me.* wunien 29,2; wunyen
40,41; wunie 32,179; wone 44,
105; wonye 50,16; won 57,23;
3. pl. präs. wuneð 32,138; *p. präs.*
wuniende 83,12; *prät.* wunade
9,641; wunode 10,2866; wunude
22,42; *me.* wunede 28,5; wonede
46,20; woned 43,34 *wohnen,
weilen; imp.* wuna 21,75 *bleiben;
pl.* wunedon 15,91 *leben;* 14,*schl.-
ged.*16 *sein, existieren; p. p. me.*
iwuned 32,57; ywoned 50,71 *ge-
wöhnen, sich gewöhnen; vgl. ne.*
wont; *me. vb.-sb.* wununge(s) 32,
356 *wohnung.*
wunne *s.* wyn.
wunnon *s.* winnan.
wunode, wunude *s.* wunian.
wununes, *st. f., fl.* -se 15,198 *wohn-
platz, wohnort, wohnung.*
wunyen *s.* wunian.
wurc *s.* weorc.
wurchipe *s.* weorðscipe.
wurde *s.* weorþan.
wurdliche *s.* weorðlic.

wurdon, wurdun *s.* weorþan.
wurldes *s.* weorold.
wurs, wurse, wurst(e) *s.* yfel(e).
wurschipe *s.* weorðscipe.
wurth *s.* weorþan.
wurþ, *sb., pl.* wurþes 54,32 *aus-
zeichnung, wert, vorzug.*
wurþ, wurð(e) *s.* weorþan.
wurðe *s.* wyrðe.
wurðeð, wurðie(n), wurþien
s. weorðian.
wurðlice *s.* weorðlîce.
wurðsc(h)ipe *s.* weorðscipe.
wut- *s.* wit-.
wuton *s.* witan.
wy *s,* wiga.
wych(e) *s.* hwelc.
wydue *s.* widuwe.
wyf, wyfc, wyff *s.* wif.
wyȝ *s.* wiga.
wyght, wyht *s.* wiht.
wykke *s.* wicke.
wyl *s.* gewill, willa, willan.
wyldirnisse, *sb.,* 65,63,8 *wildnis;
ne.* wilderness.
wyl(e) *s.* willan, wile.
wylk(e) *s.* hwelc.
wyll *s.* gewill, willa.
wyllan *s.* weallan.
wyllað *s.* willan.
wylle *s.* welle, willa.
wylle-strêam, *st. m.,* 9,362 *wal-
lender strom, quellflut; vgl.* weallan.
wylm, *st. m.,* 8,583; *me.* welm
wollen, fluten, flut; welm(e)16,85;
flamme; 9,191 *eifer; vgl.* weallan.
wyln- *s.* wiln-.
wyman, wymmane, wym(m)en,
wym(m)on *s.* wifmon.
wyn, *st. f.,* 8,641; *me.* win 34,13910;
wenne 46,26; wynn(e) 52,11;
wunne 52,35; wyn 67,109; *dat.
pl.* wynnum 9,7 *wonne, freude,
heil, glück.*
wyn *s.* wîn, winnan.
wyndas *s.* windas.
wynde(s) *s.* wind.
wyndo(w) *s.* windowe.
wyngez *s.* weng.
wyn-lond, *st. n.,* 9,82 *wonneland.*
wynn(e) *s.* wyn.
wynne, wynnes *s.* winnan.
wynnum *s.* wyn.
wynsum, *adj.,* 9,13; *pl. n.* wyn-
sumu 16,69; *me.* winsome *wonne-
sam, lieblich; ne.* winsom.
wynter *s.* winter.

w y o l e n t l y *s.* violently.

w y r c a n, *unregelm. schw. v.,* 6,18;
me. werche(þ) 34,13920; wirchen
47,1116; wirke 48,18; wyrke
49,2; worke 50,38; wyrk 58,136;
wirk 67,116; wark 67,269; *ne.*
work; *p. präs.* wirkand 67,120;
prät. worhte; *me.* wrohte 28,17;
wrohhte 86,2; wroght 67,4; *pl.*
worhtun 19b,12; *me.* worhten
19c,12; *p.p.* geworht 15,223; *me.*
iwrat 33,87; wrohht 36,3; wrouȝt
42,11; ywrouȝt 42,13; wroȝte 45,
56; wrout 46,112; wroht 54,13;
wroght 59,41; vrocht 60,101;
wrocht 62,8; wroght *wirken, ar-
beiten, verfertigen, machen, tun;*
16,3 *dichten;* 46,112 *erschaffen;*
15,223 *bauen.*

w y r d i g, *adj. (in komp.); kent.*
werdi 20,29 *wortreich; ne.* wordy.

w y r g a n, *schw. v., me. p. präs.*
wirriand 72,7 *würgen, zerzausen,
hetzen; ne.* worry.

w y r h t a, *schw. m.,* 9,9 *urheber,
schöpfer.*

w y r i g - c w y d o l, *adj.,* 15,135 *übel-
redend; vgl.* wirigan *und* cwide.

w y r k (e) *s.* wyrcan.

w y r m, *st. m.,* 9,232; *me. pl.* wormes
52,31 *wurm, schlange: ne.* worm.

w y r m s, *st. m. und n., me.* wirrsenn;
wursum; worsum; *nach Kluge
auch* wormes 49,24 *eiter, gift;
ne. dial.* wirsom.

w y r n a n, *schw. v., me.* werne; *prät.
pl.* wyrndon 18,24 *verwehren, vor-
enthalten.*

w y r r e s t a n *s.* yfel.

w y r t, *st. f.,* 9,194; *kent. dat. pl.*
wertum 20,10; *me.* wirte; wurt
kraut, gemüse; ne. wort.

W y r t g e o r n *s.* Vortiger.

w y r ð e, *adj.,* 8,643; *me.* wurðe 37,
138 *würdig.*

w y r ð e n, w y r ð e þ *s.* weorðan.

w y r ð i g, *adj., me.* worthy 49,9;
worthi 67,19; *superl. me.* wor-
thiest 67,489 *würdig;* worþι(e)
48,5; worthy 62,12 *wertvoll; ne.*
worthy.

w y s *s.* wîs.

w y s e *s.* wîse.

w y s e l y *s.* wislîce.

w y s s (h) e, w y s s y n g e *s.* wissian.

w y s t e *s.* witan.

w y t *s.* wit.

w y t e *s.* witan.

w y t e (n) *s.* witan.

w y t e r *s.* witer.

w y t h, w y t h o u t e n *s.* wið.

w y t l e s *s.* witļêas.

w y t t *s.* wit.

w y v e, w y u e (s) *s.* wîf.

w y þ *s.* wið.

w y þ e r l y, *adj.,* 58,74 *zornig, feind-
lich; vgl.* wiþere.

Y.

y *s.* ic.

y- *s. auch* ge- *oder einfaches verb.*

y b o h t *s.* bycgan.

y b o r e - *s.* beran.

y b o u n d e *s.* bindan.

y b r a d *s.* bregdan.

y b r o ȝ t *s.* bringan.

y b y *s.* bêon.

y b y a t e *s.* bêatan.

y c a n, *schw. v.,* 11,183, *me.* eken
vermehren; vgl. ne. eke.

y c a s t *s.* casten.

y c h, y c h e *s.* ælc.

y c h a m 52,23 *s.* ic *und* eom.

y c h e y n e d *s.* chainen.

y c h o l d e 51,32 *s.* ic *und* willan.

y c o r e *s.* cêosan.

y c r i s t n e d *s.* cristnian.

y d e l e, y d i l l *s.* îdel.

y d o, y d o n e *s.* dôn.

y d r a ȝ e *s.* dragan.

y d r e, *sb., pl.* -s 41,13 *wasserkrug.*

y e *s.* gê.

y e a f, y e a u e *s.* giefan.

y e d e *s.* geêode.

y e e r *s.* gêar.

y e f *s.* gief.

y e f, y e f þ *s.* giefan.

y e i *s.* iâ.

y e i d *s.* geêode.

y e i r *s.* gêar.

y e l d, y e l d e *s.* gieldan.

y e l p, *sb.,* 67,321 *prahlerei; ne.* yelp;
vgl. gielpan.

y e l p e *s.* gielpan.

y e m e n *s.* gieman.

y e m e r *s.* geômor.

y e r *s.* gêar(es).

y e r n e *s.* georne.

y e t (e) *s.* gîet.

y e t e n *s.* etan.

y e u e *s.* giefan.

y f *s.* gief.

y f e l, *adj.,* 25,16; yfell 15,31; *me.*
yuel(e) 27,16; uuel 32,26; ufel(e)

33,45; vfel; euel(e) **41**,31; ivel; ewill **62**,8; evill **70**,28 *übel, böse, schlimm; ne.* evil; *komp.* wyrsa; *me.* werse; wurse **32**,390; worse **46**,378; *sb.* **84**,13945 *der teufel; sup.* wyrresta(n) 8,572; wyrst; *me.* wurst **32**,217; werst(e) **48**,28; *ne.* worse, worst; *st. n.,* yfel **25**, 16; *gen. nh.* yflaes 3,4; *in-tr.* yfle **9**,594; *akk. pl.* yfel 8,627; *me.* yfel(e) **32**,19; uuel **32**,59; vuel(e) **84**,13826; vfel(e) **84**,13886; vfel **84**,13940; euel(e) **41**,51; iuel(e) **44**,50; yuel **44**,144 *übel, schlimmes, krankheit.*

yfel-dǽd, *st. f.,* 8,713 *übeltat.*

yfelde *s.* gefēlan.

yfele, *adv., me.* yvele; uuele **32**, 318; iuele; evele **46**,319; euele **50**,89 *übel, schlimm; komp.* wyrs; *me.* uuerse 27,36; werse 27,45; wurse **32**,219; wurs **32**,236; wors 61,1142; worse **63**,17; wars 67, 191, *sup.* wyrst; *me.* wurst *(les.* werst, verst) **48**,70; iuele like **44**,132 *mißfallen.*

yȝe *s.* ēage.

ygete *s.* gietan.

yȝote *s.* gēotan.

yȝyrned *s.* ȝyrnen.

yhent *s.* hentan.

yif *s.* gief.

yit *s.* giet.

ylca, *pron., gen. m.* -an **15**,115; *n.* ilce 9,379; ylka; ilca **12**,16; *pl.* ilco **19a**,11; *me.* ylca **28**,3; ilke **32**,212; ilca **33**,33; illke **36**,33; ich(e) 47,1030; ilk **48**,215 *stets schwach mit artikel oder demonstr., derselbe, derjenige, dieser; ne. schott.* ilk; *me.* þilke **40**,43; thilke **63**,13 = þe, the ilke; þis ilk **48**, 57 *derselbe;* a þan ilke **84**,14056 *solchermaßen.*

ylda *s.* ielde.

ylde *s.* ieldu.

ylding, *st. f,* 15,63 *aufschub, weile, verzögerung; vgl.* gieldan.

yldo *s.* ieldu.

yldra, yldran, yldrum *s.* eald.

yldu *s.* ieldu.

yleid *s.* lecgan.

ylent *s.* hleonian, lǽnan, lendan.

ylere *s.* gelǽran.

ylfe, *st. m. pl., me.* ylves **29**,1 *elf, gespenst, dämon; vgl. ne.* clf.

ylich(e) *s.* gelīc(e).

ylka *s.* ylca.

yloked *s.* gelōcian.

ylost *s.* lēosan.

ylowe *s.* lēogan.

ylves *s.* ylfe.

ylych *s.* gelīc(e).

ymage *s.* image.

ymad *s.* macian.

ymake, *adj.,* **53**,16 *leicht, anmutig.*

ymaked *s.* macian.

ymb, *präp.,* 9,619; ymb **15**,105 *ungefähr um; me.* vmbe **84**,13855; um *[vgl. altn.* um] *um;* ymbe *(les.* embe) 18,5 *bei;* 9,360; ymbe 17,1 *in betreff, nach;* (symle) ymb tuælfmōnað 12,9 *jährlich;* vmbe stounde 58,122; *von zeit zu zeit, manchmal.*

ymbberan, *st. v., p. p.* 8,581 ymbboren *umgeben.*

ymbcĺyppan, *schw. v.,* **26**,12; *me.* um(be)clippe; *prät.* ymbclypte **4**, 1b *umarmen, umfassen.*

ymbhycgan, *schw. v., nh. flekt.* ymbhycgannae **3**,3 *bedenken, überlegen.*

ymblicgan, *st. v., 3. sg. präs.* ymblīð 17,6 *umgeben.*

ymbset, *st. n.,* **15**,104 *belagerung.*

ymbsettan, *schw. v., 3. sg. präs.* ymbseteð 9,204 *umgeben.*

ymb-ûtan, *adv.,* 17,34 *rund herum, außen herum.*

ymene *s.* gemǽne.

ymete *s.* gemētan.

ymone *s.* gemâna.

ynesche, *adj.,* **49**,20 *(les.);* nesche *zart, zärtlich; vgl.* hnesce.

ynewch *s.* genōh.

Yngland *s.* Englond.

ynoh *s.* genōh.

ynome *s.* geniman.

yond *s.* geond.

yong *s.* geong.

you, your(e), yow *s.* gē.

ypleyd *s.* plegian.

y rede, *adv.,* **56**,13 *bereitwillig, oder* y rede *ich rate (?).*

yrfe-weard, *st. m.,* 9,376 *erbwart.*

yrfe-weardnes, *st. f., merc.* erfeworðnis **18**,49 *erbschaft.*

yrgðo, *st. f.,* 15,45; yrhðo **28**,6 *feigheit.*

yrmþum *s.* iermðu.

yrre, *st. n.,* 8,582; ierre; *merc.* eorre **13**,35; *me.* eorre **82**,276 *zorn.*

yrre, *adj.,* 11,225 *zornig.*

ys s. eom, hê.
yseʒ s. gesêon.
yselþe s. gesǽlð.
ysen s. gesêon.
ysent s. sendan.
yslaʒe, yslawe s. (ge)slêan.
yslan s. ysle.
ysle, schw. f., nom. pl. yslan 9,224 asche.
yssape s. scieppan.
yssed s. sceâdan.
ysslaʒe s. (ge)slêan.
yswore s. swerian.
yteren, adj., akk. sg. m. -ne 17,102 zur otter gehörig, von otterfell.
ythand, adj., 73,12 eifrig, andauernd; vgl. íþinlic.
ythrungin s. þringan.
ytt s. etan.
yu s. gê.
yvel s. yfel.
vvelemen, sb. pl. 27,16 bösewichter.
yung s. geong.
yuori, sb., 42,35 elfenbein; ne. ivory.
yure s. gê.
ywent s. wendan.
ywil s. gewill.
ywoned s. gewunian.
ywonne s. winnan.
ywounde s. windan.
ywrouʒt s. wyrcan.
yyolde s. gieldan.
yzeʒ s. gesêon.
yzoʒe s. (ge)sêon.
yzy, yzygþ s. gesêon.
ȳð, st. f., me. pl. uþe 33,26; yþes 58,147 woge.
v þe s. ȳð, êaðe.

Z.

z- s. s-.
zaule s. sâwol.
zayde, zayþ s. secgan.
ze s. sǽ.
zede s. secgan.
zenne s. syn.
zente s. sendan.
zet s. sittan.
zette s. settan.
zigge s. secgan.
zitte s. sittan.
zones s. sunu.
zoster s. sweostor.
zoþ(e) s. sôð.
zuo s. swâ.
zyþ s. sêon.

þ.

þ 19d,5; ð 27,2 = þæt, me. þat.
þâ, adv., 21,2; ða 8,589; nh. thâ 2,7; me. þa 19c,5; þo 34,13841; ta 36,15550; ðo 39,1308; tho 67, 228; thoo 68,37 da; þo 47,1034 dann; konj., þâ 8,607; ða 17,139; me. þa 19c,12; ða 19c,11; ta 36, 15607; þo 37,90 da, als; þâ þâ 21,35 als . . . da.
þâ, þa, þ æ s. sê.
þa s. þæt.
þabot 42,19 = þe abot.
þafian, schw. v., þafigean 15,189; me. þavien; þave; prät. þafode 16, 63 sich zu etwas verstehen, auf etwas eingehen (mit akk.).
þaʒ s. þêah.
þâgîet = þâ gîet, adv., 17,59 da noch.
þah s. þêah.
ðæhtung s. þeahtung.
þai s. hê, sê.
þaim s. hê.
þair s. hê, þêr.
þǽm, þâm s. sê.
þam(e) s. hê.
þan, ðan s. sê, þonne.
þanc, ðanc s. þonc.
þancol- s. þoncol-.
þane, þanne s. sê.
þanne, þænne s. þonne.
ðanne, þanon s. þonan.
þar s. hê, þêr.
þ ǽr, adv., 6,8; nh. þêr 4,3a; merc. ðêr 18,49; k. ðaêr 12,7; me. ther 27,2; þar 27,7; þær 27,28; ðer 32,43; þer 32,52; þor; þære 32, 99; þere 32,140; þare 34,13857; tær 36,15550; ðor 39,1289; ðere; þore 48,223; thare 49,35; þair 60, 119; there 65,64,2; thar 66,401; ther 67,12; thair 70,9 da, dort; 9,587; 19a,6; me. 27,24; 32,22; 44,158 wo, wohin; ne. there; þer is 50,2; prät. þer wes 50,64 es gibt; þêr æfter 24,22; me. þer efter 33,12; þæraffterr 36,15542; þer after 38,15 danach; þer ate 61, 1117 daran; ðerby 30,2 dabei, vorbei, vorüber; þer fore 32,146; þerfor(e) 33,81; þar-fore 34,13880; þarvore 34,13956; þereuore 37,63; þaruore 43,103; þarfore 46,80; þarforn 46,346 (les.); þeruore 50,14; tharfor(e) 62,3; therfore

68,5; therfor 67,20; therefore 69, 171,7; thairfoir 71,29 *deshalb;* þerfram **44**,55 *entfernt davon;* thairfra 71,10 *davon;* þer inne 27,27; ðerinne **32**,222; þærinne**36**,15558; ðor inne **39**,1335; þarein 45,72; þer in 48,106; there-in 69,162,4; thairin 71,12 *darin, hinein;* þar neh **33**,45 *dahin;* þær of 21,12; *me.* thar of 27,5; þerof **46**,9; thare of **62**,3; thairof 71,32 *davon;* þer of 47,988; þer of **50**,62 *wovon;* þarof **60**,84 *deshalb;* þar-on **34**, 13793; þareon**45**,4; þer on 48,170; þerappon 59,75; ther(e)on **69**,162,3 *darüber, darauf;* þarout **60**,48 *außerhalb;* þerto **44**,4; þer to 47,1050; þar to **60**,64; therto 67,102; tærtekenn **36**,15595 = þærtoeken (*s.* tô-êacan) *dazu, dabei;* þer wið **32**,300; þorwith **44**,100; þerwith 59,96; thar wyth **62**,29; therewith **69**,166,3; ther(e)with-all **69**,171,1 *zugleich, damit;* þer ðe **37**,36 *dort;* þar-þoru **46**,346 *dadurch.*

þ æ r a, þ â r a, þ æ r e *s.* sê.

þ a r e, þ a r e i n, þ a r e o n *s.* þ æ r.

þ a r f, þ æ r f *s.* þurfan.

þ a r f o r(e), þ a r f o r n(e), þ æ r o f, þ a r - o n, þ a r o u t, þ a r t o, þ a r - v o r e, þ a r u o r e, þ a r - þ o r u *s.* þ æ r.

þ â s, ð â s, þ a s *s.* þes.

þ æ s *s.* sê.

þ æ t, *konj.,* 7,186; ðæt 17,105; *kent.* ðaet **12**,15; ðet **12**,32; *me.* þæt **19**c,5; ðet **32**,58; þet **32**,192; þat **34**,13787; þatt **36**,90; tatt **36**, 15538; ðat **39**,1320; that 63,23; *oft* þætte 9,1; *kent.* ðættæ **12**,9; ðette **12**,35; *nh.* þte = þæt þe **19**a,7 *daß, damit; ne.* that; *ae.* and þæt; oð þæt 10,2874; *me.* a þet **33**,66; a þa **33**,78; þat **46**,299 *bis;* quan ðat **39**,1322 *wann.*

þ a t t *s.* sê, þæt.

þ a u, þ a u h *s.* þêah.

þ a v e, þ a v i e n *s.* þafian.

þ a y *s.* sê.

þ a y n *s.* ðegn.

þ e, *relat. partikel, nach demonstr. oder pers. pron. oder allein* 6,29 (*mit nachgest. präp.* mid **22**,23); ðe 17,181; þæs 18,26; *me.* ðe **32**, 39; te **32**,261; þe **33**,18; the *der, die, das; me.* þe **32**,21; þe ðe **32**,

55; ðe þe **32**,134 *derjenige welcher:* þ æ r a þe *oft mit präd. im sing.;* ðe ... hiora *deren;* þe ... on *worin, wohin;* ic þe *der ich;* weðe **32**,91; we þe **32**,96 *wir die;* þæs þe *nach dem was, wie.*

þ ê, *konj.,* 9,357 *oder;* hwæðer ... þê 21,34 *ob ... oder.*

þ ê, ð ê, þ e, ð e *s.* þû.

þ ê a h, *adv.,* 17,107; *me.* ðeh **32**,377 *dennoch;* 17,50 *jedoch;* þêah þe **22**, 15; *konj.* (sê-þ.) 7,211; ðêah **14**,64; þêh 25,5; *me.* þeh **32**,4; ðeh **32**, 222; þah **33**,24; þauh **37**,82; þeyh 40,63; þau **46**,45; þei 47,1011; þaȝ 58,92; *dann aus an.* *þoh, þó: þohh **36**,15623; þouh **44**,124; þoȝ **45**,36; þou; þof 59,29; þouch **60**, 83; thogh **63**,5; though **63**,16; thocht **66**,426; tho **68**,25 *doch, obgleich;* þauh 37,106 *und doch;* þau **46**,104 *wenn auch; ne.* though; *vgl. unter* hwæðere, swâ.

þ ê a h *s.* þêon.

þ e a h t a n, *schw. v., prät. pl.* þeahtedon 15,25 *beraten, überlegen.*

þ e a h t u n g, *st. f., nh.* ðæhtung **19**a,12 *beratung.*

þ e a r f, *st. f.,* 8,659; *nh.* tharf **3**,2; *me.* þerf; þarrfe *bedürfnis, notwendigkeit;* him is tharf **3**,2 *er hat es nötig.*

þ e a r f *s.* þurfan.

ð e a r f a, *schw. adj., dann sb., m.,* 13, 41; *me.* þearfe *armer.*

þ e a r f e n d e *s.* þurfan.

þ e a r l, *adj.,* 18,23 *heftig, stark.*

þ e a r l î c, *adj.,* 8,678 *heftig, schwer;* 9,644 *schrecklich, schmerzlich.*

þ ê a w, *st. m.,* 15,169; ðêaw 11,129; þêau 15,203 *gebrauch, gewohnheit, sitte; me.* wiþ no þewe **46**,72 *füglich nicht; ne. dicht.* thew.

þ e c, ð e c *s.* þû.

þ e c c a n, *schw. v.,* 9,249 *bedecken; ne.* thatch.

þ e c c(e) a n, *schw. v.,* 3. *sg.* þeceð 9,216 *verbrennen.*

þ e d e *s.* þêod.

þ e f *s.* þêof.

þ e ȝ ȝ (r e) *s.* hê.

ð e g n, *st. m.,* 10,2907 *diener;* þegn(as) 8,683; *gen. pl.* ðegna **14**,*schl.-ged.* 27 *mann;* ðegn(um) **19**a,7 *jünger;* þegen(un) 19b,12; *me.* þeign(en) 19c,12; þein(es) **34**,13986; þayn 44,31 *krieger, soldat; ne.* thane.

þegnung, st.f., þêning(les.þênung) 14,15 dienst, offizium, rituale.
þêgon s. þicgan.
þeh, þêh, þei s. þêah.
þeignen, þeines s. ðegn.
þeire s. hê.
þen, ðen s. sê, þêon, þonne.
ðen- = ðe en-.
þencan, unreg. schw. v., 10,2891; me. ðenche 32,190; þenchen 37, 47; þenchæ 32,150(les.); thinke 59,30; thynk(e) 67,196; 3. sg. þencþ 21,73; me. ðenchet 32,79; p. präs. thynkande 49,8; prät. þôhte 21,71; me. þoute 46,150; þouȝte 47,1096; þouht 48,141; þoȝt(e) 50,72; thocht 60,56; pl. þôhtun 8,637; þôhton 11,208; þôhtan 15,123; me. þohten 34, 14027; þohhtenn 34,15575; þouȝt 42,7; p.p. thocht 62,11 (er)denken, gedenken; 21,71 beabsichtigen; ne. think (mischt sich mit þyncan).
þenden, konj., 8,714 so lange.
þene, ðene s. sê, þonne.
þêning s. þegnung.
þenne 32,121(les.) = þe ende.
þenne, ðenne s. sê, þonne.
þênung s. þegnung.
þêo s. sê.
þêod, st.f., 9,341; ðîod 14,52; ðêod 15,53; me. þed(e) 44,105; pl. þêode 15,29 volk; 22,1 land.
þêoden, st. m., flekt. þêodnes &c. 9,605 herr, könig, gott.
þêod-guma, schw. m., 11,208 mann (aus dem volke).
þêod-kyning, st. m., 26,34 (volks)könig.
þêodnes s. þêoden.
þêod-scipe, st. m., 8,695 gesetz; 16,83 zucht, disziplin.
þêof, st. m., me. þeof; þef 61,1148; dat. þeoue 32.43; pl. theues 44, 41 dieb; ne. thief.
þêo(h), st. m., me. þe; pl. þes 46, 441 hüfte, schenkel; ne. thigh.
þêon, st. v., me. þen 47,1048; the 67.328 gedeihen; prät. þêah 8,605 nützen.
þeonne s. þonne.
þêos, ðêos, þeos, ðeosse s. þes.
þeoudome s. þeow-dom.
þeoue s. þêof.
þêow, st. m., 15,117; kent. merc. ðîow 12,39, pl. ðîowas 12,7; me. þew diener.

þêowa, schw. m., 17,166 diener.
þêow-dôm, st. m., 15,87; me. þeoudom(e) 47,98 dienst, knechtschaft; 21,65 herrschaft.
þêowian, schw. v., präs. konj. pl. þêowion 21,46; me. þeowen; thowen; prät. pl. þeoudon 15,212 dienen.
þêowot, st. n., dat. þêowte 22,8 dienst, knechtschaft.
þêowot-dôm, st. m., pl. ðîowot-dômas14,11 dienst.
þêr, ðêr, þer s. sê, þær.
þer after, þerappon, ðerby s. þær.
þere, ðêre s. hê, sê.
þer efter, þereuore, þer fore s. þær.
ðerh s. þurh.
þerin, ðerinne, þerof, þeron, þer oute, þerto, þeruore, þerwith, þer þe s. þær.
þes, demonstr. pron., ðes; me. þes 37,78; f. þêos; me. ðeos 32,330; þes 40,77; þise 50,34; n. þis 17, 131; ðis 19a,14; me. þis 32,241; þiss 36,1; this 67,274; gen. m. n. ðisses 14,65; þysses 15,15; þyses 15,39; ðises 22,39; me. ðises; f. þisse; ðysse (les.ðeosse) 16,1; me. ðis 32,267; ðises 32,334; dat. m. n. ðissum 14,63; þissum 17,130; þyssum15,8; þisum 22,40; þysum; þisan 25,11; me. þisse 32,324; f. ðisse 14,25; þysse 15,226; me. ðusse 32,342; þissen; þisse 34, 13822; þis 34,13895; þise 50,20; this 62,1; akk. m. þisne 8,694; þysne 15,205; me. þisne 19c,15; ðesne 37,167; f. þâs 16,33; me. ðas; þas, þis 34,14018; n. ðis 14,39; þis 14,81; me. þis 46,217; þys58,108; this 67,70; thiss 71,4; instr. m. n. ðŷs 14,schl.-ged.28; þŷs; Ep. thŷs 1,10; pl. nom. akk. ðâs 15,17; þâs 17,152; me. þes 32,41; þas 32,230; þis 34,13797; þos 41,14; þose 58,77; þeos 34, 13922; þise 48,190; thes 59,50; thise 67,277; this 67,445; thir 73,15; gen. ðissa 14,22; þyssa 11, 187; dat.þissum 18,67; me. ðisse 32,308; þeos 34,13919 dieser; me. pl. auch: those 67,45; these 68, 25 jene; ne. this, these, those.
þes, ðes s. sê, þêoh.
þet s. þæt, sê.

þew(e) s. þêaw, þêow.
þeyh s. þêah.
ðeðen, adv., 39,1337 von da.
ðh- s. þ-.
þi s. þû; ði 32,238 fehler statt hi.
þî, ði, for þi darum, deshalb; s. sê.
þicgan, st. schw. v., prät. pl. þêgon
    8,687; me. þygge annehmen, emp-
    fangen; 3. sg. präs. ind. þigeð 9,
    219; konj. ðicge 22,7 verzehren,
    essen.
þider, adv., 15,164; þyder 11,129;
    ðider 17,81; me. þuder 32,46; þider
    32,47; ðuder 32,174; ðider 52,370;
    thedur 59,88; þyder 61,1119;
    th·dir 67,312 dorthin, wohin; ne.
    thither.
þiderweard, adv., 17,139; me.
    þiderward 40,7; thederward 67,
    245; thitherward dorthin zu; ne.
    thitherward.
ðierf s. þurfan.
þigeð s. þicgan.
þilk(e) s. ylka.
ðin, þin, ðin, þin s. þû.
þinceð, ðinche(n), þinchen,
    þincð, ðincð s. þyncan.
þine, ðine s. þonan, þû.
þînen, st. f., akk. ðînenne 11,172
    magd.
þing, st. n., 11,153; ðing 12,15;
    me. þing 28.39 (dat. pl. þingan 28,
    48); ðing 32,84; ðinȝ 32,316 (pl.
    þinges 32,386; þengeȝ 34,13854
    hs.); þingh(e) (hs.) 44,66; thing
    60,50 (pl. 62,11); þyng 61,1125;
    thyng 65,59,1; þiuk ding, sache,
    gegenstand: 37,124; 47,1107 we-
    sen; ne. thing; no þing 48,170
    keineswegs; vgl. unter nân.
ðingian, schw. v., 15,129 sich
    wenden an, eintreten für; þingian
    24,25; prät. pl. þingodon 15,183
    (er)flehen.
ðîod- s. þêod.
ðîow(a)(s) s. þêow.
ðîowot-dôm s. þêowotdôm.
ðirda s. þridda.
ðire s. þû.
ðis 32,154 = ð is, þet is.
þis(-), ðis(-) s. þes.
ðiu s. sê.
þð, schw. f., Ep. thôhae 1,1 ton,
    lehm.
þo s. þâ, sê.
þof, þoȝ, þohh s. þêah.
þoȝt(e), þohhte s. þencan.

þohhwheþþre s. hwæðere.
þôht, st. m., me. þohht 34,72; þouht-
    (es) 40,48; þouȝt 42,16; þoȝt(e)
    45,34; þout 46,113; thoght(e) 49,
    22; þoht(e) 54,15; thocht 62,33
    gedanke, geist; ne. thought.
þôhte, þohten s. þencan.
þolian, schw. v., 8,569; me. þoliȝen
    28,55; ðolie 32,182; þolien 33,19;
    þolenn 36,15610; þole 38,27; þolye
    40,5; thole 45,68; 3. pl. präs. ðolieð
    32,202; imp. þole 37,127; prät.
    þolode; me. þolede 32,184; pl.
    þoledon 11,215; p. p. me. tholyt
    62,13 dulden, (er)leiden.
þon s. sê, þonne.
þonan, adv., 17,18; þanon 10,2927;
    þanonne 11,132; ðonan 14,schl.-
    ged.9; þonon; ðanon 15,58; me.
    ðanne 32,141; þanne; thennes;
    thens 67,548; fra thine 66,380
    von da; ne. thence.
þonc, st. m., me. þonk; ðanc 32,90;
    ðanc(e) 32,241 gedanke, herz, sinn;
    þonc 7,209; þanc 10,2933; ðonc
    14,20; me. þanc 32,71; þank 44,
    160 dank; ne. thank.
þoncian, schw. v., þancian; me.
    þonkie 37,11; ðanc(e) 39,1320;
    þank(e); thank 67,172; p. präs.
    thankyng 65,63,5; prät. þancode
    22,31; p. p. thankit 71,17 (be)-
    danken; ne. thank.
þoncol-môd, adj., þancolmôd(e)
    11,172 denkend, klug.
þonc-snoter, adj., komp. nh.
    thoncsnotturra 3,2 klug.
þonc-wyrde, adj., 11,153 dankens-
    wert, angenehm.
þone s. sê.
þoner, göttern., dat. þonre, þunre
    84,13929 Donar; vgl. þunor.
þonne, adv., 17,5; ðonne 9,331;
    thænne 24,1; þanne; þænne; me.
    þænne 32,22; þenne 32,56; ðenne
    32,118; thanne; þeonne 37,118;
    þan 44,114; þanne 50,27; then
    58,101; þon; þen 60,117 dann, da,
    ferner; þen 48,23; þan 48,24; than
    66,379 damals; komp. konj., 10,
    2921; ðonne 17,86; nh. than 3,2;
    me. þen 32,1; þan 27,45; þanne
    32,2; þenne 32,28; þene 32,29;
    ðenne 32,213; ðen 32,40; ðan 32,
    71; þenne 32,390; þen 46,123;
    than 6212; then 67,13 denn, als;
    þͻnne 23,33; me. þenne 33,51 als

daჳ; 67,535 noch; þone; þonne 17,168; me. þanne 44,156 sobald als; ðonne 9,182; me. þane 82,6; ðenne 8:,74; þenne 32,233 wenn; ðonne 13,4 während; ðonne 19a, 16; me. þanne 50,2 denn. nun, also; ne. than, then.

þor, ðor s. sê, þǽr.

ðorftan, þorfte s. þurfan.

þorgh, þorh s. þurh.

þorisdai s. þunres dǽi.

þorn, st.m., me. pl. ðornes 89,1334 dorn, dornstrauch; ne. thorn.

þoru s. þurh.

þorwith s. þǽr.

þos(e) s. þes.

þou s. þû, þêah.

þouch s. þêah.

þouჳt s. þencan, þôht.

þouht s. þôht.

þourh(out) s. þurh.

þousand s. þûsend.

þout, þouth s. þôht.

þrâh, st. f., akk. þrâge 26,4; me. þraჳhe; þrowe 40,35 zeit, weile.

þrǽl, st. m., me. ðrel(es) 82,187; þrell(es) 88,101; þraL; thral 63,20, knecht; ne. thrall.

þre s. þrî.

þrêa, st. m. f. n., 8,678 übel, unglück, graus, strafe.

þrêagan, schw. v., 3. sg. präs. ind. ðrêað 20,6; merc. konj. ðrêge 18, 23; me. þraghe drohen, schelten.

þrêat, st. m., 8,672; ðrêat(um) 11,164; me. þræt; þret schar, gedränge.

þrêatian, schw.v., me.3. sg. þreteþ 52,7 (verderbt); thretes 57,31; prät. me. þrette 45,1; p. p. me. þrett 45,106 drängen, (be)drohen; ne. dicht. threat, vgl. threaten; vb.-sb. me. threting 57,30 drohung.

ðrêað, ðrêge s. þrêagan.

þrelles s. þrǽl.

þrel-weork, sb., pl. -es 88,102 knechtarbeit; vgl. þrǽl.

þrengen, v., prät. þrengde 27,27 bedrängen, drücken, zwängen.

þrêo, þrêora s. þrî.

þrêo-tŷne, zahlw., ðrêottŷne 15, 113; me. thrittene 65,63,1 dreizehn; vgl. ne. thirteen.

þrestel-coc, sb., 52,7; þrestelcok 54,52 drossel, drosselmännchen; vgl. *þrŷstle.

þreteþ, þrett(e) s. þrêatian.

þrî, zahlw., ðrîe 17,58; þrŷ 17,141; n. þrêo 22,77; me. thre 27,29; þreo 88,99; þre 86,15591; þri 50,36; gen. þrêora 15,153; dat. þrim 15,38; me. þrim 28,48 drei; ne. thr++e.

þridda, zahlw., 9,644; me. ðridde 82,140; þridde(n) 28,18; ðride 39, 1301; thyrde 49,5; thryd 67,460 der, die, das dritte; ne. third.

ðrîe s. þrî.

þrîfe, v., þryue 48,4; þryfe 67,191; thrîfe 67,243 gedeihen, wachsen; ne. thrive; p.p. þryuen 54.16 schön gewachsen, glücklich; so mot y þryue 61,1146 so wahr es mir gut gehen möge.

þrim s. þrî.

þringan, st. v., 9,336; me. þringe; prät. pl. þrungon 11,164; me. p. p. ythrungin 69,165,3 (sich) drängen, dringen, pressen, stoßen, schleudern.

þrîste, adj., me. þriste 32,19 dreist, leichtsinnig.

þristill s. *þrŷstle.

þrîtig, zahlw., 17,112; þrittig; me. þritti 50.87; thirte 67,125; thyrty 67,260 dreißig; ne. thirty.

þro, adj., 54,16 kühn, unbändig.

þrôstle, schw. f., drossel; ne. throstle.

þrote, schw. f., me. thröte 27,31 kehle, vorderhals; ne. throat.

þrou, þrough(e) s. þurh.

þrowe s. þrâh.

þrôwian, schw.v., fl. þrôwienne 15.218 dulden, erleiden.

þrôwung, st.f., 16,75; me. þrowung(e) 28,44; ðhrowing 89,1317 leiden.

þrûh, st.f., me.dat. þruwe 28,21 korb, sarg, begräbnis; ne. dial. (nördl.) throuch.

þrungon s. þringan.

þruwe s. þrûh.

þrŷ s. þrî.

þryfe s. þrîfe.

þrym(m), st.m., 8,641; ðrym(mum) 11,164; me. thrum schar, menge; 8,694 macht, kraft; 7,204; gen. pl. þrymma 9,628 glorie, herrlichkeit.

þrym-cyningc, st. m., 24,2 könig der heerscharen, gott.

þrym-sittend, p. präs. adj., 8,726 in herrlichkeit thronend.

þryng s. geþring.

þrŷnis, st. f., 8,726 dreieinigkeit.

25*

*þrýstle, *schw. f., me.* thristill
60,4 *drossel; vgl.* þrestelcoc.

þryue, þryuen *s.* þrífe.

þrýð, *st.f., instr. pl.* þrýþum **9**,326
schar, menge, masse; pl. þrýþe
9,184 *flut.*

þte *s.* þæt, *konj.*

þû, *pron.,* **7**,166; *me.* thu **27**,40; þu
33,61; þou **31**,13883; tu **34**,15586;
ðu **39**,1289; tou **47**,1051; thou **67**,
119; thow **71**,5; *gen.(als poss. flekt.)*
þîn **10**,2851; ðîn **13**,24; *me.* þi **32**,
29; ði **32**,29; ðin **39**,1287; þin **33**,
65; thin; þine **37**,31; þin **48**,61;
þyn **56**,14; thyn **64**,26; thi **67**,4;
thy **67**,139; *(poss. pron. gen. m. n.*
ðînes **13**,13; þînes **21**,52; *f.* ðînre
13,20; þînre **21**,48; *dat. m.* þînum
21,9; *me.* ðîne **37**,50; þîne **37**,155;
f. me. ðîre **37**,149; þire **37**,169; *akk.*
m. þînne **10**,2852; *f.* ðîne **13**,25;
þîne **21**,60; *pl. nom.* þîne **21**,65;
gen. ðînra **13**,25; þînra **21**,47);
dat. þê **11**,622; ðê **13**,14; *me.* þe **34**,
13887; ðe **37**,4; thee **67**,118; *akk.*
ðec **13**,9; þec; þê **21** 6; ðê **21**,73;
me. þe **33**,65; the **67**,124; thee
67,191 *du; ne.* thou, thee, thine,
thy; þe self **32**,29 *dir;* thy-self
69,169,3 *dich (refl.); ne.* thyself;
vgl. seolf.

þuder, ðuder *s.* þider.

ðufte *s.* ofþncan.

þûhte, þuhte *s.* þyncan.

þûma, *schw. m., Ep.* thûma **1**,19;
me. pl. þumbes **27**,22 *daumen; ne.*
thumb.

þunceð, þunche(n), þucheþ
s. þyncan.

þunne, *adj.,* **56**,34 *dünn, dürftig;*
ne. thin.

þunor, *st. m., me.* thoner(s) **67**,
346; *gen.* þunres **33**,61; *dat.*
þunre **33**,32 *donner; ne.* thunder;
vgl. þoner.

þunres dæi, *sb.,* þorisdai **34**,13929
[altnord. þôrsdagr] *donnerstag;*
ne. Thursday; *vgl.* þoner, þunor.

þurch(-), ðurch(-) *s.* þurh.

þurfan, *prät. präs., 1. 3. sg. präs.*
þearf **6**,22; *me.* ðierf *(les.* þarf) **32**,
43; ðearf **32**,163; þærf **32**,45; *pl.*
þurfon; þurfe **23**,34 *(vgl. Sievers,*
Gr. §360,2); konj. þurfe; *pl.* þyrfen
11,153; *me.* þurve **40**,26; *p. präs.*
þearfende **15**,89; *prät.* þorfte **18**,
39; *me.* þurte **44**,10; *pl.* þorftan

8,683; ðorfton **14**,95; ðorftan **15**,
129 *nötig haben, brauchen, (be-)*
dürfen; me. auch mögen.

þurh, *präp.,* **6**,18; ðurh **14**,35; *me.*
þurch **32**,41; ðurh **32**,198; durh
32,344; þurh **34**,13836; þurrh
36,7; þuruh **37**,122; þureh **40**,71;
þoru **46**,125; þorgh **48**,39; þorh;
throughe **59**,16; throu **60**,87;
through **64**,18; thoro **67**,278;
throw **71**,40 *durch, infolge von,*
gemäß; ne. through; þurh eall
15,217 *durchaus;* þurh alle þing
34,13884 *in jeder hinsicht;* þurrh
gastliʒ witt **36**,82 *in geistigem*
sinne; þurrh swillc **36**,47 *auf*
solche weise; konj. þurrh þatt **36**,
39; þorgh þat **48**,53 *dadurch daß;*
me. adv. und präp. þuruhut **37**,54;
þuruhtut **37**,70; ðurchut **37**,142;
þurhut **44**,52; þourh out **55**,4
durchaus, ganz durch; ne. through-
out.

þurhbindan?, *st.v., me. p. p.* þuruh-
bunden **37**,123 *ganz und gar*
binden.

þurhsêcan, *schw. v., me.* þurrh-
sekenn **36**,15633 *genau unter-*
suchen.

þurhsêon, *st. v., 3. sg. präs. me.*
ðurh sihð **32**,90 *durchschauen.*

þurhut *s.* þurh.

þurhwunian, *schw.v., prät.* þurh-
wunede **28**,28 *verweilen, verharren.*

þurled, þurles *s.* þyrlian.

þurrh *s.* þurh.

þurst, *st. m.,* **9**,613; ðurst(e) **13**,32;
me. þurst **32**,197; ðurst **32**,229;
thrist **70**,5 *durst; ne.* thirst.

þurste *s.* þyrstan.

þurte *s.* þurfan.

þuruh(-) *s.* þurh(-).

þus, *adv.,* **7**,196; ðus **12**,13; *me.* þus
33,40; þuss **36**,73; tuss **36**,81;
thus **49**,6 *so; ne.* thus.

þus 32,129 = þu his.

þûsend, *st. n.,* **9**,364; *me.* þusen
27,33; þusend **32**,352; thousande
44,127; þousand **48**,107 *tausend;*
ne. thousand.

þûsend-mælum, *adv.,* **11**,165
tausendfältig, zu tausenden.

ðusse *s.* þes.

þust-, ðust- *s.* þýst-.

þweorh, *adj., kent. gen. sg. f.* ðwerre
20,42 *quer, verkehrt.*

þwerrt ut, *adv.,* **36**,105 *durchaus.*

þ·w·e·r·t·e·n, *v., prät.* ŏwerted **39**, 1324 *durchkreuzen, hindern; ne.* thwart.

þ·ŷ, ŏ·ŷ·l·æ·s, **14,***schl.-ged.*29 *s.* sê.

þ·y·d·e·r *s.* þider.

þ·y·n·c·a·n, *unreg. schw. v.,* þincan **8,662**; ŏyncan **12,44**; *me.* ŏinche **82,62**; þinche(n) **88,3**; þunche **46**, 238; *3. sg. präs.* (mê) þinceŏ **10**, 2895; ŏyncŏ **14,53**; *me.* me þincŏ **82,5**; ŏincŏ **82,352**; þuncheŏ **87**, 63; þuncheþ **40,40**; þinkeþ **46,218**; þingþ; thynk **67,496**; thynkys **67,511**; think; *prät.* þûhte **17,80**; *me.* þuhte **40,63**; thoucht **60,63**; thoght **67,19**; thocht **71,2** (*berührung mit* þencan); *p. p.* geŏûht **15,190** *dünken, scheinen; ne.* methinks.

þ·y·n·g *s.* þing.

þ·y·n·k(e) *s.* þencan, þyncan.

þ·y·r·e·l, *st. n.,* **6,21**; *me.* þurl *loch, öffnung; ne. dial.* thirl, thurl (*vgl. ne.* nostril).

þ·y·r·e·l, *adj., akk.*-ne **14,***schl.-ged.*27 *durchlöchert; s. sb.*

þ·y·r·f·e·n *s.* þurfan.

Þ·y·r·i·n·g·a·s, *volksn., st. m. pl.,* **17,16** *Thüringer.*

þ·y·r·l·i·a·n, *schw. v., me.* þurle(s) **88,5**; *p. p.* þurled **55,13** *durchlöchern, durchbohren; ne.* thrill.

þ·y·r·s·t·a·n, *schw. v., me.* þurste **40,24** *dürsten; ne.* thirst.

þ·y·s, þ·y·s-, ŏ·y·s- *s.* þes.

þ·ŷ·s·t·e·r·n·e·s·s, *st. f., me.* ŏuster-nesse **82,277** *finsternis.*

þ·ŷ·s·t·r·e, *adj.,* (-an) **8,683**; *me.* þustre **82,76** *düster, finster.*

þ·ŷ·s·t·r·i·a·n, *schw. v., me.* þustren *prät.* þŷstrodon **21,1** *finster, trüb werden.*

Berichtigungen und nachträge während des druckes.

2,9 *lies* foldun *statt* foldu.

6,2 *lies* eom *statt* êom.

8,582 *ergänze in den lesarten:* ofes-lice **hs.**

10,2885 *lies* þe *statt* þê.

11,166 *lies* gê *statt* ge.

15,*z.*115—139 *setze die zeilenweiser richtig um je eine zeile höher.*

18,72 *schalte in den lesarten vor* wealas *ein:* weealles *A* ‖.

19, *s.* 65 *in z.* 4 *der lesarten zu* c *lies* comŏ‖ic *statt* comŏ ic.

36,15594 *lies* fowwerrti**ʒ** *statt* fo-wwerrti**ʒ**.

36,15621 *lies* trowwenn *statt* tro-wwen.

89,1292 *lies* him *statt* tim.

47,1041 *tilge komma hinter* kan.

50,39 *lies* byeþ *statt* byeþ.

50,48 *lies* þet *statt* þet.

50,75 *setze punkt hinter* guodes.

54,10 *u.* 11 *berichtige zeilenweiser.*

62,12 *lies* precious *statt* pretious.

64,25 *lies* reprevable *statt* reple-vable.

67,12 *lies* vnkyndnes *statt* un-kyndnes.

67,14 *lies* why *statt* whi.

67,120 *lies* as stele *statt* a stele.

67,125 *lies* euen *statt* even.

67,148 *lies* After *statt* Alter.

67,228 *lies* qwyte *statt* quite.

67,333 *lies* haue *statt* have.

67,339 *setze nach* me *rufzeichen.*

67,344 *lies* euen *statt* even.

67,349 *lies* towres *statt* towers.

67,370 *setze nach* dry *semikolon.*

Seite 208 *unter* ac *nach* 6,17; *ergänze:* ah **19d**,10.

Seite 213 *unter* ande *nach* honde *ergänze:* ond.

Seite 223 *unter* berstan *tilge komma nach:* borsten.

Seite 223 *unter* betwêonum *nach* 47,1101; *ergänze:* bytwene **58,135**.

Seite 225 *unter* bîtan *tilge semikolon nach* 15581.

Seite 230 *unter* byding *lies* bêodan *statt* beôdan.

Seite 232 *unter* cempa *nach* 14,84; *ergänze:* merc.

Seite 232 *unter* cempa *nach* kempa *ergänze:* 19d,12.

Seite 282 *unter* hê *lies* it **89,1320** *statt* it **39,1520**.

Seite 283 *unter* hê *nach* heom 27,18 *ergänze:* ; her **58,99**.

Seite 294 *unter* ielde *nach* 2,5 *ergänze:* ; ylda **16,41** (*les.*).

Verlag Wilhelm Braumüller, Wien u. Leipzig.

Wiener Beiträge zur englischen Philologie.

Begründet von weiland J. Schipper.

Unter Mitwirkung von A. Pogatscher, R. Fischer, L. Kellner, R. Brotanek und A. Eichler

herausgegeben von Karl Luick.

In dieser Sammlung sind bisher erschienen:

XVIII. Bd.: George Farquhar, sein Leben und seine Original-
dramen von **Dr. D. Schmld,** Professor an der Realschule in
Leipnik. 1904. **8 Mk.**

XIX. Bd.: Thomas Hood und die soziale Tendenzdichtung
seiner Zeit von **Emil Oswald,** Dr. phil. (Wien) 1904.
3 Mk. 40 Pf.

XX. Bd.: John Hookham Frere, sein Leben und seine Werke,
sein Einfluß auf Lord Byron von **Albert Elchler,**
Dr. phil. (Wien) 1905. **6 Mk.**

XXI. Bd.: Die Fassungen der Alexius-Legende mit beson-
derer Berücksichtigung der mittelenglischen
Versionen von **Margarete Rösler,** Dr. phil. (Wien) 1905.
6 Mk.

XXII. Bd.: Die englische Pädagogik im 16. Jahrhundert, wie
sie dargestellt wird im Wirken und in den Werken
von Elyot, Ascham und Mulcaster. Von **Cornelie Benn-
dorf.** (Wien) 1905. **3 Mk.**

XXIII. Bd.: Roger Boyle, Earl of Orrery und seine Dramen. Zur
Geschichte des heroischen Dramas in England. Von **Eduard
Slegert,** Dr. phil. (Wien) 1906. **2 Mk. 50 Pf.**

XXIV. Bd.: James Thomson der Jüngere, sein Leben und seine
Werke von **Josefine Weissel.** (Wien) 1906. **4 Mk.**

XXV. Bd.: Tennysons Sprache und Stil von **Roman Dyboski,** Dr. phil.
1907. **15 Mk.**

XXVI. Bd.: Samuel Taylor Coleridge, The ancient Mariner
und Christabel. Mit literarhistorischer Einleitung und
Kommentar. Herausgegeben von **Dr. Albert Elchler.** 1907.
5 Mk.

XXVII. Bd.: Deutsche Kulturverhältnisse in der Auffassung
W. M. Thackerays von **Heinrich Frisa,** Dr. phil. (Wien)
1908. **2 Mk.**

XXVIII. Bd.: Andrew Marvells poetische Werke von **Robert Poscher,**
Dr. phil. (Wien) 1905. **5 Mk.**

XXIX. Bd.: Thomas Randolph, sein Leben und seine Werke
von **Karl Kottas,** Dr. phil. (Wien) 1909. **8 Mk.**

XXX. Bd.: Erasmus Darwins Botanic Garden von **Dr. Leopold
Brandl,** Professor an der Staats-Oberrealschule im 1. Bezirk.
(Wien) 1909. **5 Mk.**

XXXI. Bd.: Charles Churchill, sein Leben und seine Werke von
Ferdinand Putschi. (Wien) 1909. **3 Mk. 40 Pf.**

XXXII. Bd.: Winthrop Mackworth Praed, sein Leben und seine
Werke von **Mathilde Kraupa.** (Wien) 1910. **4 Mk.**

XXXIII. Bd.: -w-Schwund im Mittel- und Frühneuenglischen von
Dr. Josef Mafik. 1910. **3 Mk. 40 Pf.**

XXXIV. Bd.: Joanna Baillies, Plays on the Passions von **Alfred
Badstuber,** Dr. phil. (Wien) 1911. **4 Mk.**

XXXV. Bd.: Milton und Caedmon von **Stephanie v. Gajšek,** Dr. phil.
(Wien) 1911. **2 Mk.**

XXXVI. Bd.: James Shirley, sein Leben und seine Werke, nebst
einer Übersetzung seines Dramas „The Royal
Master" von **J. Schipper.** Mit einem Bilde des Dichters.
1911. **14 Mk.**

Die angesetzten Preise der bis Ende 1918 erschienenen Bände erfahren derzeit einen Verleger-Teuerungsaufschlag von 400 Prozent, die 1919 erschienenen 300 Prozent, 1920 200 Prozent.

Druck:
Customized Business Services GmbH
im Auftrag der KNV-Gruppe
Ferdinand-Jühlke-Str. 7
99095 Erfurt